DICTIONNAIRE DE DROIT QUÉBÉCOIS ET CANADIEN

avec

LEXIQUE ANGLAIS-FRANÇAIS

DICTIONNAIRE DE DROIT QUÉBÉCOIS ET CANADIEN

avec

LEXIQUE

ANGLAIS-FRANÇAIS

Par

Hubert REID, avocat

Professeur titulaire, Faculté de droit,

Université Laval

2e tirage, revu et corrigé

FILIALE DE COMMUNICATIONS QUEBECOR INC.

Wilson & Lafleur ltée

40, rue Notre-Dame Est

Montréal H2Y 1B9

(514) 875-6326

(sans frais) 1-800-363-2327

Données de catalogage avant publication (Canada)

La Bibliothèque nationale du Canada a catalogué cette publication de la manière suivante :

Reid, Hubert, 1933-

Dictionnaire de droit québecois et canadien

ISBN 2-891127-306-0

1. Droit – Canada – Dictionnaires. 2. Droit – Québec (Province) – Dictionnaires. I. Titre

KE183.R44 1994 349.71'03 C94-941396-8

2e tirage, revu et corrigé, 3e trimestre 1996

Une filiale de Communications Quebecor Inc.

Montréal, Canada

Dépôt légal : 4e trimestre 1994

Bibliothèque nationale du Québec

ISBN 2-89127-306-0

Introduction

Le *Dictionnaire de droit québécois et canadien* est un instrument de recherche qui vise essentiellement à répondre à un besoin pratique : permettre à la personne qui le consulte de mieux comprendre le sens et la portée des termes juridiques que l'on utilise en droit québécois et en droit fédéral canadien. Il vient combler une lacune que l'on déplore depuis longtemps, soit l'absence d'un dictionnaire général de langue française couvrant l'essentiel du droit de notre pays. Il existe certes des dictionnaires canadiens d'une qualité remarquable qui offrent des définitions dans certains secteurs de notre droit mais il faut reconnaître que, vu leurs caractéristiques particulières, ils ne peuvent fournir à l'utilisateur toutes les définitions qu'il souhaiterait y trouver.

De plus, lorsqu'ils sont appelés à interpréter des textes juridiques rédigés au Canada, les juristes savent qu'il leur faut prendre des précautions extrêmes s'ils consultent des dictionnaires conçus à l'extérieur de notre pays. En effet, puisque les définitions qu'ils contiennent se fondent sur le droit d'un État dont le régime juridique diffère, du moins en partie, de celui qui prévaut au Canada, il arrive souvent que le même terme reçoive là-bas une acception qui est distincte de celle que nos législateurs ou nos tribunaux ont pu lui donner. On doit même ajouter que certains termes de droit privé, bien que prenant source dans le droit français, ont reçu au Québec, au cours des ans, une interprétation originale, le plus souvent à cause de l'influence du droit anglais ou du droit américain. Il s'ensuit que la définition d'un terme dans un dictionnaire étranger de langue française risque parfois d'induire en erreur la personne qui le consulte relativement à un sujet propre au droit québécois.

Enfin, vu l'accroissement des échanges commerciaux entre les entreprises canadiennes et étrangères et la multiplication des liens juridiques entre le Canada, le Québec et les autres États, il importe que toutes les personnes entrant en contact avec notre droit puissent saisir le véritable sens des termes que l'on y utilise. Le *Dictionnaire de droit québécois et canadien* devrait offrir, du moins de façon générale, une réponse satisfaisante à leurs interrogations.

L'impact de l'évolution du droit

Tout dictionnaire juridique ne peut échapper à une réalité qui lui est propre : il doit décrire tant le droit antérieurement en vigueur que le droit actuel. En effet, il a nécessairement pour mission de présenter les termes juridiques dans leur perspective historique en ce sens qu'il doit offrir à l'utilisateur des définitions qui lui permettent de bien comprendre l'évolution de certaines notions par suite de l'action du législateur ou de l'influence de la jurisprudence. Par contre, il se doit d'offrir une photographie exacte du droit en vigueur au moment de sa rédaction, afin qu'il puisse être utile à la personne désireuse d'analyser ou d'interpréter le droit d'un État. Le *Dictionnaire de droit québécois et canadien* doit évidemment se soumettre à cette double obligation. Ainsi, dans certains secteurs, par exemple en droit administratif, les définitions proposées reflètent le plus fidèlement possible l'état actuel du droit tout en tenant compte de l'évolution de la jurisprudence. C'est cependant l'existence de deux Codes civils qui a soulevé le plus de difficultés dans la préparation du *Dictionnaire*.

Toute personne qui s'est intéressée à l'évolution du droit privé québécois, au cours des dernières années, conviendra que l'on ne puisse actuellement concevoir un dictionnaire juridique en faisant abstraction du langage utilisé dans l'un ou l'autre des Codes civils. Puisque le *Code civil du Bas-Canada* a constitué la pierre angulaire de notre droit privé, pendant plus de cent-vingt-cinq ans, il importe alors de définir les principaux termes juridiques qu'il contient tout en tenant compte des décisions des tribunaux qui ont pu, à l'occasion, les interpréter.

Par contre, le *Code civil du Québec* ne facilite pas la tâche de la personne qui désire préciser le sens de certains termes dans un dictionnaire. Il est vrai que ce nouveau code propose un grand nombre de définitions dont la clarté rend inutile toute reformulation qui n'en serait, en fait, qu'une paraphrase. Cependant, si le *Code civil du Québec* contient des notions nouvelles que l'on peut aisément identifier et définir, il reprend souvent des concepts du *Code civil du Bas-Canada* sous le couvert de termes nouveaux ; ainsi, par exemple, le terme « piraterie » a été remplacé par l'expression « fait des écumeurs de mer ». De plus, certains mots reprennent des notions du *Code civil du Bas-Canada* tout en y apportant des modifications importantes qui en élargissent ou en restreignent le sens ou la portée ; c'est le cas notamment des termes « priorité » et « servitude ».

Aussi, afin de faciliter la recherche et la compréhension de la personne qui consulte le *Dictionnaire*, a-t-il semblé opportun :

1) de préciser, le cas échéant, de quel code une définition est extraite lorsqu'elle constitue une reproduction fidèle du texte législatif ;
2) d'illustrer par des exemples nombreux les définitions proposées ;
3) d'ajouter des informations complémentaires, sous forme de remarques, lorsqu'il importe de souligner les différences entre le *Code civil du Bas-Canada* et le *Code civil du Québec*. Les spécialistes du droit civil pourront certes signaler l'insuffisance de certaines explications, voire l'absence de nuances. Qu'ils nous permettent alors de préciser qu'un dictionnaire juridique ne vise pas les mêmes objectifs qu'un ouvrage de doctrine.

En terminant, on ne peut passer sous silence l'impact de la dernière révision des lois fédérales de 1985. Cette opération, qui a permis d'améliorer la qualité du texte français, a eu pour effet principal d'imposer à l'auteur, lors de la rédaction de certaines définitions, l'obligation de faire ressortir les ressemblances et les dissemblances entre les termes antérieurs à cette réforme et le nouveau vocabulaire qui prévaut depuis ce temps.

Les personnes à qui s'adresse le *Dictionnaire*

Il devrait normalement satisfaire aux besoins des juristes en général, qu'ils soient québécois, canadiens ou étrangers. Les spécialistes dans certains secteurs du droit pourront certes ressentir quelques frustrations lorsqu'ils le consulteront, plus précisément s'ils y constatent l'absence de certains mots ou, encore, l'omission d'un sens particulier dans l'une ou l'autre des définitions. Souhaitons seulement que ces personnes aient l'obligeance de souligner ces lacunes et la patience d'attendre les éditions ultérieures du *Dictionnaire*.

Il s'adresse également aux secrétaires juridiques et aux étudiants en droit. C'est principalement à l'intention de ces clientèles que des exemples et des notes explicatives complètent certaines définitions lorsqu'elles sont trop techniques et quelque peu hermétiques.

De plus, les traducteurs, de même que les personnes appelées, par leurs fonctions, à rédiger ou à interpréter des textes juridiques impliquant des notions de droit québécois ou de droit fédéral canadien, tireront un profit certain à le consulter ; d'ailleurs, le lexique anglais-français qui complète le *Dictionnaire* pourra, à cet égard, leur faciliter la tâche.

Enfin, on peut présumer que cet ouvrage sera utile aux membres d'autres professions (ex. les comptables, les administrateurs et les journalistes) appelés à oeuvrer dans des champs d'activité connexes au droit.

Pour conclure, peut-on émettre le souhait que le lecteur trouve autant de plaisir et de satisfaction à consulter le *Dictionnaire* que l'auteur en a eu à le préparer. Si, après avoir pris connaissance des définitions qu'il recherche, il en retient une meilleure compréhension du droit québécois et du droit fédéral canadien, il sera alors possible de conclure que le *Dictionnaire* a atteint les objectifs que l'auteur s'était fixés.

Remerciements

Je tiens à exprimer mes remerciements aux personnes qui ont apporté leur collaboration tout au long de la préparation de cet ouvrage. En premier lieu, je désire souligner la qualité du travail effectué par les juristes qui ont contribué à la recherche et à la rédaction de certains textes : Monsieur Jean-Pierre Arsenault, ainsi que Mes Germaine Banville, France Beauregard, Claire Carrier, Martine de Billy, Ghislaine Gagnon, Marie-Josée Houde, Dominique Lizotte et Sylvie Loiselle. Un merci plus particulier à Me Hélène Gingras pour la compétence remarquable dont elle a fait preuve au cours des mois consacrés à la rédaction finale du dictionnaire ainsi qu'à messieurs Simon Reid et Sébastien Viau qui, grâce à la qualité de leur recherche et à leur persévérance, ont permis d'assurer à cet ouvrage une valeur que je n'aurais pu offrir seul.

Il ne faut pas oublier de signaler et remercier les nombreux auxiliaires de rédaction et de recherche (secrétaires, techniciens juridiques, correcteurs) pour leur contribution très efficace à la préparation matérielle et à la révision des textes, notamment mesdames Marjolaine Caron, Monick Debroux, Christiane Deschênes, Charlotte Dubé, Lucie Poirier et Sylvie Rousseau ainsi que monsieur Stéphane Côté-Coulombe. Il convient également de remercier monsieur Paul Lainé et son équipe d'*Informatout - Services informatiques* qui ont fourni une collaboration constante depuis les tout premiers moments de l'entrée en mémoire des textes finals ; c'est grâce à leurs conseils que l'on peut offrir à l'utilisateur un instrument de recherche dont la consultation est simple et efficace.

Enfin, je tiens à remercier plus particulièrement mon épouse, Claire Grégoire, qui, en plus d'avoir collaboré étroitement à la préparation matérielle de cet ouvrage, a fait preuve d'une patience et d'une sérénité remarquables alors que je consacrais un nombre d'heures peut-être excessif à la conception et à la rédaction de ce dictionnaire.

Hubert REID

Présentation du dictionnaire

Le *Dictionnaire de droit québécois et canadien* contient environ huit mil cinq cents (8500) entrées et définitions. Il regroupe les termes de notre vocabulaire juridique les plus couramment utilisés, le choix des mots à définir et le contenu des définitions se fondant sur une expérience acquise par l'auteur au cours de trente ans d'enseignement et de recherche ainsi que sur une expertise qu'il a développée dans la rédaction de textes législatifs.

Seuls des termes ayant un sens juridique certain ont fait l'objet de définitions. La grande majorité d'entre eux est de langue française ; on constatera cependant la présence de termes latins ou anglais. Certains mots latins (ainsi que des locutions et des maximes) sont maintenant consacrés par l'usage (ex. *ab absurdo*, *ultra vires*) alors que d'autres sont devenus partie intégrante de notre droit à cause de l'influence du droit anglais du temps qu'il était rédigé par des juristes utilisant parfois le latin plutôt que l'anglais (ex. *habeas corpus*, *mandamus*). Quant aux termes anglais définis dans le *Dictionnaire*, il s'agit pour la plupart de mots dont il n'existe pas de pendant en langue française.

De plus, il a semblé utile d'inclure dans le *Dictionnaire* les abréviations que l'on utilise le plus souvent pour désigner les revues juridiques et les recueils de jurisprudence ainsi que celles que l'on emploie généralement dans la doctrine et la jurisprudence aux lieu et place de certaines expressions (ex. A.A.N.B.).

Il importe également de préciser que les définitions proposées font abstraction des conflits de doctrine et de la contradiction entre certains arrêts de nos tribunaux, l'auteur ayant retenu uniquement le sens qui lui semblait le plus conforme à l'esprit de la loi ou à l'opinion prépondérante.

Enfin, même si un dictionnaire n'a pas à exposer, dans les définitions, le régime juridique des notions qui y sont présentées, par contre, il peut s'avérer nécessaire de préciser, à l'occasion, le champ d'application d'une définition afin de faciliter la compréhension du lecteur ; d'ailleurs, certains dictionnaires juridiques effectuent systématiquement ce travail. On peut toutefois douter de l'utilité de cet exercice de classification puisqu'il est souvent impossible de situer un terme dans une catégorie précise ; aussi a-t-il semblé préférable d'offrir au lecteur des exemples ou des notes explicatives qui devraient normalement lui procurer une information satisfaisante.

Voici maintenant, le plus succinctement possible, ce que chaque mot défini dans le *Dictionnaire* comprend ou peut comprendre.

1. L'entrée

Les entrées (mots à définir) sont disposées suivant l'ordre alphabétique, sans tenir compte des blancs, des traits d'union, des accents, des apostrophes et des parenthèses. Toutefois, afin de contrer l'effet d'un classement purement continu qui, en étant trop strict, aurait compliqué la lecture de l'utilisateur, il a paru préférable d'établir, sous chaque définition générale, des définitions particulières portant sur le même concept ; ce qui permet de respecter le principe général de l'ordre alphabétique.

Chaque entrée est présentée au singulier, sauf dans les cas où il s'agit de termes normalement utilisés au pluriel. Il arrive parfois que des termes écrits au singulier soient, à cause du contexte juridique, complétés d'un pluriel entre parenthèses ((s)).

Les mots simples (ex. abandon, aliénation) et les mots composés (ex. avant-contrat, nu-propriétaire) sont immédiatement suivis, sous forme d'abréviations, de diverses informations :

- leur fonction grammaticale (adjectif, adverbe, nom, verbe) ;
- leur genre, sauf lorsqu'un terme présente la même forme dans les deux genres ;
- leur forme féminine, le cas échéant, présentée par un suffixe après le genre masculin. De façon générale, les recommandations de l'Office de la langue française concernant la féminisation des termes ont été retenues ;
- le pluriel des mots simples, lorsqu'il constitue une exception aux règles habituelles, ainsi que celui des mots composés.

De plus, il n'y a qu'une seule entrée pour un adjectif et un nom dont l'orthographe est identique au féminin (ex. absent). Sinon, deux entrées ont été prévues, l'adjectif précédant alors le nom (ex. saisi et saisie).

Enfin, les entrées en langue étrangère (latin ou anglais) apparaissent en italique sauf lorsqu'elles ont été intégrées complètement dans notre droit.

2. La définition

Chaque entrée est suivie d'une ou de plusieurs définitions dont la présentation respecte les règles suivantes :

- lorsqu'une définition contient le sens général d'un mot, elle est précédée d'un carré blanc (□).
- S'il existe plusieurs sens généraux, chacun est numéroté tout en étant également précédé d'un carré blanc.
- lorsqu'une définition générale est suivie d'une définition plus particulière, celle-ci est précédée d'un point noir (•).
- S'il y a plusieurs sens particuliers, chacun apparaît conformément à l'ordre alphabétique, sans numérotation.

Toutes les définitions sont rédigées au masculin qui est alors considéré comme neutre ou générique, incluant ainsi le féminin.

Le lecteur constatera que, dans certains cas, il a paru préférable d'effectuer de simples renvois (par l'utilisation de la lettre V) afin d'éviter une répétition inutile de définitions, notamment lorsque leur multiplication n'aurait rien ajouté à la connaissance de l'utilisateur.

Il importe enfin de noter, que lorsqu'une définition du *Dictionnaire* reproduit intégralement le texte d'une loi, la source législative y est clairement indiquée.

3. Les informations complémentaires

Chaque définition est suivie de l'une ou l'autre des informations suivantes :

- **L'exemple** (Ex.)

  Celui-ci a pour but d'illustrer, de façon concrète, le contenu de la définition, surtout lorsque celle-ci porte sur un sujet technique ou une matière nouvelle.

- **La remarque** (Rem.)

  Elle vise à éclairer le lecteur sur certains aspects particuliers du terme défini, à lui fournir d'autres définitions tirées le plus souvent de textes législatifs ou de lui procurer un éclairage qui lui permette de mieux saisir la portée réelle de la définition.

– **Le synonyme** (Syn.)

Deux termes sont identifiés comme synonymes lorsqu'il y a interchangeabilité parfaite entre eux ou lorsqu'ils recouvrent exactement le même concept juridique. En cas de doute sur la synonymie ou de l'existence de nuances, les deux termes sont alors placés à la suite du mot « Comparaison » (Voir Comp. ci-dessous).

– **Le contraire** (Contr.)

Deux termes peuvent évidemment être considérés comme de véritables antonymes. Cependant, vu la rareté d'une telle situation, il a paru préférable d'utiliser un terme moins contraignant (« contraire »), qu'il y ait antonymie parfaite ou simple opposition entre les deux termes.

– **La comparaison** (Comp.)

Cette information permet de révéler au lecteur une relation étroite entre deux termes ou un sens voisin ou complémentaire entre deux notions faisant l'objet d'une définition dans le *Dictionnaire*.

– **La traduction** (Angl.)

On y trouve enfin la traduction du terme défini. Certains pourront sûrement signaler l'absence de termes anglais qui auraient pu s'ajouter à ceux qui ont été retenus. Celle-ci s'explique par la décision de l'auteur de n'inclure que les mots consacrés par les grands dictionnaires bilingues ou unilingues anglais.

De plus, il est possible que l'on critique l'orthographe de certains termes anglais. Il a fallu, à l'occasion effectuer des choix, notamment lorsqu'il n'existe pas de règle absolue dans la langue anglaise (ex. l'emploi du trait d'union) ou qu'il n'y a pas unanimité dans les dictionnaires concernant l'utilisation de certains préfixes (le *in*, le *un*, ou le *non*) pour la présentation d'un mot qui est le contraire d'un autre.

Enfin, le lecteur constatera que les termes latins ne sont généralement pas traduits, vu l'inutilité de cette opération.

4. Le lexique

Le *Dictionnaire* se termine par un lexique anglais - français qui constitue un instrument de recherche pour les personnes qui abordent, par le biais de la langue anglaise, le droit québécois et le droit fédéral canadien. Il présente, par ordre alphabétique, l'ensemble des termes anglais apparaissant sous chacune des définitions.

Table des abréviations

a.	article
abrév.	abréviation
adj.	adjectif
adv.	adverbe
al.	alinéa
Angl.	Anglais
art.	article
c.	chapitre, contre
ch.	chapitre
Comp.	comparaison
Contr.	contraire
dém.	démonstratif
dir.	direct
etc.	*et cetera*
ex.	exemple
f.	féminin
fem.	*feminine*
ind.	indirect
intr.	intransitif
inv.	invariable
L.	Livre
lat.	latin
loc.	locution
m.	masculin
masc.	*masculine*
n.	nom
n.f.	nom féminin
n.f.pl.	nom féminin pluriel
n.m.	nom masculin
n.m.pl.	nom masculin pluriel
p.	page
par.	paragraphe
pl.	pluriel
prép.	préposition
pron.	pronom
pronom.	pronominal
qqc.	quelque chose
qqn.	quelqu'un
Rem.	Remarque
Syn.	Synonyme
t.	tome
tr.	transitif
V.	voir
v.	verbe
v. intr.	verbe intransitif
v. pronom.	verbe pronominal
v. tr.	verbe transitif
v. tr. ind.	verbe transitif indirect
vol.	volume

A.A.N.B.

☐ Abrév. de *Acte de l'Amérique du Nord britannique.* V. *LOI CONSTITUTIONNELLE DE 1867.*

Ab.

☐ Abrév. de *Abridgment.*

Ab absurdo

☐ Locution latine signifiant « par l'absurde ». Se dit d'un raisonnement qui tend à prouver le bien-fondé d'une proposition par la démonstration de l'absurdité de la proposition contraire.

Abandon *n.m.*

☐ **1.** Acte par lequel une personne renonce à un bien, un droit, une prétention juridique.
Comp. abdication, renonciation
Angl. *abandonment, release, renunciation*

• **Abandon de la résidence familiale :** Le fait, pour l'un des époux, de quitter la résidence familiale du couple.
Comp. domicile, résidence familiale
Angl. *abandonment of the family residence*

☐ **2.** État d'un bien délaissé. Ex. Un immeuble laissé à l'abandon.
Angl. *abandonment*

☐ **3.** Acte criminel par lequel une personne abandonne illicitement un enfant de moins de dix ans de sorte que la vie de ce dernier soit mise en danger ou risque de l'être ou que sa santé soit compromise de façon permanente ou risque de l'être.
Rem. On qualifie notamment d'abandon l'omission, par une personne légalement tenue de le faire, de prendre soin d'un enfant ou le fait de le traiter d'une façon pouvant l'exposer à des dangers contre lesquels il n'est pas protégé.
Angl. *abandoning child*

Abandonnataire *n.*

☐ Personne au profit de laquelle est fait un abandon de biens.
Contr. abandonnateur
Comp. abandon
Angl. *abandonee, releasee*

Abandonnateur, trice *n.*

☐ Personne qui fait un abandon total ou partiel de biens.
Contr. abandonnataire
Comp. abandon
Angl. *releaser, releasor*

Abattement *n.m.*

☐ **1.** En droit fiscal, déduction que peut effectuer un contribuable sur son revenu imposable, avant la détermination de l'impôt qu'il doit verser.
Comp. crédit d'impôt, déduction, dégrèvement, exemption, exonération
Angl. *abatement*

☐ **2.** Réduction effectuée sur une somme d'argent déjà fixée.
Angl. *abatement*

Abdication *n.f.*

☐ **1.** Renonciation à un droit.
Angl. *abdication*

☐ **2.** Renonciation à une fonction suprême.

Ex. L'abdication d'un roi, d'un empereur.

Comp. abandon, renonciation

Angl. *abdication*

Ab initio

☐ Locution latine signifiant « depuis le début », « dès l'origine ». Ex. Ce contrat est nul *ab initio*, c'est-à-dire dès sa formation.

Ab intestat

☐ Locution (dérivée du latin) signifiant « sans testament ». Se dit d'une succession qui s'ouvre en l'absence d'un testament, la dévolution des biens étant alors établie par la loi.

Contr. testamentaire

Comp. succession *ab intestat*

Abolir *v.tr.*

☐ Faire cesser la validité. Ex. Abolir un usage, une loi, une peine.

Comp. abolition, abrogation

Angl. *to abolish*

Abolition *n.f.*

☐ Suppression, annulation d'un état de droit. Ex. L'abolition de la peine de mort.

Comp. abolir, abrogation

Angl. *abolition*

À bon droit

☐ Avec raison, conformément à la loi.

Angl. *legitimately, with good reason*

Abornement *n.m.*

☐ Opération matérielle consistant à délimiter par des bornes la frontière entre deux terrains contigus.

Comp. aborner, bornage

Angl. *delimitation, marking out*

Aborner *v.tr.*

☐ Procéder à l'abornement.

Comp. abornement, borner

Angl. *to delimit, to mark out*

Aboutissants *n.m.pl.*

☐ Fonds de terre qui sont adjacents aux petits côtés d'une propriété.

Comp. tenants

Angl. *conterminous lands, conterminous properties, metes and bounds* (tenants et aboutissants)

Abr.

☐ Abrév. de *Abridgment.*

Abrogation *n.f.*

☐ Anéantissement, pour l'avenir, d'une disposition législative ou réglementaire. L'abrogation est expresse lorsqu'elle est prévue explicitement par la disposition nouvelle ; elle est implicite ou tacite lorsqu'il y a contradiction réelle ou incompatibilité entre la disposition ancienne et la nouvelle.

Contr. promulgation

Comp. abolition, vigueur (en)

Angl. *abrogation, repeal*

Abroger *v.tr.*

☐ Rendre nul pour l'avenir. Ex. Abroger une loi, un règlement.

Contr. promulguer

Comp. abolir, abrogation

Angl. *to abrogate, to repeal*

Absence *n.f.*

☐ État d'une personne qui a disparu pendant un certain temps de son domicile ou de sa résidence sans que l'on ait aucune nouvelle de son existence.

Rem. L'absence n'entraîne pas la dissolution du mariage.

Comp. absent

Angl. *absence*

Absent, ente *adj. et n.*

☐ **1.(adj.)** Qui est dans la situation juridique de l'absence.

Comp. absence

Angl. *absent*

☐ **2.(n.)** Personne disparue de son domicile ou de sa résidence et dont l'existence est mise en doute sans que l'on ait la certitude de son décès.

Rem. L'art. 84 du *Code civil du Québec* le définit comme suit : « L'absent est celui qui, alors qu'il avait son domicile au Québec, a cessé d'y paraître sans donner de nouvelles, et sans que l'on sache s'il vit encore. »

Comp. absence

Angl. *absentee*

Absolu, ue *adj.*

☐ **1.** Sans restriction, illimité.

Angl. *absolute*

☐ **2.** Opposable à tous.

Angl. *absolute*

☐ **3.** Sans aucune exception.

Comp. opposable, relatif

Angl. *absolute*

Absolution *n.f.*

☐ En matière criminelle, décision d'un tribunal qui, tout en déclarant un accusé coupable d'une infraction, ne lui impose aucune peine lorsqu'il considère que telle décision doit être prise dans l'intérêt de l'accusé et de la justice en général. Le contrevenant est alors réputé ne pas avoir été condamné pour l'infraction qui lui a été reprochée.

Rem. L'absolution peut être inconditionnelle ou sujette à des conditions prescrites par une ordonnance de probation.

Comp. absoudre, acquittement, condamnation, probation (ordonnance de)

Angl. *absolution, discharge*

Absoudre *v.tr.*

☐ Prononcer l'absolution d'un accusé.

Comp. absolution, acquitter, condamner

Angl. *to absolve, to discharge*

Abstention *n.f.*

☐ **1.** Fait de ne pas voter lors d'un scrutin au sein d'une assemblée ou de voter sans se prononcer sur la proposition à l'étude.

Angl. *abstention*

☐ **2.** Refus d'exercer un droit ou d'exécuter une obligation.

Comp. omission

Angl. *abstention*

Abus *n.m.*

☐ Usage excessif, injuste ou illégal d'un droit, d'un pouvoir ; fait, pour le titulaire d'un droit ou d'un pouvoir, de l'exercer en dehors de sa finalité.

Angl. *abuse, infringement, misuse, violation*

- **Abus d'autorité :** Acte commis par une personne qui détient une autorité de droit ou de fait et qui outrepasse ses pouvoirs.

  Syn. abus de pouvoir

  Comp. détournement de pouvoir, excès de pouvoir

  Angl. *misuse of authority*

- **Abus de confiance :** Délit réalisé ou infraction commise par une personne qui profite, à des fins illégales, de la confiance que lui accorde une autre personne.

  Comp. corruption, détournement, divertissement

  Angl. *breach of trust*

- **Abus de droit :** Mauvais usage ou usage excessif d'un privilège, d'un droit. Ex. Abus du droit de propriété, du droit d'action, du droit d'appel.

  Rem. L'art. 7 du *Code civil du Québec* énonce le principe suivant : « Aucun droit ne peut être exercé en vue de nuire à autrui ou d'une manière excessive et déraisonnable, allant ainsi à l'encontre des exigences de la bonne foi ».

  Syn. exercice abusif d'un droit

  Angl. *abuse of right, abusive exercise of a right*

- **Abus de jouissance :** Usage excessif d'un bien par une personne qui n'a sur celui-ci qu'un droit de jouissance limité. Ex. L'abus de jouissance par l'usufruitier qui laisse dépérir un bien, faute d'entretien.

  Comp. jouissance

  Angl. *abuse of enjoyment*

- **Abus de pouvoir :** V. ABUS D'AUTORITÉ.

- **Abus de procédure :** Recours délibéré et continu à des moyens de procédure dans le seul but de retarder indûment le déroulement ou le règlement d'un procès.

  Angl. *abuse of process*

Abusif, ive *adj.*

□ **1.** Qui constitue un abus. Ex. Un appel abusif, un licenciement abusif.

Comp. clause abusive, léonin

Angl. *abusive, improper, oppressive, unauthorized*

□ **2.** Se dit d'une action intentée en vue de nuire à autrui ou de manière excessive et déraisonnable.

Rem. Le demandeur dont l'action est déclarée abusive par le tribunal peut être condamné à payer des dommages-intérêts en réparation du préjudice subi par la partie adverse.

Syn. vexatoire

Comp. abus de droit, appel abusif, frivole, futile

Angl. *abusive*

Abusus

□ Terme latin représentant l'un des trois attributs de la propriété (avec l'*usus* et le *fructus*), qui confère au propriétaire le pouvoir de disposer d'un bien à sa guise, même de le détruire.

Syn. *jus abutendi*

Comp. *fructus, usus*

A.C.

□ Abrév. de **1.** *Appeal Cases* ; **2.** Arrêté en conseil.

Académique (question)

□ V. QUESTION ACADÉMIQUE.

À cause de mort

□ Se dit d'un acte qui produit des effets au décès de son auteur.

Contr. entre vifs

Comp. acte à cause de mort, donation à cause de mort

Angl. *mortis causa*

Acceptant, ante *n.*

□ Personne qui donne son consentement à une convention.

Comp. acceptation, accepter

Angl. *acceptor, consenting person*

Acceptation *n.f.*

□ **1.** Manifestation de volonté par laquelle une personne consent, de façon expresse ou tacite, à se prévaloir d'une situation juridique. Ex. L'acceptation d'une succession.

Comp. acceptant, accepter

Angl. *acceptance*

□ **2.** Manifestation de volonté par laquelle une personne donne son consentement à une offre qui lui a été faite. Ex. L'acceptation d'une offre d'achat équivaut à vente.

Comp. acceptant, accepter

Angl. *acceptance*

- **Acceptation conditionnelle :** Acceptation qui dépend de la réalisation d'un événement futur et incertain.

  Angl. *conditional acceptance*

- **Acceptation de la succession :** V. SUCCESSION (ACCEPTATION DE LA).

- **Acceptation de risques :** V. RISQUES (ACCEPTATION DE).

- **Acceptation expresse :** Acceptation explicite qui est exprimée verbalement, par écrit ou par un geste ou un acte non équivoque.

  Contr. acceptation tacite

  Angl. *express acceptance*

- **Acceptation forcée :** Acceptation pure et simple imposée par la loi à l'héritier qui a diverti ou recelé des biens de la succession, celui-ci étant alors déchu du droit d'y renoncer.

  Rem. Contrairement au *Code civil du Bas-Canada*, le *Code civil du Québec* énonce la règle que le successible qui, de mauvaise foi, a diverti ou recelé un bien de la succession ou omis de le comprendre dans l'inventaire est réputé avoir renoncé à la succession.

  Comp. acceptation, divertissement, recel, succession

  Angl. *forced acceptance*

- **Acceptation pure et simple :** En matière successorale, acceptation sans réserve de la succession.

  Rem. Elle a pour effet de rendre l'héritier propriétaire des biens de la succession, avec effet rétroactif au jour du décès, ce qui entraîne la confusion de son patrimoine personnel avec le patrimoine successoral. Cependant, le *Code civil du Québec* exclut une telle confusion, sauf pour de rares exceptions.

Comp. bénéfice d'inventaire, succession

Angl. *pure and simple acceptance, pure and simple acceptation*

- **Acceptation sous bénéfice d'inventaire :** Acceptation conditionnelle à la confection d'un inventaire des biens du défunt faite par un héritier qui doute de la solvabilité de la succession.

Rem. L'héritier n'est alors tenu des dettes qu'à concurrence des biens qu'il a recueillis. Cette forme d'acceptation du *Code civil du Bas-Canada* a été remplacée, dans le *Code civil du Québec*, par une règle générale selon laquelle tout successible qui accepte la succession n'est en principe tenu d'en payer les dettes qu'à concurrence de la valeur des biens reçus.

Comp. bénéfice d'inventaire, succession

Angl. *acceptance under benefit of inventory*

- **Acceptation tacite :** Acceptation que l'on peut déduire du comportement d'une personne ou d'un ensemble de circonstances et qui indique sa volonté d'accepter.

Contr. acceptation expresse

Angl. *tacit acceptance*

- **Acceptation (théorie de l') :** V. EXPÉDITION (THÉORIE DE L').

□ **3.** Engagement que prend le débiteur d'une lettre de change, ou tiré, d'en payer le montant à l'échéance, son engagement étant constaté par l'apposition de sa signature au recto de la lettre.

Rem. L'art. 34 de la *Loi sur les lettres de change* (L.R.C. 1985, c. B-4) la définit comme suit : « L'acceptation d'une lettre est l'engagement pris par le tiré d'exécuter l'ordre du tireur ».

Comp. accepteur, lettre de change, tiré, tireur

Angl. *acceptance of a bill of exchange*

- **Acceptation générale :** Acceptation pure et simple par le tiré de l'ordre donné par le tireur.

Angl. *general acceptance*

- **Acceptation restreinte :** Acceptation conditionnelle ou partielle qui a pour effet de modifier les termes d'une lettre de change.

Angl. *qualified acceptance*

Accepter *v.tr.*

□ **1.** Donner son accord.

Angl. *to accept*

□ **2.** S'engager à payer une lettre de change à son échéance.

Angl. *to accept*

Accepteur *n.m.*

□ Personne qui s'engage envers le tireur à payer à l'échéance le montant inscrit dans la lettre de change.

Comp. acceptation, tiré, tireur

Angl. *acceptor*

Acception de personne (sans)

□ Sans considération de la qualité d'une personne, sans préférence envers quelqu'un au préjudice d'un autre. Ex. La justice ne fait acception de personne.

Angl. *without distinction of*

Accessio cedit principali

□ V. *ACCESSORIUM SEQUITUR PRINCIPALE.*

Accession *n.f.*

□ Mode légal d'acquisition de la propriété par extension du droit du propriétaire d'un bien aux produits de ce bien ainsi qu'à tout ce qui s'y ajoute ou s'y incorpore.

Rem. Le *Code civil* qualifie ce mode d'acquisition de droit d'accession.

Syn. droit d'accession

Angl. *accession*

- **Accession artificielle :** Accession qui résulte de l'activité humaine. Ex. Les constructions, plantations et ouvrages sur un terrain.

Syn. accession industrielle, accession volontaire

Comp. impenses

Angl. *accession by the act of man, artificial accession*

- **Accession immobilière :** Accession par addition ou incorporation à un bien immobilier. Ex. Les améliorations apportées à un immeuble.

Angl. *immoveable accession*

- **Accession industrielle :** V. ACCESSION ARTIFICIELLE.

- **Accession mobilière :** Accession par addition ou incorporation d'un meuble à un autre meuble, ou par le mélange de deux meubles.

  Rem. Lorsque des meubles appartenant à plusieurs propriétaires ont été mélangés ou unis de telle sorte qu'il n'est plus possible de les séparer sans détérioration ou sans un travail ou des frais excessifs, le nouveau bien appartient à celui des propriétaires qui a contribué davantage à sa constitution, par la valeur du bien initial ou par son travail (*Code civil du Québec*, art. 971). Ex. La fabrication d'un vêtement ou d'un bijou.

  Angl. *moveable accession*

- **Accession naturelle :** Accession qui résulte du seul fait de la nature, sans intervention humaine. Ex. Les alluvions.

  Angl. *natural accession*

- **Accession volontaire :** V. ACCESSION ARTIFICIELLE.

Accessoire *adj. et n.m.*

☐ **1.(adj.)** Qui est lié à quelque chose sans en être l'élément principal.

Contr. principal

Angl. *accessory*

☐ **2.(n.m.)** Élément qui est lié à une chose principale.

Angl. *accessory*

- **Accessoire suit le principal (l') :** Règle de droit selon laquelle, lorsqu'il est joint au bien principal, le bien accessoire perd son individualité et s'incorpore au patrimoine du titulaire du bien principal ou, encore, suit la condition juridique de celui-ci. Ex. En vertu de cette règle, l'hypothèque s'éteint par l'extinction de la dette à laquelle elle était rattachée.

  Syn. *accessio cedit principali, accessorium sequitur principale*

  Angl. *an accessory follows its principal*

Accessorium sequitur principale

☐ Maxime latine signifiant « L'accessoire suit le principal ».

Syn. *accessio cedit principali*, accessoire suit le principal (l')

Accident du travail

☐ Événement imprévu et soudain attribuable à toute cause, survenant à une personne par le fait ou à l'occasion de son travail et qui entraîne pour elle une lésion professionnelle (*Loi sur les accidents du travail et les maladies professionnelles*, L.R.Q., c. A-3.001, art. 2).

Comp. lésion professionnelle

Angl. *industrial accident*

Accipiens *n.*

☐ **1.** Personne qui reçoit un paiement (par opposition au *solvens* qui l'effectue). Ex. Le créancier est l'*accipiens* du *solvens*.

Contr. *solvens*

☐ **2.** Terme latin signifiant « personne acceptant » qui qualifie parfois la personne ayant qualité pour recevoir une somme d'argent ou recueillir un bien.

Comp. solvens

Accise *n.f.*

☐ Taxe indirecte frappant certaines marchandises.

Comp. taxe

Angl. *excise tax*

Accord *n.m.*

☐ **1.** Entente entre deux ou plusieurs personnes.

Comp. contrat, convention

Angl. *agreement*

- **Accord de principe :**

  1. Entente portant sur les questions essentielles dont les parties ont convenu au terme d'une négociation ; l'accord de principe ne prévoit généralement pas les conditions d'application et les modalités de rédaction du contrat à venir.

  Syn. entente de principe

  Angl. *agreement in principle*

  2. Entente portant sur des principes ou des questions d'ordre général qui constituent le point de départ ou la base d'une négociation en vue de la conclusion d'un contrat.

  Syn. accord préliminaire

Angl. *preliminary agreement, tentative agreement*

• **Accord préliminaire :** V. ACCORD DE PRINCIPE.

• **Accord (projet d') :** V. PROJET D'ACCORD.

□ **2.** Alliance entre deux États fondée sur une communauté de pensée ou d'intérêts. Ex. Un accord de coopération technique entre deux États.

Comp. traité
Angl. *agreement*

Accréditation *n.f.*

□ **1.** Reconnaissance qu'accorde une autorité à un individu ou à un organisme et qui lui confère le pouvoir de représenter un groupe de personnes.

Comp. accréditer
Angl. *certification*

• **Accréditation patronale :** Reconnaissance qu'accorde la loi à une association d'employeurs en vertu de laquelle celle-ci a le pouvoir d'agir comme représentant exclusif des employeurs qui en sont membres lors de la négociation et de la mise en application des conventions collectives.

Angl. *employers' certification*

• **Accréditation syndicale :** Reconnaissance qu'accorde la loi à une organisation syndicale en vertu de laquelle celle-ci a le pouvoir d'agir comme représentant exclusif d'un groupe de salariés auprès d'un employeur lors de la négociation et de la mise en application d'une convention collective.

Rem. Cette accréditation peut également être accordée par un organisme public à qui l'État a conféré ce pouvoir.
Angl. *union certification*

□ **2.** Reconnaissance par un État ou par une organisation internationale de la qualité d'une personne à représenter un autre État. Ex. L'accréditation d'un ambassadeur.

Comp. accréditation, lettres de créance
Angl. *accreditation*

Accréditer *v.tr.*

□ **1.** Accorder l'accréditation.

Comp. accréditation
Angl. *to certify*

□ **2.**Reconnaître officiellement la qualité d'une personne à titre de représentant d'un État.

Comp. accréditation
Angl. *to accredit*

Accroissement *n.m.*

□ **1.** Droit en vertu duquel les héritiers ou légataires conjoints bénéficient de la part du cohéritier ou colégataire qui renonce à la succession ou au legs.

Comp. legs, succession
Angl. *accretion*

□ **2.** Augmentation naturelle de l'étendue d'un terrain situé sur la rive d'un cours d'eau.

Comp. alluvion, atterrissement, avulsion, lais (et relais) de la mer
Angl. *accretion*

Accusation *n.f.*

□ Action de déférer une personne devant la justice pénale.

Syn. inculpation
Angl. *charge*

• **Accusation (mise en) :** Inculpation par voie d'acte d'accusation d'une personne à qui le ministère public reproche la commission d'un acte criminel.

Comp. acte d'accusation
Angl. *arraignment, indictment*

Accusatoire *adj.*

□ Se dit d'un système de procédure en vertu duquel les parties assument la direction du procès, chacune d'elles faisant la preuve de ses prétentions devant un juge impartial qui tranche le litige selon la preuve qui lui est présentée.

Contr. inquisitoire
Angl. *accusatory*

Accusé, ée *n.*

□ Personne à qui est imputé un crime ou une infraction et qui fait l'objet d'une poursuite devant une juridiction pénale afin qu'elle y soit jugée.

Syn. inculpé
Comp. accusation, prévenu
Angl. *accused*

Accuser *v.tr.*

☐ Déférer une personne devant une juridiction pénale. Ex. Accuser quelqu'un de meurtre.
Syn. inculper
Angl. *to charge*

A.C.D.I.

☐ Abrév. de Annuaire canadien de droit international / *The Canadian Yearbook of International Law.*

A.C.D.P.

☐ Abrév. de Annuaire canadien des droits de la personne / *Canadian Human Rights Yearbook.*

Achalandage *n.m.*

☐ Clientèle attirée par l'emplacement d'un fonds de commerce et qui constitue un facteur d'appréciation de sa valeur.
Angl. *goodwill*

À charge de

☐ V. CHARGE DE (À).

Achat *n.m.*

☐ Acquisition de la propriété d'un bien ou d'un droit moyennant un prix convenu.
Rem. C'est le nom que prend le contrat de vente, lorsqu'il est considéré par la personne qui acquiert le bien ou le droit.
Comp. vente
Angl. *buying, purchase*

- **Achat à découvert** : Se dit d'une transaction relative à des valeurs mobilières où l'acheteur n'acquitte pas immédiatement les sommes qu'il doit.
Angl. *short buying*

- **Achat de consommation** : V. CONTRAT DE CONSOMMATION.
Rem. L'article 188 de la *Loi sur les lettres de change* (L.R.C. 1985, c. B-4) le définit comme suit : « Tout achat à terme de marchandises ou de services - ou tout accord à cet effet - effectué : a) par un particulier dans un but autre que la revente ou l'usage professionnel ; b) chez une personne faisant profession de vendre ou fournir ces marchandises ou services. »
Comp. billet de consommation, lettre de consommation
Angl. *consumer purchase*

Acheteur, euse *n.*

☐ **1.** Dans une vente, personne qui achète.
Contr. vendeur
Angl. *purchaser, vendee*

- **Acheteur de bonne foi :** V. BONNE FOI.

☐ **2.** Personne qui est chargée de faire les achats pour le compte d'une entreprise.
Angl. *buyer*

Acompte *n.m.*

☐ Paiement partiel du prix total, versé généralement lors de la conclusion du contrat, qui reste définitivement acquis à celui qui l'a reçu. Contrairement aux arrhes, il ne permet pas aux parties de se soustraire à leur engagement.
Comp. arrhes
Angl. *advance, deposit, down payment, instalment*

- **Acompte provisionnel :** Paiement partiel à valoir sur une somme à payer dont le montant définitif n'est pas encore déterminé.
Angl. *instalment*

A contrario

☐ Locution dérivée du latin signifiant « au contraire ». Ex. Un raisonnement ou un argument a *contrario.*
Comp. *a pari*

Acquéreur, éresse *n.*

☐ Personne qui devient propriétaire d'un bien ou titulaire d'un droit.
Angl. *acquirer, purchaser, vendee*

- **Acquéreur subséquent :** Acquéreur auquel un acquéreur antérieur a transmis ses droits.
Rem. Le *Code civil du Québec* utilise cette expression plutôt que le terme sous-acquéreur.
Syn. sous-acquéreur
Angl. *subsequent acquirer, subsequent purchaser, subsequent vendee*

Acquêt(s) *n.m.*

☐ Sous le régime de la communauté de biens ou de la société d'acquêts, biens acquis par chacun des époux pendant la durée du régime et qui sont sujets au partage lors de sa dissolution. En vertu de ces deux régimes, les biens des époux alors acquis sont présumés acquêts.

Rem. **1.** En société d'acquêts, ce mot désigne plus particulièrement les produits du travail des époux au cours du régime, les fruits et revenus qui sont alors échus ou perçus et qui proviennent de tous leurs biens ainsi que les biens dont on ne peut prouver la qualité de biens propres. Les acquêts appartiennent à chacun des époux mais ils font partie de la masse des acquêts qui sera partageable à la dissolution du régime. **2.** En communauté de biens (communauté de meubles et acquêts), ce mot désigne traditionnellement les immeubles acquis à titre onéreux durant le régime. Les acquêts appartiennent aux deux époux et font partie de la masse commune qui sera partageable à la dissolution du régime.

Syn. conquêt(s)

Comp. bien(s) commun(s), bien(s) propre(s), bien(s) réservé(s), communauté de biens, masse commune, propre, récompense, société d'acquêts

Angl. *acquest*

Acquiescement *n.m.*

☐ Consentement donné à une demande en justice ou à l'exécution d'un jugement ou d'un acte juridique. Il peut être exprès ou tacite.

Comp. acquiescer

Angl. *acquiescence, assent*

• **Acquiescement à la demande :** Acte de procédure produit au greffe du tribunal par lequel le défendeur déclare consentir à ce que le demandeur obtienne jugement contre lui, pour la totalité ou pour une partie de la demande.

Rem. L'acquiescement peut également être soumis à une condition par le défendeur.

Syn. confession de jugement

Angl. *acquiescence in a demand*

Acquiescer *v.intr.*

☐ **1.** Consentir à une demande en justice ou à l'exécution d'un jugement ou d'un acte juridique.

Comp. acquiescement

Angl. *to acquiesce*

☐ **2.** Renoncer à se prévaloir de son droit d'appeler d'une décision. Ex. Acquiescer au jugement prononcé par le juge de première instance.

Comp. acquiescement

Angl. *to acquiesce, to assent*

Acquisitif, ive, *adj.*

☐ Qui fait acquérir.

Comp. acquisition

Angl. *acquisitive*

• **Acquisitive (prescription) :** V. PRESCRIPTION ACQUISITIVE.

Acquisition *n.f.*

☐ **1.** Fait de devenir propriétaire d'un bien ou titulaire d'un droit.

Comp. acquéreur

Angl. *acquisition, purchase*

☐ **2.** Opération par laquelle une personne devient propriétaire d'un bien ou titulaire d'un droit.

Comp. acquisitif, cession, renonciation

Angl. *acquisition, purchase*

• **Acquisition (mode d') :** Manière prescrite par la loi ou choisie par une personne pour acquérir la propriété d'un bien ou d'un droit.

Angl. *acquisition mode*

☐ **3.** Par extension, le bien qui a été acquis.

Angl. *acquisition, purchase*

Acquit *n.m.*

☐ Acquitté.

Comp. acquittement, acquitter

Angl. *acquitted*

• **Acquit (autrefois)** : V. AUTREFOIS ACQUIT.

• **Acquit (pour) :** Mention qui est apposée sur un titre par le créancier et est suivie de sa signature, et qui constitue une preuve du paiement de la dette.

Angl. *paid*

Acquittement *n.m.*

□ **1.** Décision d'un tribunal déclarant un accusé non coupable.
Contr. condamnation
Comp. absolution, acquit, acquitter
Angl. *acquittal*

□ **2.** Exécution d'une obligation. Ex. L'acquittement d'une somme due.
Angl. *payment*

Acquitter *v.tr.*

□ **1.** Déclarer un accusé non coupable.
Contr. condamner
Comp. absoudre, acquit, acquittement
Angl. *to acquit*

□ **2.** Exécuter une obligation. Ex. Acquitter une dette par son paiement au créancier.
Angl. *to pay*

Act.

□ Abrév. de *Acton, Privy Council.*

Acta Crim.

□ Abrév. de *Acta Criminologica.*

Acte (ou acte juridique) *n.m.*

□ **1.** Manifestation de volonté qui entraîne des conséquences juridiques, qui est destinée à produire des effets de droit.
Angl. *act*

□ **2.** Écrit qui constate légalement un fait.
Angl. *act, instrument*

• **Acte à cause de mort :** Acte juridique qui ne produit d'effets qu'au décès d'une personne.
Contr. acte entre vifs
Angl. *act in contemplation of death*

• **Acte administratif :**
1. Acte qui émane de l'Administration ou de personnes ou organismes chargés de la gestion des services publics.
Comp. règlement
Angl. *administrative act*
2. Décision prise unilatéralement par l'Administration ou par des personnes ou organismes qui agissent en son nom, et visant un ou plusieurs individus identifiés.
Angl. *administrative decision*

• **Acte apparent :** Acte juridique qui manifeste officiellement une situation juridique mais qui cache celle qui lie véritablement les parties, celles-ci indiquant leur véritable intention par une contre-lettre. Ex. Lors d'une vente qui camoufle une donation, le contrat de vente est un acte apparent alors que la contre-lettre attestant la donation constitue la véritable convention des parties.
Syn. acte ostensible, acte simulé, contrat apparent
Contr. acte déguisé
Comp. acte fictif, contre-lettre
Angl. *apparent act*

• **Acte à titre gratuit :** Acte juridique par lequel une personne, dans une intention libérale, avantage quelqu'un en lui procurant ses services ou en disposant en sa faveur d'un bien ou d'un droit sans contrepartie. Ex. Une donation pure et simple.
Contr. acte à titre onéreux
Angl. *act by gratuitous title, act without consideration*

• **Acte à titre onéreux :** Acte juridique par lequel chacune des parties recherche un avantage en contrepartie de celui qu'elle fournit.
Rem. L'art. 1*k*) de la *Loi sur les assurances* (L.R.Q., c. A-32) définit l'expression « à titre onéreux » comme suit : « En plus de son sens ordinaire, en contrepartie d'une promesse de rémunération ou de l'intention d'en obtenir une. »
Contr. acte à titre gratuit
Angl. *act by onerous title, act for consideration*

• **Acte authentique :** Écrit qui a été reçu ou attesté par un officier public compétent selon les lois du pays, avec les formalités requises par la loi. Ex. Un acte notarié est un acte authentique (*Code civil du Québec*, art. 2813).
Comp. acte notarié, acte semi-authentique, acte sous seing privé
Angl. *authentic act, official deed*

• **Acte bilatéral :** Acte juridique résultant de la volonté de deux personnes qui poursuivent des intérêts distincts. Ex. Le contrat de vente est un acte bilatéral.
Contr. acte unilatéral

Comp. contrat synallagmatique
Angl. *bilateral act*

- **Acte civil :** Opération ou transaction dépourvue de caractère commercial.
  Comp. acte de commerce, acte mixte
  Angl. *civil act, civil operation*

- **Acte collectif :** V. ACTE UNILATÉRAL.

- **Acte confirmatif :** V. ACTE DE CONFIRMATION.

- **Acte consensuel :** Acte juridique qui n'exige, pour sa formation, aucune formalité particulière.
  Contr. acte solennel
  Angl. *consensual act*

- **Acte conservatoire :** Acte juridique qui a pour objet de sauvegarder un droit. Ex. L'inscription d'une hypothèque sur un immeuble est un acte conservatoire.
  Syn. acte de conservation
  Angl. *act of conservation, conservatory act*

- **Acte constitutif :**
  1. Acte juridique qui crée un état de droit nouveau ou qui modifie une situation juridique antérieure. Ex. Le jugement de divorce est un acte constitutif.
  Contr. acte déclaratif
  Angl. *constitutive act, constitutive title*
  2. Document émis par l'État qui constate officiellement l'existence d'une personne morale et en précise les droits et obligations.
  Rem. Selon l'art. 2 de la *Loi sur les sociétés de prêt* (L.R.C. 1985, c. L-12) et l'art. 2 de la *Loi sur les sociétés de fiducie* (L.R.C. 1985, c. T-20), l'acte constitutif signifie : « La loi spéciale ou les lettres patentes conférant la personnalité morale à la société. »
  Comp. charte, lettres patentes
  Angl. *charter, constitution, instrument of incorporation.*
  3. Acte juridique qui fait naître un droit réel accessoire ou démembré. Ex. Un acte constitutif d'hypothèque, d'usufruit.
  Angl. *act creating...*

- **Acte constitutif de copropriété :** Document compris dans la déclaration de copropriété d'un immeuble qui définit la destination de l'immeuble, des parties privatives et des parties communes. Il détermine également la valeur relative de chaque fraction et indique la méthode suivie pour l'établir, la quote-part des charges et le nombre de voix attachées à chaque fraction. Il précise enfin les pouvoirs et devoirs respectifs du conseil d'administration du syndicat et de l'assemblée des copropriétaires.
  Comp. déclaration de copropriété, état descriptif des fractions, règlement de l'immeuble
  Angl. *constituting act of co-ownership*

- **Acte criminel :** Infraction grave pour laquelle une personne est poursuivie par voie de mise en accusation. Étant généralement associé aux crimes du *Code criminel*, l'acte criminel est habituellement imprescriptible et est puni plus sévèrement que l'infraction sommaire.
  Rem. L'acte criminel entre dans la classification des infractions selon leur mode de poursuite, aussi appelée qualification procédurale des infractions.
  Contr. infraction sommaire
  Comp. crime, infraction criminelle, infraction mixte
  Angl. *crime, indictable offence*

- **Acte d'accusation :** Acte de procédure, signé par le procureur général ou son substitut ou par toute autre personne dûment autorisée par un tribunal, dans lequel sont exposées les infractions imputées à la personne traduite devant la justice pénale. Selon les circonstances, il contient un ou plusieurs chefs d'accusation.
  Rem. Selon l'art. 2 du *Code criminel* (L.R.C. 1985, c. C-46), « sont assimilés à un acte d'accusation : a) une dénonciation ou un chef d'accusation qui y est inclus ; b) une défense, une réplique ou autre pièce de plaidoirie ; c) tout procès-verbal ou dossier ». Selon l'art. 673 du *Code criminel*, « est assimilée à l'acte d'accusation toute dénonciation ou inculpation à l'égard de laquelle une personne a été jugée pour un acte criminel selon la partie XIX ».
  Comp. accusation, chef d'accusation
  Angl. *indictment*

- **Acte d'adition d'hérédité :** Acte posé par une personne, en qualité d'héritier, démontrant ainsi qu'elle a accepté la succession.
  Angl. *act of acceptance of the succession*

- **Acte d'administration :** Acte de gestion normale d'un bien ou d'un patrimoine qui a pour but d'en conserver la valeur et de le faire fructifier. Ex. La perception des intérêts sur un capital d'argent placé constitue un acte d'administration.

Comp. acte d'aliénation, acte de disposition, administration

Angl. *act of administration*

- **Acte d'administration judiciaire :**
1. Jugement gracieux ou acte posé par le juge dans l'exercice de sa juridiction gracieuse. Ex. Le jugement de nomination d'un tuteur à une personne mineure.

Comp. acte judiciaire, acte juridictionnel, gracieux

Angl. *act of judicial administration, judicial administration act*

2. Acte qui relève des fonctions de gestion conférées aux juges en vue d'assurer, dans le cadre de leurs pouvoirs, le bon fonctionnement de l'appareil judiciaire. On emploie également l'expression « acte de pure administration judiciaire ». Ex. La détermination des jours et des heures d'audience constitue, pour le juge, un acte d'administration judiciaire.

Syn. acte de pure administration judiciaire

Angl. *act of judicial administration*

- **Acte d'aliénation :** Acte juridique qui emporte la transmission d'un droit ou d'un bien.

Comp. acte d'administration, acte de disposition, aliénation

Angl. *act of alienation*

- **Acte d'appauvrissement :** Acte posé par un débiteur visant à diminuer indûment son patrimoine dans le but de frauder ses créanciers. Il peut donner ouverture à l'action en inopposabilité (ou paulienne). Ex. La vente par un débiteur de son automobile à un prix dérisoire constitue un acte d'appauvrissement.

Comp. action en inopposabilité, action paulienne

Angl. *act of impoverishment*

- **Acte déclaratif :** Acte juridique qui constate une situation de droit ou de fait préexistante. Ex. Le jugement qui prononce l'absence d'une personne est un acte déclaratif.

Contr. acte constitutif

Angl. *declaratory act*

- **Acte de commerce :** Opération ou transaction à titre onéreux, généralement effectuée par un commerçant ou une entreprise dans le cadre et pour les fins de ses activités commerciales.

Rem. La commercialité d'un acte s'apprécie à la lumière d'éléments divers, tels l'intention de spéculer, la fréquence des opérations et le fait d'agir à titre d'intermédiaire entre un producteur et un consommateur.

Comp. acte civil, acte mixte

Angl. *commercial act*

- **Acte de comparution :** Dans un procès civil, acte de procédure écrite que la partie défenderesse produit au greffe du tribunal, personnellement ou par l'entremise d'un procureur, et par lequel elle manifeste sa présence dans l'instance sans toutefois prendre position sur la demande formée contre elle.

Rem. Il a pour effet d'empêcher la partie demanderesse d'obtenir un jugement par défaut. L'acte de comparution produit par un procureur a également pour effet d'informer les autres parties au litige du nom du représentant à qui devront être transmis les actes de procédure subséquents.

Comp. certificat de défaut, défaut de comparaître

Angl. *appearance, written appearance*

- **Acte de concession :** V. CONCESSION.

- **Acte de confirmation :** Écrit par lequel un contractant, qui est en droit d'invoquer la nullité relative d'une convention, manifeste sa volonté de ne pas l'attaquer et de l'approuver.

Syn. acte confirmatif, acte de ratification

Comp. ratification

Angl. *act of confirmation*

- **Acte de conservation :** V. ACTE CONSERVATOIRE.

- **Acte(s) de décès :** V. DÉCÈS (ACTES DE).

- **Acte de Dieu :** V. CAS FORTUIT, FORCE MAJEURE.

- **Acte de disposition :** Acte juridique, autre qu'un acte d'administration, qui a pour effet de modifier le patrimoine d'une personne.

Rem. Il peut revêtir la forme d'une aliénation (ex. une vente d'immeuble) ou celle d'un engagement du bien à long terme (ex. la constitution d'une hypothèque).

Comp. acte d'administration, acte d'aliénation

Angl. *act of disposition*

- **Acte de fidéicommis :** V. ACTE DE FIDUCIE.

- **Acte de fiducie :**
1. En matière commerciale, convention suivant laquelle une société commerciale donne en garantie à son créancier ses biens actuels et futurs afin de lui assurer le paiement de sa dette.
Rem. L'art. 133(1) de la *Loi sur les banques* (L.R.C. 1985, c. B-1), le définit comme suit : « L'instrument, ainsi que tout acte additif ou modificatif, établi par une banque, en vertu duquel elle émet des débentures et dans lequel est désigné un fiduciaire pour les détenteurs de ces débentures ». L'art. 82(1) de la *Loi sur les sociétés par actions* (L.R.C. 1985, c. C-44) le définit comme suit : « Instrument, ainsi que tout acte additif ou modificatif, établi par une société après sa constitution ou sa prorogation sous le régime de la présente loi, en vertu duquel elle émet des titres de créance et dans lequel est désigné un fiduciaire pour les détenteurs de ces titres. ».
Comp. garantie, sûreté
Angl. *trust indenture*
2. Plus précisément, contrat de sûreté consenti par une société commerciale, par acte authentique, pour garantir les prêts qui lui ont été accordés. Elle consiste le plus souvent en une hypothèque (un nantissement ou un gage) sur ses biens mobiliers et immobiliers, présents et futurs (affectation spécifique) et, résiduellement, en une charge flottante sur les biens non spécifiquement visés (affectation générale).
Rem. **1.** Cette forme de sûreté, qui doit être enregistrée, laisse à l'entreprise la possession de tous les biens donnés en garantie, celle-ci pouvant en disposer dans le cours normal de ses affaires, sous réserve de la permission du fiduciaire pour les biens hypothéqués (nantis ou donnés en gage). **2.** Ce type de fiducie est régi par le *Code civil du Québec* et par la *Loi sur les pouvoirs spéciaux des corporations* (L.R.Q., c. P-16).
Syn. acte de fidéicommis, fiducie de garantie, fiducie de sûreté, fiducie d'investissement
Comp. charge flottante, fiducie, obligataire, sûreté, *trust*
Angl. *trust*

- **Acte de grossière indécence :** Acte intrinsèquement obscène que le droit criminel sanctionnait autrefois comme infraction d'ordre sexuel, quels que soient le lieu, le temps ou les circonstances de sa commission.
Comp. acte indécent, obscénité
Angl. *act of gross indecency*

- **Acte déguisé :** Acte juridique, en principe secret, qui constate la véritable intention des parties, celle-ci étant masquée par un acte apparent destiné à être connu des tiers.
Contr. acte apparent, acte ostensible, acte simulé
Comp. contre-lettre
Angl. *concealed act*

- **Acte(s) de l'état civil :** Inscriptions faites sur les registres tenus d'après la loi par des officiers publics aux fins de constater les naissances, les mariages et les sépultures.
Rem. Dans le *Code civil du Bas-Canada*, on les appelle « actes de naissance », « actes de mariage » et « actes de sépulture » ; dans le *Code civil du Québec*, ce sont les « actes de naissance », « actes de mariage » et « actes de décès ».
Comp. certificat de l'état civil, copie d'un acte de l'état civil, fonctionnaire de l'état civil, registre de l'état civil
Angl. *act(s) of civil status*

- **Acte(s) de mariage :** V. MARIAGE (ACTE(S) DE).

- **Acte(s) de naissance :** V. NAISSANCE (ACTE(S) DE).

- **Acte de notoriété :** Acte par lequel un officier public recueille la déclaration de témoins sur un fait qui est notoirement connu.
Angl. *act of notoriety*

- **Acte de pleine administration :** Acte visant à conserver et à faire fructifier un bien, à accroître le patrimoine d'une personne ou à en réaliser l'affectation. Ex. Celui qui a la pleine administration d'un bien peut, sans autorisation, l'aliéner à titre onéreux.
Contr. acte de simple administration
Comp. administration du bien d'autrui (pleine)
Angl. *act of full administration*

- **Acte de procédure :**
1. Tout écrit qu'une partie ou un officier de justice produit dans le dossier de la cour, lors d'un procès civil ou pénal.
Comp. errements, plaidoirie, plaidoyer
Angl. *pleading, proceedings*
2. Lors d'un procès civil, écrit rédigé par une des parties dans lequel elle expose des faits et en tire des conclusions.
Comp. plaidoirie
Angl. *pleading, proceedings*

- **Acte de pure administration judiciaire :** V. ACTE D'ADMINISTRATION JUDICIAIRE.

- **Acte de pure faculté :** Acte qu'un propriétaire accomplit dans les limites de son droit de propriété, sans empiétement sur le droit d'autrui et sans que le tiers contre qui il est dirigé n'ait aucun moyen légal de l'empêcher.
  Comp. acte de simple tolérance
  Angl. *merely facultative act*

- **Acte de ratification :** V. ACTE DE CONFIRMATION, RATIFICATION.

- **Acte de régularisation :** Acte par lequel est rectifiée une déclaration de société incomplète, inexacte ou irrégulière.
  Comp. déclaration de société, société (contrat de)
  Angl. *regularizing document*

- **Acte de sépulture :** Acte instrumentaire consigné dans les registres de l'état civil, qui constate le décès d'une personne. Il y est fait mention du nom et du dernier domicile du défunt, de la date de son décès et de sa sépulture. Il est signé par celui qui a fait la sépulture et par deux proches parents ou amis qui y ont assisté.
  Comp. acte(s) de l'état civil, décès (actes de)
  Angl. *act of burial, burial certificate*

- **Acte de simple administration :** Acte nécessaire à la conservation d'un bien ou qui est utile pour maintenir l'usage auquel il est normalement destiné. Ex. Le tuteur d'un majeur inapte a la simple administration des biens de ce dernier.
  Contr. acte de pleine administration
  Comp. administration du bien d'autrui (simple)
  Angl. *act of simple administration*

- **Acte de simple tolérance :** Acte qu'un propriétaire permet sur son propre fonds, uniquement par obligeance ou esprit de bon voisinage, et qui ne révèle pas chez son auteur une intention de prescrire. Cet acte suppose la permission tacite du propriétaire et celui-ci peut la révoquer à son gré.
  Comp. acte de pure faculté, tolérance
  Angl. *act of mere sufferance, act of sufferance*

- **Acte d'héritier :** Acte par lequel un héritier manifeste, même implicitement, son acceptation de la succession. Ex. L'héritier qui dispose de certains biens de la succession pose un acte d'héritier.
  Comp. héritier, succession
  Angl. *act of inheritance*

- **Acte discriminatoire :** V. DISCRIMINATION.

- **Acte en brevet :** Acte que le notaire reçoit en original simple ou multiple et qu'il remet aux parties. Ex. L'avis d'un conseil de famille doit être reçu en brevet.
  Comp. acte en minute
  Angl. *instrument*

- **Acte en minute :** Acte qu'un notaire reçoit et qu'il doit garder dans son greffe pour en délivrer des copies ou extraits.
  Comp. acte en brevet
  Angl. *notarial act* en minute, *original, original deed*

- **Acte entre vifs :** Acte juridique qui produit des effets du vivant de son auteur.
  Contr. acte à cause de mort
  Angl. *act inter vivos*

- **Acte(s) fédéral(aux) :** Loi(s) passée(s) par le Parlement du Canada (*Loi d'interprétation*, L.R.Q., c. I-16, art. 61 (10)).
  Syn. statut(s) fédéral(aux)
  Angl. *federal act(s)*

- **Acte fictif :** Acte simulé qui laisse croire aux tiers à l'existence d'une convention entre les parties alors que celles-ci n'ont aucunement l'intention de s'obliger. Ex. La vente simulée de ses biens par un débiteur qui désire frauder ses créanciers.
  Syn. contrat fictif
  Comp. acte apparent, simulation
  Angl. *fictitious act*

- **Acte indécent :** Geste obscène commis sans violence dans un endroit public ou devant une ou plusieurs personnes dans le but de les offenser. Il constitue une infraction d'ordre sexuel.
  Comp. acte de grossière indécence, obscénité
  Angl. *indecent act*

- **Acte individuel :** V. ACTE UNILATÉRAL.

- **Acte instrumentaire :** V. ÉCRIT INSTRUMENTAIRE.

- **Acte judiciaire :** Acte posé par un tribunal ou un juge, dans l'exercice de ses fonctions, dans une affaire se déroulant selon un processus impliquant généralement une décision après audition de la personne ou des personnes qui l'en ont saisi.
  Comp. acte d'administration judiciaire, acte juridictionnel, acte quasi judiciaire, question académique
  Angl. *judicial act*

- **Acte juridictionnel :** Acte visant à dire le droit, à résoudre un problème juridique. En principe, il se rattache au pouvoir judiciaire et il désigne la fonction adjudicatrice du juge par opposition aux actes d'administration judiciaire.
  Comp. acte d'administration judiciaire, acte judiciaire, erreur juridictionnelle
  Angl. *jurisdictional act*

- **Acte juridique :** Manifestation d'une ou de plusieurs volontés destinée à produire des effets de droit. Ex. Le contrat synallagmatique, le testament.
  Comp. fait juridique
  Angl. *juridical act, legal transaction*

- **Acte législatif :** Acte posé par le pouvoir législatif (Parlement ou Assemblée nationale), ou par l'Administration en vertu d'un pouvoir délégué par le pouvoir législatif, et ayant un caractère général et impersonnel.
  Comp. loi, règlement
  Angl. *legislative act*

- **Acte mixte :** Opération ou transaction à titre onéreux qui est de nature civile pour une partie et commerciale pour l'autre. Il entraîne, selon le *Code civil du Bas-Canada*, l'application de règles de preuve différentes pour les parties. Ex. La vente d'un réfrigérateur par un commerçant à un client non commerçant.
  Comp. acte civil, acte de commerce
  Angl. *mixed act*

- **Acte multilatéral :** Acte juridique résultant de la volonté de plus de deux parties qui poursuivent des intérêts distincts. Ex. Un accord entre plusieurs États.
  Angl. *multilateral act*

- **Acte non instrumentaire :** V. ÉCRIT NON INSTRUMENTAIRE.
  Comp. acte authentique, acte en minute

- **Acte notarié :** Acte authentique reçu ou attesté par un notaire compétent, selon les formalités requises par la loi.
  Comp. acte authentique, acte en minute
  Angl. *notarial act*

- **Acte ostensible :** V. ACTE APPARENT.

- **Acte (prendre) :** V. PRENDRE ACTE.

- **Acte quasi judiciaire :** Acte posé par une autorité administrative appelée à se prononcer sur les droits d'un ou de plusieurs individus, selon un processus qui ressemble à la procédure normalement suivie par les cours de justice.
  Comp. acte judiciaire
  Angl. *quasi-judicial act, quasi-judicial decision*

- **Acte recognitif (acte récognitif) :** Acte instrumentaire par lequel une personne reconnaît l'existence d'une situation juridique déjà constatée par un écrit antérieur. Il a pour effet de remplacer l'acte primordial, lorsque celui-ci ne peut être produit, ou d'interrompre la prescription.
  Angl. *recognitory act*

- **Acte semi-authentique :** Écrit fait à l'extérieur du Québec et auquel la loi accorde une valeur probante inférieure à celle de l'acte authentique mais supérieure à celle de l'acte sous seing privé. Il est présumé véridique jusqu'à preuve contraire. Ex. La copie du jugement prononcé dans une autre province.
  Comp. acte authentique, acte sous seing privé
  Angl. *semi-authentic act*

- **Acte(s) similaire(s) (preuve d') :** En matière criminelle, preuve présentée par la poursuite en vue d'établir que l'accusé a posé, avant ou après l'infraction qu'on lui reproche, des gestes de même nature que ceux pour lesquels il est accusé. Elle sert à prouver l'intention de l'accusé ou sa façon habituelle d'agir ou, encore, à repousser sa défense.
  Angl. *similar facts evidence*

- **Acte simulé :** V. ACTE APPARENT.

- **Acte solennel :** Acte juridique dont la validité est subordonnée à l'accomplissement de certaines formalités prescrites par la loi.

Contr. acte consensuel
Comp. acte authentique
Angl. *solemn act*

- **Acte sous seing privé :** Acte rédigé par les parties elles-mêmes ou par un tiers, sans le concours d'un officier public, et qui est signé uniquement par les parties.

Comp. acte authentique, acte semi-authentique
Angl. *private agreement, private deed*

- **Acte testamentaire :** Tout testament, codicille ou autre écrit ou disposition testamentaire, soit du vivant du testateur dont il est censé exprimer les dernières volontés, soit après son décès, qu'il ait trait à des biens meubles ou immeubles, ou à des biens des deux catégories (*Code criminel*, L.R.C. 1985, c. C-46, art. 2).

Syn. testament
Comp. codicille, testament
Angl. *testamentary act*

- **Acte translatif :** Acte juridique qui a pour effet de faire passer un droit d'un titulaire à un autre. Ex. La vente est un acte translatif de propriété.

Angl. *translatory act*

- **Acte unilatéral :** Acte juridique résultant de la volonté d'une seule personne ou de plusieurs personnes qui poursuivent un intérêt commun. On dit qu'il est individuel lorsqu'il émane d'une seule personne (ex. un testament) et qu'il est collectif lorsqu'il émane de plusieurs personnes (ex. la décision du conseil d'administration d'une entreprise).

Syn. acte collectif, acte individuel
Contr. acte bilatéral
Angl. *unilateral act*

Acte de l'Amérique du Nord britannique (A.A.N.B.)

□ V. *LOI CONSTITUTIONNELLE DE 1867.*

Actif *n.m.*

□ Ensemble des biens et des droits évaluables en argent que possède une personne et qui constituent son patrimoine.

Contr. passif
Comp. dette active, patrimoine
Angl. *assets*

- **Actif successoral :** Ensemble des biens dont la personne décédée était propriétaire.

Angl. *assets of the succession*

Action (de compagnie ou de société par actions) *n.f.*

□ **1.** Titre négociable émis par une compagnie ou une société par actions, représentant une fraction de son capital-actions et constatant les droits de son détenteur ; ceux-ci peuvent être relatifs au vote, aux dividendes, au partage des biens lors de sa dissolution.

Rem. Il existe deux types d'actions : les actions ordinaires et les actions privilégiées. Elles peuvent être à valeur nominale ou sans valeur nominale.
Comp. actionnaire, compagnie, corporation, libération des actions, société
Angl. *share*

- **Actions (libération des) :** V. LIBÉRATION DES ACTIONS.

□ **2.** Unité du capital-actions.

Comp. capital-actions
Angl. *corporate stock, share, stock*

- **Action à valeur nominale :** Action dont le prix d'émission est indiqué dans les statuts constitutifs de la compagnie ou de la société par actions.

Syn. action avec valeur au pair
Contr. action sans valeur au pair, action sans valeur nominale
Angl. *share with par value*

- **Action avec valeur au pair :** V. ACTION À VALEUR NOMINALE.

- **Action convertible :** Action d'une catégorie qui peut être échangée par son détenteur, à certaines conditions, contre une ou plusieurs actions d'une autre catégorie comportant une désignation distincte ainsi que des droits, privilèges et restrictions différents.

Syn. action échangeable
Comp. conversion d'actions
Angl. *convertible share*

- **Action cotée en bourse :** Action de compagnie ou de société par actions qui est négociable sur le marché public des valeurs mobilières.

Angl. *listed share*

- **Action échangeable :** V. ACTION CONVERTIBLE.

- **Action ordinaire :** Action comportant le droit de voter lors des assemblées d'actionnaires, de recevoir un dividende et d'obtenir une part de l'actif en cas de dissolution de la compagnie ou de la société par actions.
  Comp. action privilégiée
  Angl. *common share, ordinary share*

- **Action privilégiée :** Action qui se caractérise par l'octroi à son détenteur de privilèges ou de droits particuliers ou par l'imposition de restrictions, ce qui la distingue de l'action ordinaire. Ex. Est privilégiée l'action comportant un dividende préférentiel mais sans droit de vote.
  Comp. action ordinaire, dividende
  Angl. *preferred share, preferred stock*

- **Action sans valeur au pair :** V. ACTION SANS VALEUR NOMINALE.

- **Action sans valeur nominale :** Action dont la valeur n'est pas déterminée par les statuts constitutifs mais est fixée par le conseil d'administration lors de son émission, compte tenu de sa valeur aux livres, de sa valeur marchande et de la situation du marché financier.
  Syn. action sans valeur au pair
  Contr. action à valeur nominale
  Angl. *share without par value*

Action (en justice) *n.f.*

□ **1.** Exercice d'un droit en justice.
  Angl. *action*

□ **2.** Pouvoir de s'adresser à un tribunal en vue d'obtenir la sanction d'un droit dont on se prétend titulaire. Ex. Intenter une action en dommages-intérêts pour blessures corporelles.
  Angl. *action*

- **Action collective :** V. RECOURS COLLECTIF.

- **Action confessoire :** Action réelle par laquelle le titulaire d'une servitude attachée à un immeuble tend à faire reconnaître l'existence de son droit. Ex. Une action confessoire de servitude.
  Contr. action négatoire
  Angl. *confessory action*

- **Action déclaratoire :** Action tendant à faire déterminer par un tribunal, pour la solution d'une difficulté réelle, la portée d'un droit, la régularité ou l'irrégularité d'une situation juridique.
  Rem. Dans une action déclaratoire, le jugement ne comporte ni condamnation, ni ordonnance ; il a cependant autorité de la chose jugée.
  Comp. jugement déclaratoire sur requête
  Angl. *declaratory action*

- **Action *de in rem verso* :** Action par laquelle celui au détriment de qui une personne s'est enrichie sans cause réclame les sommes qui lui sont dues, jusqu'à concurrence de cet enrichissement.
  Comp. action en répétition de l'indu
  Angl. *action de in rem verso, action in recovery of unjustified enrichment*

- **Action de jactance :** V. ACTION PROVOCATOIRE.

- **Action d'état :** Action portant sur l'état d'une personne, son statut civil.
  Comp. action en contestation d'état, action en réclamation d'état
  Angl. *action in relation to status*

- **Action d'intérêt public :** Action ayant pour objet d'obtenir le respect de la légalité dans l'intérêt général de la société.
  Rem. Ce recours est, en principe, exercé par le procureur général ou par un autre représentant de l'État ; les tribunaux acceptent cependant que, dans certaines circonstances, notamment lorsque l'État refuse ou néglige d'agir, des groupements de personnes ou des individus exercent le recours même si leur intérêt n'est pas distinct de celui de la collectivité. Ex. L'action visant à faire respecter la *Charte de la langue française* est une action d'intérêt public.
  Syn. action publique
  Comp. intérêt, *parens patriae*
  Angl. *public interest action*

- **Action directe :** Action exercée par un créancier, en son nom personnel, contre le débiteur de son propre débiteur. Ex. L'action par la victime contre l'assureur de l'auteur du dommage.
  Comp. action oblique
  Angl. *direct action*

- **Action directe en nullité :** Action propre au droit québécois par laquelle une personne demande à la Cour supérieure de contrôler la légalité d'une décision prise par un tribunal inférieur du Québec ou d'un acte posé par l'Administration publique ou une personne morale oeuvrant au Québec. Elle vise à faire prononcer la nullité de cette décision ou de cet acte pour le motif qu'ils seraient illégaux ou *ultra vires* des pouvoirs qui leur ont été conférés par la loi. Ex. L'action visant à faire annuler un règlement de zonage qui aurait été adopté illégalement.

  Rem. La Cour supérieure, lorsqu'elle est saisie d'un tel recours, n'a pas pour mission de se prononcer sur le bien-fondé de la décision ou de l'acte mais uniquement sur sa légalité.

  Syn. action en nullité

  Comp. évocation

  Angl. *direct action in nullity*

- **Action en complainte :** Action possessoire qui vise à faire cesser un trouble actuel à la possession d'un immeuble.

  Comp. action en réintégrande, action possessoire

  Angl. *action on disturbance*

- **Action en contestation de paternité :** Action de la mère, dirigée contre son mari et son enfant, visant à faire déclarer que son mari n'est pas le père de cet enfant.

  Comp. action en déclaration de paternité ou de maternité

  Angl. *action in contestation of paternity*

- **Action en contestation d'état :** Action par laquelle une personne qui y a intérêt conteste la filiation apparente d'un enfant lorsque celui-ci n'a pas une possession d'état conforme à son acte de naissance.

  Comp. action d'état, action en réclamation d'état

  Angl. *action in contestation of status*

- **Action en déclaration de paternité ou de maternité :** Action par laquelle un enfant naturel ou illégitime demandait autrefois qu'une personne soit reconnue judiciairement comme son père ou sa mère.

  Comp. action en contestation de paternité

  Angl. *action in declaration of paternity or maternity*

- **Action en déclaration de simulation :** Action par laquelle le créancier d'une partie à un contrat demande au tribunal de déclarer que l'acte apparent est simulé et que la véritable convention se trouve dans l'acte caché ou contre-lettre.

  Comp. simulation

  Angl. *action in declaration of simulation*

- **Action en dénonciation de nouvel oeuvre :** Recours exercé par le propriétaire ou le détenteur d'un immeuble visant à empêcher le propriétaire d'un fonds voisin d'effectuer des travaux susceptibles de lui causer préjudice.

  Angl. *action in denunciation of new works*

- **Action en désaveu de paternité :** Action du mari, dirigée contre l'enfant de sa femme et contre sa femme, visant à faire déclarer qu'il n'est pas le père de cet enfant.

  Angl. *action in disavowal of paternity, action in disavowal*

- **Action en destitution de tutelle :** Action par laquelle une personne demande que le tuteur soit déchu de sa charge, notamment pour cause d'inconduite ou de mauvaise administration.

  Comp. tutelle

  Angl. *action for the removal from a tutorship*

- **Action en divorce :** Action exercée devant un tribunal par l'un des époux ou conjointement par eux en vue d'obtenir un divorce assorti ou non d'une ordonnance alimentaire ou d'une ordonnance de garde, ou des deux (*Loi sur le divorce*, L.R.C. 1985, c. 3 (2e suppl.), art. 2).

  Comp. divorce

  Angl. *divorce proceeding*

- **Action en faux :** Action principale visant à faire déclarer faux ou falsifié un acte authentique.

  Rem. On utilise généralement l'expression « inscription de faux incident » pour désigner l'action en faux qui est incidente à un procès en cours.

  Comp. inscription de faux incident

  Angl. *action in improbation*

- **Action en faux incident :** V. FAUX INCIDENT (INSCRIPTION DE).

- **Action en garantie :** Action par laquelle une personne qui a été condamnée par jugement à indemniser un tiers intente à son tour une action contre son garant en vue de se faire dédommager par ce dernier.

  Comp. garantie (appel en), intervention forcée, mise en cause

  Angl. *action in warranty*

- **Action en garantie incidente :** V. GARANTIE (APPEL EN).

- **Action en inopposabilité :** Action par laquelle le créancier, s'il en subit un préjudice, demande au tribunal de déclarer inopposable à son égard l'acte juridique que fait son débiteur en fraude de ses droits, notamment l'acte par lequel celui-ci se rend ou cherche à se rendre insolvable ou accorde, alors qu'il est insolvable, une préférence à un autre créancier.

  Rem. Sous le *Code civil du Bas-Canada*, elle portait les noms d'action paulienne ou d'action révocatoire.

  Syn. action paulienne, action révocatoire

  Angl. *paulian action*

- **Action en mesures accessoires :** Action exercée devant un tribunal par l'un des exépoux ou conjointement par eux en vue d'obtenir une ordonnance alimentaire ou une ordonnance de garde, ou les deux (*Loi sur le divorce*, L.R.C. 1985, c. 3 (2e suppl.), art.2).

  Angl. *corollary relief proceeding*

- **Action en nullité :** V. ACTION DIRECTE EN NULLITÉ.

- **Action en partage :** Action par laquelle un cohéritier ou un propriétaire indivis demande le partage des biens communs, vu l'absence d'entente à l'amiable entre les cohéritiers ou coproriétaires.

  Angl. *action for distribution, action for partition*

- **Action en passation de titre :** Action par laquelle le créancier d'une promesse de vente demande au tribunal d'ordonner au débiteur de passer le contrat suivant les conditions de la promesse et de déclarer que, à défaut par celui-ci de le faire, le jugement en tiendra lieu et en aura tous les effets légaux.

  Angl. *action in execution of title*

- **Action en pétition d'hérédité :** Action par laquelle un héritier, qui ne figure pas au partage d'une succession, demande de faire reconnaître par le tribunal son titre.

  Angl. *action to bring a petition of inheritance*

- **Action en ratification de titre :** Action par laquelle une personne qui avait acquis un immeuble et qui en avait la possession pouvait autrefois obtenir la purge des hypothèques dont il était grevé.

  Angl. *action for confirmation of title, application for confirmation of title*

- **Action en recherche de filiation :** V. ACTION EN RÉCLAMATION D'ÉTAT.

- **Action en réclamation d'état :** Action par laquelle le demandeur vise à établir une filiation dont il se croit privé à tort. Ex. L'action intentée par l'enfant lorsque la filiation n'est pas établie par un titre et une possession d'état conformes.

  Syn. action en recherche de filiation

  Comp. action d'état, action en contestation d'état

  Angl. *action to claim status*

- **Action en reddition de compte :** Action par laquelle une personne, l'oyant, demande au tribunal d'ordonner à celui qui a administré des biens pour autrui, le rendant, de rendre compte de sa gestion et le requiert de statuer ensuite sur le compte si, après qu'il ait été produit, elle en conteste l'exactitude.

  Comp. action *pro socio*, compte (reddition de)

  Angl. *action for an account, action to account*

- **Action en réintégrande :** Action possessoire qui vise à permettre à celui qui a été privé de la possession d'un immeuble par le fait d'autrui d'en recouvrer la jouissance.

  Comp. action en complainte, action possessoire

  Angl. *action for repossession*

- **Action en réméré :** V. RÉMÉRÉ.

- **Action en répétition de l'indu :** Action par laquelle une personne réclame le remboursement de ce qu'elle a payé par erreur ou sans cause.

  Comp. action *de in rem verso*, répétition de l'indu

  Angl. *action for restitution*

- **Action en rescision :** V. RESCISION.

- **Action en résolution :** V. ACTION RÉSOLUTOIRE.

- **Action en revendication :** V. REVENDICATION (ACTION EN).

- **Action estimatoire :** Action par laquelle l'acheteur poursuit le vendeur en raison de vices cachés et réclame en conséquence une diminution du prix de vente.

  Syn. action *quanti minoris*
  Comp. action rédhibitoire
  Angl. *estimatory action*

- **Action hypothécaire :** Action par laquelle le créancier hypothécaire impayé demande que le détenteur d'un immeuble hypothéqué en sa faveur soit condamné à le délaisser pour qu'il soit vendu en justice, à moins que celui-ci ne préfère payer la totalité de la créance.

  Angl. *hypothecary action, mortgage action*

- **Action indirecte :** V. ACTION OBLIQUE.

- **Action *in personam* :** V. ACTION PERSONNELLE.

- **Action *in rem* :** V. ACTION RÉELLE.

- **Action mixte :** Action par laquelle une personne réclame à la fois la reconnaissance d'un droit personnel et d'un droit réel provenant d'une même situation juridique. Ex. L'action par le vendeur en annulation de la vente d'un immeuble.

  Angl. *mixed action*

- **Action négatoire :** Action réelle par laquelle le propriétaire d'un immeuble vise à faire déclarer par le tribunal que celui-ci n'est pas grevé de servitude ou que le titulaire de la servitude exerce son droit de façon irrégulière ou abusive.

  Contr. action confessoire
  Angl. *negatory action*

- **Action oblique :** Action intentée par le créancier au nom et pour le compte de son débiteur lorsque, à son préjudice, celui-ci refuse ou néglige d'exercer ses droits.

  Syn. action indirecte
  Comp. action directe, action subrogative
  Angl. *derivative action, indirect action*

- **Action paulienne :** Action par laquelle un créancier demande au tribunal de déclarer nuls, à son égard, des actes que son débiteur insolvable a faits en fraude de ses droits.

  Rem. Dans le *Code civil du Québec*, elle porte le nom d'action en inopposabilité.
  Syn. action en inopposabilité, action révocatoire
  Angl. *paulian action, revocatory action*

- **Action personnelle :** Action par laquelle une personne demande la reconnaissance ou la sanction d'un droit personnel. Ex. L'action en dommages-intérêts pour blessures corporelles.

  Syn. action *in personam*
  Angl. *personal action*

- **Action pétitoire :** Action réelle par laquelle le titulaire d'un droit réel immobilier, généralement le propriétaire d'un immeuble, demande au tribunal de reconnaître son droit.

  Rem. On emploie parfois le terme « pétitoire » seul pour désigner l'action pétitoire. Ex. Cumuler le pétitoire et le possessoire.
  Comp. action possessoire
  Angl. *petitory action*

- **Action populaire :** V. ACTION *QUI TAM*.

- **Action possessoire :** Action réelle par laquelle le possesseur d'un immeuble demande au tribunal de faire cesser un trouble à sa possession ou d'ordonner qu'il soit remis en possession d'un bien dont il a été dépossédé. L'action possessoire peut être en complainte, en réintégrande ou en dénonciation de nouvel oeuvre.

  Rem. On emploie parfois le terme « possessoire » seul pour désigner l'action possessoire. Ex. Cumuler le pétitoire et le possessoire.
  Comp. action en complainte, action en dénonciation de nouvel oeuvre, action en réintégrande, action pétitoire
  Angl. *possessory action*

- **Action *pro socio* :** Action qu'un associé exerce contre les autres associés pour les forcer à remplir leurs obligations ou, lors de la dissolution de la société, pour les forcer à rendre compte.

  Comp. reddition de compte
  Angl. *pro socio action*

- **Action provocatoire :** Action par laquelle une personne demande au tribunal de forcer un individu qui prétend publiquement détenir des droits contre elle à venir en faire la preuve, sous peine d'interdiction de faire valoir ultérieurement ses prétentions.

  Rem. Cette action n'a pas cours au Québec puisqu'elle implique un renversement du fardeau de la preuve.
  Syn. action de jactance
  Angl. *provocatory action*

- **Action publique :** V. ACTION D'INTÉRÊT PUBLIC.

- **Action *quanti minoris* :** Action par laquelle l'acheteur poursuit le vendeur en raison de vices cachés et réclame en conséquence une diminution du prix de vente.

  Syn. action estimatoire
  Comp. action rédhibitoire
  Angl. *estimatory action, quanti minoris action*

- **Action *qui tam* :** Action par laquelle un justiciable exerce, tant pour son bénéfice personnel que pour celui de l'État, un recours contre une personne qui a enfreint une loi à caractère pénal en vue d'obtenir qu'elle soit condamnée à verser une amende qu'il pourra ensuite partager avec l'État.

  Rem. La locution « *qui tam* » provient de « *qui tam pro domino rege sequitur quam pro se ipso* » qui signifie « qui poursuit tant pour le roi que pour lui-même ». Puisque le pouvoir d'exercer ce recours, qui n'a plus cours au Québec, appartenait à tout citoyen, on l'appelait également « action populaire ». La *Loi sur les actions pénales* (L.R.Q., c. A.-5), qui en reconnaissait l'existence, a été abrogée en 1990.
  Angl. *qui tam action*

- **Action récursoire :** Action intentée contre ses codébiteurs par celui qui a dû payer au créancier la totalité de la dette.

  Syn. recours en contribution
  Angl. *claim over, counterclaim, recursory action*

- **Action rédhibitoire :** Action par laquelle l'acheteur demande la résiliation de la vente, en raison de vices cachés existant lors de la vente, lorsque ceux-ci rendent le bien impropre à l'usage auquel il le destinait ou en diminuent tellement son utilité qu'il ne l'aurait pas acheté ou n'aurait pas donné un prix si élevé s'il les avait connus.

  Comp. action estimatoire, action *quanti minoris*, vice caché
  Angl. *redhibitory action*

- **Action réelle :** Action par laquelle une personne demande la reconnaissance ou la protection d'un droit réel. Ex. L'action en revendication d'une automobile volée.

  Syn. action *in rem*
  Angl. *real action*

- **Action résolutoire :** Action par laquelle une partie à un contrat en demande la résolution.

  Syn. action en résolution
  Comp. résolution
  Angl. *action in resolution*

- **Action révocatoire :** V. ACTION PAULIENNE.

- **Action subrogatoire :** Action par laquelle le subrogé fait valoir contre le débiteur dont il a acquitté la dette les droits du créancier originaire.

  Comp. action oblique
  Angl. *indirect action, subrogatory action*

Actionnaire *n.*

- Personne qui détient des actions émises par une société.

  Comp. action (de compagnie ou de société par actions), convention unanime des actionnaires
  Angl. *shareholder*

Actionner *v.tr.*

- Intenter une action en justice.

  Angl. *to sue, to take proceedings against*

Activisme judiciaire

- Modèle de comportement selon lequel un juge, plutôt que de fonder ses décisions sur la règle de droit et la jurisprudence, choisit de s'appuyer plutôt sur des considérations de politique sociale nouvelles qui ne sont pas encore reconnues légalement.

  Comp. retenue judiciaire
  Angl. *judicial activism*

Act of God

- Expression anglaise signifiant « cas fortuit », « force majeure ».

  Syn. cas fortuit, force majeure

Actori incumbit onus probandi

☐ Maxime latine signifiant que le fardeau de la preuve incombe au demandeur.
Syn. *actori incumbit probatio*

Actori incumbit probatio

☐ Maxime latine signifiant que la preuve (ou le fardeau de la preuve) incombe au demandeur.
Syn. *actori incumbit onus probandi*

Actor sequitur forum rei

☐ Maxime latine signifiant que la personne qui agit en justice doit intenter l'action devant le tribunal du défendeur.

Actus reus

☐ Expression latine signifiant « acte coupable ». Acte ou comportement conscient et volontaire d'un individu qu'une loi pénale prohibe et sanctionne. Il constitue l'élément matériel d'une infraction criminelle et, s'il se joint à une intention coupable, il entraîne la responsabilité pénale de son auteur. Ex. Le coup de fusil tiré par une personne constitue l'*actus reus* du meurtre.
Comp. *corpus delicti*, infraction statutaire, *mens rea*

A.C.W.S.

☐ Abrév. de *All Canada Weekly Summaries*.

A.D.

☐ Abrév. de *Anno domini*.

Adage *n.m.*

☐ Proposition concise et imagée énonçant une règle de droit ou de morale.
Comp. brocard, maxime
Angl. *adage*

Addenda *n.m.inv.*

☐ Notes additionnelles à la fin d'un ouvrage, d'une liste, d'un texte.
Rem. On utilise parfois le terme *addendum* (singulier de « addenda ») lorsqu'il y a une seule note à ajouter. Le terme « addenda » signifie, en latin, « choses à ajouter ».
Angl. *addenda*

À défaut de

☐ V. DÉFAUT DE (À).

Ad futuram memoriam

☐ Locution latine signifiant « pour réminiscence future », « dans l'hypothèse d'un éventuel procès ». Lorsqu'une personne prévoit un litige éventuel et craint qu'une preuve ne se perde ou ne devienne alors plus difficile à présenter, elle peut demander que soient entendus *ad futuram memoriam* les témoins dont elle craint l'absence ou la défaillance.
Comp. *de bene esse*

Ad futurum

☐ Locution latine signifiant « pour l'avenir ».

Adhérent, ente *n.*

☐ **1.** Personne qui participe à une assurance collective.
Angl. *adherent, member, participant*

☐ **2.** Personne qui souscrit à un contrat d'adhésion.
Comp. contrat d'adhésion
Angl. *adhering party*

Adhésion *n. f.*

☐ **1.** Acte unilatéral par lequel une personne accepte une situation juridique existante en devenant partie à un accord ou en se joignant à un groupement. Ex. L'adhésion à un syndicat.
Comp. contrat d'adhésion
Angl. *adherence*

☐ **2.** Acte par lequel un pays, un État souscrit à un pacte déjà conclu entre d'autres États et accepte les obligations qui y sont contenues.
Angl. *accession*

Ad hoc

☐ Locution (dérivée du latin) signifiant « pour

cela », « pour une fin particulière », « pour une situation précise ». Ex. Un tuteur, curateur, procureur *ad hoc* (nommé spécialement pour une affaire particulière).

Ad hominem

□ Locution latine signifiant « vers l'homme ». Se dit notamment d'un argument dirigé contre la personne même de l'adversaire, surtout lorsqu'on veut lui opposer des actes qu'elle a posés ou des déclarations qu'elle a faites antérieurement. Ex. Un argument *ad hominem* n'a de valeur qu'à l'égard de la personne visée.
Comp. *erga omnes*

Ad infinitum

□ Locution latine signifiant « à l'infini ».

Adiré, ée *adj.*

□ Se dit d'un document perdu, égaré ou détruit.
Angl. *lost*

Adition *n.f.*

□ V. ACTE D'ADITION D'HÉRÉDITÉ.

Adjonction *n. f.*

□ **1.**Addition, augmentation, accroissement.
Angl. *addition, adjunction*

□ **2.** Action d'associer une personne à un procès en cours. Ex. Adjonction de parties.
Angl. *adjunction*

Adjudicataire *n.*

□ Personne qui, ayant fait la meilleure offre dans une vente en justice, se porte acquéreur du bien vendu.
Angl. *contractor, purchaser, successful bidder*

Adjudication *n.f.*

□ **1.** Attribution par autorité de justice au plus offrant d'un bien mis aux enchères.
Angl. *adjudication, sale by auction*

□ **2.** Décision judiciaire. Ex. L'adjudication par le juge des biens réclamés par le demandeur dans son action.
Comp. contentieuse (juridiction)
Angl. *decision*

• **Adjudication sur un point de droit :** Moyen de procédure par lequel les parties demandent à un juge de trancher un litige qui les oppose, lorsqu'elles s'accordent sur les faits mais ne s'entendent pas sur une question de droit.
Angl. *decision upon a question of law*

Adjuger *v.tr.*

□ Attribuer par jugement en faveur d'une partie. Ex. Adjuger les dépens en faveur de la partie demanderesse.
Angl. *to adjudge, to find for*

Ad. lib.

□ Abrév. de *Ad libitum*.

Ad libitum

□ Locution latine signifiant « selon son bon plaisir », « à volonté ».
Comp. *ad nutum*

Ad litem

□ Locution (dérivée du latin) signifiant « pour les fins d'un procès donné ». Ex. Un avocat *ad litem.*

Adm. Ct.

□ Abrév. de *Admiralty Court.*

Administrateur, trice *n.*

□ **1.** Personne chargée de gérer un ou plusieurs biens, un patrimoine. Ex. Le liquidateur de la succession.
Comp. administration, curateur, officier, séquestre, tuteur
Angl. *administrator*

• **Administrateur de la succession :** V. LIQUIDATEUR DE LA SUCCESSION.

• **Administrateur du bien d'autrui :** Toute personne qui est chargée d'administrer un bien ou un patrimoine qui n'est pas le sien.

Rem. Selon le *Code civil du Québec*, il peut se voir confier soit la simple administration, soit la pleine administration du bien d'autrui.

Comp. administration du bien d'autrui (pleine), administration du bien d'autrui (simple)

Angl. *administrator of the property of others*

□ **2.** Personne chargée de l'administration dans une entreprise publique ou privée. Ex. Le directeur général d'un hôpital.

Comp. administration

Angl. *administrator, director*

□ **3.** Membre du conseil d'administration d'une société ou d'une personne morale de droit public ou de droit privé.

Angl. *administrator, director*

• **Administrateur permanent :** Personne élue ou nommée au conseil d'administration d'une société ou d'une personne morale pour un terme dont la durée est déterminée par la loi ou par l'acte constitutif ou les règlements de l'entreprise.

Angl. *permanent administrator*

• **Administrateur provisoire :** Personne désignée dans l'acte constitutif d'une société ou d'une personne morale pour en gérer les biens jusqu'à la nomination ou l'élection des administrateurs permanents.

Angl. *temporary administrator*

Administratif, ive *adj.*

□ **1.** Relatif à la gestion, la direction et la supervision d'affaires publiques ou privées.

Angl. *administrative*

□ **2.** Propre à la fonction exécutive, par opposition aux fonctions législative et judiciaire.

Angl. *administrative, executive*

□ **3.** Concernant, impliquant l'administration publique.

Comp. acte administratif, pouvoir exécutif, procédure administrative, tribunal administratif

Angl. *administrative*

Administration *n.f.*

□ **1.** Action de gérer des biens, de diriger des affaires publiques ou privées.

Comp. administrateur

Angl. *administration, management*

• **Administration du bien d'autrui (pleine) :** Régime de l'administration légale selon lequel l'administrateur doit conserver et faire fructifier le bien, accroître le patrimoine ou en réaliser l'affectation lorsque l'intérêt du bénéficiaire l'exige.

Comp. acte d'administration, administrateur du bien d'autrui

Angl. *full administration of the property of others*

• **Administration du bien d'autrui (simple) :** Régime de l'administration légale selon lequel l'administrateur doit faire tous les actes nécessaires à la conservation du bien ou ceux qui sont utiles pour maintenir l'usage auquel le bien est normalement destiné.

Comp. acte d'administration, administrateur du bien d'autrui

Angl. *simple administration of the property of others*

□ **2.** Fonction de l'État qui consiste à assurer l'application des lois et la bonne conduite des services publics, selon des directives énoncées par le pouvoir exécutif.

Comp. acte administratif, administrateur, administratif, gouvernement

Angl. *administration*

• **Administration publique :** Ensemble des organismes publics, gouvernementaux et paragouvernementaux chargés d'assurer la gestion des services publics et de coordonner les multiples interventions de l'État, conformément aux orientations définies par les pouvoirs législatif et exécutif.

Syn. Administration

Angl. *Administration, Public Authority*

□ **3.** Action de fournir. Ex. L'administration de la preuve lors d'un procès.

Angl. *production*

Administrativiste *n.*

□ Juriste qui se spécialise dans l'étude ou la pratique du droit administratif.

Comp. civiliste, commercialiste, criminaliste, fiscaliste, pénaliste, privatiste, publiciste

Angl. *specialist in administrative law*

Admin. L.J.

- Abrév. de *Administrative Law Journal.*

Admin. L.R.

- Abrév. de *Administrative Law Reports.*

Admissibilité *n.f.*

- V. ADOPTION (ADMISSIBILITÉ À L'), PREUVE (ADMISSIBILITÉ D'UNE).

Admissible *adj.*

- V. ADOPTION (ADMISSIBLE À L'), PREUVE ADMISSIBLE.

Adm. Pub. Can.

- Abrév. de Administration publique du Canada.

Ad nauseam

- Locution latine signifiant « jusqu'à la nausée », « à l'excès ».

Ad nutum

- Expression latine signifiant « à son gré » et qui qualifie le pouvoir discrétionnaire conféré à une personne de révoquer en tout temps, par sa seule volonté, le mandat qu'elle a confié à une autre.

Adolescent, ente *n.*

- Toute personne qui, étant âgée d'au moins douze ans, n'a pas atteint l'âge de dix-huit ans ou qui, en l'absence de preuve contraire, paraît avoir un âge compris entre ces limites, ainsi que, lorsque le contexte l'exige, toute personne qui, sous le régime de la présente loi, est soit accusée d'avoir commis une infraction durant son adolescence, soit déclarée coupable d'une infraction (*Loi sur les jeunes contrevenants*, L.R.C. 1985, c. Y-1, art. 2(1)).

  Angl. *young person*

Adoptabilité *n.f.*

- État d'une personne qui remplit les conditions requises par la loi pour son adoption.

  Syn. adoption (admissibilité à l')
  Comp. adoption
  Angl. *eligibility for adoption*

- **Adoptabilité (déclaration d') :** Jugement qui déclare une personne adoptable, soit parce qu'elle n'a pas de parents connus ou de tuteur, soit parce que ses parents ont été déchus de leur autorité ou qu'elle a fait l'objet d'un abandon.

  Syn. adoption (déclaration d'admissibilité à l')
  Comp. abandon, adoptable, autorité parentale
  Angl. *declaration of eligibility for adoption*

Adoptable *adj.*

- Se dit d'une personne qui remplit les conditions requises pour être adoptée.

  Syn. adoption (admissible à l')
  Comp. adoptabilité, adoption
  Angl. *eligible for adoption*

Adoptant, ante *n.*

- Personne qui adopte un enfant.

  Angl. *adopter, adopting parent, adoptive parent*

Adopté, ée *n.*

- Personne qui a été adoptée.

  Angl. *adopted, adopted child, adopted person*

Adopter *v.tr.*

- Prendre légalement quelqu'un pour fils ou pour fille. Ex. Adopter un enfant.

  Angl. *to adopt*

Adoptif, ive *adj.*

- Qui a été adopté ou qui a adopté. Ex. Un fils adoptif, une mère adoptive.

  Angl. *adoptive*

Adoption *n.f.*

- Acte juridique créant entre deux personnes, l'adoptant et l'adopté, des relations de droit similaires à celles qui existent entre les parents naturels et leurs enfants. L'adopté cesse alors d'appartenir à sa famille d'origine pour entrer dans celle de l'adoptant.

Angl. *adoption*

- **Adoption (admissibilité à l')** : État d'une personne qui remplit les conditions requises par la loi pour son adoption.

  Syn. adoptabilité
  Angl. *eligibility for adoption*

- **Adoption (admissible à l')** : Se dit d'une personne qui remplit les conditions requises pour être adoptée.

  Syn. adoptable
  Angl. *eligible for adoption*

- **Adoption (déclaration d'admissibilité à l')** : Jugement qui déclare une personne admissible à l'adoption, soit parce qu'elle n'a pas de parents connus ou de tuteur, soit parce que ses parents ont été déchus de leur autorité ou qu'elle a fait l'objet d'un abandon.

  Syn. adoptabilité (déclaration d')
  Comp. abandon, autorité parentale
  Angl. *declaration of eligibility for adoption*

Ad probationem

☐ Locution latine signifiant « pour (la) preuve ». Elle qualifie généralement une formalité que la loi impose pour que la preuve d'un acte puisse être faite légalement. Ex. Pour des contrats de plus de 1 000$, la loi exige un écrit *ad probationem*.

Comp. *ad solemnitatem*

Ad quem

☐ Locution latine signifiant « vers lequel ».

Ad rem

☐ Locution latine signifiant littéralement « vers la chose ». Se dit d'une référence, d'un argument qui est pertinent, qui porte sur la question à l'étude. Ex. Citer au juge un arrêt « *ad rem* ».

Adresse du juge au jury

☐ V. EXPOSÉ DU JUGE AU JURY.

Ad solemnitatem

☐ Locution latine signifiant « pour la solennité ». Elle qualifie généralement une formalité que la loi impose pour qu'un acte soit valide. Ex. Dans le cas d'une hypothèque, l'écrit est requis *ad solemnitatem*.

Comp. *ad probationem*

A.D.T.

☐ Abrév. de *Anti-Dumping Tribunal*.

Adultération *n.f.*

☐ V. FALSIFICATION.

Adultère *n.m.*

☐ Fait, pour une personne mariée, d'avoir volontairement des relations sexuelles avec une personne autre que son conjoint.

Comp. adultérin, enfant adultérin, enfant naturel
Angl. *adultery*

Adultérin, ine *adj.*

☐ **1.** Entaché d'adultère. Ex. Des rapports adultérins.

Angl. *adulterous*

☐ **2.** Conçu dans l'adultère. Ex. Un enfant adultérin.

Comp. adultère, enfant adultérin, enfant naturel
Angl. *adulterous*

A. du N.

☐ Abrév. de Annales du notariat et de l'enregistrement.

Advocates' Q.

☐ Abrév. de *The Advocates' Quarterly*.

Advocates' Soc. J.

☐ Abrév. de *The Advocates' Society Journal*.

Aéroglisseur *n.m.*

☐ Véhicule conçu pour se maintenir dans l'atmosphère principalement grâce à la réaction, sur la surface de la terre, de l'air expulsé par son moteur.

Angl. *air cushion vehicle, hovercraft*

Aéronef *n.m.*

□ Appareil susceptible de s'élever et de se déplacer dans les airs.

Angl. *aircraft*

Affacturage *n.m.*

□ Vente de créances commerciales ou de comptes à recevoir par une entreprise à une autre, appelée facteur, qui, moyennant une commission, en assume et en garantit le recouvrement.

Rem. Ce type de contrat, qui est d'inspiration américaine, est souvent appelé « factoring ».

Comp. facteur

Angl. *factoring*

Affectation *n.f.*

□ Détermination de l'usage auquel un bien est destiné.

Angl. *appropriation to a purpose*

- **Affectation générale :** V. CHARGE FLOTTANTE.

- **Affectation (patrimoine d') :** V. PATRIMOINE D'AFFECTATION.

Affiant, ante *n.*

□ Personne qui fait et signe une déclaration assermentée.

Rem. Ce terme, qui est un anglicisme, est utilisé au Québec seulement.

Syn. déclarant

Comp. affidavit

Angl. *affiant, deponent*

Affidavit *n.m.*

□ Déclaration écrite appuyée du serment du déclarant ou de son affirmation solennelle, reçue et attestée par toute personne autorisée à cette fin par la loi.

Comp. affirmation solennelle, serment

Angl. *affidavit*

- **Affidavit détaillé :** V. PREUVE PAR AFFIDAVITS DÉTAILLÉS.

Affiliation syndicale

□ Rattachement d'un groupe de salariés syndiqués à une centrale syndicale - union, fédération ou confédération - en vue d'assurer, sur une base territoriale, professionnelle ou industrielle, une meilleure défense de leurs intérêts.

Angl. *union affiliation*

Affinité *n.f.*

□ V. ALLIANCE.

Affirmation d'allégeance

□ V. SERMENT D'ALLÉGEANCE.

Affirmation d'office

□ V. SERMENT D'OFFICE.

Affirmation solennelle

□ Attestation faite par une personne, sur la foi de son honneur, qu'elle dira la vérité lors de son témoignage ou que la déclaration qu'elle atteste contient la vérité.

Comp. affidavit, commissaire pour la prestation du serment, serment

Angl. *solemn affirmation*

Affrètement *n.m.*

□ **1.** Contrat par lequel une personne, le fréteur, moyennant un prix, aussi appelé fret, s'engage à mettre à la disposition d'une autre personne, l'affréteur, tout ou partie d'un navire, en vue de le faire naviguer (*Code civil du Québec*, art. 2001).

Comp. affréteur, fréteur, staries, surestaries

Angl. *affreightment, charter*

- **Affrètement à temps :** Contrat par lequel le fréteur met à la disposition de l'affréteur, pour un temps défini, un navire armé et équipé, dont il conserve le gestion nautique, alors qu'il en transfère la gestion commerciale à l'affréteur (*Code civil du Québec*, art. 2014).

  Angl. *time charter*

- **Affrètement au voyage :** Contrat par lequel le fréteur met à la disposition de l'affréteur, en tout ou en partie, un navire armé et équipé dont il conserve la gestion nautique et la gestion commerciale, en vue d'accomplir, relativement à une cargaison, un ou plusieurs voyages déterminés (*Code civil du Québec*, art. 2021).

Angl. *voyage charter*

- **Affrètement coque-nue :** Contrat par lequel le fréteur met, pour un temps défini, un navire sans armement ni équipement, ou avec un armement et un équipement incomplets, à la disposition de l'affréteur et lui transfère la gestion nautique et la gestion commerciale du navire (*Code civil du Québec*, art. 2007).

  Angl. *bareboat charter*

□ **2.** Plus généralement, contrat par lequel le propriétaire d'un véhicule de transport (navire, avion, camion, etc.) s'engage à le mettre à la disposition d'une autre personne en tout ou en partie, pour le transport de marchandises déterminées.

Comp. cargaison, connaissement

Angl. *affreightment, chartering*

Affréteur *n.m.*

□ Personne qui, en vertu d'un contrat d'affrètement, dispose d'un véhicule pour le transport de marchandises.

Comp. affrètement, fret, fréteur

Angl. *charterer*

A fortiori

□ Locution (dérivée du latin) signifiant « à plus forte raison ».

A.G.

□ Abrév. de *Attorney General.*

Âge *n.m.*

□ Portion déterminée de la vie d'une personne.

Angl. *age*

- **Âge (dispense d') :** Autorisation accordée à une personne d'exercer certains droits alors qu'elle n'a pas l'âge minimum requis pour en bénéficier. Ex. La dispense d'âge pour contracter mariage.

  Angl. *waiving of age limit*

- **Âge légal :** Âge déterminé par la loi pour l'exercice de certains droits civils ou politiques. Ex. Au Québec, l'âge légal pour la majorité est fixé à 18 ans.

  Angl. *age, legal age*

Agent, ente *n.*

□ Personne qui agit pour autrui et qui le représente, que ce soit à titre d'employé, de mandataire ou d'intermédiaire autonome. Il engage la responsabilité de celui qui a requis ses services suivant le contrat ou le lien juridique qui les lie.

Comp. courtier, concessionnaire, facteur, préposé

Angl. *agent, officer*

- **Agent commercial :** Intermédiaire de commerce indépendant qui, en qualité de mandataire, négocie et conclut des contrats au nom et pour le compte de commerçants ou d'industriels.

  Syn. agent de commerce

  Comp. courtier, facteur

  Angl. *commercial broker, mercantile agent, sales representative*

- **Agent d'accréditation :** Fonctionnaire du ministère du Travail, au Québec, nommé par le commissaire général du travail pour vérifier si une association de salariés qui demande l'accréditation possède un caractère représentatif et a droit à l'accréditation.

  Comp. accréditation

  Angl. *certification agent*

- **Agent d'assurance :** V. AGENT EN ASSURANCE.

- **Agent de change :** Terme utilisé, notamment en France et en Belgique, pour désigner le courtier.

  Syn. courtier

  Angl. *stock broker*

- **Agent de commerce :** V. AGENT COMMERCIAL.

- **Agent de la paix :** Personne chargée de faire régner l'ordre public et d'arrêter les personnes qui le troublent. Ex. Les policiers sont des agents de la paix.

  Rem. L'art. 2 du *Code criminel* (L.R.C. 1985, c. C-46) énumère les personnes qui sont reconnues comme agents de la paix.

  Angl. *peace officer, officer of the law*

- **Agent de probation :** Personne qui est chargée par le juge de préparer à son intention et de lui remettre un rapport écrit ayant pour but de l'aider à déterminer la sentence à imposer à un accusé ou à décider si celui-ci devrait bénéficier d'une absolution.

  Angl. *probation officer*

- **Agent de recouvrement :** Une personne qui, personnellement ou par l'entremise d'un représentant et moyennant rémunération, recouvre, tente ou offre de recouvrer une créance pour autrui (*Loi sur le recouvrement de certaines créances*, L.R.Q., c. R-22, art. 1).

  Comp. recouvrement
  Angl. *collection agent*

- **Agent d'immeuble :** Toute personne physique qui, en sa qualité d'employé ou de personne autorisée à agir au nom d'un courtier ou d'un constructeur inscrit, visé à l'article 3, accomplit une opération immobilière (*Loi sur le courtage immobilier*, L.R.Q., c. C-73, art. 1*b*)).

  Comp. courtier en immeubles
  Angl. *real estate agent*

- **Agent en assurance :** Personne qui offre directement au public des produits d'assurance de personnes ou de dommages pour le compte d'un seul assureur ou qui est liée par contrat d'exclusivité à un assureur.

  Rem. Jusqu'à tout récemment, on employait l'appellation « agent d'assurance ».
  Comp. assureur, courtier en assurance
  Angl. *insurance agent*

- **Agent officiel :** Agent nommé selon la procédure prévue au paragraphe 215(1), spécifiquement responsable du paiement de toutes les dépenses légitimes occasionnées par la direction ou la conduite d'une élection (*Loi électorale du Canada*, L.R.C. 1985, c. E-2, art. 2).

  Comp. agent principal
  Angl. *official agent*

- **Agent principal :** Relativement à tout parti enregistré, agent enregistré de ce parti dont le nom figure dans le registre des agents des partis enregistrés, tenu par le directeur général des élections en application du paragraphe 33(1), en qualité d'agent principal de ce parti (*Loi électorale du Canada*, L.R.C. 1985, c. E-2, art. 2(1)).

  Comp. agent officiel
  Angl. *chief agent*

Aggravant, ante *adj.*

☐ V. CIRCONSTANCE(S) AGGRAVANTE(S).

Agiotage *n.m.*

☐ Manoeuvre frauduleuse effectuée par une personne qui, dans le dessein de réaliser un profit par la hausse ou la baisse de la valeur des actions d'une entreprise ou du prix des marchandises, conclut des ententes factices concernant leur achat, leur vente ou leur livraison.

Syn. spéculation illicite
Comp. agioteur
Angl. *agiotage, gaming in merchandise, gaming in stocks, speculation*

Agioteur *n.m.*

☐ Personne qui se livre à l'agiotage.

Comp. agiotage
Angl. *speculator*

Agir (en justice) *v.intr.*

☐ V. ESTER (EN JUSTICE), INTENTER.

Agnation *n.f.*

☐ En droit romain, lien de parenté civile unissant les descendants de la même souche masculine ainsi que les personnes soumises à la puissance paternelle.

Comp. agnats, cognation
Angl. *agnation*

Agnats *n.m.pl.*

☐ En droit romain, descendants de la même souche masculine ou personnes soumises à la puissance paternelle qui, étant liées par la parenté civile, ont le droit de succéder. Ex. Sont agnats la femme et les enfants légitimes et adoptifs du *pater familias* ainsi que les enfants et les femmes de ses fils.

Contr. cognats
Comp. agnation, *pater familias*
Angl. *agnates*

Agrément *n.m.*

☐ **1.** Validation d'un acte par une autorité.

Angl. *consent, registration*

☐ **2.** Consentement. Ex. Rendre compte à l'amiable, avec l'agrément de tous les bénéficiaires.
Angl. *consent*

☐ **3.** Plaisir.
Angl. *amenity*

- **Agrément (impenses d') :** V. IMPENSES D'AGRÉMENT.

Agrès *n.m.pl.*

☐ Matériel accessoire d'un navire qui est indispensable à la navigation. Ex. Les ancres, mâts, voiles et poulies.
Syn. apparaux
Angl. *tackle*

Agresseur *n.m.*

☐ Personne qui attaque brusquement et violemment une autre.
Comp. agression
Angl. *aggressor*

Agression *n.f.*

☐ **1.** Attaque brusque et violente contre une personne.
Comp. agresseur, voies de fait
Angl. *aggression, assault*

- **Agression sexuelle :** Voies de fait, agression avec l'intention d'avoir avec une personne, sans son consentement, des relations sexuelles ou des faveurs ou gratifications sexuelles.
Comp. voies de fait
Angl. *sexual assault*

- **Agression sexuelle grave :** Agression sexuelle au cours de laquelle l'agresseur blesse, mutile ou défigure sa victime ou met sa vie en danger.
Angl. *aggravated sexual assault*

☐ **2.** Emploi de la force armée par un État contre la souveraineté, l'intégrité territoriale ou l'indépendance politique d'un autre État, ou de toute autre manière incompatible avec la Charte des Nations Unies (Résolution de l'Assemblée générale des Nations Unies du 14 décembre 1974).
Comp. agresseur
Angl. *aggression*

A.I.A.

☐ Abrév. de Affaires d'immigration en appel.

Aide juridique

☐ Avantage accordé par la loi à une personne économiquement défavorisée afin de lui faciliter l'accès aux tribunaux, aux services professionnels d'un avocat ou d'un notaire et à l'information nécessaire sur ses droits et ses obligations.
Angl. *legal aid*

Aïeul, eule, aïeux *n.*

☐ Ascendant en ligne directe, maternelle ou paternelle, à partir du deuxième degré de parenté (grand-père ou grand-mère, arrière-grand-père ou arrière-grand-mère, etc.).
Rem. Au pluriel (aïeux), ce terme peut également désigner les ancêtres en général.
Comp. ascendant, bisaïeul, trisaïeul
Angl. *grandparent*

Aînesse (droit d')

☐ Dans les anciennes coutumes, droit de l'aîné des enfants mâles de recevoir en héritage la totalité ou la quasi-totalité du patrimoine familial.
Angl. *birth right*

A.J.D.A.

☐ Abrév. de l'Actualité juridique, droit administratif.

Ajournement *n.m.*

☐ Renvoi d'une affaire à une date ultérieure.
Angl. *adjournment*

- **Ajournement *sine die* :** Ajournement à une date indéterminée.
Comp. *sine die*
Angl. *adjournment sine die*

A.L.

☐ Abrév. de Administrateur des loyers.

Alcootest *n.m.*

☐ Test permettant de dépister le taux d'alcool

dans l'organisme d'une personne.
Angl. *breathalyzer*

- Alcootest approuvé : Instrument d'un type destiné à recueillir un échantillon de l'haleine d'une personne et à en faire l'analyse en vue de déterminer l'alcoolémie de cette personne et qui est approuvé pour l'application de l'article 258 par un arrêté du procureur général du Canada (*Code criminel*, L.R.C. 1985, c. C-46, art. 254(1)).
  Syn. ivressomètre
  Angl. *approved instrument*

Aléas *n.m.pl.*

☐ Événements dont la réalisation est imprévisible ou incertaine et dont les parties à une convention acceptent de tenir compte dans la détermination de leurs prestations réciproques.
Angl. *contingencies, hazards*

- **Aléas de la vie :** Événements dont la réalisation est imprévisible ou incertaine et qui sont susceptibles d'affecter la durée de la vie d'une personne ou sa capacité de gain pour l'avenir.
  Angl. *contingencies of life*

Aléatoire *adj.*

☐ V. CONTRAT ALÉATOIRE.

Alibi *n.m.*

☐ Moyen de défense par lequel une personne soupçonnée d'une infraction invoque le fait qu'elle se trouvait dans un autre lieu lorsque celle-ci a été commise. Ex. Fournir un alibi très solide.
Angl. *alibi*

Aliénabilité *n.f.*

☐ Caractère d'un bien ou d'un droit qui peut faire l'objet d'une aliénation.
Contr. inaliénabilité
Comp. aliénation, cessibilité, disponibilité, transmissibilité
Angl. *alienability*

Aliénable *adj.*

☐ Qui peut faire l'objet d'une aliénation.
Contr. inaliénable
Comp. aliénation, cessible, disponible, transmissible
Angl. *alienable, disposable*

Aliénataire *n.*

☐ Personne en faveur de qui se fait une aliénation.
Contr. aliénateur
Comp. acheteur, cessionnaire, donataire, héritier
Angl. *alienee*

Aliénateur, trice *n.*

☐ Personne qui transfère ou transmet un bien par aliénation.
Contr. aliénataire
Comp. cédant, donateur, testateur, vendeur
Angl. *alienator*

Aliénation *n.f.*

☐ Transmission qu'un propriétaire fait à autrui d'un bien ou d'un droit qui lui appartient.
Rem. L'aliénation peut être à titre gratuit (donation, legs) ou à titre onéreux (vente, cession).
Comp. acte d'aliénation, transmission
Angl. *alienation, disposal*

Aliénation mentale

☐ Dérèglement des facultés mentales qui empêche un individu d'avoir pleinement conscience de ses actes.
Rem. Elle enlève toute responsabilité pénale à l'individu qui, lors de la commission de son crime, en est atteint, qu'un tel désordre mental soit permanent ou momentané. D'autre part, elle peut donner ouverture à un régime de protection pour une personne lorsque celle-ci est, pour ce motif et de façon habituelle, incapable d'assumer ses responsabilités et de gérer ses affaires.
Syn. insanité
Comp. défense d'aliénation mentale
Angl. *insanity*

Aliéné, ée mental, ale *n.*

☐ Personne qui est atteinte d'aliénation mentale.
Angl. *insane person*

Alieni juris

☐ Locution latine signifiant « du droit d'un autre » que l'on utilise pour qualifier la personne qui est sous la dépendance d'une autre pour l'exercice de ses droits. Ex. L'enfant mineur est *alieni juris* pour l'exercice de ses droits.
Contr. *sui juris*

Alimentaire *adj.*

☐ À titre d'aliments.
Comp. aliments, créance alimentaire, créancier alimentaire, obligation alimentaire, pension alimentaire
Angl. *alimentary*

Aliments *n.m.pl.*

☐ Obligation légale ayant pour objet une somme d'argent destinée à assurer la subsistance d'une personne. Ex. Lorsqu'il prononce la séparation de corps, le juge peut ordonner à l'un des époux de verser des aliments à l'autre.
Comp. créance alimentaire, obligation alimentaire, pension alimentaire
Angl. *alimony, food, maintenance, support*

Allégation *n.f.*

☐ Affirmation d'un fait sur lequel une partie à un procès fonde ses prétentions. Une allégation peut être écrite ou orale.
Comp. conclusion
Angl. *allegation*

Allégeance *n.f.*

☐ **1.** Obligation de fidélité et d'obéissance envers l'État dont une personne a la nationalité.
Comp. serment d'allégeance
Angl. *allegiance, loyalty*

☐ **2.** Lien d'appartenance d'une personne à un groupe.
Angl. *allegiance*

All E.R.

☐ Abrév. de *All England Law Reports.*

Alliance *n.f.*

☐ Lien juridique entre un époux et les parents de son conjoint.
Syn. affinité
Angl. *affinity, alliance, relation by marriage, wedding bond*

Allié, ée *adj. et n.*

☐ **1.(adj.)** Uni par une alliance.
Comp. alliance
Angl. *allied*

☐ **2.(n.)** Relativement à l'un des époux, tout parent de son conjoint. Relativement aux parents d'un époux, le conjoint de ce dernier.
Angl. *relative by affinity, relative by marriage*

Allonge *n.f.*

☐ Feuille de papier que l'on attache à un effet de commerce, lorsque celui-ci est couvert de signatures, afin que puissent y être ajoutés des nouveaux endossements.
Angl. *allonge*

Alluvion *n.f.*

☐ Accroissement de terrain dû à des dépôts de terre successifs et imperceptibles qu'apporte un cours d'eau.
Comp. accroissement, atterrissement, avulsion, lais (et relais) de la mer
Angl. *alluvial deposits, alluvion*

Alta Gaz.

☐ Abrév. de *The Alberta Gazette.*

Alta L.Q.

☐ Abrév. de *Alberta Law Quarterly.*

Alta L.R.

☐ Abrév. de *Alberta Law Reports.*

Alta. L.R. (2d)

☐ Abrév. de *Alberta Law Reports, Second séries.*

Alta L.R.B.R.

☐ Abrév. de *Alberta Labour Relations Board Reports.*

Alta L. Rev.

☐ Abrév. de *Alberta Law Review.*

Altération *n.f.*

☐ Modification ayant pour objet de changer le sens, la destination ou la valeur d'une chose et qui est de nature à porter préjudice.
Angl. *alteration*

Alter ego *n.m.inv.*

☐ Locution latine signifiant « un autre moi-même ». Elle désigne une personne qui peut en représenter une autre à tous égards à cause de la confiance que celle-ci lui témoigne.

Alternative *adj.*

☐ V. OBLIGATION ALTERNATIVE.

Améliorations *n.f.pl.*

☐ Travaux ou dépenses effectués sur un bien, meuble ou immeuble, et qui en augmentent la valeur ou l'embellissent.
Syn. impenses
Angl. *improvements*

- **Améliorations nécessaires :** V. IMPENSES NÉCESSAIRES.
- **Améliorations somptuaires ou voluptuaires :** V. IMPENSES VOLUPTUAIRES.
- **Amélioration utiles :** V. IMPENSES UTILES.

Amende *n.f.*

☐ Peine pécuniaire édictée par la loi et consistant dans le paiement d'une somme d'argent à l'État ou à un organisme qui relève de l'État.
Angl. *fine*

Amendement *n.m.*

☐ **1.** Modification apportée à un texte légal soumis à un organisme ayant des pouvoirs législatifs ou réglementaires. Ex. Un amendement à un projet de loi.
Angl. *amendment*

☐ **2.** En droit judiciaire, moyen par lequel une partie modifie un acte de procédure qu'elle a produit. Ex. Un amendement ne sera pas permis s'il est inutile ou contraire aux intérêts de la justice.
Angl. *amendment*

☐ **3.** Motion visant à modifier le fond ou la forme d'une proposition soumise à une assemblée délibérante.
Angl. *amendment*

Amender *v.tr.*

☐ Apporter des modifications à un texte à caractère légal. Ex. Amender une loi, un acte de procédure.
Comp. amendement
Angl. *to amend*

Ameublir *v.tr.*

☐ Faire entrer dans la communauté de biens tout ou partie de ses immeubles présents ou futurs.
Comp. clause d'ameublissement
Angl. *to mobilize*

Ameublissement *n.m.*

☐ V. CLAUSE D'AMEUBLISSEMENT.

Amiable compositeur

☐ Arbitre autorisé par les parties à régler un différend en se fondant sur l'équité plutôt que sur les règles de droit et sans être tenu d'observer les règles ordinaires de la procédure.
Comp. arbitrage, conciliation, médiation
Angl. *arbitrator*

Amicus curiae

☐ Expression latine signifiant « ami de la cour » et désignant une personne qui est admise à faire valoir dans un procès, même si elle n'a aucun intérêt direct et personnel dans le litige, soit l'intérêt public ou celui d'un groupe social important, soit une question de droit ou de fait susceptible d'éclairer le tribunal.

Amirauté *n.f.*

☐ V. COUR D'AMIRAUTÉ.

Amnistie *n.f.*

☐ Mesure législative ou décision du chef de l'État qui fait disparaître le caractère délictueux de certains faits commis par une ou plusieurs personnes ; elle interrompt les poursuites ou efface la condamnation qui a été prononcée.
Comp. pardon
Angl. *amnesty*

Amodiation *n.f.*

☐ Terme employé autrefois pour désigner la location d'un fonds de terre moyennant une prestation périodique en nature ou en argent de la part du locataire, appelé colon partiaire.
Syn. colonat
Comp. bail à ferme, colon partiaire
Angl. *lease, leasing*

Amortissement *n.m.*

☐ En matière fiscale, étalement du coût d'achat d'un bien sur sa durée de vie probable.
Angl. *amortization, depreciation*

Amovible *adj.*

☐ Qui peut être déplacé, muté, destitué.
Angl. *removable*

Anal. de pol.

☐ Abrév. de Analyse de politiques.

Anatocisme *n.m.*

☐ Intégration au capital des intérêts d'une dette de sorte que les intérêts capitalisés produisent à leur tour des intérêts.
Comp. intérêts composés
Angl. *anatocism*

Animo domini

☐ Locution latine signifiant « avec l'esprit de propriétaire » employée pour qualifier une personne qui se comporte comme le propriétaire d'un bien.

Animus *n.m.*

☐ État d'esprit, intention ou volonté d'une personne. S'applique à une personne qui se comporte comme le titulaire d'un droit sur un bien et est généralement utilisé avec un autre mot qui en précise la nature.

- ***Animus domini* :** Expression latine signifiant « l'esprit de propriétaire » et qualifiant l'intention d'une personne de se comporter comme le propriétaire d'un bien. Il constitue l'un des deux éléments requis de la possession, l'autre étant le *corpus.*
Comp. *corpus*

- ***Animus donandi* :** Expression latine signifiant « intention de donner », « volonté de faire une donation ».
Comp. donation

- ***Animus novandi* :** Expression latine signifiant « intention de nover ».
Comp. novation

- ***Animus possidendi* :** Expression latine signifiant « intention de posséder ».
Comp. possession, propriété

Ann. Air & Space L.

☐ Abrév. de *Annals of Air and Space Law* / Annales de droit aérien et spatial.

Ann. Air & Sp. L.

☐ Abrév. de *Annals of Air and Space Law* / Annales de droit aérien et spatial.

Annal, ale, aux *adj.*

☐ **1.** Valable pour une année seulement, qui ne dure qu'un an.
Angl. *annual, yearly*

☐ **2.** En matière de possession, qui existe depuis au moins un an et un jour.
Comp. possession annale
Angl. *annual, yearly*

Ann. Can. D. de la personne

□ Abrév. de Annuaire canadien des droits de la personne / *Canadian Human Rights Yearbook.*

Ann. Can. D. Int.

□ Abrév. de Annuaire canadien de droit international / *The Canadian Yearbook of International Law.*

Ann. D. Aérien & Spatial

□ Abrév. de Annales de droit aérien et spatial / *Annals of Air and Space Law.*

Année civile

□ Période qui s'étend du 1er janvier au 31 décembre.

Angl. *calendar year*

Annexe *n.f.*

□ Texte joint à un document visant le plus souvent à régler des questions techniques, à préciser le sens de certains termes ou à compléter l'information qui s'y trouve. Ex. L'annexe d'un contrat, d'une loi.

Comp. appendice, dispositif, préambule
Angl. *addition, annex, appendage, schedule*

Annexion *n.f.*

□ **1.** Rattachement total ou partiel d'une municipalité ou d'un territoire non organisé à une municipalité contiguë.

Angl. *annexation*

□ **2.** Rattachement total ou partiel d'un État à un autre, avec la population et les biens qui s'y trouvent.

Angl. *annexation*

Ann. Fr. Dr. Int.

□ Abrév. de Annuaire français de droit international.

Ann. Lég. et Ét.

□ Abrév. de Annuaire de législation française et étrangère.

Ann. Not. et Enreg.

□ Abrév. de Annales du notariat et de l'enregistrement.

Annonce *n.f.*

□ Terme autrefois utilisé pour désigner un avis public.

Syn. avis public
Angl. *public notice*

Ann. Pr. Ind.

□ Abrév. de Annales de la propriété industrielle, artistique et littéraire.

Annuité *n.f.*

□ Paiement que le débiteur effectue annuellement à son créancier, en remboursement partiel de sa dette, en capital et intérêts.

Angl. *annuity*

Annulabilité *n.f.*

□ Caractère d'un acte juridique dont l'annulation peut être demandée en raison d'un vice de fond ou de forme.

Comp. annulable, annulation
Angl. *annullability*

Annulable *adj.*

□ Qui peut être annulé, dont on peut obtenir l'annulation.

Angl. *annullable*

Annulation *n.f.*

□ Anéantissement rétroactif par une autorité judiciaire ou administrative d'un acte juridique ou d'une décision en raison d'un vice de fond ou de forme qui l'entache. Ex. Le jugement d'annulation d'un contrat pour cause d'absence de consentement de la part de l'une des parties.

Rem. Contrairement au *Code civil du Bas-Canada*, le *Code civil du Québec* utilise le terme « annulation » plutôt que le mot « rescision » pour désigner l'annulation d'un acte pour cause de lésion.
Contr. validation
Comp. annulabilité, annuler, nullité, rescision, résiliation, résolution
Angl. *annulment, cancellation*

- **Annulation de mariage :** Décision d'un tribunal qui annule rétroactivement les effets du mariage, comme si celui-ci n'avait jamais existé.
  Angl. *annulment of marriage*

Annuler *v.tr.*

□ Rendre nul, déclarer sans effet, frapper de nullité rétroactivement. Ex. Annuler un verdict, une élection.
Contr. valider
Comp. annulation
Angl. *to annul, to cancel*

- **Annuler (opposition à fin d') :** V. OPPOSITION À FIN D'ANNULER.

Anomale *adj.*

□ V. SUCCESSION ANOMALE.

A non domino

□ Locution latine signifiant « d'une personne qui n'est pas propriétaire ». Ex. La vente d'un bien par une personne qui n'en est pas propriétaire est faite *a non domino*.

Antécédents judiciaires *n.m.pl.*

□ Liste des infractions pour lesquelles une personne a été reconnue coupable et qui constitue son casier judiciaire.
Comp. casier judiciaire, récidive
Angl. *past record, previous convictions, prior infractions*

Antichrèse *n.f.*

□ Contrat par lequel un débiteur transfère à son créancier la possession de son immeuble pour que celui-ci l'administre et en perçoive les revenus jusqu'à extinction totale de la dette.
Comp. gage, nantissement
Angl. *antichresis*

Antidate *n.f.*

□ Date apparaissant sur un écrit, qui est antérieure à la date réelle de la signature.
Contr. postdate
Comp. chèque antidaté
Angl. *antedate*

Antidaté, ée *adj.*

□ Se dit d'un écrit qui porte une date antérieure à la date réelle de sa signature.
Contr. postdaté
Comp. chèque antidaté
Angl. *antedated*

A., N.W.T. & Y. Tax R.

□ Abrév. de *Alberta, N.W.T. & Yukon Tax Reports.*

A pari

□ Locution latine signifiant « par analogie », « pour une raison semblable ». Ex. Un argument a *pari*, un raisonnement a *pari*.
Comp. *a contrario, a fortiori*

Apériteur, trice *adj. et n.*

□ **1.(adj.)** Se dit de l'assureur qui, en cas de coassurance, représente tous les assureurs auprès de l'assuré.
Angl. *leading*

□ **2.(n.)** Assureur qui, en cas de coassurance, représente tous les assureurs auprès de l'assuré, notamment pour la détermination des conditions de l'assurance et le règlement des sinistres.
Angl. *leading insurer, leading underwriter*

A posteriori

□ Locution (dérivée du latin) utilisée pour démontrer qu'un argument est fondé sur une expérience, sur des faits constatés.

Apostille *n.f.*

□ Annotation, modification ou addition en marge, en bas de page ou à la fin d'un écrit.
Angl. *apostil*

App.

□ Abrév. de **1.** Appel ; **2.** *Appeal.*

Apparaux *n.m.pl.*

□ V. AGRÈS.

Apparence de droit

□ Lors de l'exercice de certains recours devant les tribunaux, le plus souvent en cas d'urgence, obligation imposée à la partie demanderesse par la loi ou le tribunal de démontrer que, à la seule vue des éléments de preuve qu'elle présente et des faits qu'elle allègue, elle a droit au remède recherché. Elle peut servir de fondement à un jugement provisoire même si une preuve définitive n'a pas été présentée ou si la partie adverse n'a pas eu l'opportunité de produire sa propre version des faits. Ex. L'employeur qui demande l'émission d'une ordonnance d'injonction interlocutoire pour empêcher un de ses anciens employés d'oeuvrer pour un de ses concurrents doit démontrer au tribunal que, selon l'apparence de droit, il a droit à l'injonction.

Angl. *appearance of right*

Apparent, ente *adj.*

□ V. ACTE APPARENT, CONTRAT APPARENT, SERVITUDE APPARENTE, VICE APPARENT.

Appauvri, ie *n.*

□ Nom donné à la personne aux dépens de laquelle une autre s'est enrichie sans justification et qui, conséquemment, a le droit d'être indemnisée jusqu'à concurrence de son appauvrissement corrélatif.

Contr. enrichi
Comp. enrichissement injustifié
Angl. *person impoverished*

App. Cas.

□ Abrév. de *Law Reports, Appeal Cases.*

Appel *n.m.*

□ Voie de recours ordinaire par laquelle une personne qui est insatisfaite d'une décision d'un tribunal inférieur demande à une juridiction supérieure d'en prononcer la réformation.

Syn. pourvoi
Comp. appelant, appeler, recours
Angl. *appeal*

- **Appel abusif :** Appel formé dans le seul but de nuire à la partie adverse et de l'empêcher de bénéficier des effets du jugement rendu en sa faveur.

  Rem. Si son appel est déclaré abusif, l'appelant peut être condamné à payer des dommages-intérêts à la partie adverse.
  Comp. abus de droit, appel dilatoire
  Angl. *abusive appeal, improper appeal*

- **Appel dilatoire ou abusif :** Appel effectué sans motif valable, dans le seul but de gagner du temps et de retarder l'exécution du jugement.

  Rem. Si son appel est déclaré dilatoire ou abusif, l'appelant peut être condamné à payer des dommages-intérêts à la partie adverse.
  Comp. abus de droit
  Angl. *dilatory or abusive appeal, dilatory or improper appeal*

- **Appel d'une cause :**
  1. Convocation des procureurs des parties à une séance présidée par un juge ou le greffier en vue de déterminer la date de l'audition d'une cause par le tribunal.
  Angl. *calling of a case*
  2. Convocation des parties et de leurs procureurs dans la salle d'audience au jour et à l'heure fixés pour l'audition de leur cause.
  Angl. *calling of a case*

- **Appel en garantie :** V. GARANTIE (APPEL EN).

- **Appel incident :** Appel formé par l'intimé contre l'appelant, sans autre formalité que la production d'une déclaration dans le dossier ouvert par ce dernier lors de l'introduction de l'appel principal.

  Comp. appel principal, contre-appel
  Angl. *incidental appeal*

- **Appel principal :** Appel formé par la partie qui prend l'initiative de porter devant une juridiction supérieure un jugement dont elle est insatisfaite.

  Comp. appel incident, contre-appel
  Angl. *principal appeal*

Appelant, ante *n.*

□ Partie qui prend l'initiative de porter devant une juridiction supérieure un jugement dont elle est insatisfaite.

Comp. appel, appeler
Angl. *appellant*

Appel de versements

☐ Résolution du conseil d'administration d'une compagnie ou société par actions qui exige des actionnaires l'acquittement de la totalité d'une partie du montant impayé des actions qu'ils ont souscrites, lorsqu'il n'existe pas d'entente préalable sur les modalités de leur paiement.

Angl. *call, call for payment*

Appel d'offres

☐ Procédé qu'emploie l'Administration pour choisir son cocontractant et selon lequel elle invite toute personne intéressée à lui proposer ses services pour l'exécution de travaux qu'elle précise dans un avis public.

Angl. *call for bids*

Appelé, ée *n.*

☐ Dans le cas d'une substitution, personne nommée par le disposant pour recueillir, postérieurement au grevé, les biens composant la substitution. Lorsqu'il y a plusieurs degrés de substitution, l'appelé qui a recueilli à charge de rendre devient à son tour grevé par rapport à l'appelé subséquent.

Syn. substitué
Angl. *substitute*

- **Appelé en garantie :** V. GARANTIE (APPELÉ EN).

Appeler *v.tr.*

☐ Lorsqu'il s'agit d'un jugement, s'adresser à une juridiction supérieure en vue d'obtenir la réformation de la décision d'un tribunal inférieur.

Comp. appel, appelant
Angl. *to appeal, to call*

Appendice *n.m.*

☐ **1.** Ensemble de textes, législatifs ou autres, de notes ou de remarques qui servent de complément à un ouvrage principal. Ex. L'appendice des Lois révisées du Canada (1985) contient la liste des lois abrogées par la révision ainsi que les lois constitutionnelles du Canada.

Angl. *appendix*

☐ **2.** Remarque, note explicative.

Comp. annexe
Angl. *appendix*

Apport *n.m.*

☐ **1.** Contribution des époux dans la communauté de biens.

Comp. contribution
Angl. *contribution*

☐ **2.** Contribution d'un associé dans une société. Il peut y apporter des biens, son crédit, son habileté ou son travail.

Comp. contribution
Angl. *contribution*

Apposer (les scellés) *v.tr.*

☐ Appliquer un sceau, une bande d'étoffe ou de papier sur l'ouverture d'une pièce ou d'un meuble où se trouvent des effets, de manière qu'on ne puisse y pénétrer ou l'ouvrir sans briser le sceau ou la bande.

Comp. scellés
Angl. *to affix the seals, to seal*

Apposition (des scellés) *n.f.*

☐ Opération par laquelle une personne désignée par le tribunal appose les scellés sur une pièce ou un meuble pour en interdire l'usage.

Comp. scellés
Angl. *affixing of the seals*

Apprentissage *n.m.*

☐ Formation donnée à une personne au lieu de travail afin de lui permettre d'acquérir les connaissances et les habiletés requises pour l'exercice d'un métier.

Rem. L'art. 1c) de la *Loi sur la formation et la qualification professionnelles de la main-d'oeuvre* (L.R.Q., c. F-5) définit l'apprentissage comme suit : « Un mode de formation professionnelle dont le programme est destiné à qualifier un apprenti et comporte une période de formation pratique chez un employeur et généralement des cours dans des matières techniques et professionnelles pertinentes ».

Angl. *apprenticeship, craft training*

Approbation *n.f.*

☐ V. HOMOLOGATION.

Appropriable *adj.*

☐ Se dit d'une chose qui est susceptible d'appropriation.

Contr. inappropriable
Comp. appropriation
Angl. *assumable*

Appropriation *n.f.*

☐ Action de s'attribuer un bien, d'en faire sa propriété.

Comp. accession, bien vacant
Angl. *appropriation*

A.P.R.

☐ Abrév. de *Atlantic Provinces Reports.*

A priori

☐ Locution (dérivée du latin) signifiant « à première vue », « avant toute expérience ou recherche », « avant tout examen ».

Apte *adj.*

☐ **1.** Qui a, de fait, la capacité de poser des actes, d'exercer des droits.

Contr. inapte
Comp. aptitude
Angl. *able, capable, fully able*

☐ **2.** Qui a la capacité juridique.

Contr. inapte
Comp. aptitude
Angl. *capable*

☐ **3.** Qui convient, qui est qualifié eu égard aux circonstances. Ex. Proposer au tribunal le nom d'une personne apte à exercer la tutelle.

Angl. *fit for, suitable*

Aptitude *n.f.*

☐ **1.** Capacité de fait de poser des actes, d'exercer des droits. Ex. L'aptitude d'une personne à prendre soin d'elle-même et à administrer ses biens.

Contr. inaptitude
Comp. apte, capacité
Angl. *ability, capacity*

☐ **2.** Terme employé parfois pour désigner la capacité juridique d'une personne. Ex. L'aptitude d'une personne à s'obliger par contrat.

Syn. capacité
Contr. inaptitude
Comp. apte
Angl. *capacity*

Apurement *n.m.*

☐ Vérification définitive des éléments d'un compte après laquelle un comptable est reconnu quitte.

Angl. *auditing, balancing*

A quo

☐ Locution latine signifiant « duquel ». V. *DIES A QUO*, JUGEMENT *A QUO*.

A.R.

☐ Abrév. de **1.** *Alberta Reports* ; **2.** *Appeal Reports, Upper Canada* ; **3.** *Atlantic Reporter.*

Arb.

☐ Abrév. de **1.** *Arbitrator* ; **2.** Arbitre.

Arbitrage *n.m.*

☐ Mode parajudiciaire de règlement d'un conflit selon lequel les parties, d'un commun accord ou par décision de la loi, confient à un tiers, appelé arbitre, la solution de leur litige.

Rem. Un arbitrage est international lorsque le litige implique un conflit entre les lois ou les juridictions de deux ou de plusieurs pays.
Comp. amiable compositeur, clause compromissoire, compromis, conciliation, convention d'arbitrage, médiation
Angl. *arbitration*

- **Arbitrage de griefs :** Mode de règlement d'un conflit entre un employeur et un syndicat par lequel un tiers, nommé arbitre de griefs, règle toute mésentente relative à l'application et à l'interprétation d'une convention collective.

Comp. grief
Angl. *arbitration of grievances, grievance arbitration*

Arbitral, ale *adj.*

☐ **1.** Qui est composé d'un ou de plusieurs arbitres. Ex. Un tribunal arbitral.
Angl. *arbitral, arbitration (tribunal)*

☐ **2.** Qui est rendu par un ou plusieurs arbitres. Ex. Une sentence arbitrale.
Angl. *arbitral, arbitration (award)*

Arbitre *n.m.*

☐ Personne choisie d'un commun accord par les parties intéressées ou imposée par la loi, pour régler à la place d'un juge le différend qui les oppose.
Angl. *adjudicator, arbitrator, referee*

• **Arbitre de griefs :** Personne désignée par les parties à une convention collective de travail ou, à défaut d'entente, par le ministre du Travail, pour régler les différends relatifs à l'application et à l'interprétation de la convention.
Comp. grief
Angl. *arbitrator of grievances, grievance arbitrator*

Archives *n.f.pl.*

☐ Ensemble des documents, quels que soient leur forme et leur support, produits ou reçus par une personne ou un organisme pour ses besoins ou l'exercice de ses activités et conservés pour leur valeur d'information générale.
Rem. Elles sont dites publiques lorsqu'elles émanent d'un organisme public tenu, par la loi, de conserver des archives. Ex. Les archives du gouvernement, des tribunaux.
Comp. cour d'archives
Angl. *archives, record*

Arch. Philo. Dr.

☐ Abrév. de Archives de philosophie du droit.

Arguer *v.tr.*

☐ Affirmer, prétendre. Ex. Arguer un acte de faux, c'est prétendre qu'il constitue un faux.
Comp. faux
Angl. *to infer*

Argument *n.m.*

☐ Raisonnement visant à prouver ou à réfuter une proposition.
Angl. *argument*

• **Argument de droit :** Raisonnement à l'appui d'un moyen de droit ou d'une proposition juridique et qui porte sur le fond d'une question.
Angl. *argument of law*

• **Argument de procédure :** Raisonnement qui porte essentiellement sur l'observance des règles de forme qui doivent être respectées lors d'une instance.
Angl. *technical argument*

• **Argument de texte :** Raisonnement fondé essentiellement sur la lettre d'un texte, sur sa rédaction.
Angl. *textual argument*

Armour

☐ Abrév. de *Armour's Manitoba Reports.*

Arrérager *v.intr.*

☐ Se trouver en retard pour le paiement d'une rente, d'une pension.
Angl. *to accumulate arrears*

Arrérages *n.m.pl.*

☐ Somme d'argent constituant une partie d'une rente ou d'une pension qui n'a pas été versée à l'échéance. Ex. Les arrérages d'une pension alimentaire.
Comp. dividende cumulatif
Angl. *arrears*

Arrestation *n.f.*

☐ **1.** Fait d'appréhender une personne (avec ou sans mandat) en recourant, si nécessaire, à la force physique en vue de la mettre sous le contrôle des autorités judiciaires.
Angl. *apprehension, arrest*

☐ **2.** État d'une personne appréhendée.
Angl. *apprehension, arrest*

Arrêt *n.m.*

☐ **1.** Décision d'une juridiction d'appel (par opposition au jugement qui est la décision d'un tribunal de première instance). Ex. Un arrêt de la Cour d'appel, un arrêt de la Cour suprême du Canada.

Comp. décision, jugement
Angl. *court order, judgment*

• **Arrêt de principe :** Décision d'une cour d'appel qui tranche un litige tout en énonçant des règles générales concernant une question de droit controversée, ce qui confère à cette décision une autorité morale dans la jurisprudence.

Contr. décision d'espèce
Angl. *leading case, fundamental decision*

☐ **2.** Terme utilisé, dans le *Code de procédure civile* de 1897, pour désigner une forme de saisie avant jugement.

Comp. saisie avant jugement
Angl. *seizure*

• **Arrêt en main tierce :** Forme de saisie avant jugement en vertu de laquelle le créancier fait saisir les biens meubles ou des sommes d'argent appartenant à son débiteur et qui se trouvent entre les mains d'un tiers lorsque le débiteur est sur le point de quitter le Québec ou cache ses biens avec l'intention de frauder ses créanciers ou, encore, lorsque celui-ci est un commerçant qui a cessé ses paiements et refuse de faire cession de ses biens.

Rem. Ce recours du *Code de procédure civile* de 1897 a été remplacé par la saisie avant jugement pour laquelle une autorisation est requise.
Comp. saisie-arrêt, saisie avant jugement
Angl. *attachment by garnishment*

• **Arrêt simple :** Forme de saisie avant jugement en vertu de laquelle le créancier fait saisir les biens meubles de son débiteur lorsque celui-ci est sur le point de quitter le Québec ou cache ses biens avec l'intention de frauder ses créanciers ou, encore, est un commerçant qui a cessé ses paiements et refuse de faire cession de ses biens.

Rem. Ce recours du *Code de procédure civile* de 1897 a été remplacé par la saisie avant jugement pour laquelle une autorisation est requise.
Comp. saisie avant jugement
Angl. *simple attachment*

Arrêté *n.m.*

☐ Décision officielle d'intérêt public, à portée générale ou individuelle, rendue par écrit et émanant du gouvernement ou d'une autorité administrative. Ex. Un arrêté ministériel, un arrêté municipal.

Comp. décret, ordonnance
Angl. *order*

• **Arrêté en conseil :** Mode d'expression du gouvernement lorsqu'il rend une décision. Ainsi, le gouvernement peut, par arrêté en conseil, adopter un règlement, nommer un ministre ou désigner l'autorité compétente pour exercer certains pouvoirs.

Rem. Au Québec, cette expression a été remplacée par le terme « décret ».
Syn. décret
Comp. arrêté, ordonnance
Angl. *decree, order in council*

• **Arrêté ministériel :** Arrêté émanant d'un ministre.

Angl. *ministerial decree, ministerial order*

Arrêtiste *n.m.*

☐ Juriste qui commente ou résume les décisions des cours de justice.

Angl. *reporter*

Arrhes *n.f.pl.*

☐ Somme d'argent que l'acheteur verse au vendeur, lors de la conclusion du contrat, qui est imputable sur le prix de vente et constitue une pénalité lorsqu'une des parties manque à ses obligations. Ainsi, l'acheteur qui est en défaut perd la somme qu'il a versée alors que le vendeur, s'il manque à son obligation, doit remettre à l'acheteur le double de ce montant.

Comp. acompte, dédit
Angl. *deposit, earnest*

Art.

☐ Abrév. de Article(s).

Artisan, ane *n.*

☐ Personne qui travaille à son compte et vit du profit de son travail manuel et qui, contrairement au commerçant, ne spécule pas sur la main-d'oeuvre qu'elle emploie ni sur les matériaux qu'elle utilise.

Rem. L'art. 1t) de la *Loi sur la formation et la qualification professionnelles de la main-d'oeuvre* (L.R.Q., c. F-5) le définit comme suit : « Une personne physique qui, faisant affaires pour son propre compte, exerce un métier ou une profession ».

Angl. *craftsman, skilled tradesman*

Ascendant, ante *adj. et n.*

☐ **1.(adj.)** Qui va en montant.

Angl. *ascending*

- **Ascendante (ligne) :** Ensemble des générations dont une personne est issue.

  Angl. *line of ascent*

☐ **2.(n.)** Parent dont on descend directement. Le père est l'ascendant du fils.

Contr. descendant

Angl. *ascendant*

- **Ascendant privilégié :** En matière de succession, père et mère du défunt.

  Angl. *privileged ascendant*

Assemblée *n.f.*

☐ **1.** Réunion d'un groupe de personnes régulièrement convoquée pour délibérer, selon des règles établies, d'affaires déterminées et prendre, s'il y a lieu, des décisions. Ex. Une assemblée des actionnaires d'une entreprise.

Angl. *assembly, meeting*

☐ **2.** Ensemble des membres d'un groupe constitué. Ex. L'Assemblée nationale.

Angl. *assembly, meeting*

- **Assemblée annuelle :** V. ASSEMBLÉE GÉNÉRALE.

- **Assemblée des créanciers :** En matière de faillite, réunion de tous les créanciers qui ont une réclamation prouvable en vue d'examiner les affaires du failli, de nommer un syndic qui sera responsable de l'administration des biens du failli et de choisir les inspecteurs qui défendront leurs intérêts.

  Angl. *creditors' meeting*

- **Assemblée générale :** Réunion des membres d'une association ou d'un groupe de personnes dûment constitué qui se tient à une époque déterminée par les règlements de l'organisme.

  Rem. Lors d'une assemblée générale des actionnaires d'une compagnie ou d'une société par actions, ceux-ci sont généralement appelés à en approuver le bilan financier, à ratifier certaines décisions des administrateurs, à élire ceux qui doivent l'administrer et, le cas échéant, à nommer un vérificateur des comptes.

  Syn. assemblée annuelle

  Comp. assemblée spéciale

  Angl. *general meeting*

- **Assemblée législative :**

  1. Assemblée démocratiquement élue qui élabore et adopte les lois.

  Rem. Il s'agit du nom donné autrefois à l'Assemblée nationale du Québec.

  Comp. Assemblée nationale, Chambre des communes, Sénat

  Angl. *Legislative assembly, legislature*

  2. Expression désignant toute assemblée qui élabore et adopte des lois.

  Angl. *Legislative assembly, legislature*

- **Assemblée nationale :** Organisme suprême du Québec composé de députés élus qui élaborent les lois et déterminent les orientations politiques de la province.

  Angl. *National Assembly*

- **Assemblée spéciale :** Réunion tenue par les membres d'une association ou d'un groupe de personnes dûment constitué au cours de laquelle ceux-ci discutent exclusivement des sujets portés à l'ordre du jour dans l'avis de convocation.

  Comp. assemblée générale

  Angl. *special meeting*

Assermentation *n.f.*

☐ Action de faire prêter serment à quelqu'un.

Comp. serment

Angl. *administration of oath, swearing in*

Asservi (fonds)

☐ V. FONDS SERVANT.

Assesseur *n.m.*

☐ Personne ayant une compétence particulière dans un secteur d'activités et qui siège auprès d'un juge ou d'un arbitre et l'assiste dans ses fonctions.

Angl. *assessor*

Assiette *n.f.*

☐ **1.** Bien matériel sur lequel porte un droit ; matière assujettie à une obligation. Ex. L'assiette d'une servitude, d'une hypothèque.

Angl. *site, situs*

☐ **2.** Base économique qui sert à évaluer la matière assujettie à l'impôt. Ex. L'assiette fiscale.

Angl. *basis, revenue base*

Assignation *n.f.*

☐ Ordre donné à une personne par une autorité judiciaire de se présenter devant un tribunal à une date fixe ou dans un délai déterminé.

Comp. bref d'assignation

Angl. *assignation, assignment, summoning, summons*

Assigner *v.tr.*

☐ **1.** Informer une personne, normalement par huissier, qu'un procès civil est engagé contre elle et la sommer de comparaître devant un tribunal dans un délai déterminé.

Angl. *to issue a writ, to serve a writ*

☐ **2.** Ordonner à une personne de se présenter devant un tribunal à une date déterminée pour qu'elle y soit interrogée.

Angl. *to cite, to summon*

☐ **3.** Affecter une somme d'argent à une fin déterminée. Ex. Assigner une somme d'argent au paiement d'une rente.

Angl. *to assign*

Assises criminelles *n.f.pl.*

☐ **1.** Juridiction chargée d'entendre et de juger les crimes. Elle est généralement composée d'un juge qui préside et d'un jury.

Rem. Au Québec, les assises criminelles sont présidées par un juge de la Cour supérieure.

Syn. Cour des assises criminelles

Angl. *assizes, criminal assizes*

☐ **2.** Période pendant laquelle siège la Cour des assises criminelles.

Angl. *assizes, criminal assizes*

Assistance *n.f.*

☐ Intervention d'une personne ayant le pouvoir légal de conseiller un incapable afin de l'autoriser à poser des actes juridiques.

Angl. *aid, assistance*

Assn.

☐ Abrév. de Association.

Assn. Can. Rel. Ind.

☐ Abrév. de Association canadienne des relations industrielles. Congrès. Travaux / *Canadian Industrial Relations Association. Annual Meeting. Proceedings.*

Association *n.f.*

☐ **1.** Groupe de personnes réunies dans un intérêt commun dont les activités non lucratives visent à promouvoir l'étude, la défense et le développement des intérêts économiques, sociaux et moraux de ses membres.

Comp. union

Angl. *association*

• **Association (contrat d') :** Contrat par lequel les parties conviennent de poursuivre un but commun autre que la réalisation de bénéfices pécuniaires à partager entre les membres de l'association (*Code civil du Québec*, art. 2186).

Comp. société (contrat de)

Angl. *contract of association*

☐ **2.** Groupement permanent de personnes qui s'unissent dans un but commun.

Angl. *association*

- **Association accréditée :** Association reconnue par décision d'une autorité compétente pour représenter l'ensemble ou une partie des salariés auprès de leur employeur.

  Comp. convention collective (de travail), syndicat

  Angl. *certified association*

- **Association constituée en personne morale :** Personne morale sans but lucratif. Ex. Selon le *Code civil du Québec*, un mineur peut être administrateur d'une association constituée en personne morale.

  Comp. association, personne morale

  Angl. *association constituted as legal person*

- **Association coopérative :** Association coopérative ou fédération coopérative constituée en personne morale par une loi fédérale ou provinciale, ou en application d'une telle loi.

  Comp. coopérative

  Angl. *cooperative association*

- **Association d'employeurs :**

  1. Groupement d'employeurs ayant pour buts l'étude et la sauvegarde des intérêts économiques de ses membres et particulièrement l'assistance dans la négociation et l'application de conventions collectives (*Code du travail*, L.R.Q., c. C-27, art. 1c)).

  Syn. syndicat patronal

  Comp. convention collective (de travail), syndicat

  Angl. *employers' association*

  2. Groupement d'employeurs, association de groupements d'employeurs ou association regroupant des employeurs et des groupements d'employeurs, ayant pour buts l'étude, la sauvegarde et le développement des intérêts économiques de ses membres et particulièrement l'assistance dans la négociation et l'application de conventions collectives (*Loi sur la santé et la sécurité du travail*, L.R.Q., c. S-2.1, art. 1).

  Syn. syndicat patronal

  Angl. *employers' association*

- **Association de salariés :** Groupement de salariés constitué en syndicat professionnel ou sous une forme similaire et ayant pour but de promouvoir les intérêts de ses membres, notamment de négocier des conventions collectives et de voir à leur application.

  Comp. convention collective (de travail), syndicat

  Angl. *association of employees, labour union, trade-union, union*

- **Association syndicale :** Un groupement de travailleurs constitué en syndicat professionnel, union, fraternité ou autrement ou un groupement de tels syndicats, unions, fraternités ou autres groupements de travailleurs constitués autrement, ayant pour but l'étude, la sauvegarde et le développement des intérêts économiques, sociaux et éducatifs de ses membres et particulièrement la négociation et l'application de conventions collectives (*Loi sur la santé et la sécurité du travail*, L.R.Q., c. S-2.1, art. 1).

  Angl. *union association*

Associé, ée *n.*

- ☐ Membre d'une société.

  Rem. Une association est composée de membres et elle est dirigée par des administrateurs.

  Comp. administrateur, commanditaire, commandité, membre, société

  Angl. *associate, business partner, partner*

- **Associé nominal :**

  1. Dans une société en nom collectif, personne qui prête son nom à la société sans en faire partie et qui encourt la même responsabilité que les autres associés envers les tiers qui contractent de bonne foi avec la société.

  Comp. société en nom collectif

  Angl. *nominal partner*

  2. Membre nominal d'une société en nom collectif.

  Comp. société en nom collectif

  Angl. *nominal partner*

A.S.S.S.

- ☐ Abrév. de Arbitrage - Santé et Services Sociaux.

Assumpsit

- ☐ Terme latin signifiant « il a assumé », « il s'est engagé ». En *common law*, terme qui désigne une action fondée sur la violation d'une promesse ou d'un engagement de faire ou de payer quelque chose.

Assurance *n.f.*

- ☐ Contrat par lequel l'assureur, moyennant une prime ou cotisation, s'oblige à verser au preneur ou à un tiers une prestation dans le cas où un risque couvert par l'assurance se réalise (*Code civil du Québec*, art. 2389).

  Comp. assuré, assureur, avenant, couverture, preneur, prime, risque

  Angl. *insurance*

- **Assurance à découvert :** V. CONTRAT À DÉCOUVERT.

- **Assurance automobile :** Assurance publique ou privée ayant pour objet de garantir l'indemnisation des risques liés au transport par véhicule automobile, en particulier l'indemnisation des dommages subis par une personne lors d'un accident (y compris le décès de la victime, les atteintes physiques ou psychiques, les frais de réadaptation et le remplacement de revenus perdus) et des dommages matériels à un véhicule ; elle couvre également la responsabilité civile du conducteur ou du propriétaire du véhicule qui cause des dommages corporels ou matériels.

  Rem. Au Québec, il existe un régime étatique d'assurance automobile dont la portée et les limites sont précisées dans la *Loi sur l'assurance automobile* (L.R.Q., c. A-25).

  Angl. *motor-car insurance*

- **Assurance-chômage :** Système d'assurance destiné à fournir aux travailleurs en chômage involontaire certains revenus pendant une période déterminée.

  Rem. Le système canadien est public et il se finance essentiellement à partir des cotisations versées par les employeurs et leurs employés.

  Angl. *unemployment insurance*

- **Assurance collective de personnes :** V. ASSURANCE DE PERSONNES.

- **Assurance de biens :** Assurance ayant pour objet d'indemniser l'assuré des pertes matérielles qu'il peut subir en regard des biens qui lui appartiennent, notamment en cas de vol, endommagement ou destruction. Ex. L'assurance d'une maison contre l'incendie.

  Angl. *property insurance*

- **Assurance-décès :** V. ASSURANCE-VIE.

- **Assurance de dommages :** Assurance ayant pour objet de garantir l'assuré contre les conséquences d'un événement pouvant porter atteinte à son patrimoine. Elle comprend l'assurance de biens et l'assurance de responsabilité.

  Angl. *indemnity insurance*

- **Assurance de personnes :** Assurance ayant pour objet de garantir les risques liés à la vie, l'intégrité physique et la santé de l'assuré. Ex. L'assurance-vie, l'assurance-maladie.

  Rem. Elle est individuelle lorsqu'elle ne met en présence que l'assureur et l'assuré ; elle est collective lorsqu'elle s'inscrit dans un contrat-cadre entre l'assureur et des personnes adhérant à un groupe déterminé ainsi que, dans certains cas, leur famille ou les personnes à leur charge.

  Angl. *group insurance of persons, individual insurance, insurance of persons*

- **Assurance-dépôt :** Assurance offerte par l'État ayant pour objet de garantir, jusqu'à une certaine limite, la protection des dépôts d'argent du public auprès des banques, des caisses d'épargne et de crédit, des sociétés de fiducie et autres institutions financières.

  Comp. dépôt

  Angl. *deposit insurance*

- **Assurance de responsabilité :** Assurance qui a pour objet de garantir l'assuré contre les recours exercés contre lui en raison d'un préjudice qu'il a pu causer à des tiers et dont il est responsable. Elle peut couvrir la responsabilité civile et la responsabilité professionnelle. Ex. L'assurance de responsabilité du propriétaire d'une maison en cas d'accident.

  Comp. responsabilité civile

  Angl. *liability insurance*

- **Assurance-hospitalisation :** Assurance, publique ou privée, ayant pour objet de garantir l'indemnisation de certains frais d'hospitalisation.

  Rem. Au Québec, il existe un régime public qui couvre, gratuitement pour les usagers, la plupart des frais encourus pendant l'hospitalisation (*Loi sur l'assurance-maladie*, L.R.Q., c. A-29). Les autres soins, tels les coûts de chambre privée ou semi-privée ou de soins donnés par une infirmière personnelle, doivent être défrayés par les patients qui peuvent, à cette fin, se procurer une assurance privée.

Angl. *hospital expense insurance, hospital insurance, hospitalization insurance*

- **Assurance individuelle de personnes :** V. ASSURANCES DE PERSONNES.

- **Assurance-invalidité :** Assurance ayant pour objet de garantir le paiement d'une pension à une personne qui, par suite d'un accident ou de maladie, est incapable d'exercer de manière durable, en tout ou en partie, ses activités professionnelles.

  Angl. *disability insurance*

- **Assurance-maladie :** Assurance ayant pour objet de garantir le paiement total ou partiel des frais encourus par l'assuré en cas de maladie.

  Rem. Au Québec, il existe un régime public d'assurance-maladie auquel les contribuables doivent participer (*Loi sur l'assurance-maladie*, L.R.Q., c. A-29) et ceux-ci peuvent le compléter par une assurance privée couvrant des frais que n'assure pas le régime public.

  Angl. *health insurance, sickness insurance*

- **Assurance maritime :** Assurance ayant pour objet de garantir les risques liés au transport par mer, aux navires et à leurs marchandises.

  Angl. *marine insurance, maritime insurance*

- **Assurance (police d') :** V. POLICE D'ASSURANCE.

- **Assurance-récolte :** Assurance collective à laquelle contribue l'État et ayant pour objet de garantir l'indemnisation des risques liés aux récoltes lorsque les pertes subies par les agriculteurs ou les producteurs sont causées par des éléments naturels (tels la grêle, le gel, la sécheresse et les inondations), des animaux sauvages ou des insectes.

  Angl. *crop insurance*

- **Assurance sur la vie :** V. ASSURANCE-VIE.

- **Assurance terrestre :** Assurance ayant pour objet de garantir les risques liés aux personnes et aux dommages à l'exception de ceux que couvre l'assurance maritime.

  Angl. *non-marine insurance*

- **Assurance-vie :** Assurance ayant pour objet de garantir au souscripteur ou à une personne qu'il désigne une somme déterminée, sous forme de capital ou de rente, en cas de décès de l'assuré ou de sa survie à une date déterminée. Les termes « assurance-décès » sont employés dans la première hypothèse et « assurance sur la vie » dans la seconde.

  Angl. *life insurance*

Assuré, ée *n.*

□ Personne qui est protégée par un contrat d'assurance.

Comp. assurance, assureur

Angl. *insured, insured person*

Assureur, eure *n.*

□ Dans un contrat d'assurance, personne qui garantit le risque.

Rem. L'article 1a) de la *Loi sur les assurances* (L.R.Q., c. A-32) le définit comme suit : « Quiconque, directement ou indirectement, s'annonce comme assureur ou agit à ce titre, émet un contrat d'assurance ou s'engage à en émettre un, touche des primes, cotisations, ou autres sommes en vertu d'un tel contrat ou en vue de verser des secours mutuels ou s'engage à payer des prestations d'assurance ou de secours mutuels... »

Comp. agent en assurance, assurance, assuré, courtier d'assurance

Angl. *insurer*

Astreinte *n.f.*

□ En droit français, condamnation à une somme d'argent (à raison de tant par jour, semaine ou mois de retard) prononcée par le tribunal à l'encontre d'un débiteur récalcitrant, en vue de le contraindre à exécuter sans délai une obligation de faire. Elle peut être définitive ou sujette à révision.

Comp. injonction

Angl. *penalty*

Atermoiement *n.m.*

□ Délai accordé par un créancier à son débiteur qui est dans l'impossibilité de payer à échéance.

Comp. concordat, proposition concordataire

Angl. *attermining, prevarication*

Attaque *n.f.*

☐ V. VOIES DE FAIT.

Attaquer *v.tr.*

☐ **1.** Intenter une action. Ex. Attaquer une personne en justice.
Angl. *to impeach, to sue*

☐ **2.** Demander à une juridiction de prononcer la nullité d'une décision, d'un acte. Ex. Attaquer devant une juridiction civile une décision d'un tribunal administratif.
Angl. *to contest, to impugn*

☐ **3.** Employer intentionnellement la force contre une personne, sans son consentement, ou la menacer de le faire.
Angl. *to assail*

Atteinte *n.f.*

☐ **1.** Action dirigée contre une personne ou un bien et qui entraîne des dommages matériels ou moraux.
Angl. *violation*

• **Atteinte à la vie privée :** Acte qui viole l'intimité d'une personne et qui lui cause préjudice.
Rem. Selon l'art. 36 du *Code civil du Québec,* peuvent notamment être considérés comme des atteintes à la vie privée d'une personne les actes suivants : pénétrer chez elle ou y prendre quoi que ce soit ; intercepter ou utiliser volontairement une communication privée ; capter ou utiliser son image ou sa voix lorsqu'elle se trouve dans des lieux privés ; surveiller sa vie privée par quelque moyen que ce soit ; utiliser son nom, son image, sa ressemblance ou sa voix à toute autre fin que l'information légitime du public ; utiliser sa correspondance, ses manuscrits ou ses autres documents personnels.
Angl. *invasion of the privacy of a person*

☐ **2.** Résultat préjudiciable de cette action.
Angl. *violation*

Attendu *n.m.*

☐ Nom donné aux alinéas d'une décision de justice qui contiennent l'argumentation des parties, résument la preuve offerte et introduisent les motifs du jugement.
Rem. Ils commencent par les mots « Attendu que ».
Comp. considérant
Angl. *whereas*

Attentat *n.m.*

☐ Agression criminelle contre une personne, une institution.
Angl. *assault*

• **Attentat à la pudeur :** Attouchements indécents, avec ou sans violence, effectués sur une personne sans son consentement.
Rem. Il s'agissait autrefois d'une infraction d'ordre sexuel ; il constitue maintenant une forme d'agression sexuelle.
Comp. agression sexuelle
Angl. *indecent assault*

Atténuant, ante *adj.*

☐ V. CIRCONSTANCE(S) ATTÉNUANTE(S).

Atterrissement *n.m.*

☐ Amas de terre formé par le mouvement des cours d'eau ou de la mer qui emporte un accroissement de terre sur une rive ou la formation d'îles ou d'îlots.
Comp. accroissement, alluvion, avulsion, lais (et relais) de la mer
Angl. *deposit of earth*

Attestation *n.f.*

☐ **1.** Dans un affidavit, déclaration écrite signée par une personne dûment autorisée à l'effet qu'elle a procédé à l'assermentation du déclarant.
Comp. affidavit, assermentation, serment
Angl. *attestation*

☐ **2.** Écrit ou pièce qui atteste (quelque chose).
Angl. *attestation, certificate*

Attribut *n.m.*

☐ Caractère propre, particulier d'une personne, d'une fonction. Ex. Les attributs de l'autorité parentale.
Angl. *attribute*

Attributif, ive *adj.*

□ **1.** Qui confère un droit, un pouvoir. Ex. Une clause attributive de compétence.

Angl. *attributing, attributive*

□ **2.** Dans un partage, qui emporte l'attribution d'un bien ou d'un lot.

Comp. constitutif, déclaratif, prorogatif

Angl. *attributing*

Attribution *n.f.*

□ **1.** Droits et devoirs attachés à une charge, à une fonction. Ex. Les attributions d'un ministre.

Angl. *assignment, attribution*

□ **2.** Matière ou catégorie d'actes qui relèvent des pouvoirs ou de la compétence d'une autorité. Ex. La compétence d'attribution d'un tribunal.

Angl. *attribution*

□ **3.** Dans un partage, action d'assigner à chacun des intéressés le bien qui lui revient ou sa part dans la masse à partager.

Angl. *allocation*

• **Attribution préférentielle :** Lors d'un partage, avantage accordé par la loi à un copartageant de se faire attribuer la propriété exclusive d'un bien indivis, à charge d'indemniser les autres copartageants. Elle permet d'éviter le morcellement d'héritages, lors d'un partage en nature d'une succession. Ex. Dans un régime de société d'acquêts, le conjoint survivant a droit, lors du partage des acquêts, à l'attribution préférentielle des biens de caractère familial.

Comp. avantage

Angl. *preferential allocation*

□ **4.** Action de conférer à quelqu'un un droit, une fonction, un pouvoir, une existence légale. Ex. L'attribution judiciaire de la personnalité à une personne morale.

Angl. *assignment, attribution, award*

Aubain *n.m.*

□ Étranger.

Angl. *alien*

Audi alteram partem

□ Maxime latine signifiant « entends l'autre partie » et qui désigne un principe de justice naturelle selon lequel une personne qui est susceptible d'être affectée par une décision administrative ou judiciaire doit être préalablement informée des faits qui peuvent lui être préjudiciables et avoir la possibilité de faire valoir son point de vue.

Rem. Le principe selon lequel il ne peut être prononcé sur une demande en justice sans que la partie contre laquelle elle est formée n'ait été entendue ou dûment appelée, repose sur la règle *audi alteram partem.*

Comp. contradictoire (principe du)

Audience *n.f.*

□ Séance au cours de laquelle un tribunal entend la preuve présentée par les parties ainsi que leurs plaidoiries et, le cas échéant, prononce son jugement.

Comp. enquête, instruction, plaidoirie

Angl. *hearing, sitting*

Audition *n.f.*

□ Fait pour le tribunal d'entendre les parties ou les témoins lors d'un procès.

Comp. enquête, instruction

Angl. *audition, hearing*

Auteur, eure *n.*

□ **1.** Celui de qui une personne, nommée ayant cause ou ayant droit, tient un droit ou une obligation.

Comp. ascendant, ayant cause, coauteur

Angl. *ancestor, predecessor (in title)*

□ **2.** Celui qui commet réellement une infraction, qui en exécute (personnellement ou par le biais d'une personne innocente) tous les éléments tant matériels que moraux.

Comp. *actus reus*, coauteur, *mens rea*

Angl. *author, maker*

□ **3.** Personne qui est responsable d'un dommage. Ex. L'assureur est subrogé dans les droits de l'assuré contre l'auteur du préjudice.

Comp. responsable

Angl. *person responsible*

□ **4.** Créateur d'une oeuvre littéraire, artistique ou scientifique.
Angl. *author*

• **Auteur (droit d') :** Droit exclusif que détient un auteur, son représentant ou le cessionnaire du droit sur une oeuvre littéraire, artistique ou scientifique. Il comporte des attributs d'ordre moral (notamment le droit au respect de l'intégrité de l'oeuvre) et d'ordre patrimonial (notamment le droit de percevoir des redevances). Sa durée et ses conditions d'exercice sont déterminées par la loi.
Syn. copyright
Comp. redevances
Angl. *copyright*

• **Auteur (droits d') :** Sommes d'argent que perçoit un auteur à titre de redevances pour son droit d'auteur.
Syn. redevances
Angl. *royalties*

• **Auteur (publication à compte d') :** Publication d'une oeuvre littéraire ou scientifique dont l'auteur paie lui-même les frais d'impression.
Angl. *publishing at the author's expense*

Authenticité *n.f.*

□ **1.** Qualité conférée à un acte passé devant un officier public compétent suivant certaines formalités prescrites par la loi.
Comp. acte authentique, authentification, authentifier, authentique, force probante
Angl. *authenticity*

□ **2.** Qualité d'un document dont l'origine et la véracité sont établies.
Comp. authentification, authentique
Angl. *authenticity*

Authentification *n.f.*

□ **1.** Opération par laquelle un officier public fait, reçoit ou certifie un acte afin de lui conférer ou de lui reconnaître un caractère authentique.
Comp. acte authentique, authenticité, authentifier, authentique
Angl. *authentication*

□ **2.** Vérification ou attestation d'un document qui vise à en établir l'origine ou la véracité.
Comp. authenticité, authentique
Angl. *authentication*

Authentifier *v.tr.*

□ Conférer l'authenticité à un acte, attester l'authenticité d'un document.
Comp. authenticité
Angl. *to authenticate*

Authentique *adj.*

□ **1.** Se dit d'un acte passé devant un officier compétent suivant certaines formalités prescrites par la loi.
Comp. authenticité, authentification, authentifier
Angl. *authentic*

□ **2.** Se dit d'un acte dont la véracité et l'origine ne peuvent être contestées.
Angl. *authentic*

□ **3.** Se dit d'un acte qui a véritablement l'auteur, le contenu et l'origine qu'on lui attribue.
Comp. acte authentique, authenticité, authentification
Angl. *authentic, genuine*

Auto-incrimination *n.f.*

□ Déclaration ou acte par lequel une personne s'implique dans la commission d'un crime.
Angl. *self-incrimination*

Automatisme *n.m.*

□ État d'une personne qui, tout en étant capable d'agir, n'est pas consciente de ce qu'elle fait.
Comp. défense d'automatisme
Angl. *automatism*

Autonomie *n.f.*

□ **1.** Droit ou fait de se gouverner par ses propres lois. Ex. Les municipalités jouissent d'une certaine autonomie.
Angl. *autonomy, self-government*

• **Autonomie interne :** Pouvoir d'une collectivité, qui est rattachée à un état central souverain sur le plan international, de se gouverner et de s'administrer dans les champs de compétence qui lui sont propres. Elle peut se fonder sur la loi ou la coutume et, dans certains cas, être modifiée par l'autorité qui la lui a conférée. Ex. Les provinces canadiennes jouissent d'une autonomie interne, en vertu de la Constitution, mais seul l'État fédéral est considéré comme souverain sur le plan international.

Angl. *internal autonomy*

□ **2.** En droit administratif, liberté d'action dans l'exercice de certaines fonctions provenant d'une délégation du pouvoir décisionnel et qui implique généralement la création d'une entité distincte de l'État ou de l'Administration publique. Ex. Le Barreau du Québec est un organisme autonome qui réglemente, dans l'intérêt public, la profession d'avocat.

Comp. décentralisation, souveraineté

Angl. *autonomy*

□ **3.** Pouvoir d'un individu de déterminer lui-même les règles auxquelles il sera assujetti.

Angl. *autonomy*

• **Autonomie de la volonté (principe de l') :** Théorie juridique en vertu de laquelle les volontés individuelles déterminent librement la forme, les conditions et les effets des actes juridiques, sous réserve de l'obligation de respecter les lois qui intéressent l'ordre public et les bonnes moeurs.

Comp. consensualisme

Angl. *principle of autonomy of the will, principle of self-determination of the will*

• **Autonomie (loi d') :** Règle suivant laquelle les parties peuvent choisir la loi qui s'applique à leur contrat par une manifestation expresse ou implicite de leur volonté.

Angl. *professio juris*

Autopsie *n.f.*

□ Examen approfondi et dissection du cadavre d'une personne en vue de déterminer les causes de sa mort.

Angl. *autopsy*

Autorisation *n.f.*

□ Permission que doit obtenir une personne pour qu'elle puisse poser des actes juridiquement valables. Ex. Dans les causes de moindre importance, l'autorisation d'appeler du jugement est requise.

Syn. permission

Angl. *approval, authorization, leave, permission*

• **Autorisation maritale :** Acte par lequel le mari ou, par suite de son refus, le juge autorisait autrefois l'épouse à contracter ou à ester en justice.

Angl. *husband's authorization*

Autorité *n.f.*

□ **1.** Pouvoir de commander, de décider.

Angl. *authority*

• **Autorité maritale :** Pouvoirs que la loi reconnaissait autrefois au mari sur la personne et les biens de son épouse.

Angl. *husband's authority*

• **Autorité parentale :** Ensemble des pouvoirs que la loi reconnaît au père et à la mère sur la personne et les biens de leurs enfants mineurs qui ne sont pas émancipés.

Angl. *parental authority, parental control*

• **Autorité parentale (déchéance de l') :** V. DÉCHÉANCE DE L'AUTORITÉ PARENTALE.

• **Autorité paternelle :** Pouvoirs que la loi reconnaissait autrefois au père sur la personne et les biens de ses enfants mineurs non émancipés.

Rem. Elle a été remplacée par l'autorité parentale.

Comp. autorité parentale, émancipation

Angl. *paternal authority*

□ **2.** Valeur conférée par la loi à certains actes.

Angl. *authority*

• **Autorité de la chose jugée :** V. CHOSE JUGÉE (AUTORITÉ DE LA).

Autrefois acquit

□ Plaidoyer qui, en droit criminel, vise à faire obstacle à la continuation du procès pour le motif que l'accusé a déjà été jugé et acquitté par un tribunal compétent de l'infraction qu'on lui reproche.

Syn. défense d'autrefois acquit

Contr. autrefois convict

Angl. *formerly acquitted*

Autrefois convict

□ Plaidoyer qui, en droit criminel, vise à faire obstacle à la continuation du procès pour le motif que l'accusé a déjà été jugé et condamné par un tribunal compétent pour l'infraction qu'on lui reproche.

Syn. défense d'autrefois convict
Contr. autrefois acquit
Angl. *formerly convicted*

Auxiliaire de la justice

□ Personne qui concourt à la bonne administration de la justice.

Comp. avocat, greffier, huissier, notaire, syndic
Angl. *officer of justice*

Aval, als *n.m.*

□ Garantie donnée sur un effet de commerce par un tiers qui s'engage à en payer le montant à l'échéance si le signataire est en défaut de le faire, son engagement lui conférant le statut et les obligations d'un endosseur.

Comp. endossement, garantie
Angl. *endorsement, guarantee*

Avalisé, ée *n.*

□ Signataire d'un effet de commerce dont l'engagement est cautionné.

Comp. aval, avaliseur
Angl. *backer*

Avaliseur, eure *n.*

□ Personne qui donne son aval.

Syn. avaliste
Comp. avalisé
Angl. *guarantor*

Avaliste *n.*

□ V. AVALISEUR.

Avance *n.f.*

□ **1.** Paiement par anticipation d'une partie d'une dette. Par extension, la somme payée elle-même. Ex. Une avance de loyer.

Angl. *advance*

□ **2.** Prêt d'argent. Par extension, la somme prêtée elle-même. Ex. Une avance de fonds.

Angl. *advance*

• **Avance à découvert :** Montant d'argent que le client peut retirer de son compte, avec l'autorisation de la banque, même s'il excède son solde bancaire.

Comp. découvert
Angl. *advance by overdraft*

Avancement d'hoirie

□ Donation entre vifs faite par un ascendant à son héritier présomptif à titre d'avance sur sa part successorale ; il est, en principe, soumis au rapport.

Comp. donation, hoirie, rapport
Angl. *advancement*

Avantage *n.m.*

□ **1.** Bénéfice conféré par contrat à une personne. Ex. Les avantages conférés par un contrat d'assurance.

Angl. *advantage, benefit*

□ **2.** Bénéfice conféré au conjoint ou aux enfants, par la loi ou par contrat de mariage, dont il y a lieu de tenir compte lors de la dissolution du régime matrimonial.

Comp. attribution préférentielle, douaire, libéralité, préciput, récompense, soulte
Angl. *advantage, benefit*

□ **3.** En matière fiscale, bénéfice qu'un employé ou un actionnaire a reçu et qui est assujetti à l'impôt.

Angl. *benefit*

Avant-contrat *n.m.*

□ Acte juridique dans lequel deux ou plusieurs personnes s'entendent sur le principe de conclure un contrat dans l'avenir. Ex. Une promesse de vente.

Comp. contrat
Angl. *pre-contract*

Avant-projet de loi

□ V. PROJET DE LOI (AVANT-).

Avarie *n.f.*

□ En matière d'assurance maritime, dommage matériel ou perte causés de façon accidentelle à un navire ou à sa cargaison. Par extension, dépense faite pour éviter un dommage ou en limiter les conséquences.
Angl. *average, average loss*

• **Avarie commune (fait d') :** Expression qualifiant une situation au cours de laquelle un sacrifice ou une dépense extraordinaire est volontairement et raisonnablement consenti à un moment périlleux, dans le but de préserver les biens en péril. Ex. le fait de jeter à la mer, lors d'une tempête, une partie de la cargaison afin de sauvegarder le navire.
Angl. *general average act*

• **Avarie commune (perte par) :** Perte qui résulte d'un fait d'avarie commune.
Angl. *general average loss*

• **Avarie-frais :** Frais engagés par l'assuré, ou pour son compte, pour la préservation ou la sécurité du bien assuré, à l'exclusion des frais d'avarie commune et de sauvetage (*Code civil du Québec*, art. 2597).
Comp. frais de sauvetage
Angl. *particular charge*

• **Avarie particulière :** Perte matérielle causée par la réalisation d'un risque assuré et qui ne résulte pas d'un fait d'avarie commune.
Angl. *particular average, particular average loss*

Avenant *n.m.*

□ Acte par lequel les parties à un contrat en modifient ou y ajoutent certaines clauses. Ex. Ajouter un avenant à une police d'assurance.
Comp. assurance, contrat
Angl. *additional clause, rider*

À venir

□ V. BIEN(S) À VENIR, BIEN(S) PRÉSENT(S) ET À VENIR.

Aveu *n.m.*

□ Déclaration par laquelle une personne reconnaît un fait qui est de nature à produire des effets juridiques contre elle.
Comp. confession, déclaration
Angl. *acknowledgement, admission*

• **Aveu complexe :** Aveu par lequel une partie reconnaît le fait qui lui est défavorable mais y ajoute un fait secondaire et distinct qui modifie totalement ou partiellement la portée de son aveu. Ex. Dans une action en remboursement d'un prêt d'argent, le défendeur admet avoir emprunté du demandeur mais il ajoute qu'il a remboursé en totalité les sommes qu'il devait.
Angl. *admission and avoidance*

• **Aveu divisible :** Aveu qui contient des faits étrangers à la contestation liée ou non connexes entre eux ou dont la partie contestée est invraisemblable ou contredite par des indices de mauvaise foi ou par une preuve contraire.
Comp. aveu complexe
Angl. *divisible admission*

• **Aveu exprès :** Aveu qui est exprimé formellement, sans ambiguïté.
Angl. *express admission*

• **Aveu extrajudiciaire :** Aveu qui est fait hors de la présence du juge ou du déroulement d'un procès en cours.
Angl. *extra-judicial admission*

• **Aveu implicite :** Aveu qui peut s'inférer de la nature d'un acte ou des faits et gestes d'une personne sans qu'il ne soit formellement exprimé par écrit ou verbalement.
Angl. *implied admission*

• **Aveu judiciaire :** Aveu qui est fait en présence du juge ou dans le cadre du déroulement d'un procès en cours.
Angl. *judicial admission*

• **Aveu qualifié :** Aveu par lequel une partie reconnaît le fait qui lui est défavorable tout en le qualifiant de façon contraire aux prétentions de la partie adverse, altérant ainsi les effets juridiques de son aveu. Ex. Le défendeur, qui est poursuivi en remboursement d'un prêt d'argent, admet avoir reçu la somme réclamée mais prétend que le demandeur lui a fait un don et non pas un prêt.

Angl. *qualified admission*

- **Aveu simple :** Aveu par lequel une partie reconnaît le fait qui lui est défavorable, sans aucune réserve ou modification. Ex. Dans une défense, le défendeur admet le paragraphe premier de la déclaration du demandeur.

  Angl. *simple admission*

Aveuglement volontaire

□ Fait, pour un individu, de ne pas prendre connaissance délibérément de certains éléments constitutifs d'une infraction ou de ne pas obtenir confirmation de l'existence d'un fait qu'il soupçonne, afin d'en nier éventuellement la connaissance. Ex. Le conducteur d'une automobile qui ne s'arrête pas après avoir entendu un bruit sec sur le côté de son véhicule.

Angl. *wilful blindness*

Avis *n.m.*

□ **1.** Avertissement par lequel une personne porte à la connaissance d'une autre le fait qu'elle a posé un acte, exécuté une obligation ou pris une décision. Ex. Un avis de vente forcée, un avis au curateur public.

Rem. Contrairement au *Code civil du Bas-Canada*, le *Code civil du Québec* distingue l'avis du préavis.

Comp. préavis

Angl. *notice*

□ **2.** Démarche par laquelle on porte quelque chose à la connaissance de quelqu'un.

Angl. *notice*

- **Avis de clôture :** V. CLÔTURE.

- **Avis de présentation :** Acte de procédure écrite par lequel une partie au litige informe son adversaire ou un tiers qu'elle présentera une demande particulière à une période et à un endroit déterminés.

  Rem. Sauf exception, une requête ne peut être présentée au tribunal pour adjudication à moins qu'avis de sa présentation n'ait été signifié à la partie adverse.

  Angl. *notice of presentation*

- **Avis public :** Avis publié dans un journal ou une gazette officielle ou affiché à la porte d'un établissement public dans le but de faire connaître une démarche d'intérêt général ou d'assigner en justice une personne dont l'adresse est inconnue ou que l'on ne peut rejoindre par les modes normaux de signification.

  Syn. annonce

  Comp. notification, signification

  Angl. *public notice*

□ **3.** Acte instrumentaire par lequel l'avis est transmis. Ex. Le dépôt d'un avis de nomination du liquidateur d'une succession.

Angl. *notice*

□ **4.** Opinion, conseil. Ex. Un avis du conseil de tutelle.

Angl. *advice, opinion*

Avocat, ate *n.*

□ Personne qui a pour profession de donner des consultations juridiques, de défendre des causes devant les tribunaux et de faire valoir les droits des clients qu'il représente.

Comp. conseiller en loi, notaire, technicien juridique

Angl. *attorney, barrister, lawyer, solicitor*

- **Avocat-conseil :**

  1. Avocat dont les services ont été retenus par le client ou par l'avocat responsable du dossier en raison de son expertise ou de ses connaissances particulières du sujet. Ses fonctions sont déterminées par le mandat qui lui est confié.

  Angl. *legal adviser, legal consultant*

  2. Avocat qui, dans un cabinet, se consacre à la recherche ou à la consultation, à l'exclusion de toute représentation de clients.

  Angl. *consulting barrister, legal adviser, legal consultant*

Avortement *n.m.*

□ Acte par lequel une personne emploie des moyens en vue d'interrompre la grossesse d'une femme enceinte ou qu'elle croit enceinte.

Syn. interruption volontaire de la grossesse

Angl. *abortion*

Avoué *n.m.*

☐ En France, officier ministériel ayant le monopole de la représentation des parties devant les cours d'appel.

Angl. *solicitor*

Avulsion *n.f.*

☐ Partie importante et reconnaissable de la rive d'un cours d'eau qui se déplace, par suite d'une action brusque du courant, sur un terrain voisin ou sur la rive opposée.

Comp. accroissement, alluvion, atterrissement, lais (et relais) de la mer

Angl. *avulsion*

A.W.L.D.

☐ Abrév. de *Alberta Weekly Law Digest.*

Ayant cause *n.*

☐ Personne qui a acquis les droits et obligations d'une autre personne appelée auteur.

Syn. ayant droit

Angl. *assignee, successor*

- **Ayant cause à titre particulier :** Personne qui a acquis de son auteur un ou plusieurs biens déterminés.

  Angl. *assignee by particular title, successor by particular title*

- **Ayant cause à titre universel :** Personne qui a acquis de son auteur une quote-part de biens ou une universalité de biens déterminés.

  Angl. *assignee by general title, successor by general title*

- **Ayant cause universel :** Personne qui a recueilli l'ensemble des biens de son auteur.

  Angl. *successor by universal title, universal successor*

Ayant droit *n.*

☐ V. AYANT CAUSE.

B

Backbencher *n.m.*

□ Membre de l'Assemblée nationale ou de la Chambre des communes qui n'a d'autre fonction que celle de simple député.

Comp. député
Angl. *backbencher*

Bail *n.m.*

□ **1.** Contrat de louage par lequel une personne, le locateur ou bailleur, s'engage envers une autre, le locataire ou preneur, à lui procurer la jouissance d'un meuble ou d'un immeuble pendant un certain temps, moyennant un prix convenu, appelé loyer. Un bail peut être écrit ou verbal.

Syn. louage
Comp. bailleur, loyer
Angl. *lease*

□ **2.** Écrit instrumentaire qui constate le contrat de bail. Ex. Le bail pour la location d'un logement.

Comp. crédit-bail
Angl. *lease*

• **Bail à cheptel :** Contrat par lequel l'une des parties donne à l'autre un fonds de bétail pour le garder, le nourrir et le soigner sous certaines conditions quant au partage des profits entre elles.

Angl. *lease of live stock*

• **Bail à durée fixe :** Bail qui cesse de plein droit à l'arrivée du terme.

Rem. Il peut cependant être reconduit.
Contr. bail à durée indéterminée
Comp. tacite reconduction
Angl. *lease with a fixed term*

• **Bail à durée indéterminée :** Bail dont la durée n'a pas été précisée par les parties et qui cesse lorsqu'il est résilié par l'une d'elles.

Contr. bail à durée fixe
Angl. *lease with an indeterminate term*

• **Bail à ferme :** Contrat par lequel le propriétaire d'un fonds rural le loue à un locataire pour un temps déterminé, moyennant une redevance payable en argent ou en nature.

Comp. amodiation, colon partiaire
Angl. *farming lease, lease of a farm*

• **Bail à rente :** Contrat par lequel le bailleur transfère la propriété d'un immeuble moyennant une rente foncière que le preneur s'oblige à payer. (*Code civil du Québec*, art. 1802).

Rem. Selon l'art. 2376 du *Code civil du Québec*, la durée du service de toute rente est, dans tous les cas, limitée ou réduite à cent ans depuis la constitution de la rente. L'art. 1903 du *Code civil du Bas-Canada* la limitait à quatre-vingt-dix-neuf ans ou à trois vies consécutives.
Comp. bailleur, preneur
Angl. *alienation for rent*

• **Bail emphytéotique :** Contrat par lequel le propriétaire d'un immeuble, appelé bailleur, le cède pour un temps à une autre personne, appelée emphytéote ou preneur, à la charge par celle-ci d'y faire des améliorations, de payer une redevance annuelle et moyennant toute autre charge dont les parties peuvent convenir.

Rem. **1.** Selon de *Code civil du Bas-Canada*, il doit durer plus de neuf ans mais il ne peut excéder quatre-vingt-dix-neuf ans. **2.** Le bail emphytéotique du *Code civil du Bas-Canada* diffère légèrement de l'emphytéose du *Code civil du Québec*.
Syn. emphytéose
Comp. propriété
Angl. *emphyteutic lease, long lease*

- **Bail par tolérance :** Occupation d'un immeuble avec la tolérance du propriétaire.

  Rem. Il existe alors un bail dont la durée est indéterminée, qui commence en même temps que l'occupation et qui comporte un loyer correspondant à la valeur locative.

  Angl. *lease by sufferance, presumed lease*

Bailleur, eresse *n.*

☐ Personne qui cède un bien à bail.

Comp. bail

Angl. *lessor*

Bâillon *n.m.*

☐ V. CLÔTURE.

Balance des inconvénients

☐ V. ÉVALUATION COMPARATIVE DES INCONVÉNIENTS.

Balance des probabilités

☐ V. PREUVE (RÈGLE DE LA PRÉPONDÉRANCE DE LA).

Banc *n.m.*

☐ **1.** L'ensemble des juges qui entendent une demande ou un pourvoi, lorsqu'ils siègent collégialement.

Comp. tribunal collégial

Angl. *bench*

- **Banc complet :** Ensemble des juges qui forment un tribunal. On utilise cette expression pour désigner l'audition d'un appel par l'ensemble des juges d'un tribunal.

  Angl. *full bench*

☐ **2.** Siège sur lequel est assis le juge dans la salle d'audience.

Angl. *bench*

Bannissement *n.m.*

☐ Peine infligée pour certains crimes, généralement d'ordre politique, qui consiste à expulser le condamné de son pays, à perpétuité ou pour un temps déterminé.

Angl. *banishment*

Banqueroute *n.f.*

☐ V. FAILLITE.

Bans (publication des) *n.m.*

☐ V. PUBLICATION DE MARIAGE.

Baraterie *n.f.*

☐ Acte de prévarication du capitaine d'un navire ou de son équipage qui cause une perte aux propriétaires ou aux affréteurs.

Comp. affrètement

Angl. *barratry*

Barr.

☐ Abrév. de *The Barrister.*

Barre *n.f.*

☐ Emplacement réservé aux dépositions des témoins et aux plaidoiries des avocats dans la salle d'audience d'un tribunal. Ex. Un témoin appelé à la barre.

Angl. *bar, box*

Barré, ée *adj.*

☐ V. CHÈQUE BARRÉ.

Barreau *n.m.*

☐ **1.** Corporation professionnelle des avocats dont les membres, lorsqu'ils sont régulièrement inscrits au tableau de l'Ordre, sont les seuls à pouvoir exercer la profession d'avocat. Ex. Être membre du Barreau.

Comp. ordre, tableau

Angl. *Bar Association*

☐ **2.** La profession d'avocat. Ex. Se destiner au Barreau.

Angl. *Bar*

☐ **3.** Barreau '70 (...'71, etc.) : Abrév. de Barreau 1970 (ou 1971 etc.) (périodique).

Angl. *Bar '70*

Barrement *n.m.*

☐ Action de barrer un chèque.

Comp. chèque barré

Angl. *crossing*

- **Barrement général :** Est à barrement général le chèque dont le recto est traversé obliquement par : a) soit deux lignes parallèles comportant entre elles la mention « banque », accompagnée ou non des mots « non négociable » ; b) soit deux lignes parallèles, simplement ou avec les mots « non négociable » (*Loi sur les lettres de change*, L.R.C. 1985, c. B-4, art. 168).
  Angl. *crossed generally*

- **Barrement spécial :** Est à barrement spécial et au nom d'une banque le chèque qui porte en travers de son recto le nom de cette banque, accompagné ou non des mots « non négociable » (*Loi sur les lettres de change*, L.R.C. 1985, c. B-4, art. 168).
  Angl. *crossed specially*

Bâtard, arde *adj. et n.*

☐ V. ENFANT NATUREL.

Bâtonnier *n.m.*

☐ Avocat élu par ses confrères pour diriger le Barreau et représenter les avocats dans un territoire donné.

Rem. Au Québec, ce terme désigne le président de l'Ordre des avocats, appelé bâtonnier du Québec, ainsi que le président d'une section locale, appelé bâtonnier de section.

Angl. *President of the Bar Association*

B. Bar

☐ Abrév. de *Bench and Bar.*

B.C.

☐ Abrév. de *British Columbia.*

B.C.A.A.

☐ Abrév. de *British Columbia Assessment Authority.*

B.C. Br. Lect.

☐ Abrév. de *Canadian Bar Association, British Columbia Branch Lectures.*

B.C. Gaz.

☐ Abrév. de *British Columbia Gazette.*

B.C.L.N.

☐ Abrév. de *British Columbia Law Notes.*

B.C.L.R.

☐ Abrév. de *British Columbia Law Reports.*

B.C.L.R. (2d)

☐ Abrév. de *British Columbia Law Reports, Second Series.*

B.C.L.R.B.Dec.

☐ Abrév. de *British Columbia Labour Relations Board Decisions.*

B.C.R.

☐ Abrév. de *British Columbia Reports.*

B.C.T.R.

☐ Abrév. de *British Columbia Tax Reports.*

B.C.W.L.

☐ Abrév. de *Bulletin of Canadian Welfare Law.*

B.C.W.L.D.

☐ Abrév. de *British Columbia Weekly Law Digest.*

Bd.

☐ Abrév. de *Board.*

Bénéfice *n.m.*

☐ **1.** Droit, faveur, privilège accordé par la loi.

Comp. bénéficiaire

Angl. *benefit*

- **Bénéfice de discussion :** Droit octroyé à la caution, qui est poursuivie par le créancier, de faire exécuter l'obligation préalablement sur les biens du débiteur principal avant qu'elle ne soit elle-même tenue de remplir son engagement.
  Angl. *benefit of discussion, right of discussion*

- **Bénéfice de division :** Droit accordé à chacune des cautions d'un débiteur, pour une même dette, d'exiger que le créancier divise son action et réduise sa réclamation contre elle à la portion de sa part dans la dette.

Angl. *benefit of division*

- **Bénéfice d'émolument :** Lors de la dissolution du régime de la communauté de biens ou de la société d'acquêts, droit pour un des époux de ne pas supporter les dettes de la communauté ou de son conjoint au-delà de la part d'actif qu'il recueille effectivement après le partage des biens communs ou des acquêts.

  Comp. acquêts, bien(s) commun(s), communauté de biens, émolument, société d'acquêts

  Angl. *benefit derived from*

- **Bénéfice d'inventaire :** Droit que la loi accorde à un héritier d'accepter ou de refuser une succession seulement après avoir effectué un inventaire des biens qui la composent et de n'être tenu des dettes que jusqu'à concurrence des biens qu'il a recueillis.

  Rem. Le *Code civil du Québec*, notamment aux art. 630 et suivants, écarte la notion d'acceptation sous bénéfice d'inventaire du *Code civil du Bas-Canada* puisque ce régime, qui était autrefois exceptionnel, devient le régime général de toute acceptation d'une succession.

  Angl. *benefit of inventory*

- **Bénéfice du doute :** V. DOUTE (BÉNÉFICE DU).

- **Bénéfice du terme :** Droit en vertu duquel une personne peut retarder l'exécution de son obligation jusqu'à une échéance dont les parties ont convenu. Ex. Ainsi perdent le bénéfice du terme notamment la personne en faillite de même que celle qui n'a pas respecté les conditions en considération desquelles ce bénéfice lui avait été accordé.

  Comp. obligation à terme extinctif, obligation à terme suspensif

  Angl. *benefit of the term*

☐ **2.** En matière d'assurance, somme exigible de l'assureur lorsque le risque assuré est réalisé.

Angl. *benefit*

Bénéficiaire *n.*

☐ **1.** Personne qui bénéficie d'un droit, d'une faveur, d'un privilège, d'une promesse.

Comp. bénéfice, constituant, héritier bénéficiaire, titulaire

Angl. *beneficiary, promisee, recipient*

☐ **2.** En matière d'assurance, personne désignée pour recevoir le produit de l'assurance.

Angl. *beneficiary*

☐ **3.** En matière de fiducie, personne que le constituant veut avantager, dans l'acte constitutif qui représente sa volonté, par l'attribution des biens qui sont détenus et administrés en fiducie par le fiduciaire.

Rem. Pour recevoir les biens à la fin de la fiducie, le bénéficiaire doit remplir les conditions déterminées dans l'acte constitutif.

Comp. constituant, fiduciaire, fiducie, patrimoine fiduciaire

Angl. *beneficiary*

☐ **4.** Dans une lettre de change, personne à qui le tireur ordonne au tiré de payer une somme d'argent déterminée.

Comp. lettre de change, porteur, preneur, tiré, tireur

Angl. *endorser*

Bertillonnage *n.m.*

☐ Système d'identification des criminels reposant sur des procédés de mensuration de diverses parties du corps humain (mesures, photographies, empreintes digitales).

Angl. *Bertillon Signaletic System*

Bestialité *n.f.*

☐ Rapports sexuels entre un être humain et un animal.

Rem. Elle constitue une infraction mixte d'ordre sexuel.

Angl. *bestiality*

B.F.L.R.

☐ Abrév. de *Banking & Finance Law Review.*

Bicaméral, ale *adj.*

☐ Se dit d'un système politique dans lequel le Parlement est composé de deux chambres.

Comp. bicaméralisme
Angl. *bicameral*

Bicaméralisme *n.m.*

□ Système politique dans lequel le Parlement est composé de deux chambres. Ex. Le Parlement fédéral, qui est composé du Sénat et de la Chambre des communes.

Comp. bicaméral
Angl. *bicameral system*

Bien *n.m.*

□ Toute chose matérielle, tout droit qui fait partie du patrimoine d'une personne.

Rem. L'art. 1 de la *Loi sur les impôts* (L.R.Q., c. I-3) le définit comme suit : « Un bien de toute nature, réel ou personnel, corporel ou incorporel, et comprend également une action, un droit de quelque nature qu'il soit ainsi que les travaux en cours d'une entreprise qui est une profession ».
Syn. chose
Angl. *asset, estate, property*

- **Bien abandonné :** Meuble de peu de valeur ou très détérioré qui est laissé en des lieux publics, y compris sur la voie publique ou dans un véhicule qui sert au transport du public.

  Comp. bien(s) sans maître, bien vacant
  Angl. *abandoned things*

- **Bien archéologique :** Tout meuble ou immeuble témoignant de l'occupation humaine préhistorique ou historique (*Loi sur les biens culturels*, L.R.Q., c. B-4, art. 1*f*)).

  Angl. *archaeological property*

- **Bien(s) à venir :** Biens qu'une personne est susceptible d'acquérir dans le futur et qui, au fur et à mesure de leur acquisition, entrent dans le gage commun de ses créanciers.

  Comp. bien futur, bien(s) présent(s), bien(s) présent(s) et à venir
  Angl. *future property*

- **Bien commun :** V. CHOSE COMMUNE.

- **Bien(s) commun(s) :**

  1. Bien qui n'est pas susceptible d'appropriation et dont l'usage est commun à tous. Ex. L'air, l'eau.

  Syn. chose commune
  Angl. *thing in common*

  2. Sous un régime de communauté de biens, biens qui appartiennent indistinctement aux deux époux et qui constituent la masse commune. Ex. Sous le régime de la communauté de meubles et acquêts, la masse commune se compose de tous les biens meubles que les époux avaient lors de leur mariage et des acquêts.

  Contr. bien(s) propre(s), bien(s) réservé(s)
  Comp. acquêts, communauté de biens, masse commune
  Angl. *joint assets*

- **Bien consomptible :** Bien qui se consomme par le premier usage, dont on ne peut se servir sans le détruire ou l'aliéner. Ex. L'essence, la nourriture, la monnaie.

  Syn. chose consomptible
  Angl. *consumable property, wasting asset*

- **Bien corporel :** Bien qui a une existence matérielle. Ex. Les objets, les animaux, la terre.

  Syn. chose corporelle
  Angl. *corporeal property, tangible property*

- **Bien culturel :** Une oeuvre d'art, un bien historique, un monument ou un site historique, un bien ou un site archéologique, une oeuvre cinématographique, audio-visuelle, photographique, radiophonique ou télévisuelle (*Loi sur les biens culturels*, L.R.Q., c. B-4, art. 1a)).

  Angl. *cultural property*

- **Bien d'autrui :** V. ADMINISTRATEUR DU BIEN D'AUTRUI, ADMINISTRATION DU BIEN D'AUTRUI (PLEINE), ADMINISTRATION DU BIEN D'AUTRUI (SIMPLE).

- **Bien de mainmorte :** Bien qui échappe aux règles de la transmission par décès parce qu'il appartient à une personne morale dont l'existence a une durée indéfinie. Ex. Les biens appartenant à des communautés religieuses sont des biens de mainmorte.

  Angl. *mortmain properties*

- **Bien en stock :** Tout bien meuble en réserve y compris une matière première, un bien en cours de transformation, un produit fini, un animal, une denrée, un bien servant à l'emballage, ainsi qu'un hydrocarbure ou une substance minérale même lorsqu'ils ne sont pas encore détachés du sol (*Loi sur les connaissements, les reçus et les cessions de biens*

en stock, L.R.Q., c. C-53, art. 11).
Angl. *property in stock*

- **Bien fongible :** Bien qui se consomme par l'usage et peut être remplacé par d'autres du même genre qui sont équivalents et interchangeables. Ce sont normalement des choses qui se déterminent au poids, au nombre ou à la mesure. Ex. L'argent, des fruits, du blé.
Syn. chose de genre, chose fongible
Angl. *fungible thing, non-durable good*

- **Bien futur :** Bien qui n'existe pas encore lors de la naissance de l'obligation.
Comp. bien à venir
Angl. *future property, future thing*

- **Bien historique :** Tout manuscrit, imprimé, document audiovisuel ou objet façonné dont la conservation présente un intérêt historique, à l'exclusion d'un immeuble (*Loi sur les biens culturels*, L.R.Q., c. B-4, art. 1c)).
Angl. *historic property*

- **Bien hors du commerce :** Bien qui est susceptible d'appropriation mais qui ne peut faire l'objet d'un contrat entre particuliers. Ex. Les biens du domaine public.
Syn. chose hors du commerce
Angl. *object not in commerce*

- **Bien immeuble :** V. IMMEUBLE.

- **Bien imposable :** Bien qui est assujetti à l'impôt.
Angl. *rateable property*

- **Bien incorporel :** Bien qui n'a pas d'existence matérielle mais qui représente une valeur pécuniaire. Ex. Le nom commercial, un droit de créance.
Syn. chose incorporelle
Angl. *incorporeal property, intangible property*

- **Bien indivis :** Bien qui est possédé à la fois par plusieurs personnes sans qu'il ne soit divisé matériellement. Ex. Une maison dont plusieurs personnes sont copropriétaires.
Angl. *undivided estate, joint estate*

- **Bien insaisissable :** Bien du débiteur qui, en vertu d'une disposition de la loi, ne peut être saisi et vendu en exécution d'un jugement prononcé contre lui.
Rem. Il s'agit en général de biens nécessaires à la vie du débiteur ou de sa famille ou à l'exercice de sa profession.
Angl. *unseizable property*

- **Bien meuble :** V. MEUBLE.

- **Bien non consomptible :** Bien qui est susceptible d'un usage prolongé. Ex. Une maison, une voiture.
Syn. chose non consomptible
Angl. *non-consumable property*

- **Bien non fongible :** Bien qui, à cause de son individualité propre, ne peut être remplacé par une chose analogue. Ex. Une oeuvre d'art.
Syn. chose non fongible
Angl. *non-fungible property*

- **Bien perdu ou oublié :** Bien qui est devenu vacant à la suite d'une perte ou d'un oubli de son propriétaire dans un lieu public.
Comp. bien vacant
Angl. *lost or forgotten movables, lost or forgotten things*

- **Bien(s) présent(s) :**
1. Biens sur lesquels une personne possède un droit de propriété au moment où elle s'oblige par contrat ou autrement.
Comp. bien(s) à venir, bien(s) présent(s) et à venir
Angl. *actual assets, present property*
2. Plus particulièrement, biens qui figurent dans le patrimoine du donateur au moment de la donation ou qui doivent y entrer plus tard en vertu d'un droit alors existant et dont l'acquisition ne dépend plus de sa volonté.
Comp. bien(s) à venir, bien(s) présent(s) et à venir
Angl. *actual assets, present property*

- **Bien(s) présent(s) et à venir :** Ensemble des biens d'un débiteur qui constituent le gage commun de ses créanciers.
Comp. bien(s) à venir, bien(s) présent(s)
Angl. *present and future property*

- **Bien(s) propre(s) :** Sous le régime de la communauté de biens ou de la société d'acquêts, biens qui appartiennent exclusivement à l'un des époux et qui ne tombent pas dans la masse commune ou dans la masse des acquêts. Sous les régimes de la séparation de biens et sans communauté, tous les biens des époux sont des propres.

Contr. bien(s) commun(s)
Comp. acquêt(s), bien(s) réservé(s), masse commune, séparation de biens, société d'acquêts
Angl. *individual property, private property, separate estate*

- **Bien(s) réservé(s) :** Sous le régime de la communauté de biens, biens acquis par la femme dans l'exercice d'une profession séparée, grâce à ses revenus ou à ses économies dont elle a seule l'administration. Ils ne tombent pas dans la masse commune.

Contr. bien(s) commun(s)
Comp. acquêt(s), bien(s) propre(s), communauté de biens, masse commune
Angl. *separate property*

- **Bien(s) sans maître :** Biens qui n'ont pas de propriétaire, tels les animaux sauvages en liberté, ceux qui, capturés, ont recouvré leur liberté, la faune aquatique, ainsi que les biens qui ont été abandonnés par leur propriétaire (*Code civil du Québec*, art. 934).

Rem. Un bien est considéré comme abandonné par son propriétaire lorsqu'il constitue un meuble de peu de valeur ou très détérioré qui a été laissé dans un lieu public.
Comp. bien vacant
Angl. *things without an owner*

- **Bien vacant :** Bien qui n'appartient à personne (bien sans maître) ou dont le propriétaire n'est plus en possession (bien perdu ou oublié) et qui est susceptible d'appropriation.

Syn. chose abandonnée, chose sans maître
Comp. bien abandonné, bien perdu ou oublié, bien(s) sans maître
Angl. *vacant property*

Bien-fondé *n. m.*

□ Conformité d'une demande, d'une prétention au droit qui lui est applicable.

Contr. mal-fondé
Comp. fondement
Angl. *merit(s)*

Bien-fonds *n.m.*

□ Immeuble par nature, terrain avec ou sans bâtiments.

Rem. L'art. 1 de la *Loi sur les titres de biens-fonds* (L.R.C. 1985, c. L-4) le définit comme suit : « Les terres et terrains, bâtiments et dépendances, biens corporels et droits incorporels, transmissibles par succession, de toute espèce et nature, et tout droit ou intérêt, en loi ou en équité, s'y rapportant, ainsi que tous sentiers, passages, voies, cours d'eau, facultés, privilèges, servitudes, minéraux, mines et carrières qui en font partie, de même que les arbres et bois qui s'y trouvent ou y sont enfouis, à moins d'exceptions formellement exprimées ».
Comp. immeuble
Angl. *land*

Bigamie *n.f.*

□ Situation d'une personne qui, étant mariée, contracte un second mariage sans que le premier ait été dissous.

Contr. monogamie
Comp. polygamie
Angl. *bigamy*

Bilatéral, ale, aux *adj.*

□ **1.** Qui émane de deux personnes.

Contr. plurilatéral, unilatéral
Angl. *bilateral*

□ **2.** Qui lie deux personnes.

Syn. synallagmatique
Comp. unilatéral
Angl. *bilateral*

Billet *n.m.*

□ Promesse écrite par laquelle une personne s'engage à payer une somme d'argent à une autre personne qu'elle désigne ou au porteur, à une date déterminée ou sur demande.

Rem. L'art. 176(1) de la *Loi sur les lettres de change* (L.R.C. 1985, c. B-4) le définit comme suit : « Promesse écrite signée par laquelle le souscripteur s'engage sans condition à payer, sur demande ou à une échéance déterminée ou susceptible de l'être, une somme d'argent précise à une personne désignée ou à son ordre, ou encore au porteur ».
Comp. chèque, effet de commerce, lettre de change
Angl. *promissory note*

- **Billet à demande :** Billet sans date qui est payable en tout temps, sur demande ou sur simple présentation du billet.

Angl. *note payable on demand*

- **Billet à ordre :** Écrit par lequel une personne s'engage à payer, sur demande ou à une date déterminée, une somme d'argent au bénéficiaire qu'elle désigne ou à son ordre. Ex. Un chèque est un billet à ordre.
  Syn. billet promissoire
  Angl. *promissory note*

- **Billet au porteur :** Billet qui n'indique pas le nom d'un bénéficiaire et qui peut être encaissé par toute personne qui le détient, lors de son échéance.
  Angl. *bearer order, note payable to bearer*

- **Billet de banque :** Papier-monnaie émis par la Banque du Canada.
  Rem. L'art. 2 du *Code criminel* (L.R.C. 1985, c. C-46) le définit comme suit : « Tout effet négociable : a) émis par ou pour une personne qui fait des opérations bancaires au Canada ou à l'étranger ; b) émis sous l'autorité du Parlement ou sous l'autorité légitime du gouvernement d'un État étranger, destiné à être employé comme argent ou comme équivalent d'argent, dès son émission ou à une date ultérieure. Sont compris parmi les effets négociables le papier de banque et les effets postaux de banque ».
  Angl. *bank note*

- **Billet de consommation :** Billet : a) émis relativement à un achat de consommation ; b) qui engage, en tant que partie, la responsabilité de l'acheteur ou de tout signataire complaisant (*Loi sur les lettres de change*, L.R.C. 1985, c. B-4, art. 189).
  Rem. Il est soumis à des règles particulières visant à protéger le consommateur des défaillances du vendeur, dans certaines circonstances.
  Syn. billet du consommateur
  Comp. achat de consommation, lettre de consommation
  Angl. *consumer note*

- **Billet du consommateur :** V. BILLET DE CONSOMMATION.

- **Billet promissoire :** V. BILLET À ORDRE.

Bisaïeul, eule, eux *n.*

□ Ascendant en ligne directe, maternelle ou paternelle, au troisième degré de parenté (arrière-grand-père ou arrière-grand-mère).
Comp. aïeul, ascendant, trisaïeul
Angl. *great-grandparent*

Blanc (en)

□ Se dit de tout acte ou titre dont le signataire omet de préciser certaines mentions qu'il devrait normalement y indiquer. Ex. Un chèque en blanc, qui ne contient pas le nom du bénéficiaire ou le montant que le signataire accepte de payer.
Angl. *blank*

Blanc (mariage)

□ V. MARIAGE SIMULÉ.

Blanc-seing

□ Signature apposée au bas d'une feuille blanche que l'on confie à une personne afin qu'elle détermine elle-même le contenu de l'écrit.
Angl. *signature to a blank document*

Blasphème *n.m.*

□ Propos insolents et méprisants sur Dieu et sur la doctrine fondamentale du christianisme de nature à outrager les personnes qui ont des convictions religieuses.
Comp. libelle blasphématoire
Angl. *blasphemy*

B.L.R.

□ Abrév. de **1.** *Business Law Reporter* ; **2.** *Business Law Reports*.

B.N.A. Act

□ Abrév. de *British North America Act.*

Bon *n.m.*

□ V. OBLIGATION (□ 3.).

Bona fide

□ Locution latine signifiant « de bonne foi ». V. BONNE FOI.

Bonne conduite (durant)

□ Locution signifiant qu'une personne détient un poste pour la durée de son mandat ou jusqu'à son décès ou sa mise à la retraite à moins qu'elle ne commette une faute lourde susceptible de justifier sa destitution. Ex. Au Canada, les juges sont nommés durant bonne conduite.

Contr. bon plaisir (durant)

Angl. *during good behaviour, during good conduct*

Bonne foi

□ **1.** Attitude d'une personne qui agit de façon sincère, honnête et loyale dans l'exécution d'une obligation. Ex. Un acheteur de bonne foi.

Syn. *bona fide*

Comp. *uberrima fides*

Angl. *good faith*

□ **2.** Croyance erronée en l'existence ou l'inexistence d'une situation juridique. Elle peut être fondée sur l'ignorance ou sur une perception inexacte de la réalité. Ex. La bonne foi de l'un des époux dans le cas d'un mariage putatif.

Angl. *good faith*

□ **3.** Absence d'intention malveillante dans l'exécution d'une obligation.

Rem. L'art. 75(2) de la *Loi sur les banques* (L.R.C. 1985, c. B-1) et l'art. 48(2) de la *Loi sur les sociétés par actions* (L.R.C. 1985, c. C-44) la définissent comme suit : « L'honnêteté manifestée au cours de l'opération en cause ».

Angl. *good faith*

Bonnes moeurs

□ Ensemble de règles de morale respectées par une société à une période donnée et auxquelles les parties à un contrat ne peuvent déroger.

Rem. Le *Code civil du Québec* n'a pas retenu cette notion qui n'a plus aujourd'hui la signification et la portée qu'elle avait antérieurement ; il utilise plutôt la notion d'ordre public.

Comp. ordre public

Angl. *good character, good morals, public morals*

Bon père de famille

□ Modèle auquel se réfère la loi lorsqu'il y a lieu d'analyser la conduite d'une personne. Ainsi, en certaines circonstances, le juge appelé à évaluer la faute contractuelle d'un individu devra comparer son comportement avec celui qu'aurait une personne normalement prudente et raisonnable qui serait placée dans une situation identique ou similaire.

Rem. On emploie de plus en plus les mots « personne raisonnable » ou « prudence et diligence » pour désigner ce modèle.

Angl. *prudent administrator, reasonable person*

Bon plaisir (durant)

□ Locution signifiant qu'un individu détient un poste pour une durée qui est laissée à l'entière discrétion de la personne qui l'a nommé.

Contr. bonne conduite (durant)

Angl. *at the discretion of...*

Bon samaritain

□ V. DÉFENSE DU BON SAMARITAIN.

Bookmaking

□ Terme anglais signifiant l'action d'inscrire ou d'enregistrer des paris sur des courses ou des concours.

Bordereau *n.m.*

□ État détaillé énumérant les pièces ou les articles que contient un compte, un dossier ou un inventaire ou rapportant des informations précises concernant une opération. Ex. Lorsque l'officier de la publicité des droits reçoit une réquisition en vue d'une inscription, il délivre à celui qui la présente un bordereau sur lequel il indique notamment la date, l'heure et la minute exactes de leur présentation.

Angl. *memorandum, memorial, statement*

- **Bordereau (enregistrement par) :** V. ENREGISTREMENT PAR BORDEREAU.

Bornage *n.m.*

□ Opération qui consiste à déterminer la ligne séparative entre deux terrains contigus et à la délimiter par des bornes.

Comp. abornement, borne, borner

Angl. *demarcation, determination of boundaries*

Borne *n.f.*

☐ Tige de métal ou pierre servant à délimiter la ligne séparative entre deux terrains contigus.

Comp. bornage, borner

Angl. *boundary mark, boundary marker*

Borner *v.tr.*

☐ Délimiter un terrain par des bornes.

Comp. aborner, bornage, borne

Angl. *to mark-out*

Bourse *n.f.*

☐ Lieu public où se transigent des valeurs mobilières. Ex. La Bourse de Montréal.

Angl. *exchange, stock exchange, stock market*

Boycott *n.m.*

☐ V. BOYCOTTAGE.

Boycottage *n.m.*

☐ **1.** Refus systématique de la part d'une entreprise, qui est en position dominante, de transiger avec une autre entreprise, dans le but de l'éliminer du marché.

Syn. boycott

Angl. *boycott*

☐ **2.** Moyen de pression suivant lequel des employés en conflit de travail obtiennent des personnes faisant affaires avec leur employeur qu'elles cessent toute relation professionnelle avec lui afin d'obtenir qu'il cède à leurs revendications.

Syn. boycott

Angl. *boycott*

☐ **3.** Mesures de représailles exercées par un État envers un autre en guise de protestation contre des actes posés par ce dernier et dans le but de faire pression sur lui. Elles peuvent être de nature politique, économique ou sociale.

Syn. boycott

Angl. *boycott*

B.R.

☐ Abrév. de **1.** Cour du Banc de la Reine (ou du Roi) ; **2.** Rapports judiciaires du Québec, Cour du Banc de la Reine (ou du Roi) / *Quebec Official Reports, Queen's (or King's) Bench* ; **3.** Recueils de jurisprudence du Québec, Cour du Banc de la Reine (ou du Roi).

Branche *n.f.*

☐ Famille issue d'une même souche.

Rem. Selon le droit successoral, une souche peut se diviser en plusieurs branches. Ainsi, chacun des descendants au premier degré d'un même auteur, la souche, constitue une branche.

Comp. rameau, souche

Angl. *branch*

Brandon *n.m.*

☐ V. SAISIE-BRANDON.

B.R.E.F.

☐ Abrév. de **1.** Bureau de révision de l'évaluation foncière ; **2.** Décisions du Bureau de révision de l'évaluation foncière.

Bref *n.m.*

☐ Ordre d'un tribunal émis au nom du Souverain et intimant à la personne à qui il est adressé de s'y conformer dans le délai imparti et selon les modalités prescrites.

Angl. *writ*

- **Bref d'assignation :** Bref qui informe le défendeur qu'une action a été intentée contre lui et qui le somme de comparaître devant le tribunal, personnellement ou par l'entremise d'un procureur, dans le délai imparti, pour répondre à la demande qui est dirigée contre lui.

  Rem. Le bref est généralement accompagné d'une déclaration rédigée par le demandeur ou son procureur.

  Comp. déclaration

  Angl. *writ of summons*

- **Bref *de bonis* :** V. *DE BONIS*

- **Bref de *certiorari* :** V. *CERTIORARI* (BREF DE).

- **Bref de *fieri facias* :** V. *FIERI FACIAS* (BREF DE).

- **Bref d'élection :** V. DÉCRET D'ÉLECTION.

- **Bref de *mandamus* :** V. *MANDAMUS.*

- **Bref de possession :** Bref d'exécution qui ordonne à un officier de justice d'expulser une personne qui refuse de quitter un immeuble ou d'enlever à une personne un meuble qu'elle détient lorsqu'elle omet de le remettre, dans le délai imparti, à celle dont le droit a été reconnu par le jugement.

  Rem. En matière immobilière, on le qualifie de bref d'expulsion.

  Angl. *writ of possession*

- **Bref de prérogative :** Nom donné à certains brefs émis par une cour supérieure, en vertu d'un pouvoir discrétionnaire qu'elle tient de la loi ou de la *common law*, dans le but de contrôler la légalité d'actes ou de décisions de l'Administration ou d'un tribunal inférieur.

  Rem. **1.** Constituent des brefs de prérogative les brefs de *certiorari*, d'évocation, d'*habeas corpus*, de *mandamus*, de prohibition et de *quo warranto*. **2.** Ils portent le nom de brefs de prérogative parce que, à l'origine, ils ne pouvaient être émis qu'à la demande du roi (ou de la reine) et, plus tard, lorsque les citoyens ont pu y recourir, parce que leur délivrance devait être autorisée par un juge. **3.** Depuis quelques années au Québec, ces brefs ont pour la plupart été remplacés par de simples recours dits extraordinaires, formés par requête, dont la décision relève de la discrétion du juge.

  Comp. *certiorari* (bref de), évocation, *habeas corpus*, *mandamus*, prérogative, prohibition, *quo warranto*, recours extraordinaire

  Angl. *prerogative writ*

- **Bref de prohibition :** V. PROHIBITION (BREF DE).

- **Bref de *quo warranto* :** V. *QUO WARRANTO.*

- **Bref de saisie-arrêt :** Bref qui ordonne à un tiers, nommé tiers-saisi, de comparaître à la date et à l'heure qui y sont indiquées, pour déclarer sous serment les sommes qu'il doit ou qu'il aura à payer au débiteur d'un jugement, ainsi que les effets mobiliers qu'il détient mais qui appartiennent à ce dernier, et de ne pas s'en dessaisir avant que le tribunal n'ait décidé de leur destination. Il assigne également le débiteur à comparaître à la même date pour qu'il puisse faire valoir les motifs pour lesquels la saisie-arrêt ne serait pas valable.

  Rem. Lorsqu'il s'agit de la saisie-arrêt de traitements ou salaires, le bref enjoint au tiers-saisi de déclarer et de déposer au palais de justice la partie saisissable de ce qu'il doit au débiteur et de continuer d'y déposer périodiquement les sommes qu'il prélèvera, jusqu'à extinction de la dette ou jusqu'à ce que le débiteur quitte son emploi.

  Comp. saisie-arrêt

  Angl. *garnishee summons, writ of attachment, writ of seizure by garnishment*

- **Bref de saisie avant jugement :** Bref qui enjoint à un officier de justice de saisir, en début ou en cours d'instance, des biens appartenant au débiteur afin de les mettre sous le contrôle du tribunal pendant l'instance.

  Comp. saisie avant jugement

  Angl. *writ of seizure before judgment*

- **Bref de saisie-exécution :** Bref qui enjoint à un officier de justice de procéder à la saisie des biens, meubles et/ou immeubles, appartenant au débiteur qui refuse d'exécuter volontairement le jugement prononcé contre lui afin qu'ils soient vendus en justice et que le produit de la vente soit imputé à l'extinction de sa dette.

  Comp. bref de *venditioni exponas*, saisie-exécution

  Angl. *writ of execution, writ of seizure and sale, writ of seizure in execution*

- **Bref de *subpoena* :** V. *SUBPOENA* (BREF DE).

- **Bref *de terris* :** V. *DE TERRIS.*

- **Bref de *venditioni exponas* :** Bref qui est délivré par le greffier, sur preuve que le bref d'exécution a été perdu ou détruit avant ou après la saisie et qui ordonne à l'officier compétent de procéder à la vente des biens saisis.

  Rem. La locution latine *venditioni exponas*, qui signifie « expose à la vente », a été récemment supprimée du *Code de procédure civile*.

  Comp. bref de saisie-exécution

  Angl. *writ of venditioni exponas*

- **Bref de *venire facias* :** V. *VENIRE FACIAS.*

- **Bref d'expulsion :** V. BREF DE POSSESSION.

Brevet *n.m.*

☐ Terme qui désigne un titre ou un diplôme émis par l'État et qui confère à son titulaire le pouvoir d'exercer certaines fonctions ou certains droits.

Comp. brevеté, breveter, marque de commerce
Angl. *certificate, diploma, license*

- **Brevet (acte en) :** V. ACTE EN BREVET.

- **Brevet d'invention :** Titre délivré par le gouvernement à une personne qui prétend avoir fait une découverte ou être l'auteur d'un produit nouveau, conférant ainsi à son titulaire, sous certaines conditions, un droit exclusif d'exploitation pour un temps déterminé.

Rem. L'art. 2 de la *Loi sur les brevets* (L.R.C. 1985, c. P-4) le définit comme suit : « Lettres patentes couvrant une invention ».
Comp. auteur (droit d'), marque de commerce
Angl. *patent*

Breveté, ée *adj. et n.*

☐ **1.(adj.)** Qui détient un brevet.
Angl. *certificated*

☐ **2.(adj.)** Dont les droits sont garantis par un brevet.
Angl. *patented*

☐ **3.(n.)** Personne qui détient un brevet (d'invention)
Rem. L'art. 2 de la *Loi sur les brevets* (L.R.C. 1985, c. P-4) le définit comme suit : « Le titulaire ayant pour le moment droit à l'avantage d'un brevet ».
Syn. titulaire d'un brevet
Comp. brevet, breveter
Angl. *patentee*

Breveter *v.tr.*

☐ Garantir par un brevet
Comp. brevet, breveté
Angl. *to patent*

Briseur de grève

☐ **1.** Travailleur engagé pour effectuer le travail d'un gréviste.
Angl. *scab, strike breaker*

☐ **2.** Travailleur qui continue à accomplir ses fonctions malgré un ordre de grève légal.
Angl. *scab, strike breaker*

British North America Act, 1867

☐ V. *LOI CONSTITUTIONNELLE DE 1867.*

Brocard *n.m.*

☐ Formule sentencieuse issue de la tradition juridique et exprimant de façon lapidaire une règle de droit. Ex. Nul n'est censé ignorer la loi - Le mort saisit le vif - Donner et retenir ne vaut.
Comp. adage, maxime
Angl. *legal maxim, maxim*

B.R.P.

☐ Abrév. de Décisions des Bureaux de révision paritaire.

Bull. Avocats

☐ Abrév. de Le Bulletin des Avocats.

Bull. C.C.D.J.

☐ Abrév. de Bulletin d'information juridique du Centre canadien de la documentation juridique / *Canadian Law Information Center's Legal Material Letter.*

Bull. Civ.

☐ Abrév. de Bulletin de la Cour de cassation, chambre civile.

Bull. Crim.

☐ Abrév. de Bulletin de la Cour de cassation, chambre criminelle.

Bull. du B.

☐ Abrév. de Bulletin du Barreau.

Bulletin d'interprétation

☐ Texte dans lequel le ministère du Revenu, fédéral ou provincial, donne son interprétation des lois et des règlements fiscaux qui peuvent soulever des difficultés. Il constitue un guide important pour les contribuables mais il n'a pas force de loi.

Comp. interprétation
Angl. *interpretation bulletin*

Bureau *n.m.*

□ Établissement ouvert au public où sont offerts des services à la collectivité.

Angl. *office*

- **Bureau de la publicité des droits :** Établissement ouvert au public où toute personne peut s'adresser pour prendre connaissance de la situation juridique des immeubles ou de l'état de certains droits personnels ou réels mobiliers dont la loi exige la publication, selon le cas, dans le registre foncier ou dans le registre des droits personnels et réels mobiliers.

Rem. Cette désignation du *Code civil du Québec* remplace celle de « bureau d'enregistrement » qu'utilisait le *Code civil du Bas-Canada.*
Syn. bureau d'enregistrement
Comp. officier de la publicité des droits, publicité des droits
Angl. *registry office*

- **Bureau d'enregistrement :** Établissement ouvert au public où toute personne peut s'adresser pour s'enquérir des droits réels affectant les immeubles dans un territoire donné ou pour prendre connaissance de tous les autres documents qui doivent, selon la loi, y être enregistrés.

Rem. Cette désignation du *Code civil du Bas-Canada* a été remplacée par celle de « bureau de la publicité des droits » dans le *Code civil du Québec.*
Syn. bureau de la publicité des droits
Comp. enregistrement, régistrateur
Angl. *registry office*

- **Bureau de scrutin :** Local obtenu par un directeur du scrutin pour permettre aux électeurs de voter le jour du scrutin et auquel est attribuée la totalité ou une partie de la liste électorale officielle d'une section de vote (*Loi électorale du Canada,* L.R.C. 1985, c. E-2, art. 2(1)).

Syn. bureau de vote
Comp. scrutin, vote
Angl. *polling station*

- **Bureau de vote :** V. BUREAU DE SCRUTIN.

Bureau public

□ Tout corps ou organisme constitué légalement pour agir au nom d'un groupe de personnes et qui exerce des activités de nature publique. Ex. Les organismes gouvernementaux, tels les régies, commissions ou autres corps constitués par l'État à des fins déterminées.

Comp. corps politique, corps public
Angl. *Board, Public Office*

Bus. & L.

□ Abrév. de *Business and the Law.*

Bus. Q.

□ Abrév. de *Business Quarterly.*

B.Y.I.L.

□ Abrév. de *British Yearbook of International Law.*

C

C.

☐ Abrév. de **1.** Chancelier ; **2.** *Chancellor* ; **3.** Chapitre ; **4.** *Chapter* ; **5.** Contre ; **6.** Cour ; **7.** *Court.*

C.A.

☐ Abrév. de **1.** Conseil d'administration ; **2.** Cour d'appel ; **3.** *Court of Appeal* ; **4.** Recueils de jurisprudence de la Cour d'appel du Québec.

Cabinet *n.m.*

☐ **1.** Bureau d'une personne qui exerce la profession d'avocat, de notaire.
Angl. *cabinet, firm, study*

☐ **2.** Chambre d'un juge.
Comp. juge en chambre
Angl. *office*

☐ **3.** Ensemble de personnes exerçant une fonction exécutive.
Angl. *cabinet*

• **Cabinet des ministres :** Organe exécutif de l'État canadien formé des ministres et présidé par le premier ministre. On l'appelle également Conseil des ministres. Il assume la direction du gouvernement, élabore les principales politiques, coordonne et contrôle l'action des ministères et des organismes gouvernementaux et exerce tous les pouvoirs accordés au gouverneur en conseil par les lois et les règlements. Ses fonctions reposent sur des conventions et des coutumes constitutionnelles.
Rem. **1.** Le premier ministre peut choisir de présider un cabinet dont ne font partie qu'un certain nombre de ministres ; l'ensemble des ministres ainsi que le premier ministre constituant alors le Conseil des ministres. **2.** En principe, au Québec, on ne devrait pas utiliser cette expression pour désigner le Conseil des ministres puisque le Cabinet proprement dit est un comité du Conseil privé et qu'un tel organisme n'existe pas dans la province. L'usage courant autorise toutefois cette désignation.
Syn. Conseil des ministres, Conseil exécutif
Comp. Conseil privé, Gouverneur général en conseil, Lieutenant-gouverneur en conseil
Angl. *Cabinet*

• **Cabinet fantôme :** Députés de l'opposition désignés par leur chef ou par le caucus pour agir comme porte-parole de leur parti dans des matières relevant des différents ministères.
Angl. *shadow cabinet*

• **Cabinet ministériel :** Équipe de collaborateurs directs d'un ministre dont le rôle est essentiellement politique.
Angl. *minister's office*

Cabotage *n.m.*

☐ Transport par eau de marchandises ou de passagers d'un port ou d'un lieu d'un pays à un autre port ou lieu du même pays.
Angl. *coasting trade*

C.A.C.F.P.

☐ Abrév. de Comité d'appel de la Commission de la fonction publique.

Caché, ée *adj.*

☐ V. VICE CACHÉ.

Cadastre *n.m.*

☐ Registre public qui présente le morcellement de la propriété immobilière dans un territoire déterminé.

Rem. C'est dans le cadastre que sont répertoriées avec précision les limites de chacune des propriétés. Ex. Le lot 114-2 du cadastre officiel de la paroisse de...

Comp. enregistrement, plan cadastral, publicité des droits

Angl. *cadastral survey, cadastre*

Caduc, uque *adj.*

☐ **1.** Se dit d'un acte juridique valablement formé mais privé de tout effet en raison d'un fait survenu postérieurement qui le rend sans valeur. Ex. Un legs devient caduc si le légataire décède avant le testateur.

Comp. caducité

Angl. *lapsed*

☐ **2.** Se dit d'une loi qui n'est plus en usage en raison de sa désuétude mais que le législateur n'a pas abrogée explicitement.

Comp. caducité

Angl. *lapsed, null and void*

Caducité *n.f.*

☐ État d'un acte caduc, d'une loi caduque.

Comp. caduc

Angl. *lapse*

Cahier des charges

☐ V. CHARGES (CAHIER DES).

C.A.I.

☐ Abrév. de **1.** Commission d'accès à l'information ; **2.** Commission d'appel de l'immigration ; **3.** Décisions de la Commission d'accès à l'information.

C.A.L.P.

☐ Abrév. de **1.** Commission d'appel en matière de lésions professionnelles ; **2.** Décisions de la Commission d'appel en matière de lésions professionnelles.

Cam.

☐ Abrév. de *Cameron's Privy Council Decisions.*

Cambiaire *adj.*

☐ Qui est relatif aux effets de commerce ou est assujetti à la *Loi sur les lettres de change.* Ex. Le droit cambiaire, une obligation cambiaire.

Angl. *commercial*

Cambriolage *n.m.*

☐ V. EFFRACTION.

Cam. Dig.

☐ Abrév. de *Cameron's Digest.*

Cam. S.C.

☐ Abrév. de *Cameron, Supreme Court.*

Can.

☐ Abrév. de Canada.

Can. Abr.

☐ Abrév. de *The Canadian Abridgment.*

Can.-Am. L.J.

☐ Abrév. de *Canadian-American Law Journal.*

Can. Banker

☐ Abrév. de *Canadian Banker.*

Can. Bar J.

☐ Abrév. de *Canadian Bar Journal.*

Can. Bar Rev.

☐ Abrév. de *Canadian Bar Review.*

Can. B. Papers

☐ Abrév. de *Canadian Bar Papers.*

Can. Bus. L.J.

- Abrév. de *Canadian Business Law Journal* / Revue canadienne du droit de commerce.

Can. B. Yearbook

- Abrév. de *Canadian Bar Yearbook.*

Can. C.L.G.

- Abrév. de *Canadian Commercial Law Guide.*

Can. Com. L.J.

- Abrév. de *Canadian Community Law Journal* / Revue canadienne de droit communautaire.

Can. Com. L. Rev.

- Abrév. de *Canadian Communications Law Review* / Revue canadienne de droit des communications.

Can. Communic. L.R.

- Abrév. de *Canadian Communications Law Review* / Revue canadienne de droit des communications.

Can. Community L.J.

- Abrév. de *Canadian Community Law Journal* / Revue canadienne de droit communautaire.

Can. Comp. Pol. Rec.

- Abrév. de *Canadian Competition Policy Record.*

Can. Computer L.R.

- Abrév. de *Canadian Computer Law Report.*

Can. Com. R.

- Abrév. de *Canadian Commercial Reports.*

Can. Council Int. L.

- Abrév. de *Canadian Council on International Law. Conference. Proceedings* / Conseil canadien de droit international. Congrès. Travaux.

Can. Crim. Forum

- Abrév. de *Canadian Criminology Forum* / Le forum canadien de criminologie.

Can. Curr. Tax.

- Abrév. de *Canadian Current Tax.*

Can. Env. L.N.

- Abrév. de *Canadian Environment Law News.*

Can. F.L.G.

- Abrév. de *Canadian Family Law Guide.*

Can. Gaz.

- Abrév. de *The Canada Gazette.*

Can. H.R. Advoc.

- Abrév. de *Canadian Human Rights Advocate.*

Can. Hum. Rts. Y.B.

- Abrév. de *Canadian Human Rights Yearbook* / Annuaire canadien des droits de la personne.

Can. Ind. Rel. Assoc.

- Abrév. de *Canadian Industrial Relations Association. Annual Meeting. Proceedings* / Association canadienne des relations industrielles. Congrès. Travaux.

Can. Intell. Prop. Rev.

- Abrév. de *Canadian Intellectual Property Review.*

Can. I.T.G.R.

- Abrév. de *Canada Income Tax Guide Report.*

Can. J. Corr.

☐ Abrév. de *Canadian Journal of Corrections.*

Can. J. Crim.

☐ Abrév. de *Canadian Journal of Criminology* / Revue canadienne de criminologie.

Can. J. Crim. & Corr.

☐ Abrév. de *Canadian Journal of Criminology and Corrections.*

Can. J. Fam. L.

☐ Abrév. de *Canadian Journal of Family Law* / Revue canadienne de droit familial.

Can. J. Ins. L.

☐ Abrév. de *Canadian Journal of Insurance Law.*

Can. J. L. & Juris.

☐ Abrév. de *Canadian Journal of Law and Jurisprudence.*

Can. J. L. & Society

☐ Abrév. de *Canadian Journal of Law and Society.*

Can. J. Pol. Sc.

☐ Abrév. de *Canadian Journal of Political Science* / Revue canadienne de science politique.

Can. J. Women & Law

☐ Abrév. de *Canadian Journal of Women and Law* / Revue juridique « La femme et le droit ».

Can. Law.

☐ Abrév. de *Canadian Lawyer.*

Can. Lawyer

☐ Abrév. de *Canadian Lawyer.*

Can. Leg. Studies

☐ Abrév. de *Canadian Legal Studies.*

Can. L.J.

☐ Abrév. de *Canada Law Journal.*

Can. L.R.B.R.

☐ Abrév. de *Canadian Labour Relations Board Reports.*

Can. L. Rev.

☐ Abrév. de *Canadian Law Review.*

Can. L. Times

☐ Abrév. de *Canadian Law Times.*

Can. Mun. J.

☐ Abrév. de *Canadian Municipal Journal.*

Canon *n.m.*

☐ **1.** Règle de droit canonique.
Comp. droit canonique
Angl. *canon*

☐ **2.** Chacun des articles du *Code de droit canonique.*
Angl. *canon*

Canonique *adj.*

☐ V. DROIT CANONIQUE.

Can. Petro. Tax J.

☐ Abrév. de *Canadian Petroleum Tax Journal.*

Can. Pol. Gaz.

☐ Abrév. de *Canadian Police Gazette.*

Can. Pub. Adm.

☐ Abrév. de *Canadian Public Administration.*

Can. Pub. Pol.

□ Abrév. de *Canadian Public Policy.*

Can. S.L.R.

□ Abrév. de *Canadian Securities Law Reports.*

Can. S.T.R.

□ Abrév. de *Canadian Sales Tax Reports.*

Can. Tax J.

□ Abrév. de *Canadian Tax Journal* / Revue fiscale canadienne.

Can. Tax N.

□ Abrév. de *Canadian Tax News.*

Can. Tax'n : J. Tax Pol'y

□ Abrév. de *Canadian Taxation : A Journal of Tax Policy.*

Can. U.S.L.J.

□ Abrév. de *Canada - United States Law Journal.*

Can. Wel.

□ Abrév. de *Canadian Welfare.*

Can. W.L.S.

□ Abrév. de *Canadian Weekly Law Sheet.*

Can. Y.B. Int. L.

□ Abrév. de *Canadian Yearbook of International Law.*

Capable *adj.*

□ Qui a la capacité légale.

Contr. incapable
Comp. apte
Angl. *capable, competent*

Capacité *n.f.*

□ Aptitude d'une personne à être titulaire d'un droit et à l'exercer.

Contr. incapacité
Comp. aptitude, intérêt, qualité
Angl. *ability, capacity, competency*

- **Capacité de jouissance :** Aptitude d'une personne à être titulaire d'un droit ou d'une obligation.

  Contr. incapacité de jouissance
  Comp. capacité d'exercice
  Angl. *capacity to enjoy*

- **Capacité d'ester en justice :** Aptitude d'une personne à faire valoir elle-même ses droits et intérêts en justice, à être partie à un procès.

  Comp. ester en justice, personnalité juridique
  Angl. *capacity to institute legal proceedings, capacity to sue*

- **Capacité d'exercice :** Aptitude d'une personne à exercer les droits dont elle est titulaire sans avoir besoin d'être représentée ni assistée à cet effet par un tiers.

  Contr. incapacité d'exercice
  Comp. capacité de jouissance, curatelle, tutelle
  Angl. *capacity to exercise, capacity to practice*

Capias ad respondendum

□ Expression latine signifiant « que tu arrêtes (le débiteur) pour qu'il réponde (de ses dettes) » et désignant une procédure qui permettait autrefois à un créancier d'assigner son débiteur en justice et de le faire arrêter lorsque celui-ci, dans une intention frauduleuse, était sur le point de quitter le pays ou cachait ses biens ou, étant un commerçant en cessation de paiement, refusait de faire cession de ses biens.

Capias ad satisfaciendum

□ Expression latine signifiant « que tu prennes (la personne) en vue de satisfaire » et désignant un bref d'exécution qui ordonne à un officier de justice, le shérif, d'effectuer l'arrestation du débiteur et de le tenir sous garde jusqu'à ce qu'il ait satisfait au jugement prononcé contre lui.

Rem. Ce recours ne reçoit pas d'application au Québec.

Capital, aux *n.m.*

☐ **1.** Principal d'une dette d'argent.

Contr. intérêt

Angl. *principal amount, principal sum*

☐ **2.** Ensemble des biens appartenant à une personne et qui constituent l'actif de son patrimoine (par opposition aux revenus qu'ils produisent).

Rem. Les biens, dans leurs rapports entre eux, se divisent en capitaux et en fruits et revenus. Selon l'art. 909 du *Code civil du Québec* : « Sont du capital les biens dont on tire des fruits et revenus, les biens affectés au service ou à l'exploitation d'une entreprise, les actions ou les parts sociales d'une personne morale ou d'une société, le remploi des fruits et revenus, le prix de la disposition d'un capital ou son remploi, ainsi que les indemnités d'expropriation ou d'assurance qui tiennent lieu du capital. Le capital comprend aussi les droits de propriété intellectuelle et industrielle, sauf les sommes qui en proviennent sans qu'il y ait eu aliénation de ces droits, les obligations et autres titres d'emprunt payables en argent, de même que les droits dont l'exercice tend à accroître le capital, tels les droits de souscription des valeurs mobilières d'une personne morale, d'une société en commandite ou d'une fiducie ».

Angl. *capital*

Capital-actions

☐ **1.** Valeur totale d'une compagnie ou d'une société par actions, lors de sa constitution, qui correspond à une mise de fonds, divisible par unités, que les actionnaires investissent dans un but commun.

Comp. action (de compagnie ou de société par actions), capital social

Angl. *capital, capital stock*

☐ **2.** Ensemble divisible par unités des fonds souscrits par les actionnaires d'une compagnie ou d'une société par actions, à titre d'investissement.

Comp. capital social

Angl. *capital, capital stock, issued capital, share capital*

• **Capital autorisé :** Montant de capital qu'une compagnie ou une société par actions a le droit d'émettre en vertu de son acte constitutif. Il peut être illimité.

Angl. *authorized capital*

• **Capital déclaré** : V. CAPITAL ÉMIS.

• **Capital émis :** Portion du capital-actions autorisé qu'une compagnie ou une société par actions accepte de mettre en vente.

Syn. capital déclaré

Angl. *stated capital*

• **Capital payé :** V. CAPITAL VERSÉ.

• **Capital souscrit :** Portion du capital-actions autorisé que la compagnie ou la société par actions accepte de vendre et que des personnes ont manifesté l'intention d'acquérir.

Angl. *subscribed capital*

• **Capital versé :** Portion du capital-actions autorisé qui a été souscrit et payé à la compagnie ou à la société par actions par les actionnaires.

Syn. capital payé

Angl. *paid-up capital*

Capitalisation *n.f.*

☐ Action d'accroître un capital par l'addition des intérêts qu'il procure, afin que ce nouveau capital produise à son tour des intérêts.

Angl. *accumulation, capitalization*

Capital social

☐ **1.** Capital d'une coopérative qui est composé de parts sociales et de parts privilégiées.

Angl. *capital, capital stock*

☐ **2.** Ensemble des biens appartenant à une société.

Comp. capital-actions

Angl. *capital, capital stock*

Capitation *n.f.*

☐ V. DÎME.

Captateur, trice *n.*

☐ Personne qui se rend coupable de captation.

Comp. captation, captatoire

Angl. *captator, inveigler*

Captation *n.f.*

- ☐ Action d'amener une personne, par des manoeuvres répréhensibles, à consentir une libéralité. Elles peuvent être effectuées par le donataire ou par un tiers.
  Comp. captateur, captatoire
  Angl. *captation, inveigling*

Captatoire *adj.*

- ☐ Qui vise la captation d'une personne.
  Comp. captateur, captation
  Angl. *inveigling, insidious*

Caractère (preuve de)

- ☐ V. PREUVE DE MORALITÉ.

Carcéral, ale, aux *adj.*

- ☐ Qui a trait à la prison, au régime pénitentiaire et aux personnes emprisonnées. Ex. La population carcérale.
  Angl. *prison, related to imprisoned persons*

Carence *n.f.*

- ☐ Absence ou insuffisance de ressources d'un débiteur.
  Angl. *insolvency*

- • **Carence (procès-verbal de) :** Procès-verbal par lequel un huissier déclare qu'il ne peut poursuivre l'exécution d'un jugement à cause de l'absence, entre les mains du débiteur, de biens meubles susceptibles d'être saisis. On emploie également l'expression « *nulla bona* ».
  Comp. huissier, *nulla bona*, saisie-exécution
  Angl. *certificate of nulla bona, return of nulla bona, statement of insolvency*

Carey

- ☐ Abrév. de *Manitoba Reports (Carey).*

Cargaison *n.f.*

- ☐ Ensemble des marchandises chargées sur un navire, un véhicule terrestre, un avion.
  Comp. affrètement
  Angl. *cargo*

Cart. B.N.A.

- ☐ Abrév. de *Cartwright's Constitutional Cases.*

Cartel *n.m.*

- ☐ Concentration horizontale d'entreprises de même nature qui tendent à s'assurer le monopole du marché en éliminant la concurrence par le contrôle de la production, de la vente ou des prix.
  Comp. monopole, *trust*
  Angl. *cartel*

C.A.S.

- ☐ Abrév. de **1.** Commission des affaires sociales ; **2.** Décisions de la Commission des affaires sociales.

Cas *n.m.*

- ☐ **1.** Événement, circonstance. Ex. Un cas de force majeure.
  Angl. *case, event*

- • **Cas d'espèce :** Affaire ayant un caractère particulier et soulevant des questions de droit ou de fait qui rendent difficile l'application de la règle générale.
  Angl. *concrete case, individual case*

- • **Cas fortuit :** Événement causé par des éléments imprévisibles et irrésistibles, rendant ainsi impossible l'exécution d'une obligation ou constituant un motif d'exonération de responsabilité. Ex. Un tremblement de terre constitue un cas fortuit.
  Rem. **1.** Le paragraphe 24 de l'art. 17 du *Code civil du Bas-Canada* le définit comme suit : « Événement imprévu causé par une force majeure à laquelle il était impossible de résister ». **2.** L'art. 1470 du *Code civil du Québec* utilise l'expression « force majeure » qui vise à regrouper les notions de « cas fortuit » et de « force majeure » du *Code civil du Bas-Canada.*
  Syn. *act of God*, acte de Dieu
  Comp. force majeure
  Angl. *accidental case, fortuitous event*

- ☐ **2.** Situation prévue ou définie par la loi. Ex. Les cas d'ouverture à la demande d'évocation.
  Comp. ouverture d'un recours (cas d')
  Angl. *case*

Casier judiciaire

☐ Relevé des condamnations pénales prononcées contre une personne. Un casier judiciaire est vierge lorsqu'il ne fait mention d'aucune condamnation.

Comp. antécédents judiciaires, récidive
Angl. *criminal record*

Cass.

☐ Abrév. de Cour de cassation.

Cassation *n.f.*

☐ Annulation par un tribunal compétent d'une décision administrative ou judiciaire rendue illégalement ou irrégulièrement. Ex. La cassation d'un règlement municipal.

Comp. casser
Angl. *annulment, cassation*

Casser *v.tr.*

☐ Annuler. Ex. Casser une décision, un règlement.

Comp. cassation
Angl. *to quash*

Cass. Prac. Cas.

☐ Abrév. de *Cassel's Practice Cases.*

Cass. S.C.

☐ Abrév. de *Cassel's Supreme Court decisions.*

Casuel *n.m.*

☐ Honoraires versés au curé d'une paroisse en certaines occasions, telles le baptême, le mariage, les funérailles ou la célébration de messes. Celui-ci en conserve une partie et verse l'autre à la fabrique paroissiale.

Rem. Il était autrefois insaisissable.
Comp. dîme
Angl. *contingent, emoluments*

Casuel, elle *adj.*

☐ Qui est accidentel, qui est dû au hasard.

Comp. condition casuelle
Angl. *accidental, fortuitous*

Casus belli

☐ Locution (dérivée du latin) signifiant « cas de guerre » et désignant un événement portant atteinte aux droits d'un État et pouvant justifier une déclaration de guerre de sa part.

C.A.T.

☐ Abrév. de Commission des accidents du travail.

Causa

☐ Terme latin signifiant « cause ».

Syn. cause

• ***Causa causans*** **:** Expression latine signifiant « cause causante » et désignant la cause immédiate et déterminante d'un préjudice. Ex. Le feu est la *causa causans* du dommage causé à un édifice.

Causalité (lien de) *n.f.*

☐ **1.** Dans le droit des obligations, lien de cause à effet entre la faute d'une personne ou le rôle d'une chose et le dommage subi par une autre personne.

Rem. La preuve du lien de causalité est requise pour établir la responsabilité civile d'un individu.
Angl. *causal connection, chain of causation*

☐ **2.** En matière pénale, lien de cause à effet entre l'infraction commise et le préjudice subi par la victime.

Rem. La preuve du lien de causalité est requise pour établir la responsabilité pénale d'un individu.
Angl. *causal connection, chain of causation*

Cause *n.f.*

☐ **1.** Source, origine, motif, fondement. Ex. La cause d'un divorce, la cause d'interruption de la prescription.

Angl. *cause*

• **Cause d'action :**
1. Fondement juridique de l'action.
Comp. action (en justice)
Angl. *cause of action*
2. Faits matériels qui constituent le fondement d'une demande en justice et qui doivent être

prouvés par le demandeur s'il veut réussir dans son action.

Comp. fait matériel
Angl. *cause of action*

- **Cause de l'obligation :** V. CAUSE OBJECTIVE.

- **Cause de mort (à) :** V. À CAUSE DE MORT.

- **Cause du contrat :** V. CAUSE SUBJECTIVE.

- **Cause (enrichissement sans) :** Enrichissement d'une personne au détriment d'une autre qui s'est appauvrie, alors que ce déséquilibre ne repose sur aucun fondement juridique. Il peut donner ouverture à l'action *de in rem verso*.

Rem. Le *Code civil du Québec* utilise plutôt l'expression « enrichissement injustifié ».
Syn. enrichissement injustifié
Comp. action *de in rem verso*, prestation compensatoire
Angl. *unjust enrichment*

- **Cause juste et suffisante :** Motif sérieux et justifié de suspension ou de congédiement d'un salarié pour une faute qu'il aurait commise et que l'employeur doit mettre en preuve lorsque le salarié prétend que la sanction est liée à l'exercice d'un droit qui lui est octroyé par le *Code du travail*.

Angl. *proper cause*

- **Cause légitime de préférence :** Avantage que la loi accorde à un créancier, suivant la nature de sa créance et selon un ordre déterminé, d'échapper à la règle de l'égalité entre les créanciers et d'être payé en priorité sur le produit de la vente des biens de son débiteur.

Rem. Selon le Code civil, les causes légitimes de préférence sont les priorités et les hypothèques.
Angl. *legal cause of preference*

- **Cause objective :** Raison objective et impersonnelle qui justifie l'existence d'une obligation. Ex. Lors d'une vente, la cause objective pour l'acheteur est l'acquisition de la propriété du bien.

Syn. cause de l'obligation
Angl. *cause of the obligation*

- **Cause subjective :** Raison subjective et personnelle qui détermine chacune des parties à conclure un contrat. Ex. La cause subjective pour l'acheteur d'une maison peut être l'intention de l'habiter lui-même.

Syn. cause du contrat
Angl. *personal cause*

□ **2.** Fait générateur d'un dommage.

Angl. *cause*

- **Cause étrangère :** Fait extérieur ou événement imprévisible qui survient lors de la réalisation d'un dommage et qui constitue une cause d'exonération de la responsabilité, tant extracontractuelle que contractuelle. Ex. Le cas fortuit, la faute de la victime ou le fait d'un tiers constituent une cause étrangère.

Angl. *external cause*

□ **3.** Procès, instance, demande en justice.

Angl. *case*

- **Cause en état :** Cause dont l'instruction est terminée et qui a été prise en délibéré par le juge.

Angl. *case ready for judgment, case under advisement*

- **Cause (en tout état de) :** Expression signifiant qu'un acte peut être posé par une partie à tout moment de l'instance. Ex. Une partie peut se désister de sa demande en tout état de cause.

Angl. *at any stage of the case, at any time*

- **Cause (mise en) :** V. MISE EN CAUSE.

- **Cause (mis en) :** V. MIS EN CAUSE.

- **Cause pendante :**

1. Litige dans lequel le jugement final n'a pas été prononcé.
Comp. demande pendante
Angl. *pending case*
2. Plus généralement, situation conflictuelle entre deux personnes qui n'a pas encore fait l'objet d'une décision.
Comp. demande pendante
Angl. *pending case*

Caution *n.f.*

□ Personne qui s'engage envers le créancier à remplir l'obligation contractée par le débiteur dans le cas où celui-ci n'y satisferait pas. Ex. Se porter caution pour quelqu'un.

Comp. cautionnement
Angl. *bail, security, surety*

- **Caution personnelle :** Caution qui s'engage envers le créancier à exécuter elle-même une obligation au cas où le débiteur principal refuserait ou négligerait de le faire.
  Comp. caution réelle
  Angl. *personal surety*

- **Caution (réception de) :** V. RÉCEPTION DE CAUTION.

- **Caution réelle :** Caution qui, en constituant une sûreté réelle sur un ou plusieurs de ses biens, s'engage envers le créancier à exécuter une obligation au cas où le débiteur principal refuserait ou négligerait de le faire.
  Comp. caution personnelle, gage, hypothèque
  Angl. *real surety*

- **Caution solidaire :** Caution qui, ayant renoncé au bénéfice de discussion, devient codébiteur solidaire envers le créancier tout en conservant sa position de simple caution à l'égard du débiteur principal.
  Rem. La caution solidaire peut être tenue d'acquitter la totalité de la dette quitte à réclamer ensuite au débiteur principal le remboursement des sommes qu'elle a versées au créancier.
  Angl. *solidary surety*

Cautionnement *n.m.*

- □ **1.** Contrat par lequel une personne, la caution, s'oblige envers le créancier, gratuitement ou contre rémunération, à exécuter l'obligation du débiteur si celui-ci n'y satisfait pas (*Code civil du Québec*, art. 2333).
  Comp. caution
  Angl. *suretyship*

- □ **2.** Dépôt d'argent ou de valeurs destiné à garantir des créances éventuelles.
  Angl. *bond, security, surety-bond*

- **Cautionnement conventionnel** : Cautionnement qui résulte de la volonté des parties.
  Comp. cautionnement judiciaire, cautionnement légal
  Angl. *conventional suretyship*

- **Cautionnement illimité :** V. CAUTIONNEMENT INDÉFINI.

- **Cautionnement indéfini :** Cautionnement qui s'étend à tous les accessoires de la dette, même aux frais de l'action intentée par le créancier contre le débiteur, et à tous ceux qui sont postérieurs à la dénonciation qui en est faite à la caution.
  Syn. cautionnement illimité
  Angl. *indefinite suretyship*

- **Cautionnement *judicatum solvi* :** Cautionnement qu'un défendeur à une action peut exiger d'un demandeur étranger pour garantir les frais du procès auxquels ce dernier pourrait être condamné.
  Angl. *security for costs*

- **Cautionnement judiciaire :** Cautionnement qui est ordonné par jugement.
  Comp. cautionnement conventionnel, cautionnement légal
  Angl. *judicial suretyship*

- **Cautionnement juratoire :** Engagement par lequel l'usufruitier qui ne peut fournir caution s'oblige, par son seul serment, à conserver les meubles nécessaires pour son usage et à les rendre à l'extinction de l'usufruit.
  Angl. *guarantee given by oath, juratory security*

- **Cautionnement légal :** Cautionnement qui est prescrit par la loi.
  Comp. cautionnement conventionnel, cautionnement judiciaire
  Angl. *legal suretyship*

- **Cautionnement limité :** Cautionnement qui ne s'étend qu'à une partie de l'obligation du débiteur, selon les termes du contrat de cautionnement. Ex. Le cautionnement restreint à une portion de la créance.
  Angl. *partial suretyship, suretyship for a part of the debt*

Caveat

- □ **1.** Terme latin signifiant « prends garde » et désignant la mise en garde envoyée à une personne pour la prévenir de l'existence d'un droit en faveur d'une autre personne et lui enjoindre de le respecter.

- ***Caveat emptor* :** Expression latine signifiant « que l'acheteur prenne garde » et selon laquelle l'acheteur est tenu d'examiner l'objet du contrat avant d'en prendre possession et ne peut se plaindre ultérieurement des vices apparents s'il a choisi de se fier aux représentations du vendeur.

☐ **2.** En matière de faillite, avis déposé par le syndic auprès de l'officier de la publicité des droits compétent indiquant qu'un immeuble appartenant au failli fait l'objet d'une cession de biens.

C.-B.

☐ Abrév. de Colombie-britannique.

C.B.A. Papers

☐ Abrév. de *Canadian Bar Association Papers.*

C.B.A. Y.B.

☐ Abrév. de *Canadian Bar Association Yearbook.*

C.B.E.S.

☐ Abrév. de Cour de bien-être social.

C.B.J.

☐ Abrév. de *Canadian Bar Journal.*

C.B.R.

☐ Abrév. de *Canadian Bankruptcy Reports.*

C.B.R. (N.S.)

☐ Abrév. de *Canadian Bankruptcy Reports, New Series.*

C.C.

☐ Abrév. de **1.** *Code civil* ; 2. Cour de circuit.

C.C.B.C.

☐ Abrév. de *Code civil du Bas-Canada.*

C.C.C.

☐ Abrév. de *Canadian Criminal Cases.*

C.C.C. (2d)

☐ Abrév. de *Canadian Criminal Cases, Second Series.*

C.C.C. (3d)

☐ Abrév. de *Canadian Criminal Cases, Third Series.*

C.C.D.J.

☐ Abrév. de Centre canadien de la documentation juridique.

C.C.D.P.

☐ Abrév. de Commission canadienne des droits de la personne.

C.C.E.A.

☐ Abrév. de Commission de contrôle de l'énergie atomique.

C.C.E.L.

☐ Abrév. de *Canadian Cases on Employment Law.*

C.C.F.

☐ Abrév. de *Canadian Criminology Forum.*

C.C.L.

☐ Abrév. de *Canadian Current Law.*

C.C.L.C.

☐ Abrév. de *Civil Code of Lower Canada.*

C.C.L.I.

☐ Abrév. de *Canadian Cases on the Law of Insurance.*

C.C.L.R.

☐ Abrév. de *Canada Corporations Law Reports.*

C.C.L.T.

☐ Abrév. de *Canadian Cases on the Law of Torts.*

C.C.P.

☐ Abrév. de Commission canadienne des pensions.

C.C.Q.

☐ Abrév. de *Code civil du Québec.*

C.Cr.

☐ Abrév. de *Code criminel.*

C.C.R.O.

☐ Abrév. de Conseil canadien des relations ouvrières.

C.C.R.T.

☐ Abrév. de Conseil canadien des relations de travail.

C.C.S.M.

☐ Abrév. de *Continuing Consolidation of the Statutes of Manitoba.*

C. de D.

☐ Abrév. de Les Cahiers de droit.

C. de D. Europ.

☐ Abrév. de Cahiers de droit européen.

C. de l'É.

☐ Abrév. de Cour de l'Échiquier.

C. de l'I.Q.A.J.

☐ Abrév. de Cahiers de l'Institut québécois d'administration judiciaire.

C. Dis.

☐ Abrév. de Cour de district.

C. Div.

☐ Abrév. de Cour divisionnaire.

C.E.

☐ Abrév. de **1.** Commissaires enquêteurs ; **2.** Cour de l'Échiquier ; **3.** Décisions des commissaires enquêteurs ; **4.** Décisions du Bureau du commissaire-enquêteur en chef (Québec).

C.E.B. & P.G.R.

☐ Abrév. de *Canadian Employment Benefits and Pension Guide Reports.*

C.E.D.

☐ Abrév. de *Canadian Encyclopedic Digest.*

Cédant, ante *n.*

☐ Dans une cession, personne qui cède, qui transmet son droit au cessionnaire.
Comp. cédé, cession, cessionnaire
Angl. *assignor, transferor*

Cédé, ée *n.*

☐ Dans une cession, débiteur de la créance qui fait l'objet de la cession.
Comp. cédant, cession, cessionnaire
Angl. *assigned debtor*

Cedendarum actionum

☐ Expression latine signifiant « (exception) des actions devant être cédées » et désignant l'exception de subrogation.
Comp. subrogation

Céder *v.tr.*

☐ Transmettre un droit, un bien par voie de cession.
Angl. *to assign, to cede, to hand over, to transfer*

C.E.G.S.B.

☐ Abrév. de *Crown Employees Grievance Settlement Board.*

Célébration du mariage

☐ V. MARIAGE.

C.E.L.R.

☐ Abrév. de *Canadian Environmental Law Reports.*

C.E.L.R. (N.S.)

☐ Abrév. de *Canadian Environmental Law Reports, New Series.*

Cens *n.m.*

☐ Redevance fixe que doit payer annuellement le possesseur ou le propriétaire d'un terrain à une personne qui détient sur celui-ci des droits seigneuriaux.

Angl. *cens, rent*

• **Cens d'éligibilité :**

1. Conditions requises par la loi pour qu'un individu puisse se porter candidat à une élection.

Angl. *qualifications*

2. Montant minimum d'impôt que devait autrefois payer un individu pour qu'il puisse se porter candidat à une élection.

Angl. *poll tax*

• **Cens électoral :**

1. Conditions requises par la loi pour qu'un individu ait le droit de vote à une élection.

Angl. *qualifications, right to vote*

2. Montant minimum d'impôt que devait autrefois payer un individu pour avoir le droit de vote à une élection.

Angl. *poll tax*

Censitaire *adj. et n.*

☐ **1.(adj.)** Se dit d'un suffrage où seules les personnes ayant payé un certain impôt ont le droit de vote ou sont éligibles à un poste.

Angl. *(suffrage) on the basis of property qualification*

☐ **2.(n.)** Électeur qui paie le cens électoral.

Angl. *eligible voter, qualified voter*

☐ **3.(n.)** Sous le régime féodal, personne à qui le seigneur octroyait la propriété d'un fonds à charge, notamment, de l'exploiter, d'y vivre et de lui verser des redevances (le cens et la rente).

Comp. rente

Angl. *censitaire, copyholder of land*

Censure (motion de)

☐ Dans un régime parlementaire, proposition par laquelle un membre de l'opposition demande à une assemblée élective (ex. l'Assemblée nationale ou la Chambre des communes) d'exprimer son désaccord envers une action ou une politique gouvernementale. Son adoption peut avoir pour effet d'obliger le gouvernement à démissionner et à déclencher des élections.

Comp. question de confiance, vote de non-confiance

Angl. *censure motion, motion of censure*

Centralisation *n.f.*

☐ **1.** Attribution de tous les pouvoirs à un même centre de décision.

Angl. *centralization*

☐ **2.** Système d'administration par lequel les pouvoirs de décision sont concentrés entre les mains d'une même personne, d'une même autorité.

Angl. *centralization*

• **Centralisation administrative :** Forme de centralisation suivant laquelle tous les pouvoirs concernant l'application et l'exécution des lois sont attribués à l'administration centrale qui contrôle les prises de décision directement ou par l'entremise d'agents qui sont soumis à son pouvoir hiérarchique.

Contr. décentralisation administrative, déconcentration

Comp. concentration

Angl. *administrative centralization*

• **Centralisation politique :**

1. Forme de centralisation suivant laquelle la compétence législative d'un État appartient à un seul gouvernement.

Angl. *political centralization*

2. Forme de centralisation suivant laquelle les fonctions de l'État (législative, exécutive et judiciaire) sont détenues et exercées par une personne, un groupe de personnes ou un organisme. Ex. L'exercice du pouvoir dans une monarchie absolue.

Contr. décentralisation politique

Angl. *political centralization*

C.E.P.R.

☐ Abrév. de *Canadian Estate Planning and Administration Reporter.*

C.E.R.

☐ Abrév. de *Canadian Customs and Excise Reports.*

Certain, aine *adj.*

☐ **1.** Déterminé, dont l'identité est connue.

Contr. incertain
Comp. corps certain, terme certain
Angl. *certain, sure*

☐ **2.** Incontestable, dont l'existence ne peut être mise en doute. Ex. Une créance certaine.

Contr. incertain
Comp. exigible, liquide
Angl. *certain, sure*

☐ **3.** Qui ne peut manquer de se produire. Ex. Un dommage futur et certain.

Contr. incertain
Comp. corps certain, date certaine, terme certain
Angl. *certain, sure*

Certificat *n.m.*

☐ **1.** Acte écrit par lequel une personne, en sa qualité d'officier public ou à titre personnel, garantit un fait dont elle a connaissance.

Comp. certification, certifier
Angl. *certificate*

• **Certificat d'actions :** Écrit attestant qu'une personne détient une ou plusieurs actions dans une compagnie ou une société par actions.

Angl. *stock certificate*

• **Certificat de défaut :** Document signé par un officier d'un tribunal dûment autorisé attestant qu'une personne a fait défaut d'agir ou de produire un acte de procédure dans le délai qui lui était imparti.

Comp. acte de comparution, défaut de comparaître
Angl. *default certificate*

• **Certificat de localisation :** V. LOCALISATION.

• **Certificat de recherche :** Document authentique rédigé par le régistrateur qui consiste en un résumé des actes comportant des droits réels affectant un bien immobilier et apparaissant à l'index aux immeubles. Il peut viser l'ensemble des droits réels ou seulement certains d'entre eux et couvrir une période plus ou moins longue, selon les besoins. Le certificat comprend, en principe, le nom des parties et du notaire instrumentant, la date de l'acte, la nature du droit, le prix de la transaction s'il y a lieu, ainsi que le numéro et la date de l'enregistrement.

Angl. *certificate of search, search of titles certificate*

• **Certificat d'état de cause :** Dans un procès civil mû devant la Cour supérieure du Québec, document signé par le greffier et déposé dans le dossier de la cause, au greffe du tribunal, attestant que celle-ci est prête pour l'enquête et l'audition.

Angl. *certificate of readiness*

☐ **2.** Extrait ou copie d'un acte consigné dans les registres de l'état civil et qui est authentifié par un officier public.

Comp. acte(s) de l'état civil, extrait, registres de l'état civil
Angl. *certificate*

• **Certificat de l'état civil :** Document qui énonce le nom d'une personne, son sexe, ses lieu et date de naissance et, le cas échéant, le nom de son conjoint et les lieu et date de son mariage ou de son décès.

Rem. Selon l'article 146 du *Code civil du Québec*, le directeur de l'état civil peut également délivrer des certificats de naissance, de mariage ou de décès portant les seules mentions relatives à un fait certifié.
Comp. acte(s) de l'état civil
Angl. *certificate of civil status*

• **Certificat de décès :** V. CERTIFICAT DE L'ÉTAT CIVIL.

• **Certificat de mariage :** V. CERTIFICAT DE L'ÉTAT CIVIL.

• **Certificat de naissance :** V. CERTIFICAT DE L'ÉTAT CIVIL.

Certificateur, trice *n.*

☐ Personne qui garantit l'engagement d'une caution.

Angl. *attestor*

Certification *n.f.*

☐ Assurance donnée par écrit de la régularité d'un acte ou d'une pièce, de l'authenticité d'une signature.

Comp. certifier

Angl. *attestation, witnessing*

Certifier *v.tr.*

☐ Attester, garantir l'existence d'un fait.

Comp. certificat, certification

Angl. *to certify*

Certiorari (bref de)

☐ Ordre d'une cour supérieure enjoignant à un tribunal inférieur de lui transmettre le dossier d'une affaire dont il a été saisi afin qu'elle puisse vérifier la légalité d'une décision qu'il a rendue et, le cas échéant, l'annuler.

Rem. **1.** Il y a lieu à *certiorari* lorsque le tribunal inférieur a rendu sa décision alors qu'il n'avait pas compétence ou a excédé celle qu'il possédait. **2.** Au Québec, en matière civile, le recours en évocation englobe les recours en *certiorari* et en prohibition.

Comp. évocation, prohibition (bref de)

Angl. *writ of certiorari*

C.E.S.H.G.

☐ Abrév. de *Canadian Employment, Safety and Health Guide.*

Cessation de paiement

☐ V. PAIEMENT (CESSATION DE).

Cessibilité *n.f.*

☐ Qualité d'un droit, d'un bien susceptible de cession.

Contr. incessibilité

Comp. aliénabilité, cessible, cession, disponibilité, transmissibilité

Angl. *assignability, transferability*

Cessible *adj.*

☐ Qui peut faire l'objet d'une cession.

Contr. incessible

Comp. aliénable, cessibilité, disponible, transférable, transmissible

Angl. *assignable, transferable*

Cession *n.f.*

☐ Transmission entre vifs, par le cédant au cessionnaire, à titre onéreux ou gratuit, d'un droit ou d'un bien.

Comp. cédant, cédé, céder, cessibilité, transmission

Angl. *assignment, cession, transfer*

- **Cession de bail :** Contrat par lequel le locataire d'un bien cède le bail à un tiers.

  Rem. Selon le *Code civil du Québec*, le locataire ne peut céder le bail sans le consentement du locateur mais celui-ci ne peut refuser la cession sans motif sérieux. De plus, contrairement au contrat de sous-location, la cession de bail décharge, sauf exception, l'ancien locataire de ses obligations.

  Comp. bail, sous-location

  Angl. *assignment of a lease*

- **Cession de biens :** V. CESSION JUDICIAIRE DE BIENS.

- **Cession de créance :** Convention par laquelle le créancier cédant transmet au cessionnaire, à titre onéreux ou gratuit, la créance qu'il détient contre le débiteur.

  Syn. transport de dette, vente de créance

  Angl. *assignment of claim, assignment of creance*

- **Cession de dette :** Convention par laquelle le débiteur cédant transmet sa dette, à titre onéreux ou gratuit, à un cessionnaire qui sera désormais tenu de l'assumer envers le créancier. Elle n'est possible que dans des cas exceptionnels et ne libère le débiteur originaire que si le créancier y consent expressément.

  Syn. transport de dette

  Angl. *assignment of debt*

- **Cession de droits litigieux :** Convention par laquelle le créancier cédant transmet au cessionnaire une créance dont l'existence ou l'étendue fait l'objet d'un procès ou d'une contestation par le débiteur. Ce dernier peut écarter le nouveau créancier en lui remboursant le prix qu'il a effectivement payé ainsi que les frais et les intérêts sur le prix à compter du jour où le paiement en a été fait.

Syn. vente de droits litigieux
Angl. *assignment of litigious rights*

- **Cession de droits successifs :** Convention par laquelle un héritier cède, à titre onéreux ou gratuit, ses droits dans une succession à un cohéritier ou à un tiers.

  Syn. cession de droits successoraux
  Angl. *assignment of inheritance, assignment of rights of succession*

- **Cession de droits successoraux :** V. CESSION DE DROITS SUCCESSIFS.

- **Cession de priorité :** V. CESSION DE RANG.

- **Cession de rang :** Acte juridique par lequel un créancier, prioritaire, privilégié ou hypothécaire transfère son rang, sa préférence à un autre créancier de rang inférieur dont il prend la place.

  Syn. cession de priorité
  Angl. *assignment of preference, cession of rank*

- **Cession judiciaire de biens :** Distribution légale des biens du débiteur insolvable (ou censé insolvable selon la loi) pour le bénéfice de ses créanciers.

  Rem. Les règles du *Code de procédure civile du Québec* concernant la cession de biens ont été abrogées pour cause d'inconstitutionnalité puisqu'elles constituaient *de facto* des dispositions de faillite, celle-ci étant de compétence fédérale exclusive.
  Syn. cession de biens
  Comp. faillite
  Angl. *abandonment of property*

Cessionnaire *n.*

□ Dans une cession, personne qui acquiert le droit que transmet le cédant.

Comp. cédant, cédé, céder, cession
Angl. *assignee, transferee*

Cf.

□ Abrév. de *Compare.*

C.F.

□ Abrév. de **1.** Cour fédérale du Canada ; **2.** Recueils des arrêts de la Cour fédérale du Canada.

C.F.A.

□ Abrév. de Cour fédérale, division d'appel.

C.F.L.Q.

□ Abrév. de *Canadian Family Law Quarterly.*

C.F.Pr.B.Q.

□ Abrév. de Cours de formation professionnelle du Barreau du Québec.

Ch.

□ Abrév. de **1.** Chancellerie ; **2.** *Chancery* ; **3.** Chapitre ; **4.** *Chapter* ; **5.** *Law Reports, Chancery Division.*

Chaîne *n.f.*

□ Ancienne mesure d'arpentage d'une longueur de soixante-six pieds (environ vingt mètres).

Comp. réserve des trois chaînes
Angl. *chain*

Chaîne de titres

□ Relevé des titres de propriété d'un immeuble dans lequel sont décrites, de la première à la dernière, les cessions successives ou les autres formes de disposition qui l'affectent en partie ou dans son ensemble.

Comp. titre
Angl. *chain of title*

Chambre *n.f.*

□ **1.** Division spécialisée d'un même tribunal à qui l'on attribue une compétence particulière. Ex. La Cour du Québec est divisée en quatre chambres : une chambre criminelle, une chambre civile, une chambre de la jeunesse et une chambre d'expropriation.

Comp. juge en chambre
Angl. *chamber, division*

☐ **2.** Lieu de réunion d'une assemblée délibérante.

• **Chambre basse :** Dans un parlement bicaméral, chambre composée de membres élus au suffrage universel.
Comp. Assemblée nationale, député
Angl. *lower chamber, lower house*

• **Chambre des communes :** Au Canada, chambre législative du Parlement fédéral composée de députés qui ont été élus au suffrage universel dans une circonscription électorale et qui ont pour fonctions principales d'élaborer et d'adopter des lois, de déterminer les orientations politiques du pays et de critiquer l'action gouvernementale.
Comp. Parlement, Sénat
Angl. *House of Commons*

• **Chambre haute :** Dans un parlement bicaméral, chambre généralement créée pour représenter les intérêts régionaux. Au Canada, elle est constituée de membres nommés par le gouvernement alors qu'aux États-Unis, les représentants sont élus par la population.
Comp. Conseil législatif, Sénat
Angl. *upper chamber, upper house*

Chancelier *n.m.*

☐ **1.** En droit anglais, haut dignitaire auquel l'on faisait autrefois appel pour rendre justice lorsque le recours aux tribunaux de *common law* s'avérait insatisfaisant ou impossible. Cette situation a donné naissance à l'*equity* dont on confia subséquemment l'application à la Cour de chancellerie, présidée par le chancelier.
Comp. Cour de chancellerie, *equity*
Angl. *Chancellor*

☐ **2.** Clerc qui est chargé de la garde des archives d'un diocèse.
Angl. *chancellor*

☐ **3.** Dans certaines universités, personne qui est titulaire du plus haut rang.
Angl. *chancellor*

☐ **4.** Dans certains États, titre donné au premier ministre. Ex. Le chancelier d'Allemagne.
Angl. *chancellor*

Chancellerie *n.f.*

☐ V. COUR DE CHANCELLERIE.

Changement de venue

☐ Anglicisme. Traduction littérale des termes *Change of venue.*
Comp. renvoi d'une affaire

Chantage *n.m.*

☐ Acte criminel qui consiste à extorquer ou à tenter d'extorquer à une personne des fonds, une signature, un engagement ou une renonciation sous la menace de révélations diffamatoires.
Rem. Selon le *Code criminel*, le chantage constitue une forme d'extorsion.
Comp. diffamation, extorsion
Angl. *blackmail*

Chap.

☐ Abrév. de chapitre.

Ch. App.

☐ Abrév. de *Chancery Appeal Cases.*

Charge *n.f.*

☐ **1.** Obligation imposée à une personne par la loi ou par une convention. Ex. Les charges imposées par la loi à l'usufruitier, une donation à charge de rapporter le bien dans la succession.
Angl. *charge, debt, liability*

• **Charges (cahier des) :** Document dans lequel sont consignées les normes générales ou spécifiques de passation et d'exécution de contrats, en matière de construction d'immeubles. Ce document accompagne normalement les appels d'offres de services, lors de soumissions publiques ou privées.
Comp. appel d'offres
Angl. *schedule of charge, specifications*

• **Charges communes :** V. CHARGES DE LA COPROPRIÉTÉ.

• **Charges de la copropriété :** Ensemble des dépenses découlant de la copropriété auxquelles chacun des copropriétaires est tenu de contribuer conformément aux dispositions de la déclaration de copropriété ou, à défaut, en proportion de la valeur relative de sa fraction établie dans la déclaration. Elles concernent spécialement les frais de conservation, d'entretien et d'administration des parties communes de l'immeuble ainsi que les dépenses entraînées par le fonctionnement des services communs.

Syn. charges communes

Angl. *common expenses, costs of co-ownership*

- **Charges de la succession :** Dettes qui ne grevaient pas le patrimoine du *de cujus* ou du testateur de son vivant mais que les héritiers ou les légataires sont tenus de payer par suite du décès. Ex. Le paiement des frais funéraires constitue une charge de la succession.

Angl. *liabilities of the succession*

- **Charges du mariage :** Ensemble des dépenses encourues par les époux essentiellement pour l'entretien du ménage et l'éducation des enfants et auxquelles ils sont tenus de contribuer en proportion de leurs facultés respectives, indépendamment de leur régime matrimonial. Selon la loi, chaque époux peut s'acquitter de sa contribution par son activité au foyer ; les deux sont toutefois, à l'égard des tiers, solidairement responsables des dettes contractées en vue de satisfaire les besoins courants de la famille. Ex. Les dépenses de logement, de nourriture, d'éducation des enfants sont des charges du mariage.

Angl. *expenses of marriage*

- **Charges locatives :** V. LOCATIVES (RÉPARATIONS).

☐ **2.** Obligation ou condition imposée par le donateur au donataire ou par le testateur au légataire. Ex. Une donation à charge de payer une rente à un tiers.

Angl. *charge*

☐ **3.** Droit réel qui grève un immeuble. Ex. Une servitude, une hypothèque.

Angl. *charge*

- **Charge flottante :** Droit réel consenti par acte de fiducie et portant sur l'ensemble des biens présents et futurs de l'entreprise ou sur ceux qui n'ont pas été spécifiquement hypothéqués, nantis ou donnés en gage. Elle doit être enregistrée et elle prend effet seulement au moment où l'entreprise est en défaut de remplir ses obligations ; entre-temps, l'entreprise demeure en possession des biens et elle peut en disposer dans le cours normal de ses affaires.

Syn. affectation générale, charge générale

Comp. acte de fiducie, fiducie, hypothèque ouverte, sûreté

Angl. *floating charge*

- **Charge générale :** V. CHARGE FLOTTANTE.

☐ **4.** Dépenses encourues lors de la vente en justice d'un bien. Ex. Les charges acquittées par le tuteur lors de la vente en justice des biens du mineur.

Angl. *charges*

☐ **5.** Condition imposée lors de la vente en justice d'un immeuble. Ex. La vente en justice d'un immeuble, à charge d'hypothèque.

Angl. *charge*

☐ **6.** Fonction à caractère public conférant à une personne des droits et des obligations. Ex. La charge du tuteur.

Angl. *charge, office*

- **Charge municipale :**

1. Au sens large, les fonctions des officiers et membres du conseil municipal ou des employés de la municipalité.

Angl. *municipal office*

2. Plus spécifiquement, les fonctions exercées par un officier ou un membre du conseil municipal dans l'exercice de leur mandat.

Angl. *municipal office*

- **Charge publique :** Fonction exercée de manière autonome et permanente par une personne à qui certaines responsabilités de l'État ont été confiées par la loi.

Comp. officier

Angl. *public office*

☐ **7.** Fonction à caractère privé, prévue par la loi, conférant à une personne des droits et des obligations. Ex. La charge qu'accepte un cohéritier de constituer des lots qui seront ensuite tirés au sort.

Angl. *charge*

☐ **8.** Élément de preuve ou fait susceptible d'établir la culpabilité de l'accusé. Ex. Les charges pesant contre un prévenu.

Comp. accusation
Angl. *charge*

- **Charge de la preuve :** V. FARDEAU DE LA PREUVE.

- **Charge (témoin à) :** V. TÉMOIN À CHARGE.

☐ **9.** Ce que doit supporter une personne.

Angl. *charge*

- **Charge de (à) :** Avec l'obligation de, à la condition que.

Angl. *on (the) condition that, subject to (the obligation of), under the condition of, under the obligation of*

- **Charge de (à la) :**

1. Sous la responsabilité de.

Angl. *(being a) charge on, dependant upon*

2. Aux frais de.

Angl. *at the expense of, chargeable to*

- **Charge (enfant à) :** Personne mineure qui dépend, pour sa subsistance, de ses parents ou d'un adulte auquel elle n'est pas rattachée par un lien de filiation.

Rem. Dans certains cas prévus par la loi, cette expression peut également désigner l'enfant majeur qui poursuit des études à plein temps ou qui est affecté d'un handicap le rendant invalide.
Angl. *dependant child*

- **Charge (personne à) :** Personne dont la subsistance et l'entretien sont assurés par une autre personne qui agit spontanément ou en vertu d'une obligation légale.

Angl. *dependant person*

Chargeur *n.m.*

☐ En matière de transport maritime de biens, personne qui contracte avec le transporteur en vue de l'expédition de marchandises.

Syn. expéditeur
Comp. destinataire, transporteur
Angl. *shipper*

Charte *n.f.*

☐ **1.** Loi fondamentale d'un État énonçant les droits et libertés dont bénéficient ses citoyens.

Angl. *charter*

- ***Charte canadienne des droits et libertés* :** Loi constitutionnelle, entrée en vigueur en 1982, qui garantit le respect par les autorités gouvernementales fédérales et provinciales des droits et libertés qui y sont énoncés. Elle assure aux citoyens canadiens des libertés fondamentales, des droits démocratiques, des garanties juridiques ainsi que l'égalité de tous devant la loi. Elle précise enfin le statut des deux langues officielles du Canada, le français et l'anglais. Cette loi prescrit que les droits et libertés ne peuvent être restreints que par une règle de droit dont les limites doivent être raisonnables et dont la justification puisse se démontrer dans le cadre d'une société libre et démocratique.

Angl. *Canadian Charter of Rights and Freedoms*

- ***Charte de la langue française* :** Loi du Québec, entrée en vigueur en 1977, qui a pour objectif de protéger et de promouvoir l'usage de la langue française, notamment en la déclarant langue officielle de la province.

Rem. Elle est communément appelée « loi 101 », d'après le numéro du projet de loi présenté à l'Assemblée nationale par le gouvernement du Québec, en 1977.
Angl. *Charter of the French language*

- ***Charte des droits et libertés de la personne* :** Loi du Québec, entrée en vigueur en 1975, qui assure aux citoyens de cette province des libertés et droits fondamentaux, le droit à l'égalité ainsi que des droits politiques, judiciaires, économiques et sociaux. Elle lie tant la Couronne que les citoyens et vise les matières qui sont de la compétence législative du Québec. Sans être une véritable loi constitutionnelle, elle a primauté sur toutes les lois de la province à moins que le législateur ne déclare expressément sa volonté d'y déroger.

Angl. *Charter of Human Rights and Freedoms*

- **Charte (grande) :** V. *MAGNA CHARTA.*

☐ **2.** Loi de la législature ou, suivant le cas, lettres patentes constituant une municipalité de ville et déterminant notamment l'étendue de ses pouvoirs ainsi que leur mode d'exercice. Ex. La charte de la ville de Québec.

Angl. *charter*

☐ **3.** Loi de la législature ayant pour effet de

constituer en corporation une compagnie à fonds social.
Angl. *charter*

- **Charte d'une compagnie ou d'une société par actions :** Acte constitutif d'une compagnie ou d'une société par actions qui est émis par l'État à la demande des actionnaires et qui en précise les droits et obligations.
Angl. *charter of a company, charter of a corporation*

Charte-partie *n.f.*

□ Écrit qui constate un contrat d'affrètement maritime et qui en fixe les conditions.
Rem. Le *Code civil du Québec* l'écrit en un seul mot, soit « chartepartie ».
Comp. affrètement
Angl. *charter-party, charter party*

Ch. D.

□ Abrév. de **1.** *Chancery Division* ; **2.** *Law Reports, Chancery Division.*

Chef *n.m.*

□ **1.** Personne qui est investie d'une autorité.
Angl. *chief, head*

- **Chef de famille :** Qualité autrefois reconnue au mari à qui la loi attribuait certaines prérogatives dans la direction de la cellule familiale.
Comp. autorité maritale, autorité parentale
Angl. *head of the family*

- **Chef de gouvernement :** Personne qui, dans un régime parlementaire, dirige l'ensemble des ministres. Il est normalement le chef du parti majoritaire.
Syn. ministre (premier)
Comp. gouvernement, chef de l'État
Angl. *Chief of Government, Prime minister*

- **Chef de l'État :** Expression qui désigne le titulaire juridique du pouvoir de l'État, ce qui n'implique pas nécessairement qu'il détienne le pouvoir de gouverner. Ex. Au Canada, la Reine est le chef de l'État et le gouvernement est dirigé par le premier ministre qui détient, en fait, le pouvoir de gouverner.
Syn. chef d'État
Comp. chef de gouvernement, gouverneur général, reine
Angl. *Chief of State, Head of State*

- **Chef d'État :** V. CHEF DE L'ÉTAT.

□ **2.** Élément distinct d'une demande en justice. Ex. Dans un procès civil, chacune des conclusions de la déclaration constitue un chef de la demande principale.
Angl. *charge, count*

- **Chef d'accusation :**
1. En matière criminelle, chacun des éléments qui composent l'acte d'accusation.
Angl. *charge, count, count of indictment*
2. En matière pénale, chacune des infractions dont une personne est accusée et dont l'ensemble constitue l'acte d'accusation.
Angl. *charge, count, count of indictment*

□ **3.** Personne concernée par une activité ou une disposition de la loi.
Angl. *person interested in*

- **Chef de (dettes nées du) :** Dettes contractées par un des conjoints, pendant le mariage. Ex. Sous le régime de la société d'acquêts, chacun des époux est tenu, tant sur ses biens propres que sur ses acquêts, des dettes nées de son chef avant ou pendant le mariage.
Angl. *debts incurred by*

- **Chef (être appelé de son) :** En matière successorale, avoir le droit de succéder au défunt, à titre personnel, sans le secours de la représentation.
Comp. tête (partage par)
Angl. *to come (to the succession) in one's own right*

Chef-lieu *n.m.*

□ Dans un district judiciaire, municipalité où siègent les tribunaux.
Angl. *county seat*

Chemin *n.m.*

□ Voie de communication aménagée à la campagne pour aller d'un endroit à un autre.
Angl. *road*

- **Chemin de front :** Chemin dont le tracé général est sur le travers des lots d'un rang et qui ne conduit pas d'un rang à un autre.
Angl. *front road*

- **Chemin de terre :** Chemin qui n'a été recouvert ni d'une couche de gravier, ni d'une couche de macadam.
  Comp. chemin gravelé, chemin macadamisé
  Angl. *earth road*

- **Chemin gravelé :** Chemin qui a reçu, sur toute sa longueur, une couche uniforme de gravier dont l'épaisseur est déterminée par la loi, et cela après une préparation spéciale de son infrastructure.
  Comp. chemin de terre, chemin macadamisé
  Angl. *gravel road*

- **Chemin macadamisé :** Chemin qui a reçu, sur toute sa longueur, une couche de pierre concassée, celle-ci ayant été tassée et liée de manière à former une sorte de béton imperméable aux eaux de pluie.
  Comp. chemin de terre, chemin gravelé
  Angl. *macadamized road*

- **Chemin public :** La surface de terrain ou d'un ouvrage d'art dont l'entretien est à la charge d'une municipalité, d'un gouvernement ou de l'un de ses organismes, et sur une partie de laquelle sont aménagées une ou plusieurs chaussées ouvertes à la circulation publique des véhicules routiers et, le cas échéant, une ou plusieurs voies cyclables, à l'exception : 1. des chemins soumis à l'administration du ministère des Forêts, du ministère de l'Énergie et des Ressources ou du ministère de l'Agriculture, des Pêcheries et de l'Alimentation ou entretenus par eux ; 2. des chemins en construction ou en réfection, mais seulement à l'égard des véhicules affectés à cette construction ou réfection (*Code de la sécurité routière*, L.R.Q., c. C-24.2, art. 4).
  Angl. *public highway*

- **Chemin rural :** Chemin identifié comme tel par le *Code municipal.*
  Rem. Selon l'art. 726 du *Code municipal*, les chemins ruraux se classent en chemins de terre, chemins gravelés et chemins macadamisés.
  Angl. *rural road*

Chèque *n.m.*

□ Effet de commerce par lequel une personne, le tireur, ordonne à une institution bancaire, le tiré, de remettre à demande, soit à son bénéfice soit au profit d'un tiers, le bénéficiaire, une somme d'argent qui sera prélevée sur son compte.
  Rem. L'art. 165 de la *Loi sur les lettres de change* (L.R.C. 1985, c. B-4) le définit comme suit : « Le chèque est une lettre tirée sur une banque et payable sur demande ».
  Comp. billet, lettre de change
  Angl. *cheque*

- **Chèque antidaté :** Chèque qui porte une date antérieure à celle de son émission.
  Comp. antidate
  Angl. *antedated cheque, backdated cheque*

- **Chèque à ordre :** V. BILLET À ORDRE.

- **Chèque au porteur :** Chèque qui n'indique pas le nom d'un bénéficiaire et qui peut être encaissé, lors de son échéance, par toute personne qui le détient.
  Angl. *bearer cheque*

- **Chèque barré :** Chèque sur lequel apparaît un barrement général ou spécial.
  Comp. barrement
  Angl. *crossed cheque*

- **Chèque certifié :** Chèque sur lequel la banque garantit à son bénéficiaire l'existence d'une provision suffisante pour en assurer le recouvrement.
  Syn. chèque visé
  Angl. *certified cheque*

- **Chèque en blanc :** Chèque que le tireur a signé mais sur lequel ont été omises certaines mentions essentielles, telles que le montant du chèque ou le nom du bénéficiaire.
  Angl. *blank cheque*

- **Chèque postdaté :** Chèque qui porte une date postérieure à celle de son émission.
  Comp. postdate
  Angl. *postdated cheque*

- **Chèque sans provision :** Chèque que le signataire tire sur un compte qui ne contient pas les provisions suffisantes pour couvrir le montant qui y est inscrit.
  Angl. *bouncing cheque, cheque without (sufficient) funds*

- **Chèque visé :** V. CHÈQUE CERTIFIÉ.

C.H.F.L.G.

□ Abrév. de *Canadian Health Facilities Law Guide.*

Chirographaire *adj.*

□ **1.** Se dit d'une créance qui n'est garantie par aucune sûreté particulière.

Contr. prioritaire, privilégié
Angl. *chirographic, unsecured*

□ **2.** Se dit d'un créancier ordinaire qui, lors de la distribution au marc le dollar des sommes d'argent provenant des biens du débiteur, doit partager également avec les autres créanciers ordinaires.

Contr. prioritaire, privilégié
Comp. concours, marc le dollar (au)
Angl. *chirographic*

Chitty's L.J.

□ Abrév. de *Chitty's Law Journal.*

Chose *n.f.*

□ Objet matériel.

Syn. bien
Angl. *object, thing*

- **Chose abandonnée :** V. BIEN SANS MAÎTRE, BIEN VACANT.

- **Chose certaine :** V. CORPS CERTAIN.

- **Chose commune :** V. BIEN(S) COMMUN(S).

- **Chose consomptible :** V. BIEN CONSOMPTIBLE.

- **Chose corporelle :** V. BIEN CORPOREL.

- **Chose de genre :** V. BIEN FONGIBLE.

- **Chose fongible :** V. BIEN FONGIBLE.

- **Chose future :** V. BIEN FUTUR.

- **Chose hors du commerce :** V. BIEN HORS DU COMMERCE.

- **Chose incorporelle :** V. BIEN INCORPOREL.

- **Chose jugée (autorité de la) :** Présomption légale rattachée à une décision judiciaire lorsque celle-ci a tranché le fond du litige, et qui interdit aux parties ou à l'une d'elles, sous réserve des voies de recours, de soumettre pour adjudication la même question dans un autre procès.

  Rem. L'art. 2848 du *Code civil du Québec* la définit comme suit : « L'autorité de la chose jugée est une présomption absolue ; elle n'a lieu qu'à l'égard de ce qui a fait l'objet du jugement, lorsque la demande est fondée sur la même cause et mue entre les mêmes parties, agissant dans les mêmes qualités, et que la chose demandée est la même ».
  Angl. *authority of a final judgment, authority of res judicata*

- **Chose jugée (force de) :** Qualité qu'acquiert un jugement lorsque, en l'absence d'un droit d'appel ou par suite de l'expiration du délai d'appel ou de l'épuisement des voies de recours, il devient exécutoire. Ex. On peut procéder à la saisie-exécution des biens du débiteur dès que le jugement qui l'a condamné à payer une somme d'argent est passé en force de chose jugée.

  Comp. chose jugée (autorité de la)
  Angl. *cogency of a final judgment, cogency of res judicata*

- **Chose non consomptible :** V. BIEN NON CONSOMPTIBLE.

- **Chose non fongible :** V. BIEN NON FONGIBLE.

- **Chose sans maître :** V. BIEN(S) SANS MAÎTRE, BIEN VACANT.

Ch.R.

□ Abrév. de *Upper Canada Chambers Report.*

C.H.R.C.

□ Abrév. de *Canadian Human Rights Commission.*

C.H.R.R.

□ Abrév. de *Canadian Human Rights Reporter.*

Chy. Chrs.

□ Abrév. de *Upper Canada Chancery Chambers Reports.*

C.I.L.R.

- Abrév. de **1.** *Canadian Insurance Law Reports* ; **2.** *Canadian Insurance Law Review.*

C.I.P.R.

- Abrév. de *Canadian Intellectual Property Reports.*

Circ. Ct.

- Abrév. de *Circuit Court.*

Circonscription *n.f.*

- Division géographique.
  Angl. *district, division*

- **Circonscription électorale :** Division géographique à l'intérieur de laquelle la population a la faculté d'élire une personne pour la représenter au sein d'une assemblée. Elle est délimitée sur la base de critères tels que la densité de la population et la configuration du territoire.
  Syn. comté
  Angl. *electoral district, territorial division*

- **Circonscription foncière :** Division géographique, créée par la loi pour fins de publicité des droits, dans laquelle est établi un bureau de la publicité des droits.
  Rem. Dans le *Code civil du Bas-Canada*, elle porte le nom de division d'enregistrement.
  Syn. division d'enregistrement
  Comp. bureau de la publicité des droits, publicité des droits
  Angl. *registration division*

Circonstances *n.f.pl.*

- Éléments particuliers qui caractérisent un fait.
  Angl. *circumstances*

- **Circonstance(s) aggravante(s) :** Faits entourant la commission de l'infraction qui permettent au juge, lorsqu'il les apprécie, d'infliger à l'accusé une peine plus sévère que la sanction encourue normalement.
  Angl. *aggravating circumstances, circumstances of aggravation*

- **Circonstance(s) atténuante(s) :** Faits entourant la commission de l'infraction qui permettent au juge, lorsqu'il les apprécie, d'infliger à l'accusé une peine moins forte que celle qui est normalement encourue.
  Angl. *extenuating circumstances*

Circulaire *n.f.*

- V. DIRECTIVE.

C.I.T.

- Abrév. de *Canadian Import Tribunal.*

Citation *n.f.*

- Sommation de comparaître en justice.
  Rem. En matière civile, au Québec, on emploie plutôt le mot « assignation ».
  Comp. assignation
  Angl. *notice, summons*

- **Citation à comparaître :**
  1. Sommation écrite délivrée par un agent de la paix à une personne qui est présumée avoir commis une infraction et lui intimant l'ordre de comparaître devant un tribunal aux date, heure et lieu qui y sont indiqués.
  Angl. *appearance notice*
  2. Expression employé par certains pour désigner le bref de *subpoena.*
  Syn. *subpoena* (bref de)
  Angl. *subpoena* (*writ of*)

- **Citation à procès :** V. RENVOI À PROCÈS.

Civil, ile *adj.*

- **1.** Relatif au droit civil (par opposition aux autres branches du droit). Ex. Une obligation civile.
  Angl. *civil*

- **2.** Relatif aux rapports entre les citoyens (par opposition à pénal). Ex. Un procès civil.
  Angl. *civil*

- **3.** Synonyme de juridique (par opposition à naturel ou à physique). La personnalité civile.
  Angl. *civil*

Civiliste *n.*

☐ Juriste qui se spécialise dans l'étude ou la pratique du droit civil.

Comp. administrativiste, commercialiste, criminaliste, fiscaliste, pénaliste, privatiste, publiciste

Angl. *civilian*

Civique *adj.*

☐ **1.** Relatif à la participation du citoyen à la vie civile. Ex. Un devoir civique.

Angl. *civic*

☐ **2.** Relatif au citoyen. Ex. Les droits civiques.

Angl. *civic*

C.J.

☐ Abrév. de *Chief Justice.*

C.J.A.L.P.

☐ Abrév. de *Canadian Journal of Administrative Law & Practice.*

C.J.W.L.

☐ Abrév. de *Canadian Journal of Women and the Law* / Revue juridique « La femme et le droit ».

C.L.

☐ Abrév. de Commission des loyers.

Clandestin, ine *adj.*

☐ V. POSSESSION CLANDESTINE.

Clandestinité *n.f.*

☐ État d'une situation juridique ou d'un acte juridique qui demeure secret et que l'on dissimule à ceux qui auraient intérêt à en avoir connaissance. Ex. La clandestinité d'un mariage.

Angl. *clandestinity*

Clause *n.f.*

☐ Disposition particulière d'un acte juridique (contrat, convention collective, testament, etc.) ayant pour effet d'en préciser les éléments ou les modalités.

Angl. *clause, covenant*

- **Clause abusive :** Dans un contrat de consommation ou d'adhésion, clause qui désavantage le consommateur ou l'adhérent d'une manière excessive et déraisonnable, allant ainsi à l'encontre de ce qu'exige la bonne foi.

  Comp. abusif

  Angl. *abusive clause*

- **Clause compromissoire :** Clause insérée dans un contrat par laquelle les parties conviennent à l'avance de soumettre à l'arbitrage les litiges qui pourraient naître entre elles lors de l'exécution du contrat.

  Rem. Pour qu'elle soit reconnue valide, elle doit préciser que la sentence rendue sera finale et liera les parties. Lorsque survient un litige, les parties passent alors compromis.

  Comp. arbitrage, compromis, convention d'arbitrage

  Angl. *arbitration clause*

- **Clause d'ameublissement :** Clause contenue dans un contrat de mariage fait sous le régime de la communauté de biens par laquelle les époux (ou l'un d'eux) font entrer dans la communauté tout ou partie de leurs immeubles présents ou futurs. Ces biens sont alors considérés comme des meubles de la communauté.

  Angl. *clause of mobilization, mobilization clause*

- **Clause d'échelle mobile :** Disposition contractuelle qui permet de faire varier automatiquement un des éléments du contrat en fonction d'un indice d'ordre économique ou monétaire. Ex. La clause prévoyant que le taux de salaire des employés d'une entreprise sera ajusté en fonction de l'indice des prix à la consommation.

  Rem. On retrouve généralement ces clauses dans des contrats à exécution successive (ex. bail, convention collective de travail, pension alimentaire, rente viagère).

  Syn. indexation (clause d'), indexée (clause)

  Comp. indexation

  Angl. *escalator clause, indexation clause*

- **Clause de dation en paiement :** Dans un contrat de prêt hypothécaire, clause par laquelle les parties conviennent que, si l'emprunteur fait défaut d'exécuter une de ses obligations, la propriété de l'immeuble pourra être transférée au prêteur, sans indemnité et avec effet rétroactif à la date de l'enregistrement de l'hypothèque, à moins que le débiteur n'acquitte sans délai la totalité du solde dû sur celle-ci.

Comp. dation en paiement, prise en paiement
Angl. *clause of giving in payment*

- **Clause de non-concurrence :** Clause d'un contrat par laquelle une des parties s'interdit, pour un temps et un lieu déterminés, d'exercer une activité professionnelle ou commerciale susceptible de faire concurrence à celle de l'autre.

Syn. obligation de non-concurrence
Angl. *covenant not to compete, non-competition clause, restrictive covenant*

- **Clause de non-responsabilité :** Clause qui a pour objet de soustraire à l'avance le débiteur de toute responsabilité civile résultant de l'inexécution par lui d'une obligation née du contrat. Elle ne peut avoir d'effet en cas de faute lourde.

Syn. clause d'exonération, clause exonératoire de responsabilité
Comp. clause limitative de responsabilité
Angl. *exemption clause*

- **Clause de porte-fort :** V. PORTE-FORT.

- **Clause de réalisation :** V. RÉALISATION (CLAUSE DE).

- **Clause de réserve de propriété :** Dans un contrat de vente à tempérament, stipulation par laquelle le vendeur conserve la propriété de la chose vendue jusqu'à parfait paiement par l'acheteur.

Angl. *retention of title clause*

- **Clause de retour conventionnel :** V. RETOUR CONVENTIONNEL (DROIT DE).

- **Clause de style :**

1. Clause que l'on retrouve habituellement dans les actes de même nature, par exemple les contrats types ou les contrats d'adhésion, et qui ne révèle pas nécessairement la convention expresse des parties, vu son usage automatique. Ex. Une clause de non-garantie dans un contrat de vente.

Angl. *customary clause, formal clause*

2. Par extension, formule sans valeur que l'on insère dans un texte, par habitude. Ex. Une allégation dans une déclaration à l'effet que la demande est bien fondée en fait et en droit.

Angl. *set clause, standard clause*

- **Clause de valeur à neuf :** V. VALEUR À NEUF (CLAUSE DE).

- **Clause de valeur de remplacement :** V. VALEUR À NEUF (CLAUSE DE).

- **Clause d'exonération :** V. CLAUSE DE NON-RESPONSABILITÉ.

- **Clause exonératoire de responsabilité :** V. CLAUSE DE NON-RESPONSABILITÉ.

- **Clause limitative de responsabilité :** Clause qui a pour objet de limiter à l'avance la responsabilité civile du débiteur en cas d'inexécution par lui d'une obligation née du contrat. Elle ne peut avoir d'effet lorsqu'il y a faute lourde.

Comp. clause de non-responsabilité
Angl. *limitation of liability clause, limited liability clause*

- **Clause nonobstant :** V. NONOBSTANT (CLAUSE).

- **Clause omnibus :** En matière d'assurance, clause qui permet à l'assuré d'étendre la protection qu'offre le contrat à des personnes qui n'y sont pas nommément désignées.

Comp. omnibus
Angl. *omnibus clause*

- **Clause pénale :** Dans un contrat, clause par laquelle une partie s'engage, en cas d'inexécution ou de retard dans l'exécution de son obligation, à verser à l'autre, à titre de dommages-intérêts, une somme d'argent dont le montant est fixé à l'avance.

Rem. Elle est dite compensatoire lorsqu'elle vise essentiellement à compenser pour le préjudice réellement subi et comminatoire lorsque la sanction prévue dépasse largement la valeur du préjudice réellement subi.
Comp. comminatoire, compensatoire
Angl. *penal clause, penalty clause*

- **Clause privative :** Disposition législative ayant pour but de soustraire totalement ou en partie les décisions des organismes et tribunaux administratifs du pouvoir de surveillance et de contrôle de la Cour supérieure. Les tribunaux y donnent effet sauf en cas d'abus ou d'excès de juridiction de la part de l'instance administrative ou lorsque la décision rendue est manifestement déraisonnable.

Syn. clause restrictive
Angl. *privative clause*

- **Clause résolutoire :** Clause par laquelle les parties stipulent que le contrat sera résolu de plein droit, sans intervention judiciaire, si l'une des parties fait défaut d'exécuter son obligation.

Rem. En matière immobilière, elle ne prend effet qu'après l'accomplissement de certaines formalités.
Comp. condition résolutoire, pacte commissoire
Angl. *resolutive clause*

- **Clause restrictive :** V. CLAUSE PRIVATIVE.

C.L.B.

□ Abrév. de *Canada Law Book.*

Clerc *n.m.*

□ **1.** Avocat ou notaire qui, ayant terminé sa formation professionnelle théorique, effectue un stage pratique dans un cabinet ou auprès d'un juge.

Angl. *clerk*

□ **2.** En France, personne à l'emploi d'un notaire, d'un avoué, d'un huissier et qui effectue certaines tâches professionnelles.

Angl. *clerk*

CLIC Letter

□ Abrév. de *Canadian Law Information Center's Legal Materials Letter* / Bulletin d'information juridique du Centre canadien de la documentation juridique.

Client, ente *n.*

□ **1.** Personne qui requiert les services d'une autre personne, qui lui confie ses intérêts. Ex. Le client d'un notaire.

Angl. *client*

□ **2.** Dans un contrat d'entreprise ou de service, personne envers laquelle s'engage l'entrepreneur ou le prestataire de services.

Rem. Le *Code civil du Bas-Canada* utilise l'expression « maître de l'ouvrage » plutôt que le terme « client ».
Syn. maître de l'ouvrage
Contr. entrepreneur, prestataire de services
Comp. entreprise (contrat d'), réception de l'ouvrage, service (contrat de)
Angl. *client*

C.L.J.

□ Abrév. de *Canadian Law Journal.*

C.L.L.C.

□ Abrév. de *Canadian Labour Law Cases.*

C.L.L.R.

□ Abrév. de *Canadian Labour Law Reports.*

Clos, ose *adj.*

□ V. HUIS CLOS.

Clôture *n.f.*

□ **1.** Procédure permettant à la majorité dans un parlement de limiter la durée du débat sur une question ou un projet de loi ou d'y mettre fin.

Rem. Cette procédure est souvent utilisée lorsqu'il y a *filibuster* de la part de l'opposition.
Syn. bâillon, guillotine
Comp. débats, *filibuster*
Angl. *closure*

- **Clôture (motion de) :** Motion visant à mettre fin à un débat dans un parlement et à provoquer un vote. Elle ne peut faire l'objet d'un débat.

Comp. *filibuster*
Angl. *motion for closure, motion to invoke closure*

□ **2.** Action par laquelle le titulaire d'une hypothèque ouverte en provoque la cristallisation par la signification d'un avis à cet effet au débiteur ou au constituant qui est en défaut de remplir ses obligations envers lui.

Rem. L'avis de clôture a pour effet de déterminer les biens sur lesquels porte l'hypothèque, de la rendre opposable aux tiers et de lui faire prendre rang à compter de cette date.
Comp. constituant, hypothèque ouverte
Angl. *crystallization*

C.L.R.

☐ Abrév. de **1.** *Canada Law Reports* ; **2.** *Common Law Reports* ; **3.** *Construction Law Reports.*

C.L.R.B.

☐ Abrév. de *Canada Labour Relations Board.*

C.L.R.B.R.

☐ Abrév. de *Canadian Labour Relations Board Reports.*

C.L.R.B.R. (N.S.)

☐ Abrév. de *Canadian Labour Relations Board Reports, New Series.*

C.L.S.

☐ Abrév. de *Canadian Labour Service.*

C.L.T.

☐ Abrév. de *Canadian Law Times.*

C.L.T. (Occ.N.)

☐ Abrév. de *Canadian Law Times, Occasional Notes.*

Clunet

☐ Abrév. de Journal du droit international (Clunet).

C.M.

☐ Abrév. de **1.** *Code municipal* ; **2.** Cour de magistrat ; **3.** Cour municipale.

C. Mag.

☐ Abrév. de Cour de magistrat.

C.M.A.R.

☐ Abrév. de *Canadian Court Martial Appeal Reports.*

C.M.M.

☐ Abrév. de Cour municipale de Montréal.

C.M.P.R.

☐ Abrév. de *Canadian Mortgage Practice Reports.*

C.M.Q.

☐ Abrév. de **1.** Commission municipale du Québec ; **2.** Cour municipale de Québec.

C. Mun.

☐ Abrév. de **1.** *Code municipal* ; **2.** Cour municipale.

C.N.

☐ Abrév. de *Code Napoléon* (Code civil français).

C.N.L.C.

☐ Abrév. de Commission nationale des libérations conditionnelles.

C.N.L.R.

☐ Abrév. de *Canadian Native Law Reporter.*

Coaccusation *n.f.*

☐ Mise en accusation de deux ou plusieurs personnes dans un même acte d'accusation.

Comp. accusation, coaccusé
Angl. *co-accusation*

Coaccusé, ée *n.*

☐ Personne qui est mise en accusation en même temps qu'une ou plusieurs autres.

Syn. coïnculpé
Comp. accusé, coaccusation
Angl. *co-accused, co-dependant*

Coacquéreur, éresse *n.*

☐ Personne qui acquiert un bien ou un droit avec une ou plusieurs autres personnes.

Comp. acquéreur
Angl. *joint acquirer, joint purchaser*

Coadministrateur, trice *n.*

☐ Personne qui administre des biens avec une ou plusieurs autres personnes.
Angl. *co-administrator*

Coalition *n.f.*

☐ Entente illicite entre des personnes ou des entreprises visant essentiellement à réglementer le marché, à organiser et à limiter la concurrence.
Angl. *coalition*

Coappelé, ée *n.*

☐ Dans une substitution, personne désignée avec d'autres pour en recueillir les biens.
Comp. appelé, cogrevé
Angl. *co-substitute*

Coassurance *n.f.*

☐ Opération par laquelle un assureur s'engage à indemniser son assuré pour partie seulement des risques, les autres parts étant prises en charge par un ou plusieurs autres assureurs.
Comp. réassurance
Angl. *co-insurance, joint insurance*

Coauteur, eure *n.*

☐ **1.** Personne qui commet une infraction en même temps et en compagnie d'une autre.
Comp. auteur, complice
Angl. *co-author, partner*

☐ **2.** En matière civile, personne qui, avec une ou plusieurs autres, est auteur du même ayant cause.
Comp. auteur, ayant cause
Angl. *co-author, joint author*

Cocontractant, ante *n.*

☐ L'autre partie ou l'une des autres parties à un contrat.
Comp. contractant
Angl. *co-contracting party*

Cocréancier, ière *n.*

☐ Personne qui est titulaire avec d'autres d'une même créance.
Comp. créancier
Angl. *co-creditor, joint creditor*

Co. Ct.

☐ Abrév. de *County Court.*

Code *n.m.*

☐ **1.** Ensemble de règles constituant un système complet et cohérent de législation relativement à une branche du droit. Ex. Le *Code civil* contient les règles fondamentales du droit privé.
Angl. *code*

☐ **2.** Ensemble de dispositions législatives relatives à un domaine particulier du droit. Ex. Le *Code du travail*, le *Code des professions.*
Angl. *code*

- ***Code canadien du travail*** **:** Ensemble de règles régissant les relations de travail dont l'application se limite aux entreprises fédérales ou à celles dont l'activité relève de la compétence du Parlement fédéral.
Angl. *Canada Labour Code*

- ***Code civil*** **(Québec) :** Ensemble de dispositions législatives qui constituent la base du droit québécois en matière civile. Il énonce les règles fondamentales relatives aux personnes, à la famille, aux biens et aux obligations.
Rem. Le *Code civil du Bas-Canada*, qui date de 1866, s'est inspiré largement du Code civil français. En, 1981, un premier titre du *Code civil du Québec*, portant sur le droit de la famille, est entré en vigueur. Le législateur québécois a adopté, au mois de décembre 1991, une loi créant un *Code civil du Québec* complet qui est entré en vigueur le 1er janvier 1994.
Angl. *Civil Code of Lower Canada, Civil Code of Québec*

- ***Code criminel*** **:** Ensemble de dispositions législatives adoptées par le Parlement fédéral qui énumèrent et définissent les infractions et les crimes faisant l'objet d'une sanction pénale au Canada, et qui déterminent la peine qui leur est applicable ainsi que la procédure à suivre pour le déroulement des procès des contrevenants.
Angl. *Criminal Code*

- ***Code de déontologie* :** Règles de conduite prescrites par le gouvernement à l'intention des membres d'une profession ou de personnes occupant certaines fonctions.
  Comp. déontologie
  Angl. *Code of conduct, Code of ethics, Ethical practices Code*

- ***Code de procédure civile* :** Ensemble de dispositions législatives adoptées par l'Assemblée nationale du Québec, qui, en matière civile, régissent la compétence des tribunaux, le déroulement des procès, les moyens de se pourvoir contre les décisions rendues par les tribunaux de première instance ainsi que l'exécution volontaire ou forcée des jugements.
  Angl. *Code of Civil Procedure of Québec*

- ***Code de procédure pénale* :** Ensemble de dispositions législatives adoptées par l'Assemblée nationale du Québec qui, en matière pénale, régissent le droit de poursuivre et d'arrêter les personnes qui ont commis une infraction, le déroulement des procès, les moyens de se pourvoir contre les décisions rendues par les tribunaux de première instance ainsi que l'exécution des jugements.
  Angl. *Code of Penal Procedure of Québec*

- ***Code des professions* :** Ensemble de dispositions législatives qui régissent les différentes corporations professionnelles du Québec et confèrent à un organisme, appelé l'Office, un pouvoir réglementaire étendu sur les professions.
  Angl. *Professional Code*

- ***Code du travail du Québec* :** Ensemble de dispositions législatives régissant les relations de travail dont l'application se limite aux entreprises de la province ou à celles dont l'activité relève de la compétence de l'État québécois.
  Angl. *Québec Labour Code*

- ***Code municipal* :** Ensemble de dispositions législatives régissant l'érection, l'organisation, les pouvoirs et le fonctionnement des municipalités du Québec à l'exception des cités et villes et des corporations municipales qui bénéficient d'une charte spéciale.
  Comp. charte, *Loi sur les cités et villes*
  Angl. *Municipal Code*

Codébiteur, trice *n.*

□ Personne qui est tenue avec d'autres à une même obligation.
Comp. coobligé, débiteur
Angl. *co-debtor, joint debtor*

Codéfendeur, deresse *n.*

□ Personne qui est poursuivie en justice avec une ou plusieurs autres personnes.
Comp. défendeur
Angl. *co-defendant*

Codemandeur, deresse *n.*

□ Personne qui forme une demande en justice avec une ou plusieurs autres personnes.
Comp. demandeur
Angl. *co-plaintiff*

Codétenteur, trice *n.*

□ Personne qui détient un bien avec une ou plusieurs autres personnes.
Comp. détenteur
Angl. *co-holder, joint holder*

Codicillaire *adj.*

□ Qui est établi par un codicille ou qui en a la forme.
Angl. *codicillary*

Codicille *n.m.*

□ Acte postérieur à un testament qui le complète, le modifie ou le révoque. Ses conditions de validité sont identiques à celles du testament.
Comp. acte testamentaire, testament
Angl. *codicil*

Codificateur, trice *n.*

□ Personne qui contribue à l'élaboration ou à la révision d'un code.
Comp. codification, codifier
Angl. *codifier*

Codification *n.f.*

□ **1.** Action de codifier ou résultat de cette action.

Comp. codificateur, codifier
Angl. *codification*

☐ **2.** Réunion dans un texte législatif d'un ensemble de règles en vue de former un tout complet et cohérent sur une matière donnée.
Angl. *codification*

• **Codification administrative :** Regroupement, dans un ou plusieurs volumes, d'un ensemble de textes (législatifs, réglementaires ou autres) portant sur une matière donnée. Elle n'offre aucune valeur juridique particulière.
Angl. *office consolidation*

☐ **3.** En *common law*, adoption d'une disposition législative qui confirme une règle déjà consacrée par la jurisprudence.
Comp. code
Angl. *codification*

Codifier *v.tr.*

☐ Effectuer la codification.
Comp. codificateur, codification
Angl. *to codify*

Coéchangiste *n.*

☐ Personne qui participe à un échange avec une ou plusieurs autres personnes.
Comp. échangiste
Angl. *party to an exchange*

Coemphytéose *n.f.*

☐ Contrat similaire à celui de copropriété portant sur un terrain et un immeuble soumis à l'emphytéose.
Comp. emphytéose, copropriété
Angl. *co-emphyteusis*

Coentreprise *n.f.*

☐ V. *JOINT VENTURE.*

Cofidéjusseur, eure *n.*

☐ Personne qui a cautionné avec d'autres un même débiteur pour une même dette.
Comp. fidéjusseur
Angl. *co-surety*

Cogestion (d'une entreprise) *n.f.*

☐ Système impliquant l'exercice conjoint, par l'employeur et les représentants des employés, des pouvoirs de contrôle et de gestion de l'entreprise.
Comp. gestion
Angl. *co-management*

Cognation *n.f.*

☐ En droit romain, parenté par le sang unissant les personnes qui descendent les unes des autres ou d'un auteur commun.
Comp. agnation, cognats
Angl. *cognation*

Cognats *n.m.pl.*

☐ En droit romain, personnes parentes par le sang ou, plus restrictivement, par les femmes.
Comp. agnats, cognation
Angl. *cognates*

Cogrevé, ée *n.*

☐ Dans une substitution, personne qui reçoit les biens avec d'autres à charge de les remettre, à son décès ou à une autre date déterminée, à une autre personne (que l'on nomme l'appelé).
Comp. coappelé, grevé
Angl. *co-institute*

Cohéritier, ière *n.*

☐ Personne qui est appelée à une succession en concours avec une ou plusieurs autres personnes.
Comp. héritier
Angl. *coheir, co-heir, joint heir*

Coïnculpé *n.*

☐ V. COACCUSÉ.

Colégataire *n.*

☐ Personne qui est appelée à recevoir avec d'autres personnes, à titre de légataire, un même bien ou une même universalité de biens.
Comp. légataire
Angl. *co-legatee, joint legatee*

Collatéral, ale, aux *adj.*

□ Se dit du lien de parenté entre des personnes qui descendent non pas les unes des autres mais d'un auteur commun. Ex. Les frères, soeurs, oncles, tantes, cousins, cousines.

Comp. collatéraux, ligne, succession
Angl. *collateral*

Collatéraux *n.m.pl.*

□ Ensemble des parents qui descendent, non pas les uns des autres, mais d'un auteur commun.

Comp. collatéral
Angl. *collaterals*

- **Collatéraux ordinaires :** Collatéraux d'une personne décédée autres que privilégiés ainsi que leurs descendants en ligne directe. Ex. Les oncles, tantes et leurs descendants, grands-oncles et grands-tantes et leurs descendants.

  Angl. *ordinary collaterals*

- **Collatéraux privilégiés :** Frères et soeurs d'une personne décédée ainsi que leurs descendants en ligne directe.

  Angl. *privileged collaterals*

Collectif, ive *adj.*

□ V. RECOURS COLLECTIF, RESPONSABILITÉ COLLECTIVE.

Collégial, iale, iaux *adj.*

□ Se dit d'une juridiction dont les décisions sont prises par un groupe de juges.

Comp. juge unique, tribunal collégial
Angl. *collegiate*

Collocation *n.f.*

□ Classement des créanciers dans l'ordre où ils seront payés lors de la distribution du produit de la vente en justice des biens de leur débiteur commun.

Comp. colloquer (des créanciers)
Angl. *collocation, priority*

- **Collocation (état de) :** Document préparé par un officier du tribunal, après la vente en justice des immeubles d'un débiteur, dans lequel sont consignées des informations concernant l'identification des parties intéressées (saisissant, saisi, opposants et réclamants), la nature des différentes créances ainsi qu'un projet de distribution entre les créanciers du produit de la vente, selon l'ordre de collocation prescrit par la loi.

  Angl. *scheme of collocation*

- **Collocation (ordre de) :** Rang prescrit par la loi suivant lequel doivent être payés les créanciers lors de la distribution du produit de la vente en justice des biens d'un débiteur.

  Angl. *collocation order, rank of the collocation*

Colloquer (des créanciers) *v.tr.*

□ Inscrire des créanciers dans un état de collocation.

Comp. collocation
Angl. *to collocate*

Collusion *n.f.*

□ **1.** Entente secrète entre deux ou plusieurs personnes dans le but de causer un préjudice à une ou plusieurs autres personnes ou d'atteindre un objectif prohibé par la loi.

Comp. collusoire
Angl. *collusion*

□ **2.** Relativement à une demande de divorce, « s'entend d'une entente ou d'un complot auxquels le demandeur est partie, directement ou indirectement, en vue de déjouer l'administration de la justice, ainsi que de tout accord, entente ou autre arrangement visant à fabriquer ou à supprimer des éléments de preuve ou à tromper le tribunal, à l'exception de toute entente prévoyant la séparation de fait des parties, l'aide financière, le partage des biens ou la garde des enfants à charge » (*Loi sur le divorce*, L.R.C. 1985, c. D-3.4, art. 11(4)).

Comp. divorce
Angl. *collusion*

Collusoire *adj.*

□ Qui se fait par collusion ou qui en résulte.

Comp. collusion
Angl. *collusive*

Colocataire *n.*

□ **1.** Personne qui est cotitulaire d'un bail avec une ou plusieurs autres.

Comp. locataire
Angl. *co-lessee, co-tenant*

□ **2.** Personne qui est locataire avec d'autres, dans un même immeuble, d'un local ou d'un logement.

Comp. cooccupant, locataire
Angl. *co-lessee, co-tenant*

Colon *n.m.*

□ Personne à qui l'État a vendu ou loué, pour une somme modique, un espace de terrain situé dans une région éloignée afin qu'elle le défriche et le cultive.

Comp. colonisation
Angl. *farmer, settler*

• **Colon partiaire :** Locataire d'un fonds de terre dont la prestation consiste à verser périodiquement au propriétaire une portion de la récolte provenant du fonds loué.

Comp. amodiation, bail à ferme
Angl. *farmer on shares*

Colonat *n.m.*

□ V. AMODIATION.

Colonisation *n.f.*

□ Action pour un ou plusieurs individus de défricher et de cultiver un territoire acquis à titre de colon.

Comp. colon
Angl. *colonization*

Comité *n.m.*

□ Réunion de personnes exerçant, de leur propre initiative ou à la demande d'une assemblée plus nombreuse, certains pouvoirs consultatifs ou décisionnels.

Angl. *committee, council, panel*

• **Comité de discipline :** V. CONSEIL DE DISCIPLINE.

• **Comité judiciaire du Conseil privé :** V. CONSEIL PRIVÉ (COMITÉ JUDICIAIRE DU).

• **Comité paritaire :**
1. Comité formé en nombre égal de représentants de diverses catégories de personnes dont les intérêts sont distincts. Ex. Un comité paritaire, dans une entreprise, pour le règlement de conflits entre l'employeur et les salariés.

Angl. *joint committee, parity committee*

2. Institution créée en vertu de la *Loi sur les décrets de convention collective* (L.R.Q., c. D-2) et formée d'un nombre égal de représentants des salariés et des employeurs désignés par les syndicats et les associations d'employeurs signataires d'une convention collective qui a fait l'objet d'un décret en vertu de cette loi.

Rem. Par le décret, le gouvernement peut ordonner qu'une convention collective relative à un métier, à une industrie, à un commerce ou à une profession lie également tous les salariés et tous les employeurs du Québec, ou d'une région déterminée du Québec, dans le champ d'application défini dans ce décret. Le comité paritaire est alors chargé de surveiller et d'assurer l'observance du décret.

Comp. convention collective (de travail), décret
Angl. *parity committee*

• **Comité parlementaire :** Au Parlement fédéral, organisme composé de députés ou de députés et de sénateurs choisis de manière à assurer la représentativité des différents partis politiques et ayant pour mandat d'étudier les questions qui lui sont déférées par la Chambre des communes et de lui faire rapport. Certains comités peuvent tenir des audiences publiques ou recevoir l'opinion de toute personne intéressée par les questions à l'étude.

Rem. Au Québec, on emploie le mot « commission ».

Angl. *parliamentary commission, parliamentary committee*

• **Comité plénier :**
1. Expression désignant, au Parlement fédéral, les membres de la Chambre des communes ou du Sénat siégeant selon une procédure souple dans le but de permettre une discussion plus libre sur une question, notamment pour l'étude de projets de loi et des crédits à accorder au gouvernement.

Rem. En règle générale, chaque membre peut alors intervenir à volonté sur la question à l'étude et, au terme des délibérations, la commission adopte des recommandations que son président soumet ensuite à la Chambre ou, selon le cas, au Sénat. Il se distingue du Comité parlementaire élu.

Angl. *plenary committee*

2. Expression désignant les membres d'une assemblée délibérante siégeant selon une procédure souple dans le but de permettre une discussion plus libre sur une question.

Rem. En règle générale, chaque membre peut alors intervenir à volonté sur la question à l'étude et, au terme des délibérations, le comité adopte des recommandations que son président transmet ensuite à l'assemblée délibérante.

Syn. commission plénière

Angl. *plenary committee*

Commanditaire *n.m.*

□ Membre d'une société en commandite qui ne détient aucun pouvoir de gestion et qui n'est responsable des dettes de la société que jusqu'à concurrence de son apport.

Contr. commandité

Comp. commandite, société en commandite

Angl. *limited partner, sleeping partner, special partner*

Commandite *n.f.*

□ Fraction du capital d'une société en commandite qui a été versée par les commanditaires.

Comp. commanditaire, société en commandite

Angl. *limited partnership*

- **Commandite (société en) :** V. SOCIÉTÉ EN COMMANDITE.

Commandité, ée *n.*

□ Membre d'une société en commandite qui détient tous les pouvoirs de gestion et de direction, et qui répond, conjointement et solidairement avec les autres commandités et de façon illimitée, des dettes de la société.

Syn. gérant

Contr. commanditaire

Comp. commandite, société en commandite

Angl. *general partner*

Commencement de preuve (par écrit)

□ **1.** Écrit qui émane de la partie adverse ou de la personne qu'elle représente et qui rend vraisemblable le fait allégué.

Angl. *commencement of proof in writing*

□ **2.** Admission dans un acte de procédure écrite ou témoignage de la partie adverse ou de son représentant qui contient une reconnaissance des faits qui rend vraisemblables les faits allégués.

Rem. La jurisprudence actuelle accepte que, dans certaines circonstances, le comportement de la partie adverse ou de son représentant, lors de son témoignage, puisse servir de commencement de preuve (par écrit). À l'art. 2865 du *Code civil du Québec*, les règles jurisprudentielles ont été codifiées comme suit : « Le commencement de preuve peut résulter d'un aveu ou d'un écrit émanant de la partie adverse, de son témoignage ou de la présentation d'un élément matériel, lorsqu'un tel moyen rend vraisemblable le fait allégué ».

Angl. *commencement of proof (in writing)*

Commercial, ale, aux *adj.*

□ V. DROIT COMMERCIAL.

Commercialisation *n.f.*

□ **1.** Mise en vente d'un produit, d'une marchandise.

Comp. commercialiser

Angl. *commercialization, marketing*

□ **2.** Mise en marché sur une large échelle d'un produit sur la base d'une stratégie bien organisée.

Comp. commercialiser

Angl. *marketing*

□ **3.** Soumission aux règles du droit commercial d'un acte qui relève d'une autre branche du droit.

Comp. commercialiser, commercialité

Angl. *commercialization*

□ **4.** Admission à la vente d'un bien qui était hors commerce.

Comp. commercialiser, commercialité

Angl. *commercialization*

Commercialiser *v.tr.*

□ **1.** Rendre commercial.

Comp. commercialisation, commercialité

Angl. *to commercialize*

□ **2.** Assurer la commercialisation.

Comp. commercialisation
Angl. *to commercialize, to market*

Commercialiste *n.*

□ Juriste qui se spécialise dans l'étude ou la pratique du droit commercial.

Comp. administrativiste, civiliste, criminaliste, fiscaliste, pénaliste, privatiste, publiciste
Angl. *specialist in business law, specialist in commercial law*

Commercialité *n.f.*

□ Qualité d'un acte ou d'un bien qui est régi par le droit commercial.

Comp. commercialisation, commercialiser, droit commercial
Angl. *commerciality*

Commettant *n.m.*

□ Personne qui confie à une autre personne, appelée préposé, l'exécution de certains actes pour son compte et sous sa direction. Vu le lien de subordination, il peut être tenu responsable de la faute de son préposé lorsque celui-ci cause un dommage dans l'exercice de ses fonctions.

Comp. préposé, maître
Angl. *employer, principal*

Commettre *v.tr.*

□ **1.** Confier à quelqu'un une mission. Ex. Commettre un expert pendant un procès pour qu'il évalue un bien.

Comp. commettant, commis, commission
Angl. *to appoint, to nominate*

□ **2.** Accomplir un acte illégal. Ex. Commettre un crime.

Angl. *to commit, to make, to perpetrate*

Comminatoire *adj.*

□ Se dit d'un acte juridique, d'un jugement qui contient la menace d'une sanction en cas de contravention. Ex. Le jugement d'injonction qui contient une menace de sanction, l'outrage au tribunal, en cas de non-respect par la personne à qui il s'adresse.

Comp. clause pénale
Angl. *comminatory*

Commis, ise *adj.*

□ Se dit d'une personne qui a été nommée ou désignée par une autorité compétente pour accomplir une mission. Ex. Un avocat commis d'office par le tribunal pour représenter un individu.

Comp. commettre
Angl. *appointed, nominated*

Commissaire *n.m.*

□ **1.** Personne ayant reçu d'un juge le mandat de procéder à une commission rogatoire.

Comp. commission rogatoire
Angl. *commissioner*

□ **2.** Membre d'une commission.

Angl. *commissioner*

□ **3.** Personne à qui une autorité compétente a confié une mission.

Comp. commission
Angl. *commissioner*

• **Commissaire du travail :** Fonctionnaire du ministère du Travail qui a pour fonction principale de décider des questions qui se soulèvent relativement à l'accréditation des associations de salariés.

Comp. accréditation
Angl. *Labour Commissioner*

• **Commissaire général du travail :** Fonctionnaire du ministère du Travail qui a pour fonction principale de diriger, coordonner et distribuer le travail des commissaires du travail et des agents d'accréditation.

Angl. *Labour Commissioner-general*

• **Commissaire pour la prestation du serment :** Personne qui est autorisée par la loi à faire prêter serment ou à recevoir les affirmations solennelles.

Comp. affirmation solennelle, commission, serment
Angl. *commissioner of oaths*

Commission *n.f.*

□ **1.** Action de commettre un délit ou une infraction.

Angl. *commission, perpetration*

□ **2.** Acte par lequel une autorité compétente nomme ou désigne une personne pour accomplir une mission.

Angl. *commission*

□ **3.** Rémunération versée à un intermédiaire de commerce équivalant généralement à un pourcentage du montant des ventes.

Angl. *commission*

□ **4.** Organisme permanent ou temporaire chargé d'examiner, de contrôler ou de réglementer certaines affaires d'intérêt public. Selon le mandat qui lui est confié par l'État, la commission peut notamment effectuer des études, réaliser des enquêtes, exercer de larges pouvoirs de réglementation ou agir en tant qu'organisme quasi judiciaire.

Comp. régie
Angl. *board, commission*

• **Commission d'enquête :** Organisme consultatif formé en vue d'effectuer une enquête publique sur une question d'intérêt général et de formuler des recommandations conformément au mandat reçu. Les commissions d'enquête sont constituées par le pouvoir exécutif en vertu d'une loi cadre ou par une loi spéciale.

Rem. Certaines ont pour mission d'effectuer des recherches ou des consultations visant à aider le gouvernement à élaborer des politiques alors que d'autres reçoivent le mandat d'enquêter véritablement sur la conduite d'officiers publics ou sur des événements d'intérêt général.
Comp. commission royale d'enquête
Angl. *commission of inquiry*

• **Commission parlementaire :** Au Québec, organisme composé de députés choisis de manière à assurer la représentativité des différents partis politiques et ayant pour mandat d'étudier les questions qui lui sont déférées par l'Assemblée nationale et de lui faire rapport. Certaines commissions peuvent tenir des audiences publiques ou recevoir l'opinion de toute personne intéressée par les questions à l'étude.

Rem. Au Parlement fédéral, on emploie le mot « comité ».
Angl. *Parliamentary committee*

• **Commission plénière :** Expression désignant, au Québec, les membres de l'Assemblée nationale siégeant selon une procédure souple dans le but de permettre une discussion plus libre sur une question, notamment pour l'étude de projets de loi et des crédits à accorder au gouvernement. En règle générale, chaque membre peut alors intervenir à volonté sur la question à l'étude et, au terme des délibérations, la commission adopte des recommandations que son président soumet ensuite à l'Assemblée. Elle se distingue de la Commission parlementaire élue.

Syn. comité plénier
Angl. *plenary commission*

• **Commission rogatoire :** Mandat donné par un juge à une personne pour recueillir le témoignage d'une personne résidant à l'étranger ou dans un lieu trop éloigné de celui où la cause est pendante.

Angl. *rogatory commission*

• **Commission royale d'enquête :** Au sens strict, commission donnée par le gouvernement, en vertu de la prérogative royale, à une personne à qui il confie le mandat d'effectuer une enquête publique sur une question d'intérêt général.

Rem. L'utilisation du mot « royale », lors de la création des commissions au Canada est généralement abusive puisqu'il n'existe pratiquement aucune différence entre les commissions royales et les commissions d'enquête ordinaires.
Comp. commission d'enquête
Angl. *Royal commission*

Commission scolaire

□ Personne morale de droit public dont la mission première est d'assurer l'éducation de la population sur le territoire qu'elle dessert et d'administrer les écoles qui s'y trouvent.

Rem. En 1988, le législateur québécois a remplacé dans les lois les mots « corporation scolaire » par ceux de « commission scolaire ».
Syn. corporation scolaire
Comp. corporation
Angl. *school board, school corporation*

• **Commission scolaire confessionnelle :** Commission scolaire chargée de fournir les services à la majorité confessionnelle de la population d'un territoire donné.

Angl. *confessional school board, denominational school board*

- **Commission scolaire dissidente :** Commission scolaire chargée de fournir les services à la minorité confessionnelle de la population d'un territoire donné.

  Angl. *dissentient school board*

- **Commission scolaire locale :** Commission scolaire formée dans un territoire déterminé par la loi et dont les membres sont élus au suffrage universel.

  Rem. Ce territoire correspond généralement à celui des municipalités.

  Angl. *local school board*

- **Commission scolaire régionale :** Commission scolaire formée d'un regroupement de commissions scolaires locales et qui est composée de l'ensemble des commissaires de ces commissions ou de ceux qui y sont délégués. Elle est essentiellement responsable de l'enseignement secondaire et des services éducatifs aux adultes dans le territoire qu'elle dessert.

  Angl. *regional school board, regional school commission*

Commissionnaire *n.*

□ V. FACTEUR.

Commissoire *adj.*

□ V. PACTE COMMISSOIRE.

Commodant *n.m.*

□ Personne qui consent un prêt à usage.

Contr. commodataire
Comp. prêt à usage
Angl. *lender (in a loan for use)*

Commodat *n.m.*

□ V. PRÊT À USAGE.

Commodataire *n.m.*

□ Personne qui emprunte un objet dans un prêt à usage.

Contr. commodant
Comp. prêt à usage
Angl. *borrower (in a loan for use)*

Common Law

□ **1.** Au sens large, système juridique en vigueur dans de nombreux pays et qui est fondé essentiellement sur la *common law* d'Angleterre, par opposition aux autres systèmes juridiques qui tirent leur origine du droit romain.

□ **2.** Droit anglais non écrit qui s'est formé à partir des décisions rendues par les tribunaux d'où l'on a dégagé graduellement des principes et des règles de conduite dont l'autorité repose essentiellement sur des usages et des coutumes immémoriaux. On l'oppose au droit écrit dont les sources sont législatives.

Comp. droit écrit

Commonwealth

□ Expression anglaise désignant une association regroupant la Grande-Bretagne et d'anciennes colonies britanniques, aujourd'hui devenues des États souverains, qui se réunissent périodiquement en vue d'échanger sur différents sujets (en matières commerciales, scientifiques ou techniques) ou pour participer à des manifestations sportives.

Commuer *v.tr.*

□ Remplacer une peine par une autre moins sévère.

Comp. commutation
Angl. *to commute*

Commun, une *adj.*

□ **1.** Qui appartient à plusieurs personnes à la fois. Ex. Les parties communes d'un immeuble en copropriété.

Contr. exclusif, privatif
Angl. *common, joint*

□ **2.** Qui appartient aux époux conjointement. Ex. Les biens communs.

Angl. *common*

□ **3.** Qui s'applique à un ensemble de personnes, en l'absence de dispositions particulières. Ex. Le droit commun.

Comp. bien(s) commun(s), chose commune, gage commun, tribunal de droit commun
Angl. *common*

Communauté *n.f.*

□ **1.** Ensemble de personnes, de groupe de personnes ou d'États partageant des intérêts communs.

Angl. *community*

• **Communauté économique européenne :** Organisation d'États européens, créée par le Traité de Rome le 25 mars 1957, visant à réaliser leur unification dans certains domaines par la soumission d'une partie de leur souveraineté à une autorité commune.

Syn. Marché commun
Angl. *European Economic Community*

• **Communauté urbaine :** Mode d'organisation visant à regrouper, dans un souci de plus grande efficacité administrative et économique, les municipalités importantes et leurs banlieues afin de mettre en commun certains services ou des réalisations d'intérêt général et d'organiser une répartition plus équitable du fardeau fiscal. Ex. La communauté urbaine de Montréal.

Angl. *urban community*

□ **2.** Par extension, la communauté de biens entre époux.

Angl. *community*

• **Communauté conventionnelle :** Avant 1970, régime matrimonial fondé sur la communauté légale à laquelle les époux avaient apporté des modifications par contrat de mariage. Depuis 1970, régime de la communauté de biens que les époux ont choisi dans leur contrat de mariage.

Comp. communauté de meubles et acquêts, communauté légale
Angl. *conventional community*

• **Communauté de biens :** V. COMMUNAUTÉ LÉGALE.

• **Communauté de meubles et acquêts :** Régime matrimonial dans lequel les biens communs sont détenus conjointement par les époux. Ils forment une masse commune qui sera partagée entre les époux ou leurs héritiers lors de la dissolution du régime.

Rem. En 1970, ce régime est devenu applicable aux époux qui, avant cette date, étaient mariés sous le régime de la communauté légale.
Comp. bien(s) commun(s), bien(s) propre(s), masse commune, régime légal
Angl. *community of moveables and acquests*

• **Communauté (exclusion de la) :** V. RÉGIME SANS COMMUNAUTÉ.

• **Communauté légale :** Régime matrimonial déterminé par la loi sous lequel étaient mariés, avant 1970, les époux qui n'avaient pas choisi un autre régime par contrat de mariage.

Syn. communauté de biens, régime légal de la communauté de biens
Comp. communauté de meubles et acquêts, régime matrimonial
Angl. *legal community*

□ **3.** Terme parfois utilisé pour désigner une congrégation religieuse. Ex. La communauté des Pères Eudistes.

Angl. *community*

Commune renommée

□ Croyance commune concernant la réputation d'une personne dans un milieu donné et tenant pour vrais certains faits dont il n'existe aucune preuve directe. Ex. La preuve par commune renommée qu'un individu est un ivrogne d'habitude.

Angl. *common report*

Communication *n.f.*

□ **1.** Action de porter un fait ou un élément d'information à la connaissance de quelqu'un.

Angl. *communication*

□ **2.** Résultat de cette action.

Angl. *communication*

• **Communication de dossier (droit à la) :** Droit conféré par la loi à une personne de prendre connaissance de dossiers constitués à son sujet lorsqu'ils contiennent des renseignements qui lui sont personnels.

Rem. La loi détermine les conditions d'exercice de ce droit, notamment celles qui concernent la consultation et la prise de copie des dossiers ainsi que la correction des renseignements inexacts qu'ils contiennent. Selon l'art. 39 du *Code civil du Québec*, « Celui qui détient un dossier sur une personne ne peut lui refuser l'accès aux renseignements qui y sont contenus à moins qu'il ne justifie d'un intérêt sérieux et légitime à le faire ou que ces renseignements ne soient susceptibles de nuire sérieusement à un tiers ».

Angl. *right to discovery of a document*

- **Communication de pièces :** Fait pour un témoin ou une partie à l'instance de porter à la connaissance d'une autre partie, spontanément ou sur demande, un écrit se rapportant au litige. La communication de pièces n'implique pas leur production en preuve.

  Comp. exhibition d'objets, production

  Angl. *communication of document*

- **Communication privée :** Communication orale ou télécommunication faite dans des circonstances telles que son auteur peut raisonnablement s'attendre à ce qu'elle ne soit pas interceptée par une personne autre que son destinataire.

  Angl. *private communication*

- **Communication privilégiée :** Privilège accordé à certaines personnes qui les dispense ou, dans certains cas, leur interdit de divulguer des informations reçues dans le cadre de relations professionnelles, religieuses ou diplomatiques. Il s'applique également aux communications des conjoints pendant le mariage.

  Comp. secret professionnel

  Angl. *privileged communication*

Commutatif, ive *adj.*

□ V. CONTRAT COMMUTATIF.

Commutation *n.f.*

□ **1.** Remplacement d'une peine par une autre moins sévère.

Comp. commuer

Angl. *commutation*

□ **2.** Remplacement d'une obligation par une autre. Ex. La commutation des droits seigneuriaux par la création d'une rente.

Comp. rente constituée

Angl. *commutation*

Comourants *n.m.pl.*

□ Personnes qui décèdent dans un même événement sans que l'on puisse établir médicalement l'ordre de leur décès.

Angl. *commorientes*

Compagnie *n.f.*

□ Personne morale qui possède un capital-actions et est constituée pour des fins commerciales.

Rem. Les personnes morales à but lucratif portent généralement le nom de « compagnie » dans la législation québécoise et de « société par actions » dans la législation fédérale.

Syn. société par actions

Comp. capital-actions, corporation, personne morale, société, entreprise

Angl. *company*

- **Compagnie à fonds social :** V. SOCIÉTÉ PAR ACTIONS.

- **Compagnie privée :** Compagnie dont l'acte constitutif prévoit un droit de transfert restreint sur les actions, un nombre d'actionnaires plafonné à cinquante et l'interdiction de vendre des actions au public ou sur le marché de la Bourse.

  Rem. Selon l'usage courant, il s'agit d'une compagnie qui n'émet pas d'actions ou autres valeurs mobilières par voie de souscription publique.

  Syn. société fermée

  Contr. compagnie publique

  Angl. *private company*

- **Compagnie publique :** Compagnie qui a le pouvoir d'émettre des actions ou autres valeurs mobilières par voie de souscription publique.

  Rem. Selon l'usage courant, il s'agit d'une compagnie qui a émis des actions ou autres valeurs mobilières par voie de souscription publique.

  Syn. société non fermée

  Contr. compagnie privée

  Angl. *public company*

- **Compagnie sans but lucratif :** V. CORPORATION SANS BUT LUCRATIF.

- **Compagnies connexes :** Compagnies qui sont membres d'un groupe de deux ou plusieurs compagnies dont l'une, directement ou indirectement, a la propriété ou le contrôle d'une majorité des actions émises, à droit de vote, des autres compagnies (*Loi sur* *les marques de commerce*, L.R.C. 1985, c. T-13, art. 2).

Angl. *related companies*

Comparaître *v.intr.*

☐ **1.** Se présenter en personne devant un tribunal comme accusé, témoin ou partie. On peut, selon les circonstances, comparaître sur ordre ou de plein gré.

Comp. comparant, comparution

Angl. *to appear*

☐ **2.** Dans un procès civil, produire un acte de comparution.

Comp. comparution

Angl. *to appear*

- **Comparaître (défaut de) :** V. DÉFAUT DE COMPARAÎTRE.

☐ **3.** Se présenter en personne devant un officier public. Ex. Comparaître devant un notaire.

Comp. comparant, comparution

Angl. *to appear*

Comparant *n.m.*

☐ Personne qui se présente devant un officier public ou devant un juge.

Comp. comparaître, comparution

Angl. *appearer*

Comparution *n.f.*

☐ Fait de comparaître devant une autorité compétente.

Comp. comparaître, comparant

Angl. *appearance*

- **Comparution (acte de) :** V. ACTE DE COMPARUTION.

- **Comparution personnelle :** Comparution qui doit être faite par l'intéressé lui-même, sans qu'il puisse se faire représenter par procureur.

  Angl. *personal appearance*

Compensable *adj.*

☐ Qui donne lieu à compensation.

Comp. compensation, compensatoire, compenser

Angl. *compensable*

Compensation *n.f.*

☐ Extinction de deux dettes réciproques jusqu'à concurrence de celle qui est la plus faible.

Syn. paiement par compensation

Comp. compensable, compensatoire, compenser

Angl. *compensation, set-off*

- **Compensation bancaire :** Opération interne au système bancaire par laquelle les institutions financières se transmettent mutuellement les différents effets bancaires et effectuent un règlement entre les créances et les dettes réciproques, sans déplacement de numéraire à l'exception des soldes dus.

  Angl. *set-off*

- **Compensation conventionnelle :** Compensation qui résulte d'un accord entre les parties lorsque les conditions de la compensation légale ne sont pas remplies.

  Angl. *conventional compensation*

- **Compensation judiciaire :** Compensation que prononce le tribunal saisi de deux demandes fondées sur des créances réciproques après avoir procédé à la liquidation de celle ou, le cas échéant, de celles qui n'étaient pas liquides.

  Rem. En règle générale, cette compensation s'opère dans une instance où la partie défenderesse oppose à la demande principale une demande reconventionnelle résultant de la même source ou d'une source connexe ; cependant, l'art. 1673 du *Code civil du Québec* permet à une partie de demander la liquidation judiciaire d'une dette afin de l'opposer en compensation malgré l'absence d'identité ou de connexité de leurs sources.

  Angl. *judicial compensation*

- **Compensation légale :** Compensation qui s'opère de plein droit entre deux obligations réciproques lorsqu'elles sont liquides et exigibles et ont pour objet une somme d'argent ou des biens fongibles de même nature et qualité.

  Angl. *compensation by the sole operation of the law, legal compensation*

Compensatoire *adj.*

☐ Qui compense.

Comp. clause pénale, compensable, compensa-

tion, compenser, congé compensatoire, prestation compensatoire
Angl. *compensatory*

Compenser *v.tr.*

□ Éteindre des dettes par la compensation.
Comp. compensable, compensation, compensatoire
Angl. *to compensate*

Compétence *n.f.*

□ **1.** Aptitude légale d'une autorité publique à accomplir un acte dans un domaine donné.
Comp. conflit de compétence
Angl. *competence*

□ **2.** Aptitude d'une juridiction à instruire et juger une affaire.
Comp. juridiction
Angl. *competence, jurisdiction*

• **Compétence absolue :** V. COMPÉTENCE D'ATTRIBUTION.

• **Compétence concurrente :** Compétence conférée par la loi à deux juridictions, laissant ainsi à la partie demanderesse le pouvoir de décider devant laquelle elle choisira d'exercer son recours. Ex. Dans certaines matières, il y a compétence concurrente de la Cour fédérale et des tribunaux créés par les provinces.
Syn. juridiction concurrente
Contr. compétence exclusive
Angl. *concurrent jurisdiction*

• **Compétence d'attribution :** Compétence d'une juridiction fondée sur la nature des affaires dont elle peut connaître ou sur leur importance pécuniaire.
Syn. compétence absolue, compétence matérielle, compétence *ratione materiae*
Angl. *absolute jurisdiction, monetary jurisdiction*

• **Compétence exclusive :** Compétence conférée par la loi à une seule juridiction, à l'exclusion de toute autre.
Rem. En règle générale, les tribunaux d'exception possèdent une compétence exclusive.
Syn. juridiction exclusive
Contr. compétence concurrente
Angl. *exclusive jurisdiction*

• **Compétence internationale :** Compétence des tribunaux d'un État à être saisis des litiges impliquant plus d'un État ou des personnes domiciliées ou résidant dans des États différents.
Syn. juridiction internationale
Angl. *international jurisdiction*

• **Compétence interne :**
1. Compétence des tribunaux d'un État à l'égard d'un litige ne possédant aucune dimension internationale. Elle peut être d'attribution ou territoriale.
Syn. juridiction interne
Comp. compétence d'attribution, compétence territoriale
Angl. *domestic competence, domestic jurisdiction*
2. Compétence de l'un des tribunaux d'un État, de préférence aux autres, à l'égard d'un litige à dimension internationale. Elle est parfois appelée « compétence territoriale interne ».
Angl. *domestic competence, domestic jurisdiction*

• **Compétence judiciaire :** V. COMPÉTENCE JURIDICTIONNELLE.

• **Compétence juridictionnelle :** Compétence des tribunaux d'un État à être saisis d'un litige.
Syn. compétence judiciaire
Angl. *judicial competence, jurisdictional competence*

• **Compétence législative :**
1. Compétence d'un parlement à édicter des lois pour une population géographiquement délimitée.
Angl. *legislative jurisdiction*
2. Pouvoir des tribunaux d'un État de se fonder sur la loi interne susceptible de s'appliquer à un litige, en cas de conflits de lois.
Angl. *legislative jurisdiction*

• **Compétence liée :** Se dit d'une compétence limitée qui exclut l'exercice d'un pouvoir discrétionnaire par la personne appelée à prendre une décision.
Syn. pouvoir lié
Angl. *limited jurisdiction, special jurisdiction*

• **Compétence matérielle :** V. COMPÉTENCE D'ATTRIBUTION.

- **Compétence personnelle :** V. COMPÉTENCE TERRITORIALE.

- **Compétence *ratione loci* :** Compétence territoriale fondée sur la situation d'un bien ou sur l'endroit où le litige a pris naissance (conclusion du contrat ou cause d'action).

  Comp. compétence *ratione personae*, compétence territoriale
  Angl. *jurisdiction ratione loci*

- **Compétence *ratione materiae* :** V. COMPÉTENCE D'ATTRIBUTION.

- **Compétence *ratione personae* :** Compétence territoriale fondée sur le domicile ou la résidence d'une partie. On emploie également cette expression pour désigner la compétence territoriale d'un tribunal.

  Comp. compétence *ratione loci*, compétence territoriale
  Angl. *jurisdiction ratione personae*

- **Compétence *ratione personae vel loci* :** V. COMPÉTENCE TERRITORIALE.

- **Compétence relative :** V. COMPÉTENCE TERRITORIALE.

- **Compétence territoriale :** Compétence d'une juridiction fondée sur des critères géographiques. Elle peut être déterminée par le domicile ou la résidence d'une partie, la situation d'un bien ou l'endroit où le litige a pris naissance (conclusion du contrat ou cause d'action).

  Syn. compétence personnelle, compétence *ratione personae vel loci*, compétence relative
  Comp. compétence *ratione loci*, compétence *ratione personae*
  Angl. *territorial jurisdiction*

Compéter *v.tr.ind.*

□ Appartenir à quelqu'un en vertu de certains droits dont il est titulaire. Ex. L'action en nullité de mariage compète à toutes les personnes intéressées.

Angl. *to belong*

Complainte *n.f.*

□ V. ACTION EN COMPLAINTE.

Complaisance *n.f.*

□ Fait d'apposer sa signature sur un effet de commerce dans le seul but de prêter son nom et son crédit à une autre personne, sans toutefois obtenir valeur pour ce service.

Comp. effet de complaisance, partie de complaisance
Angl. *accommodation*

Complexe *adj.*

□ **1.** Qui présente ou contient plusieurs éléments différents.

Angl. *complex*

- **Complexe (aveu) :** V. AVEU COMPLEXE.

□ **2.** Se dit d'un contrat qui implique des opérations juridiques relevant de plusieurs types de contrats. Ex. Le crédit-bail est un contrat complexe.

Angl. *complex*

□ **3.** Se dit d'une obligation qui implique une pluralité de créanciers ou de débiteurs, qui comporte plusieurs objets ou qui est assortie de modalités.

Angl. *complex*

Complice *n.*

□ Personne qui participe volontairement à une infraction commise par une autre.

Comp. coauteur, complicité
Angl. *accessory, accomplice*

- **Complice après le fait :** Personne qui, sachant qu'un individu a été partie à une infraction, le reçoit, l'aide ou l'assiste en vue de lui permettre d'échapper à la justice.

  Comp. complicité
  Angl. *accessory after the fact*

- **Complice avant le fait :** Personne qui encourage ou aide un individu à commettre une infraction, mais qui n'est pas présente lorsque celle-ci est commise.

  Angl. *accessory before the fact*

Complicité *n.f.*

□ Participation intentionnelle à la perpétration d'une infraction qui est commise par une autre personne ou en compagnie de cette dernière.

Rem. La qualification procédurale d'une infraction de complicité concorde avec celle de l'infraction commise. Ex. La complicité pour meurtre est un acte criminel puisque le meurtre est un acte criminel.
Comp. complice, complot
Angl. *complicity*

Complot *n.m.*

☐ Entente entre deux ou plusieurs personnes dans le but de réaliser, par leurs efforts conjoints, une infraction.
Syn. conspiration
Comp. complicité
Angl. *conspiracy, plot*

Compos mentis

☐ Locution latine signifiant « sain d'esprit », « qui a l'usage et le contrôle de ses facultés ».

Compromettre *v.intr.*

☐ Convenir de soumettre un différend à un ou plusieurs arbitres.
Comp. compromis, compromissoire, différend
Angl. *to submit to arbitration*

Compromis *n.m.*

☐ Convention par laquelle deux ou plusieurs personnes décident de soumettre à un ou plusieurs arbitres un différend qui est né concernant des droits dont elles ont la libre disposition.
Syn. convention d'arbitrage
Comp. arbitrage, clause compromissoire, compromettre, compromissoire, convention d'arbitrage
Angl. *compromissum, submission*

Compromissoire *adj.*

☐ Qui concerne un compromis.
Comp. clause compromissoire, compromettre, compromis
Angl. *arbitral*

Comptant (au)

☐ Locution signifiant que le paiement s'effectue immédiatement, sans terme ni crédit.
Contr. terme (à)
Angl. *cash, in cash*

Compte *n.m.*

☐ Exposé de l'état des recettes et des dépenses, de l'actif et du passif.
Angl. *account*

• **Compte à découvert :** Se dit d'un compte bancaire dont le solde est débiteur.
Angl. *overdrawn account*

• **Compte (débats de) :** Dans une reddition de compte en justice, contestation du compte par l'oyant.
Angl. *contestation of account*

• **Compte en fidéicommis :** Compte où sont déposées des sommes d'argent remises à une personne autorisée à les détenir au nom d'une autre et à les utiliser pour des fins spécifiquement prévues. Ex. Le compte en fidéicommis d'un avocat.
Syn. compte en fiducie
Angl. *trust fund*

• **Compte en fiducie :** V. COMPTE EN FIDÉICOMMIS.

• **Compte (oyant) :** Dans une reddition de compte, personne à qui le compte est soumis.
Contr. compte (rendant)
Angl. *party to whom the account is rendered*

• **Compte (reddition de) :** Opération par laquelle une personne, le rendant, qui a administré des biens pour autrui présente à celui à qui il est dû, l'oyant, de son plein gré ou par suite d'une décision judiciaire, son compte de gestion. Celui-ci doit contenir un état détaillé des recettes et des dépenses et, s'il y a lieu, indiquer le reliquat.
Angl. *accounting, rendering an account, rendering of account, rendition of account*

• **Compte (rendant) :** Dans une reddition de compte, personne qui est tenue de rendre compte.
Contr. compte (oyant)
Angl. *accounting party*

• **Compte (rendre) :**
1. Effectuer une reddition de compte.
Comp. compte (reddition de)
Angl. *to render account, to render an account*
2. Plus généralement, faire rapport (de son

administration).

Angl. *to give an account*

- **Compte (soutènement de) :** Dans une reddition de compte en justice, moyens et justification qu'offre le rendant à l'oyant qui a débattu son compte.

  Angl. *answer*

Compte rendu

□ Relation des débats d'une assemblée délibérante. Il rapporte généralement l'essentiel des interventions des membres ainsi que les décisions qui y ont été prises.

Angl. *record, report*

- **Compte rendu officiel des débats :** Document officiel qui relate les délibérations des assemblées parlementaires, notamment de l'Assemblée nationale et de la Chambre des communes, et qui est publié après chaque jour de séance.

  Syn. hansard

  Angl. *official record*

Comp. Trib.

□ Abrév. de *Competition Tribunal.*

Compulser *v.tr.*

□ Recourir au compulsoire.

Comp. compulsoire

Angl. *to inspect*

Compulsoire *n.m.*

□ Recours visant à obtenir d'un juge qu'il ordonne à un notaire de donner à la personne qui l'exige communication d'un acte dont il a la garde.

Comp. compulser

Angl. *compulsory inspection, inspection of notarial documents, order for inspection*

Computation *n.f.*

□ Méthode employée pour calculer le temps. Ex. La computation des délais.

Angl. *computation*

Comté *n.m.*

□ V. CIRCONSCRIPTION ÉLECTORALE.

Concédant, ante *n.*

□ Personne qui accorde une concession.

Comp. concession, concessionnaire

Angl. *grantor*

Concentration *n.f.*

□ **1.** Mode théorique d'organisation administrative suivant lequel le pouvoir central s'attribue le monopole des moyens d'exécution de ses décisions. En pratique, cela signifie que tous les actes de l'Administration doivent être accomplis par l'autorité centrale.

Contr. décentralisation administrative, déconcentration

Comp. centralisation administrative

Angl. *concentration*

□ **2.** Opération visant à créer une unité de décision entre des entreprises dans le but d'accroître leur puissance financière et, le plus souvent, de réduire la concurrence.

Angl. *integration*

Conception *n.f.*

□ Procréation d'un enfant par la fécondation de l'ovule de la femme. Ce moment marque le point de départ de la personnalité juridique d'un enfant né viable et vivant.

Angl. *conception, conceiving*

- **Conception (période légale de la) :** Période qui s'étend entre le 300e et le 180e jour précédant la naissance et pendant laquelle l'enfant est présumé avoir été conçu. Ex. L'enfant né avant le 300e jour précédant la dissolution du mariage est présumé avoir pour père le mari de sa mère.

  Angl. *legal conception*

Concession *n.f.*

□ **1.** Contrat par lequel un commerçant, appelé concessionnaire, obtient le droit d'assurer en exclusivité, sur un territoire et pour une période déterminés, la vente ou la distribution de produits qu'il achète d'un fabricant, appelé le concédant.

Comp. concédant, concessionnaire

Angl. *concession, grant, license*

☐ **2.** Contrat par lequel l'Administration, appelée le concédant, confie à une personne, appelée le concessionnaire, le soin d'assurer à ses frais le fonctionnement d'un service public moyennant le droit de percevoir une redevance de la part des usagers.

Comp. concédant, concessionnaire
Angl. *concession, grant*

☐ **3.** Acte par lequel des terres domaniales sont concédées par l'État en pleine propriété ou à un titre équivalent à un individu ou à une entreprise.

Syn. acte de concession
Comp. concédant, concessionnaire
Angl. *concession, grant*

Concessionnaire *n.*

☐ Personne qui est titulaire d'une concession.

Comp. concédant, concession
Angl. *grantee*

Conciliateur, trice *n.*

☐ Personne chargée d'une mission de conciliation.

Comp. conciliation
Angl. *conciliation officer, conciliator*

Conciliation *n.f.*

☐ **1.** Opération par laquelle un tiers, qui ne détient aucun pouvoir coercitif, intervient dans un litige en vue de rapprocher les parties et de leur permettre d'y mettre fin à l'amiable. Le recours à la conciliation peut être volontaire ou être imposé par la loi.

Comp. amiable compositeur, arbitrage, médiation
Angl. *conciliation*

☐ **2.** Opération par laquelle un juge, à tout moment d'une instance en séparation de corps, tente de rapprocher les époux afin qu'ils règlent leur conflit de façon harmonieuse. La loi prévoit qu'il entre alors dans la mission du juge de tenter de concilier les époux.

Angl. *conciliation*

Conclure *v.tr.*

☐ **1.** Convenir, s'engager par contrat.

Angl. *to agree, to conclude, to contract*

☐ **2.** Présenter des conclusions dans un acte de procédure.

Comp. conclusion
Angl. *to conclude*

Conclusion *n.f.*

☐ **1.** Opération par laquelle les parties à un contrat s'engagent en y donnant leur accord ferme.

Comp. contrat
Angl. *agreement, conclusion*

☐ **2.** Dans un acte de procédure écrite, exposé par une partie de ses prétentions qui découlent des faits qu'elle a présentés dans ses allégations et sur lesquelles elle demande au juge de statuer. Ex. Dans une action en annulation de la vente d'un immeuble, les conclusions de l'acheteur à l'effet que le contrat soit déclaré nul et que le vendeur soit tenu de rembourser, avec intérêts, les sommes qu'il a reçues.

Rem. Le juge appelé à trancher un litige ne peut, sauf exception, adjuger au-delà des conclusions des parties.
Comp. allégation
Angl. *conclusion*

- **Conclusion accessoire :** Conclusion qui s'ajoute à la conclusion principale. Ex. Dans une action en annulation de la vente d'un immeuble, la conclusion à l'intention de l'officier de la publicité des droits relativement au transfert de la propriété en cas de réussite de l'action.

  Angl. *accessory conclusion*

- **Conclusion(s) alternative(s) :** Conclusions qui tendent à des fins contradictoires. Ex. Les conclusions du demandeur qui recherche à la fois l'exécution du contrat et son annulation.

  Rem. La partie qui présente des conclusions alternatives est normalement appelée à choisir celle qu'elle veut maintenir à moins que l'une des conclusions ne soit subsidiaire.
  Comp. conclusion subsidiaire
  Angl. *alternative conclusions*

- **Conclusion subsidiaire :** Conclusion moins étendue que la conclusion principale et qui est proposée dans l'éventualité ou celle-ci ne serait pas retenue par le juge. Ex. La demande de diminution du prix présentée dans l'hypothèse où le juge rejetterait la conclusion principale visant à l'annulation de la vente d'un immeuble affecté de vices cachés.

Angl. *accessory conclusion*

Concordat *n.m.*

□ Accord entériné par le tribunal entre une personne insolvable ou un failli et ses créanciers par lequel ceux-ci lui consentent un délai de paiement ou une remise partielle de la dette.

Comp. atermoiement, proposition concordataire
Angl. *composition to creditors*

Concours *n.m.*

□ **1.** Participation à un acte juridique d'une personne dont le consentement est requis par la loi pour fins d'autorisation d'un incapable ou de validation de l'acte. Ex. Le concours du conjoint lors du partage d'une succession.

Angl. *participation*

□ **2.** État de personnes qui sont en concurrence relativement à des droits sur un ensemble de biens. Ex. Le concours des héritiers lors du partage d'une succession.

Angl. *competition*

□ **3.** Se dit de créanciers chirographaires qui, en cas d'insolvabilité de leur débiteur commun, viennent ensemble à la distribution du prix provenant de la vente de ses biens.

Comp. chirographaire, créancier ordinaire, insolvabilité
Angl. *equality of rank and rights*

Concubin, ine *n.*

□ Personne vivant en concubinage.

Comp. concubinage, conjoint
Angl. *cohabitant, concubinary, concubine*

Concubinage *n.m.*

□ Liaison d'un homme et d'une femme qui vivent ensemble sans être mariés et à laquelle la loi reconnaît certains droits, dépendamment de la stabilité et de la durée de leur relation.

Syn. union libre
Comp. concubin, mariage, union de fait
Angl. *cohabitation, concubinage*

Concurrence *n.f.*

□ Compétition entre plusieurs entreprises, producteurs ou commerçants, qui se disputent une clientèle.

Comp. monopole
Angl. *competition*

• **Concurrence (clause de non-) :** V. CLAUSE DE NON-CONCURRENCE.

• **Concurrence déloyale :** Manoeuvres dolosives et malhonnêtes qu'une personne emploie dans l'exercice d'une profession ou d'une activité commerciale en vue d'attirer la clientèle d'un concurrent ou de la détourner de ce dernier. Elle s'exprime généralement sous forme de publicité mensongère, de dépréciation du produit ou du service concurrent ou d'actes visant à créer la confusion auprès de la clientèle.

Angl. *unfair competition*

• **Concurrence illicite :** Concurrence qu'une personne fait à une autre en violation des engagements qu'elle a contractés envers elle.

Comp. clause de non-concurrence
Angl. *fraudulent competition*

• **Concurrence (libre) :** Système économique contrôlé par le jeu de l'offre et de la demande et où l'intervention de l'État est réduite au strict minimum.

Angl. *free competition*

• **Concurrence (par) :** V. PAR CONCURRENCE.

Concurrent, ente *adj.*

□ V. DROITS CONCURRENTS.

Condamnation *n.f.*

□ Décision prononcée par un tribunal par laquelle celui-ci sanctionne la commission d'une action illégale, ordonne de verser une somme d'argent ou impose une obligation de faire ou de ne pas faire Ex. La condamnation à l'emprisonnement, au versement de dommages-intérêts ou au respect d'une ordonnance d'injonction.

Contr. acquittement
Comp. absolution, condamnatoire, condamner
Angl. *condemnation, conviction, sentence*

- **Condamnation par contumace :** V. CONTUMACE (CONDAMNATION PAR).

Condamnatoire *adj.*

□ Qui porte condamnation.
Comp. condamnation, condamner
Angl. *condemnatory*

Condamner *v.tr.*

□ **1.** Prononcer une sanction contre quelqu'un.
Contr. absoudre, acquitter
Comp. condamnation, condamnatoire
Angl. *to sentence*

□ **2.** Imposer à une personne une obligation de faire, de ne pas faire ou de donner.
Angl. *to condemn, to impose*

Condition *n.f.*

□ **1.** Modalité ayant pour effet de subordonner la formation ou l'extinction d'une obligation à la survenance d'un événement futur et incertain.
Angl. *condition*

□ **2.** Chacun des éléments qui doivent être réunis pour qu'un acte juridique soit valide et efficace. Ex. Les conditions de validité d'un contrat.
Comp. obligation conditionnelle
Angl. *condition*

- **Condition accomplie :** Condition qui s'est réalisée.
Comp. condition défaillie, condition pendante
Angl. *accomplished condition, fulfilled condition*

- **Condition alternative :** Condition qui subordonne l'exécution d'un contrat à la survenance de l'un ou l'autre des événements qui y sont prévus.
Comp. condition conjonctive
Angl. *alternative condition*

- **Condition casuelle :** Condition dont la réalisation dépend uniquement du hasard et non de la volonté des parties.
Angl. *casual condition, fortuitous condition*

- **Condition conjonctive :** Condition qui comporte plusieurs événements pouvant survenir simultanément.
Comp. condition alternative
Angl. *conjunctive condition*

- **Condition défaillie :** Condition qui ne s'est pas réalisée dans le délai prévu et dont il est certain qu'elle ne se réalisera pas.
Comp. condition accomplie, condition pendante
Angl. *failed condition*

- **Condition de fond :**
1. Condition qui relève de la substance, du contenu essentiel d'un acte juridique. Ex. L'objet, la cause ainsi que les exigences relatives au consentement des parties constituent les conditions de fond d'un contrat.
Contr. condition de forme
Angl. *substantive condition*
2. Condition exigée par la loi pour l'exercice d'un recours en justice. Ex. L'intérêt, la qualité et la capacité constituent des conditions de fond que doit respecter celui qui intente une action.
Contr. condition de forme
Angl. *substantive condition*

- **Condition de forme :** Formalité exigée par la loi pour la validité ou l'efficacité d'un acte juridique. Ex. La loi exige, pour les actes authentiques, certaines conditions de forme.
Contr. condition de fond
Angl. *condition as to form*

- **Condition facultative:** V. CONDITION POTESTATIVE.

- **Condition illicite :** Condition dont la réalisation est contraire à la loi, entraînant ainsi la nullité de l'obligation qui en dépend.
Comp. condition immorale
Angl. *illicit condition*

- **Condition immorale :** Condition dont la réalisation dépend d'un acte contraire aux bonnes moeurs, entraînant ainsi la nullité de l'obligation qui en dépend. Ex. Donner une voiture à une personne à la condition qu'elle se prostitue.
Comp. condition illicite
Angl. *immoral condition*

- **Condition impossible :** Condition dont la réalisation est juridiquement ou physiquement impossible, entraînant ainsi la nullité de l'obligation.
  Angl. *impossible condition*

- **Condition mixte :** Condition dont la réalisation dépend à la fois de la volonté d'une des parties contractantes et de celle d'un tiers.
  Angl. *mixed condition*

- **Condition négative :** Condition qui subordonne l'exécution d'un contrat au fait qu'un événement ne surviendra pas. Ex. S'engager à verser une somme d'argent à une personne à la condition qu'elle ne se marie pas.
  Contr. condition positive
  Angl. *negative condition*

- **Condition pendante :** Condition dont on ignore si elle se réalisera ou non.
  Comp. condition accomplie, condition défaillie
  Angl. *pending condition*

- **Condition positive :** Condition qui subordonne l'exécution d'un contrat à la survenance d'un événement. Ex. S'engager à verser une somme d'argent à une personne à la condition qu'elle se marie.
  Contr. condition négative
  Angl. *positive condition*

- **Condition potestative :** Condition dont la réalisation dépend, au moins en partie, du pouvoir ou de la volonté de l'une des parties.
  Syn. condition facultative
  Comp. condition purement potestative, condition simplement potestative
  Angl. *potestative condition*

- **Condition purement facultative :** V. CONDITION PUREMENT POTESTATIVE.

- **Condition purement potestative :** Condition dont la réalisation dépend de la seule volonté d'une partie. L'obligation contractée sous telle condition par le débiteur est nulle. Ex. J'achèterai l'automobile si je le veux.
  Syn. condition purement facultative
  Comp. condition simplement potestative
  Angl. *purely facultative condition, purely potestative condition*

- **Condition résolutoire :** Condition dont la réalisation provoque la résolution de plein droit de l'obligation avec effet rétroactif et qui a pour conséquence de remettre les choses au même état que si l'obligation n'avait jamais existé.
  Comp. clause résolutoire
  Angl. *resolutive condition, resolutory condition*

- **Condition simplement facultative :** V. CONDITION SIMPLEMENT POTESTATIVE.

- **Condition simplement potestative :** Condition qui ne dépend pas exclusivement de la volonté de l'une des parties mais également de certaines contingences extérieures. Ex. Je vendrai ma maison si je prends ma retraite.
  Syn. condition simplement facultative
  Comp. condition purement potestative
  Angl. *simply facultative condition, simply potestative condition*

- **Condition suspensive :** Condition à laquelle est subordonnée la naissance d'une obligation. Ex. Subordonner l'achat d'un terrain à l'obtention d'un permis de construire.
  Angl. *suspensive condition*

Condition juridique

☐ V. ÉTAT CIVIL.

Conditionnel, elle *adj.*

☐ V. LIBÉRATION CONDITIONNELLE.

Condition sociale

☐ Situation, place ou position qu'occupe une personne ou un groupe dans la société. Ex. Au Québec, la *Charte des droits et libertés de la personne* interdit toute discrimination fondée sur la condition sociale d'un individu.
Angl. *social condition*

Condominium *n.m.*

☐ Anglicisme souvent utilisé pour désigner la copropriété. V. COPROPRIÉTÉ.

Conduite *n.f.*

☐ Action de déplacer un véhicule à moteur d'un endroit à un autre.
Angl. *driving*

- **Conduite avec facultés affaiblies** : Conduite d'un véhicule à moteur (automobile, bateau, train ou avion) par une personne dont les facultés sont altérées par la consommation d'alcool ou de drogue ou qui sont présumées l'être en vertu de la loi ; elle entraîne la responsabilité pénale du conducteur.

  Rem. Selon le *Code criminel*, la conduite, la garde ou le contrôle d'un véhicule à moteur sont prohibés lorsque l'alcoolémie du conducteur dépasse quatre-vingt milligrammes d'alcool par cent millilitres de sang.

  Syn. conduite en état d'ivresse (ou d'ébriété)

  Angl. *drunk driving, impaired driving, operation while impaired*

- **Conduite dangereuse :** Conduite d'un véhicule à moteur (automobile, bateau, train ou avion) d'une manière dangereuse pour le public ; elle entraîne la responsabilité pénale de son auteur.

  Angl. *dangerous operation*

- **Conduite en état d'ivresse (ou d'ébriété) :** V. CONDUITE AVEC FACULTÉS AFFAIBLIES.

Conf.

☐ Abrév. de confirmé.

Conf. commém. Meredith

☐ Abrév. de Conférences commémoratives Meredith / *Meredith Memorial Lectures.*

Confédération *n.f.*

☐ **1.** Association composée d'États souverains qui consentent à s'unir par traité pour la réalisation d'objectifs communs et à déléguer certaines de leurs compétences à des organismes centraux qui ont une reconnaissance sur le plan international. Ex. La Communauté économique européenne (C.E.E.), la Confédération helvétique.

Angl. *confederation*

☐ **2.** Terme parfois utilisé pour désigner la fédération canadienne.

Comp. État, fédération

Angl. *confederation*

☐ **3.** Groupement d'associations ou de syndicats formé pour la défense d'intérêts communs.

Angl. *confederation*

- **Confédération syndicale :** Organisme reconnu par la loi qui regroupe des syndicats ou des fédérations de syndicats.

  Comp. fédération

  Angl. *confederation of syndicates*

Conférence préparatoire

☐ **1.** Dans les procès civils, mécanisme procédural par lequel un juge, après la mise au rôle d'une cause, convoque les procureurs des parties et les rencontre à son cabinet pour conférer sur les moyens propres à simplifier le procès et à abréger l'enquête, notamment sur l'opportunité d'amender les actes de procédure, de définir les points véritablement en litige ou d'admettre quelque fait ou document.

Angl. *pre-trial conference*

☐ **2.** Dans les procès criminels, mécanisme procédural par lequel un juge convoque, de sa propre initiative ou à la demande du poursuivant ou de l'accusé, les parties ou leur procureurs afin de discuter de ce qui serait de nature à favoriser une audition rapide et équitable.

Rem. Dans le cas des procès par jury, la conférence préparatoire est obligatoire.

Angl. *pre-hearing conference*

Conférer *v.*

☐ **1.(v.tr.)** Attribuer à une personne, en vertu d'une autorité ou d'un pouvoir, une fonction, un titre ou un droit.

Angl. *to confer*

☐ **2.(v.intr.)** Discuter d'une affaire avec quelqu'un. Ex. Lors d'une conférence préparatoire, le juge confère avec les procureurs des parties sur les moyens propres à simplifier le procès et à abréger l'enquête.

Angl. *to confer*

Confession *n.f.*

☐ Déclaration faite volontairement par un accusé à une personne en situation d'autorité et qui est susceptible de faire preuve contre lui.

Comp. aveu, déclaration
Angl. *confession*

- **Confession de jugement :** Expression autrefois utilisée pour désigner l'acquiescement à la demande.
  Syn. acquiescement à la demande
  Angl. *confession of judgment*

Confidentialité *n.f.*

□ V. SECRET PROFESSIONNEL.

Confirmatif, ive *adj.*

□ Qui emporte confirmation.
Comp. confirmation
Angl. *confirmative, confirmatory*

Confirmation *n.f.*

□ **1.** Maintien par une juridiction supérieure d'une décision frappée d'appel. Ex. La confirmation par la Cour d'appel d'un jugement de première instance.
Contr. infirmation, réformation
Angl. *confirmation*

□ **2.** Acte par lequel une personne, qui est en droit d'invoquer la nullité relative d'un acte juridique, manifeste sa volonté, expressément ou tacitement, de le valider rétroactivement.
Comp. confirmatif, nullité relative, ratification, validation
Angl. *confirmation*

Conflit *n.m.*

□ Problème d'ordre juridique qui origine d'une opposition entre deux systèmes de droit ou entre deux juridictions relativement à une même affaire.
Angl. *conflict*

- **Conflit de compétence :** Conflit entre deux autorités ou deux juridictions qui prétendent détenir une compétence exclusive sur une même question ou dans un même domaine. Ex. Le conflit de compétence soulevé par le partage des pouvoirs entre le gouvernement fédéral et les provinces.
  Comp. compétence
  Angl. *concurrence of jurisdiction*

- **Conflit de juridictions :**
  1. Conflit survenant entre des tribunaux de deux pays ou ordres juridiques différents qui sont en concurrence pour connaître d'une instance en justice.
  Angl. *conflict of jurisdictions, jurisdiction conflict, jurisdictional conflict*
  2. Plus généralement, conflit de compétence entre deux tribunaux. Ex. Un conflit de juridictions entre la Cour fédérale du Canada et la Cour supérieure du Québec.
  Angl. *conflict of jurisdictions, jurisdiction conflict, jurisdictional conflict*

- **Conflit de juridictions (règles de) :** Règles déterminant la compétence des tribunaux sur un litige à caractère international ou sur la reconnaissance des jugements rendus à l'étranger.
  Angl. *rule of conflict of jurisdictions, rule of jurisdictional competence*

- **Conflit de lois :** Conflit résultant du fait que des lois émanant de deux pays ou ordres juridiques différents sont susceptibles de régir un litige. Ex. Le divorce demandé par un Québécois domicilié au Québec dont l'épouse française est domiciliée aux États-Unis.
  Comp. conflit de juridictions
  Angl. *conflict of laws*

- **Conflit de lois (règles de) :** Règles déterminant la loi qu'un tribunal doit appliquer à un litige lorsque celui-ci soulève un conflit entre des lois émanant de deux pays ou ordres juridiques différents.
  Angl. *connecting rule, rule of conflict of laws*

Confrontation *n.f.*

□ Mise en présence directe, pour fins d'identification, d'un témoin avec le suspect ou l'accusé.
Comp. identification (parade d')
Angl. *confrontation*

Confusion *n.f.*

□ **1.** Réunion dans la même personne des qualités de créancier et de débiteur qui entraîne l'extinction de l'obligation.
Angl. *confusion, merger*

□ **2.** Extinction d'une obligation résultant de la réunion dans une même personne des qualités de créancier et de débiteur.

Angl. *confusion*

- **Confusion de peines :** V. PEINES CONCURRENTES.

Congé compensatoire

□ **1.** Congé qu'un employeur est tenu, par la loi, d'accorder à son employé qui a dû travailler un jour férié ou qui l'a fait alors qu'il était alors en congé annuel.

Angl. *compensatory holiday*

□ **2.** Congé qu'un employeur accorde à son employé pour l'indemniser du travail supplémentaire qu'il a effectué.

Angl. *compensatory holiday*

Congé-défaut *n.m.*

□ Moyen de procédure qui permettait autrefois au défendeur d'obtenir le rejet de la demande formée contre lui lorsque le demandeur faisait défaut de rapporter le bref d'assignation dans les délais prescrits.

Comp. rapport

Angl. *default*

Congédiement *n.m.*

□ Renvoi du salarié par l'employeur, généralement pour des motifs d'ordre disciplinaire.

Contr. démission

Comp. licenciement, mise à pied, suspension

Angl. *discharge, dismissal*

Congrégation *n.f.*

□ Un ensemble de religieux faisant partie d'une communauté religieuse (*Loi sur les corporations religieuses*, L.R.Q., c. C-71, art. 1 a)).

Angl. *congregation*

Conjoint, ointe *adj. et n.*

□ **1.(adj.)** Se dit d'actes qui émanent de plusieurs personnes et qui portent sur un même objet. Ex. Une demande conjointe en séparation de corps.

Comp. conjointement, demande conjointe, demande conjointe sur projet d'accord

Angl. *joint*

□ **2.(adj.)** Se dit de droits ou de pouvoirs dont deux ou plusieurs personnes sont également titulaires. Ex. La garde conjointe d'enfants de parents divorcés.

Comp. conjointement, garde conjointe

Angl. *joint*

□ **3.(adj.)** Se dit d'actes qui accordent un avantage à deux ou plusieurs personnes sur un seul bien. Ex. Un legs conjoint.

Comp. conjointement, obligation conjointe

Angl. *joint*

□ **4.(n.)** Personne unie à une autre par les liens du mariage. On l'appelle également conjoint légal.

Angl. *spouse*

□ **5.(n.)** Personne vivant en concubinage et à qui la loi reconnaît certains droits, compte tenu de la stabilité et de la durée de la relation. On l'appelle également conjoint de fait.

Rem. L'art. 2 de la *Loi sur l'assurance automobile* (L.R.Q., c. A-25) définit le conjoint comme suit : « L'homme ou la femme qui, à la date de l'accident, est marié à la victime et cohabite avec elle ou qui, depuis au moins trois ans ou depuis au moins un an si un enfant est né ou à naître de leur union, vit maritalement avec la victime et est publiquement représenté comme son conjoint ». L'art. 1 (3) de la *Loi sur les normes du travail* (L.R.Q., c. N-1.1) définit le conjoint comme suit : « L'homme et la femme a) qui sont mariés et cohabitent ; b) qui vivent maritalement et sont les père et mère d'un même enfant ; c) qui vivent maritalement depuis au moins un an ». L'art. 2 de la *Loi sur la sécurité de vieillesse* (L.R.C. 1985, c. O-9) définit le conjoint comme suit : « Est assimilée au conjoint la personne de sexe opposé qui vit avec une autre personne depuis au moins un an, pourvu que les deux se soient publiquement présentés comme mari et femme ».

Angl. *concubine*

- **Conjoint prédécédé :** Celui des conjoints qui meurt le premier.

  Angl. *predeceased spouse, pre-deceased spouse*

- **Conjoint survivant :** Celui des conjoints qui survit à celui qui est décédé et à qui la loi accorde certains droits.

  Comp. usufruit légal

Angl. *surviving spouse, widow, widower*

Conjointement *adv.*

□ De manière conjointe, de concert avec (une autre personne).

Comp. conjoint
Angl. *jointly*

Conjonctif, ive *adj.*

□ Conjoint.

Comp. condition conjonctive, obligation conjonctive, testament conjonctif
Angl. *conjunctive*

Connaissance *n.f.*

□ **1.** Fait d'être ou de se mettre au courant de quelque chose.

Angl. *knowledge, notice*

□ **2.** En droit criminel, capacité de prendre conscience de l'acte qui est reproché.

Comp. discernement
Angl. *knowledge*

□ **3.** Aptitude d'une juridiction à instruire et juger une affaire. Ex. La Cour du Québec a connaissance, à l'exclusion de la Cour supérieure, des demandes inférieures à 15 000$.

Syn. compétence
Angl. *jurisdiction*

• **Connaissance d'office :** Moyen par lequel le juge, dans un procès, prend connaissance de textes législatifs ou réglementaires ou de certains faits notoires dont il peut tenir compte dans sa décision même s'ils n'ont pas été allégués ni prouvés devant lui. Ainsi, le juge est censé connaître d'office le droit interne, les divisions géographiques et territoriales, le point de congélation de l'eau, etc.

Rem. Le *Code civil du Québec* prescrit, aux art. 2806 et suivants, les règles concernant la connaissance d'office. En voici les principales : **1.** Nul n'est tenu de prouver ce dont le tribunal est tenu de prendre connaissance d'office ; **2.** Le tribunal doit prendre connaissance d'office du droit en vigueur au Québec, lorsqu'il est publié, et il peut prendre connaissance du droit étranger lorsqu'il a été allégué dans un acte de procédure ; **3.** Le tribunal doit prendre connaissance d'office de tout fait dont la notoriété rend l'existence raisonnablement incontestable.

Comp. d'office
Angl. *judicial notice*

• **Connaissance imputée :** V. CONNAISSANCE PRÉSUMÉE.

• **Connaissance personnelle :** En droit judiciaire, obligation imposée à une personne qui assermente un acte de procédure ou qui rend témoignage d'être personnellement au courant des faits qu'elle atteste.

Angl. *personal knowledge*

• **Connaissance présumée :** Connaissance d'un fait attribuée par le tribunal à un accusé, même si celui-ci en ignore l'existence, lorsque les circonstances démontrent qu'une personne raisonnable et prudente l'aurait normalement connu ou se serait renseignée à ce sujet alors qu'elle en avait l'opportunité.

Syn. connaissance imputée, connaissance putative
Angl. *implied notice, imputed knowledge*

• **Connaissance putative :** V. CONNAISSANCE PRÉSUMÉE.

Connaissement *n.m.*

□ **1.** Écrit qui constate un contrat de transport de biens.

Rem. Il mentionne notamment les noms de l'expéditeur, du destinataire, du transporteur et, s'il y a lieu, de celui qui doit payer le fret et les frais de transport. Il mentionne également les lieu et date de la prise en charge du bien, les points de départ et de destination, le fret, ainsi que la nature, la quantité, le volume ou le poids et l'état apparent du bien et, s'il y a lieu, son caractère dangereux.

Comp. destinataire, expéditeur, fret, transporteur
Angl. *bill of lading*

□ **2.** Contrat de transport de marchandises par mer.

Comp. affrètement
Angl. *bill of lading*

□ **3.** Document émis et signé par le capitaine d'un navire et faisant preuve de la réception des marchandises à transporter.

Angl. *bill of lading*

Connaître *v.intr.*

□ Avoir compétence pour juger une affaire.

Comp. connaissance

Angl. *to have jurisdiction*

Connexe *adj.*

□ Se dit des demandes en justice qui ont entre elles un rapport direct, une liaison étroite, un lien de dépendance.

Comp. connexité

Angl. *connected with, related to*

Connexité *n.f.*

□ Lien étroit entre deux demandes en justice. Il y a connexité lorsque le jugement de l'une est susceptible d'exercer une influence sur l'autre ou lorsque l'on risque d'aboutir à des jugements contradictoires si elles ne sont pas réunies.

Rem. Au Québec, la demande reconventionnelle est permise lorsque la réclamation du défendeur résulte de la même source que la demande principale ou d'une source connexe. Par contre, on ne peut procéder à la réunion d'actions, malgré leur connexité, lorsqu'elles sont mues devant des juridictions différentes.

Comp. connexe, demande reconventionnelle, réunion d'actions

Angl. *connexity*

Conquêt(s) *n.m.*

□ V. ACQUÊT(S).

Consanguin, ine *adj.*

□ **1.** Parent du côté paternel ; se dit notamment des frères et soeurs qui ont le même père et non la même mère.

Rem. On emploie couramment les termes « demi-frère » et « demi-soeur ».

Angl. *half-brother, half-sister*

□ **2.** Parent par le sang, descendant d'un auteur commun.

Comp. germain, mariage consanguin, utérin

Angl. *blood related, half related by blood*

Conseil *n.m.*

□ **1.** Réunion de personnes qui ont pour mission de délibérer, de donner leur avis ou d'administrer des affaires publiques ou privées.

Angl. *board, committee, council*

- **Conseil d'administration :** Organe de direction d'une personne morale dont les membres sont désignés par les statuts de la personne morale ou par l'assemblée générale de ses membres ou actionnaires. Il a pour fonction de gérer les affaires de la personne morale, notamment d'en déterminer les politiques générales, de prendre les décisions importantes, de choisir et de nommer les officiers qui en assument la direction.

  Comp. assemblée générale, compagnie, corporation, société par actions, statut

  Angl. *board of directors*

- **Conseil d'arbitrage :** Organisme composé de trois membres choisis par les parties à une convention collective ou désignés par le ministre fédéral du Travail et qui a pour fonction de trancher toute mésentente relative à l'application et à l'interprétation de la convention collective.

  Syn. tribunal d'arbitrage

  Comp. arbitre, convention collective (de travail)

  Angl. *arbitration board*

- **Conseil de discipline :** Groupe de personnes chargées par la loi d'entendre les plaintes relatives à la discipline professionnelle et de prononcer, s'il y a lieu, des sanctions contre les contrevenants.

  Syn. comité de discipline

  Angl. *disciplinary committee*

- **Conseil de famille :** Groupe de personnes composé de parents et d'alliés ou, à leur défaut, d'amis d'un incapable qui ont pour mission de donner leur avis sur la nomination du tuteur ou du curateur ainsi que sur toute question importante concernant l'administration des biens de l'incapable.

  Comp. conseil de tutelle

  Angl. *board of guardians, family council*

- **Conseil de la magistrature :** Organisme qui représente les juges, veille à promouvoir leur perfectionnement et voit à ce qu'ils respectent les obligations que leur impose leur fonction. A cet égard, le Conseil détient un pouvoir disciplinaire lui permettant d'enquêter sur la conduite des juges et de prendre contre eux certaines sanctions.

Rem. **1.** Le Conseil de la magistrature ne peut destituer un juge puisque ce pouvoir appartient au pouvoir exécutif. **2.** Le Conseil canadien de la magistrature régit les juges nommés par le gouvernement fédéral alors que le Conseil québécois de la magistrature exerce des pouvoirs similaires auprès des juges nommés par le gouvernement de la province.

Angl. *Judicial Council*

- **Conseil des ministres :** Expression employée pour désigner le Cabinet fédéral ou le Conseil exécutif québécois.

Syn. Cabinet des ministres, Conseil exécutif, Gouverneur général en conseil, Lieutenant-gouverneur en conseil

Comp. Conseil privé

Angl. *Cabinet*

- **Conseil de tutelle :** Institution formée de trois personnes désignées par une assemblée de parents, d'alliés ou d'amis et qui a pour fonction de surveiller la tutelle, de donner des avis et de prendre des décisions dans les cas prévus par la loi.

Rem. Il peut, par décision du tribunal, être formé d'une seule personne. Dans le *Code civil du Québec*, il remplace le conseil de famille du *Code civil du Bas-Canada* ; de plus, il se voit attribuer le rôle principal conféré au subrogé-tuteur dans le *Code civil du Bas-Canada* et il exerce ses pouvoirs tant à l'égard du mineur que du majeur en tutelle ou en curatelle.

Comp. conseil de famille, curatelle, subrogé-tuteur, tutelle

Angl. *tutorship council*

- **Conseil du trésor :** Comité statutaire gouvernemental composé de ministres à qui est confiée une partie des pouvoirs de l'Exécutif, notamment l'établissement des prévisions budgétaires dans l'administration publique ainsi que l'approbation des plans d'organisation, des dépenses et des engagements financiers des ministères et autres organismes gouvernementaux. De plus, il possède un pouvoir de réglementation en matière de contrats gouvernementaux et il joue un rôle important relativement à la négociation des conventions collectives dans les secteurs public et parapublic. Au Québec, il se compose de cinq membres alors qu'au gouvernement fédéral, il est formé de six personnes.

Angl. *Treasury Board*

- **Conseil exécutif :** Organe exécutif de l'État québécois formé des ministres et présidé par le premier ministre. On l'appelle également Conseil des ministres. Il assume la direction du gouvernement, élabore les principales politiques, coordonne et contrôle l'action des ministères et des organismes gouvernementaux et exerce tous les pouvoirs accordés au lieutenant-gouverneur en conseil par les lois et les règlements. Son existence est prévue dans la *Loi sur l'exécutif* (L.R.Q., c. E-18) et les pouvoirs des ministres sont décrits dans des lois particulières.

Syn. Cabinet des ministres, Conseil des ministres, Gouverneur général en conseil, Lieutenant-gouverneur en conseil

Comp. Conseil privé

Angl. *Cabinet*

- **Conseil législatif :** Organe de l'État québécois, aboli en 1968, qui faisait partie de la législature du Québec et constituait une forme de sénat québécois.

Comp. Sénat

Angl. *Legislative Council*

- **Conseil municipal :** Assemblée composée de personnes élues au suffrage universel par les électeurs de la municipalité et qui est investie de tous les pouvoirs d'agir au nom de celle-ci dans les limites de la compétence que lui confère la loi.

Angl. *municipal council, town council*

- **Conseil privé :** Organe de l'État canadien formé de ministres fédéraux (actuels et anciens) et des chefs de l'opposition parlementaire, des juges de la Cour suprême du Canada, de hauts fonctionnaires fédéraux et d'autres personnes à qui le Conseil désire attribuer une distinction honorifique. Selon la constitution canadienne, il a pour mission d'assister et de conseiller le gouvernement fédéral. En pratique, il est inactif puisque ces fonctions sont assumées par le Cabinet.

Comp. Cabinet des ministres, Conseil des ministres, Conseil exécutif, Gouverneur général en conseil, Lieutenant-gouverneur en conseil

Angl. *Privy Council*

- **Conseil privé (comité judiciaire du) :** En Angleterre, tribunal de dernière instance dont les juges sont membres du Conseil privé. Jusqu'en 1949, il entendait en dernier ressort les appels des décisions rendues par les tribunaux canadiens.

Angl. *Judiciary Committee of Privy Council*

- **Conseil syndical :** Nom utilisé dans certains syndicats pour désigner le conseil d'administration de l'organisme.

Angl. *Labour council*

☐ **2.** Personne qui donne des avis à une autre, qui l'assiste dans la défense de ses intérêts juridiques et économiques.

Comp. conseiller

Angl. *adviser, counsel, legal adviser*

- **Conseil (avocat-) :** V. AVOCAT-CONSEIL.

- **Conseil (devoir de) :** Obligation imposée à un officier public de fournir aux parties à une convention l'information et les avis nécessaires pour qu'elles puissent contracter en toute connaissance de cause. Ex. Le devoir de conseil du notaire.

Angl. *duty of advise, obligation to advise, obligation to counsel*

- **Conseil judiciaire :** Personne chargée de veiller aux intérêts d'une personne qui est faible d'esprit ou est encline à la prodigalité lorsque ses agissements font craindre qu'elle ne dissipe ses biens et ne compromette gravement son patrimoine.

Syn. conseiller au majeur, conseiller au prodigue

Angl. *judicial adviser*

Conseiller, ère *n.*

☐ Personne qui donne des conseils ou des avis à une autre personne.

Angl. *adviser, advisor, counsellor*

- **Conseiller au majeur :** Personne nommée en vertu d'un régime de protection auquel est soumise une personne majeure lorsque celle-ci, bien que généralement ou habituellement apte à prendre soin d'elle-même et à administrer ses biens, a besoin, pour certains actes ou temporairement, d'être assistée ou conseillée dans l'administration de ses biens.

Rem. Dans le *Code civil du Bas-Canada*, il porte le nom de conseil judiciaire.

Syn. conseil judiciaire

Comp. curatelle au majeur, interdiction, majeur protégé, tutelle au majeur

Angl. *adviser (advisor) to a person of full age*

- **Conseiller au prodigue :** Personne nommée en vertu d'un régime de protection auquel est soumise une personne prodigue qui met en danger le bien-être de son conjoint ou de ses enfants mineurs.

Rem. Contrairement au tuteur qui représente le prodigue, le conseiller a pour fonction de l'assister.

Comp. conseil judiciaire, prodigue, tuteur au prodigue

Angl. *adviser (advisor) to a prodigal*

- **Conseiller en loi :** Avocat d'une autre province canadienne ou professeur de droit qui est membre du Barreau du Québec et qui peut exercer certaines des fonctions de l'avocat (ex. donner des consultations juridiques) en vertu d'un permis restrictif.

Comp. avocat

Angl. *solicitor*

- **Conseiller en valeurs :** En matière de valeurs mobilières, personne qui conseille autrui concernant l'acquisition ou l'aliénation de valeurs, qui gère des portefeuilles de valeurs et qui fait du démarchage relié à ses activités professionnelles.

Comp. courtier en valeurs, valeur

Angl. *adviser, advisor, adviser (advisor) on securities*

Consensualisme *n.m.*

☐ Principe juridique selon lequel le seul échange des consentements suffit pour former un contrat, sans qu'aucune forme particulière ne soit requise pour en assurer la validité.

Comp. autonomie de la volonté (principe de l')

Angl. *consensualism*

Consensuel, elle *adj.*

☐ Qui résulte du seul consentement des parties à un acte, à un contrat.

Comp. acte consensuel, contractuel, conventionnel

Angl. *consensual, voluntary*

Consentement *n.m.*

☐ **1.** Accord de deux ou plusieurs volontés en vue de la conclusion d'un acte juridique. Ex. Le consentement des parties au contrat.

Angl. *consent*

☐ **2.** Accord donné par une personne à une proposition.

Comp. contrat consensuel, contrat d'adhésion
Angl. *consent*

• **Consentement de la victime :** V. DÉFENSE DE CONSENTEMENT DE LA VICTIME.

• **Consentement (échange de) :** L'échange de consentement se réalise par la manifestation, expresse ou tacite, de la volonté d'une personne d'accepter l'offre de contracter que lui fait une autre personne (*Code civil du Québec*, art. 1386).

Angl. *exchange of consents*

• **Consentement éclairé :**
1. Consentement donné en toute connaissance de cause.
Angl. *enlightened consent*
2. En droit médical, consentement donné librement par le patient après avoir été bien informé sur la nature, le but, les conséquences et les risques d'une intervention.
Angl. *informed consent*

• **Consentement exprès :** Manifestation explicite du consentement à un acte juridique qui s'exprime par des paroles, des gestes ou des écrits.

Contr. consentement tacite
Angl. *express consent*

• **Consentement implicite :** V. CONSENTEMENT TACITE.

• **Consentement libre :** Consentement donné sans contrainte.

Angl. *consent freely given*

• **Consentement mutuel :** Motif de divorce, présentement prohibé, suivant lequel les époux décident d'un commun accord de mettre fin à leur mariage et de faire confirmer leur entente par le tribunal.

Angl. *mutual consent*

• **Consentement tacite :** Manifestation du consentement d'une partie à un acte juridique qui s'infère de son comportement, de sa conduite ou de gestes qu'elle a posés.

Syn. consentement implicite
Contr. consentement exprès
Angl. *implicit consent, implied consent, tacit consent*

• **Consentement vicié :** Consentement obtenu par erreur, violence, dol ou lésion. Il donne ouverture à l'annulation du contrat.

Angl. *vitiated consent*

☐ **3.** Accord donné par un tiers à un acte passé par d'autres personnes. Ex. Le consentement des parents au mariage de leur enfant mineur.

Angl. *consent*

Conservatoire *adj.*

☐ Se dit d'une mesure qui vise à éviter la perte d'un bien, d'un droit.

Comp. acte conservatoire
Angl. *conservatory, protective*

• **Conservatoire (saisie) :** V. SAISIE CONSERVATOIRE.

Conserver (opposition à fin de)

☐ V. OPPOSITION À FIN DE CONSERVER.

Considérant *n.m.*

☐ Dans un jugement ou un arrêt, nom donné aux motifs qui précèdent la décision du tribunal.

Comp. attendu
Angl. *considering*

Considération *n.f.*

☐ En droit anglais, élément objectif qui, à défaut d'un contrat formel, permet de diagnostiquer l'existence d'un accord de volontés. Ex. Le versement d'un acompte lors d'une vente.

Rem. Ce terme est parfois utilisé à tort, en droit civil, pour désigner la cause dans un contrat.
Angl. *consideration*

Consignataire *n.*

☐ **1.** Dépositaire d'une somme d'argent consignée.

Comp. consignation, consigner
Angl. *consignee, depositary*

☐ **2.** Personne à qui le facteur a confié des marchandises afin qu'elle en effectue la vente.

Comp. consignation, consigner, facteur
Angl. *consignee*

Consignation *n.f.*

☐ **1.** Dépôt entre les mains d'un officier public d'une somme d'argent due à un créancier qui ne peut ou ne veut pas recevoir son paiement.

Rem. Selon l'art. 1583 du *Code civil du Québec*, la consignation consiste dans le dépôt, par le débiteur, de la somme d'argent ou de la valeur mobilière qu'il doit, au Bureau général des dépôts pour le Québec ou auprès d'une société de fiducie ou, encore, si le dépôt est fait en cours d'instance, suivant les règles du *Code de procédure civile*. Elle libère alors le débiteur du paiement des intérêts ou des revenus produits pour l'avenir.
Comp. consignataire, consigner, offre réelle
Angl. *consignment, deposit, payment into court*

☐ **2.** Fait de confier des marchandises à un intermédiaire chargé de les vendre.

Comp. consignataire, consigner
Angl. *consignment*

☐ **3.** Fait de rapporter quelque chose dans un document officiel.

Angl. *writing down*

Consigner *v.tr.*

☐ **1.** Rapporter dans un document officiel une déclaration ou un fait. Ex. Consigner dans un procès-verbal.

Comp. consignation
Angl. *to record, to write down*

☐ **2.** Opérer la consignation entre les mains du consignataire.

Comp. consignataire, consignation
Angl. *to consign, to deposit*

Consolidation *n.f.*

☐ **1.** Réunion sur la même tête du droit de propriété et d'un droit réel qui en constituait un démembrement. Ex. L'acquisition par l'usufruitier de la nue-propriété d'un immeuble.

Angl. *consolidation, merger in ownership*

☐ **2.** Conversion de plusieurs dettes en une seule.

Angl. *consolidation*

Consommation *n.f.*

☐ V. ACHAT DE CONSOMMATION, BILLET DE CONSOMMATION, CONTRAT DE CONSOMMATION, LETTRE DE CONSOMMATION.

Consomptible *adj.*

☐ V. BIEN CONSOMPTIBLE.

Conspirateur, trice *n.*

☐ Se dit d'une personne qui est partie à un complot.

Comp. complot
Angl. *conspirator*

Conspiration *n.f.*

☐ V. COMPLOT.

• **Conspiration séditieuse :** Entente entre deux ou plusieurs personnes pour réaliser une intention séditieuse (*Code criminel*, art. 59).

Rem. Selon le Code, il s'agit d'un acte criminel.
Comp. intention séditieuse, sédition
Angl. *seditious conspiracy*

Constable *n.m.*

☐ Officier d'une corporation municipale qui a pour fonction d'assurer le maintien de la paix dans la municipalité et d'exécuter certaines tâches à la demande ou sous l'autorité du conseil municipal.

Angl. *constable*

Constat *n.m.*

☐ Opération réalisée par un officier public par laquelle il atteste l'existence d'un fait ou d'une situation. Par extension, le résultat de cette opération ou l'écrit dans lequel ce résultat est consigné.

Rem. Le constat d'huissier, qui est reconnu par le droit judiciaire français, est utilisé parfois au Québec comme moyen de preuve de la même façon qu'un rapport d'expert.
Angl. *attestation, official statement of facts, report, statement of facts*

• **Constat amiable :** Constat réalisé par les personnes intéressées à la constatation d'un fait, sans l'intervention d'un tiers. Ex. Le constat amiable sur les lieux d'une collision entre deux automobiles.

Angl. *jointly-agreed statement*

- **Constat de décès :** V. DÉCÈS (CONSTAT DE).

- **Constat de naissance :** V. NAISSANCE (CONSTAT DE).

Constituant, ante *n.*

□ **1.** Personne qui établit un droit ou une sûreté.

Comp. bénéficiaire, constituer, constitution, hypothèque, sûreté

Angl. *constituent, grantor, settlor*

□ **2.** En matière de fiducie, personne qui transfère des biens de son patrimoine à une autre personne pour une fin particulière, conformément à l'acte constitutif qui représente sa volonté.

Rem. Le constituant est dessaisi de ces biens en faveur du bénéficiaire dès le moment où le fiduciaire accepte d'administrer la fiducie. Est ainsi créé un patrimoine d'affectation autonome et distinct de celui du constituant.

Comp. bénéficiaire, constituer, fiduciaire, fiducie, patrimoine d'affectation, patrimoine fiduciaire

Angl. *settlor*

Constituer *v.tr.*

□ **1.** Établir, créer quelque chose au profit de quelqu'un. Ex. Constituer une rente.

Comp. constituant, constitution

Angl. *to constitute*

□ **2.** Conférer un statut à quelqu'un, l'établir dans une situation légale. Ex. Constituer une personne son héritier.

Angl. *to appoint*

□ **3.** Nommer quelqu'un, l'établir dans une charge. Ex. Constituer un procureur.

Angl. *to appoint*

Constitut *n.m.*

□ Contrat en vertu duquel le propriétaire d'un terrain le loue à quelqu'un qui y construit, à ses frais, une maison devant lui servir de logement ou de place d'affaires.

Angl. *constitut*

- **Constitut possessoire :** Lors du transfert de la propriété d'un bien corporel, convention par laquelle l'ancien propriétaire en conserve la détention, à titre précaire, pour le compte de l'acquéreur. Ex. Le vendeur qui garde le bien vendu jusqu'à une date de remise matérielle dont il aura convenu avec l'acheteur.

Rem. Cette expression de droit français n'est pas en usage au Québec.

Comp. interversion de titre, tradition feinte

Angl. *possessory constitut*

Constitutif, ive *adj.*

□ **1.** Se dit d'un acte qui crée une situation juridique nouvelle. Ex. Un jugement de divorce.

Contr. déclaratif

Comp. acte constitutif

Angl. *constitutive*

□ **2.** Se dit d'un acte qui fait naître un droit réel. Ex. Un acte constitutif d'hypothèque.

Comp. acte constitutif

Angl. *constitutive, creating*

□ **3.** Qui se rapporte à la création d'une personne morale. Ex. Un acte constitutif de société.

Comp. acte constitutif

Angl. *constating (document), incorporating (instrument)*

□ **4.** Se dit d'un élément essentiel à la formation d'un acte juridique ou à la réalisation d'un fait juridique. Ex. Le consentement est un élément constitutif d'un contrat ; l'intention coupable est un élément constitutif de certaines infractions.

Angl. *constituent*

Constitution *n.f.*

□ **1.** Ensemble de règles, écrites ou issues de la tradition démocratique, qui régissent l'organisation et le fonctionnement d'un État. Ex. La Constitution du Canada.

Comp. constitutionnalité, constitutionnel, convention constitutionnelle, *Loi constitutionnelle de 1867*

Angl. *constitution*

- **Constitution formelle :** Règles écrites possédant une autorité supra-législative. La constitution formelle du Canada est constituée notamment de la *Loi constitutionnelle de 1982*, de la *Charte canadienne des droits et libertés* et de la *Loi constitutionnelle de 1867* (autrefois nommée *Acte de l'Amérique du Nord britannique*).

  Angl. *Constitution*

□ **2.** Action d'établir ou de créer conformément à la loi. Ex. La constitution d'une société, d'une hypothèque.

Angl. *constitution*

- **Constitution de rente :** Contrat par lequel une personne, le débirentier, en échange d'une somme d'argent ou de certains biens, s'engage à effectuer en faveur d'une autre, le crédirentier, des versements périodiques en argent ou en nature, sans être tenue en principe de rembourser le capital ou les biens à l'origine de la convention.

  Comp. crédirentier, débirentier, rente
  Angl. *constitution of rent*

□ **3.** Désignation d'un mandataire.

Angl. *appointment*

- **Constitution d'avocat :** V. CONSTITUTION DE PROCUREUR.

- **Constitution de nouveau procureur :** Acte de procédure par lequel une partie, en cours d'instance, informe les autres parties du nom de la personne à qui elle a confié le mandat de la représenter, en remplacement de son procureur originaire.

  Angl. *appointment of a new attorney, change of attorney*

- **Constitution de procureur :** Acte par lequel une personne confie à une autre le mandat de la représenter.

  Syn. constitution d'avocat
  Angl. *appointment of attorney*

Constitutionnalité *n.f.*

□ Conformité à la constitution. Ex. Attaquer la constitutionnalité d'une loi.

Comp. constitution, constitutionnel
Angl. *constitutionality*

Constitutionnel, elle *adj.*

□ **1.** Qui est relatif à la constitution ou qui en fait partie. Ex. Le droit constitutionnel, la loi constitutionnelle.

Comp. constitution, constitutionnalité
Angl. *constitutional*

□ **2.** Qui est conforme à la constitution.

Comp. constitution, constitutionnalité
Angl. *constitutional*

□ **3.** Se dit d'un gouvernement dont les pouvoirs sont délimités par une constitution. Ex. Une monarchie constitutionnelle.

Angl. *constitutional*

Consultatif, ive *adj.*

□ **1.** Qui est constitué pour donner des avis mais non pour prendre des décisions.

Angl. *advisory, consultative*

- **Consultative (voix) :** Se dit des personnes qui, dans une assemblée, ont droit de participer aux discussions sans toutefois avoir le droit de vote.

  Rem. Les personnes qui ont le droit de vote ont une voix délibérative.
  Contr. délibérative (voix)
  Angl. *consultative capacity*

□ **2.** Qui est donné à titre d'avis.

Angl. *advisory, consultative*

Contentieux, ieuse *adj.*

□ **1.** Qui est contesté ou qui fait l'objet d'un litige devant les tribunaux.

Comp. litigieux
Angl. *contentious, litigious*

□ **2.** Qui se rapporte à une contestation entre deux plaideurs.

Contr. gracieux
Angl. *contentious*

□ **3.** Se dit d'un jugement qui règle un différend, une contestation.

Comp. gracieuse (juridiction)
Angl. *contentious*

- **Contentieuse (juridiction) :** Pouvoir que la loi confère aux tribunaux de trancher une contestation par application de la règle de droit.

Contr. gracieuse (juridiction)
Comp. adjudication
Angl. *contentious jurisdiction*

Contentieux *n.m.*

☐ **1.** Ensemble des litiges soumis aux tribunaux ou susceptibles de l'être, dans un champ particulier du droit. Ex. Le contentieux administratif, le contentieux municipal.

Angl. *litigation*

☐ **2.** Service qui, au sein d'une entreprise ou d'une administration, est responsable des affaires litigieuses. Ex. Le contentieux d'un ministère, d'une entreprise.

Angl. *legal department, litigation department*

Contestation *n.f.*

☐ Action de mettre en discussion ou en doute un droit, un fait ou une prétention.

Angl. *contestation, denial, dispute*

- **Contestation d'état :** V. ACTION EN CONTESTATION D'ÉTAT.

- **Contestation d'un acte semi-authentique :** Déclaration écrite par laquelle une partie à laquelle l'on oppose un acte semi-authentique, au cours d'une instance, conteste la signature ou la qualité de l'officier public étranger.

  Syn. dénégation d'un acte semi-authentique
  Comp. acte semi-authentique
  Angl. *contestation of a semi-authentic act, denial of a semi-authentic act*

- **Contestation liée :** Dans un procès civil, étape qui marque la fin de la procédure écrite et qui permet aux parties d'inscrire la cause pour enquête et audition devant le juge appelé à trancher le litige.

  Comp. enquête, instruction
  Angl. *issue joined, joinder of issue, joint issue*

Continu, ue *adj.*

☐ Qui revêt un caractère permanent, dont la durée n'est pas interrompue. Ex. La possession continue d'un immeuble.

Comp. possession, servitude
Angl. *continuous*

Contra

☐ Terme latin signifiant « en sens contraire » et utilisé pour référer à une opinion contraire de celle qui a été préalablement exprimée.

Rem. On l'emploie notamment par référence à une doctrine ou à une jurisprudence contraire à celle qui est exprimée.

Contractant, ante *adj. et n.*

☐ **1.(adj.)** Se dit d'une personne qui se lie par contrat, qui est partie à un contrat. Ex. Les parties contractantes.

Comp. contracter, contractuel, contrat
Angl. *contracting*

☐ **2.(n.)** Personne qui se lie par contrat, qui est partie à un contrat.

Comp. cocontractant, contracter, contractuel, contrat
Angl. *contracting party*

Contracter *v.tr.*

☐ **1.** Conclure un contrat.

Comp. contractant, contrat
Angl. *to contract*

☐ **2.** S'obliger par contrat. Ex. Contracter une dette.

Angl. *to contract*

Contractuel, elle *adj. et n.*

☐ **1.(adj.)** Qui résulte d'un contrat ou qui est stipulé dans un contrat. Ex. Les obligations contractuelles.

Syn. conventionnel
Comp. consensuel, contrat, extracontractuel, quasi contractuel
Angl. *contractual*

☐ **2.(n.)** Personne engagée par contrat pour exécuter un travail durant une période déterminée. Ex. Un contractuel du gouvernement.

Angl. *contract employee, contractual*

Contradiction (principe de la)

☐ V. CONTRADICTOIRE (PRINCIPE DU).

Contradictoire *adj. et n.*

□ **1.(adj.)** Se dit des procès qui se déroulent en présence de parties adverses ou de jugements rendus après contestation.

Comp. jugement contradictoire
Angl. *conflicting, contradictory*

□ **2.(n.) Contradictoire (principe du) :** Principe fondamental de procédure suivant lequel chaque partie, lors d'un procès, doit être en mesure de discuter les prétentions, les preuves et les arguments de la partie adverse devant un juge qui joue le rôle d'un arbitre impartial. Il implique que les parties déterminent elles-mêmes l'objet de la demande et de la contestation, réunissent les éléments de preuve qu'elles présentent au juge dont la décision doit porter uniquement sur ce qui a été librement débattu et prouvé devant lui.

Syn. contradiction (principe de la)
Angl. *adversary system*

Contraignabilité *n.f.*

□ État d'une personne qui peut être contrainte, par voie d'autorité, à faire quelque chose. Ex. La contraignabilité d'un témoin.

Comp. contraignable, contrainte
Angl. *compellability*

Contraignable *adj.*

□ Qui peut être forcé, par voie d'autorité, à faire quelque chose.

Comp. contraignabilité, contrainte
Angl. *compellable*

Contraindre *v.tr.*

□ Forcer par voie de justice une personne à exécuter ses obligations.

Comp. contrainte
Angl. *to compel, to constrain, to sue*

Contrainte *n.f.*

□ Acte ayant pour but d'obliger une personne à faire quelque chose.

Comp. contraindre, violence
Angl. *compulsion, duress, restraint*

• **Contrainte morale :** Menaces de lésions corporelles suffisamment graves pour obliger une personne à commettre une infraction et qui peuvent parfois être invoquées comme excuse par un accusé.

Comp. défense de contrainte
Angl. *compulsion by threats*

• **Contrainte par corps :**
1. Mesure coercitive qui consiste à emprisonner un débiteur pour le forcer à remplir ses obligations.

Angl. *attachment, civil imprisonment*

2. Mesure coercitive qui consiste à emprisonner une personne qui refuse d'obéir à une ordonnance du tribunal.

Angl. *attachment, civil imprisonment*

• **Contrainte physique :** Conduite consciente qui est imposée par une force extérieure et qui ne peut être physiquement évitée puisqu'elle implique une absence de choix. Elle constitue pour un accusé une défense recevable à l'égard de l'infraction qui lui est reprochée.

Comp. défense de contrainte
Angl. *physical compulsion*

Contra legem

□ Locution latine signifiant « contre la loi » que l'on utilise généralement pour désigner une coutume ou un usage qui est contraire à la loi.

Contr. *praeter legem, secundum legem*

Contra non valentem agere non currit praescriptio

□ Locution latine signifiant « la prescription ne court pas contre celui qui ne peut pas agir ».

Rem. Cette règle d'exception formulée à l'art. 2232 du *Code civil du Bas-Canada* n'a pas été reprise par le droit nouveau de l'art. 2877 du *Code civil du Québec*.

Contra proferentem

□ Locution latine signifiant « contre le rédacteur », « contre celui qui produit (un document) ».

Rem. On l'emploie pour rappeler que tout écrit, en cas d'ambiguïté, doit être interprété contre la personne qui l'a créé ou produit.

Contrariété *n.f.*

□ Opposition entre des choses contradictoires.

Angl. *conflict*

• **Contrariété de jugements, d'arrêts :** Contradiction entre deux décisions judiciaires rendues par des tribunaux de même niveau sur un même sujet.

Angl. *conflict of judgments*

Contrat *n.m.*

□ **1.** Convention par laquelle deux ou plusieurs personnes font naître entre elles des obligations ou transfèrent un droit réel.

Rem. **1.** L'art. 1378 du *Code civil du Québec* le définit comme suit : « Le contrat est un accord de volonté, par lequel une ou plusieurs personnes s'obligent envers une ou plusieurs autres à exécuter une prestation. » **2.** De plus, le *Code civil du Québec* a abandonné la classification traditionnelle des sources de l'obligation en contrats, quasi-contrats, délits, quasi-délits et loi seule pour la remplacer par une disposition générale qui se lit comme suit : « L'obligation naît du contrat et de tout acte ou fait auquel la loi attache d'autorité les effets d'une obligation » (art. 1372).

Comp. acte, avant-contrat, contractant, contracter, convention, obligation contractuelle, quasi-contrat

Angl. *contract*

□ **2.** Écrit qui constate la convention. Ex. Le contrat de vente.

Comp. avenant, écrit instrumentaire

Angl. *contract*

• **Contrat à découvert :** En matière d'assurance, contrat dans lequel l'assuré doit prouver la valeur du bien perdu, le montant de l'assurance ne pouvant servir d'élément de preuve à cet égard.

Syn. contrat à valeur indéterminée

Contr. contrat à valeur agréée

Angl. *unvalued contract, unvalued policy*

• **Contrat à exécution instantanée :** Contrat que les parties exécutent en une seule fois. Ex. Le contrat de vente.

Rem. Selon l'art. 1383 du *Code civil du Québec*, le contrat à exécution instantanée est « celui où la nature des choses ne s'oppose pas à ce que les obligations des parties s'exécutent en une seule et même fois ».

Syn. contrat instantané

Contr. contrat à exécution successive

Angl. *contract of instantaneous execution, contract of instantaneous performance*

• **Contrat à exécution successive :** Contrat dans lequel l'une des parties ou les deux exécutent leurs obligations sur une certaine période dont la durée peut être fixe ou indéterminée. Ex. Le contrat de bail ou de travail.

Rem. Selon l'art. 1383 du *Code civil du Québec*, le contrat à exécution successive est « celui où la nature des choses exige que les obligations s'exécutent en plusieurs fois ou d'une façon continue ».

Syn. contrat successif

Contr. contrat à exécution instantanée

Angl. *contract of successive execution, contract of successive performance*

• **Contrat à forfait :** V. FORFAIT.

• **Contrat aléatoire :** Contrat à titre onéreux dans lequel l'existence ou l'étendue de la prestation d'une partie dépend d'un événement futur et incertain. Ex. Le contrat d'assurance.

Rem. Selon l'art. 1382 du *Code civil du Québec*, le contrat est aléatoire « lorsque l'étendue de l'obligation ou des avantages est incertaine ».

Contr. contrat commutatif

Angl. *aleatory contract*

• **Contrat apparent :** Contrat dans lequel les parties manifestent officiellement une situation juridique mais cachent leur véritable convention qu'elles expriment dans un contrat secret, aussi appelé contre-lettre.

Contr. contrat secret, contre-lettre

Comp. acte apparent

Angl. *apparent contract*

• **Contrat à titre gratuit :** Contrat par lequel une des parties procure à l'autre un avantage sans exiger de contrepartie. Ex. Le prêt sans intérêt, le mandat non salarié.

Rem. Selon l'art. 1381 du *Code civil du Québec*, le contrat à titre gratuit est « celui par lequel l'une des parties s'oblige envers l'autre pour le bénéfice de celle-ci sans retirer d'avantage en retour ».

Syn. contrat de bienfaisance

Contr. contrat à titre onéreux

Comp. acte à titre gratuit
Angl. *gratuitous contract*

- **Contrat à titre onéreux :** Contrat par lequel chacune des parties recherche un avantage en contrepartie de celui qu'elle fournit.
  Rem. Selon l'art. 1381 du *Code civil du Québec*, le contrat à titre onéreux est « celui par lequel chaque partie retire un avantage en échange de son obligation ».
  Contr. contrat à titre gratuit
  Comp. acte à titre onéreux
  Angl. *onerous contract*

- **Contrat au voyage :** En matière d'assurance maritime, contrat qui « couvre l'assuré d'un lieu de départ à un ou plusieurs lieux d'arrivée et, lorsque le contrat le précise, au lieu de départ même » (*Code civil du Québec*, art. 2522).
  Comp. contrat de durée
  Angl. *voyage contract*

- **Contrat à valeur agréée :**
  1. Contrat d'assurance dans lequel la valeur convenue fait pleine foi de la valeur du bien assuré.
  Contr. contrat à découvert, contrat à valeur indéterminée
  Angl. *valued contract*
  2. En matière d'assurance maritime, contrat dans lequel les parties fixent la valeur du bien assuré.
  Angl. *valued contract*

- **Contrat à valeur indéterminée :** Contrat d'assurance dans lequel la valeur du bien assuré n'est pas fixée mais sera établie ultérieurement. Le montant de l'assurance ne fait pas preuve de la valeur du bien assuré.
  Syn. contrat à découvert
  Contr. contrat à valeur agréée
  Angl. *unvalued contract*

- **Contrat bilatéral :** V. CONTRAT SYNALLAGMATIQUE.

- **Contrat (cause du) :** V. CAUSE SUBJECTIVE.

- **Contrat civil :** Contrat qui a pour but de réaliser une opération dépourvue de tout caractère commercial. Ex. La vente d'une automobile entre deux non-commerçants.
  Comp. acte civil, contrat commercial, contrat mixte
  Angl. *civil contract*

- **Contrat collectif :** Contrat qui lie un ensemble de personnes qui n'ont pas toutes participé à sa conclusion. Ex. La convention collective de travail.
  Contr. contrat individuel
  Angl. *collective contract*

- **Contrat commercial :** Contrat à titre onéreux qui a pour but de réaliser une opération à caractère commercial. Ex. La vente d'une automobile par un commerçant.
  Comp. acte de commerce, contrat civil, contrat mixte
  Angl. *commercial contract*

- **Contrat commutatif :** Contrat à titre onéreux dans lequel les parties connaissent, dès sa formation, l'étendue de leurs prestations respectives.
  Rem. Selon l'art. 1382 du *Code civil du Québec*, le contrat est commutatif « lorsque, au moment où il est conclu, l'étendue des obligations des parties et des avantages qu'elles retirent en échange est certaine et déterminée ».
  Contr. contrat aléatoire
  Angl. *commutative contract*

- **Contrat complexe :** Contrat qui implique des opérations juridiques relevant de plusieurs types de contrats. Ex. Le crédit-bail.
  Syn. contrat mixte
  Angl. *complex contract, mixed contract*

- **Contrat (confirmation du) :** V. CONFIRMATION.

- **Contrat consensuel :** Contrat qui se forme par le seul accord des volontés des contractants sans qu'aucune forme particulière ne soit exigée pour sa validité.
  Rem. Le contrat consensuel est la règle et le contrat formaliste est l'exception.
  Contr. contrat formaliste, contrat réel
  Comp. consentement
  Angl. *consensual contract*

- **Contrat constitutif de rente :** V. RENTE (CONTRAT CONSTITUTIF DE).

- **Contrat d'adhésion :** Contrat type dont les clauses sont fixées préalablement et unilatéralement par une partie et qui ne laisse, à la personne à qui il est offert, d'autre choix que de l'accepter intégralement ou de refuser de contracter. Ex. Le contrat d'électricité, de transport en commun.

Rem. Selon l'art. 1379 du *Code civil du Québec*, le contrat est d'adhésion « lorsque les stipulations essentielles qu'il comporte ont été imposées par l'une des parties ou rédigées par elle, pour son compte ou suivant ses intentions, et qu'elles ne pouvaient être librement discutées ».

Contr. contrat de gré à gré

Comp. contrat de franchise, contrat type

Angl. *adhesion contract, contract of adhesion, standard contract form*

- **Contrat d'affrètement :** V. AFFRÈTEMENT.

- **Contrat d'association :** V. ASSOCIATION (CONTRAT D').

- **Contrat d'assurance :** V. ASSURANCE.

- **Contrat de bail :** V. BAIL.

- **Contrat de bienfaisance :** V. CONTRAT À TITRE GRATUIT.

- **Contrat de cautionnement :** V. CAUTIONNEMENT.

- **Contrat d'échange :** V. ÉCHANGE.

- **Contrat de consommation :** Contrat dont le champ d'application est délimité par les lois relatives à la protection du consommateur, par lequel l'une des parties, étant une personne physique, le consommateur, acquiert, loue, emprunte ou se procure de toute autre manière, à des fins personnelles, familiales ou domestiques, des biens ou des services auprès de l'autre partie, laquelle offre de tels biens ou services dans le cadre d'une entreprise qu'elle exploite. (*Code civil du Québec*, art. 1384).

Comp. consommation

Angl. *consumer contract*

- **Contrat de crédit-bail :** V. CRÉDIT-BAIL.

- **Contrat de dation en paiement :** V. DATION EN PAIEMENT.

- **Contrat de dépôt :** V. DÉPÔT.

- **Contrat d'édition :** V. ÉDITION (CONTRAT D').

- **Contrat de donation :** V. DONATION.

- **Contrat de durée :** Contrat d'assurance maritime qui couvre le bien assuré pour une période déterminée.

Comp. contrat au voyage

Angl. *time contract*

- **Contrat de franchise :** V. FRANCHISE.

- **Contrat de gage :** V. GAGE.

- **Contrat de garantie supplémentaire :** Contrat en vertu duquel un commerçant s'engage envers un consommateur à assumer directement ou indirectement, en tout ou en partie, le coût de la réparation ou du remplacement d'un bien (ou d'une partie d'un bien) advenant sa défectuosité ou son mauvais fonctionnement et ce, autrement que par l'effet d'une garantie conventionnelle de base accordée gratuitement à tout consommateur qui achète ou fait réparer ce bien.

Comp. garantie

Angl. *contract of additional warranty*

- **Contrat de gré à gré :** Contrat qui est conclu après une négociation d'égal à égal entre les parties et qui est le fruit de concessions mutuelles.

Syn. contrat de libre discussion

Contr. contrat d'adhésion

Angl. *contract by mutual agreement, contract by negotiation*

- **Contrat de jeu et de pari :** En matière d'assurance maritime, contrat dans lequel l'assuré n'a pas d'intérêt d'assurance et qui est conclu sans l'attente qu'il en acquière un.

Angl. *contract by way of gaming or wagering, gaming or wagering contract*

- **Contrat de libre discussion :** V. CONTRAT DE GRÉ À GRÉ.

- **Contrat de louage :** V. LOUAGE.

- **Contrat de louage de services :** V. TRAVAIL (CONTRAT DE).

- **Contrat de mandat :** V. MANDAT.

- **Contrat de mariage :** V. MARIAGE (CONTRAT DE).

- **Contrat d'emphytéose :** V. EMPHYTÉOSE.

- **Contrat de nantissement :** V. NANTISSEMENT.

- **Contrat d'entreprise :** V. ENTREPRISE (CONTRAT D').

- **Contrat de prêt :** V. PRÊT.

- **Contrat de prête-nom :** V. PRÊTE-NOM.

- **Contrat de rente :** V. RENTE (CONTRAT CONSTITUTIF DE).

- **Contrat de service :** V. SERVICE (CONTRAT DE).

- **Contrat de société :** V. SOCIÉTÉ (CONTRAT DE).

- **Contrat de sous-entreprise :** V. SOUS-ENTREPRISE (CONTRAT DE).

- **Contrat de transaction :** V. TRANSACTION.

- **Contrat de transport :** V. TRANSPORT.

- **Contrat de travail :** V. TRAVAIL (CONTRAT DE).

- **Contrat de vente :** V. VENTE.

- **Contrat d'investissement :** Contrat par lequel une personne s'engage, dans l'espérance du bénéfice qu'on lui fait entrevoir, à participer aux risques d'une affaire par la voie d'un apport ou d'un prêt quelconque, sans posséder les connaissances requises pour la marche de l'affaire ou sans obtenir le droit de participer directement aux décisions concernant la marche de l'affaire (*Loi sur les valeurs mobilières*, L.R.Q., c. V-1.1, art. 1).

  Angl. *investment contract*

- **Contrat entre personnes non en présence :** Contrat qui intervient entre les parties sans qu'elles soient en présence l'une de l'autre. Il soulève parfois des difficultés relativement à la détermination du lieu ou du moment où la convention est intervenue. Ex. Le contrat par correspondance, par messager, par téléphone.

  Comp. expédition (théorie de l'), réception (théorie de la)

  Angl. *contract between absents, contract inter absentes*

- **Contrat fictif :** V. ACTE FICTIF.

- **Contrat flottant :** En matière d'assurance maritime, contrat qui décrit l'assurance en terme généraux et permet de déclarer ultérieurement les précisions nécessaires, dont le nom du navire (*Code civil du Québec*, art. 2525).

  Angl. *floating contract*

- **Contrat formaliste :** Contrat qui se forme par une manifestation extérieure de volonté consistant dans la rédaction d'un écrit (contrat solennel) ou dans la remise matérielle du bien faisant l'objet du contrat (contrat réel).

  Contr. contrat consensuel

  Comp. contrat réel, contrat solennel

  Angl. *formalistic contract*

- **Contrat individuel :** Contrat qui n'oblige que les personnes qui y ont consenti.

  Contr. contrat collectif

  Angl. *individual contract*

- **Contrat innommé :** Contrat conclu indépendamment des modèles prévus par la loi - essentiellement le *Code civil* - et qui ne fait pas l'objet d'un régime légal particulier.

  Rem. Vu l'absence de dispositions précises à son sujet, on doit l'interpréter à la lumière des règles générales relatives au contrat ou en puisant dans celles qui sont prévues pour les contrats nommés qui y sont assimilables.

  Syn. contrat *sui generis*

  Contr. contrat nommé

  Angl. *innominate contract*

- **Contrat instantané :** V. CONTRAT À EXÉCUTION INSTANTANÉE.

- **Contrat judiciaire :**

  1. Contrat qui intervient entre les parties, en cours d'instance, et dont l'existence est constatée et entérinée par le juge dont la décision n'est pas juridictionnelle.

  Comp. règlement hors cour, transaction

  Angl. *judicial agreement*

  2. Expression qui désigne le lien d'instance, en vertu d'une théorie qui l'assimile à un rapport d'origine contractuelle. Les parties étant maîtres du procès, elles seraient alors liées par ce contrat et par la méthode qu'elles ont choisie pour la conduite du procès.

  Angl. *judicial contract*

- **Contrat mixte :**
1. Contrat qui est de nature civile pour une partie et commerciale pour l'autre. Ex. La vente d'un réfrigérateur par un commerçant à un client non-commerçant.
Comp. acte mixte, contrat civil, contrat commercial
Angl. *mixed contract*
2. Contrat qui est composé d'éléments appartenant à plusieurs contrats nommés. Ex. Le contrat de crédit-bail.
Syn. contrat complexe
Angl. *mixed contract*

- **Contrat nommé :** Contrat qui est désigné par un nom dans la loi - essentiellement le *Code civil* - et qui est réglementé de façon spécifique, ce qui facilite son interprétation en cas d'ambiguïté. Ex. Le contrat de vente ou de louage.
Contr. contrat innommé
Angl. *nominate contract*

- **Contrat (nullité absolue du) :** V. NULLITÉ ABSOLUE.

- **Contrat (nullité relative du) :** V. NULLITÉ RELATIVE.

- **Contrat (objet du) :** V. OBJET DU CONTRAT.

- **Contrat par correspondance :** V. CONTRAT ENTRE PERSONNES NON EN PRÉSENCE.

- **Contrat par messager :** V. CONTRAT ENTRE PERSONNES NON EN PRÉSENCE.

- **Contrat par téléphone :** V. CONTRAT ENTRE PERSONNES NON EN PRÉSENCE.

- **Contrat réel :** Contrat qui se forme par la remise du bien qui en fait l'objet. Ex. Le prêt ou le dépôt.
Contr. contrat consensuel
Comp. contrat formaliste, contrat solennel
Angl. *real contract*

- **Contrat secret :** Contrat, en principe secret, qui constate la véritable convention des parties, celle-ci étant masquée par un contrat apparent destiné à être connu des tiers.
Syn. contre-lettre
Contr. contrat apparent
Comp. acte déguisé
Angl. *secret contract*

- **Contrat solennel :** Contrat qui se forme lors de la constatation de la volonté des parties dans un acte authentique. Ex. Le contrat d'hypothèque.
Contr. contrat consensuel
Comp. acte solennel, contrat formaliste, contrat réel
Angl. *formal contract*

- **Contrat successif :** V. CONTRAT À EXÉCUTION SUCCESSIVE.

- **Contrat *sui generis* :** V. CONTRAT INNOMMÉ.

- **Contrat synallagmatique :** Contrat qui crée des obligations réciproques et interdépendantes entre les parties. Ex. La vente, le louage.
Rem. Selon l'art. 1380 du *Code civil du Québec*, le contrat est synallagmatique ou bilatéral « lorsque les parties s'obligent réciproquement, de manière que l'obligation de chacune d'elles soit corrélative à l'obligation de l'autre ».
Syn. contrat bilatéral
Contr. contrat unilatéral
Comp. acte bilatéral
Angl. *bilateral contract, synallagmatic contract*

- **Contrat synallagmatique imparfait :** Nom donné par la doctrine à un contrat unilatéral lorsque, postérieurement à sa conclusion, la partie qui n'assumait initialement aucune obligation devient débitrice envers son cocontractant par suite d'un fait relié à l'exécution du contrat. Ex. Le contrat de dépôt gratuit où le déposant est tenu de rembourser au dépositaire les dépenses que celui-ci a encourues pour la conservation du bien.
Comp. contrat synallagmatique, contrat unilatéral
Angl. *imperfect bilateral contract, imperfect synallagmatic contract*

- **Contrat type :**
1. Modèle écrit de contrat dont le contenu est établi par des professionnels, des commerçants ou de grandes entreprises (ex. banques, compagnies d'assurance) et qui a pour but de traiter uniformément des contrats de même nature. Ex. Le contrat de prêt hypothécaire ou d'offre d'achat d'un immeuble.
Comp. contrat d'adhésion
Angl. *standard contract, standard-form contract*
2. Modèle écrit de contrat imposé par l'État et conçu généralement en vue de protéger les

personnes économiquement défavorisées. Ex. Le contrat de bail de logement établi par règlement du gouvernement.

Angl. *standard contract, standard-form contract*

- **Contrat unilatéral :** Contrat qui ne crée des obligations que pour une des parties seulement. Ex. Le contrat de prêt.

Rem. Selon l'art. 1380 du *Code civil du Québec*, le contrat est unilatéral « lorsque l'une des parties s'oblige envers l'autre sans que, de la part de cette dernière, il y ait obligation ».

Contr. contrat bilatéral, contrat synallagmatique

Comp. acte unilatéral

Angl. *unilateral contract*

Contravention *n.f.*

□ **1.** Dérogation à une règle juridique, à une convention.

Angl. *breach, contravention*

□ **2.** Infraction que les lois punissent généralement d'une simple amende et, par extension, le document qui la constate.

Comp. contrevenant

Angl. *fine, ticket*

Contre *adv.*

□ V. VERSUS.

Contre-appel *n.m.*

□ Appel formé par une partie qui, après qu'un appel principal ait été formé, prend à son tour l'initiative de porter devant la même juridiction supérieure le jugement dont elle est également insatisfaite.

Comp. appel incident, appel principal

Angl. *cross appeal*

Contrefaçon *n.f.*

□ Imitation ou reproduction frauduleuse d'une oeuvre au détriment du titulaire des droits sur celle-ci.

Comp. fraude

Angl. *counterfeiting, forgery, infringing*

Contre-grève *n.f.*

□ V. LOCK-OUT.

Contre-interrogatoire *n.m.*

□ Interrogatoire d'un témoin par une partie ayant des intérêts opposés à celle qui l'a produit.

Rem. Le contre-interrogatoire peut porter, non seulement sur les faits dont celui-ci a témoigné lors de son interrogatoire par la partie qui l'a produit, mais également sur tous les faits du litige. Il vise à obtenir des informations supplémentaires et à vérifier la crédibilité du témoin.

Comp. contre-interroger, interrogatoire

Angl. *cross-examination*

Contre-interroger *v.tr.*

□ Procéder au contre-interrogatoire d'un témoin.

Comp. contre-interrogatoire

Angl. *to cross-examine*

Contre-lettre *n.f.*

□ Acte secret qui modifie les termes d'un acte apparent intervenu entre les parties et qui dissimule aux tiers leur véritable intention.

Syn. contrat secret

Comp. acte apparent, acte déguisé, action en déclaration de simulation, simulation

Angl. *counter-deed, counter letter*

Contre-offre *n.f.*

□ V. CONTRE-PROPOSITION.

Contrepartie *n.f.*

□ Opération par laquelle un mandataire se porte lui-même acquéreur ou vendeur d'un bien qu'il avait mandat de vendre ou d'acheter. Ex. Le mandataire qui se porte acquéreur d'une sculpture qu'il était chargé de vendre.

Rem. Cette opération est interdite au mandataire à moins que son mandant ne l'y autorise ou ne connaisse sa qualité de cocontractant.

Angl. *operation against one's client*

Contre-proposition *n.f.*

□ Offre nouvelle par laquelle une personne propose des modifications à l'offre qui lui a été soumise.

Syn. contre-offre

Angl. *counter-offer*

Contreseing *n.m.*

☐ Signature apposée par une autorité sur un acte déjà signé, en vue de marquer son engagement solidaire et, le cas échéant, d'en assurer l'exécution.

Comp. contresigner
Angl. *counter-signature*

Contresigner *v.tr.*

☐ Apposer un contreseing sur un acte.

Comp. contreseing
Angl. *to countersign*

Contrestaries *n.f.pl.*

☐ V. SURESTARIES.

Contrevenant, ante *n.*

☐ Personne qui commet une infraction, qui enfreint une loi ou un règlement.

Rem. L'art. 2 du *Code criminel* (L.R.C. 1985, c. C-46), le définit comme suit : « Personne dont la culpabilité à l'égard d'une infraction a été déterminée par le tribunal, soit par acceptation de son plaidoyer de culpabilité, soit en la déclarant coupable ».
Comp. contravention, infraction
Angl. *offender*

Contribuable *n.*

☐ Personne qui est tenue de payer à l'État ou à un organisme de l'État une contribution ou une taxe.

Comp. impôt, taxe
Angl. *ratepayer*

Contribution *n.f.*

☐ **1.** Participation au paiement d'une dette ou d'une charge commune. Par extension, la part assumée. Ex. La contribution aux charges du mariage.

Comp. apport
Angl. *contribution*

☐ **2.** Action d'assumer sa part définitive dans une dette ou une charge commune. Par extension, la part assumée. Ex. La contribution des codébiteurs solidaires.

Comp. obligation solidaire
Angl. *contribution*

- **Contribution (distribution par) :** V. DISTRIBUTION PAR CONTRIBUTION.
- **Contribution (recours en) :** V. ACTION RÉCURSOIRE.
- **Contribution (répartition par) :** V. RÉPARTITION.

Contrôle judiciaire

☐ Contrôle qu'exerce le tribunal de droit commun d'une province (la Cour supérieure, au Québec) ou la Cour fédérale, selon leur champ de compétence respective, sur les tribunaux inférieurs, l'administration publique et les personnes morales dans le but de vérifier la légalité de décisions qu'ils ont prises et de veiller à ce qu'ils agissent sans excéder leurs pouvoirs et conformément au principe de la primauté du droit. C'est par une annulation de la décision illégale que ce pouvoir de surveillance et de contrôle est exercé.

Syn. pouvoir de réforme, pouvoir de surveillance et de contrôle
Angl. *superintending and reforming power*

Contrôleur des finances

☐ Fonctionnaire provincial qui tient la comptabilité du gouvernement ; il enregistre les engagements financiers imputables sur les crédits et il doit s'assurer que ces engagements et les paiements qui en découlent n'excèdent pas ces crédits et leur soient conformes.

Comp. receveur général
Angl. *comptroller of finance*

Contumace (condamnation par) *n.f.*

☐ Dans certains pays, notamment en France, condamnation prononcée en l'absence de l'accusé qui a omis de comparaître devant le tribunal après avoir été dûment assigné.

Angl. *sentence by contumacy, sentence in absentia*

Convention *n.f.*

☐ **1.** Tout accord de volonté entre deux ou plusieurs personnes destiné à produire un effet de droit.

Comp. contrat, conventionnel
Angl. *agreement*

- **Convention collective (de travail) :** Entente écrite relative aux conditions de travail et de rémunération conclue entre une ou plusieurs associations accréditées de salariés et un ou plusieurs employeurs ou associations d'employeurs.

Comp. association accréditée, association d'employeurs, association de salariés, syndicat, unité de négociation
Angl. *collective agreement*

- **Convention constitutionnelle :** Entente de nature politique qui constitue une source importante du droit régissant l'organisation et le fonctionnement des pouvoirs étatiques, notamment les rapports entre le Parlement et le gouvernement ou entre l'État fédéral et les provinces. Ex. L'existence au Canada d'un gouvernement responsable est fondée sur une convention constitutionnelle.

Rem. Elle peut être écrite, orale ou même tacite et être fondée sur la tradition. De plus, elle n'est pas sanctionnée par les tribunaux mais elle est respectée par les parties à la convention en raison d'un sentiment de nécessité politique. Elle se distingue de la coutume en ce sens que celle-ci ne découle pas d'une entente et qu'elle peut être sanctionnée par les tribunaux.
Syn. coutume constitutionnelle
Comp. constitution, coutume
Angl. *constitutional convention*

- **Convention d'arbitrage :** Contrat par lequel les parties s'engagent à soumettre un différend né ou éventuel à la décision d'un ou de plusieurs arbitres, à l'exclusion des tribunaux (*Code civil du Bas-Canada*, art. 1926.1, *Code civil du Québec*, art. 2638).

Syn. compromis
Comp. arbitrage, clause compromissoire
Angl. *arbitration agreement*

- **Conventions matrimoniales :** V. MARIAGE (CONTRAT DE), RÉGIME MATRIMONIAL.

- **Convention unanime des actionnaires :** Convention écrite conclue par tous les actionnaires d'une compagnie ou d'une société par actions, soit entre eux soit avec des tiers, qui restreint les pouvoirs des administrateurs de gérer les affaires tant commerciales qu'internes de la compagnie ou de la société.

Angl. *unanimous shareholder agreement*

□ **2.** Accord entre deux ou plusieurs États, directement ou sous les auspices d'un organisme international, visant à produire certains effets juridiques. Ex. La Convention de La Haye.

Syn. entente internationale
Comp. traité
Angl. *agreement*

Conventionnel, elle *adj.*

□ Qui résulte d'une convention.

Syn. contractuel
Comp. consensuel, convention, légal, unilatéral
Angl. *conventional*

Conversion d'actions

□ Opération par laquelle une compagnie ou une société par actions transforme les actions d'une catégorie en actions d'une autre catégorie qui comporte des droits, des privilèges ou des restrictions différents. Ex. La conversion d'actions ordinaires en actions privilégiées.

Comp. action convertible
Angl. *conversion of shares*

Convict *n.m.*

□ V. AUTREFOIS CONVICT.

Conviction *n.f.*

□ Certitude qui résulte de preuves évidentes.

Angl. *conviction*

Coobligation *n.f.*

□ Obligation réciproque ou commune entre deux ou plusieurs personnes.

Comp. coobligé, obligation
Angl. *co-obligation*

Coobligé, ée *n.*

□ Personne qui, aux termes de la loi ou d'un contrat, est tenue conjointement ou solidairement avec d'autres d'exécuter une obligation.

Comp. codébiteur, coobligation

Angl. *co-debtor, co-obligor, joint obligor*

Cooccupant, ante *n.*

☐ Personne qui occupe un local ou un logement avec une ou plusieurs autres.

Comp. colocataire

Angl. *co-occupant*

Cook Adm.

☐ Abrév. de *Cook Admiralty.*

Coopérative *n.f.*

☐ **1.** Personne morale regroupant des personnes qui ont des besoins économiques et sociaux communs et qui, en vue de les satisfaire, s'associent pour exploiter une entreprise conformément aux règles d'action coopérative. Ces règles prévoient notamment que l'adhésion d'un membre est subordonnée à l'utilisation des services offerts par la coopérative et à la possibilité pour celle-ci de les lui fournir, que chaque membre n'a droit qu'à une seule voix quel que soit le nombre de parts sociales qu'il détient et que les profits sont distribués aux membres au prorata des opérations effectuées entre chacun d'eux et la coopérative.

Comp. part sociale

Angl. *cooperative*

☐ **2.** Au sens large, type d'entreprise regroupant des personnes qui forment une personne morale en vue de satisfaire des besoins communs.

Angl. *cooperative, cooperative corporation, cooperative undertaking*

Copartage *n.m.*

☐ Partage d'un bien entre plusieurs personnes.

Comp. copartageant, copartager, partage

Angl. *co-partition*

Copartageant, ante *n.*

☐ Personne qui participe à un partage de biens. Ex. Le copartageant d'une succession.

Syn. partageant

Comp. copartage, copartager, copropriétaire, indivisaire

Angl. *co-partitioner*

Copartager *v.tr.*

☐ Participer avec d'autres personnes à un partage de biens. Ex. Copartager un héritage.

Comp. copartage, copartageant

Angl. *to co-partition*

Coparticipant, ante *n.*

☐ Personne qui participe avec d'autres à une entreprise.

Syn. participant

Comp. coparticipation

Angl. *co-partner*

Coparticipation *n.f.*

☐ Action de participer à une entreprise avec d'autres personnes.

Comp. coparticipant, participation

Angl. *co-partnership*

Copie *n.f.*

☐ Reproduction de l'original d'un écrit, d'une pellicule photographique.

Angl. *copy, photographic film*

- **Copie certifiée conforme :** V. COPIE CONFORME.

- **Copie conforme :** Formule par laquelle un officier public ou le signataire d'un acte atteste que la copie qu'il délivre constitue une reproduction exacte de l'original. Ex. La copie d'un acte de procédure à l'intention de la partie adverse doit être certifiée conforme.

  Syn. copie certifiée conforme

  Comp. duplicata, original, vidimé, vidimus

  Angl. *certified copy, true copy*

- **Copie d'un acte de l'état civil :** Document qui reproduit intégralement les énonciations de l'acte, telles qu'elles ont pu être modifiées (*Code civil du Québec*, art. 145).

  Angl. *copy of an act of civil status*

Coposséder *v.tr.*

☐ Posséder un bien avec une ou plusieurs autres personnes.

Comp. copossesseur, copossession, posséder

Angl. *to own jointly*

Copossesseur *n.m.*

□ Personne qui possède un bien avec une ou plusieurs autres personnes.

Comp. copossóder, copossession, possesseur
Angl. *co-possessor, joint possessor*

Copossession *n.f.*

□ Fait de posséder un bien avec une ou plusieurs autres personnes.

Comp. coposséder, copossesseur, possession
Angl. *co-possession, joint possession*

Copropriétaire *n.*

□ Personne qui possède un bien en copropriété.

Comp. copartageant, copropriété, propriétaire
Angl. *concurrent owner, co-owner, coproprietor*

Copropriété *n.f.*

□ Droit de propriété que détiennent conjointement plusieurs personnes sur un même bien. Elle peut être divise, forcée ou indivise.

Rem. L'art. 1010 du *Code civil du Québec* la définit comme suit : « La copropriété est la propriété que plusieurs personnes ont ensemble et concurremment sur un même bien, chacune d'elles étant investie, privativement, d'une quote-part du droit ».
Comp. coemphytéose, copropriétaire, propriété
Angl. *concurrent ownership, co-ownership*

• **Copropriété divise :** Forme de copropriété en vertu de laquelle chacun des copropriétaires détient une fraction de l'immeuble comprenant une partie privative dont il a l'usage exclusif et une quote-part des parties communes qui appartiennent à tous les copropriétaires et servent à leur usage commun.

Rem. La collectivité des copropriétaires constitue une personne morale qui, sous le nom du syndicat, a pour objet la conservation de l'immeuble, l'entretien et l'administration des parties communes, la sauvegarde des droits afférents à l'immeuble ou à la copropriété, ainsi que toutes les opérations d'intérêt commun.
Syn. copropriété par déclaration
Comp. déclaration de copropriété, partie exclusive, parties communes, syndicat de copropriété
Angl. *divided co-ownership*

• **Copropriété forcée :** Droit de propriété portant sur un bien immobilier qui est l'accessoire de deux immeubles voisins. Ex. Un mur mitoyen.

Syn. indivision forcée
Comp. mitoyenneté
Angl. *forced co-ownership*

• **Copropriété indivise :** V. COPROPRIÉTÉ PAR INDIVISION.

• **Copropriété par déclaration :** V. COPROPRIÉTÉ DIVISE.

• **Copropriété par indivision :** Droit de propriété détenu par plusieurs personnes sur un bien sans que celui-ci soit matériellement partagé entre elles.

Rem. Les indivisaires administrent le bien en commun et chacun d'eux a le droit d'exiger le partage en vue de mettre fin à l'indivision.
Syn. copropriété indivise
Comp. indivision, quote-part
Angl. *co-ownership with indivision, undivided co-ownership*

• **Copropriété (syndicat de) :** V. SYNDICAT DE COPROPRIÉTÉ.

Copyright *n.m.*

□ V. AUTEUR (DROIT D').

Cor.

□ Abrév. de *Coram.*

Coram

□ Mot latin signifiant « en présence de ».

• ***Coram judice*** **:** Locution latine signifiant « en présence d'un juge ».

• ***Coram non judice*** **:** Locution latine signifiant « en présence d'une personne qui n'est pas un juge ».

Cor. Jud.

□ Abrév. de *Correspondances Judiciaires.*

Coroner *n.m.*

□ Officier public qui a pour fonction de rechercher, au moyen d'une investigation et, le cas échéant, d'une enquête, l'identité d'une personne décédée ainsi que la date, le lieu, les causes probables et les circonstances de son décès.

Rem. Au Québec, il ne possède pas le pouvoir de se prononcer sur la responsabilité civile ou criminelle d'une personne qui serait responsable du décès ; il peut cependant formuler des recommandations à l'intention des autorités compétentes.
Comp. enquête du coroner
Angl. *coroner*

Corp.

□ Abrév. de corporation.

Corp. mun.

□ Abrév. de corporation municipale.

Corporation *n.f.*

□ Entité légalement constituée, dotée d'une personnalité juridique indépendante de celle de ses membres et à qui la loi reconnaît des droits et des obligations.

Rem. Dans les lois fédérales et dans le *Code civil du Québec*, on utilise plutôt les mots « personne morale ».
Syn. personne morale
Comp. compagnie, dénomination sociale, officier, société par actions
Angl. *corporation*

- **Corporation à but lucratif :** V. CORPORATION PRIVÉE.

- **Corporation civile :** Corporation qui est régie par le droit privé, notamment par les lois affectant les personnes privées.

Syn. personne morale de droit privé
Comp. corporation publique, corporation politique
Angl. *civil corporation*

- **Corporation de la Couronne :** Corporation publique créée par une loi qui lui confère la qualité de mandataire du gouvernement et à qui l'État peut confier diverses tâches de nature sociale, administrative ou économique. Une corporation de la Couronne affectée à des activités industrielles ou commerciales est généralement qualifiée d'entreprise publique.

Comp. corporation publique, Couronne, entreprise publique, personne morale de droit public
Angl. *Crown corporation*

- **Corporation ecclésiastique :** Corporation publique ayant pour objet d'organiser une église, une congrégation ou une oeuvre religieuse. Ex. Une corporation épiscopale ou paroissiale.

Syn. corporation religieuse, société religieuse
Contr. corporation séculière
Comp. corporation publique
Angl. *ecclesiastical corporation, religious corporation*

- **Corporation laïque :** V. CORPORATION SÉCULIÈRE.

- **Corporation-mère :** Corporation qui en contrôle une autre.

Angl. *parent corporation*

- **Corporation multiple :** Corporation qui est composée de plusieurs membres. Ex. Une compagnie est généralement une corporation multiple.

Contr. corporation simple
Angl. *corporation aggregate*

- **Corporation municipale :** V. MUNICIPALITÉ.

- **Corporation politique :** État ou organisme de l'État qui possède des pouvoirs exécutifs et législatifs. Ex. Le gouvernement et les municipalités sont des corporations politiques.

Rem. Elle est régie par le droit public. Par contre, elle tombe sous le contrôle du droit privé dans ses rapports avec les autres personnes, à moins d'une dérogation expresse de la loi.
Comp. corporation civile, corporation publique
Angl. *political corporation*

- **Corporation privée :** Personne morale créée par l'État dans un but d'intérêt purement privé, étant constituée dans le seul intérêt de ses membres. Ex. Une compagnie est une corporation privée.

Syn. corporation à but lucratif, personne morale de droit privé
Contr. corporation publique
Comp. compagnie, société par actions
Angl. *private corporation, profit-making corporation*

- **Corporation professionnelle :** Corporation publique créée par une loi, qui exerce des fonctions réglementaires, administratives et disciplinaires lui permettant de régir une profession dans l'intérêt public et de promouvoir l'activité de ses membres à qui la loi réserve un champ de pratique exclusif. En contrepartie, ceux-ci doivent respecter les conditions requises pour leur inscription au tableau de l'ordre.
  Syn. ordre professionnel
  Comp. corporation publique
  Angl. *professional corporation*

- **Corporation publique :** Personne morale créée par l'État dans un but d'intérêt public. Elle est régie par sa loi constitutive, par le droit public et, selon les circonstances, par le droit privé. Ex. Les corporations politiques et ecclésiastiques sont des corporations publiques.
  Contr. corporation privée
  Comp. corporation de la Couronne, corporation politique, corporation professionnelle, entreprise publique, personne morale de droit public
  Angl. *public corporation*

- **Corporation religieuse :** V. CORPORATION ECCLÉSIASTIQUE.

- **Corporation sans but lucratif :** Corporation sans capital-actions qui est constituée dans un but moral ou altruiste et qui ne recherche pas un gain pécuniaire pour ses membres.
  Syn. compagnie sans but lucratif, corporation sans capital-actions
  Angl. *non-profit corporation, non-profit making corporation*

- **Corporation sans capital-actions :** V. CORPORATION SANS BUT LUCRATIF.

- **Corporation scolaire :** V. COMMISSION SCOLAIRE.

- **Corporation séculière :** Toute corporation qui n'est pas religieuse ou ecclésiastique. Ex. Une compagnie.
  Syn. corporation laïque
  Contr. corporation ecclésiastique
  Angl. *lay corporation, secular corporation*

- **Corporation simple :** Corporation constituée d'une seule personne dont le successeur, lorsque celle-ci décède ou résigne, devient à son tour la corporation.
  Contr. corporation multiple
  Angl. *corporation sole*

Corporel, elle *adj.*

□ **1.** Physique, qui concerne le corps humain. Ex. Un préjudice corporel.
  Angl. *corporeal*

□ **2.** Concret, que l'on peut toucher. Ex. Un bien corporel.
  Contr. incorporel
  Angl. *corporeal*

Corps *n.m.*

□ **1.** Ensemble de personnes formant un groupe organisé.
  Angl. *body, corps*

- **Corps politique :** Tout groupement de personnes qui est investi de pouvoirs lui permettant d'atteindre certains objectifs communs aux membres qui le constituent. Cette expression désigne notamment l'État et les différents organismes qui le composent. Elle comprend également les associations de personnes, incorporées ou non, publiques ou privées, au sein desquelles s'exercent des fonctions de gouvernement.
  Angl. *body politic*

- **Corps public :** Personne ou organisme administratif qui a pour fonction d'oeuvrer pour le bénéfice du public et non pas dans l'intérêt privé.
  Angl. *citizen body*

□ **2.** Objet matériel
  Angl. *body, thing*

- **Corps certain :** Bien caractérisé par son individualité, par ses caractéristiques propres, et qui ne peut, dans un paiement, être remplacé par un objet équivalent.
  Syn. chose certaine
  Angl. *certain thing, individualized thing*

Corpus *n.m.*

□ Élément matériel de la possession. Il désigne le pouvoir de fait qui est exercé sur le bien, l'ensemble des faits visibles de la possession. Ex. Les actes d'entretien, la gestion d'un immeuble.

Rem. Il constitue l'un des deux éléments requis de la possession, l'autre étant l'*animus*.
Comp. *animus*
Angl. *corpus*

- ***Corpus delicti*** :
1. Bien matériel qui fait l'objet d'une infraction et qui permet de la constater. Ex. Le corps de la victime d'un meurtre, les marchandises volées.
2. Dans un sens dérivé, les éléments matériels qui constituent l'infraction.
Comp. *actus reus*

Corpus juris

☐ Ensemble cohérent de règles juridiques qui se rapportent à une même discipline. Le *corpus juris civilis* constitue une codification du droit civil et le *corpus juris canonici* celle du droit canon.

Correctionnel, elle *adj.*

☐ Qui a trait au maintien de la paix et de la sécurité dans la société par l'application, selon des modalités diverses, des peines infligées par les tribunaux de droit pénal. Ex. Les services correctionnels.
Angl. *correctional*

- **Service correctionnel du Canada :** Organisme chargé notamment de la garde et de la surveillance des détenus et de la conception de programmes visant à la réadaptation et à la réintégration sociale des délinquants.
Angl. *Correctional Service of Canada*

Corrélatif, ive *adj.*

☐ Qui présente une relation réciproque avec une autre chose.
Comp. corrélation, obligation corrélative
Angl. *correlative*

Corrélation *n.f.*

☐ Relation réciproque entre deux choses dont chacune varie en fonction de l'autre.
Comp. corrélatif
Angl. *correlation*

Corr. jud.

☐ Abrév. de Correspondances judiciaires.

Corroboration *n.f.*

☐ Preuve supplémentaire provenant d'une source indépendante qui est apportée dans le but de confirmer et de renforcer la preuve déjà présentée. En matière pénale, la loi impose parfois la corroboration lorsque des faits sont mis en preuve par un seul témoin ou par une seule preuve matérielle. Ex. En matière de parjure et de faux, il doit y avoir corroboration.
Angl. *corroboration*

Corruption *n.f.*

☐ **1.** Acte criminel qui consiste, pour quelqu'un, à utiliser un moyen détourné (pot-de-vin, avantage ou autre) afin d'amener une personne exerçant une fonction publique (juge, député, officier de justice, fonctionnaire, témoin, juré, etc.) à manquer à ses responsabilités et à agir contre sa fonction officielle.
Comp. intégrité
Angl. *bribery, corruption*

- **Corruption de juré :** Infraction criminelle par laquelle une personne, notamment par des menaces ou des pots-de-vin, influence ou tente d'influencer une autre personne dans sa conduite comme juré lors d'un procès par jury.
Comp. juré, jury
Angl. *corruption of juror*

- **Corruption de témoin :** Infraction criminelle par laquelle une personne, notamment par des menaces ou des pots-de-vin, dissuade ou tente de dissuader une autre personne de rendre témoignage lors d'un procès.
Syn. subornation de témoin
Comp. juré, jury
Angl. *corruption of witness*

☐ **2.** Acte criminel qui consiste, pour une personne exerçant une fonction publique, à solliciter ou à accepter un avantage en échange d'une faveur accordée dans le cadre de sa fonction officielle.
Syn. fraude envers le gouvernement, trafic d'influence
Comp. abus de confiance, entrave à la justice
Angl. *bribery, corruption*

☐ **3.** Acte criminel qui consiste pour quelqu'un

à utiliser un moyen détourné (récompense, avantage ou autre) afin d'amener une personne qui occupe un emploi dans une entreprise privée à manquer à ses responsabilités.

Angl. *corruption*

□ **4.** Acte criminel qui consiste, pour une personne qui occupe un emploi dans une entreprise privée, à exiger ou à accepter une récompense, un avantage ou un autre bénéfice dans le cadre de ses activités, en contrepartie de la commission ou de l'omission d'un acte relatif aux affaires de l'entreprise.

Angl. *corruption*

• **Corruption administrative :** Acte commis par un fonctionnaire qui manque à son devoir de désintéressement et d'honnêteté envers le public en acceptant un avantage monétaire ou autre en plus de sa rémunération, ou qui utilise à son profit un bien de l'État ou une information qu'il obtient en sa qualité de fonctionnaire.

Rem. Cet acte est passible d'une mesure disciplinaire pouvant aller jusqu'au congédiement.

Angl. *administrative corruption*

• **Corruption d'enfant :** Acte criminel qui consiste à participer à un adultère ou à une immoralité sexuelle, ou à se livrer à une ivrognerie habituelle ou à toute autre forme de vice, au lieu où demeure un enfant, mettant ainsi en danger les moeurs de l'enfant ou rendant la demeure impropre à sa présence.

Rem. En langage populaire, on emploie souvent l'expression « détournement de mineur ». Elle n'apparaît pas dans les lois canadiennes.

Angl. *corruption of children, enticement of child*

• **Corruption électorale :**

1. Infraction commise par une personne qui, pendant une élection, offre ou fait obtenir à une autre un avantage (argent, poste, emploi, etc.) afin de l'inciter à voter ou à s'abstenir de le faire.

Rem. On emploie également les mots « manoeuvres électorales frauduleuses ».

Angl. *bribery at elections*

2. Infraction commise par la personne qui, dans ces circonstances, accepte ou reçoit un tel avantage.

Angl. *bribery at elections*

Coupable *adj. et n.*

□ **1.(adj.)** Se dit d'une personne qui est jugée responsable d'une infraction par un tribunal compétent, à la suite d'un aveu ou d'une preuve dûment présentée de sa culpabilité.

Comp. culpabilité

Angl. *guilty*

□ **2.(n.)** Par extension, personne qui avoue avoir commis une infraction.

Rem. Ce terme ne s'emploie pas en matière civile où l'on utilise plutôt le terme « responsable ».

Angl. *culprit*

Cour *n.f.*

A. Général

□ **1.** Juridiction constituée de personnes ayant le pouvoir d'entendre des litiges et de rendre des décisions fondées sur des règles de droit et qui fait partie de l'appareil judiciaire traditionnel (par opposition aux tribunaux et organismes administratifs spécialisés).

Rem. Parfois, le législateur emploie le mot « tribunal » pour désigner une cour faisant partie de l'appareil judiciaire traditionnel. Ex. Le Tribunal de la jeunesse.

Comp. juridiction, pouvoir judiciaire, tribunal

Angl. *court*

□ **2.** Le juge qui siège dans une salle d'audience.

Syn. tribunal

Comp. juge en chambre

Angl. *court*

□ **3.** L'endroit où une cour rend justice.

Comp. Palais de justice

Angl. *court*

• **Cour d'archives :** Tribunal dont les actes et les décisions sont consignés et conservés sous forme d'archives et qui possède le pouvoir de punir pour outrage au tribunal.

Rem. Les archives constituent des actes authentiques et elles font preuve de leur contenu.

Syn. tribunal d'archives

Comp. archives

Angl. *Court of Record*

• **Cour d'*equity* :** Tribunal qui avait autrefois compétence pour l'application des règles d'*equity*.

Comp. cour de chancellerie, *equity*
Angl. *Court of Equity*

- **Cour de juridiction criminelle :** Tribunal de première instance désigné par la loi pour juger les actes criminels à l'exception de ceux qui sont réservés à une cour supérieure de juridiction criminelle.

  Rem. Au Québec, la Cour du Québec (Chambre criminelle et pénale) ainsi que les cours municipales de Montréal et de Québec ont été désignées comme étant des cours de juridiction criminelle.
  Comp. Cour du Québec, cour supérieure de juridiction criminelle
  Angl. *court of criminal jurisdiction*

- **Cour inférieure :** Tribunal à qui le législateur a attribué une compétence limitée et dont la légalité des décisions est sujette à contrôle par une cour dite supérieure. Au Québec, les juges des cours dites inférieures sont nommés par le gouvernement de la province.

  Comp. contrôle judiciaire, cour supérieure (général)
  Angl. *inferior court*

- **Cour supérieure :** Cour qui se situe à un niveau plus élevé dans la hiérarchie du système judiciaire. Au Canada, les juges des cours dites supérieures sont nommés par le gouvernement fédéral et bénéficient de certaines garanties reconnues par la *Loi constitutionnelle de 1867*. Ex. La Cour suprême du Canada, la Cour fédérale, la Cour d'appel et la Cour supérieure du Québec sont des cours dites supérieures.

  Comp. cour inférieure, Cour supérieure (particulier)
  Angl. *superior court*

- **Cour supérieure de juridiction criminelle :** Tribunal de première instance désigné par la loi pour juger les actes criminels et entendre certains appels provenant de tribunaux inférieurs.

  Rem. Au Québec, la Cour supérieure a été désignée comme étant la cour supérieure de juridiction criminelle.
  Comp. acte criminel, cour de juridiction criminelle
  Angl. *superior court of criminal jurisdiction*

B. Particulier

- **Cour canadienne de l'impôt :** Cour fédérale d'archives qui, en 1983, a remplacé la Commission de révision de l'impôt.Elle possède le pouvoir d'entendre l'appel d'une décision du gouvernement fédéral relative à une cotisation d'impôt sur le revenu. De plus, des lois fédérales lui confèrent une compétence d'appel dans d'autres domaines, notamment en matière de cotisation pour le régime de pension du Canada et l'assurance-chômage.

  Angl. *Tax court of Canada*

- **Cour d'amirauté :** Juridiction qui tranche les litiges relatifs à la navigation, au commerce maritime et à la protection écologique des eaux territoriales.

  Rem. Jusqu'en 1970, la *Loi sur l'Amirauté* (S.R.C. 1970, c. A-1) conférait à la Cour de l'Échiquier la compétence en ces matières. Celle-ci est maintenant assumée par la Cour fédérale.
  Comp. Cour de l'Échiquier, Cour de vice-amirauté, Cour fédérale
  Angl. *Admiralty Court*

- **Cour d'appel :** Cour générale d'appel pour le Québec qui porta le nom de Cour du banc du roi (ou de la reine selon le souverain régnant), de 1849 à 1970. Elle peut entendre l'appel de tout jugement sujet à ce recours en vertu d'une disposition de la loi. En matière civile, on peut notamment interjeter appel de plein droit des jugements de la Cour supérieure et de la Cour du Québec lorsque la valeur de l'objet du litige en appel est égale ou supérieure à quinze mille dollars ; par contre, une autorisation d'un juge de ce tribunal est requise lorsque le montant est inférieur à cette somme. Il y a également appel de plein droit de tout jugement de ces tribunaux qui n'implique aucune somme d'argent. En matière pénale, les appels ont généralement lieu de plein droit.

  Rem. Les appels sont normalement entendus par un banc de trois juges mais ce nombre peut être plus élevé pour l'audition des causes les plus importantes.
  Angl. *Appeal Court of Quebec, Court of Appeal*

- **Cour d'appel fédérale :** V. COUR FÉDÉRALE.

- **Cour de bien-être social :** Cour d'archives qui, entre 1950 et 1978, avait compétence au Québec pour prononcer sur les poursuites fondées sur la *Loi sur les jeunes délin-*

quants, les recours exercés en vertu de la *Loi sur la protection de la jeunesse*, les demandes d'adoption ainsi que sur les contraventions à une loi provinciale ou à un règlement municipal commises par des personnes mineures.

Rem. Elle a succédé à la Cour des jeunes délinquants et elle a été remplacée par le Tribunal de la jeunesse et, ultérieurement, par la Cour du Québec (Chambre de la jeunesse).

Comp. Cour des jeunes délinquants, Cour du Québec (Chambre de la jeunesse), Tribunal de la jeunesse

Angl. *Social Welfare Court*

- **Cour de chancellerie :** Tribunal présidé par le Chancelier qui fut créé en Angleterre au 15e siècle avec mandat de veiller à l'application des règles d'*equity*.

Rem. Introduite au Canada anglais durant la première moitié du 19e siècle, elle a été abolie, tant en Angleterre que dans les provinces anglaises du Canada, à l'occasion d'une réorganisation de l'appareil judiciaire qui fusionna les cours de *common law* et d'*equity*, permettant désormais à un même tribunal de juger en se fondant sur les règles de l'un ou l'autre système juridique, selon le cas.

Comp. chancelier, Cour d'*equity, equity*

Angl. *Court of Chancery*

- **Cour de circuit :** Tribunal de première instance en matière civile, créé au Québec en 1849 et aboli en 1952, ses pouvoirs ayant été transférés à la Cour de magistrat. Présidée par un juge de la Cour supérieure, elle avait compétence pour entendre de petites causes et elle exerçait un contrôle judiciaire sur la Cour des commissaires et le Tribunal des juges de paix.

Comp. Cour de magistrat, Cour des commissaires

Angl. *Circuit court*

- **Cour de comté :** Cour d'archives de première instance existant dans des provinces canadiennes autres que le Québec, et dont la compétence est limitée à un territoire et à des matières déterminés. Les juges des cours de comté sont nommés par le gouvernement fédéral.

Comp. Cour de district, Cour du Québec

Angl. *County court*

- **Cour de district :** Cour d'archives de première instance existant dans les provinces canadiennes autres que le Québec, et dont la compétence est limitée à un territoire et à des matières déterminés. Les juges des cours de district sont nommés par le gouvernement fédéral.

Rem. La province d'Ontario a fusionné les Cours de comté et de district.

Comp. Cour de comté, Cour du Québec

Angl. *District court*

- **Cour de l'Échiquier :** Cour d'archives créée par le Parlement fédéral en 1875, pour entendre les litiges impliquant la Couronne fédérale ou l'application de lois fédérales.

Rem. Elle a été remplacée, en 1971, par la Cour fédérale.

Comp. Cour d'amirauté, Cour fédérale

Angl. *Exchequer Court*

- **Cour de magistrat :** Cour inférieure d'archives, de juridiction mixte, créée au Québec en 1869 et qui possédait à l'origine compétence en matière d'infractions sommaires et dans les causes civiles n'impliquant que des montants minimes (sauf exceptions prévues par la loi).

Rem. Le législateur québécois lui a attribué progressivement les pouvoirs de la Cour de circuit qu'elle a remplacée en 1952 pour devenir, en 1966, la Cour provinciale et, en 1988, la Cour du Québec (chambre civile).

Comp. Cour de circuit, Cour du Québec, Cour provinciale

Angl. *Court of Magistrate*

- **Cour de révision :** Cour d'appel intermédiaire ayant existé, au Québec, de 1864 à 1920. Composée de trois juges de la Cour supérieure, elle entendait l'appel des jugements finals de la Cour supérieure et de la Cour de circuit, des jugements rendus en matières non contentieuses et en certaines matières municipales.

Angl. *Court of Review*

- **Cour des assises criminelles :** V. ASSISES CRIMINELLES.

- **Cour des commissaires :** Tribunal créé au Québec, en 1843, pour juger en dernier ressort des petites causes, essentiellement en milieu rural. Elle a été abolie en 1966.

Rem. Elle était présidée par une personne ne possédant pas de formation juridique, généralement un notable de la municipalité, qui devait décider en bonne conscience, suivant l'équité et au meilleur de sa connaissance et de son jugement.

Angl. *Commissioners' Court*

- **Cour des jeunes délinquants :** Cour d'archives qui, entre 1910 et 1950, avait compétence pour prononcer sur des poursuites contre de jeunes délinquants ou des personnes mineures ayant commis des contraventions ainsi que sur leur détention dans des écoles industrielles ou de réforme.

Rem. Elle a été remplacée par la Cour de bien-être social.

Comp. Cour de bien-être social, Cour du Québec (Chambre de la jeunesse), Tribunal de la jeunesse.

Angl. *Juvenile Court*

- **Cour des petites créances :** Division de la Chambre civile de la Cour du Québec qui entend les demandes de moins de 3 000$ selon une procédure plus souple et, généralement, sans la présence d'avocats pour représenter les parties. Ses décisions sont finales et sans appel.

Angl. *Small Claims Court*

- **Cour des poursuites sommaires :** Nom donné dans le *Code criminel* au tribunal compétent pour entendre les poursuites pour les infractions punissables par voie de déclaration de culpabilité par procédure sommaire.

Comp. déclaration de culpabilité par procédure sommaire, poursuite

Angl. *summary conviction court*

- **Cour des sessions de la paix :** Cour d'archives de première instance créée en 1849 et qui est devenue, en 1988, une chambre de la Cour du Québec. Elle avait compétence en matière pénale, en vertu des lois tant fédérales que provinciales. Ses juges étaient d'office juges de paix et possédaient notamment le pouvoir de tenir des enquêtes préliminaires et de prononcer sur la majorité des actes criminels et sur les infractions sommaires. Elle agissait notamment comme tribunal de première instance pour toutes les infractions au *Code criminel* qui n'étaient pas réservées à la Cour supérieure.

Comp. Cour du Québec, juge de paix

Angl. *Court of the Sessions of the Peace*

- **Cour de vice-amirauté :** Juridiction d'amirauté créée après la conquête, en 1764, pour entendre les litiges concernant la navigation et le commerce maritime.

Rem. Elle a été remplacée, en 1891, par la Cour de l'Échiquier.

Comp. Cour d'amirauté, Cour de l'Échiquier

Angl. *Vice-admiralty Court*

- **Cour du banc du roi (de la reine) :**
1. Cour d'archives ayant compétence en matières civile et criminelle, créée au Québec en 1793 et que l'on appelait Cour du banc du roi ou de la reine selon le souverain régnant. Elle siégait, à l'origine, en première instance et tenait des termes supérieurs pour les affaires importantes ou des termes inférieurs pour les petites causes. En 1849, sa compétence fut dévolue à la Cour supérieure.

Angl. *Court of King's (Queen's) Bench*

2. Tribunal d'appel créé au Québec en 1849 et qui est à l'origine de la Cour d'appel actuelle.

Angl. *Court of King's (Queen's) Bench*

3. Division de la Cour supérieure du Québec qui, autrefois, désignait les Assises criminelles.

Comp. Assises criminelles

Angl. *Court of King's (Queen's) Bench*

- **Cour du Québec :** Cour d'archives de première instance, créée au Québec en 1988, qui possède une compétence en matières civile, pénale et administrative. Elle exerce la compétence qui appartenait précédemment à la Cour provinciale, à la Cour des sessions de la paix, au Tribunal de la jeunesse et au Tribunal de l'expropriation. Chacun de ces anciens tribunaux constitue présentement une chambre de la Cour du Québec : ce sont la Chambre civile, la Chambre criminelle et pénale, la Chambre de la jeunesse et la Chambre de l'expropriation.

Comp. Cour des sessions de la paix, Cour provinciale, Tribunal de la jeunesse, Tribunal de l'expropriation

Angl. *Court of Quebec*

- **Cour du recorder :** Cour d'archives de première instance constituée autrefois par le conseil d'une ville et présidée par un recorder.

Rem. Elle a été remplacée, en 1964, par la Cour municipale dont la juridiction est identique.

Comp. Cour municipale

Angl. *Recorder's Court*

- **Cour fédérale :** Cour fédérale d'archives

qui, en 1971, a remplacé la Cour de l'Échiquier. Elle comprend deux divisions, une de première instance et une autre d'appel, et ses pouvoirs sont essentiellement déterminés par sa loi constitutive.

Rem. La division de première instance possède une compétence exclusive sur certaines matières alors que, sur d'autres, elle partage sa compétence avec les tribunaux créés par les provinces. Elle exerce notamment un contrôle judiciaire sur les tribunaux inférieurs et les organismes fédéraux. Les jugements de la division de première instance peuvent être portés devant la division d'appel, appelée Cour d'appel fédérale, et l'on peut, sur autorisation, interjeter appel des décisions de cette dernière devant la Cour suprême du Canada.

Angl. *Federal Court*

- **Cour martiale :** Tribunal militaire ayant, en vertu de la *Loi sur la défense nationale*, compétence pour juger et punir les infractions commises par les membres des forces armées.

Angl. *Court martial*

- **Cour municipale :** Cour d'archives constituée par le conseil d'une ville et dont l'étendue de la compétence est limitée à un territoire déterminé. Elle a généralement compétence pour le recouvrement de sommes d'argent dues à la municipalité à raison de taxes ou de permis exigés par cette dernière, pour l'application des règlements ou résolutions du conseil, pour le recouvrement d'amendes imposées par celle-ci et pour la sanction de certaines infractions en matière pénale.

Rem. Depuis 1964, elle remplace, au Québec, la Cour du recorder.

Comp. Cour du recorder

Angl. *Municipal Court*

- **Cour provinciale :** Cour inférieure d'archives, de compétence mixte, qui a remplacé la Cour de magistrat, en 1966, et est devenue une chambre de la Cour du Québec, en 1988. Ses pouvoirs étaient déterminés par le *Code de procédure civile* et par des lois particulières. Elle exerçait une compétence exclusive sur la plupart des litiges civils d'une valeur de moins de 15 000$ et sur certaines matières de droit municipal et scolaire quel que soit, en ces derniers cas, le montant en cause.

Rem. Vu l'existence de la Cour des sessions de la paix, la Cour provinciale a exercé rarement sa compétence en matière pénale.

Comp. Cour de magistrat, Cour des petites créances, Cour des sessions de la paix, Cour du Québec

Angl. *Provincial court*

- **Cour supérieure :** Cour d'archives de compétence mixte qui constitue en matière civile la juridiction de droit commun au Québec.

Rem. Elle connaît en première instance de toute demande qu'une disposition formelle de la loi n'a pas attribuée à une autre juridiction. En règle générale, les causes ne comportant aucune demande en argent sont portées devant elle ainsi que les réclamations d'une somme de 15 000$ et plus. En matière criminelle, elle est saisie des procès pour actes criminels majeurs et elle a compétence pour entendre les appels des décisions rendues en matière d'infractions sommaires. Elle possède le pouvoir de contrôler la légalité des décisions émanant des cours inférieures, des organismes et tribunaux administratifs du Québec ainsi que des personnes morales agissant dans la province.

Comp. contrôle judiciaire, cour supérieure (général)

Angl. *Superior court*

- **Cour suprême du Canada :** Cour générale d'appel, composée de neuf juges, qui constitue la plus haute instance judiciaire du pays, tant en matières civiles que criminelles. Elle a été créée en 1875 par le Parlement fédéral. Elle a pour fonction essentielle de trancher les litiges d'intérêt national, notamment en matière constitutionnelle. À l'exception de certaines causes criminelles pour lesquelles il y a appel de plein droit, tous les appels devant ce tribunal doivent avoir préalablement fait l'objet d'une autorisation.

Rem. Les appels sont généralement entendus par un banc de cinq juges mais ce nombre peut, pour l'audition des causes les plus importantes, être plus élevé et même consister en un banc complet de tous les juges de ce tribunal.

Angl. *Supreme Court of Canada*

Couronne *n.f.*

□ Institution permanente dont le patrimoine est constitué par le domaine et le trésor publics et qui est investie des droits et pouvoirs du Souverain, qu'elle exerce par l'entremise de ses ministres et fonctionnaires.

Rem. **1.** Ce terme désigne symboliquement le pouvoir exécutif. **2.** Depuis l'adoption du *Code civil du Québec*, le terme « Couronne » est exclu progressivement du vocabulaire juridique québécois, étant remplacé par les termes « État », « gouvernement », « procureur général ».
Syn. gouvernement
Comp. corporation de la Couronne, État
Angl. *Crown*

Courrier *n.m.*

☐ Mode de transport reconnu par la loi pour la transmission de documents ou d'objets.
Angl. *mail*

- **Courrier certifié :** Forme de courrier par lequel l'envoyeur reçoit du messager une preuve que le destinataire a reçu l'envoi.
Angl. *certified mail*

- **Courrier recommandé :** Forme de courrier par lequel l'envoyeur reçoit du messager une preuve de l'envoi au destinataire.
Angl. *registered mail*

Courtage *n.m.*

☐ **1.** Opération par laquelle une personne, appelée courtier, met en relation d'autres personnes en vue de la conclusion d'un contrat.
Comp. courtier
Angl. *brokerage*

☐ **2.** La pratique professionnelle de cette activité. Ex. Le courtage immobilier.
Angl. *brokerage*

Courtier, ière *n.*

☐ Intermédiaire de commerce indépendant qui fait profession d'offrir ses services à deux ou plusieurs personnes en vue de négocier ou de conclure l'achat ou la vente d'un bien ou d'effectuer toute autre opération licite.
Rem. Sa tâche consiste généralement à rapprocher les parties pour qu'elles contractent elles-mêmes. Il peut les représenter toutes les deux à moins que leurs intérêts ne soient en conflit. Ses activités sont régies par des règles particulières, propres à son champ d'activité. Ex. Le courtier en immeubles ou en valeurs mobilières.
Syn. agent de change
Comp. courtage
Angl. *broker*

- **Courtier d'assurance :** V. COURTIER EN ASSURANCE.

- **Courtier en assurance :** Personne qui offre directement au public ou à des agents en assurance des produits d'assurance de personnes ou de dommages de plus d'un assureur et qui n'est pas lié par contrat d'exclusivité à l'un de ces assureurs.
Rem. Jusqu'à tout récemment, on employait l'appellation « courtier d'assurance ».
Syn. courtier d'assurance
Comp. assureur, agent en assurance
Angl. *insurance broker*

- **Courtier en immeubles :** Intermédiaire de commerce indépendant qui, moyennant une rémunération, met en relation deux ou plusieurs personnes intéressées à accomplir une opération immobilière, notamment l'achat ou la vente d'un immeuble.
Comp. agent d'immeuble
Angl. *real estate broker*

- **Courtier en valeurs :** En matière de valeurs mobilières, personne qui exerce l'activité d'intermédiaire entre deux ou plusieurs personnes, qui effectue le placement de valeurs pour son propre compte ou pour le compte d'autrui et qui fait du démarchage relié à ses activités professionnelles.
Syn. courtier en valeurs mobilières
Comp. conseiller en valeurs, démarchage, valeur mobilière
Angl. *broker, dealer in securities*

- **Courtier en valeurs mobilières :** V. COURTIER EN VALEURS.

Courtoisie *n.f.*

☐ Reconnaissance qu'un État accorde sur son territoire aux actes législatifs, exécutifs ou judiciaires d'un autre État, non pas par obligation, mais plutôt par respect des convenances internationales et des droits de ses propres citoyens ou des autres personnes qui sont sous sa protection.
Angl. *comity*

- **Courtoisie judiciaire :** Reconnaissance qu'un tribunal d'un État accorde aux décisions d'un tribunal d'un autre État par respect envers celui-ci et non pas en vertu d'une obligation qui lui est imposée par la loi.

Comp. retenue judiciaire
Angl. *comity between Courts, judicial comity*

Cout. Dig.

☐ Abrév. de *Coutlée's Digest.*

Cout. S.C.

☐ Abrév. de *Coutlée's Supreme Court Cases.*

Coutume *n.f.*

☐ Règles juridiques basées sur des usages anciens et répétés qui sont communément acceptées par la communauté. Elle constitue une source de droit à la condition de ne pas contrevenir à un texte de loi.

Comp. convention constitutionnelle, droit coutumier
Angl. *custom*

• **Coutume constitutionnelle :** V. CONVENTION CONSTITUTIONNELLE.

Coutumier, ière *adj.*

☐ V. DROIT COUTUMIER.

Couverture *n.f.*

☐ En matière d'assurance, montant et étendue de la garantie accordée par l'assureur au bénéficiaire.

Comp. assurance, garantie, risque
Angl. *cover, margin*

Covendeur, eresse *n.*

☐ Personne qui vend un bien conjointement avec une autre.

Comp. vendeur
Angl. *joint seller*

C.P.

☐ Abrév. de **1.** Comité judiciaire du Conseil privé ; **2.** Cour provinciale ; **3.** Recueils de jurisprudence de la Cour provinciale.

C.P.C.

☐ Abrév. de **1.** *Code de procédure civile* ; **2.** *Carswell's Practice Cases* ; **3.** *Canadian Pension Commission.*

C.P.C. (2d)

☐ Abrév. de *Carswell's Practice Cases, Second Series.*

C.P./C.S.P./T.J.

☐ Abrév. de Recueils de jurisprudence de la Cour provinciale, de la Cour des sessions de la paix et du Tribunal de la Jeunesse.

C.P.I.

☐ Abrév. de Cahiers de propriété intellectuelle.

C.P. du N.

☐ Abrév. de Cours de perfectionnement du notariat.

C.P.L.M.

☐ Abrév. de Codification permanente des lois du Manitoba.

C.P.R.

☐ Abrév. de *Canadian Patent Reporter.*

C.P.R. (2d)

☐ Abrév. de *Canadian Patent Reporter, Second Series.*

C.P.R. (3d)

☐ Abrév. de *Canadian Patent Reporter, Third Series.*

C.P.R. (N.S.)

☐ Abrév. de *Canadian Patent Reporter, New (Third) Series.*

C.Q.

☐ Abrév. de Cour du Québec.

C.R.

- ☐ Abrév. de **1.** Conseiller du roi (de la reine) ; **2.** Cour de révision ; **3.** *Criminal Reports*.

C.R. (3d)

- ☐ Abrév. de *Criminal Reports, Third Series.*

C.R.A.C.

- ☐ Abrév. de *Canadian Reports, Appeal Cases.*

Crainte *n.f.*

- ☐ Peur causée par des menaces de violence physique ou morale et qui détermine une personne à conclure un acte juridique. Ex. Le chantage peut causer la crainte.

  Comp. violence
  Angl. *fear*

- • **Crainte révérentielle :** Crainte qu'inspirent le père, la mère ou un autre ascendant en raison de leur autorité et du respect qui leur est dû. Elle ne constitue pas un motif suffisant d'annulation d'un contrat.

  Rem. À l'instar du Code civil français, certains auteurs écrivent plutôt « révérencielle ».
  Angl. *reverential fear*

Cr. App. R.

- ☐ Abrév. de *Criminal Appeal Reports.*

Cr.C.

- ☐ Abrév. de *Criminal Code.*

C.R.C.

- ☐ Abrév. de **1.** Codification des règlements du Canada ou *Consolidated Regulations of Canada* ; **2.** *Canadian Railway Cases.*

C.R.D.

- ☐ Abrév. de Commission de réforme du droit du Canada.

Créance *n.f.*

- ☐ **1.** Droit personnel en vertu duquel une personne, appelée créancier, peut exiger d'une autre, appelée débiteur, l'exécution d'une obligation, le paiement d'une dette.

  Contr. dette
  Comp. créancier
  Angl. *account receivable, claim, creance, debt*

- • **Créance alimentaire :** Droit pour une personne de réclamer des aliments.

  Comp. aliments
  Angl. *support*

- • **Créance certaine :** V. CERTAIN.

- • **Créance chirographaire :** V. CRÉANCE ORDINAIRE.

- • **Créance conjointe :** V. CONJOINT (adj).

- • **Créance exigible :** V. EXIGIBLE.

- • **Créance garantie :** V. CRÉANCE PRIVILÉGIÉE.

- • **Créance hypothécaire :** Créance garantie par une hypothèque sur un meuble ou un immeuble du débiteur.

  Comp. hypothèque
  Angl. *debt secured by a mortgage, hypothecary creance, mortgage claim*

- • **Créance liquide :** V. LIQUIDE.

- • **Créance ordinaire :** Créance qui n'est garantie par aucune sûreté particulière.

  Syn. créance chirographaire
  Comp. sûreté
  Angl. *chirographic creance, ordinary creance*

- • **Créance portable :** V. PORTABLE.

- • **Créance prioritaire :** Créance à laquelle la loi attache, en faveur d'un créancier, le droit d'être préféré aux autres créanciers, même hypothécaires, suivant la cause de sa créance (*Code civil du Québec*, art. 2650).

  Syn. priorité, privilège
  Comp. créancier prioritaire
  Angl. *prior claim*

- • **Créance privilégiée :** Créance à laquelle la loi attache, en faveur d'un créancier, le droit d'être préféré aux autres créanciers, même hypothécaires, suivant la cause de sa créance.

  Syn. créance garantie, priorité, privilège
  Comp. créancier privilégié
  Angl. *preferential debt, privileged claim*

- **Créance quérable :** V. QUÉRABLE.

- **Créance solidaire :** V. SOLIDAIRE.

☐ **2.** V. LETTRES DE CRÉANCE.

Créancier, ière *n.*

☐ Personne qui est titulaire d'une créance.
Contr. débiteur
Comp. cocréancier, créance
Angl. *creditor*

- **Créancier alimentaire :** Personne qui a droit à des aliments.
Syn. créancier d'aliments
Comp. aliments
Angl. *creditor of support*

- **Créancier chirographaire :** V. CRÉANCIER ORDINAIRE.

- **Créancier d'aliments :** V. CRÉANCIER ALIMENTAIRE.

- **Créancier gagiste :** Créancier dont la créance est garantie par un gage sur un ou des biens appartenant au débiteur.
Comp. gage, gagiste
Angl. *pawnee*

- **Créancier garanti :** Créancier qui détient une hypothèque, un nantissement, une charge, un gage ou un privilège (ou priorité) sur un ou plusieurs biens de son débiteur.
Angl. *secured creditor*

- **Créancier hypothécaire :** Créancier dont la créance est garantie par une hypothèque sur un ou des biens appartenant au débiteur.
Contr. créancier ordinaire
Comp. hypothécaire, hypothèque
Angl. *hypothecary creditor*

- **Créancier nanti :** Créancier dont la créance est garantie par un nantissement sur un ou des biens appartenant au débiteur.
Comp. nanti, nantissement
Angl. *pledgee*

- **Créancier ordinaire :** Créancier qui ne détient aucune garantie particulière sur les biens appartenant à son débiteur pour le paiement de sa créance.
Syn. créancier chirographaire
Contr. créancier hypothécaire, créancier prioritaire, créancier privilégié
Comp. concours
Angl. *chirographic creditor, ordinary creditor*

- **Créancier prioritaire :** Créancier dont la créance est garantie par une priorité sur un ou plusieurs biens du débiteur.
Contr. créancier ordinaire
Comp. prioritaire, priorité
Angl. *prior creditor*

- **Créancier privilégié :** Créancier dont la créance est garantie par un privilège sur un ou plusieurs biens du débiteur.
Contr. créancier ordinaire
Comp. privilège
Angl. *privileged creditor*

Crédibilité *n.f.*

☐ Caractère de ce qui mérite d'être cru, de ce qui est vraisemblable. Ex. La crédibilité d'un témoignage.
Comp. crédible, témoignage, véracité
Angl. *credibility*

Crédible *adj.*

☐ Qui mérite d'être cru, qui est vraisemblable. Ex. Un témoin crédible, un témoignage crédible.
Comp. crédibilité, témoin
Angl. *credible*

Crédirentier, ière *n.*

☐ Personne créancière d'une rente.
Contr. débirentier
Comp. constitution de rente, rente
Angl. *creditor of the rent*

Crédit-bail *n.m.*

☐ **1.** Forme particulière de financement par laquelle une société de crédit achète d'un fabricant ou d'un distributeur, à la demande d'un client, un meuble qu'elle loue aussitôt à ce dernier moyennant un loyer mensuel équivalant à la somme du prix d'achat et du coût du crédit pour la durée du contrat de location. À la fin du bail, le locataire peut généralement choisir de renouveler le contrat, restituer le bien ou racheter celui-ci pour une valeur résiduelle dont les parties auront convenu à l'origine.

Rem. Ce type de contrat, qui est d'inspiration américaine, est souvent appelé « leasing ».

Comp. bail, crédit-bailleur, crédit-preneur

Angl. *leasing*

☐ **2.** Contrat par lequel une personne, le crédit-bailleur, met un meuble à la disposition d'une autre personne, le crédit-preneur, pendant une période de temps déterminée et moyennant contrepartie. Le bien qui fait l'objet du crédit-bail est acquis d'un tiers par le crédit-bailleur, à la demande du crédit-preneur et conformément aux instructions de ce dernier. Le crédit-bail ne peut être consenti qu'à des fins d'entreprise (*Code civil du Québec*, art. 1842).

Angl. *leasing*

Crédit-bailleur *n.m.*

☐ Dans un contrat de crédit-bail, personne qui met le meuble à la disposition de son cocontractant, le crédit-preneur.

Contr. crédit-preneur

Comp. crédit-bail

Angl. *lessor*

Crédit d'impôt

☐ Décharge totale ou diminution d'impôt ou de taxe accordée par l'administration fiscale à une personne physique ou morale en vue de réduire son fardeau fiscal.

Syn. dégrèvement

Comp. abattement, exemption, exonération

Angl. *tax credit*

Crédit-preneur *n.m.*

☐ Dans un contrat de crédit-bail, personne qui prend possession du meuble que son cocontractant, le crédit-bailleur, a mis à sa disposition.

Contr. crédit-bailleur

Comp. crédit-bail

Angl. *lessee*

C. Rév.

☐ Abrév. de Cour de révision.

Crime *n.m.*

☐ Comportement prohibé par le Parlement fédéral parce qu'il porte atteinte aux valeurs fondamentales de la société. Le crime est une infraction de droit pénal grave pour laquelle on doit faire la preuve de l'état d'esprit coupable (*mens rea*) de la personne accusée. Ex. Le meurtre est un crime.

Comp. acte criminel, criminalisation, criminalisé, criminel, droit criminel, droit pénal, infraction, infraction criminelle, *mens rea*

Angl. *crime*

- **Crime contre l'humanité :** Assassinat, extermination, réduction en esclavage, déportation, persécution ou autre fait acte ou omission inhumain d'une part, commis contre une population civile ou un groupe identifiable de personnes qu'il ait ou non constitué une transgression du droit en vigueur à l'époque ou au lieu de la perpétration et d'autre part, soit constituant, à l'époque et dans ce lieu, une transgression du droit international coutumier ou conventionnel, soit ayant un caractère criminel d'après les principes généraux de droit reconnus par l'ensemble des nations (*Code criminel*, L.R.C. 1985, c. C-46, art. 7).

- **Crime de guerre :** Fait acte ou omission commis au cours d'un conflit armé international qu'il ait ou non constitué une transgression du droit en vigueur à l'époque et au lieu de la perpétration et constituant, à l'époque et dans ce lieu, une transgression du droit international coutumier ou conventionnel applicable à de tels conflits (*Code criminel*, L.R.C. 1985, c. C-46, art. 7).

Criminalisation *n.f.*

☐ **1.** Action de faire passer sous le contrôle du droit criminel un fait qui auparavant lui échappait.

Comp. acte criminel, crime, criminel, infraction criminelle

Angl. *criminalization*

☐ **2.** Action de faire passer une affaire d'une juridiction civile ou pénale à une juridiction criminelle.

Contr. décriminalisation

Angl. *criminalization*

☐ **3.** Action d'ériger en crime un fait qui constituait antérieurement une infraction de moindre importance.

Comp. crime, infraction
Angl. *criminalization*

Criminalisé, ée *adj.*

☐ Qui a des antécédents judiciaires.

Comp. récidiviste
Angl. *criminalized*

Criminaliste *n.*

☐ Juriste qui se spécialise dans l'étude ou la pratique du droit criminel.

Rem. En général, ce terme sert à qualifier le praticien qui exerce essentiellement en droit criminel.
Comp. administrativiste, civiliste, commercialiste, fiscaliste, pénaliste, privatiste, publiciste
Angl. *criminalist, specialist in criminal law*

Criminel, elle *adj. et n.*

☐ **1.(adj.)** Qui est relatif à un crime, qui a trait à la répression des crimes. Ex. Une poursuite criminelle.

Comp. crime, criminalisation
Angl. *criminal*

☐ **2.(adj.)** Qui possède les caractéristiques d'un crime, qui dénote un état d'esprit coupable.

Comp. acte criminel, crime, infraction criminelle, infraction de *mens rea*
Angl. *criminal*

☐ **3.(n.)** Personne qui commet un crime ou qui a été condamnée pour un crime.

Comp. contrevenant, crime
Angl. *criminal*

• **Criminel tient le civil en état (le) :** Principe de droit que l'on applique lorsqu'une personne est poursuivie pour une même contravention à la loi devant des juridictions civiles et pénales, et en vertu duquel le juge civil doit surseoir à statuer sur la demande dont il est saisi jusqu'à ce qu'un jugement final soit prononcé dans la poursuite pénale.

Crim. L.Q.

☐ Abrév. de *Criminal Law Quarterly.*

C.R.N.S.

☐ Abrév. de *Criminal Reports, New Series.*

C.R.O.

☐ Abrév. de Commission des relations ouvrières (du Québec).

C.R.P.

☐ Abrév. de Conseil de révision des pensions.

C.R.R.

☐ Abrév. de *Canadian Rights Reporter.*

C.R.T.

☐ Abrév. de Commission des relations de travail (du Québec).

C.R.T.C.

☐ Abrév. de **1.** *Canadian Railway and Transport Cases* ; **2.** Conseil de la radio-diffusion et des télécommunications canadiennes.

C.R.T.F.P.

☐ Abrév. de Commission des relations de travail dans la Fonction publique.

Cruauté mentale

☐ Comportement de l'un des époux qui consiste à poser des gestes ou à prononcer des paroles portant atteinte à la santé physique ou émotionnelle de l'autre. Cette conduite, lorsqu'elle rend la vie commune intolérable, constitue une cause de divorce.

Comp. injure, sévices
Angl. *mental cruelty*

C.S.

☐ Abrév. de **1.** Cour supérieure ; **2.** Cour suprême (d'une province) ; **3.** Recueils de jurisprudence de la Cour supérieure du Québec.

C. & S.

☐ Abrév. de *Clarke and Scully's Drainage Cases.*

C.S.C. ou C.S. Can.

☐ Abrév. de **1.** Cour suprême du Canada ; **2.** Recueils de la Cour suprême du Canada.

C.S.N.S.

☐ Abrév. de *Consolidated Statutes of Nova Scotia.*

C.S.P.

☐ Abrév. de **1.** Cour des sessions de la paix ; **2.** Recueils de jurisprudence de la Cour des sessions de la paix.

C.S.R.

☐ Abrév. de Commission scolaire régionale.

C.S.S.T.

☐ Abrév. de la Commission de la santé et de la sécurité du travail.

Ct.

☐ Abrév. de *Court.*

C.T.

☐ Abrév. de **1.** *Code du travail* ; **2.** Commission du tarif ; **3.** Conseil du trésor ou arrêté émanant du Conseil du trésor ; **4.** Décisions des commissaires du travail.

C.T.C.

☐ Abrév. de **1.** *Canada Tax Cases* ; **2.** *Canadian Transport Cases* ; **3.** *Canadian Transport Commission* ou Commission des transports du Canada.

C.T.C. (N.S.)

☐ Abrév. de *Canada Tax Cases, New Series.*

Ct. Crim. App.

☐ Abrév. de *Court of Criminal Appeals.*

C.T.C.U.M.

☐ Abrév. de Commission de transport de la Communauté urbaine de Montréal.

C.T.C.U.Q.

☐ Abrév. de Commission de transport de la Communauté urbaine de Québec.

Ctee

☐ Abrév. de *Committee.*

C.T.M.

☐ Abrév. de *Canada Tax Manual.*

Ct. Martial App. Ct.

☐ Abrév. de *Court Martial Appeal Court.*

C.T.Q.

☐ Abrév. de Commission des transports du Québec.

C. Trans. C.

☐ Abrév. de *Canadian Transport Cases.*

Ct. Rev.

☐ Abrév. de *Court of Review.*

Ct. Sess. P.

☐ Abrév. de *Court of Sessions of the Peace.*

C.T./T.T.

☐ Abrév. de Décisions du Commissaire du travail et du Tribunal du travail.

C.U.B.

☐ Abrév. de *Canadian Unemployment Board.*

Culpabilité *n.f.*

☐ Fait pour une personne d'être reconnue coupable d'une infraction par un tribunal compétent.

Contr. innocence
Comp. coupable, présomption de culpabilité
Angl. *culpability, guilt*

Culpa in commitendo

☐ Locution latine signifiant « faute en commettant » et qui désigne la faute procédant d'un acte positif de la part de son auteur.

Syn. faute par commission
Contr. *culpa in omittendo*, faute par omission

Culpa in omittendo

☐ Locution latine signifiant « faute en omettant » et qui désigne la faute découlant d'une abstention ou d'une inaction de la part de son auteur.

Syn. faute par omission
Contr. *culpa in commitendo*, faute par commission

Cumul des causes d'action

☐ Réunion en une seule demande en justice de plusieurs recours qui ont le même fondement juridique ou qui sont basés sur les mêmes faits. Il est permis lorsque les recours tendent à des condamnations de même nature et qu'ils ne sont ni incompatibles ni contradictoires. Ex. Le cumul, dans une même demande, de recours en injonction et en dommages-intérêts.

Comp. cause d'action
Angl. *joinder of causes of action*

Curatelle *n.f.*

☐ Régime de protection d'un majeur inapte à prendre soin de lui-même et à administrer ses biens, totalement et de façon permanente, et qui a besoin d'être représenté dans l'exercice de ses droits civils.

Rem. Le *Code civil du Bas-Canada* emploie le terme « curatelle » à l'égard de l'absent, de l'enfant conçu qui n'est pas encore né et du mineur émancipé. Le *Code civil du Québec* utilise plutôt, dans ces cas, le terme « tutelle ».
Comp. conseil de famille, conseil de tutelle, conseiller, tutelle
Angl. *curatorship, guardianship*

- **Curatelle à l'absent :** Curatelle déférée par le tribunal sur avis du conseil de famille à un absent lorsqu'il y a nécessité de pourvoir à l'administration de ses biens et que celui-ci n'a pas de procureur pour le représenter ou lorsque celui-ci n'est pas connu ou refuse d'agir.

  Rem. Dans le *Code civil du Québec*, il y a tutelle, plutôt que curatelle, à l'absent.
  Syn. tutelle à l'absent
  Comp. absent
  Angl. *curatorship to the absentee*

- **Curatelle à la personne :** Curatelle ayant pour objet la protection d'une personne inapte dans l'exercice de ses droits.

  Comp. curatelle aux biens, tutelle à la personne
  Angl. *curatorship to the person*

- **Curatelle au majeur :** Régime de protection auquel est soumise une personne majeure lorsqu'il est établi que son inaptitude à prendre soin d'elle-même et à administrer ses biens est totale et permanente, et qu'elle a besoin d'être représentée dans l'exercice de ses droits civils.

  Comp. conseiller au majeur, interdiction, tutelle au majeur
  Angl. *curatorship to a person of full age*

- **Curatelle aux biens :** Curatelle ayant pour objet l'administration des biens d'un majeur inapte.

  Comp. curatelle à la personne, tutelle aux biens
  Angl. *curatorship to property*

- **Curatelle publique :** Charge, fonction du curateur public.

  Comp. curateur public
  Angl. *public curatorship*

Curateur, trice *n.*

☐ Personne nommée par la loi ou par un tribunal pour assister ou représenter un individu dans la gestion de ses biens ou dans l'exercice de ses droits, ou dans ces deux fonctions à la fois.

Rem. Selon le *Code civil du Québec*, le tribunal ouvre une curatelle uniquement pour un majeur inapte et lorsqu'il est établi que son inaptitude à prendre soin de lui-même et à administrer ses biens est totale et permanente et qu'il a besoin d'être représenté dans l'exercice de ses droits civils. Lorsque l'inaptitude est partielle ou temporaire, il lui nomme alors un tuteur.

Comp. tuteur

Angl. *curator, guardian*

- **Curateur à l'absent :** Personne nommée par un tribunal pour administrer les biens d'un absent.

  Rem. Dans le *Code civil du Québec,* cette personne porte le nom de tuteur.

  Syn. tuteur à l'absent

  Comp. absent

  Angl. *curator to the absentee*

- **Curateur à la personne :** Personne nommée par la loi ou par un tribunal pour assister ou représenter un incapable dans l'exercice de ses droits et dont les pouvoirs varient selon le degré d'incapacité de l'individu. Ex. Le curateur au majeur inapte.

  Angl. *curator to the person*

- **Curateur au mineur émancipé :** Personne chargée d'assister le mineur non marié qui a été émancipé judiciairement, lorsqu'il exerce certains de ses droits, notamment lorsqu'il pose des actes qui ne sont pas de pure administration.

  Rem. Dans le *Code civil du Québec,* cette personne porte le nom de tuteur.

  Syn. tuteur au mineur émancipé

  Angl. *curator to the emancipated minor*

- **Curateur au ventre :** Personne nommée par un tribunal pour défendre les intérêts d'un enfant à naître et en administrer les biens jusqu'à sa naissance.

  Rem. Selon le *Code civil du Québec,* les père et mère exercent la tutelle légale de leur enfant conçu qui n'est pas encore né et ils sont chargés d'agir pour lui dans tous les cas où son intérêt patrimonial l'exige.

  Angl. *curator to a child conceived but not yet born, curator to a child unborn*

- **Curateur aux biens :** Personne nommée par la loi ou par un tribunal pour administrer les biens d'une autre personne. Ex. Le curateur aux biens d'un absent, d'une corporation éteinte.

  Angl. *curator to property*

- **Curateur public :** Personne nommée par le gouvernement du Québec et qui a pour fonctions principales de surveiller l'administration des tuteurs et des curateurs, d'agir comme tuteur, curateur ou administrateur du bien d'autrui lorsque ces charges lui sont confiées par un tribunal et d'assurer la tutelle aux biens des mineurs ainsi que la tutelle ou la curatelle aux majeurs sous un régime de protection lorsqu'ils ne sont pas pourvus d'un tuteur ou d'un curateur.

  Angl. *public curator*

Cure fermée

☐ Placement d'une personne dans un établissement de santé ou de services sociaux lorsque son état mental est susceptible de mettre en danger soit sa santé ou sa sécurité, soit la santé ou la sécurité d'autres personnes.

Comp. internement

Angl. *close cure, close treatment*

C.Y.I.L.

☐ Abrév. de *Canadian Yearbook of International Law.* / Annuaire canadien de Droit international.

D

D.

☐ Abrév. de Recueil Dalloz.

D.A.

☐ Abrév. de Dalloz analytique.

Dalhousie L.J.

☐ Abrév. de *Dalhousie Law Journal.*

Damnum emergens

☐ Expression latine désignant, en matière de responsabilité civile, la perte pécuniaire réelle encourue par la victime d'un dommage, par opposition au *lucrum cessans* ou manque à gagner dont elle sera privée.
Comp. dommages-intérêts, *lucrum cessans*

Date certaine

☐ **1.** Date déterminée.
Angl. *real date*

☐ **2.** Date d'un écrit qui fait preuve à l'égard des tiers parce qu'elle a été consignée dans un acte authentique ou, s'il s'agit d'un acte sous seing privé, parce qu'une formalité (l'enregistrement) ou un événement (le décès d'une partie ou de l'un des témoins à l'acte) en attestent l'existence. Dans le cas d'un acte sous seing privé, elle peut cependant être établie contre les tiers par une preuve légale.
Angl. *undisputable date*

☐ **3.** Date apposée par l'officier public dans un acte authentique.
Rem. Sa contestation s'effectue par inscription de faux.
Comp. acte authentique, inscription de faux
Angl. *undisputable date*

Datif, ive *adj.*

☐ Se dit d'une charge qui peut être conférée par une autorité judiciaire.
Comp. tutelle dative
Angl. *dative*

Dation *n.f.*

☐ **1.** Action de donner.
Comp. clause de dation en paiement
Angl. *giving*

• **Dation en paiement :** Mode d'extinction d'une obligation par lequel le débiteur remet au créancier, qui accepte, une chose différente de celle dont ils avaient initialement convenu.
Comp. paiement
Angl. *giving in payment*

• **Dation en paiement (clause de) :** V. CLAUSE DE DATION EN PAIEMENT.

☐ **2.** Par extension, objet donné en paiement.
Angl. *given object, given thing*

D.C.

☐ Abrév. de Dalloz critique.

D.C.A.

☐ Abrév. de Dorion, Décisions de la Cour d'appel / *Dorion's Queen's Bench Reports (Canada) (1880-86).*

D.C.D.

☐ Abrév. de Décisions sur les conflits de droit dans les relations de travail.

D.C.D.R.T.

☐ Abrév. de Décisions sur les conflits de droit dans les relations de travail.

D.C.L.

☐ Abrév. de Décisions de la Commission des loyers.

D.C.R.T.

☐ Abrév. de Décisions de la Commission des relations de travail.

D.D.C.P.

☐ Abrév. de Décisions disciplinaires concernant les corporations professionnelles.

D.D.E.

☐ Abrév. de Droit disciplinaire Express.

Débats *n.m.pl.*

☐ **1.** Discussions d'une assemblée délibérante. Ex. Les débats de l'Assemblée nationale.
Comp. clôture, compte rendu officiel des débats
Angl. *debates*

☐ **2.** Examen contradictoire d'une question, d'un document.
Comp. compte (débats de)
Angl. *contestation*

☐ **3.** Mot employé pour désigner l'instruction d'un procès.
Angl. *hearing, proceedings*

• **Débats (réouverture des) :** Réouverture de l'instruction d'un procès civil, à la demande d'une partie ou à l'initiative du juge qui délibère, afin qu'une preuve complémentaire ou que des éclaircissements nécessaires soient apportés par les parties ou l'une d'elles.
Syn. réouverture d'enquête
Angl. *reopening of the hearing*

Débauchage *n.m.*

☐ **1.** Acte par lequel un employeur met fin au contrat qui le lie à l'un ou à plusieurs de ses employés faute de travail à exécuter.
Comp. licenciement
Angl. *layoff*

☐ **2.** Agissements d'un futur employeur visant à convaincre un salarié de quitter l'emploi qu'il occupe dans une entreprise.
Comp. licenciement
Angl. *enticing away*

Débauche *n.f.*

☐ V. MAISON DE DÉBAUCHE.

De bene esse

☐ Locution latine signifiant « de façon conditionnelle ou provisoire », « en anticipation d'un usage futur » (sens littéral : « être bien mieux »).

• ***De bene esse* (preuve) :** Preuve recueillie provisoirement afin d'empêcher qu'elle ne soit perdue et qui peut servir plus tard s'il est alors impossible de présenter une meilleure preuve. Ex. La réception *de bene esse* du témoignage d'une personne gravement malade dont on craint l'absence lors du procès.
Comp. *ad futuram memoriam*
Angl. *de bene esse evidence*

Débenture

☐ Valeur mobilière émise par une personne morale en reconnaissance d'une dette, qui prévoit le paiement d'une somme déterminée au porteur et porte intérêt jusqu'à son échéance.
Rem. En principe, son remboursement n'est protégé par aucune garantie spécifique. Émise contre de l'argent, elle est habituellement accordée sur le crédit général de la personne morale qui se sert de l'emprunt à titre de financement. Ex. Les obligations d'épargne du Canada ou celles qui sont émises par les municipalités sont en réalité des débentures.
Comp. bon, obligation
Angl. *debenture*

Débirentier, ière *n.*

□ Personne débitrice d'une rente.

Contr. crédirentier
Comp. constitution de rente, rente
Angl. *debtor of an annuity, debtor of a rent*

Débiteur, trice *n.*

□ Personne qui est tenue d'exécuter une obligation envers une autre.

Contr. créancier
Comp. codébiteur
Angl. *debtor*

• **Débiteur saisi :**
1. Débiteur dont les biens ont été saisis en justice.

Comp. saisie
Angl. *debtor, judgment debtor*

2. Lors d'une saisie-arrêt, débiteur dont les biens ont été saisis entre les mains du tiers-saisi.

Comp. saisie-arrêt, tiers-saisi
Angl. *debtor, judgment debtor*

De bonis

□ Locution latine signifiant « au sujet des biens ». S'emploie pour qualifier la saisie-exécution des biens meubles du débiteur.

Comp. bref de saisie-exécution, *de terris*

Débours *n.m.*

□ Dépenses avancées par une personne au profit d'une autre et qui doivent généralement faire l'objet d'un remboursement. Ex. Les sommes avancées par un avocat au profit de son client.

Syn. déboursés
Comp. dépens, honoraires
Angl. *costs, disbursements*

Déboursés *n.m.pl.*

□ Dépenses avancées par une personne au profit d'une autre et qui doivent généralement faire l'objet d'un remboursement. Ex. Les sommes avancées par un avocat au profit de son client.

Syn. débours
Comp. dépens, honoraires
Angl. *costs, disbursements*

• **Déboursés extrajudiciaires :** Dans un procès civil, dépenses qui ont été encourues par une partie ou son procureur mais qui ne sont pas comprises dans le tarif judiciaire ; conséquemment, leur remboursement ne peut être réclamé de la partie adverse. Ex. Les frais de déplacement, de rencontres, de téléphone, de recherche.

Comp. déboursés judiciaires, dépens, honoraires extrajudiciaires
Angl. *extrajudicial costs, extrajudicial disbursements*

• **Déboursés judiciaires :** Dans un procès civil, dépenses encourues par une partie ou son procureur qui peuvent être taxées conformément au tarif judiciaire. A moins que le juge en ait décidé autrement, ils sont supportés par la partie perdante. Avec les honoraires judiciaires, ces déboursés forment les dépens. Ex. Les frais de signification, de sténographie ou d'enregistrement et la taxe des témoins.

Comp. déboursés extrajudiciaires, dépens, honoraires judiciaires
Angl. *judicial costs, judicial disbursements*

Débouté *n.m.*

□ Jugement qui rejette une demande en justice parce qu'elle est irrecevable ou non fondée.

Comp. déboutement, débouter
Angl. *dismissal, nonsuit*

Déboutement *n.m.*

□ Action de rejeter une demande en justice.

Comp. débouté, débouter
Angl. *dismissal, nonsuiting*

Débouter *v.tr.*

□ Rejeter par jugement une demande en justice.

Comp. débouté, déboutement
Angl. *to dismiss, to nonsuit*

Débrayage *n.m.*

□ **1.** Action de se mettre en grève.

Comp. grève
Angl. *strike, walk out*

□ **2.** Terme généralement employé pour désigner une grève de courte durée.

Comp. grève
Angl. *strike, walk out*

Déc. B.-C.

☐ Abrév. de Décisions des tribunaux du Bas-Canada.

Décentralisation *n.f.*

☐ Transfert ou répartition de compétence entre deux ou plusieurs centres de décision.
Angl. *deconcentration*

• **Décentralisation administrative :** Forme de décentralisation suivant laquelle l'administration centrale délègue une partie de son pouvoir de décision ou de son pouvoir réglementaire à des agents ou organismes, leur conférant ainsi une plus grande autonomie.
Contr. centralisation administrative, concentration
Comp. autonomie, déconcentration
Angl. *administrative decentralization*

• **Décentralisation politique :** Forme de décentralisation suivant laquelle la compétence législative de l'État est partagée entre deux ordres de gouvernement qui sont pleinement autonomes dans leurs champs respectifs de compétence. Ex. Le fédéralisme canadien prévoit un partage des compétences entre le fédéral et les provinces.
Contr. centralisation politique
Angl. *political decentralization*

Décès *n.m.*

☐ Mort naturelle d'une personne.
Contr. naissance
Angl. *death*

• **Décès (actes de) :** Selon le *Code civil du Québec*, actes de l'état civil dressés sans délai à partir des constats et des déclarations reçus par le directeur de l'état civil, relatifs aux décès qui surviennent au Québec ou qui concernent une personne qui y est domiciliée.
Comp. acte de sépulture
Angl. *acts of death*

• **Décès (constat de) :** Acte instrumentaire constatant le décès d'une personne.
Rem. Il est dressé par le médecin qui a constaté le décès ou, à défaut, par deux agents de la paix et il énonce le nom et le sexe du défunt, ainsi que les lieu, date et heure du décès.
Angl. *attestation of death*

• **Décès (déclaration de) :** Déclaration écrite faite au directeur de l'état civil par le conjoint, un proche parent ou un allié du défunt ou, à défaut, par toute autre personne capable de l'identifier, dans laquelle il énonce le nom et le sexe du défunt, le lieu et la date de sa naissance, le lieu de son dernier domicile, les lieu, date et heure du décès, le lieu et le mode de disposition du corps, ainsi que le nom de ses père et mère et, le cas échéant, de son conjoint.
Angl. *declaration of death*

• **Décès (jugement déclaratif de) :** V. JUGEMENT DÉCLARATIF DE DÉCÈS.

Décharge *n.f.*

☐ **1.** Libération d'une obligation.
Comp. remise
Angl. *discharge, release*

☐ **2.** Par extension, acte qui constate la libération.
Comp. quittance
Angl. *discharge*

☐ **3.** Exonération de toute responsabilité pénale.
Comp. responsabilité
Angl. *exoneration*

• **Décharge (témoin à) :** V. TÉMOIN À DÉCHARGE.

Déchéance *n.f.*

☐ Perte d'un droit, d'une faculté, d'une qualité ou d'un bénéfice encourue à titre de sanction pour cause de défaut d'exercice dans le délai prévu ou dans les conditions prescrites par la loi.
Comp. péremption
Angl. *forfeiture*

• **Déchéance de l'autorité parentale :** Perte totale des attributs de l'autorité parentale prononcée par le tribunal, à titre de sanction, à l'égard des père et mère, de l'un d'eux ou du tiers à qui elle aurait été attribuée, lorsque des motifs graves et l'intérêt de l'enfant justifient une telle mesure.

Comp. autorité parentale
Angl. *deprivation of parental authority*

- **Déchéance du terme :** Perte du bénéfice du terme encourue, à titre de sanction, par le débiteur dont la dette devient alors immédiatement exigible. Ex. Le débiteur perd le bénéfice du terme s'il devient insolvable ou s'il fait défaut de respecter les conditions en considérations desquelles le bénéfice lui avait été accordé.

Comp. bénéfice du terme, délai préfix
Angl. *forfeiture of (the) term*

Décisif, ive *adj.*

□ V. PIÈCE DÉCISIVE.

Décision *n.f.*

□ **1.** Action de décider, de prendre position à l'égard d'une situation précise suivant un processus qui peut être plus ou moins élaboré. Par extension, son résultat. Ex. La décision d'un conseil d'administration.

Comp. délibération
Angl. *decision*

□ **2.** Terme générique désignant un jugement ou une ordonnance que rend une autorité judiciaire ou un arbitre.

Rem. En règle générale, on appelle « jugement » une décision prononcée par un tribunal de première instance et « arrêt » celle qui est rendue par une cour d'appel.
Comp. arrêt, jugement, sentence arbitrale
Angl. *decision, judgment*

- **Décision de principe :** V. ARRÊT DE PRINCIPE.

- **Décision d'espèce :** Décision d'un tribunal qui est rendue, non pas sur la base des principes généraux du droit, mais plutôt en considération des circonstances particulières de l'affaire qui lui a été soumise.

Contr. arrêt de principe
Angl. *ad hoc decision*

□ **3.** Terme parfois employé pour désigner le dispositif du jugement (par opposition aux motifs).

Comp. dispositif, motif
Angl. *conclusion*

Décisoire *adj.*

□ Qui décide, qui emporte la décision dans un procès.

Comp. serment décisoire
Angl. *decisory*

Déclarant, ante *n.*

□ Personne qui fait une déclaration.

Angl. *declarant*

Déclaratif, ive *adj.*

□ Se dit d'un acte qui constate un fait ou un droit préexistant. Ex. Un jugement déclaratif de présomption de décès d'un assuré.

Contr. constitutif
Angl. *declaratory*

- **Déclaratif du partage (effet) :** Dans une succession, effet du partage en vertu duquel chaque héritier est censé avoir succédé seul et immédiatement à tous les biens compris dans son lot ou qui lui sont échus sur licitation et n'avoir jamais eu la propriété des autres biens de la succession.

Angl. *declaratory effect of partition*

Déclaration *n.f.*

□ **1.** Acte de procédure écrite dans lequel le demandeur, dans une instance civile, expose les faits à la base de son action et les conclusions qu'il recherche contre le défendeur.

Comp. défense, réplique, réponse
Angl. *declaration*

- **Déclaration conjointe :** Déclaration unique introduite d'un commun accord par les parties, en matière familiale, dans laquelle elles exposent l'objet de leur demande, les moyens sur lesquels elle est fondée ainsi que leurs conclusions communes et respectives.

Comp. requête conjointe
Angl. *joint declaration*

□ **2.** Affirmation orale ou écrite faite par une partie ou un témoin et portant sur des faits relatifs à un litige.

Comp. aveu, confession
Angl. *declaration, statement*

• **Déclaration affirmative :** Déclaration sous serment effectuée au greffe de la juridiction compétente par le tiers entre les mains duquel une saisie-arrêt a été pratiquée, dans laquelle il précise les sommes d'argent qu'il doit au débiteur ou les biens de ce dernier qui sont en sa possession.

Contr. déclaration négative

Angl. *affirmative declaration, affirmative statement*

• **Déclaration de culpabilité par procédure sommaire :** Titre donné à la Partie XXVII du *Code criminel* dans laquelle sont prévus le régime procédural et les sanctions applicables aux infractions déclarées par le Code comme étant punissables sur déclaration de culpabilité par procédure sommaire.

Rem. Au terme d'un procès soumis à des règles de procédure simplifiées, la personne déclarée coupable est alors passible d'une amende maximale de deux mille dollars et d'un emprisonnement d'une durée maximale de six mois, ou de l'une seule de ces peines.

Comp. acte criminel, infraction

Angl. *summary convictions*

• **Déclaration extrajudiciaire :**

1. Affirmation verbale ou écrite, faite hors cour, qui porte sur des faits pertinents à une poursuite en matière pénale et qui peut éventuellement être mise en preuve lors d'un procès, dans la mesure où elle revêt un caractère libre et volontaire.

Contr. déclaration judiciaire

Comp. aveu extrajudiciaire, confession

Angl. *out-of-court statement*

2. Dans une instance civile, affirmation verbale ou écrite faite par une partie hors la présence du juge saisi de l'affaire et qui peut éventuellement être mise en preuve lors de l'enquête.

Contr. déclaration judiciaire

Comp. aveu extrajudiciaire, confession

Angl. *out-of-court statement*

• **Déclaration incriminante :** Déclaration faite par un accusé ou un témoin qui tend à établir sa culpabilité à l'égard d'une infraction. Cette déclaration peut être écrite ou orale.

Rem. Un témoin peut être contraint de répondre à des questions pouvant l'incriminer mais il peut alors demander la protection de la loi afin que son témoignage ne puisse être utilisé dans une poursuite éventuelle contre lui.

Syn. déclaration inculpatoire

Angl. *incriminating questions, self-incrimination*

• **Déclaration inculpatoire :** V. DÉCLARATION INCRIMINANTE.

• **Déclaration judiciaire :** Affirmation faite sous serment devant un juge ou en présence d'une personne exerçant une fonction judiciaire ou quasi judiciaire.

Contr. déclaration extrajudiciaire

Comp. aveu judiciaire, confession

Angl. *judicial declaration*

• **Déclaration négative :** Déclaration sous serment effectuée au greffe de la juridiction compétente par le tiers entre les mains duquel une saisie-arrêt a été pratiquée, dans laquelle il affirme n'avoir aucune obligation envers le débiteur ou ne détenir aucun bien appartenant à ce dernier.

Contr. déclaration affirmative

Angl. *negative declaration, negative statement*

• **Déclaration solennelle :** V. AFFIRMATION SOLENNELLE.

□ **3.** Divulgation à un officier public compétent d'un fait que celui-ci a mission de constater. Ex. Déclaration de naissance, de décès.

Comp. décès (déclaration de), mariage (déclaration de), naissance (déclaration de)

Angl. *declaration*

□ **4.** Action de déclarer une situation de fait ou de faire connaître une décision.

Angl. *declaration*

• **Déclaration annuelle :** V. RAPPORT ANNUEL.

• **Déclaration d'admissibilité à l'adoption :** V. ADOPTION.

• **Déclaration d'adoptabilité :** V. ADOPTABILITÉ.

• **Déclaration de copropriété :** Document notarié qui crée la copropriété divise d'un immeuble.

Rem. **1.** Selon le *Code civil du Québec*, elle comprend l'acte constitutif de copropriété, le règlement de l'immeuble et l'état descriptif des fractions. Elle doit être signée par tous les propriétaires de l'immeuble ainsi que par les créanciers qui détiennent une hypothèque sur l'immeuble et elle doit être présentée au bureau de la publicité des droits pour inscription au registre foncier. **2.** Selon le *Code civil du Bas-Canada*, cette déclaration, qui doit être signée par tous les copropriétaires et être accompagnée du consentement écrit des créanciers hypothécaires et privilégiés, décrit l'objet de la copropriété (la répartition des fractions de l'immeuble entre les copropriétaires), la destination de l'immeuble (l'usage et le type d'occupation), les conditions d'utilisation auxquelles les copropriétaires doivent se soumettre, les modalités de participation aux charges communes ainsi que les règles relatives à l'administration de la copropriété (nomination et pouvoirs des administrateurs et droits de l'assemblée des copropriétaires).

Comp. acte constitutif de copropriété, copropriété divise, état descriptif des fractions, règlement de l'immeuble

Angl. *condominium declaration, declaration of co-ownership*

- **Déclaration de dividende :** Décision du conseil d'administration d'une compagnie ou d'une société par actions qui, par résolution, décrète qu'une partie des profits de l'entreprise sera distribuée aux actionnaires proportionnellement à leur mise de fonds.

Rem. Cette décision relève entièrement de la discrétion des administrateurs qui sont libres de déclarer ou non des dividendes, de déterminer le montant des profits qui sera distribué et d'établir si ceux-ci seront payés en argent ou en actions.

Comp. dividende

Angl. *declaration of dividend*

- **Déclaration de résidence familiale :** Déclaration contenue dans un acte destiné à la publicité (l'enregistrement), faite par les époux ou l'un deux et désignant une résidence comme étant familiale.

Rem. Ce document protège le droit d'habitation de la famille qui s'y trouve contre l'époux qui en disposerait sans obtenir le consentement de l'autre, quel que soit le droit d'occupation des lieux (propriété, location, usufruit, etc.).

Comp. famille, résidence familiale

Angl. *declaration of family residence*

- **Déclaration de risque :** Déclaration fournie par le preneur ou l'assuré concernant toutes les circonstances qui, à sa connaissance, sont de nature à influencer de façon importante un assureur dans la détermination de la prime, l'appréciation du risque ou la décision de l'accepter.

Angl. *representation, statement of risk*

- **Déclaration de société :** Déclaration écrite que les sociétés en nom collectif et en commandite doivent rédiger et qui indique, outre les renseignements prescrits par les lois relatives à la publicité légale des sociétés, l'objet de la société ainsi que la mention qu'aucune autre personne que celles qui y sont nommées ne fait partie de la société.

Comp. acte de régularisation, société (contrat de)

Angl. *declaration of partnership*

- **Déclaration d'impôt :**

1. Acte par lequel une personne physique ou morale fournit au ministère du Revenu les informations nécessaires au calcul de l'impôt qu'elle doit payer ou, s'il y a lieu, au crédit auquel elle a droit.

Comp. impôt

Angl. *income tax declaration, tax declaration*

2. Par extension, le formulaire et ses annexes.

Angl. *income tax return, tax return*

□ **5.** Nom parfois donné à une loi fondamentale.

Angl. *Bill, Declaration*

- **Déclaration canadienne des droits :** Loi du Parlement fédéral visant à promouvoir certains droits fondamentaux en rendant inopérantes les dispositions législatives émanant du Parlement fédéral qui lui sont incompatibles.

Rem. Elle a été adoptée en 1960.

Comp. Charte canadienne des droits et libertés

Angl. *Canadian Bill of Rights*

Déclaratoire *adj.*

□ **1.** Qui déclare juridiquement quelque chose.

Comp. jugement déclaratoire

Angl. *declaratory*

□ **2.** Qui vise à obtenir une déclaration à caractère juridique de la part d'une autorité judiciaire.

Comp. action déclaratoire

Angl. *declaratory*

Déclassement *n.m.*

□ **1.** Affectation d'un employé à un poste inférieur à celui qu'il occupait, pour cause d'incompétence ou d'incapacité.

Angl. *downgrading, rank reversion*

□ **2.** Décision de l'administration par laquelle un bien, qui était soumis à un régime juridique particulier, cesse de l'être pour retomber dans le droit commun. Ex. Le déclassement par le ministère des Affaires culturelles d'une maison classée comme étant historique.

Angl. *declassification*

Déclinatoire *adj. et n.*

□ **1.(adj.)** Qui soulève l'incompétence d'une juridiction.

Comp. moyen déclinatoire

Angl. *declinatory*

□ **2.(n.)** Contestation par une partie, dans une instance civile, de la compétence d'une juridiction en vue d'obtenir le transfert du dossier devant la juridiction compétente ou, à défaut, le rejet de l'action.

Comp. compétence d'attribution, compétence territoriale, moyen déclinatoire

Angl. *declinatory*

Décliner *v.tr.*

□ **1.** Refuser, rejeter, écarter.

Angl. *to decline, to refuse*

□ **2.** Dans le cas d'une juridiction, se déclarer incompétente.

Angl. *to decline (jurisdiction)*

□ **3.** En matière de responsabilité, dégager sa responsabilité par une clause d'exonération ou refuser de la reconnaître pour tout autre motif.

Comp. clause de non-responsabilité

Angl. *to disclaim responsibility*

Déconcentration *n.f.*

□ Mode d'organisation administrative suivant lequel l'administration centrale confie l'exécution de ses décisions à des agents ou organismes qui sont répartis dans différentes régions tout en demeurant soumis au pouvoir hiérarchique de l'autorité centrale.

Contr. concentration, centralisation administrative

Comp. décentralisation administrative

Angl. *disconcentration*

Déconfiture *n.f.*

□ État d'un débiteur qui ne peut plus payer ses créanciers et dont l'insolvabilité est dûment constatée.

Comp. faillite

Angl. *insolvency*

Décorum *n.m.*

□ Ensemble des règles qu'il convient d'observer pour le déroulement paisible et ordonné d'une assemblée publique.

Découvert *n.m.*

□ En matière bancaire, montant tiré par le client en excès de son solde bancaire.

Comp. achat à découvert, avance à découvert, compte à découvert, vente à découvert

Angl. *overdraft*

Décret *n.m.*

□ **1.** Acte officiel par lequel le gouvernement fait connaître la date de l'entrée en vigueur d'une loi ou d'un règlement, lui conférant ainsi une force exécutoire.

Rem. **1.** Il y a décret lorsque la loi ou le règlement n'entre pas en vigueur le jour de sa sanction ou de son adoption. **2.** Depuis quelques années, on utilise généralement le décret gouvernemental plutôt que la proclamation pour faire connaître la date d'une entrée en vigueur.

Comp. proclamation, promulgation, sanction, vigueur (en)

Angl. *order-in-council*

• **Décret d'élection :** Document officiel ordonnant la tenue d'une élection.

Syn. bref d'élection

Angl. *election brief*

• **Décret de vigueur :** Ordonnance du gouvernement qui promulgue l'entrée en vigueur d'une loi ou d'un règlement.

Comp. proclamation

Angl. *coming into force, order-in-council*

☐ **2.** Règlement gouvernemental qui donne force exécutoire à une convention intervenue entre des associations d'employeurs et de salariés. Ex. Le décret de la construction.
Angl. *decree*

• **Décret de convention collective :** Arrêté ministériel prononcé sur demande d'une partie à une convention collective et qui a pour effet de la rendre obligatoire aux employeurs et aux salariés d'une catégorie professionnelle ou d'un territoire déterminé, de la modifier, de la prolonger ou de l'abroger.
Rem. Il vise à normaliser les conditions de travail dans le champ d'activité qu'il couvre.
Angl. *collective agreement decree*

☐ **3.** Adjudication lors de la vente à l'enchère d'un immeuble saisi par ordre du tribunal.
Angl. *sheriff's sale*

Décriminalisation *n.f.*

☐ **1.** Action de soustraire au contrôle de la justice un fait qui auparavant lui était assujetti.
Angl. *decriminalization*

☐ **2.** Action de transformer en infraction de moindre importance un fait qui constituait antérieurement un acte criminel, ou de lui enlever tout caractère criminel ou pénal.
Contr. criminalisation
Comp. acte criminel, infraction
Angl. *decriminalization*

De cujus

☐ Expression latine qui désigne la personne décédée dont la succession est ouverte.

Dédit *n.m.*

☐ **1.** Faculté offerte à un contractant, pour une période déterminée par la loi ou par la convention, de ne pas exécuter son obligation, moyennant le paiement d'une indemnité.
Angl. *option of withdrawal, withdrawal option*

☐ **2.** Indemnité versée par le débiteur qui exerce sa faculté de dédit.
Comp. arrhes
Angl. *penalty of withdrawal*

Dédouanement *n.m.*

☐ Autorisation donnée par une autorité compétente d'enlever des biens d'un bureau de douane ou autre lieu similaire en vue de leur consommation au Canada.
Angl. *release*

Déductible *adj. et n.*

☐ **1.(adj.)** Qui peut être déduit, soustrait.
Angl. *deductible*

☐ **2.(n.)** Anglicisme utilisé souvent pour désigner la portion du dommage ou de la perte que la police d'assurance ne couvre pas et qui est à la charge de l'assuré.
Syn. franchise
Angl. *deductible*

Déduction *n.f.*

☐ En matière fiscale, somme soustraite du revenu brut et du revenu net d'un contribuable aux fins de calcul de son revenu imposable.
Comp. abattement, crédit d'impôt, exemption, exonération
Angl. *deduction*

De facto

☐ Locution latine signifiant « de fait » ou « en fait » (et non de droit). Se dit d'une situation qui existe sans fondement juridique ou d'une autorité qui est établie sans base légale.
Contr. *de jure*

Défaillant, ante *adj.*

☐ **1.** Se dit d'une personne qui, après avoir été dûment convoquée, ne comparaît pas en personne en vue de témoigner, s'exposant ainsi aux sanctions prévues par la loi.
Comp. défaut
Angl. *defaulting*

☐ **2.** Dans une instance civile, se dit du défendeur qui ne produit pas un acte de comparution ou qui ne conteste pas la demande formée contre lui, dans le délai prescrit.
Comp. défaut
Angl. *defaulting*

Défaut *n.m.*

□ **1.** Situation d'un témoin qui ne comparaît pas après avoir été dûment convoqué ou d'un plaideur défaillant.

Comp. défaillant
Angl. *default*

• **Défaut de comparaître :** Dans une instance civile, omission par la partie défenderesse de produire un acte de comparution dans le délai prescrit.

Comp. acte de comparution, certificat de défaut
Angl. *default to appear*

• **Défaut de plaider :** Dans une instance civile, omission par la partie défenderesse de produire une défense dans le délai prescrit.

Comp. certificat de défaut, défense
Angl. *default to plead*

□ **2.** Absence, manque.

Angl. *absence, deficiency, lack*

• **Défaut de (à) :** En l'absence de, au lieu de.

Angl. *failing, for lack of, for want of*

Défectuosité *n.f.*

□ V. VICE APPARENT, VICE CACHÉ.

Défendeur, deresse *adj. et n.*

□ Personne contre qui est formée une demande en justice.

Rem. En droit judiciaire québécois, on emploie le mot « défendeur » pour désigner la partie poursuivie lorsque la demande est introduite par un bref d'assignation et une déclaration ; par contre, on utilise le terme « intimé » lorsque celle-ci est introduite par une requête.
Contr. demandeur
Comp. codéfendeur, défenseur, intervenant, intimé
Angl. *defendant*

Défense *n.f.*

□ **1.** Moyens qu'emploie une personne dans le but d'obtenir le rejet des accusations portées ou des demandes formées contre elle.

Angl. *defence*

• **Défense d'alibi :** V. ALIBI.

• **Défense d'aliénation mentale :** Moyen de défense par lequel l'accusé affirme que, lorsqu'il a commis l'infraction reprochée, il souffrait d'aliénation mentale temporaire ou permanente, ce qui le rendait incapable d'apprécier la nature ou les conséquences de ses actes et de savoir que ceux-ci constituaient une infraction.

Rem. Si elle est retenue, cette défense donne lieu à un acquittement mais l'accusé est alors placé sous surveillance ou détention.
Comp. aliénation mentale
Angl. *defence of insanity*

• **Défense d'apparence de droit :** V. DÉFENSE D'ERREUR.

• **Défense d'automatisme :** Moyen de défense par lequel l'accusé affirme avoir agi sans avoir conscience de ses actes et sans posséder le contrôle de ses mouvements. Ex. La personne qui en blesse une autre immédiatement après avoir reçu un coup de poing de cette dernière.

Comp. intoxication involontaire
Angl. *defence of automatism*

• **Défense d'autrefois acquit :** V. AUTREFOIS ACQUIT.

• **Défense d'autrefois convict :** V. AUTREFOIS CONVICT.

• **Défense de consentement de la victime :** Moyen de défense soulevé par la personne accusée de voies de fait ou d'agression sexuelle en vue de se disculper et fondé sur la prétention que la victime a consenti ou lui a donné des motifs raisonnables de croire qu'elle consentait à l'acte reproché et à ses conséquences.

Angl. *defence of consent of the victim*

• **Défense de contrainte :** Moyen de défense par lequel l'accusé affirme qu'il a commis l'infraction reprochée sous le coup de la contrainte.

Comp. contrainte morale, contrainte physique
Angl. *defence of compulsion*

• **Défense de détresse :** V. DÉFENSE DE NÉCESSITÉ.

• **Défense de farce :** Moyen de défense soulevé par l'accusé en vue de se disculper ou de faire réduire sa peine et fondé sur le motif que, lors de la commission de l'infraction, il avait uniquement l'intention de faire une plaisanterie.

Angl. *defence of hoax, defence of practical joke*

- **Défense de minorité pénale :** Moyen d'immunité de poursuite et de condamnation à l'égard d'une infraction, quelle que soit sa gravité, lorsque la personne qui l'a commise est une mineure âgée de moins de douze ans (droit pénal canadien) ou de moins de quatorze ans (droit pénal provincial québécois).

  Comp. infraction, mineur

  Angl. *defence of criminal incapacity (of a child)*

- **Défense de nécessité :** Moyen de défense par lequel l'accusé affirme que l'infraction reprochée résulte d'un acte involontaire posé dans le cadre d'une situation d'urgence et dans le but d'éviter un danger imminent et immédiat. Ex. L'automobiliste qui enfreint le Code de la route afin de sauver la vie d'une personne.

  Syn. défense de détresse

  Angl. *defence of necessity*

- **Défense de provocation :** Moyen de défense par lequel l'accusé affirme avoir commis une infraction lors d'un accès de colère incontrôlable dû à des insultes ou à des actions injustes provenant de la victime et avant qu'il n'ait eu le temps de reprendre son sang-froid.

  Rem. Cette défense vise à faire atténuer la responsabilité de l'accusé.

  Comp. provocation, provocation policière

  Angl. *defence of sudden provocation*

- **Défense d'erreur :** Moyen de défense par lequel l'accusé affirme qu'il n'avait pas l'intention de commettre une infraction et que son comportement est dû à l'ignorance ou à une interprétation erronée d'une règle de droit ou des faits constitutifs de l'infraction. Ex. Le chasseur qui a tué un individu alors qu'il croyait abattre un animal.

  Comp. erreur de droit, erreur de fait, ignorance de la loi

  Angl. *defence of honest belief, defence of mistake (of fact / of law)*

- **Défense d'intoxication :** Dans le cas d'une infraction comportant l'exigence d'une intention spécifique, moyen de défense soulevé par l'accusé en vue de faire réduire l'accusation et fondé sur le motif que, lorsqu'il a commis l'infraction, il avait absorbé volontairement des médicaments, des drogues ou d'autres substances qui le rendaient incapable de discerner le bien du mal ou de contrôler ses actes.

  Comp. intoxication involontaire

  Angl. *defence of intoxication*

- **Défense d'ivresse :** Moyen de défense par lequel l'accusé affirme que l'absorption de boissons alcooliques a affecté sa capacité de discernement et l'a empêché de former l'intention requise pour commettre l'infraction qui lui est reprochée.

  Comp. intention générale, intention spécifique, intoxication involontaire, ivresse

  Angl. *defence of drunkenness*

- **Défense du bon samaritain :** Mode d'exonération de responsabilité civile que peut invoquer la personne qui est poursuivie en justice pour un préjudice qu'elle aurait causé à autrui en lui portant secours ou en lui donnant des biens dans un but désintéressé. Ex. La défense du bon samaritain que soulève la personne poursuivie en justice par la victime d'un accident à qui elle a porté secours.

  Comp. responsabilité

  Angl. *defence based on Good Samaritan doctrine*

- **Défense (légitime) :**

  1. État d'une personne qui, pour se défendre contre une agression mettant en danger son intégrité physique ou celle d'une personne placée sous sa protection, accomplit elle-même un acte interdit par la loi en utilisant la force nécessaire pour prévenir l'attaque ou éviter sa répétition.

  Rem. Elle constitue un fait justificatif qui peut exonérer son auteur de toute responsabilité civile ou pénale, dans la mesure où celui-ci avait des motifs raisonnables de croire qu'il devait alors utiliser la force.

  Angl. *self-defence*

  2. État de droit qui résulte de cette situation.

  Angl. *self-defence*

- **Défense pleine et entière (droit à une) :** V. DROIT À UNE DÉFENSE PLEINE ET ENTIÈRE.

□ **2.** Dans une instance civile, acte de procédure par lequel le défendeur expose ses moyens de fait et de droit à l'encontre des prétentions énoncées par le demandeur dans sa déclaration, dans le but d'obtenir le rejet total ou partiel des conclusions qu'elle contient.

Syn. défense au fond
Angl. *defence*

- **Défense au fond :** V. DÉFENSE.

- **Défense de chose jugée :** V. CHOSE JUGÉE (AUTORITÉ DE LA).

- **Défense de *res judicata* :** V. CHOSE JUGÉE (AUTORITÉ DE LA).

- **Défense (droits de la) :** V. CONTRADICTOIRE (PRINCIPE DU).

- **Défense frivole :** Dans un procès civil, défense manifestement mal fondée, sans chance raisonnable de succès. Elle peut être rejetée sur simple requête et le défendeur est alors forclos de plaider.

  Comp. abus de procédure, défaut de plaider
  Angl. *frivolous defence*

- **Défense générale :** Contestation écrite, généralement non motivée, du bien-fondé de la demande, dans un procès civil. Elle porte généralement sur l'ensemble et non sur chacune des allégations de la déclaration.

  Rem. Une défense générale peut être rejetée à la requête du demandeur.
  Syn. dénégation générale
  Angl. *general denial*

□ **3.** Action de défendre quelqu'un en justice, de le représenter. Ex. L'avocat assure la défense de son client.

Angl. *defence*

□ **4.** Dans un procès, le défendeur ou l'accusé et son avocat. Ex. La défense prétend que...

Angl. *defence*

Défense nationale

□ **1.** Ensemble des moyens et services utilisés par un État pour assurer l'intégrité de son territoire contre les attaques d'autres États.

Angl. *National defence*

□ **2.** Termes utilisés pour désigner les forces militaires chargées d'assurer la protection du territoire d'un État.

Angl. *National defence*

Défenseur *n.m.*

□ Personne chargée de défendre les intérêts d'une partie devant le tribunal. Ex. L'avocat est le défenseur de l'accusé.

Comp. avocat, défendeur
Angl. *counsel*

Déféré, ée *adj.*

□ **1.** Attribué, dévolu, transmis.

Comp. déférer
Angl. *conferred, deferred, transferred*

□ **2.** Traduit (en justice)

Comp. déférer
Angl. *handed, referred*

Déférer *v.tr.*

□ **1.** Traduire une personne devant les tribunaux. Ex. Déférer un accusé à la justice.

Comp. déféré
Angl. *to hand, to refer*

□ **2.** Soumettre une affaire à l'autorité judiciaire compétente. Ex. Déférer une cause au juge compétent.

Comp. déféré
Angl. *to confer, to defer, to transfer*

□ **3.** Attribuer un bien, une fonction à quelqu'un. Ex. Déférer une tutelle à une personne.

Angl. *to confer, to defer*

Définitif, ive *adj.*

□ **1.** Se dit d'un jugement qui met fin à une instance en disposant du fond du litige. Ex. Dans une action en responsabilité, le jugement qui condamne le défendeur à verser au demandeur des dommages-intérêts est définitif.

Rem. Vu sous cet angle, il est synonyme du mot « final ».
Comp. final, interlocutoire, irrévocable
Angl. *conclusive, final*

□ **2.** Se dit d'un jugement interlocutoire qui prononce sur le bien-fondé d'un droit que l'on tient pour distinct de la demande principale. Ex. Le jugement qui rejette une demande de récusation d'un juge est définitif. Par ailleurs, le jugement qui accueille une requête en radiation d'allégation dans un acte de procédure n'est pas définitif.

Comp. final, interlocutoire

Angl. *definitive, final*

Dégradation civique

□ État juridique de la personne qui, autrefois, avait été condamnée à mort ou à l'emprisonnement à perpétuité.

Rem. Cette personne était déchue et exclue de la fonction publique provinciale, perdait ses droits civiques et politiques provinciaux, ne pouvait acquérir des biens et en disposer, être tuteur, curateur, témoin, juré ou arbitre. On pouvait alors lui nommer un curateur. Seuls le pardon, la remise ou la commutation de la peine mettaient un terme à cet état. Elle avait remplacé, en 1906, la mort civile et elle a été supprimée en 1971.

Comp. mort civile

Angl. *attainder, civil degradation*

Degré *n.m.*

□ **1.** Chacun des niveaux dans un ensemble hiérarchisé.

Angl. *degree*

• **Degré de juridiction :** V. JURIDICTION (DEGRÉ DE).

□ **2.** Unité de mesure qui détermine la relation entre les divers éléments d'un ensemble.

Comp. branche, souche, rameau, tête

Angl. *degree*

• **Degré de parenté :** V. PARENTÉ (DEGRÉ DE).

Dégrèvement *n.m.*

□ Décharge totale ou diminution d'impôt ou de taxe accordée par l'administration fiscale à une personne physique ou morale en vue de réduire son fardeau fiscal.

Syn. crédit d'impôt

Comp. abattement, exemption, exonération

Angl. *income tax concession, income tax shield, tax relief*

Déguisé, ée *adj.*

□ V. ACTE DÉGUISÉ, DONATION DÉGUISÉE.

De in rem verso

□ V. ACTION *DE IN REM VERSO.*

De jure

□ Locution latine signifiant « de droit » (et non de fait). Se dit d'une situation conforme aux prescriptions de la loi ou d'une autorité établie sur une base légale.

Contr. *de facto*

Délai *n.m.*

□ **1.** Temps accordé ou imposé par la loi, le juge ou la convention pour l'exécution d'une obligation, l'accomplissement d'un acte ou d'une formalité. Ex. Un délai de paiement, de comparution.

Angl. *delay, term*

• **Délai-congé :** Dans les contrats de travail à durée indéterminée, délai que l'employeur ou, selon le cas, l'employé doit observer entre l'avis de cessation du contrat de travail et sa terminaison effective.

Rem. Sa durée varie selon l'ancienneté et les qualifications du salarié ou les prescriptions de la convention collective. En certaines circonstances, il peut être remplacé par une indemnité.

Angl. *notice of dismissal*

• **Délai de carence :**
1. Période pendant laquelle un assuré doit attendre avant de recevoir les prestations auxquelles il a droit en vertu de son contrat.

Comp. assurance

Angl. *qualifying delay, qualifying period, waiting period*

2. Période pendant laquelle un travailleur n'est pas indemnisé après sa mise au chômage, un accident ou le début d'une maladie.

Angl. *qualifying delay, qualifying period, waiting period*

• **Délai de grâce :**
1. Délai qu'un créancier peut accorder à son débiteur pour exécuter son obligation.

Rem. Il ne constitue pas un obstacle à la compensation.

Comp. jour de grâce

Angl. *days of grace, extension of time, grace period, term of grace*

2. Délai que le juge peut exceptionnellement accorder au débiteur pour exécuter une obligation échue.

Angl. *days of grace, extension of time, term of grace*

- **Délai de rigueur :** En procédure civile, délai impératif prévu par la loi pour l'accomplissement d'un acte, sous peine de déchéance. Il ne peut être prorogé, sauf du consentement des parties.

Rem. Tout délai qui n'est pas identifié comme tel est dit non de rigueur.

Angl. *mandatory delay, peremptory delay, strict time limit*

- **Délai franc :** Délai de procédure qui ne comprend ni le jour qui constitue le point de départ (*dies a quo*), ni celui de l'échéance (*dies ad quem*). L'acte peut alors être posé le lendemain du jour de l'expiration du délai. Ex. Lorsque le *Code de procédure civile* impose un délai de cinq jours francs entre l'assignation d'un témoin et sa comparution devant le tribunal, il faut alors lui laisser cinq journées complètes de vingt-quatre heures entre le jour où le *subpoena* lui est signifié et celui où il doit se présenter pour témoigner.

Contr. délai non franc

Angl. *clear days*

- **Délai non franc :** Délai de procédure qui ne comprend pas le jour qui constitue le point de départ (*dies a quo*) mais qui comprend celui de l'échéance (*dies ad quem*). L'acte doit alors être posé au plus tard le jour de l'expiration du délai.

Contr. délai franc

Angl. *non-clear days*

- **Délai pour faire inventaire et délibérer :** Délai que la loi accorde à l'héritier pour faire l'inventaire des biens de la succession et réfléchir avant d'exercer son choix d'accepter la succession ou d'y renoncer.

Comp. bénéfice d'inventaire

Angl. *delay for making the inventory and deliberating*

- **Délai raisonnable :** Délai qui, compte tenu des circonstances particulières d'une affaire, doit être respecté par un plaideur diligent.

Angl. *reasonable time*

□ **2.** Période de temps à l'expiration de laquelle s'attache un effet juridique.

Angl. *period, time*

- **Délai de déchéance :** V. DÉLAI PRÉFIX.

- **Délai de prescription :** Délai à l'expiration duquel une personne se libère d'une obligation ou acquiert un bien.

Comp. prescription acquisitive, prescription libératoire

Angl. *limitation period, period of prescription, prescription period*

- **Délai préfix :** Délai accordé par la loi pour accomplir un acte ou une formalité à l'expiration duquel un droit perd toute sanction juridique. À la différence du délai de prescription, il ne peut être suspendu ni interrompu.

Syn. délai de déchéance

Angl. *period for the extinction of the right, predetermined time limit*

Délaissement *n.m.*

□ **1.** Abandon d'un bien ou d'un droit.

Comp. abandon

Angl. *abandonment*

□ **2.** Acte par lequel le détenteur d'un immeuble hypothéqué l'abandonne au créancier hypothécaire.

Comp. vente par le créancier d'un bien grevé d'une hypothèque

Angl. *surrender*

□ **3.** Acte par lequel une personne qui a été condamnée à livrer un meuble ou un immeuble exécute volontairement le jugement par la remise du meuble ou par l'abandon de l'immeuble.

Angl. *surrender*

□ **4.** En matière d'assurance maritime, opération par laquelle un assuré abandonne au profit de son assureur, à la suite d'un sinistre, le navire et sa cargaison ; l'indemnité est alors réglée par l'assureur comme s'il s'agissait d'une perte totale.

Angl. *abandonment*

Délégant, ante *adj. et n.*

□ Dans le paiement par délégation, personne qui confie au délégué la mission de payer en son nom.

Comp. délégataire, délégation, délégué
Angl. *delegator*

Délégataire *adj. et n.*

☐ Dans le paiement par délégation, personne à qui le délégué effectue le paiement.
Comp. délégant, délégation, délégué
Angl. *delegatee*

Délégation *n.f.*

☐ **1.** Opération par laquelle le détenteur d'un pouvoir en transfère totalement ou partiellement l'exercice à une autre personne.
Angl. *delegation*

• **Délégation de l'autorité parentale :** Acte par lequel le titulaire de l'autorité parentale confie à un tiers la garde, la surveillance ou l'éducation de l'enfant tout en continuant d'assumer juridiquement les droits et les obligations que lui confère cette autorité.
Angl. *delegation of parental authority*

• **Délégation de pouvoirs (ou de compétence) :** Transfert par une autorité, dans les limites permises par la loi, de pouvoirs dont elle est investie à un agent qui les exercera à sa place.
Angl. *delegation of authority, delegation of powers*

☐ **2.** Opération par laquelle une personne, appelée délégant, confie à une autre, appelée délégué, la mission de payer en son nom une dette à un tiers, appelé délégataire.
Syn. délégation de paiement, paiement par délégation
Comp. délégant, délégataire, délégué
Angl. *delegation*

• **Délégation de paiement :** V. DÉLÉGATION.

• **Délégation imparfaite :** Délégation dans laquelle le délégataire accepte l'engagement du délégué sans libérer pour autant le délégant, ce dernier demeurant tenu au paiement de la dette au cas ou le délégué ferait défaut de payer.
Angl. *imperfect delegation*

• **Délégation parfaite :** Délégation dans laquelle le délégataire accepte de libérer le délégant du paiement de sa dette, ce dernier n'étant plus tenu au paiement de la dette si le délégué fait défaut de payer.
Rem. La délégation parfaite emporte novation.
Angl. *perfect delegation*

☐ **3.** Groupe de personnes chargées de représenter un gouvernement, une assemblée ou un organisme. Ex. Une délégation gouvernementale lors d'une réunion internationale.
Angl. *delegation*

☐ **4.** Au Canada, nom donné à la représentation d'un État provincial auprès d'une autre autorité étatique. Ex. La Délégation du Québec en France.
Comp. délégué
Angl. *Delegation*

Delegatus non potest delegare

☐ Maxime latine signifiant que la personne qui a un pouvoir délégué ne peut, à son tour, le déléguer à une autre. Principe de droit public en vertu duquel le détenteur d'un pouvoir délégué ne peut confier à quelqu'un d'autre le soin de l'exercer à sa place.
Rem. Toutefois, étant donné la complexité et l'étendue des tâches de l'Administration publique, la sous-délégation de pouvoirs administratifs est permise, sous certaines conditions.

De lege

☐ Locution latine signifiant « en vertu de la loi ».

De lege ferenda

☐ Locution latine signifiant « quant à la loi devant être adoptée ». Elle réfère à la loi telle qu'on souhaiterait qu'elle soit, dans la perspective d'une réforme.
Contr. *de lege lata*

De lege lata

☐ Locution latine signifiant « quant à la loi en vigueur ». Elle réfère à la loi telle qu'elle existe, par opposition à celle qu'on souhaiterait voir adopter.
Contr. *de lege ferenda*

Délégué, ée *n.*

☐ **1.** Dans le paiement par délégation, personne à qui le délégant confie la mission de payer le délégataire.

Comp. délégant, délégataire, délégation
Angl. *delegate*

☐ **2.** Nom donné au responsable d'une délégation.

Rem. Au Québec, le responsable d'une délégation porte le nom de délégué général.
Comp. délégation
Angl. *delegate, delegate-general*

Délibération *n.f.*

☐ **1.** Réflexion qui précède la prise de décision. Ex. Les délibérations du jury.

Comp. décision
Angl. *proceedings*

☐ **2.** Examen et discussion d'une affaire par une assemblée avant qu'elle prenne une décision. Ex. Les délibérations du conseil d'administration d'une entreprise.

Comp. décision, quorum, vote
Angl. *proceedings*

☐ **3.** Par extension, le résultat de cette discussion. Ex. La délibération du conseil municipal.

Comp. unanimité
Angl. *deliberation*

Délibérative (voix) *adj.*

☐ Se dit des personnes qui, dans une assemblée, ont le droit de vote.

Rem. Les personnes qui ont le droit de participer à une assemblée, sans droit de vote, ont une voix consultative.
Contr. consultative (voix)
Angl. *voting right*

Délibéré *n.m.*

☐ **1.** Phase de l'instance qui succède à l'instruction et au cours de laquelle le juge s'accorde une période de réflexion avant de rendre jugement.

Comp. décision, délibérer, instruction, jugement
Angl. *advisement, deliberation*

☐ **2.** Phase de l'appel qui succède à l'audition et au cours de laquelle les juges se consultent avant de rendre leur décision.

Comp. arrêt, décision, délibérer, jugement
Angl. *advisement, deliberation*

☐ **3.** Plus généralement, réflexion qui précède la prise d'une décision.

Comp. délibérer, inventaire
Angl. *deliberation*

Délibérer *v.intr.*

☐ **1.** Pour un juge, réfléchir, après la fin de l'instruction, sur la décision à rendre.

Comp. délibéré
Angl. *to advise, to deliberate*

☐ **2.** Pour une assemblée ou un collège de juges, examiner une question et en discuter avant de prendre une décision.

Comp. délibéré
Angl. *to confer, to deliberate*

☐ **3.** Réfléchir avant de prendre une décision. Ex. Le délai accordé à l'héritier qui a accepté une succession sous bénéfice d'inventaire pour délibérer avant de décider s'il acceptera la succession ou y renoncera.

Comp. délibéré, inventaire
Angl. *to deliberate*

Délictuel, uelle *adj.*

☐ Qui se rapporte à un délit, qui naît d'un délit. Ex. La responsabilité délictuelle.

Contr. contractuel
Comp. délit, quasi délictuel, responsabilité
Angl. *delictual*

Délictueux, ueuse *adj.*

☐ Qui a le caractère d'un délit, qui constitue un délit.

Comp. délinquant, délit
Angl. *punishable, tortious*

Délinquant, ante *n.*

☐ **1.** Personne qui commet ou a commis une infraction.

Comp. délictueux, délit, infraction
Angl. *delinquent, offender*

☐ **2.** Personne qui a été déclarée coupable d'une infraction et qui est sous surveillance, soit en détention, soit en raison d'une ordonnance de probation, d'une libération conditionnelle ou d'une autre forme de liberté surveillée.

Comp. contrevenant, infraction
Angl. *offender*

- **Délinquant canadien :** Citoyen canadien qui a été déclaré coupable d'une infraction et est sous surveillance dans un État étranger.
Angl. *canadian delinquent*

- **Délinquant dangereux :** Personne qui a été déclarée coupable d'une infraction grave impliquant l'emploi de la violence ou une conduite dangereuse susceptible d'infliger des dommages physiques ou psychologiques à la victime et dont le comportement démontre qu'elle est incapable de contrôler ses impulsions sexuelles ou son agressivité.
Rem. Si le juge déclare qu'une personne est un délinquant dangereux, il pourra lui imposer une peine de détention préventive dans un pénitencier, pour une période indéterminée.
Angl. *dangerous offender*

- **Délinquant étranger :** Citoyen d'un État étranger qui a été déclaré coupable d'une infraction et est sous surveillance au Canada.
Angl. *foreign offender*

- **Délinquant primaire :** Personne qui est poursuivie pour la première fois devant les tribunaux pour une infraction qu'elle aurait commise.
Contr. récidiviste
Angl. *first offender*

Délit *n.m.*

□ **1.** Fait dommageable illicite qui résulte d'une faute intentionnelle et engage la responsabilité civile de son auteur.
Rem. **1.** On dit qu'il y a quasi-délit lorsque la faute n'est pas intentionnelle. **2.** Les termes « délit » et « quasi-délit » du *Code civil du Bas-Canada* ne sont pas repris dans le *Code civil du Québec* qui retient plutôt les mots « responsabilité » et « obligation de réparer le préjudice causé ».
Comp. contrat, délictuel, délictueux, faute, quasi-contrat, quasi-délit, responsabilité
Angl. *offence*

□ **2.** Terme employé parfois pour désigner une infraction ou un refus d'obéir à une ordonnance.
Rem. Les lois pénales canadiennes n'emploient pas le mot « délit » mais plutôt les mots « infraction » ou « acte criminel ».
Comp. délictueux
Angl. *delict, offence*

- **Délit d'audience :** Expression qui désigne l'outrage au tribunal commis en présence du juge.
Syn. outrage au tribunal
Angl. *contempt of court*

- **Délit de fuite :** Acte criminel dont se rend coupable la personne ayant la garde ou le contrôle d'un véhicule automobile, d'un bateau ou d'un aéronef et qui omet de s'arrêter dans l'intention d'échapper à toute responsabilité civile ou criminelle (*Code criminel*, L.R.C. 1985, c. C-46, art. 252).
Angl. *failure to stop at scene of accident, hit and run*

Délivrance *n.f.*

□ **1.** Action de remettre un bien à quelqu'un.
Comp. remise, tradition
Angl. *delivery*

□ **2.** Action qui consiste, pour le vendeur ou le locateur, à mettre à la disposition de son cocontractant le bien qui fait l'objet du contrat, au temps et au lieu convenus. La délivrance s'effectue selon les modalités prévues dans la convention ou selon la nature du bien vendu ou loué. Ex. La délivrance d'un logement se fait par la remise des clés au locataire.
Angl. *delivery*

Demande *n.f.*

□ Acte par lequel une personne soumet ses prétentions à un juge.
Comp. action, conclusion
Angl. *demand*

- **Demande accessoire :** V. CONCLUSION ACCESSOIRE.

- **Demande additionnelle :** V. AMENDEMENT.

- **Demande alternative :** V. CONCLUSION ALTERNATIVE.

- **Demande conjointe :** Demande introduite d'un commun accord par les parties dans laquelle elles exposent, dans un même acte de procédure, l'objet de leur demande, les moyens sur lesquels elle est fondée ainsi que leurs conclusions communes et respectives.

Rem. La demande conjointe est permise en matière familiale.

Angl. *joint application*

- **Demande conjointe sur projet d'accord :** Demande conjointe formée par les époux qui recherchent ensemble la séparation de corps ou le divorce et qui en ont réglé les conséquences dans un projet d'accord qu'elles soumettent à l'approbation du juge.

Angl. *joint application on a draft agreement*

- **Demande connexe :** V. CONNEXE, CONNEXITÉ.

- **Demande incidente :** Demande formée en cours d'instance par laquelle le demandeur ajoute à sa réclamation initiale une demande qu'il avait omise lors de l'introduction de l'action ou qui est venue à échéance depuis ce temps.

Rem. Jusqu'en 1966, la demande incidente était formée par voie de déclaration ordinaire qui s'ajoutait à la déclaration originaire. On procède maintenant par amendement à cette dernière.

Comp. amendement, demande reconventionnelle

Angl. *incidental demand*

- **Demande introductive d'instance :** Acte par lequel le demandeur saisit une juridiction de ses prétentions.

Comp. bref, déclaration

Angl. *original process*

- **Demande nouvelle :** Demande soumise par voie d'amendement en cours d'instance et qui diffère de la réclamation initiale.

Rem. Elle est recevable à moins qu'elle n'ait aucun rapport avec la demande originaire.

Angl. *new demand*

- **Demande pendante :** Demande soumise à une personne ou à une autorité et à laquelle celle-ci n'a pas encore répondu.

Comp. cause pendante

Angl. *pending application, pending demand*

- **Demande principale :** Demande qui introduit l'instance (par opposition à la demande reconventionnelle).

Contr. demande reconventionnelle

Comp. demande incidente

Angl. *principal action, principal demand*

- **Demande reconventionnelle :** Acte de procédure par lequel le défendeur, tout en contestant les prétentions du demandeur, forme à son tour une demande contre celui-ci.

Contr. demande principale

Comp. défense, demande incidente

Angl. *counterclaim, cross-demand*

- **Demande subsidiaire :** V. CONCLUSION SUBSIDIAIRE.

Demandeur, deresse *n.*

□ Personne qui forme une demande en justice. Ex. Un demandeur principal, un demandeur reconventionnel.

Rem. En droit judiciaire québécois, on emploie le mot « demandeur » pour désigner la personne qui introduit sa demande par un bref d'assignation et une déclaration ; par contre, on utilise le mot « requérant » lorsque l'action commence par une requête.

Contr. défendeur

Comp. codemandeur, intervenant, requérant

Angl. *plaintiff*

Démarchage *n.m.*

□ Activité pratiquée par un commerçant ou son représentant, qui consiste à solliciter des personnes à domicile, sur les lieux de leur travail ou dans des endroits publics en vue de leur offrir des biens ou des services.

Rem. L'art. 5 de la *Loi sur les valeurs mobilières* (L.R.Q., c. V-1.1) le définit comme suit : « Activité de la personne qui se rend habituellement à la résidence de personnes, sur leurs lieux de travail ou dans les lieux publics, ou qui utilise de façon habituelle les communications téléphoniques, des lettres ou des circulaires, soit pour proposer l'acquisition ou l'aliénation de valeurs ou une participation à des opérations sur valeurs, soit pour offrir des services ou donner des conseils en vue des mêmes fins ».

Comp. courtier, vendeur

Angl. *solicitation*

Démembrement *n.m.*

□ **1.** Action de transférer à une autre personne

que le propriétaire certains droits normalement rattachés à la propriété. Ex. L'octroi d'un droit d'habitation, la constitution d'un usufruit.
Comp. démembrer, propriété
Angl. *dismemberment*

□ **2.** Par extension, le droit réel démembré. Ex. La servitude constitue un démembrement de la propriété.
Comp. démembrer, propriété
Angl. *dismemberment, subordinate holding*

Démembrer *v.tr.*

□ Opérer un démembrement.
Comp. démembrement
Angl. *to dismember*

Démence *n.f.*

□ Altération grave du psychisme d'un individu qui le rend irresponsable des actes qu'il pose et qui est susceptible de donner ouverture à un régime de protection à son égard.
Comp. aliénation mentale, régime de protection
Angl. *insanity, lunacy*

Demeure *n.f.*

□ Retard fautif du débiteur à remplir son obligation. Ex. Être en demeure.
Angl. *default*

• **Demeure (être en) :** Être en retard dans l'exécution de son obligation.
Rem. Un débiteur peut être constitué en demeure, de plein droit, par l'effet de la loi, par les termes du contrat ou, en matière commerciale, par l'arrivée du terme stipulé.
Angl. *to be in default*

• **Demeure (mise en) :**
1. Acte par lequel le créancier enjoint formellement son débiteur qui tarde à remplir son obligation, de l'exécuter dans un délai déterminé sous peine de poursuites judiciaires en cas de défaut.
Angl. *putting in default.*
2. Par extension, le document par lequel une personne est mise en demeure.
Rem. Dans le langage courant, on la désigne sous les noms de « lettre d'avocat ».
Angl. *formal notice*

De minimis non curat lex

□ Maxime latine signifiant « la loi ne se soucie pas d'affaires insignifiantes ». Elle énonce le principe que l'on ne doit pas saisir les tribunaux de litiges sans importance.
Rem. On écrit également « *de minimis non curat praetor* » (le préteur ne se soucie pas d'affaires insignifiantes).

De minimis non curat praetor

□ V. DE MINIMIS NONCURAT LEX.

Démission *n.f.*

□ **1.** Acte par lequel une personne renonce volontairement à une fonction ou à un mandat.
Angl. *resignation*

• **Démission d'office :** Acte par lequel une personne renonce à une fonction sous l'effet d'une contrainte imposée par la loi. Ex. Dès sa nomination, un juge doit démissionner d'office des fonctions qu'il occupait auparavant.
Angl. *ex officio removal, ex officio resignation*

□ **2.** Rupture volontaire par le salarié du contrat de travail qui le lie à son employeur.
Contr. congédiement, licenciement
Comp. suspension
Angl. *resignation*

Dénaturation *n.f.*

□ Fait pour un juge d'altérer le sens clair et précis d'un écrit ou d'une clause dans un document, ou d'en faire une interprétation erronée.
Rem. En droit français, la dénaturation donne ouverture à cassation.
Angl. *extravagant interpretation*

Dénégation *n.f.*

□ Refus d'une partie de reconnaître l'exactitude d'un fait que son adversaire lui impute, au cours d'une instance. Ex. Dénégation d'une allégation de la déclaration ou de la défense.
Comp. défense, dénégatoire
Angl. *denial, traverse*

- **Dénégation d'écriture ou de signature :** Déclaration écrite par laquelle une partie à qui l'on oppose un acte sous seing privé, au cours d'une instance, en conteste une partie importante ou refuse de reconnaître la signature qui lui est attribuée. Il y a également dénégation lorsque les héritiers ou représentants légaux du signataire de l'acte déclarent ne pas connaître l'écriture ou la signature de leur auteur, ou lorsqu'une partie conteste un acte semi-authentique.

  Comp. vérification d'écriture

  Angl. *denial of a writing or a signature*

- **Dénégation d'un acte semi-authentique :** V. CONTESTATION D'UN ACTE SEMI-AUTHENTIQUE.

  Angl. *denial of a semi-authentic act*

- **Dénégation générale :** V. DÉFENSE GÉNÉRALE.

Dénégatoire *adj.*

□ Qui a le caractère d'une dénégation.

Comp. dénégation

Angl. *denying*

Déni de justice

□ Refus de rendre justice à quelqu'un, d'être équitable envers lui.

Rem. En droit français, il y a déni de justice lorsque le juge, qui est saisi régulièrement d'une affaire, refuse de statuer. Cette notion n'existe pas en droit québécois et canadien.

Angl. *denial of justice, miscarriage of justice*

Deniers *n.m.pl.*

□ L'argent en général.

Comp. fonds

Angl. *moneys*

- **Deniers publics :** Expression qui désigne les fonds publics.

  Angl. *public moneys*

Dénomination sociale

□ Nom sous lequel une compagnie ou une société par actions est constituée et qui sert à l'identifier dans l'exercice de ses activités.

Rem. Le *Code civil du Québec* utilise plutôt le terme « nom ».

Syn. nom, nom corporatif

Comp. acte constitutif, compagnie, corporation, personne morale, raison sociale, société par actions

Angl. *business name, corporate name, name*

Dénoncer *v.tr.*

□ **1.** Signaler une infraction par le biais d'un acte appelé dénonciation.

Comp. dénonciation

Angl. *to inform*

□ **2.** Révoquer unilatéralement un contrat.

Comp. dénonciation

Angl. *to denounce*

□ **3.** Déclarer l'existence de saisies-arrêts antérieures à celle qui est pratiquée.

Angl. *to denounce*

Dénonciation *n.f.*

□ **1.** En matière pénale, fait de signaler une infraction à la justice.

Comp. dénoncer

Angl. *information*

□ **2.** Déclaration écrite, rédigée sous serment et reçue par un juge de paix, par laquelle le substitut du procureur général, un policier ou un individu atteste qu'il a des motifs raisonnables de croire qu'une personne a commis une ou plusieurs infractions.

Comp. dénoncer, télémandat

Angl. *information*

□ **3.** Révocation unilatérale d'un contrat.

Comp. dénoncer

Angl. *denunciation*

- **Dénonciation de nouvel oeuvre :** V. ACTION EN DÉNONCIATION DE NOUVEL OEUVRE.

□ **4.** Acte par lequel le tiers-saisi déclare l'existence de saisies-arrêts qui ont été antérieurement pratiquées entre ses mains.

Comp. dénoncer

Angl. *denunciation*

De novo

□ Locution latine signifiant « de nouveau », « à nouveau ».

- *De novo* **(procès) :** Reprise d'un procès criminel par le tribunal de première instance, sur décision d'une cour d'appel, lorsque celle-ci en vient à la conclusion que l'intérêt de la justice serait mieux servi si l'on recommençait le procès ; c'est la cas notamment lorsque son déroulement a été entaché d'une irrégularité grave.
  Comp. procès
  Angl. *new trial*

Déontologie *n.f.*

□ Ensemble des principes juridiques et moraux qui régissent l'exercice d'une profession ou d'une fonction. Un manquement à ces principes peut donner ouverture à des poursuites disciplinaires.
Comp. code de déontologie
Angl. *professional ethics*

Dépens *n.m.pl.*

□ Partie des frais d'un procès civil qui comprend les déboursés (ou débours) et les honoraires judiciaires.
Rem. Déterminés par un tarif, les dépens sont à la charge de la partie perdante à moins que le juge n'en décide autrement.
Comp. débours, déboursés, honoraires, tarif des avocats
Angl. *costs*

Dépenses *n.f.pl.*

□ V. IMPENSES.

- **Dépenses nécessaires :** V. IMPENSES NÉCESSAIRES.

- **Dépenses somptuaires :** V. IMPENSES VOLUPTUAIRES.

- **Dépenses utiles :** V. IMPENSES UTILES.

- **Dépenses voluptuaires :** V. IMPENSES VOLUPTUAIRES.

De plano

□ Locution latine signifiant « de plein droit ».
Syn. de plein droit, *pleno jure*

De plein droit

□ **1.** Automatiquement, sans formalité ni intervention de volonté. Ex. La transmission successorale s'opère de plein droit lors du décès.
Syn. *de plano, pleno jure*
Angl. *automatically*

□ **2.** Impérativement, sans possibilité d'en décider autrement. Ex. Par l'effet du mariage, les règles du régime primaire s'imposent de plein droit aux époux.
Syn. *de plano, pleno jure*
Angl. *as of right, by operation of law, of right*

□ **3.** Se dit d'une conséquence juridique qui se réalise par le seul effet de la loi. Ex. Lorsqu'il existe, l'appel est de plein droit à moins d'une disposition contraire.
Syn. *de plano, pleno jure*
Angl. *as of right, by operation of law, of right*

Déport *n.m.*

□ Acte par lequel un arbitre renonce à la mission qui lui avait été confiée par la convention d'arbitrage.
Comp. récusation
Angl. *withdrawal*

Déposant, ante *n.*

□ **1.** Personne qui fait une déposition en justice, qui témoigne.
Comp. déposer, déposition
Angl. *deponent*

□ **2.** Personne qui confie un bien à une autre en vertu d'un contrat de dépôt.
Contr. dépositaire
Comp. déposer, dépôt
Angl. *depositor*

Déposer *v.tr.*

□ **1.** Faire une déposition en justice, témoigner.
Comp. déposant, déposition
Angl. *to depose, to testify*

□ **2.** Effectuer un dépôt.
Comp. déposant, dépositaire, dépôt
Angl. *to deposit*

- **Déposer une plainte :** Fait pour la victime d'une infraction criminelle de la signaler aux autorités et, s'il y a lieu, de dénoncer l'auteur de l'acte reproché.
  Angl. *to file a complaint*

Dépositaire *n.*

☐ **1.** Personne à qui l'on confie un bien en vertu d'un contrat de dépôt.
Contr. déposant
Comp. déposer, dépôt
Angl. *depositary*

☐ **2.** Mot utilisé pour désigner un intermédiaire de commerce chargé de distribuer des marchandises entreposées chez lui.
Comp. commissionnaire, concessionnaire, consignataire
Angl. *dealer*

☐ **3.** Personne à qui la loi confie la mission de garder ou de conserver des documents publics. Ex. Le dépositaire des registres de l'état civil.
Angl. *depositary*

Déposition *n.f.*

☐ **1.** Déclaration sous serment d'un témoin devant un tribunal.
Comp. déposant, déposer
Angl. *deposition, testimony*

☐ **2.** Par extension, l'acte écrit dans lequel la déclaration est consignée.
Comp. témoignage
Angl. *deposition*

Dépossession *n.f.*

☐ **1.** Action de priver quelqu'un de la possession.
Contr. possession
Angl. *dispossession*

☐ **2.** Perte de la possession.
Comp. dessaisissement, vol
Angl. *dispossession*

- **Dépossession (sûreté sans) :** V. SÛRETÉ SANS DÉPOSSESSION.

Dépôt *n.m.*

☐ **1.** Contrat par lequel une personne, le déposant, remet un bien à une autre personne, le dépositaire, qui s'oblige à garder le bien pendant un certain temps et à le lui restituer (*Code civil du Québec*, art. 2280).
Rem. Selon le *Code civil du Québec*, le dépôt est à titre gratuit mais il peut être à titre onéreux lorsque l'usage ou la convention le prévoit. Le *Code civil du Bas-Canada* prévoit deux espèces de dépôts, le dépôt simple et le séquestre.
Comp. déposant, déposer, dépositaire, dépôt simple, séquestre
Angl. *deposit*

- **Dépôt d'hôtellerie :** V. DÉPÔT HÔTELIER.

- **Dépôt hôtelier :** Dépôt fait auprès d'une personne qui offre au public des services d'hébergement.
  Rem. Cette personne, appelée hôtelier, est alors tenue de la perte des effets personnels et des bagages apportés par ceux qui logent chez elle, de la même manière qu'un dépositaire à titre onéreux jusqu'à concurrence d'un montant déterminé par la loi.
  Syn. dépôt d'hôtellerie
  Comp. dépôt nécessaire
  Angl. *deposit with an innkeeper*

- **Dépôt (mandat de) :** V. MANDAT DE DÉPÔT.

- **Dépôt nécessaire :**
  1. Selon le *Code civil du Québec*, acte par lequel une personne remet à une autre la garde d'un bien lorsqu'elle y est contrainte par une nécessité imprévue et pressante provenant d'un accident ou d'une force majeure.
  Comp. dépôt volontaire.
  Angl. *necessary deposit.*
  2. En vertu du *Code civil du Bas-Canada*, se dit du dépôt de biens par des voyageurs auprès d'hôteliers ou aubergistes chez qui ils logent.
  Syn. dépôt d'hôtelier.
  Comp. dépôt hôtelier
  Angl. *necessary deposit*

- **Dépôt simple :** Selon le *Code civil du Bas-Canada*, contrat par lequel une personne, le déposant, confie un bien meuble à une autre, le dépositaire, qui accepte de le garder gratuitement et à le lui restituer sur demande.
  Comp. séquestre

Angl. *simple deposit*

- **Dépôt volontaire :** Dépôt qui se fait du consentement réciproque du déposant et du dépositaire.
  Comp. Dépôt nécessaire
  Angl. *voluntary deposit*

□ **2.** Remise effective du bien faisant l'objet d'un dépôt.

- **Dépôt d'un greffe :** Remise du greffe d'un notaire au greffier de la Cour supérieure d'un district judiciaire afin qu'il soit intégré aux archives de ce district.
  Angl. *deposit of records*

□ **3.** Par extension, le bien qui fait l'objet d'un dépôt.
Angl. *deposit*

□ **4.** Garantie que donne une personne à une autre comme gage de l'exécution de son obligation.
Angl. *deposit*

□ **5.** Remise d'un bien ou d'une somme d'argent entre les mains d'une autorité publique.
Angl. *deposit*

- **Dépôt (enregistrement par) :** V. ENREGISTREMENT PAR DÉPÔT.

- **Dépôt légal :** Obligation faite par la loi à l'éditeur (dans certains cas, à l'imprimeur ou au distributeur) de déposer à un endroit qu'elle désigne un ou plusieurs exemplaires des oeuvres qu'il met dans le commerce. Celles-ci sont alors conservées en vue de préserver l'héritage culturel qu'elles représentent.
  Rem. Une oeuvre éditée au Québec doit être déposée à la Bibliothèque nationale du Canada ainsi qu'à celle du Québec.
  Angl. *copyrighting, legal deposit, registration of copyright*

- **Dépôt volontaire (des traitements, salaires ou gages) :** Mesure offerte par l'État au débiteur incapable d'acquitter ses dettes et lui permettant de déposer la portion saisissable de sa rémunération ou, dans le cas d'un travailleur autonome, celle de ses revenus de travail afin que les sommes ainsi déposées soient versées à ses créanciers.
  Rem. Si le débiteur effectue régulièrement ce dépôt volontaire, les créanciers ne peuvent saisir-arrêter le salaire ou le revenu de leur débiteur, non plus que les meubles qui garnissent sa résidence principale.
  Comp. saisie-exécution
  Angl. *voluntary deposit of wages*

Député, ée *n.*

□ Membre élu de l'Assemblé nationale ou de la Chambre des communes.
Comp. Assemblée nationale, Chambre basse, Chambre des communes, Sénat
Angl. *member of National Assembly, member of Parliament*

De quota litis

□ Locution latine signifiant « sur la quote-part du litige » que l'on utilise pour qualifier une convention intervenue entre un plaideur et son avocat.
Comp. pacte *de quota litis*

Derechef *adv.*

□ Une autre fois, de façon répétée. Ex. L'emprisonnement pour refus d'obtempérer à une injonction peut être imposé derechef jusqu'à ce que la personne condamnée ait obéi.
Angl. *repeatedly*

De residuo

□ V. SUBSTITUTION *DE RESIDUO.*

Dérogation *n.f.*

□ Exception apportée à une règle générale par une loi, un règlement ou une convention.
Comp. dérogatoire, déroger
Angl. *derogation*

Dérogatoire *adj.*

□ **1.** Qui constitue une dérogation.
Comp. dérogation, déroger
Angl. *derogatory*

□ **2.** Qui contient une dérogation.
Comp. dérogation, déroger
Angl. *derogatory*

Déroger *v.intr.*

☐ S'écarter de ce qui est prévu par la loi ou par une convention.
Comp. dérogation, dérogatoire
Angl. *to breach, to derogate, to deviate*

Désaveu *n.m.*

☐ **1.** Refus par une partie à un litige d'entériner des actes posés par son procureur pour le motif qu'il a excédé ses pouvoirs ou a agi sans mandat.
Angl. *disavowal*

☐ **2.** Refus par une autorité de reconnaître la validité ou la légalité d'un acte posé par une personne ou un organisme sous son contrôle.
Angl. *disavowal*

☐ **3.** Négation d'un fait par une personne.
Angl. *avoidance, repudiation*

• **Désaveu de paternité :** Acte par lequel le mari nie être le père d'un enfant né de son épouse pendant le mariage.
Angl. *disavowal of paternity*

☐ **4.** Nom donné parfois à la rétractation d'un aveu.
Angl. *avoidance*

Descendant, ante *adj. et n.*

☐ Personne issue en ligne directe d'une autre. Par exemple, le fils est le descendant de ses parents et de ses grands-parents.
Contr. ascendant
Angl. *descendant*

Descente sur les lieux

☐ V. TRANSPORT SUR LES LIEUX.

Déshérence *n.f.*

☐ État d'une succession dévolue à l'État en l'absence d'héritier pour la recueillir.
Comp. succession vacante
Angl. *escheat*

Désignation d'un avocat

☐ V. D'OFFICE (COMMISSION).

Désistement *n.m.*

☐ Renonciation volontaire à un droit, à une prétention.
Rem. Il peut, selon les circonstances, être total ou partiel.
Angl. *discontinuance*

• **Désistement d'action :** Acte par lequel le demandeur principal ou reconventionnel abandonne sa réclamation et renonce définitivement à exercer son droit d'action.
Angl. *voluntary discontinuance*

• **Désistement de jugement :** Acte par lequel une partie renonce totalement ou partiellement aux droits qu'elle a acquis par un jugement rendu en sa faveur. Lorsqu'il est accepté par la partie adverse, le désistement total a pour effet de remettre la cause dans l'état où elle était immédiatement avant le jugement.
Angl. *renunciation to judgment*

• **Désistement d'instance :** Acte par lequel une partie abandonne la demande en justice qu'elle a formée sans nécessairement renoncer à son droit d'action.
Angl. *discontinuance of suit*

Désordre *n.m.*

☐ V. MAISON DE DÉSORDRE.

Dessaisir *v.tr. et v.pron.*

☐ **1.(v.pron.)** Renoncer à la possession d'un bien (se dessaisir).
Comp. dessaisissement
Angl. *to devest, to divest, to give up*

☐ **2.** Enlever à quelqu'un la possession d'un bien.
Comp. dessaisissement
Angl. *to deprive, to devest, to disseise, to divest*

☐ **3.** Enlever à une juridiction une affaire dont elle avait été saisie.
Comp. dessaisissement
Angl. *to disseise, to remove jurisdiction*

Dessaisissement *n.m.*

☐ **1.** Abandon volontaire de la possession d'un bien par son propriétaire ou par une personne exerçant un droit de rétention.

Comp. dépossession, dessaisir

Angl. *devesture, divesting, divestiture, giving up*

☐ **2.** Perte totale ou partielle du pouvoir d'administrer ses biens ou d'en disposer, qui résulte en général d'une décision de justice. Il peut constituer, selon le cas, une sanction ou une mesure de protection.

Angl. *deprivation, devesture, disseisin, divestiture*

☐ **3.** Perte par une juridiction du pouvoir de juger une affaire dont elle avait été saisie.

Rem. Il peut survenir avant jugement, notamment en raison d'un défaut de compétence, ou après jugement du fait qu'un juge ne peut connaître à nouveau une affaire sur laquelle il a déjà statué à moins que sa décision n'ait fait l'objet d'un recours en rétractation ou en rectification.

Comp. rétractation, recours

Angl. *disseisin, removal of jurisdiction*

Desserte *n.f.*

☐ Territoire érigé canoniquement, le plus souvent dans des lieux éloignés, où les fidèles de la religion catholique romaine reçoivent certains services religieux, notamment la présence d'un prêtre pour la célébration de la messe.

Comp. desservant

Angl. *chapelry*

Desservant *n.m.*

☐ Prêtre qui est préposé à l'administration d'une desserte.

Comp. desserte

Angl. *ministering cleric*

Destinataire *n.*

☐ **1.** Personne à qui une offre de contracter est présentée.

Angl. *offeree*

☐ **2.** Personne à qui un acte de procédure doit être signifié ou notifié.

Angl. *addressee*

☐ **3.** Personne entre les mains de laquelle la livraison d'un bien doit être faite.

Comp. chargeur, connaissement, expéditeur, transporteur

Angl. *consignee*

Destination *n.f.*

☐ Affectation d'un bien.

Angl. *destination*

• **Destination du père de famille :** Mode de constitution d'une servitude par lequel le propriétaire de deux fonds établit entre eux une situation matérielle qui prendra effet lorsque ceux-ci appartiendront à des propriétaires différents. Ex. Un droit de passage sur un fonds au bénéfice de l'autre.

• **Destination (immeuble par) :** V. IMMEUBLE PAR DESTINATION.

Destitution *n.f.*

☐ Sanction qui consiste à priver quelqu'un de sa charge, de sa fonction. Ex. Destitution d'un juge, d'un tuteur.

Angl. *discharge, dismissal*

Destruction de documents

☐ Acte criminel qui consiste à supprimer, effacer, altérer, falsifier ou cacher des titres ou des documents (testamentaires, judiciaires ou officiels) à des fins frauduleuses, notamment dans le but d'entraver le cours normal de la justice.

Comp. document

Angl. *destruction of documents*

Désuétude *n.f.*

☐ État d'une règle de droit, d'une loi qui n'est plus appliquée depuis longtemps.

Rem. Pour certains juristes, elle équivaut à une abrogation implicite. Par extension, on utilise ce terme pour qualifier la jurisprudence qui n'a plus cours.

Angl. *obsolescence*

Détenteur, trice *n.*

☐ **1.** Personne qui a un bien entre les mains, que ce soit à titre de propriétaire ou de possesseur ou à quelque autre titre reconnu par la loi.

Comp. codétenteur

Angl. *holder*

☐ **2.** Personne qui est en possession d'une lettre de change et qui a le droit d'en recevoir ou d'en exiger le paiement. Ex. L'endossataire d'un billet à ordre ou la personne qui est en possession d'une lettre de change au porteur.

Comp. lettre de change
Angl. *holder*

• **Détenteur à titre onéreux :** Personne qui détient une lettre de change pour laquelle il a donné précédemment une considération valable. Selon la loi, est également détenteur à titre onéreux celui qui possède un droit de gage sur la lettre ou qui en a fait l'acquisition d'un détenteur contre valeur.

Syn. détenteur contre valeur
Angl. *holder for value*

• **Détenteur contre valeur :** V. DÉTENTEUR À TITRE ONÉREUX.

• **Détenteur régulier :** Détenteur ayant acquis de bonne foi, contre valeur, une lettre de change complète et régulière avant qu'elle ne soit en souffrance et sans qu'on ne l'ait avisé d'un vice affectant le titre du cédant ou d'un refus d'acceptation ou de paiement.

Angl. *holder in due course*

Détention *n.f.*

☐ **1.** Fait d'avoir une chose entre les mains sans en être le propriétaire ou le possesseur. Ex. Détention d'une automobile par le garagiste en vertu de son droit de rétention.

Comp. détenteur
Angl. *detention*

• **Détention précaire :** Se dit de la détention légale d'un bien par une personne qui, ne pouvant en obtenir la possession ou la propriété, est tenue de le restituer. Ex. Le locataire, l'usufruitier.

Angl. *precarious detention*

☐ **2.** Selon le *Code civil du Québec*, fait pour une personne d'avoir un bien à sa disposition sans volonté de sa part d'être titulaire d'un droit réel sur celui-ci.

Rem. La possession est ainsi réservée à la personne qui se veut titulaire d'un droit réel sur le bien ; lorsque la possession est précaire, il y a alors simple détention.
Syn. détention précaire
Comp. possession
Angl. *detention*

☐ **3.** État d'une personne incarcérée dans un établissement pénitentiaire.

Rem. Selon la *Charte canadienne des droits et libertés*, la détention est l'état d'une personne privée de sa liberté à la suite d'une sommation ou d'un ordre provenant d'un policier (ou d'un autre agent de l'État) ou qui, victime d'une contrainte psychologique exercée par le policier, croit raisonnablement qu'elle a l'obligation de s'y soumettre.
Comp. détenu
Angl. *confinement, detention*

• **Détention légitime :** Se dit de l'état d'un prisonnier qui se trouve temporairement hors d'un établissement pénitentiaire mais qui est placé directement sous la responsabilité ou la surveillance d'un fonctionnaire ou d'un employé de l'établissement.

Comp. libération conditionnelle, liberté surveillée
Angl. *lawful detention*

• **Détention préventive :**

1. Incarcération d'une personne inculpée avant qu'elle ne soit jugée sur l'infraction qu'on lui reproche, cette mesure ayant pour but d'assurer sa présence lors de son procès ou de protéger l'intérêt et la sécurité publics.

Angl. *detention pending trial, imprisonment pending trial, preventive detention*

2. Incarcération d'une personne pour une durée indéterminée, à la suite d'une déclaration de culpabilité, lorsque la preuve a été faite qu'elle représente un danger pour la société.

Angl. *preventive detention*

Détenu, ue *n.*

☐ **1.** Personne qui purge une peine d'emprisonnement dans un établissement pénitentiaire.

Comp. détention
Angl. *inmate*

• **Détenu mis en liberté :** Personne qui est libérée de l'emprisonnement en raison d'un régime de libération conditionnelle qui n'est pas assorti d'une condition d'hébergement.

Angl. *released inmate*

☐ **2.** Personne privée de sa liberté à la suite d'une sommation ou d'un ordre provenant d'un policier (ou d'un autre agent de l'État) ou qui, victime d'une contrainte psychologique exercée par le policier, croit raisonnablement qu'elle a l'obligation de s'y soumettre.

Comp. détention

Angl. *detained person, prisoner*

Détermination de la loi

□ V. IMMEUBLE PAR DÉTERMINATION DE LA LOI, MEUBLE PAR DÉTERMINATION DE LA LOI.

De terris

□ Locution latine signifiant « au sujet des biens-fonds ». S'emploie pour qualifier la saisie-exécution des biens immobiliers.

Comp. *de bonis*

Détournement *n.m.*

□ **1.** Action de disposer à son profit d'un bien sur lequel un tiers détient les droits. Ex. Le détournement d'actifs par un failli.

Angl. *conversion, embezzlement, misappropriation*

□ **2.** Fait pour une personne qui administre les biens d'autrui de soustraire à son profit, en tout ou en partie, ceux qu'on lui a confiés. Ex. Le détournement de fonds par l'administrateur d'une personne morale.

Angl. *conversion, embezzlement, misappropriation*

• **Détournement de pouvoir :** Pour une autorité gouvernementale, fait d'utiliser les pouvoirs qui lui ont été conférés, notamment son pouvoir discrétionnaire, pour des fins non conformes à l'intérêt général qu'elle a mission de promouvoir, que ce soit en poursuivant un but non conforme à l'esprit de la loi, en faisant preuve de mauvaise foi ou en agissant de façon discriminatoire.

Comp. abus d'autorité, excès de pouvoir

Angl. *misapplication of power, power used for an improper purpose*

□ **3.** Fait de disposer indûment d'un bien détenu à titre précaire. Ex. Refus du gagiste de rendre le bien qui lui avait été confié.

Comp. abus de confiance, divertissement

Angl. *misappropriation*

□ **4.** Fait de soustraire une personne à l'autorité de celle qui en a la garde.

Angl. *abduction*

• **Détournement de mineur :** V. CORRUPTION D'ENFANT.

Dette *n.f.*

□ Obligation pour une personne, le débiteur, envers une autre, le créancier, d'accomplir une prestation.

Rem. Constitue une dette l'obligation de donner, de faire ou de ne pas faire quelque chose.

Contr. créance

Angl. *debt*

• **Dette active :** Somme d'argent dont une personne est créancière.

Angl. *creance*

• **Dette certaine :** V. CERTAIN.

• **Dette conjointe :** V. CONJOINT.

• **Dette de jeu :** Dette résultant d'un contrat de jeu ou de pari.

Angl. *gambling debt*

• **Dette divisible :** V. DIVISIBLE.

• **Dette(s) du ménage :** V. CHARGES DU MARIAGE.

• **Dette exigible :** V. EXIGIBLE.

• **Dette indivisible :** V. INDIVISIBLE.

• **Dette liquide :** V. LIQUIDE.

• **Dette portable :** V. PORTABLE.

• **Dette publique :** Ensemble des engagements financiers de l'État.

Angl. *National debt, public debt*

• **Dette quérable :** V. QUÉRABLE.

• **Dette solidaire :** V. SOLIDAIRE.

Devis *n.m.*

□ Dans un contrat d'entreprise, état détaillé des travaux à effectuer avec indication du prix des matériaux qui seront utilisés.

Angl. *estimate*

De visu

☐ Locution latine signifiant « de ses propres yeux ».

Devoir *n.m.*

☐ Obligation, règle de conduite imposée par la loi ou la morale.

Angl. *duty*

- **Devoir d'agir équitablement :** V. DEVOIR D'ÉQUITÉ PROCÉDURALE.

- **Devoir d'agir judiciairement :** Obligation imposée à l'Administration publique, lorsqu'elle prononce une décision de nature quasi-judiciaire qui affecte les droits d'un justiciable, de respecter les principes de la justice naturelle.

  Comp. devoir d'équité procédurale, justice naturelle
  Angl. *duty to act judicially*

- **Devoir de conseil :** Obligation qui incombe à un officier public d'éclairer son client ou la personne qui le consulte sur la nature et les conséquences juridiques, et souvent économiques, de ses actes ou conventions ainsi que, s'il y a lieu, sur les formalités requises pour en assurer la validité et l'efficacité. Ex. Le notaire a un devoir de conseil à l'égard de ses clients.

  Syn. obligation de conseil
  Angl. *duty to advise, obligation to advise*

- **Devoir d'équité procédurale :** Obligation imposée à l'Administration publique, lorsqu'elle prend une décision de nature administrative qui affecte les droits d'un justiciable, d'agir de manière juste et équitable.

  Comp. devoir d'agir judiciairement
  Angl. *duty to act fairly*

- **Devoir juridique :** Obligation reconnue et sanctionnée par le droit positif et dont le bénéficiaire peut exiger le respect à l'aide d'une action en justice. Ex. Le devoir de ne pas causer de dommage à autrui.

  Angl. *legal duty*

- **Devoir moral :** Obligation découlant de principes moraux ou religieux qui ne sont pas nécessairement reconnus ou sanctionnés par le droit positif. Ex. L'obligation de payer la capitation à l'Église.

  Comp. obligation naturelle
  Angl. *moral duty*

Dévolu, ue *adj.*

☐ Transmis, échu par l'effet de la loi.

Comp. dévolutif, dévolution
Angl. *devolved, vested*

Dévolutif, ive *adj.*

☐ Qui fait qu'un bien ou un droit est transmis, échoit à quelqu'un.

Comp. dévolu, dévolution
Angl. *devolutive*

Dévolution *n.f.*

☐ Transmission d'un bien ou d'un droit à une personne par l'effet de la loi. Ex. La dévolution d'une succession vacante à l'État.

Rem. Le Code civil détermine les règles de la dévolution successorale en prescrivant, selon un ordre préétabli, à quel rang chacun des successibles sera appelé.
Comp. dévolu, dévolutif, transmission
Angl. *devolution, vesting*

D.F.P.

☐ Abrév. de Décisions de la Commission des relations de travail dans la Fonction publique.

D.F.Q.E.

☐ Abrév. de Droit fiscal québécois Express.

D.H.

☐ Abrév. de Dalloz hebdomadaire.

Dies ad quem

☐ Jour où expire la computation du délai accordé par la loi pour faire quelque chose.

Contr. *dies a quo*
Comp. délai

Dies a quo

☐ Jour à compter duquel commence la computation du délai accordé par la loi pour faire quelque chose.

Contr. *dies ad quem*

Comp. délai

Diffamation *n.f.*

☐ **1.** Allégation orale ou écrite qui porte atteinte, involontairement ou de façon délibérée, à la réputation d'une personne vivante ou décédée.

Rem. **1.** Si la personne qui a diffusé l'information avait l'intention de nuire à la victime, elle engage sa responsabilité même si les faits qu'elle a allégués sont vrais. **2.** Certaines personnes ne peuvent encourir une responsabilité civile pour des allégations faites dans l'exercice de leurs fonctions (ex. les juges et les parlementaires et, de manière relative, les témoins, les officiers de justice et les fonctionnaires).

Angl. *defamation, libel* (écrite), *slander* (orale). N.B. Cette distinction est aujourd'hui dépassée.

☐ **2.** Acte criminel qui consiste à publier ou à faire diffuser, sans raison valable, un écrit mensonger qui vise à insulter une personne ou à nuire à sa réputation, que la personne diffusant l'information sache ou ignore que l'écrit est faux.

Rem. Le *Code criminel* utilise plutôt l'expression « libelle diffamatoire ».

Comp. acte criminel, libelle diffamatoire

Angl. *defamatory libel*

Différé, ée *adj.*

☐ Reporté à une date ultérieure. Ex. Un paiement différé.

Angl. *deferred*

Différend *n.m.*

☐ **1.** Désaccord entre deux ou plusieurs personnes.

Angl. *dispute*

☐ **2.** Mésentente relative à la négociation ou au renouvellement d'une convention collective ou à sa révision par les parties.

Angl. *dispute*

Dilatoire *adj.*

☐ **1.** Qui vise à procurer ou à obtenir un délai.

Angl. *dilatory*

• **Dilatoire (moyen) :** V. MOYEN DILATOIRE.

☐ **2.** Se dit d'un comportement ou d'une démarche qui tend à prolonger indûment un procès ou à gagner du temps afin de retarder l'exécution d'une décision. Ex. Des manoeuvres dilatoires.

Rem. La partie dont la procédure en première instance est déclarée dilatoire par le tribunal peut être condamnée à payer des dommages-intérêts en réparation du préjudice subi par une autre partie.

Comp. appel dilatoire

Angl. *dilatory*

Diligence *n.f.*

☐ **1.** Soin attentif qu'une personne apporte sans délai dans l'exécution de ses obligations.

Rem. Le *Code civil du Québec* utilise ensemble, à plusieurs reprises, les mots « prudence et diligence » dans le but de forcer les personnes qui posent des actes dans l'intérêt d'autrui à le faire conformément à la norme de conduite objective et abstraite de la personne avisée, placée en semblables circonstances.

Contr. négligence

Comp. bon père de famille, diligent, honnêteté, loyauté, personne raisonnable, prudence

Angl. *care, diligence*

☐ **2.** Rapidité et efficacité dans l'exécution d'une activité.

Angl. *diligence, vigilance*

Diligent, ente *adj.*

☐ Qui porte un soin attentif à l'accomplissement de ses obligations.

Comp. diligence

Angl. *diligent, vigilant*

• **Diligente (partie la plus) :** Lorsqu'un acte peut être accompli par plus d'une personne dans un litige, celle qui agit la première.

Angl. *(the) most diligent party*

Dîme *n.f.*

☐ Contribution obligatoire que devaient verser autrefois les catholiques à leur paroisse et qui consistait en une portion des bénéfices réalisés pendant une année.

Rem. **1.** Cette obligation religieuse était dépourvue de sanctions civiles. **2.** Lorsque la société était essentiellement rurale, elle consistait en une fraction des récoltes de l'année. Elle a été remplacée par la capitation, somme d'argent que doit verser annuellement le catholique à sa paroisse, dont le montant est fixé par le diocèse. **3.** La dîme était autrefois insaisissable.

Comp. casuel

Angl. *tithe*

Diocèse *n.m.*

□ Division territoriale soumise à la juridiction d'un évêque.

Angl. *diocese*

Direct, ecte *adj.*

□ V. ACTION DIRECTE.

Directeur de l'état civil

□ Officier public à qui est confiée la responsabilité de l'ensemble du système de l'état civil et qui conséquemment, est chargé de dresser les actes de l'état civil et de les modifier, de tenir le registre de l'état civil, de le garder et d'en assurer la publicité.

Comp. acte(s) de l'état civil, état civil, fonctionnaire de l'état civil, registre de l'état civil

Angl. *registrar of civil status*

Directive(s) *n.f.*

□ **1.** Règle de conduite interne émise par une autorité administrative, en vertu de pouvoirs généraux qui lui sont conférés par la loi, dans le but d'encadrer l'action de ses fonctionnaires ou d'organismes qui sont sous sa juridiction. Elle constitue l'une des formes de l'exercice du pouvoir discrétionnaire de l'autorité administrative.

Rem. **1.** En général, les directives prescrivent les orientations qu'ils doivent suivre dans l'exécution de leurs fonctions et activités ou les règles qu'ils doivent appliquer dans l'exercice d'un pouvoir discrétionnaire. Contrairement aux règlements, les directives n'ont pas un caractère normatif et ne peuvent être considérées comme des normes juridiques. Cependant, elles peuvent faire l'objet d'un contrôle judiciaire si l'exercice du pouvoir discrétionnaire est fait de mauvaise foi ou si cette discrétion s'est exercée de façon arbitraire, discriminatoire ou déraisonnable. **2.** Peuvent être considérés comme synonymes de ce terme certains mots tels que « circulaire », « guide », « instructions », « manuel », « politiques » ou « règles d'interprétation ».

Angl. *directive, guide-line, instruction(s)*

□ **2.** Ligne de conduite donnée par une autorité.

Angl. *directive, guide-line, instruction(s)*

• **Directives (du juge) au jury :** Instructions que donne le juge aux jurés avant qu'ils ne délibèrent, sur le droit applicable au procès, afin de les guider dans leur rôle de juges des faits.

Angl. *instructions to jury, jury instructions*

Dirigeant, ante *n.*

□ Terme utilisé par la loi pour désigner le titulaire d'un poste de direction et, le cas échéant, l'administrateur d'une personne morale. Ex. La personne morale est représentée par ses dirigeants.

Rem. Le *Code civil du Québec* utilise ce terme alors que le *Code civil du Bas-Canada* employait le mot « officier ».

Syn. officier

Angl. *senior officer*

Dirimant, ante *adj.*

□ Qui fait obstacle, qui entraîne la nullité. Ex. Un empêchement dirimant au mariage entraîne sa nullité.

Comp. empêchement, mariage

Angl. *nullifying*

Discernement *n.m.*

□ En droit criminel, capacité d'un accusé de juger la nature et la qualité d'un acte qu'il a commis ou omis de commettre, ou de comprendre la signification morale de l'infraction qu'on lui reproche. Ex. La personne qui souffre d'aliénation mentale est incapable de discernement et ne peut conséquemment être déclarée coupable d'un acte criminel dont elle est accusée.

Comp. connaissance

Angl. *discernment*

Discontinu, ue *adj.*

□ V. POSSESSION DISCONTINUE, SERVITUDE DISCONTINUE.

Discrétion *n.f.*

□ V. POUVOIR DISCRÉTIONNAIRE.

Discrétionnaire *adj.*

□ Qui est laissé à la libre décision d'une personne.

Comp. compétence liée, pouvoir discrétionnaire

Angl. *discretionary*

Discrimination *n.f.*

□ Distinction, intentionnelle ou non, fondée notamment sur les caractéristiques personnelles d'un individu ou sur son appartenance à un groupe social et ayant pour effet de compromettre de façon déraisonnable ou injuste ses droits par rapport aux autres membres de la société. Ex. La discrimination fondée sur la race, la religion, les déficiences physiques ou mentales.

Comp. droit à l'égalité

Angl. *discrimination*

Discussion *n.f.*

□ V. BÉNÉFICE DE DISCUSSION.

Disjoindre *v.tr.*

□ Séparer, effectuer la disjonction.

Comp. disjonction

Angl. *to sever*

Disjonction *n.f.*

□ Décision par laquelle le juge présidant l'instruction révoque un jugement ayant ordonné la réunion de deux ou plusieurs actions mues devant le même tribunal.

Comp. disjoindre, réunion d'actions

Angl. *severance*

Disparition *n.f.*

□ Fait pour une personne de ne plus se manifester au lieu de son domicile ou de sa résidence, sans que l'on ait aucune nouvelle de son existence.

Rem. Elle peut donner ouverture à un jugement déclaratif de décès.

Comp. absence, disparu

Angl. *disappearance*

Disparu, ue *n.*

□ Personne dont on a constaté la disparition et qui peut faire l'objet d'un jugement déclaratif de décès.

Comp. absent, disparition

Angl. *missing person*

Dispense *n.f.*

□ Autorisation spéciale donnée par la loi ou par une autorité compétente exemptant une personne d'une obligation de faire ou de ne pas faire ou d'une condition qui lui est normalement imposée. Ex. La dispense de publication des bans avant le mariage.

Angl. *dispensation, exemption*

Disponibilité *n.f.*

□ **1.** Qualité d'un bien ou d'un droit dont on peut disposer librement.

Contr. indisponibilité

Comp. aliénabilité, cessibilité, disponible, transmissibilité

Angl. *disposability*

□ **2.** Qualité d'un bien qui peut être utilisé ou livré immédiatement.

Contr. indisponibilité

Comp. disponible

Angl. *disposability*

Disponible *adj.*

□ **1.** Dont on peut disposer librement.

Contr. indisponible

Comp. disponibilité

Angl. *disposable*

□ **2.** Qui peut être utilisé ou livré immédiatement.

Contr. indisponible

Comp. disponibilité

Angl. *disposable*

□ **3.** Qui peut faire l'objet d'un acte de disposition.

Contr. indisponible
Comp. acte de disposition, aliénable, cessible, disposition, transmissible
Angl. *disposable*

Disposant, ante *n.*

□ Personne qui crée une substitution.
Syn. substituant
Comp. appelé, grevé, substitution
Angl. *grantor*

Disposer *v.intr.*

□ **1.** Accomplir un acte de disposition.
Comp. acte de disposition, disposition
Angl. *to dispose of*

□ **2.** Décider. Ex. Le jugement final dispose du litige.
Angl. *to dispose of*

□ **3.** Édicter une règle, prescrire. Ex. La loi dispose que...
Angl. *to prescribe, to provide*

□ **4.** Stipuler. Ex. Le contrat dispose que...
Angl. *to stipulate*

Dispositif *adj. et n.m.*

□ **1.(adj.)** Qui décide, qui dispose ou qui est relatif à ce qui est décidé ou disposé.
Comp. disposition
Angl. *dispositive*

• **Dispositif (principe) :** Principe fondamental du procès civil en vertu duquel les parties dirigent le procès et en disposent librement, le juge étant tenu de se prononcer sur tout ce qui est demandé et uniquement sur ce qui est demandé.
Comp. contradictoire (principe du)
Angl. *adversary system*

• **Dispositive (loi) :** Se dit parfois d'une loi qui n'est pas impérative et à laquelle on peut déroger par des conventions particulières.
Syn. supplétive (loi)
Contr. impérative (loi)
Comp. loi
Angl. *suppletive law*

□ **2.(n.)** Partie finale d'un jugement qui contient la décision du juge.
Rem. Le dispositif suit les motifs.
Comp. décision, jugement, motif, *obiter dictum*, opinion
Angl. *conclusion*

□ **3.(n.)** Ensemble des dispositions d'un texte législatif (par opposition au titre, au préambule et aux annexes).
Comp. annexe, préambule
Angl. *purview*

Disposition *n.f.*

□ **1.** Action de disposer d'un bien.
Comp. acte de disposition, aliénation, cession, transmission
Angl. *disposal, disposition*

□ **2.** Prescription, règle contenue dans un texte législatif ou réglementaire. Ex. Une disposition de la loi concernant...
Angl. *enactment, legislative provision, statutory provision*

□ **3.** Stipulation ou clause d'un acte juridique. Ex. Les dispositions d'un testament.
Angl. *provision*

Diss.

□ Abrév. de **1.** *Dissentiente* ; **2.** Dissident.

Dissidence *n.f.*

□ Divergence d'opinion exprimée par une ou plusieurs personnes qui refusent d'endosser la décision prise par la majorité, à la suite d'un débat ou d'un délibéré.
Rem. La dissidence d'un juge membre d'un tribunal collégial doit être écrite et elle fait partie de la décision. Elle peut porter sur l'ensemble des conclusions de la majorité ou sur certaines d'entre elles seulement.
Comp. dissident, juge dissident, opinion dissidente
Angl. *dissent, dissenting opinion*

• **Dissidence (droit à la) :** Droit accordé aux actionnaires minoritaires d'une société par actions fédérale de forcer celle-ci à racheter leurs actions à leur juste valeur lorsqu'elle propose de modifier ses statuts en vue d'y apporter des changements majeurs qui affectent leurs droits.
Angl. *right to dissent*

Dissident, ente *adj. et n.*

☐ **1.(adj.)** Se dit de la personne qui a manifesté ou a enregistré sa dissidence.
Comp. dissidence, juge dissident, opinion dissidente
Angl. *dissentient, dissentiente, dissident*

☐ **2.(n.)** Dans les pays totalitaires, tout opposant au régime en place.
Angl. *dissenter*

Dissolution *n.f.*

☐ **1.** Suppression d'un lien, d'une communauté d'intérêts entre deux ou plusieurs personnes. Ex. La dissolution du mariage par le décès d'un des époux, la dissolution d'une société.
Comp. dissoudre
Angl. *dissolution*

☐ **2.** Acte par lequel le gouvernement, par une proclamation du gouverneur général ou du lieutenant-gouverneur, selon le cas, met un terme à une législature, provoquant ainsi des élections générales.
Comp. dissoudre
Angl. *dissolution*

Dissoudre *v.tr.*

☐ Mettre légalement un terme. Ex. Dissoudre une assemblée, un mariage.
Comp. dissolution
Angl. *to dissolve*

Dist. Ct.

☐ Abrév. de *District Court.*

Distraction *n.f.*

☐ Action de soustraire un bien d'un ensemble.
Comp. distraire
Angl. *abstraction, withdrawal*

- **Distraction des dépens :** Droit pour le procureur de la partie à qui les dépens ont été accordés par jugement de recouvrer les frais encourus ainsi que les honoraires judiciaires prévus par le tarif.
Comp. dépens, honoraires, tarif
Angl. *distraction of costs*

Distraire *v.tr.*

☐ Soustraire d'un ensemble, d'un tout.
Comp. distraction, opposition à fin de distraire
Angl. *to abstract, to withdraw*

Distribution par contribution

☐ Procédure de distribution suivant laquelle les créanciers chirographaires, lors d'une faillite ou d'une vente en justice, sont payés proportionnellement au montant de leurs créances, après collocation des créanciers privilégiés (ou prioritaires) ou hypothécaires. Le paiement se fait alors au prorata ou au marc le dollar de leurs créances.
Comp. créancier ordinaire, marc le dollar (au)
Angl. *contribution*

District judiciaire

☐ Division géographique servant à délimiter la compétence territoriale des tribunaux.
Angl. *judicial district*

Dit, dite *adj.*

☐ Joint à l'article défini, terme utilisé pour désigner ce dont on vient de parler. Ex. Ledit, ladite.
Angl. *mentioned, said*

Div. Ct.

☐ Abrév. de *Divisional Court.*

Div. & Matr. Causes Ct.

☐ Abrév. de *Divorce and Matrimonial Causes Court.*

Divertissement *n.m.*

☐ Acte par lequel un successible ou un conjoint s'empare de certains biens de la succession ou de certains acquêts en vue de les soustraire à un éventuel partage.
Rem. Le divertissement expose son auteur à certaines sanctions quant à ses droits dans la succession ou sur les acquêts. Ainsi, selon le *Code civil du Bas-Canada*, le successible qui a, de mauvaise foi, diverti un bien de la succession est réputé l'avoir acceptée ; par contre, selon le *Code civil du Québec*, il est réputé y

avoir renoncé. Quant à l'époux, il est alors privé de sa part dans les acquêts.

Comp. recel

Angl. *misappropriation*

Dividende *n.m.*

□ **1.** Part des bénéfices d'une compagnie ou d'une société par actions qui est distribuée aux actionnaires proportionnellement à leur mise de fonds.

Comp. déclaration de dividende

Angl. *dividend*

• **Dividende à taux fixe :** Dividende qui est attribué aux détenteurs d'actions privilégiées et dont le taux maximum est fixé à l'avance dans les statuts de la compagnie ou de la société par actions.

Rem. Il se détermine notamment en fonction de la valeur des actions ou des profits annuels de la société.

Comp. action privilégiée

Angl. *fixed-rate dividend*

• **Dividende cumulatif :** Dividende qui, lorsqu'il n'est pas déclaré par la compagnie ou la société par actions au cours d'une année, s'ajoute à celui qui le sera ultérieurement.

Rem. Ces dividendes cumulatifs deviennent des arrérages et ils sont généralement versés prioritairement à tous autres.

Comp. arrérages

Angl. *cumulated dividend*

• **Dividende préférentiel :** Lors du partage des bénéfices d'une compagnie ou d'une société par actions, dividende qui est versé aux détenteurs d'une catégorie d'actions avant que les autres actionnaires ne puissent recevoir le leur.

Comp. action privilégiée

Angl. *preferred dividend*

□ **2.** Portion des sommes provenant de la réalisation des biens d'un failli versée par le syndic aux créanciers non garantis et qui correspond à un pourcentage de leurs créances respectives.

Rem. Le dividende peut être provisoire ou définitif.

Comp. faillite

Angl. *dividend*

Divis, ise *adj.*

□ Partagé, divisé. Ex. Propriété divise d'un immeuble.

Contr. indivise

Angl. *divided*

Divisibilité *n.f.*

□ État du bien qui peut être divisé.

Contr. indivisibilité

Comp. divisible

Angl. *divisibility*

Divisible *adj.*

□ Qui peut être divisé, qui est destiné à être divisé. Ex. Une dette divisible.

Contr. indivisible

Comp. divisibilité

Angl. *divisible*

Division *n.f.*

□ **1.** Fractionnement d'une obligation entre plusieurs créanciers ou entre plusieurs débiteurs

Angl. *division*

• **Division (bénéfice de) :** V. BÉNÉFICE DE DIVISION.

□ **2.** Partage. Ex. Un patrimoine peut faire l'objet d'une division.

Angl. *division*

□ **3.** Chaque partie d'un tout abstraitement divisé.

Angl. *division*

• **Division d'enregistrement :** Division géographique, créée par la loi pour fins d'enregistrement des droits réels immobiliers, dans laquelle est établi un bureau d'enregistrement.

Rem. Dans le *Code civil du Québec*, elle porte le nom de circonscription foncière

Syn. circonscription foncière

Comp. bureau d'enregistrement, enregistrement

Angl. *registration division*

• **Division des petites créances :** V. COUR DES PETITES CRÉANCES.

Div. & Matr. Causes Ct.

- Abrév. de *Divorce and Matrimonial Causes Court.*

Divorce *n.m.*

- Rupture légale du mariage civil prononcée par un jugement, à la demande de l'un des époux ou des deux époux lorsque la demande est conjointe.

  Comp. séparation de corps, séparation de fait
  Angl. *divorce*

D.L.Q.

- Abrév. de Droits et libertés du Québec.

D.L.R.

- Abrév. de *Dominion Law Reports.*

D.L.R. (2d)

- Abrév. de *Dominion Law Reports (Second Series).*

D.L.R. (3d)

- Abrév. de *Dominion Law Reports (Third Series).*

D.L.R. (4th)

- Abrév. de *Dominion Law Reports (Fourth Series).*

Doctrine *n.f.*

- **1.** Ensemble des ouvrages dans lesquels les auteurs expliquent et interprètent le droit.

  Comp. coutume, jurisprudence, loi.
  Angl. *doctrine*

- **2.** Opinion d'un ou de plusieurs auteurs sur une question de droit. Ex. Selon la doctrine,....

  Angl. *doctrine*

Document *n.m.*

- **1.** Au sens strict, écrit qui est susceptible de servir de preuve ou qui constitue un élément d'information.

  Comp. écrit, pièce
  Angl. *document*

- **2.** Au sens large, tout élément de preuve ou d'information, quel que soit le support utilisé (écrit, informatique, vidéo, etc.)

  Rem. **1.** L'art. 2 de la *Loi sur la Bibliothèque nationale* (L.R.C. 1985, c. N-12), le définit comme suit : « Article de bibliothèque de tout genre, et notamment tout livre, écrit, disque, bande magnétique ou autre document publié par un éditeur et contenant de l'information écrite, enregistrée ou stockée ».
  Comp. destruction de documents
  Angl. *book, document, record*

D'office

- Locution signifiant « de sa propre initiative », « sans qu'une des parties en ait fait la demande ». Ex. Un procureur nommé d'office par le juge.

  Syn. *ex officio*
  Comp. connaissance d'office
  Angl. *ex officio, of its own motion*

- **D'office (commission) :**
  1. Désignation par le tribunal ou le juge du procès d'un avocat afin d'assurer la représentation adéquate d'une personne.
  Angl. *assignment of counsel*
  2. Désignation d'un avocat, généralement par le juge du procès, afin que soit assurée la représentation adéquate d'un accusé, lorsqu'il existe des raisons suffisantes de douter que celui-ci soit en état de conduire seul sa défense.
  Angl. *assignment of counsel*

Dol *n.m.*

- **1.** Manoeuvre visant à induire quelqu'un en erreur en vue de l'amener à contracter sur la base de cette erreur.

  Rem. Cette définition correspond à ce que la doctrine appelle le dol principal.
  Comp. dol incident, dolosif, *dolus bonus, dolus malus*, erreur, fraude
  Angl. *fraud*

- **Dol incident :** Manoeuvre visant à induire une personne en erreur et qui a pour effet de l'inciter à contracter à des conditions différentes de celles qu'elle aurait acceptées en l'absence de cette manoeuvre.

  Comp. dol
  Angl. *incidental fraud*

☐ **2.** Manoeuvre par un débiteur qui, de mauvaise foi, n'exécute pas son obligation contractuelle.

Angl. *fraud*

☐ **3.** Manoeuvre de la part d'une partie qui a eu pour effet d'induire le juge en erreur dans son appréciation de la preuve et qui donne ouverture à la rétractation de jugement.

Comp. rétractation de jugement

Angl. *fraud*

Dolosif, ive *adj.*

☐ Qui est entaché de dol. Ex. Des manoeuvres dolosives.

Comp. dol

Angl. *fraudulent*

Dolus bonus

☐ Expression latine signifiant « bon dol » que l'on emploie parfois pour désigner les simples exagérations du vendeur lorsqu'il vante à l'excès ses marchandises auprès de l'acheteur.

Rem. Le *dolus bonus* n'est pas sanctionné par le droit et ne peut donc donner ouverture à l'annulation d'un contrat.

Contr. *dolus malus*

Comp. dol

Dolus malus

☐ Expression latine signifiant « mauvais dol » que l'on emploie parfois pour désigner le dol que le droit sanctionne et qui peut donner ouverture à l'annulation d'un contrat.

Syn. dol

Contr. *dolus bonus*

Dom.

☐ Abrév. de *Dominion.*

Domaine *n.m.*

☐ Ensemble des biens susceptibles d'appropriation.

Comp. biens

Angl. *domain, property*

• **Domaine privé :**

1. Ensemble des biens appartenant aux particuliers. Ils sont soumis au régime juridique du droit privé.

Rem. La distinction faite en droit français entre le domaine public et le domaine privé de l'État (dualité domaniale) n'est pas reconnue en droit québécois.

Angl. *private domain, private property*

2. Dans le cas d'une municipalité, ensemble des biens que celle-ci utilise de la même manière qu'un particulier et qui n'entrent pas dans son domaine public.

Angl. *private domain, private property*

• **Domaine public :**

1. Ensemble des biens appartenant à l'État.

Rem. Ils bénéficient d'un régime spécial (ex. imprescriptibilité, insaisissabilité, inaliénabilité) et ils sont soumis au régime juridique du droit public.

Angl. *Crown domain, public domain, public property*

2. Dans le cas d'une municipalité, ensemble des biens qu'elle administre et qui sont affectés à l'usage général et public ainsi que les biens du domaine public provincial dont la propriété lui a été transmise.

Angl. *Crown domain, public domain, public property*

Domestique *n.*

☐ Salarié employé par une personne physique et dont la fonction principale est d'effectuer des travaux ménagers dans le logement de cette personne ou d'assurer la garde d'un enfant ou de prodiguer des soins à un malade ou à un handicapé.

Angl. *domestic*

Domicile *n.m.*

☐ Lieu où une personne a son principal établissement.

Comp. résidence

Angl. *domicile*

• **Domicile conjugal :** V. RÉSIDENCE FAMILIALE.

• **Domicile d'une personne morale : Lieu du siège de la personne morale.**

Comp. siège

Angl. *domicile*

- **Domicile élu :**
  1. Lieu choisi par les parties pour l'exécution d'un acte juridique et pour l'attribution de compétence à un tribunal, en cas de litige.
  Angl. *elected domicile*
  2. Domicile attribué par la loi à la partie qui a comparu par avocat.
  Angl. *elected domicile*

- **Domicile légal :** Lieu où, selon la loi, une personne a son domicile pour l'exercice de ses droits et obligations. Ex. Le domicile légal du mineur non émancipé est celui de ses parents.
  Angl. *legal domicile*

Dominant, ante *adj.*

□ V. FONDS DOMINANT.

Dominion

□ Mot anglais désignant les anciennes colonies britanniques ayant obtenu une certaine autonomie politique sans avoir toutefois acquis définitivement leur indépendance.
Rem. La plupart des anciens *dominions* sont devenus par la suite membres du Commonwealth.

Dommage *n.m.*

□ **1.** Préjudice corporel, matériel ou moral subi par une personne par le fait d'autrui et pour lequel elle peut éventuellement avoir le droit d'obtenir réparation.
Rem. De façon générale, on utilise indifféremment les mots « préjudice » et « dommage » puisqu'ils recouvrent une même réalité. Cependant, le *Code civil du Québec* emploie plutôt le terme « préjudice » lorsqu'il fait référence à une personne et le terme « dommage » lorsqu'il réfère à un bien.
Syn. préjudice
Comp. dommageable, dommages-intérêts, responsabilité
Angl. *damage, injury*

- **Dommage actuel :** Dommage qui est déjà réalisé au moment où la demande en réparation est formée ou au jour où le tribunal est appelé à l'apprécier.
  Syn. dommage présent, préjudice actuel
  Contr. dommage futur
  Angl. *present damage, present injury*

- **Dommage certain :** Dommage actuel ou dommage futur dont la réalisation se produira selon toute probabilité et qui, conséquemment, est susceptible d'être réparé par les tribunaux.
  Syn. préjudice certain
  Contr. dommage éventuel
  Comp. dommage futur
  Angl. *certain damage, certain injury*

- **Dommage continu :** Dommage qui, au lieu de se manifester en une seule fois, se perpétue par suite de l'étalement dans le temps de la faute de celui qui le cause. Ex. Le dommage continu du pollueur.
  Syn. préjudice continu
  Comp. dommage graduel
  Angl. *continuous damages, continuous injury*

- **Dommage direct :** Dommage qui, en raison du lien de causalité suffisamment étroit qui l'unit au fait dommageable, est susceptible d'indemnisation par les tribunaux.
  Syn. préjudice direct
  Contr. dommage indirect
  Angl. *direct damage, direct injury*

- **Dommage éventuel :** Dommage futur ou hypothétique dont la réalisation est improbable et qui, conséquemment, n'est pas susceptible de réparation par les tribunaux.
  Syn. préjudice éventuel
  Contr. dommage certain
  Comp. dommage futur
  Angl. *possible damage, possible injury*

- **Dommage futur :** Dommage qui n'est pas encore réalisé au moment où la demande en réparation est formée ou au jour où le tribunal est appelé à l'apprécier.
  Rem. Un dommage futur est susceptible d'indemnisation par les tribunaux s'il est certain et évaluable ; par contre, il ne peut l'être s'il n'est qu'éventuel.
  Syn. préjudice futur
  Comp. dommage certain, dommage éventuel
  Angl. *future damage, future injury*

- **Dommage graduel :** V. PRÉJUDICE GRADUEL.

- **Dommage indirect :** Dommage qui, en raison de son lien de causalité trop lointain avec le fait dommageable, n'est pas susceptible d'indemnisation par les tribunaux.
  Syn. préjudice indirect

Contr. dommage direct
Angl. *indirect damage, indirect injury*

- **Dommage matériel :** Dommage qui porte atteinte au patrimoine d'une personne.
  Syn. dommage patrimonial
  Angl. *material damage, material injury, patrimonial damage, patrimonial injury*

- **Dommage moral :** V. PRÉJUDICE MORAL.

- **Dommage patrimonial :** V. DOMMAGE MATÉRIEL

- **Dommage présent :** V. DOMMAGE ACTUEL.

□ **2.** Perte que subit une personne.
Rem. C'est en matière d'assurance que le *Code civil du Québec* donne ce sens au terme « préjudice ».
Syn. préjudice
Angl. *loss*

□ **3.** Dommages.
Rem. On l'utilise dans le sens de « dommages-intérêts ».
Syn. dommages-intérêts
Angl. *damages*

Dommageable *adj.*

□ Qui cause ou peut causer un dommage.
Syn. préjudiciable
Comp. dommage
Angl. *prejudicial*

Dommages-intérêts *n.m.pl.*

□ **1.** Somme d'argent que doit verser un débiteur à son créancier en raison de l'inexécution, de la mauvaise exécution ou de l'exécution tardive de son obligation.
Comp. *damnum emergens, lucrum cessans*, obligation
Angl. *damages*

□ **2.** Somme d'argent versée, en réparation d'un préjudice, à la victime d'un acte posé par une personne dont la responsabilité civile a été engagée.
Comp. obligation, quantum, responsabilité
Angl. *damages*

- **Dommages-intérêts actuels :** Dommages-intérêts accordés en réparation d'un préjudice réel, véritable.
  Contr. dommages-intérêts exemplaires, dommages-intérêts nominaux, dommages-intérêts punitifs
  Angl. *actual damages*

- **Dommages-intérêts compensatoires :** Dommages-intérêts qui constituent une indemnité proportionnelle au préjudice encouru. Ils tiennent compte de la perte effectivement subie et du gain manqué.
  Comp. dommages-intérêts moratoires
  Angl. *compensatory damages*

- **Dommages-intérêts conventionnels :** Dommages-intérêts que les parties, au moyen d'une clause pénale, déterminent dans leur contrat en cas d'inexécution par l'une d'elles de son obligation.
  Angl. *liquidated damages*

- **Dommages-intérêts exemplaires :** Dommages-intérêts accordés à la victime, non pas en compensation du préjudice réellement subi, mais dans un but de dissuasion en vue d'éviter la répétition de l'acte reproché.
  Rem. L'art. 49 de la *Charte des droits et libertés de la personne* (L.R.Q., c. C-12) emploie les mots « dommages exemplaires » ; cependant, la doctrine et la jurisprudence ne semblent pas faire la distinction entre les dommages-intérêts exemplaires et les dommages-intérêts punitifs.
  Comp. dommages-intérêts compensatoires, dommages-intérêts punitifs
  Angl. *exemplary damages*

- **Dommages-intérêts liquidés :** Dommages-intérêts dont le montant a été déterminé par le juge dans son jugement ou par les parties dans leur convention (notamment par une clause pénale).
  Angl. *liquidated damages*

- **Dommages-intérêts moratoires :** Dommages-intérêts destinés à réparer le préjudice résultant du retard du débiteur à exécuter son obligation.
  Comp. dommages-intérêts compensatoires
  Angl. *moratory damages*

- **Dommages-intérêts nominaux :** Dommages-intérêts alloués en réparation d'un préjudice moral et dont le montant est peu élevé en raison de l'impossibilité d'en évaluer adéquatement l'importance.
  Angl. *nominal damages*

- **Dommages-intérêts punitifs :** Dommages-intérêts accordés à la victime, non pas en compensation du préjudice réellement subi, mais dans le but de réprouver la conduite malveillante de l'auteur ou son intention de nuire.

  Rem. L'art. 1621 du *Code civil du Québec* emploie les mots « dommages-intérêts punitifs » tout en précisant leur fonction préventive. À cet égard, les termes « exemplaires » et « punitifs » sont synonymes. D'ailleurs, la doctrine et la jurisprudence ne semblent pas faire la distinction entre ces deux mots.

  Comp. dommages-intérêts compensatoires, dommages-intérêts exemplaires

  Angl. *punitive damages*

Don *n.m.*

☐ **1.** Action de transférer la propriété d'un bien, sans contrepartie et dans une intention libérale à une autre personne, qui accepte.

  Syn. donation.

  Angl. *donation, gift*

☐ **2.** Objet de la donation.

  Angl. *gift*

- **Don manuel :** Donation d'un bien mobilier, de main à main, avec l'intention de s'en dessaisir à titre gratuit.

  Angl. *gift from hand to hand, manual gift*

Donataire *n.*

☐ Personne qui accepte une donation.

  Contr. donateur

  Comp. donation

  Angl. *donee*

Donateur, trice *n.*

☐ Personne qui fait une donation.

  Contr. donataire

  Comp. donation

  Angl. *donor*

Donation *n.f.*

☐ Contrat par lequel une personne, le donateur, transfère la propriété d'un bien, sans contrepartie et dans une intention libérale, à une autre personne, le donataire, qui accepte.

  Syn. don, donation entre vifs

  Comp. acte à titre gratuit, donataire, donateur, legs

  Angl. *donation, gift, gift inter vivos*

- **Donation à cause de mort :** Donation appelée à prendre effet au décès du donateur et à la condition que le donataire lui survive.

  Rem. Elle n'est pas valide en droit québécois sauf si elle est faite dans un testament ou dans un contrat de mariage.

  Comp. institution contractuelle

  Angl. *gift in contemplation of death, gift mortis causa*

- **Donation avec charge :** Donation comportant pour le donataire l'obligation de fournir une prestation en faveur du donateur ou d'un tiers.

  Rem. La charge imposée au donataire ne doit pas égaler ou excéder l'avantage qu'il retire de la donation.

  Angl. *gift with a charge, onerous gift*

- **Donation de biens à venir :** Donation de biens que le donateur est susceptible d'acquérir dans le futur.

  Rem. Elle est autorisée uniquement lorsqu'elle est consentie par contrat de mariage.

  Comp. biens présents, biens à venir, institution contractuelle

  Angl. *gift of future property*

- **Donation de biens présents et à venir :** Donation par contrat de mariage portant à la fois sur des biens dont le donateur est propriétaire et sur des biens qu'il acquerra dans le futur.

  Comp. biens présents, biens à venir, institution contractuelle

  Angl. *gift of present and future property*

- **Donation déguisée :** Donation ayant l'apparence d'un contrat d'une autre nature, généralement celle d'un contrat à titre onéreux.

  Comp. simulation

  Angl. *disguised gift*

- **Donation entre vifs :** V. DONATION.

  Angl. *gift inter vivos*

- **Donation indirecte :** Donation qui résulte d'un acte qui, par sa nature, ne constitue pas en soi une donation. Ex. La remise de dette.

  Angl. *indirect gift*

- **Donation mutuelle :** Donation où les parties s'avantagent réciproquement, chacune étant à la fois donateur et donataire.

Rem. Elle s'effectue généralement entre époux, son exécution étant conditionnelle au décès de l'un d'eux ; la libéralité ne profite alors qu'au survivant.

Angl. *mutual donation*

- **Donation par contrat de mariage :** Donation consentie, en considération du mariage, au profit des époux ou de l'un d'eux, ou des enfants à naître.

  Rem. Elle est subordonnée à la célébration du mariage.

  Syn. donation *propter nuptias*

  Comp. institution contractuelle

  Angl. *gift by contract of marriage*

- **Donation *propter nuptias* :** V. DONATION PAR CONTRAT DE MARIAGE.

- **Donation rémunératoire :** Donation consentie en reconnaissance d'un service rendu par le donataire.

  Angl. *remuneratory gift, remunerative gift*

Donner acte *v.intr.*

□ Constater un fait, un acte, une convention. Ex. Un juge peut donner acte d'un accord conclu devant lui par les parties.

Comp. prendre acte

Angl. *to acknowledge receipt of*

Dont acte

□ Locution signifiant « dont je vous donne acte ». Elle est utilisée, à la fin d'un acte juridique, spécialement d'un acte notarié, pour indiquer que le notaire a pris bonne note du contenu de l'écrit et du consentement des parties.

Angl. *the foregoing constitutes legal publication*

DORS

□ Abrév. de Décrets, ordonnances et règlements statutaires.

Dossier *n.m.*

□ V. COMMUNICATION DE DOSSIER (DROIT À LA).

Dossier judiciaire

□ V. CASIER JUDICIAIRE.

Dot *n.f.*

□ Biens donnés, dans le contrat de mariage, par un tiers à l'un des futurs époux.

Rem. Autrefois, biens qu'apportait la femme en se mariant et dont le mari avait l'administration.

Comp. dotal

Angl. *dowry*

- **Dot (constitution de) :** Libéralité consentie, habituellement par des parents ou des ascendants, aux époux ou à l'un d'eux à l'occasion de leur mariage.

  Angl. *assignment of dowry*

Dotal, ale, aux *adj.*

□ Qui a rapport à la dot. Ex. Les biens dotaux.

Comp. dot

Angl. *dotal*

Dotation *n.f.*

□ **1.** Ensemble des fonds attribués à un établissement d'utilité publique.

Angl. *endowment*

□ **2.** Processus suivi dans le but de combler un poste vacant dans une unité administrative. Ex. La dotation en personnel dans la fonction publique québécoise.

Rem. Elle comprend deux étapes essentielles : le recrutement et la sélection des candidats et la nomination du titulaire du poste.

Angl. *staffing*

Douaire *n.m.*

□ Droit autrefois conféré par la loi ou le contrat de mariage à la femme et aux enfants sur les biens du mari afin d'assurer leur subsistance au cas où celui-ci décède le premier.

Rem. Il a été remplacé au Québec, en 1969, par l'usufruit légal du conjoint survivant.

Comp. usufruit légal

Angl. *dower*

- **Douaire conventionnel :** Douaire institué par contrat de mariage. Il consiste dans l'usufruit pour la femme et dans la propriété pour les enfants de la portion des biens, meubles ou immeubles, qui le constituent d'après le contrat de mariage.

Syn. douaire préfix.
Angl. *conventional dower*

- **Douaire coutumier :** Douaire institué par la loi du seul fait du mariage. Il consiste dans l'usufruit pour la femme et dans la propriété pour les enfants de la moitié des immeubles dont le mari est propriétaire lors du mariage et de ceux qui sont transmis ultérieurement par ses ascendants.

  Angl. *customary dower*

- **Douaire préfix :** V. DOUAIRE CONVENTIONNEL.

Double *n.m.*

☐ V. DUPLICATA.

Double mandat

☐ V. MANDAT (DOUBLE).

Doute *n.m.*

☐ Hésitation à croire à la réalité d'un fait, à la vérité d'une énonciation.

Angl. *doubt*

- **Doute (bénéfice du) :** Faveur que la loi accorde à un accusé en vertu de laquelle le juge est appelé à prononcer son acquittement en l'absence d'une preuve certaine de sa culpabilité.

  Angl. *benefit of the doubt*

- **Doute raisonnable (hors de tout) :** Expression utilisée en matière pénale pour qualifier le degré de preuve nécessaire pour que soit prononcée une condamnation contre une personne.

  Comp. preuve
  Angl. *beyond any reasonable doubt*

D.P.

☐ Abrév. de Dalloz périodique.

D.P.J.

☐ Abrév. de Directeur de la protection de la jeunesse.

Dr. Adm.

☐ Abrév. de Droit administratif.

Draper

☐ Abrév. de *Draper's King's Bench Reports (Ont).*

D.R.L.

☐ Abrév. de Décisions de la Régie du logement.

Dr. Mar.

☐ Abrév. de Droit maritime français (Le).

Drogue illicite

☐ V. STUPÉFIANT.

Angl. *illicit drug*

Droit *n.m.*

☐ **1.** (**Droit objectif**). Ensemble des règles régissant la vie dans une société donnée et qui sont sanctionnées par une autorité publique. Ex. Le droit du Québec, le droit civil.

Comp. code, équité, législation, loi, question de droit
Angl. *law*

- **Droit administratif :** Branche du droit public qui régit l'organisation et le fonctionnement de l'Administration publique ainsi que ses relations avec les citoyens.

  Angl. *Administrative law*

- **Droit aérien :** Branche du droit qui régit l'activité aérienne et ce qui en dérive.

  Comp. droit aéronautique
  Angl. *Air law*

- **Droit aéronautique :** Branche du droit aérien qui régit la navigation aérienne, les personnes et les biens à être transportés ainsi que les moyens de transport par les airs.

  Comp. droit aérien
  Angl. *Aeronautical law*

- **Droit canon :** V. DROIT CANONIQUE.

- **Droit canonique :** Ensemble des règles qui régissent la constitution, l'organisation et le fonctionnement de l'Église catholique ainsi que la conduite des personnes qui en sont membres.

Syn. droit canon
Comp. droit ecclésiastique
Angl. *Canon law*

- **Droit civil :**
1. Branche du droit privé qui contient les règles fondamentales relatives aux personnes, à la famille, aux biens et aux obligations. Il constitue le droit commun applicable aux rapports entre les individus.
Angl. *Civil law*
2. Droit d'origine romano-germanique, par opposition à la *common law*.
Angl. *Civil law*
3. Droit régissant la société civile, par opposition au droit canonique.
Angl. *Civil law*
4. Ensemble du droit qui n'est pas de nature criminelle ou pénale.
Angl. *Civil law*

- **Droit codifié :**
1. Ensemble des règles portant sur une matière donnée et qui ont été réunies dans un même texte législatif.
Comp. codification
Angl. *codified law*
2. En droit anglais, dispositions législatives contenant des règles qui existaient déjà en *commor law.*
Angl. *codified law*

- **Droit commercial :** Ensemble des règles de droit privé qui sont particulières aux actes de commerce et aux commerçants dans l'exercice de leur activité professionnelle.
Angl. *Commercial law*

- **Droit commun :** Règles qui s'appliquent en principe à un ensemble de rapports juridiques, à moins de disposition contraire. Ex. En droit civil québécois, le *Code civil* contient les règles de droit commun.
Contr. droit d'exception
Angl. *general jurisdiction, ordinary law*

- **Droit comparé :** Étude comparative des ressemblances et des différences entre les systèmes de droit ainsi qu'entre les droits nationaux.
Syn. étude comparative du droit
Comp. famille de droit
Angl. *Comparative law*

- **Droit constitutionnel :** Branche du droit public qui régit l'organisation et le fonctionnement des institutions politiques de l'État et qui précise les principes les plus fondamentaux gouvernant les rapports entre l'État et les citoyens.
Angl. *Constitutional law*

- **Droit coutumier :** Ensemble des règles juridiques fondées sur la coutume.
Comp. coutume
Angl. *Customary law*

- **Droit criminel :** Ensemble des règles du droit pénal qui ont pour objet les crimes et la répression des comportements qui portent atteinte aux valeurs fondamentales de la société.
Rem. Au Canada, le Parlement fédéral a une compétence exclusive en droit criminel (*Loi constitutionnelle de 1867*, art. 91 (27)).
Comp. acte criminel, crime, criminel, droit pénal, infraction criminelle
Angl. *Criminal law*

- **Droit de la consommation :** Ensemble des règles juridiques destinées spécialement à assurer la protection des intérêts du justiciable, en sa qualité de consommateur, dans ses relations avec les fournisseurs de biens et de services.
Angl. *Consumer law*

- **Droit des affaires :** Ensemble des règles juridiques qui régissent l'organisation et le fonctionnement de la vie économique d'un État.
Comp. droit commercial
Angl. *Business law*

- **Droit d'exception :** Droit écrit contenu dans des lois particulières qui dérogent au droit commun. Ex. La *Loi sur la protection du consommateur* par rapport au *Code civil.*
Contr. droit commun
Comp. droit écrit, droit statutaire
Angl. *special law*

- **Droit du commerce international :** Branche du droit traitant de l'organisation et du fonctionnement des opérations commerciales qui présentent un caractère international.
Angl. *International commercial law*

- **Droit du travail :** Ensemble des règles juridi-

ques qui déterminent les conditions ainsi que les relations de travail entre les employeurs et les salariés.
Angl. *Labour law*

- **Droit ecclésiastique :** Ensemble des règles qui régissent la constitution, l'organisation et le fonctionnement d'une Église ainsi que la conduite des personnes qui en sont membres.
Comp. droit canonique
Angl. *Ecclesiastical law*

- **Droit écrit :** Ensemble des règles adoptées par voie législative.
Comp. coutume
Angl. *Statute law, Written statute law*

- **Droit fiscal :** Ensemble des règles juridiques qui régissent les impôts quant à leur assiette, leur liquidation et leur recouvrement.
Angl. *Fiscal law*

- **Droit international :**
1. Ensemble des règles applicables aux rapports juridiques à caractère international qui impliquent tant des individus que des États ou autres organismes.
Rem. Il se divise en deux branches : le droit international privé et le droit international public.
Angl. *International law*
2. Mot qui désigne, par abréviation, le droit international public.
Angl. *International law*

- **Droit international conventionnel :** Conventions, traités et autres ententes internationales auxquels un État est partie ou qu'il a accepté d'appliquer.
Angl. *Conventional international law*

- **Droit international privé :** Ensemble des règles applicables aux individus impliqués dans des relations juridiques à caractère international.
Comp. conflit de lois
Angl. *Private international law*

- **Droit international public :** Ensemble des règles juridiques qui régissent les relations entre les États, entre les États et les organismes internationaux ainsi qu'entre les organismes internationaux eux-mêmes.
Contr. droit interne
Angl. *Public international law*

- **Droit interne :** Droit applicable à l'intérieur d'un État.
Contr. droit international public
Angl. *internal law*

- **Droit judiciaire :** Ensemble des règles qui régissent l'organisation, la compétence et le fonctionnement des juridictions civiles. Le droit judiciaire comprend la procédure civile.
Rem. On emploie parfois l'expression « droit judiciaire privé » pour désigner le droit judiciaire. Puisque ce domaine du droit inclut des notions tant de droit public que de droit privé, il est préférable de ne pas utiliser ce qualificatif.
Angl. *Adjective law, Civil procedure, Judicial law*

- **Droit judiciaire privé :** V. DROIT JUDICIAIRE.

- **Droit maritime :** Ensemble des règles juridiques relatives à la navigation maritime, au transport par mer des voyageurs et des marchandises et au commerce maritime en général, y compris l'appropriation et l'utilisation des zones territoriales maritimes et l'exploitation des fonds marins et sous-marins.
Angl. *Maritime law*

- **Droit matériel :** V. DROIT SUBSTANTIEL.

- **Droit matrimonial :** Ensemble des règles relatives au mariage, notamment celles qui concernent les relations patrimoniales des époux.
Comp. régimes matrimoniaux
Angl. *matrimonial law*

- **Droit mixte :** Droit national caractérisé par la réception et l'intégration de plusieurs systèmes de droit. Ex. Le droit québécois est mixte puisqu'il prend sa source dans deux systèmes juridiques, le Droit civil et la *Common law*.
Comp. *Common law*, droit civil, système de droit
Angl. *mixed law (system of)*

- **Droit municipal :** Ensemble des règles qui régissent l'organisation en personne morale des résidents d'un territoire délimité et qui déterminent les pouvoirs qui sont délégués à ces personnes morales par l'autorité compétente en vue de satisfaire des besoins locaux.
Angl. *Municipal law*

- **Droit naturel :** Ensemble de principes universels, conformes à la nature et à la conscience, qui représentent un idéal de justice et ont, d'un point de vue moral, priorité sur le droit positif.

  Contr. droit positif
  Comp. justice naturelle
  Angl. *natural law*

- **Droit non écrit :** Ensemble de règles dont l'origine n'est pas législative. Ex. La coutume.

  Angl. *unenacted law, unwritten law*

- **Droit ouvrier :** Termes utilisés pour désigner le droit du travail à une époque où celui-ci visait prioritairement les personnes exécutant des tâches manuelles.

  Angl. *Labour law*

- **Droit pénal :** Ensemble des règles de droit public qui ont pour objet les peines et la répression des crimes et des infractions. Il vise à punir les comportements prohibés par la loi comme étant contraires à l'ordre et au bien-être dans la société.

  Rem. **1.** Le droit pénal se divise en droit pénal de fond qui a pour objet l'infraction, et en droit pénal de forme qui concerne la procédure et la preuve pénales. Le droit pénal de fond se subdivise en droit pénal général (les principes applicables à toutes les infractions) et en droit pénal spécial (les aspects précis et détaillés des infractions). **2.** Au Canada, la compétence législative en droit pénal est partagée entre le Parlement fédéral, les législatures provinciales (*Loi constitutionnelle de 1867*, art. 92 (15)) et les municipalités.
  Comp. crime, droit criminel, infraction
  Angl. *Criminal law, Penal law*

- **Droit pénal fédéral :** Droit pénal ayant pour objet la répression des crimes et des infractions contenus dans des lois fédérales, dont le *Code criminel*, et les règlements fédéraux.

  Angl. *Federal penal laws*

- **Droit pénal provincial :** Droit pénal ayant pour objet la répression des infractions réglementaires contenues dans les lois et les règlements des provinces et des municipalités.

  Angl. *Provincial penal laws*

- **Droit positif :** Ensemble des règles juridiques en vigueur dans un État.

  Contr. droit naturel
  Angl. *positive law, substantive law*

- **Droit privé :** Ensemble des règles juridiques qui gouvernent les rapports entre les personnes. Il regroupe le droit civil, le droit commercial, le droit maritime et le droit international privé.

  Rem. La classification droit privé/droit public n'est pas absolue et certaines branches de droit ne peuvent y entrer à cause de leurs caractéristiques propres (ex. le droit de l'environnement, le droit du travail, le droit judiciaire, le droit social).
  Contr. droit public
  Angl. *private law*

- **Droit public :** Ensemble des règles juridiques qui gouvernent l'organisation et le fonctionnement de l'État et de ses composantes, les rapports entre l'État et les citoyens et entre les États. Il regroupe le droit administratif, le droit constitutionnel, le droit fiscal, le droit international public et le droit pénal.

  Rem. La classification droit privé/droit public n'est pas absolue et certaines branches du droit ne peuvent y entrer à cause de leurs caractéristiques propres (ex. le droit de l'environnement, le droit du travail, le droit judiciaire, le droit social).
  Contr. droit privé
  Angl. *public law*

- **Droit statutaire :** V. DROIT D'EXCEPTION.

  Rem. Le mot « statutaire » est un anglicisme lorsqu'il réfère au droit écrit (par opposition à la *Common law*) ou, plus généralement, au droit d'exception d'un État (par rapport au droit commun).
  Comp. droit commun, droit d'exception, droit écrit
  Angl. *statutory law*

- **Droit substantiel :** Ensemble des règles de fond qui régissent un domaine particulier du droit (par opposition aux règles de procédure).

  Rem. On emploie souvent, à tort, les mots « droit substantif » qui sont une traduction littérale de « *substantive law* ».
  Syn. droit matériel
  Angl. *substantive law*

- **Droit substantif :** V. DROIT SUBSTANTIEL.

- **Droit transitoire :** Ensemble des règles régissant l'application de la loi dans le temps.

Elles déterminent les domaines respectifs de la loi ancienne et de la loi nouvelle.

Rem. Le législateur prévoit généralement, dans des dispositions dites transitoires, les modalités d'application dans le temps des lois qu'il édicte ; en leur absence, il faut recourir aux lois d'interprétation qui contiennent les règles fondamentales à ce sujet.

Angl. *transitional law*

- **Droit urbain :** V. URBAIN.

□ **2. (Droit subjectif).** Prérogative reconnue par le droit objectif à une personne, dans son intérêt et dont celle-ci peut exiger le respect. Ex. Le droit de propriété.

Angl. *right*

- **Droit absolu :** Droit opposable à tous. Ex. Le droit de propriété est un droit absolu.

Angl. *absolute right*

- **Droit(s) acquis :**

1. Droit reconnu, en vertu d'une loi antérieure ou d'un usage permis dont le titulaire s'était déjà prévalu, en totalité ou en partie, avant l'entrée en vigueur d'une législation nouvelle ayant pour effet de le remettre en cause.

Angl. *acquired right(s), vested right(s)*

2. Droits ou avantages accordés dans le passé à des travailleurs et qui reposent sur la coutume, la convention collective ou la reconnaissance de l'employeur.

Angl. *acquired rights, vested rights*

- **Droit à l'intégralité :** V. DROIT MORAL.

- **Droit apparent :** V. APPARENCE DE DROIT.

- **Droit(s) concurrent(s) :**

1. Droits de même nature qui appartiennent à des personnes différentes et portent sur une même chose. Ex. Les droits de copropriétaires sur les parties communes de l'immeuble.

Angl. *common rights*

2. Droits qui sont de même rang. Ex. Les droits concurrents des créanciers chirographaires en matière d'exécution des jugements.

Angl. *common rights, concurrent rights*

- **Droit d'accession :** Mode légal d'acquisition de la propriété par extension du droit du propriétaire d'un bien à ce que ce bien produit et à ce qui s'y unit, de façon naturelle ou artificielle.

Comp. accession

Angl. *right of accession*

- **Droit d'aînesse :** V. AÎNESSE.

- **Droit d'auteur :** V. AUTEUR (DROIT D').

- **Droit d'échelage :** V. SERVITUDE DE TOUR D'ÉCHELLE.

- **Droit de créance :** V. CRÉANCE.

- **Droit de gage :** V. GAGE.

- **Droit de garde :** V. GARDE.

- **Droit de grève :** V. GRÈVE (DROIT DE).

- **Droit de jouissance :** V. JOUISSANCE.

- **Droit de mitoyenneté :** V. MITOYENNETÉ.

- **Droit(s) de mutation :** V. MUTATION (DROIT(S) DE).

- **Droit de parole :** Droit que possède un membre d'une assemblée délibérante ou une personne participant à une réunion publique d'y prendre la parole, conformément aux règlements en vigueur, sur un sujet faisant l'objet d'un débat.

Angl. *right to speak*

- **Droit de passage :** V. SERVITUDE DE PASSAGE.

- **Droit de paternité :** V. DROIT MORAL.

- **Droit de préemption :**

1. Droit accordé à une personne, par la loi ou la convention des parties, d'acquérir un bien de préférence à toute autre, dans l'éventualité où il serait mis en vente.

Angl. *right of pre-emption*

2. Droit pour un actionnaire détenant des actions d'une catégorie de souscrire, par préférence et au prorata du nombre d'actions qu'il possède, à une nouvelle émission d'actions de la même catégorie.

Rem. La *Loi sur les sociétés par actions* (L.R.C. 1985, c. C-44) utilise les mots « droit de préemption » alors que le *Règlement sur les valeurs mobilières* du Québec emploie plutôt les mots « droit préférentiel de souscription ».

Syn. droit préférentiel de souscription

Angl. *pre-emptive right*

- **Droit de préférence :**

1. Droit pour certains créanciers de prendre

rang avant les autres, lors d'une vente en justice. Ex. Le créancier hypothécaire a un droit de préférence sur les créanciers chirographaires.

Angl. *preference right, right of preference*

2. Engagement pris par une personne de conclure un contrat avec une autre par préférence à des tiers. Ex. Un auteur peut, dans son contrat, concéder à son éditeur un droit de préférence concernant le prochain ouvrage qu'il rédigera.

Rem. On emploie souvent l'expression « droit de premier refus ».

Syn. droit de premier refus

Angl. *right of first refusal*

- **Droit de premier refus :** V. DROIT DE PRÉFÉRENCE.

- **Droit de propriété :** V. PROPRIÉTÉ.

- **Droit de réméré :** V. RÉMÉRÉ.

- **Droit de reprise :** V. REPRISE.

- **Droit de rétention :** Droit accordé par la loi à un créancier de retenir un bien appartenant à son débiteur jusqu'au paiement total de la créance qu'il a contre lui.

  Comp. retenir, rétention

  Angl. *right to retain*

- **Droit de retour :** V. RETOUR.

- **Droit de retrait :** Faculté que la loi accorde à un indivisaire d'écarter la personne étrangère à l'indivision qui a acquis, à titre onéreux, la part d'un autre indivisaire, en lui remboursant le prix de la cession et les frais qu'elle a acquittés.

  Comp. droit de préemption, retrait

  Angl. *right of redemption*

- **Droit de suite :**

  1. Prérogative conférée par la loi au titulaire d'un droit réel de suivre le bien qui lui appartient ou qui est grevé à son profit, en quelque main qu'il se trouve. Ex. Le propriétaire d'un immeuble peut le revendiquer contre tout détenteur en vertu de son droit de suite.

  Angl. *right to follow*

  2. Droit de l'auteur d'une oeuvre artistique originale de participer aux profits de sa revente, lorsqu'il y a plus-value.

  Rem. Ce droit n'est pas reconnu par la loi, au Canada.

  Angl. *right to follow*

- **Droit de superficie :** V. PROPRIÉTÉ SUPERFICIAIRE.

- **Droit de tour d'échelle :** V. SERVITUDE DE TOUR D'ÉCHELLE.

- **Droit de visite :** En droit de la famille, droit accordé au conjoint qui n'a pas la garde d'un enfant de lui rendre visite au lieu fixé par le juge ou convenu par les parties et, lorsqu'il y est autorisé, de l'emmener pour une période limitée dans un lieu autre que celui de la résidence de l'enfant.

  Angl. *right of access*

- **Droit de vue :** V. SERVITUDE DE VUE.

- **Droit d'habitation :** V. HABITATION (DROIT D').

- **Droit d'option :**

  1. À la dissolution du régime matrimonial de la communauté de biens, faculté offerte à la femme ou aux héritiers d'accepter le partage de la moitié des biens communs ou d'y renoncer.

  Comp. bien(s) commun(s), communauté de biens

  Angl. *right of option*

  2. À la dissolution du régime matrimonial de la société d'acquêts, faculté offerte à chacun des époux ou à leurs héritiers d'accepter le partage de la moitié de la valeur nette des acquêts de l'autre époux ou d'y renoncer.

  Comp. acquêts, société d'acquêts

  Angl. *right of option*

- **Droit d'usage :** V. USAGE.

- **Droit d'usufruit :** V. USUFRUIT.

- **Droit éventuel :** Droit incertain qui existe à l'état de simple expectative et qui se transformera en droit définitif lors de la survenance d'un événement essentiel à sa réalisation. Ex. Le droit de l'appelé pendant la substitution est un droit éventuel.

  Angl. *contingent right*

- **Droit extrapatrimonial :** V. EXPATRIMONIAL.

- **Droit litigieux :** Droit qui fait l'objet d'un procès ou qui est de nature à faire naître une contestation judiciaire sérieuse.

Angl. *litigious right*

- **Droit moral :** Droit conféré par la loi à l'auteur d'une oeuvre artistique, littéraire ou scientifique d'exiger que son oeuvre soit présentée dans son intégralité, en interdisant toute modification, mutilation ou déformation qui serait préjudiciable à son honneur ou à sa réputation (droit à l'intégralité) et d'obliger toute personne utilisant ou exploitant son oeuvre à mentionner son nom ou son pseudonyme (droit de paternité).
Comp. auteur
Angl. *intellectual right of the author*

- **Droit (moyen(s) de) :** V. MOYEN(S) DE DROIT.

- **Droit patrimonial :** V. PATRIMONIAL.

- **Droit personnel :** Droit pour un créancier d'exiger du débiteur l'exécution de son obligation. Ex. Le droit du vendeur impayé contre l'acheteur.
Syn. créance
Comp. droit réel
Angl. *personal right*

- **Droit (pétition de) :** V. PÉTITION DE DROIT.

- **Droit préférentiel de souscription :** Droit pour un actionnaire détenant des actions d'une catégorie de souscrire, par préférence et au prorata du nombre d'actions qu'il possède, à une nouvelle émission d'actions de la même catégorie.
Rem. La *Loi sur les sociétés par actions* (L.R.C. 1985, c. C-44) utilise les mots « droit de préemption » alors que le *Règlement sur les valeurs mobilières* du Québec emploie plutôt les mots « droit préférentiel de souscription ».
Syn. droit de préemption
Angl. *pre-emptive right*

- **Droit (question de) :** V. QUESTION DE DROIT.

- **Droit réel :** Droit qui porte directement sur un bien. Ex. Le droit de propriété d'un immeuble.
Comp. créance, droit personnel
Angl. *real right*

- **Droit réel démembré :** V. DÉMEMBREMENT.

- **Droit(s) seigneurial(aux) :** Créances privilégiées sur des immeubles que devaient acquitter autrefois les censitaires, sous le régime seigneurial.
Comp. cens, censitaire
Angl. *seigniorial dues, seigniorial rights*

- **Droit strict (de) :** V. INTERPRÉTATION STRICTE.

- **Droit strict (en) :** Par la seule application de la loi, sans que l'on tienne compte des conséquences autres que juridiques. Ex. Une personne peut avoir raison en droit strict, même si sa prétention est moralement indéfendable.
Contr. équité
Angl. *unescapable*

- **Droit successif :** Droit d'un héritier légal ou testamentaire dans une succession ouverte.
Rem. Le *Code civil du Bas-Canada* emploie les termes « droit successif » alors que le *Code civil du Québec* utilise plutôt les mots « droits successoraux ».
Syn. droit(s) successoral(aux)
Angl. *right of succession*

- **Droit(s) successoral(aux) :** V. DROIT SUCCESSIF.

□ **3.(Droit subjectif).** Par extension, toute prérogative ou droit fondamental reconnus par le droit objectif aux membres d'une société, en général. Ex. Les droits de la personne.
Comp. liberté (□ 2.)
Angl. *right*

- **Droit à l'égalité :** Droit fondamental qui, selon les chartes canadienne et québécoise, garantit à toute personne l'égalité dans la reconnaissance et l'exercice de ses droits, indépendamment de toute discrimination.
Comp. discrimination
Angl. *equality right*

- **Droit à une défense pleine et entière :** En matière pénale, principe de justice naturelle, souvent enchâssé dans les chartes, qui garantit à un accusé certains droits fondamentaux dont il a besoin pour assurer efficacement sa défense à toutes les étapes de son procès. Ex. Le droit d'être assisté ou représenté par un avocat, d'obtenir communication des éléments qui seront mis en preuve contre lui lors du procès, de présenter sa propre preuve, d'interroger et de contre-interroger les témoins.

Syn. droits de la défense
Comp. défense
Angl. *right to a full and complete defence*

- **Droit d'être entendu :** Droit pour un justiciable de faire valoir ses prétentions avant qu'une décision affectant ses droits ne soit prise par une autorité administrative ou judiciaire.

Syn. *audi alteram partem*
Angl. *right to be heard*

- **Droits civils :** Droits qui appartiennent aux membres d'une société et qui régissent leurs rapports avec les autres, pris individuellement. Ils comprennent les règles relatives aux personnes, aux biens, à la famille et aux obligations.

Rem. L'article 92 (13) de la *Loi constitutionnelle de 1867* attribue aux provinces le pouvoir de légiférer en matière de droits civils.
Comp. droits de la personne, libertés publiques
Angl. *civil rights*

- **Droits de la défense :** V. DROIT À UNE DÉFENSE PLEINE ET ENTIÈRE.

- **Droits de la personne :** Ensemble des droits fondamentaux dont jouissent les citoyens d'un État et qui sont considérés comme appartenant naturellement à tout être humain.

Rem. **1.** Ces droits sont consacrés notamment par la *Charte* (québécoise) *des droits et libertés de la personne* et la *Charte canadienne des droits et libertés* **2.** L'expression « droits de l'homme » n'est plus utilisée au Canada.
Comp. *Charte canadienne des droits et libertés, Charte des droits et libertés de la personne*, libertés fondamentales
Angl. *fundamental rights, human rights*

- **Droits de l'homme :** V. DROITS DE LA PERSONNE.

- **Droits démocratiques :** V. DROITS POLITIQUES.

- **Droits économiques et sociaux :** Droits fondamentaux qui, dans la *Charte* (québécoise) *des droits et libertés de la personne*, assurent aux citoyens certaines garanties dans les domaines économique et social (ex. le droit à la protection et à la sécurité pour tout enfant, le droit à une instruction publique gratuite et à un enseignement religieux ou moral, le droit à l'information, le droit à des conditions de travail justes et raisonnables).

Angl. *economic and social rights*

- **Droits judiciaires :** Droits fondamentaux qui, dans les chartes canadienne et québécoise, garantissent à toute personne appelée à se présenter devant les tribunaux ou à être privée de sa liberté certaines protections (ex. le droit à une audition impartiale par un tribunal indépendant, le droit d'être informée des motifs d'arrestation ou de détention, la présomption d'innocence, le droit à une défense pleine et entière).

Angl. *judicial rights, legal rights*

- **Droits politiques :** Droits fondamentaux qui, dans les chartes canadienne et québécoise, reconnaissent à toute personne légalement habilitée et qualifiée le droit de se porter candidat à une élection et d'y voter.

Rem. La *Charte canadienne des droits et libertés* utilise plutôt les mots « droits démocratiques ».
Angl. *democratic rights, political rights*

☐ **4.** Taxe, redevance. Ex. Un droit d'entrée, de mutation ou d'enregistrement.

Angl. *fee, tax*

Dr. ouvrier

☐ Abrév. de Droit ouvrier (Le).

D.R.S.

☐ Abrév. de *Dominion Reports Service.*

Dr. social

☐ Abrév. de Droit social.

D.S.

☐ Abrév. de Recueil Dalloz-Sirey.

D.T.C.

☐ Abrév. de Dominion Tax Cases.

D.T.E.

☐ Abrév. de Droit du travail Express.

Duces tecum

☐ Locution latine signifiant « apporte avec toi ».

Comp. *subpoena duces tecum* (bref de)

Dumping *n.m.*

☐ Pratique commerciale consistant à vendre des produits ou des services à des prix anormalement bas, parfois inférieurs aux prix de revient, dans le but de s'accaparer du marché.

Angl. *dumping*

Duplicata *n.m.*

☐ Second exemplaire d'un document, d'un acte.

Rem. À la différence de la copie, il a la même valeur que l'original.
Syn. double
Comp. copie, original
Angl. *duplicate*

Duplique *n.f.*

☐ Dans le déroulement de la procédure écrite en matière civile, acte de procédure par lequel le demandeur expose ses moyens de fait et de droit à l'endroit de la réplique.

Comp. défense, réplique, réponse, triplique
Angl. *special answer*

Dura lex, sed lex

☐ Maxime latine signifiant « la loi est dure, mais c'est la loi ». Elle souligne le caractère impératif de la loi que le juge est tenu de suivre lorsqu'elle est claire ou formelle, même lorsque son application paraît peu raisonnable et contraire à l'équité naturelle.

E

E.&.A.

☐ Abrév. de *Error and Appeal Reports Grant (Ont.).*

Eau, eaux *n.f.*

☐ Masses plus ou moins considérables d'eau naturelle qui font généralement l'objet d'une législation ou d'une réglementation.

Angl. *water*

- **Eaux canadiennes :** La mer territoriale du Canada et toutes les eaux intérieures du Canada.

  Angl. *Canadian waters*

- **Eaux internes du Canada :** La totalité des fleuves, rivières, lacs et autres eaux douces navigables, à l'intérieur du Canada.

  Angl. *inland waters of Canada*

- **Eaux territoriales :** Zone de mer adjacente aux côtes d'un pays que l'on considère comme la frontière maritime de ce pays.

  Rem. Selon les conventions internationales, la zone qui est placée sous la souveraineté des États a une largeur de douze milles marins. Cependant, certains États, dont le Canada, étendent cette limite à deux cent milles marins, pour certaines fins.

  Comp. *fond marin*

  Angl. *territorial waters*

Ébriété *n.f.*

☐ V. IVRESSE.

E.C.B.

☐ Abrév. de *Expropriations Compensation Board.*

Ecclésiastique *adj.*

☐ V. DROIT ECCLÉSIASTIQUE.

Échange *n.m.*

☐ Contrat par lequel les parties se transfèrent respectivement la propriété d'un bien, autre qu'une somme d'argent (*Code civil du Québec.*, art. 1795).

Comp. échanger, échangiste

Angl. *exchange*

- **Echange avec soulte :** Échange comportant la remise d'une somme d'argent qui compense la différence de valeur entre les biens échangés.

  Comp. soulte

  Angl. *exchange with compensation in cash*

Échanger *v.tr.*

☐ Effectuer un échange

Comp. échange, échangiste

Angl. *to exchange*

Échangiste *n.*

☐ Personne qui est partie à un échange.

Comp. coéchangiste, échange, échanger

Angl. *exchanger*

Échéance *n.f.*

☐ **1.** Date à laquelle l'exécution d'une obligation peut être exigée, arrivée du terme prévu dans une convention.

Comp. échoir, exigibilité, terme

Angl. *expiration, expiry*

☐ **2.** Date à laquelle expire un délai.

Comp. délai, échoir

Angl. *deadline, maturity, term*

Échoir *v.intr.*

- ☐ Arriver à échéance. Ex. Le terme échoit le 1er mai.

  Comp. échéance

  Angl. *to expire, to fall due, to mature*

Éclairé, ée *adj.*

- ☐ V. CONSENTEMENT ÉCLAIRÉ.

Économiquement défavorisée (personne)

- ☐ V. PERSONNE ÉCONOMIQUEMENT DÉFAVORISÉE.

Écrit, e *adj.*

- ☐ **1.** Ce qui est exprimé par l'écriture.

  Contr. verbal

  Comp. testimonial

  Angl. *written*

- ☐ **2.** Se dit du droit contenu dans des textes législatifs.

  Comp. droit écrit, droit non écrit

  Angl. *statutory, written*

Écrit *n.m.*

- ☐ Document rédigé, y compris ce qui est imprimé, photocopié, peint, gravé, lithographié ou autrement tracé ou copié.

  Rem. L'art. 35 de la *Loi d'interprétation* (L.R.C. 1985, c. I-21) le définit comme suit : « Mots pouvant être lus, quel que soit leur mode de présentation ou de reproduction, notamment impression, dactylographie, peinture, gravure, lithographie ou photographie. La présente définition s'applique à tout terme de sens analogue ».

  Angl. *manuscript*

- • **Écrit instrumentaire :** Écrit destiné, lors de sa rédaction, à constater un fait juridique, un acte juridique. Il peut prendre la forme d'un acte authentique, semi-authentique ou sous seing privé. Ex. Un contrat, un testament.

  Syn. acte instrumentaire, *intrumentum*

  Comp. acte authentique, acte semi-authentique, acte sous seing privé, fait juridique

  Angl. *document, instrument, written instrument*

- • **Écrit non instrumentaire :** Écrit dont le but premier n'est pas de faire la preuve d'un fait ou d'un acte juridique mais qui peut, en certains cas, servir comme élément de preuve. Ex. Les papiers domestiques, les notes personnelles, les lettres.

  Syn. acte non instrumentaire

  Comp. papiers domestiques

  Angl. *non-instrumentary document*

Écriture *n.f.*

- ☐ V. DÉNÉGATION D'ÉCRITURE OU DE SIGNATURE, VÉRIFICATION D'ÉCRITURE.

Écumeurs de mer (fait des)

- ☐ V. PIRATERIE.

Édicter *v. tr.*

- ☐ Prescrire par une loi, un règlement.

  Comp. promulguer

  Angl. *to decree, to enact*

Éditeur officiel

- ☐ Personne ou organisme gouvernemental chargé de publier les lois, les règlements, les avis et ordonnances ainsi que tout autre document public dont le gouvernement ou la loi requièrent la publication.

  Rem. Au Québec, le sous-ministre du ministère des Communications est d'office Éditeur officiel du Québec.

  Angl. *King's Printer, Queen's Printer*

Édition (contrat d')

- ☐ Contrat par lequel l'auteur d'une oeuvre artistique, littéraire ou scientifique cède à une personne, appelée éditeur, contre une rémunération basée généralement sur le total des ventes, le droit de la publier et d'en effectuer la distribution.

  Angl. *contract for publishing*

Éducation *n.f.*

- ☐ **1.** Mise en oeuvre des moyens propres à assurer la formation d'un être humain par le développement de ses facultés morales, physiques et intellectuelles.

  Angl. *education*

☐ **2.** Le résultat de l'action d'éduquer.
Angl. *education*

• **Éducation (devoir d') :** Obligation des père et mère de veiller à la formation de leur enfant, compte tenu de ses aptitudes et des moyens dont ils disposent, afin de lui permettre d'acquérir son indépendance.
Angl. *duty of education*

Éduc. & L.J.

☐ Abrév. de *Education and Law Journal.*

Effectif, ive *adj.*

☐ **1.** Qui produit l'effet recherché.
Angl. *effective, efficient*

☐ **2.** Qui est appliqué ou accompli réellement.
Angl. *actual, effective, real*

Effectivité *n.f.*

☐ **1.** Caractère d'une règle de droit qui est appliquée réellement ou qui produit l'effet recherché par le législateur. Ex. L'effectivité d'une loi reconnaissant l'avortement.
Angl. *effectiveness*

☐ **2.** Fait pour une décision de justice de pouvoir être exécutée. Ex. L'effectivité à l'étranger d'un jugement prononcé au Québec.
Angl. *effectiveness*

☐ **3.** Caractère d'une situation qui prévaut dans les faits et dont l'existence indiscutable justifie la reconnaissance ou l'opposabilité. Ex. Pour être reconnu internationalement, un gouvernement doit démontrer l'effectivité de son pouvoir.
Angl. *effectiveness*

Effet *n.m.*

☐ **1.** Conséquence juridique d'un acte, d'un fait, d'une décision.
Comp. cause
Angl. *effect*

• **Effet constitutif :** V. CONSTITUTIF.

• **Effet déclaratif :** V. DÉCLARATIF, DÉCLARATIF DU PARTAGE (EFFET).

• **Effet rétroactif :** V. RÉTROACTIF (EFFET).

• **Effet suspensif :** V. SUSPENSIF.

• **Effet translatif :** V. TRANSLATIF.

☐ **2.** Titre négociable.
Angl. *negotiable instrument*

• **Effet bancaire :** Termes génériques désignant les instruments de paiement qui transitent par les banques dont, notamment, les effets de commerce et les lettres de crédit.
Comp. effet de commerce, lettre de crédit
Angl. *bank-paper*

• **Effet de commerce :** Titre représentant une somme d'argent, qui se négocie par endossement et délivrance si l'effet est à ordre ou par la délivrance seulement si l'effet est au porteur.
Rem. La lettre de change, le chèque et le billet sont des effets de commerce.
Syn. effet négociable
Comp. billet, chèque, lettre de change
Angl. *commercial paper, negotiable instrument*

• **Effet de complaisance :** Effet de commerce accepté ou soumis par complaisance.
Syn. lettre de complaisance
Comp. complaisance, partie de complaisance
Angl. *accommodation paper*

• **Effet négociable :** V. EFFET DE COMMERCE.

Effet mobilier

☐ Termes utilisés parfois pour désigner un bien meuble.
Rem. Cette expression tend à disparaître des textes juridiques québécois.
Syn. bien meuble, meuble
Angl. *moveable thing*

Effraction *n.f.*

☐ Fait de briser ce qui assure la fermeture d'un immeuble ou d'un meuble ou d'en forcer l'ouverture dans le but de s'introduire illégalement dans un endroit ou de prendre la fuite.
Rem. Elle constitue une circonstance aggravante pour certaines infractions, tel le vol.
Comp. introduction par effraction
Angl. *break*

E.G.

☐ Abrév. de *exempli gratia* (par exemple).

Égout *n.m.*

☐ V. SERVITUDE DES ÉGOUTS DES TOITS.

Ei incumbit probatio qui dicit, non qui negat

☐ Maxime latine signifiant « la preuve incombe à celui qui affirme, non à celui qui nie ».

Comp. *actori incumbit probatio*

Ejusdem generis (règle)

☐ Règle d'interprétation suivant laquelle un terme générique apparaissant dans un acte juridique ou une disposition législative, à la suite d'une énumération de personnes ou de choses, ne peut désigner que des personnes ou des choses de même ordre ou de même nature.

Rem. La locution latine *ejusdem generis* signifie « du même genre », « de même nature ».

Electa una via non datur recursum ad alteram

☐ Maxime latine signifiant « une voie ayant été choisie, il n'est pas donné de recours à une autre ». Elle s'applique dans les cas où la loi accorde des recours alternatifs à une personne. Ex. Le vendeur qui demande la résolution de la vente, faute de paiement, est censé avoir abandonné son droit d'en recouvrer le prix.

Syn. *una via electa non datur recursum ad alteram*

Électeur, trice *n.*

☐ Personne qui possède les qualités requises par la loi pour voter lors d'une élection ou d'un référendum.

Comp. élection, élu
Angl. *elector, voter*

• **Électeur inscrit :** Personne dont le nom est inscrit sur une liste électorale, ce qui lui donne le droit de voter lors d'une élection ou d'un référendum.

Angl. *qualified elector, qualified voter*

Électif, ive *adj.*

☐ Qui est conféré, qui doit être pourvu par élection.

Comp. élection, élu
Angl. *elective*

Élection *n.f.*

☐ **1.** Opération par laquelle des citoyens choisissent par un vote certains d'entre eux pour remplir une fonction ou exécuter un mandat.

Contr. nomination
Comp. électeur, électif, électoral, élu
Angl. *election*

☐ **2.** Choix.

Angl. *choice*

• **Élection de domicile :**
1. Choix d'un domicile, généralement distinct du domicile réel, par les parties à un acte juridique pour l'exécution de l'acte et pour l'attribution de compétence à un tribunal, en cas de litige.

Comp. domicile
Angl. *choice of residence, election of domicile*

2. Indication par un officier public de l'endroit où il entend exercer sa profession. Ex. L'élection de domicile d'un notaire.

Comp. domicile
Angl. *choice of residence, election of domicile*

Électoral, ale, aux *adj.*

☐ Qui se rapporte aux élections. Ex. La campagne électorale.

Comp. élection
Angl. *electoral, election*

Élément *n.m.*

☐ Partie composante d'un tout, d'un objet.

Angl. *element*

• **Élément matériel :** Objet ou représentation sensorielle d'un objet, d'un fait ou d'un lieu qu'une partie met en preuve lors d'un procès.

Comp. pièce
Angl. *material thing*

• **Éléments constitutifs d'une infraction :** V. INFRACTION.

Éligibilité *n.f.*

- État d'une personne qui remplit les conditions prescrites par la loi pour être élue.
  Contr. inéligibilité
  Comp. élection, éligible
  Angl. *eligibility*

Éligible *adj.*

- Qui remplit les conditions prescrites par la loi pour être élu.
  Contr. inéligible
  Comp. élection, éligibilité
  Angl. *eligible*

E.L.J.

- Abrév. de *Education and Law Journal.*

E.L.R.

- Abrév. de *Eastern Law Reporter.*

Élu, ue *adj. et n.*

- **1.(adj.)** Qui est soumis à élection ou désigné par élection. Ex. Une assemblée élue.
  Comp. élection, électif
  Angl. *elected*

- **2.(adj.)** Qui découle d'un choix.
  Angl. *elected*

- **Élu (domicile) :** V. DOMICILE ÉLU.

- **3.(n.)** Personne qui a été désignée par élection. Ex. Les élus.
  Angl. *elected member, elected representative*

Émancipation *n.f.*

- Acte juridique par lequel un mineur est affranchi de l'autorité parentale.
  Rem. L'émancipation par mariage (ou légale) le rend capable, comme s'il était majeur, de tous les actes de la vie civile ; l'émancipation judiciaire a pour effet d'élargir sa capacité en lui permettant notamment d'administrer ses biens et de faire commerce comme s'il était majeur.
  Comp. autorité parentale, émanciper, mariage, mineur émancipé, tuteur ou mineur émancipé
  Angl. *emancipation*

Émanciper *v.tr.*

- Conférer l'émancipation.
  Comp. émancipation
  Angl. *to emancipate*

Embargo *n.m.*

- **1.** Moyen de pression exercé par un État, qui consiste à immobiliser des marchandises ou des moyens de transport à destination d'un pays étranger, à interdire l'exportation de technologies ou de services vers ce pays ou l'importation de biens qui en proviennent.
  Angl. *embargo*

- **2.** Mesure de contrainte par laquelle un État interdit à des navires étrangers de quitter ses ports et, même, procède à leur confiscation.
  Angl. *embargo*

Émetteur, trice *n.*

- Personne qui émet, qui met en circulation. Ex. L'émetteur d'un chèque, d'une valeur mobilière.
  Angl. *issuer*

Émeute *n.f.*

- Attroupement illégal qui trouble la paix et qui est, le plus souvent, accompagné d'actes de violence.
  Angl. *riot*

Émigrant, ante *n.*

- Personne qui quitte son pays en vue de s'établir dans un autre pays de façon durable ou définitive.
  Contr. immigrant
  Comp. émigration, émigré, immigration
  Angl. *emigrant*

Émigration *n.f.*

- Fait pour une personne de quitter son pays pour entrer dans un autre dont elle ne possède pas la nationalité en vue de s'y établir de façon durable ou définitive.
  Contr. immigration
  Comp. émigrant, émigré
  Angl. *emigration*

Émigré, ée *adj. et n.*

☐ **1.(adj.)** Qui a quitté son pays par émigration.

Contr. immigré
Comp. émigrant, émigration, immigration
Angl. *emigrated*

☐ **2.(n.)** Personne qui a quitté son pays par émigration.

Contr. immigré
Comp. émigrant, émigration, immigration
Angl. *emigrated person, exile*

Émission *n.f.*

☐ **1.** Envoi ou mise en circulation d'un document.

Angl. *issuance, issue*

- **Émission de titre :** Opération par laquelle une compagnie ou une société par actions met en circulation des valeurs mobilières afin de pourvoir à son financement. L'émission est dite publique lorsque les titres sont offerts sur le marché boursier.

Comp. capital émis, titre, valeur mobilière
Angl. *issue of securities*

- **Émission d'une acceptation :** Envoi d'une acceptation par le bénéficiaire d'une offre de contracter qui, selon la théorie de l'expédition, constitue le moment où le contrat a été formé.

Comp. expédition (théorie de l')
Angl. *expedition of acceptance*

- **Émission d'un effet de commerce :** Première livraison d'une lettre de change ou d'un billet à une personne qui l'accepte comme détenteur, après qu'on y ait apposé toutes les mentions essentielles à sa validité.

Comp. effet de commerce
Angl. *issue of a commercial paper, issue of a negotiable instrument*

- **Émission (théorie de l') :** V. EXPÉDITION (THÉORIE DE L').

Émolument *n.m.*

☐ Actif ou part d'actif que recueille un héritier, un légataire universel ou un époux commun en biens ou en société d'acquêts.

Comp. bénéfice d'émolument
Angl. *benefit*

Empêchement *n.m.*

☐ Obstacle juridique à l'accomplissement d'un acte.

Angl. *impediment, inability*

- **Empêchement au mariage :** Obstacle juridique à la formation d'un mariage résultant du défaut, par les futurs époux ou l'un d'eux, de se conformer aux conditions prescrites par la loi.

Rem. Il est qualifié de dirimant lorsque l'illégalité commise emporte la nullité du mariage (ex. bigamie, identité de sexe, parenté rapprochée) et de prohibitif lorsque la violation d'une condition n'affecte pas la validité du mariage (ex. défaut de publication des bans).
Comp. mariage, opposition
Angl. *impediment to marriage*

Emphytéose *n.f.*

☐ **1.** Droit qui permet à une personne, pendant un certain temps, d'utiliser pleinement un immeuble appartenant à autrui et d'en tirer tous ses avantages, à la condition de ne pas en compromettre l'existence et à charge d'y faire des constructions, ouvrages ou plantations qui augmentent sa valeur d'une façon durable. L'emphytéose s'établit par contrat ou par testament *(Code civil du Québec*, art. 1195).

Rem. **1.** Elle doit avoir une durée, stipulée dans l'acte constitutif, d'au moins dix ans et au plus cent ans. **2.** L'emphytéose du *Code civil du Québec* diffère légèrement du bail emphytéotique du *Code civil du Bas-Canada*.
Syn. contrat d'emphytéose
Comp. bail emphytéotique, coemphytéose, emphytéote, emphytéotique, propriété
Angl. *emphyteusis*

☐ **2.** Droit réel sur un immeuble que le preneur acquiert par bail emphytéotique.

Comp. droit réel, immeuble
Angl. *emphyteusis*

Emphytéote *n.m.*

☐ Personne qui prend à bail emphytéotique.

Syn. preneur
Comp. emphytéose, emphytéotique

Angl. *emphyteuta, emphyteutic lessee*

Emphytéotique *adj.*

☐ Qui se rapporte à l'emphytéose.

Comp. emphytéose, emphytéote

Angl. *emphyteutic*

Empiétement *n.m.*

☐ Fait d'occuper sans droit une partie d'un immeuble voisin.

Angl. *encroachment*

Emploi *n.m.*

☐ V. REMPLOI.

Employeur, euse *n.*

☐ Personne qui, dans un contrat de travail, dirige ou contrôle le travail effectué par une autre personne, le salarié.

Contr. salarié

Comp. travail (contrat de)

Angl. *employer*

Emprisonnement *n.m.*

☐ Peine privative de liberté qui consiste à détenir une personne dans une prison.

Comp. pénitencier, prison

Angl. *imprisonment*

Emprunt *n.m.*

☐ Opération qui consiste à obtenir une somme d'argent ou un bien, à titre de prêt.

Comp. emprunter, emprunteur, prêt, prêteur

Angl. *loan*

Emprunter *v.tr.*

☐ Obtenir à titre de prêt.

Comp. emprunt, emprunteur

Angl. *to borrow*

Emprunteur, euse *n.*

☐ Personne qui fait un emprunt, à qui un prêt est consenti.

Contr. prêteur

Comp. emprunt,emprunter, prêt

Angl. *borrower*

Enchère *n.f.*

☐ Lors d'une vente publique, offre d'un prix supérieur à la mise à prix ou à l'enchère précédente.

Comp. enchérir, enchérisseur, vente aux enchères, vente à la folle enchère

Angl. *bid*

Enchérir *v.intr.*

☐ Faire une enchère lors d'une vente.

Comp. enchère, enchérisseur

Angl. *to bid*

Enchérisseur, euse *n.*

☐ Personne qui fait une enchère.

Comp. enchère, enchérir

Angl. *bidder*

- **Enchérisseur (dernier) :** Personne qui a fait l'offre la plus élevée et qui est déclaré adjudicataire.

  Angl. *last bidder*

- **Enchérisseur (fol) :** Personne qui fait une folle enchère.

  Comp. folle enchère

  Angl. *false bidder*

Enclave *n.f.*

☐ **1.** Fonds entouré par des fonds appartenant à d'autres propriétaires et qui n'a, sur la voie publique, aucune issue ou un accès insuffisant pour son exploitation.

Comp. servitude de passage

Angl. *enclave, enclosed land*

☐ **2.** Territoire d'un État entièrement encerclé par celui d'un autre.

Comp. État, territoire

Angl. *territorial enclave*

Endossataire *n.*

☐ Personne qui est bénéficiaire d'un endossement.

Comp. endossement, endosser, endosseur
Angl. *endorsee*

Endossement *n.m.*

☐ Signature au dos d'un effet de commerce qui a généralement pour effet d'en transférer la propriété à un tiers et d'ordonner au débiteur d'effectuer le paiement à celui-ci. Ex. L'endossement d'un chèque en vue de son encaissement.

Rem. L'endossement peut aussi avoir pour but de constituer un gage ou de cautionner une partie.
Comp. aval, cautionnement, effet de commerce, endossataire, endosser, endosseur, gage
Angl. *endorsement*

- **Endossement au long :** V. ENDOSSEMENT SPÉCIAL.

- **Endossement conditionnel :** Endossement qui fait dépendre le paiement de la réalisation d'un événement futur et incertain.

  Angl. *conditional endorsement*

- **Endossement en blanc :** Endossement qui ne désigne aucun bénéficiaire et qui devient alors payable au porteur.

  Syn. endossement général
  Angl. *blank endorsement, endorsement in blank*

- **Endossement général :** V. ENDOSSEMENT EN BLANC.

- **Endossement modifié :** Endossement par lequel l'endosseur limite ou restreint sa responsabilité.

  Angl. *qualified endorsement*

- **Endossement nominatif :** Endossement qui désigne le cessionnaire ou la personne qui a le pouvoir de transférer une valeur mobilière.

  Angl. *special endorsement*

- **Endossement partiel :** Endossement qui ne transfère au bénéficiaire qu'une partie du montant de l'effet de commerce ou qui transfère le montant à deux ou plusieurs bénéficiaires.

  Angl. *partial endorsement*

- **Endossement restrictif :** Endossement qui met fin à la négociabilité postérieure de l'effet de commerce. Ex. Un endossement « pour dépôt seulement ».

  Angl. *restrictive endorsement*

- **Endossement spécial :** Endossement qui désigne la personne à qui ou à l'ordre de qui l'effet de commerce est payable.

  Syn. endossement au long
  Angl. *special endorsement*

Endosser *v.tr.*

☐ Apposer sa signature à l'endos d'un effet de commerce.

Comp. endossataire, endossement, endosseur
Angl. *to endorse*

Endosseur *n.m.*

☐ Personne qui appose sa signature à l'endos d'un effet de commerce.

Comp. endossataire, endossement, endosser
Angl. *endorser*

Endroit public

☐ Lieu auquel le public a accès de droit ou sur invitation, expresse ou implicite.

Angl. *public place*

Enfant *n.*

☐ **1.** Descendant au premier degré, fils ou fille, quel que soit son âge.

Angl. *child, children*

☐ **2.** Personne mineure. Ex. L'intérêt de l'enfant, les droits de l'enfant.

Rem. L'art. 2 de la *Loi sur les jeunes contrevenants* (L.R.C. 1985, c. Y-1) le définit comme suit : « Toute personne âgée de moins de douze ans ou qui, en l'absence de preuve contraire, paraît ne pas avoir atteint cet âge ».
Comp. mineur
Angl. *child, infant child*

- **Enfant abandonné :** Enfant dont les parents se sont désintéressés, ne s'occupent plus ou cherchent à se défaire, compromettant ainsi sa sécurité et son développement.

  Rem. L'abandon d'enfant est considéré

comme un acte criminel ; de plus, les parents peuvent alors être déchus de l'autorité parentale et l'enfant déclaré adoptable.

Comp. acte criminel, adoption, autorité parentale

Angl. *abandoned child, deserted child, neglected child*

- **Enfant à charge :** V. CHARGE (ENFANT À).

- **Enfant adultérin :** Enfant né hors du mariage.

Syn. enfant naturel

Comp. adultère

Angl. *adulterine child, adulterous child*

- **Enfant à naître :** Enfant à venir, qu'il soit conçu ou non, auquel la loi accorde certains droits qui se concrétiseront à sa naissance, avec effet rétroactif au moment de sa conception. Ex. Une donation par contrat de mariage aux enfants à naître.

Comp. enfant conçu

Angl. *child to be born*

- **Enfant conçu :** Enfant engendré mais qui n'est pas encore né. La loi lui confère des droits à la condition de naître vivant et viable. Ex. L'enfant conçu peut succéder.

Angl. *unborn child*

- **Enfant d'un premier lit :** Enfant issu d'un premier mariage de son père ou de sa mère.

Angl. *step-child*

- **Enfant illégitime :** Enfant né hors du mariage.

Rem. Depuis 1981, au Québec, tous les enfants dont la filiation est établie ont les mêmes droits et les mêmes obligations, quelles que soient les circonstances de leur naissance.

Syn. enfant naturel

Contr. enfant légitime

Angl. *illegitimate child*

- **Enfant incestueux :** Enfant né d'un homme et d'une femme qui sont parents ou alliés à un degré rapproché qui interdit leur mariage.

Comp. inceste

Angl. *bastard, illegitimate child, incestuous child*

- **Enfant légitime :** Enfant né pendant le mariage de ses parents ou dans les trois cents jours après sa dissolution ou son annulation.

Rem. Depuis 1981, au Québec, tous les enfants dont la filiation est établie ont les mêmes droits et les mêmes obligations, quelles que soient les circonstances de leur naissance.

Contr. enfant illégitime

Angl. *legitimate child*

- **Enfant naturel :** Enfant né hors du mariage. Se disait autrefois d'un enfant adultérin ou incestueux.

Syn. bâtard

Angl. *bastard, illegitimate child, natural-born child*

- **Enfant nouveau-né :** « Personne âgée de moins d'un an » (*Code criminel*, L.R.C. 1985, c. C-46, art. 2).

Comp. acte de naissance, infanticide

Angl. *newly-born child*

Engagement unilatéral de volonté

□ V. ACTE UNILATÉRAL.

Enlèvement *n.m.*

□ **1.** Prise de livraison d'un bien corporel au lieu désigné pour sa délivrance. Ex. L'enlèvement d'une automobile par son acheteur.

Syn. retirement

Comp. délivrance, réception, vente

Angl. *removal, taking away*

□ **2.** Acte criminel qui consiste à déplacer une personne contre son gré dans le but de la séquestrer, de l'envoyer ou transporter illégalement à l'étranger ou de la détenir en vue d'obtenir une rançon.

Comp. acte criminel, rançon, séquestré

Angl. *kidnapping*

□ **3.** Acte criminel qui consiste à enlever ou à faire enlever, sans autorisation légitime, une personne non mariée de moins de seize ans, contre la volonté de ses parents ou du titulaire de l'autorité parentale.

Comp. acte criminel

Angl. *abduction*

□ **4.** Acte criminel qui consiste à enlever, retenir ou héberger une personne âgée de moins de quatorze ans dans le but de priver de sa présence ses parents ou le titulaire de l'autorité parentale.

Rem. Lorsque l'enlèvement est effectué par un

parent qui contrevient à une ordonnance de garde rendue par un tribunal, le contrevenant peut être accusé soit d'un acte criminel soit d'une infraction punissable sur déclaration de culpabilité par procédure sommaire.

Comp. acte criminel, garde, infraction

Angl. *abduction*

En moins prenant

□ V. RAPPORT EN MOINS PRENANT.

Énonciatif, ive *adj.*

□ Se dit d'une énumération qui n'est pas limitative ou exhaustive, qui n'exclut pas d'autres situations semblables.

Angl. *enunciative*

Enquête *n.f.*

□ **1.** Dans les procès civils, audience publique au cours de laquelle les parties font devant un juge la preuve, par témoins ou autrement, des faits qu'elles ont allégués dans leurs actes de procédure.

Rem. **1.** Le *Code de procédure civile* du Québec emploie indifféremment les mots « enquête » et « instruction » pour désigner cette phase du procès. Il utilise également les mots « enquête et audition ». **2.** Certaines enquêtes, notamment en matière familiale, se déroulent à huis clos.

Syn. instruction

Comp. allégation, contestation liée, huis clos, procédure écrite, réouverture d'enquête

Angl. *hearing, proof and hearing, trial*

□ **2.** Recherche effectuée dans le but de réunir des informations ou des éléments de preuve qui permettront à une autorité de prendre une décision éclairée sur un sujet d'intérêt public. Ex. Une enquête policière, une enquête administrative.

Comp. commission d'enquête

Angl. *inquiry, investigation*

• **Enquête du coroner :** Investigation par le coroner visant à découvrir l'identité d'une personne décédée ainsi que la date, le lieu, les causes probables et les circonstances de son décès.

Rem. Le coroner peut tenir des audiences publiques et procéder à l'audition de témoins.

Comp. coroner

Angl. *coroner's inquest*

• **Enquête préliminaire :** En matière criminelle, étape antérieure au procès, qui a pour but de déterminer si la preuve recueillie contre l'accusé est suffisante pour que celui-ci soit cité à son procès.

Angl. *preliminary inquiry*

Enr.

□ Abrév. de enregistré.

Angl. *regd*

Enregistré, ée *adj.*

□ **1.** Inscrit sur un registre.

Comp. incorporé

Angl. *registered*

□ **2.** Qui a fait l'objet d'un enregistrement sur un registre public. Ex. Un bail enregistré.

Comp. enregistrement, enregistrer, publicité des droits

Angl. *registered*

Enregistrement *n.m.*

□ Inscription sur un registre public d'un acte ou d'un fait afin d'en attester l'existence et de le rendre opposable aux tiers. Ex. L'enregistrement d'une naissance, d'un droit d'auteur.

Comp. cadastre, enregistré, enregistrer, registre

Angl. *registration*

• **Enregistrement (bureau d') :** V. BUREAU D'ENREGISTREMENT.

• **Enregistrement de droits réels :** Inscription sur un registre public des droits et privilèges affectant un immeuble afin de les porter à la connaissance des tiers et de leur donner effet et rang suivant les prescriptions de la loi.

Rem. L'enregistrement dont les règles étaient prescrites par le *Code civil du Bas-Canada*, a été remplacé, dans le *Code civil du Québec*, par une publicité qui s'opère par l'inscription des droits sur le registre foncier ou le registre des droits personnels et réels mobiliers.

Comp. droit réel, publicité des droits, registre

Angl. *registration of real rights*

• **Enregistrement par bordereau :** Mode d'enregistrement des droits réels qui s'effectue par la remise au bureau d'enregistrement d'un bordereau ou sommaire du document à enregistrer. Ce bordereau contient l'énonciation des droits réels que la personne veut enregistrer. Ex. L'enregistrement par bordereau d'un privilège sur la fraction d'un immeuble détenu en copropriété.

Comp. enregistrement par dépôt
Angl. *registration by memorial*

• **Enregistrement par dépôt :** Mode d'enregistrement des droits réels qui s'effectue par le dépôt au bureau d'enregistrement du document à enregistrer. Ex. Enregistrement par dépôt de l'acte de vente d'un immeuble.

Comp. enregistrement par bordereau
Angl. *registration by deposit*

Enregistrer *v.tr.*

□ Transcrire ou inscrire un acte ou un fait sur un registre public, procéder à son enregistrement.

Comp. enregistré, enregistrement, registre
Angl. *to register*

Enrichi, ie *n.*

□ Nom donné à la personne qui s'enrichit aux dépens d'autrui et qui, vu l'absence de justification, est tenue d'indemniser la personne dont l'appauvrissement est corrélatif.

Contr. appauvri
Comp. enrichissement injustifié
Angl. *person enriched*

Enrichissement injustifié

□ Enrichissement d'une personne au détriment d'une autre qui s'est corrélativement appauvrie, alors que ce déséquilibre ne repose sur aucun fondement juridique. Il peut donner ouverture à l'action *de in rem verso*.

Syn. enrichissement sans cause
Comp. action *de in rem verso*, enrichi
Angl. *unjust enrichment*

• **Enrichissement sans cause :** V. ENRICHISSEMENT INJUSTIFIÉ.

Enseigne *n.f.*

□ Inscription, emblème ou signe placé sur un établissement commercial ou industriel afin de le distinguer des autres entreprises. Elle constitue un des éléments du fonds de commerce au même titre que le nom commercial.

Comp. fonds de commerce, nom commercial
Angl. *sign*

Entacher *v.tr.*

□ Affecter d'un vice, d'une irrégularité. Ex. Un acte entaché de nullité absolue.

Angl. *to vitiate*

Entendu (droit d'être)

□ V. DROIT D'ÊTRE ENTENDU.

Entente *n.f.*

□ Accord, convention entre deux et plusieurs personnes.

Comp. complot, convention
Angl. *agreement*

• **Entente de principe :** V. ACCORD DE PRINCIPE.

• **Entente intergouvernementale :**
1. Accord intervenu entre les gouvernements de deux ou plusieurs provinces du Canada ou leurs ministères ou organismes.
Angl. *intergovernmental agreement*
2. Accord intervenu entre le gouvernement fédéral et celui d'une ou de plusieurs provinces du Canada ou leurs ministères ou organismes.
Angl. *intergovernmental agreement*

• **Entente internationale :** V. CONVENTION.

Entériner *v.tr.*

□ **1.** Ratifier un acte en lui conférant un caractère définitif. Ex. Entériner une sentence arbitrale.

Comp. homologation
Angl. *to ratify*

□ **2.** Accepter la proposition ou les conclusions d'une autre personne. Ex. L'obligation pour le juge d'entériner le projet d'accord soumis par les parties à une action en séparation de corps.

Comp. confirmation
Angl. *to confirm*

Entiercement *n.m.*

□ **1.** Fait de confier la garde d'un bien mobilier à un tiers désigné par le juge ou choisi par les parties.

Comp. entiercer
Angl. *escrow*

• **Entiercement (ordonnance d') :** Ordonnance d'un tribunal par laquelle celui-ci, dans un but préventif, confie à un tiers des documents saisis dont la divulgation du contenu pourrait causer un préjudice au débiteur.

Angl. *order to place in escrow*

□ **2.** Contrat par lequel une personne s'engage à confier la garde d'un bien mobilier à un tiers jusqu'à l'exécution d'une condition ou la réalisation d'un événement prévus par la convention.

Comp. entiercer
Angl. *deposit in escrow, escrow*

Entiercer *v.tr.*

□ Effectuer l'entiercement.

Comp. entiercement
Angl. *to escrow, to place in the hands of guardians*

Entrave à la justice *n.f.*

□ **1.** Acte criminel commis par une personne qui détourne ou contrecarre le déroulement d'un procès en cours ou projeté, notamment en tentant d'influencer un témoin ou un juré par des menaces ou des pots-de-vin ou d'indemniser la personne qui a cautionné pour un accusé.

Rem. **1.** Constitue également un acte criminel l'acceptation d'une compensation illégale par un témoin, un juré ou une caution. **2.** Selon le *Code criminel*, la commission de cet acte peut également être considérée comme une infraction punissable sur déclaration de culpabilité par procédure sommaire.
Comp. corruption
Angl. *interference with the orderly administration of justice, obstructing justice*

□ **2.** Forme d'outrage au tribunal qui consiste à empêcher, de quelque manière, le déroulement normal d'un procès civil ou criminel. Ex. La publication d'écrits pouvant influencer un procès en cours constitue une entrave à la justice.

Comp. outrage au tribunal, *sub judice*
Angl. *interference with the orderly administration of justice*

Entrée en vigueur

□ Point de départ de la mise en application d'une loi ou d'un règlement.

Comp. abrogation, promulgation, publication, vigueur
Angl. *coming into force*

Entremetteur, euse *n.*

□ Personne qui se livre au proxénétisme.

Syn. proxénète
Angl. *panderer, pimp, procurer*

Entrepreneur, euse *n.*

□ **1.** Partie qui, dans un contrat d'entreprise, est chargée de l'exécution du travail.

Comp. entreprise, sous-entrepreneur
Angl. *contractor*

□ **2.** Au sens large, personne physique ou morale qui exécute ou fait exécuter pour autrui des travaux de construction.

Angl. *builder, contractor*

Entreprise *n.f.*

□ **1.** Ensemble des moyens humains et matériels qui sont regroupés dans le but d'assurer la production et la distribution de biens ou de services à des fins commerciales. Cette unité économique et sociale peut revêtir des formes juridiques variées (ex. société, compagnie)

Comp. compagnie, société
Angl. *business, enterprise, undertaking*

□ **2.** Par extension, l'établissement ou le groupe d'établissements industriels ou commerciaux qui la composent.

Angl. *firm*

• **Entreprise (contrat d') :** Contrat par lequel une personne s'engage à exécuter un travail pour une autre, moyennant rémunération et sans qu'existe entre les parties un lien de subordination. À la différence du contrat de travail, il crée chez l'entrepreneur une obligation de résultat.

Rem. Selon les art. 2098 et 2099 du *Code civil du Québec*, le contrat d'entreprise est celui par lequel une personne, l'entrepreneur, s'engage envers une autre personne, le client, à réaliser un ouvrage matériel ou intellectuel moyennant un prix que le client s'oblige à payer. L'entrepreneur a le libre choix des moyens d'exécution du contrat et il n'existe entre lui et le client aucun lien de subordination quant à son exécution.
Syn. ouvrage par devis et marché
Comp. ouvrier, service (contrat de), travail (contrat de), travailleur indépendant
Angl. *contract of enterprise*

• **Entreprise d'utilité publique :** Entreprise privée dont les services sont considérés par l'État comme essentiels au public en général et à qui celui-ci accorde le pouvoir, parfois exclusif, d'agir dans un secteur d'activité publique à la condition qu'elle procure ses services à tous ceux qui les requièrent, sans discrimination. Ex. Les compagnies de téléphone sont des entreprises d'utilité publique.
Comp. utilité publique
Angl. *public utilities enterprise*

• **Entreprise (exploitation d'une) :** Exercice, par une ou plusieurs personnes, d'une activité économique organisée, qu'elle soit ou non à caractère commercial, consistant dans la production ou la réalisation de biens, leur administration ou leur aliénation, ou dans la prestation de services (*Code civil du Québec*, art. 1525).
Angl. *carrying on of an enterprise*

• **Entreprise multinationale :** Entreprise ayant des activités internationales et qui, pour réaliser ses objectifs, crée des filiales, juridiquement indépendantes, dans chacun des pays où elle opère.
Angl. *multinational firm*

• **Entreprise publique :** Entreprise dont la personnalité juridique est distincte de celle de l'État, mais dont le capital-actions et les biens appartiennent à celui-ci. Elle possède un pouvoir de gestion autonome lui permettant de se livrer à des activités commerciales, industrielles ou financières qui peuvent même entrer en concurrence avec des entreprises privées, tout en demeurant assujettie à un certain contrôle de l'État. Ex. L'Hydro-Québec.
Comp. corporation de la Couronne, corporation publique, État, utilité publique
Angl. *public corporation*

Entretien *n.m.*

□ **1.** Maintien d'un bien en bon état.
Angl. *maintenance*

• **Entretien (dépenses d') :** Dépenses courantes résultant de réparations destinées à maintenir un bien en bon état, par opposition à celles qui sont encourues pour les grosses réparations ou les améliorations. Ex. Les dépenses d'entretien du locataire d'un immeuble.
Angl. *maintenance costs, maintenance expenses*

□ **2.** Fait de pourvoir à la subsistance d'une personne.
Angl. *maintenance*

• **Entretien du ménage :** V. CHARGES DU MARIAGE.

• **Entretien (obligation d') :** V. OBLIGATION D'ENTRETIEN.

Entre vifs

□ Se dit d'un acte qui produit des effets du vivant de son auteur.
Syn. *inter vivos*
Contr. à cause de mort
Comp. acte entre vifs, donation
Angl. *inter vivos*

Envoi en possession

□ **1.** Autorisation judiciaire de prendre possession des biens d'une personne absente.
Comp. possession
Angl. *putting into possession*

□ **2.** Décision judiciaire qui attribue à l'État la possession des biens d'une personne décédée sans héritier légal ou testamentaire.
Comp. possession
Angl. *possession by the Crown, putting into possession*

Épave *n.f.*

☐ Bien mobilier égaré, perdu ou abandonné par son propriétaire.

Angl. *wreck*

Époux, épouse *n.*

☐ Personne unie à une autre par le mariage.

Comp. conjoint

Angl. *husband, spouse, wife*

• **Époux de fait :** V. CONJOINT.

Équitable *adj.*

☐ Qui est fondé sur l'équité, qui agit avec équité.

Comp. équité

Angl. *equitable, fair*

Équité *n.f.*

☐ **1.** Justice fondée sur l'égalité et qui consiste à attribuer à chacun ce à quoi il a droit selon la justice naturelle.

Comp. équitable

Angl. *equity*

• **Équité procédurale (devoir d') :** V. DEVOIR D'ÉQUITÉ PROCÉDURALE.

☐ **2.** Mode de règlement des litiges qui s'écarte des règles du droit positif. Ex. Les amiables compositeurs peuvent décider selon l'équité.

Contr. droit strict (en)

Comp. équitable, jugement d'équité

Angl. *equity*

Equity

☐ Ensemble de règles juridiques et de procédure qui se sont développées en Angleterre, à compter du quinzième siècle, en réaction au formalisme de la *common law* et dans le but d'en combler les lacunes et d'en atténuer la rigueur.

Rem. À l'origine, les personnes qui ne pouvaient obtenir justice devant les tribunaux de *common law* s'adressaient au chancelier afin d'obtenir la sanction de leurs droits. Avec le temps, les Cours de chancellerie ont constitué des tribunaux d'*equity* qui siégeaient parallèlement aux tribunaux de *common law*. Au dix-neuvième siècle, *common law* et *equity* ont été fusionnées.

Comp. *common law*, Cour de chancellerie

Équivalent *n.m.*

☐ V. EXÉCUTION PAR ÉQUIVALENT.

Équivoque *adj.*

☐ V. POSSESSION ÉQUIVOQUE.

Erga omnes

☐ Locution latine signifiant « à l'égard de tous ». Elle indique qu'un acte ou une décision de justice est opposable à tous et non pas seulement aux parties à l'acte ou à la décision.

Contr. *inter partes*

Errata *n.m.invar.*

☐ Liste des fautes d'écriture qui se sont glissées dans la reproduction d'un texte.

Rem. Le mot « errata » est le pluriel du mot « erratum ».

Angl. *errata*

Erratum *n.m.*

☐ Erreur matérielle qui s'est glissée dans la reproduction d'un texte.

Rem. On utilise ce terme lors de la rectification de textes législatifs ou réglementaires dont la publication contenait une erreur matérielle.

Angl. *erratum*

Errements *n.m.pl.*

☐ Terme utilisé pour désigner les actes de procédure au dossier, lors d'un procès. Ex. Les personnes qui ont été contraintes à la reprise d'instance peuvent décider, après avoir comparu, de continuer l'instance sur ses derniers errements valides.

Comp. acte de procédure

Angl. *proceedings*

Erreur *n.f.*

☐ Appréciation inexacte portant sur l'existence ou la perception d'un fait matériel ou sur l'existence ou l'interprétation d'une règle de droit.

Angl. *error, mistake*

- **Erreur à la face même du dossier :** V. ERREUR DE DROIT À LA LECTURE DU DOSSIER.

- **Erreur apparente au dossier :** V. ERREUR DE DROIT À LA LECTURE DU DOSSIER.

- **Erreur cléricale :** V. ERREUR MATÉRIELLE.

- **Erreur de compétence :** V. ERREUR JURIDICTIONNELLE.

- **Erreur de droit :** Erreur qui résulte de l'ignorance d'une règle de droit ou d'une mauvaise interprétation de celle-ci.

  Rem. En matière pénale, elle n'est généralement pas recevable comme moyen de défense ; en matière civile, elle peut en certains cas constituer un vice de consentement.

  Angl. *error in law, error of law*

- **Erreur de droit à la lecture du dossier :** Erreur de droit évidente et significative commise par un organisme ou un tribunal administratif dans l'exercice de sa compétence et qui peut être décelée à la seule lecture du dossier. Elle donne ouverture au contrôle judiciaire de la décision par les tribunaux de droit commun, sauf en cas d'existence de clauses privatives.

  Syn. erreur à la face même du dossier, erreur apparente au dossier

  Comp. clause privative, contrôle judiciaire

  Angl. *error apparent of record, error of law on the face of the record*

- **Erreur de fait :** Erreur qui résulte de l'ignorance d'un fait matériel ou d'une perception erronée de celui-ci.

  Rem. En matière pénale, elle constitue un moyen de défense ; en matière civile, elle peut constituer un motif d'annulation d'un contrat.

  Comp. défense d'erreur

  Angl. *error in fact, mistake of fact*

- **Erreur judiciaire :** Condamnation d'une personne innocente à la suite d'une erreur de fait.

  Angl. *miscarriage of justice*

- **Erreur juridictionnelle :** Fait pour un tribunal de refuser d'exercer sa compétence ou d'en outrepasser les limites. On emploie également cette expression pour désigner l'erreur qui porte sur un élément préliminaire ou accessoire, mais essentiel à l'exercice d'une compétence.

  Syn. erreur de compétence

  Comp. compétence, excès de pouvoir, juridiction

  Angl. *jurisdictional error*

- **Erreur manifeste :**

  1. Appréciation déraisonnable des faits par une autorité administrative jouissant d'un pouvoir discrétionnaire, donnant ainsi ouverture au contrôle judiciaire de la décision qu'elle a rendue.

  Angl. *manifest error*

  2. Dans un procès civil, appréciation déraisonnable de la preuve ou erreur de droit très apparente par le juge de première instance, qui justifie une cour d'appel d'intervenir pour y substituer sa propre appréciation ou sa propre interprétation.

  Comp. contrôle judiciaire, excès de pouvoir, manifeste

  Angl. *manifest error*

- **Erreur matérielle :** Erreur d'écriture ou de calcul dans un acte ou un jugement ou omission commise par une autorité. Elle peut être corrigée par voie de rectification.

  Rem. L'expression « erreur cléricale » que certains emploient est un anglicisme.

  Comp. rectification

  Angl. *clerical error*

- **Erreur sur la considération principale (du contrat) :** Erreur portant sur le motif principal qui a déterminé une personne à conclure un contrat. Elle constitue un vice de consentement susceptible d'en entraîner la nullité.

  Angl. *error as to a principal consideration*

- **Erreur sur la nature (du contrat) :** Erreur résultant d'une mésentente entre les parties sur le fondement juridique du contrat qu'elles ont conclu. Elle constitue un vice de consentement susceptible d'en entraîner la nullité. Ex. Un contrat considéré par une partie comme étant une vente et par l'autre comme étant un prêt.

  Angl. *error as to the nature*

- **Erreur sur la substance :** Erreur portant sur une qualité essentielle de l'objet du contrat et qui a déterminé une personne à le conclure. Elle constitue un vice de consentement susceptible d'en entraîner la nullité. Ex. L'erreur portant sur l'authenticité d'une oeuvre d'art.

Angl. *error as to the substance*

Escroquerie *n.f.*

□ Infraction criminelle qui consiste à représenter un fait présent ou passé, en sachant qu'il est faux, avec l'intention frauduleuse d'induire la personne à qui l'on s'adresse à agir d'après cette représentation.

Comp. faux semblant

Angl. *false representation, swindling*

Espèce *n.f.*

□ V. CAS D'ESPÈCE, DÉCISION D'ESPÈCE.

• **Espèce (en l') :** Dans le cas particulier dont il s'agit.

Angl. *in this particular case*

Espèces *n.f.pl.*

□ Monnaie ayant cours légal. Ex. Un paiement en espèces.

Angl. *cash, specie*

Ester (en justice) *v.intr.*

□ Participer à un procès comme demandeur, défendeur ou intervenant.

Syn. agir en justice

Angl. *to appear in judicial proceedings, to sue, to take to court*

Estimatoire *adj.*

□ V. ACTION ESTIMATOIRE.

Estoppel

□ Règle de droit anglais qui vise à empêcher une personne de réclamer un droit dont elle se prétend titulaire lorsque celui-ci vient en contradiction avec des propos qu'elle a tenus ou des actes qu'elle a posés antérieurement si la personne à qui elle oppose son droit a agi de bonne foi conformément à ces propos ou à ces actes. Ex. La défense présentée par le contribuable poursuivi par le ministère du Revenu lorsqu'il s'est fondé sur des directives écrites de ce ministère pour régler sa conduite.

Rem. L'art. 2163 du *Code civil du Québec* (art. 1730 du *Code civil du Bas-Canada*) reconnaît exceptionnellement une certaine forme d'*estoppel* en droit civil québécois. Selon cette disposition, celui qui a laissé croire qu'une personne était son mandataire, alors qu'elle ne l'était pas, peut être tenu des engagements que celle-ci prend avec les tiers de bonne foi avec qui elle contracte, à moins qu'il n'ait pris les mesures appropriées pour prévenir l'erreur.

Comp. chose jugée (autorité de la)

Est. & Tr. J.

□ Abrév. de *Estates & Trusts Journal.*

Est. & Tr. Q.

□ Abrév. de *Estates & Trusts Quarterly.*

Et al

□ Abrév. de la locution latine *et alii* signifiant « et autres ».

État *n.m.*

□ **1.** Groupement d'individus réunis sur un territoire déterminé et soumis à une autorité souveraine immédiatement en relation avec l'ordre international. Ex. Le Canada constitue un État ; cependant, les provinces canadiennes ne peuvent être considérées comme des États même si elles entretiennent certaines relations internationales.

Angl. *country, state*

□ **2.** Ensemble des organes politiques qui gouvernent un pays (pouvoirs législatif, exécutif et judiciaire).

Rem. Depuis l'adoption du *Code civil du Québec*, le terme « Couronne » est exclu progressivement du vocabulaire juridique québécois, étant remplacé par les termes « État », « gouvernement », « procureur général ».

Comp. Couronne, gouvernement

Angl. *State*

• **État de droit :** Situation d'une société dont le comportement des membres est soumis à un ensemble de règles juridiques.

Angl. *rule of law*

- **État fédéral :** V. FÉDÉRALISME.

- **État souverain :** V. SOUVERAINETÉ.

- **État unitaire :** V. UNITAIRE.

□ **3.** Situation de fait ou de droit.
Angl. *condition, state, status*

- **État (cause en) :** V. CAUSE EN ÉTAT.

- **État civil :** Ensemble des éléments que la loi prend en considération pour déterminer la situation d'une personne dans la société, eu égard à la jouissance et à l'exercice de ses droits civils.
Syn. condition civile
Comp. actes de l'état civil, droits civils, officier de l'état civil, registres de l'état civil
Angl. *civil status*

- **État de cause :** V. CERTIFICAT D'ÉTAT DE CAUSE.

- **État de cause (en tout) :** V. CAUSE (EN TOUT ÉTAT DE).

- **État de nécessité :**
1. Situation d'urgence qu'invoque l'auteur d'une infraction ou d'un dommage et qui est susceptible de l'exonérer de sa responsabilité lorsqu'il a agi dans le but d'éviter un préjudice plus important à une autre personne ou à lui-même.
Comp. défense de nécessité
Angl. *necessity, unavoidable necessity*
2. Situation de fait particulière causée par des événements extérieurs qui détermine un contractant à donner son consentement alors que, dans des circonstances normales, il ne l'aurait pas fait ou qu'il l'aurait fait à des conditions moins onéreuses.
Angl. *necessity*
3. Situation exceptionnelle dans laquelle se trouve un État et qui l'autorise parfois à transgresser le droit international sans encourir de responsabilité.
Angl. *necessity*

- **État de siège :** Régime politique où les libertés individuelles sont restreintes par une législation d'exception au profit de l'autorité publique.
Angl. *martial law*

- **État (possession d') :** V. POSSESSION D'ÉTAT.

□ **4.** Constatation d'une situation ou, plus précisément, document dans lequel cette situation est décrite. Ex. L'état certifié de l'officier de la publicité des droits relativement aux droits inscrits sur le registre foncier.
Angl. *statement*

- **État de collocation :** V. COLLOCATION (ÉTAT DE).

- **État descriptif des fractions :** Document compris dans la déclaration de copropriété d'un immeuble qui contient la désignation cadastrale des parties privatives et des parties communes de l'immeuble. Il contient également une description des droits réels grevant l'immeuble ou existant en sa faveur, sauf les hypothèques et les sûretés additionnelles qui s'y greffent.
Comp. acte constitutif de copropriété, déclaration de copropriété, règlement de l'immeuble
Angl. *description of the fractions*

- **État des lieux :** Description d'un immeuble pour en constater l'état de conservation avant la prise de possession par le nouvel occupant ou lors de son départ.
Angl. *condition of the premises*

E.T.R.

□ Abrév. de *Estates & Trusts Reports.*

Étrangère (cause) *adj.*

□ V. CAS FORTUIT, FORCE MAJEURE.

Et Seq.

□ Abrév. de *et sequentes* (et ceux qui suivent) ou de *et sequentia* (et ce qui suit).

Étude comparative de droit

□ V. DROIT COMPARÉ.

Études int.

□ Abrév. de Études internationales.

Études Jur. Can.

□ Abrév. de Études juridiques au Canada (Les).

Et Ux.

☐ Abrév. de *Et Uxor* (et la femme).

Euthanasie *n.f.*

☐ **1.** Mort douce et sans souffrance.
Angl. *euthanasia, mercy killing*

☐ **2.** Mort provoquée par un tiers dans le but d'abréger les souffrances d'une personne atteinte d'une maladie incurable.
Angl. *mercy killing*

Évaluation *n.f.*

☐ V. RÔLE D'ÉVALUATION.

Évaluation comparative des inconvénients

☐ Appréciation que doit faire le juge saisi d'une demande d'injonction interlocutoire lorsqu'il est appelé à déterminer qui, du requérant ou de l'intimé, subira les inconvénients les plus sérieux s'il accorde ou rejette la demande.
Rem. **1.** Le juge saisi d'une demande d'injonction permanente ne doit pas tenir compte de l'évaluation comparative des inconvénients. **2.** Au Québec, on emploie généralement l'expression « balance des inconvénients » qui constitue une traduction littérale des mots « *balance of convenience* ».
Comp. injonction interlocutoire
Angl. *balance of convenience*

Évasion *n.f.*

☐ Fait pour une personne de s'échapper de l'endroit où elle était emprisonnée, de se soustraire à une garde légale ou de se trouver en liberté, sans excuse légitime, alors qu'elle fait l'objet d'une ordonnance de détention.
Rem. Elle constitue un acte criminel.
Angl. *escape*

Évasion fiscale

☐ Manoeuvres frauduleuses d'un contribuable dans le but d'éluder le paiement de ses impôts.
Syn. fraude fiscale
Comp. évitement fiscal
Angl. *tax avoidance, tax evasion*

Éventuel, elle *adj.*

☐ V. DROIT ÉVENTUEL.

Éviction *n.f.*

☐ **1.** Perte totale ou partielle d'un droit apparent sur un bien en raison de l'existence d'un droit détenu par un tiers sur ce même bien. Ex. Le vendeur doit garantir l'acheteur contre l'éviction du bien vendu.
Rem. L'éviction de l'acquéreur d'un bien peut être partielle lorsqu'elle résulte de charges ou de servitudes non déclarées ni apparentes au temps de la vente.
Comp. évincé, évincer
Angl. *eviction*

☐ **2.** Expulsion d'un lieu occupé illégalement. Ex. L'éviction d'un locataire.
Angl. *eviction*

Évincé, ée *adj.*

☐ Se dit d'une personne victime d'une éviction.
Comp. éviction, évincer
Angl. *evicted*

Évincer *v.tr.*

☐ Déposséder juridiquement (le possesseur d'un bien).
Comp. éviction
Angl. *to evict*

Évitement fiscal

☐ Fait pour un contribuable d'employer des procédés légaux en vue de différer, réduire ou éluder complètement le paiement de ses impôts.
Rem. L'évitement fiscal constitue une infraction lorsqu'il est effectué dans le seul but de contourner une loi fiscale.
Comp. évasion fiscale
Angl. *avoidance of tax, tax avoidance, tax dodging*

Évocable *adj.*

☐ Qui peut être évoqué.

Comp. évocation, évoquer
Angl. *evocable*

Évocation *n.f.*

□ **1.** Décision d'un tribunal supérieur d'appeler à lui une affaire qui est normalement de la compétence d'un tribunal inférieur, dans le but de l'entendre et de la juger. Ex. L'évocation par la Cour supérieure d'un litige soumis à la Cour du Québec lorsque la demande se rapporte à une matière pouvant affecter les droits futurs des parties.

Comp. évocable, évoquer
Angl. *evocation*

□ **2.** Décision d'un tribunal supérieur d'appeler à lui, en vertu de son pouvoir de surveillance et de contrôle, une affaire portée devant un tribunal inférieur ou déjà jugée par ce dernier dans le but de se prononcer sur la légalité des actes qu'il a posées ou des décisions qu'il a rendues.

Rem. **1.** Sous cet angle, l'évocation correspond à la fois à la prohibition et au *certiorari* de la *common law*. **2.** Au Québec, on donne généralement le nom de requête en évocation au moyen de procédure utilisé pour demander la révision d'une décision d'un tribunal inférieur. On aurait intérêt à lui donner le nom de requête en révision judiciaire, afin de le distinguer de la requête traditionnelle en évocation.
Syn. révision judiciaire
Comp. évocable, évoquer
Angl. *evocation*

Évoquer *v.tr.*

□ Appeler à soi une affaire sujette à évocation.

Comp. évocable, évocation
Angl. *to evoke*

Ex aequo et bono

□ Locution latine signifiant « selon le juste et le bon ». Elle s'applique aux décisions qui se fondent sur l'équité plutôt que sur la règle de droit.

Examen préalable

□ V. INTERROGATOIRE PRÉALABLE.

Ex cathedra

□ Locution latine du droit canonique désignant originairement les décisions rendues par le pape « du haut de sa chaire ». Elle s'applique aux propos tenus par une personne avec autorité et solennité. Ex. Parler *ex cathedra*.

Exceptio non adimpleti contractus

□ Expression latine signifiant « exception de contrat non rempli » et désignant l'exception d'inexécution.

Syn. exception d'inexécution

Exception *n.f.*

□ **1.** Moyen de nature procédurale invoqué par une partie pour faire écarter une demande de la partie adverse sans que n'en soit discuté le bien-fondé ou pour en faire retarder l'examen pour des motifs juridiques.

Rem. Les anciens codes de procédure civile qualifiaient ce moyen d'exception préliminaire. Le Code actuel utilise plutôt l'expression « moyen préliminaire ».
Syn. moyen
Angl. *exception*

- **Exception à la forme :** Nom donné autrefois au moyen de procédure par lequel le défendeur, dans un procès civil, requérait l'arrêt de la poursuite pour cause d'irrégularité dans la formation de la demande ou de défaut de capacité ou de qualité de l'une ou l'autre des parties.

  Rem. L'exception à la forme a été remplacée, dans le *Code de procédure civile* actuel, par des éléments du moyen de non-recevabilité et du moyen dilatoire.
  Comp. moyen de non-recevabilité, moyen dilatoire
  Angl. *exception to the form*

- **Exception déclinatoire :** Nom donné autrefois au moyen de procédure par lequel le défendeur, dans un procès civil, prétendait que le tribunal saisi de la demande n'était pas compétent, soit parce qu'il ne pouvait se prononcer sur le fond du litige (incompétence d'attribution), soit parce que l'instance avait été introduite dans un district judiciaire autre que celui où la demande eût dû être portée (incompétence territoriale).

Syn. moyen déclinatoire
Comp. compétence d'attribution, compétence territoriale, déclinatoire, moyen
Angl. *declinatory exception*

- **Exception de garantie :** V. GARANTIE (EXCEPTION DE).

- **Exception de litispendance :** Nom donné autrefois au moyen de procédure par lequel le défendeur, dans un procès civil, requérait du tribunal le rejet de la demande pour le motif qu'un autre tribunal de première instance, également compétent, était déjà saisi du litige.

Rem. L'exception de litispendance constitue, dans le *Code de procédure civile* actuel, un élément du moyen de non-recevabilité.
Comp. litispendance, moyen de non-recevabilité
Angl. *exception of lis pendens, plea of lis pendens*

- **Exception dilatoire :** Nom donné autrefois au moyen de procédure par lequel le défendeur, dans un procès civil, demandait l'arrêt momentané de la poursuite pour le motif qu'il avait droit à un délai avant de poser des actes ou pour exiger du demandeur l'accomplissement d'une obligation que lui imposait la loi.

Syn. moyen dilatoire
Comp. dilatoire, moyen dilatoire
Angl. *dilatory exception*

- **Exceptions préliminaires :** Nom donné autrefois, dans le *Code de procédure civile*, aux exceptions à la forme, déclinatoire, de litispendance et dilatoire.

Syn. moyens préliminaires
Comp. exception à la forme, exception déclinatoire, exception de litispendance, exception dilatoire
Angl. *preliminary exceptions*

□ **2.** Plus généralement, moyen de défense. Ex. La caution peut opposer au créancier toutes les exceptions qui appartiennent au débiteur principal, sauf les moyens qui sont purement personnels à celui-ci.

Angl. *exception*

- **Exception d'inexécution :** Droit que confère la loi à l'une des parties à un contrat synallagmatique de refuser d'exécuter son obligation tant que son cocontractant n'a pas exécuté substantiellement la sienne ou n'a pas offert de l'exécuter, à moins qu'elle ne soit tenue par la loi, la volonté des parties ou les usages d'exécuter la première.

Syn. *exceptio non adimpleti contractus*
Comp. contrat synallagmatique
Angl. *exception of nonperformance*

□ **3.** Qui est hors du régime général.

Angl. *exception*

- **Exception (juridiction d') :** V. TRIBUNAL D'EXCEPTION.

- **Exception (tribunal d') :** V. TRIBUNAL D'EXCEPTION.

- **Excès de juridiction**

□ V. EXCÈS DE POUVOIR.

Excès de pouvoir

□ **1.** Violation du principe de légalité qui donne ouverture à l'annulation d'un acte posé par une autorité judiciaire ou administrative, notamment lorsque celle-ci a refusé d'exercer sa compétence, en a abusé ou n'en a pas respecté les limites ou, encore, a fait défaut de se conformer à certains principes de justice naturelle.

Comp. abus de pouvoir, erreur juridictionnelle, *ultra vires*
Angl. *abuse of power, misuse of power*

□ **2.** Empiétement d'un pouvoir public sur les attributions d'un autre.

Angl. *action ultra vires*

Exciper *v.intr.*

□ **1.** Soulever une exception en justice. Ex. Exciper de la chose jugée.

Angl. *to allege, to plead, to take exception*

□ **2.** Faire état de, donner comme excuse. Ex. Exciper de sa bonne foi.

Angl. *to allege*

Exclusif, ive *adj.*

□ **1.** Qui appartient ou qui profite à une seule personne ou à un seul groupe de personnes.

Ex. Des droits exclusifs, une compétence exclusive.

Syn. privatif
Contr. commun
Comp. indivis, exclusivité
Angl. *exclusive*

☐ **2.** Qui écarte l'application normale d'une norme, d'une loi. Ex. Une clause exclusive de responsabilité.

Angl. *exclusive*

Exclusion *n.f.*

☐ Décision prise par un officier public, en vertu de la *Loi sur l'immigration*, de refuser le droit de séjourner au Canada à une personne qui, selon la loi, n'y est pas admissible.

Comp. expulsion
Angl. *exclusion*

• **Exclusion de communauté :** V. RÉGIME SANS COMMUNAUTÉ.

Exclusivité *n.f.*

☐ **1.** Avantage conféré par la loi ou par contrat à certaines personnes en vertu duquel elles peuvent, à l'exclusion des autres, jouir de bénéfices ou privilèges particuliers ou exercer certaines activités. Ex. Avoir l'exclusivité d'une marque de commerce ou de l'exercice d'une profession.

Comp. exclusif
Angl. *exclusive rights*

☐ **2.** Modalité d'une convention suivant laquelle une personne s'engage à traiter certaines opérations commerciales (telles l'achat, la vente ou la fourniture de biens) par l'intermédiaire de son seul cocontractant, pour l'ensemble ou pour une partie de ses activités.

Comp. clause de non-concurrence, concession, franchise
Angl. *exclusive dealing*

• **Exclusivité (clause d') :** Stipulation d'un contrat conférant à une personne le bénéfice de l'exclusivité.

Angl. *clause of exclusive dealing*

Ex. C.R.

☐ Abrév. de **1.** *Canada Law Reports Exchequer Court* ; **2.** *Exchequer Court Reports of Canada.*

Ex. Ct.

☐ Abrév. de *Exchequer Court.*

Ex curia

☐ Locution latine signifiant « hors cour », « à l'extérieur de la cour ».

Contr. *in curia*

Excuse *n.f.*

☐ **1.** Motif légal de dispense d'une charge ou d'une obligation. Ex. La maladie peut être invoquée comme excuse par une personne appelée à exercer la fonction de juré.

Angl. *excuse*

☐ **2.** Moyen de défense qui permet à une personne ayant commis une infraction criminelle d'être acquittée ou d'obtenir une diminution de peine en raison des circonstances entourant son geste (ex. accusé ayant agi sous la contrainte ou en état de somnambulisme).

Comp. défense d'automatisme, défense de contrainte, défense d'erreur, défense d'intoxication
Angl. *excusable homicide, excuse*

Ex. D.

☐ Abrév. de *Law Reports, Exchequer Division.*

Ex debito justitiae

☐ Locution latine signifiant « d'après une dette de justice ». Se dit d'un recours que l'on peut exercer de plein droit, par opposition à celui qui est soumis à la discrétion du tribunal.

Syn. *de plano*, de plein droit
Contr. *ex gratia*
Comp. autorisation, permission

Exécuter *v. tr.*

☐ **1.** Remplir son obligation envers le créancier.

Angl. *to fulfil, to fulfill, to perform*

☐ **2.** Mettre à effet un jugement.

Angl. *to execute*

Exécuteur testamentaire

☐ V. TESTAMENTAIRE (EXÉCUTEUR).

Exécutif, ive *adj. et n.*

☐ **1.(adj.)** Relatif à l'exécution des lois, chargé de l'exécution des lois.

Angl. *executive*

- **Exécutif (pouvoir) :** V. POUVOIR EXÉCUTIF.

- **Exécutive (fonction) :** V. FONCTION EXÉCUTIVE.

☐ **2.(n.)** Terme employé pour désigner la fonction exécutive ou le pouvoir exécutif.

Syn. fonction exécutive, pouvoir exécutif
Angl. *Executive*

Exécution *n.f.*

☐ **1.** Action de mettre à effet un jugement.

Rem. L'exécution peut être provisoire, volontaire ou forcée.
Comp. exécutoire
Angl. *execution*

☐ **2.** Acte par lequel le débiteur remplit son obligation envers le créancier.

Rem. L'exécution peut être volontaire ou forcée.
Comp. exécutoire
Angl. *fulfilment, performance*

- **Exécution en nature :** Accomplissement par le débiteur de la prestation prévue au contrat.

  Contr. exécution par équivalent
  Angl. *specific performance*

- **Exécution forcée :** Exécution d'une obligation ou d'un jugement imposée au débiteur par l'autorité judiciaire. Elle se manifeste par un recours à la force publique (ex. la garde d'un enfant) ou par la saisie des biens du débiteur.

  Angl. *compulsory execution*

- **Exécution par équivalent :**

  1. Exécution d'une obligation par la remise volontaire ou forcée d'une compensation pécuniaire proportionnelle au préjudice subi par le créancier. Ex. Les dommages-intérêts.

  Contr. exécution en nature
  Angl. *performance by equivalence*

  2. Accomplissement par le débiteur d'une prestation similaire à celle qui était prévue au contrat.

  Angl. *performance by equivalence*

- **Exécution provisoire :**

  1. Droit accordé par un juge au bénéficiaire d'un jugement d'en poursuivre l'exécution nonobstant appel.

  Rem. Avant le 1er janvier 1994, elle pouvait être ordonnée par le juge qui prononce le jugement ou par un juge de la Cour d'appel dans les cas où l'effet suspensif de l'appel risquait de causer un préjudice au bénéficiaire du jugement (ex. lorsqu'il s'agissait de réparations urgentes, d'expulsion des lieux, de pension alimentaire et de garde d'enfants ou lorsqu'il y avait urgence exceptionnelle).
  Angl. *provisional execution*

  2. Exécution d'un jugement, par l'effet de la loi, nonobstant appel.

  Rem. Depuis le 1er janvier 1994, elle a lieu dans certains cas où l'effet suspensif de l'appel risque de causer un préjudice au bénéficiaire du jugement (ex. lorsqu'il s'agit de réparations urgentes, d'expulsion des lieux, de pension alimentaire et de garde d'enfants). Elle doit cependant être ordonnée par le juge qui prononce le jugement ou par un juge de la Cour d'appel lorsqu'il y a urgence exceptionnelle ou pour quelqu'autre raison spéciale.
  Angl. *provisional execution*

- **Exécution successive :** V. CONTRAT À EXÉCUTION SUCCESSIVE.

- **Exécution volontaire :** Fait par une personne de se conformer sans contrainte aux dispositions d'une convention ou d'un jugement. Ex. Le paiement par le débiteur d'une obligation ou par le défendeur condamné à verser une somme d'argent au demandeur.

  Comp. volontaire
  Angl. *voluntary execution*

Exécution capitale

☐ Exécution d'une personne condamnée à la peine de mort.

Rem. La peine de mort a été abolie, au Canada, en 1976.
Angl. *capital execution*

Exécutoire *adj.*

- Qui peut ou doit être mis à exécution. Ex. Un jugement exécutoire, une sentence exécutoire.
  Comp. exécution
  Angl. *enforceable, executory*

Exemplaire *adj. et n.m.*

- **1.(adj.)** V. DOMMAGES-INTÉRÊTS EXEMPLAIRES.

- **2.(n.)** Original d'un acte de procédure.
  Comp. copie, duplicata
  Angl. *duplicate, original*

Exemplification *n.f.*

- **1.** Décision par laquelle un tribunal québécois donne force exécutoire à un jugement rendu dans une autre province canadienne ou dans un autre État.
  Syn. *exequatur*
  Angl. *exemplification, exequatur*

- **2.** Plus généralement, décision par laquelle le tribunal d'un pays autorise l'exécution sur place d'un jugement étranger.
  Rem. En France, on utilise plutôt le terme *exequatur*, qui est synonyme.
  Syn. *exequatur*
  Comp. homologation
  Angl. *exemplification, exequatur*

Exemption *n.f.*

- **1.** Acte par lequel une personne est dispensée par l'autorité compétente d'une obligation ; par extension, le bénéfice obtenu.
  Comp. dispense, exonération, immunité
  Angl. *exemption*

- **2.** En droit fiscal, déduction que peut effectuer un contribuable de son revenu net afin de réduire son revenu imposable.
  Comp. abattement, crédit d'impôt, dégrèvement, exonération
  Angl. *exemption*

Exequatur

- Terme latin signifiant « que soit exécuté ». V. EXEMPLIFICATION.

Exercice abusif d'un droit

- V. ABUS DE DROIT.

Ex facie

- **1.** Locution latine signifiant « à la face de », « à la vue de » que l'on utilise pour indiquer qu'un document, à sa face même, établit de toute évidence l'existence d'un fait ou d'un droit.
  Comp. *prima facie*

- **2.** En matière d'outrage au tribunal, locution qui désigne un outrage commis hors la présence du tribunal. Ex. La personne qui ne respecte pas une ordonnance d'injonction commet généralement un outrage au tribunal *ex facie*.
  Contr. *in facie*

Ex gratia

- Locution latine signifiant « par la grâce » et qui qualifie les droits accordés à une personne ou les sommes d'argent qui lui sont versées sans obligation légale.
  Contr. *ex debito justitiae*

Exhérédation *n.f.*

- **1.** Disposition testamentaire par laquelle le testateur exclut de sa succession une ou plusieurs des personnes qui y seraient appelées s'il décédait intestat.
  Comp. exhéréder
  Angl. *disinheritance, exheredation*

- **2.** Le résultat de cette décision.
  Angl. *disinheritance, exheredation*

Exhéréder *v.tr.*

- Déshériter.
  Comp. exhérédation
  Angl. *to disinherit, to exheredate*

Exhiber *v.tr.*

- Montrer un objet (à la partie adverse), lui en laisser prendre connaissance.
  Angl. *to exhibit*

Exhibit *n.m.*

- Terme anglais utilisé (à tort) pour désigner un document, une pièce ou un objet mis en preuve devant un tribunal.

  Angl. *exhibit*

Exhibition d'objets

- Fait pour un témoin ou une partie dans un litige de montrer à une autre partie ou au tribunal, spontanément ou sur demande, un objet se rapportant au litige.

  Comp. communication de pièces, production de pièces

  Angl. *exhibition*

Exhumation *n.f.*

- Action de retirer un cadavre de sa sépulture.

  Comp. sépulture (acte de)

  Angl. *disinterment, exhumation*

Exigibilité *n.f.*

- Caractère de ce qui est exigible. Ex. L'exigibilité d'une dette.

  Contr. inexigibilité

  Comp. exigible

  Angl. *exigibility*

Exigible *adj.*

- **1.** Qui peut être légalement exigé.

  Contr. inexigible

  Comp. exigibilité

  Angl. *exigible*

- **2.** Se dit d'une créance ou d'une dette dont le créancier peut réclamer immédiatement le paiement, sans attendre l'échéance d'un terme ou la réalisation d'une condition.

  Comp. certain, exigibilité, liquide

  Angl. *exigible*

Ex lege

- Locution latine signifiant « en vertu de la loi ».

Ex officio

- V. D'OFFICE.

Exonération *n.f.*

- **1.** Libération totale ou partielle d'une obligation, qui peut résulter de la loi, d'une décision ou d'un contrat.

  Comp. clause de non-responsabilité, exonératoire, exonérer, force majeure

  Angl. *exemption, exoneration*

- **2.** Acte par lequel l'administration fiscale libère un contribuable du paiement de l'impôt pour un certain montant.

  Comp. abattement, crédit d'impôt, dégrèvement, exemption

  Angl. *exemption, relief*

Exonératoire *adj.*

- Qui tend à dégager une personne d'une obligation ou d'une responsabilité. Ex. Une clause exonératoire de responsabilité.

  Comp. exonération, exonérer

  Angl. *exonerative*

Exonérer *v.tr.*

- Libérer une personne d'une obligation.

  Comp. exonération, exonératoire

  Angl. *to exempt, to exonerate*

Exorbitant, ante *adj.*

- **1.** Excessif, qui dépasse la juste mesure. Se dit notamment d'une clause abusive dans un contrat.

  Angl. *exorbitant*

- **2.** Qui fait exception (à), qui ne relève pas (de). Ex. Une règle qui est exorbitante du droit commun.

  Comp. dérogatoire

  Angl. *privative*

Ex parte

□ Locution latine signifiant « par ou pour une partie (en l'absence de l'autre) », « à la demande d'une partie seulement ». Se dit d'une demande en justice dont l'audition a lieu ou d'un jugement prononcé en l'absence de la partie adverse qui n'a pas produit de contestation ou qui ne s'est pas présentée à l'audience.

Rem. En matière civile, lorsque le défendeur, après avoir comparu, ne produit pas de défense dans le délai prescrit, le demandeur peut procéder contre lui *ex parte*. Le défendeur peut alors assister à l'enquête et contre-interroger les témoins du demandeur, mais il n'est pas autorisé à faire entendre ses propres témoins.

Comp. défaut de comparaître, défaut de plaider, inscription pour enquête et audition, jugement par défaut de plaider

Expédient *n.m.*

□ V. JUGEMENT D'EXPÉDIENT.

Expéditeur, trice *n.*

□ **1.** En général, personne qui envoie ou reçoit des marchandises par l'intermédiaire d'un transporteur.

Comp. connaissement, destinataire, transporteur

Angl. *sender, shipper*

□ **2.** Relativement à un contrat de transport de biens, personne qui contracte avec le transporteur en vue de l'expédition des marchandises.

Syn. chargeur

Comp. destinataire, transporteur

Angl. *shipper*

Expédition *n.f.*

□ Copie d'un acte notarié.

Angl. *exemplified copy*

Expédition (théorie de l')

□ Dans les contrats à distance (ou entre absents), théorie juridique suivant laquelle un contrat est formé à partir du moment où le bénéficiaire d'une offre contractuelle a envoyé son acceptation au pollicicant.

Syn. théorie de l'acceptation, théorie de l'émission

Contr. théorie de la réception

Comp. contrat entre personnes non en présence, émission d'une acceptation

Angl. *theory of expedition*

Expert, e *n.*

□ Personne qualifiée que, à la demande d'une partie ou de sa propre initiative, le tribunal désigne en vue d'effectuer l'examen, la constatation et l'appréciation de faits relatifs à un litige.

Comp. expertise, témoin expert

Angl. *expert*

• **Expert en sinistre :** Personne qui, en matière d'assurance de dommages, enquête sur un sinistre, en estime les dommages et en négocie le règlement.

Comp. assureur, agent en assurance, courtier en assurance

Angl. *claim adjuster*

Expertise *n.f.*

□ Opération par laquelle un expert réalise la mission que le tribunal lui a confiée.

Comp. expert, rapport d'expertise, témoin expert

Angl. *proof by expert*

• **Expertise psycho-sociale :** Mission confiée par le tribunal, du consentement des parties, à une personne qualifiée (ex. psychologue, travailleur social) afin que celle-ci l'éclaire sur la situation familiale d'un enfant mineur et lui suggère les mesures à prendre dans l'intérêt de ce dernier, notamment en ce qui concerne les droits de garde et de visite.

Rem. Au Québec, l'expertise psycho-sociale est permise en matière de divorce, de séparation de corps, de nullité de mariage et de filiation.

Angl. *psychosocial evaluation*

Explicite *adj.*

□ Qui est énoncé formellement, qui est exprimé réellement, sans ambiguïté.

Contr. implicite

Comp. consentement exprès

Angl. *explicit*

Exposé de la cause

☐ Dans un procès criminel, résumé présenté au jury par chaque procureur des faits de la cause, des enjeux essentiels du débat et de la preuve qu'il entend lui soumettre à l'appui de ses prétentions.

Angl. *opening of the case*

Exposé du juge au jury

☐ À l'issue d'un procès par jury, résumé par le juge des faits de la cause, de la preuve soumise par les parties et du droit applicable aux faits mis en preuve, avec instructions aux jurés relativement à l'étendue de leur pouvoirs.

Rem. On emploie souvent à tort l'expression « charge du juge au jury » qui constitue une traduction littérale de l'anglais.

Syn. adresse du juge au jury

Angl. *charge to jury, jury instructions*

Ex post facto

☐ Locution latine signifiant « en vertu d'un fait postérieur ». Se dit d'un fait nouveau survenant après la passation d'un acte ou la prononciation d'une décision. Ex. valider ex *post facto* un contrat entaché de nullité.

Comp. *ab initio*

Exprès, esse *adj.*

☐ Qui exprime formellement la volonté d'une personne.

Comp. consentement exprès, explicite

Angl. *express*

Expressio unius fit exclusio alterius

☐ Maxime latine signifiant « l'expression de l'un implique l'exclusion de l'autre ». Règle d'interprétation suivant laquelle la mention d'une chose implique l'exclusion d'une autre qui lui est incompatible. Ex. La mention de certaines personnes dans une loi ou dans un testament implique une intention du législateur ou du testateur d'exclure toutes les autres.

Syn. *inclusio unius fit exclusio alterius*

Expressis verbis

☐ Locution latine signifiant « en termes exprès ».

Expropriant, ante *adj. et n.*

☐ **1.(adj.)** Qui procède à une expropriation. Ex. L'autorité expropriante peut être envoyée en possession.

Contr. exproprié

Angl. *expropriating*

☐ **2.(n.)** Personne qui procède à une expropriation.

Contr. exproprié

Comp. expropriation, exproprier

Angl. *expropriating party, expropriator*

Expropriation *n.f.*

☐ Opération par laquelle l'Administration publique contraint une personne à céder un bien foncier dont elle est propriétaire, pour cause d'utilité publique et moyennant une indemnité juste et préalable.

Comp. Cour du Québec (Chambre de l'expropriation), expropriant, exproprié, exproprier, Tribunal de l'expropriation

Angl. *expropriation*

Exproprié, ée *adj. et n.*

☐ **1.(adj.)** Qui fait l'objet d'une expropriation. Ex. Un terrain exproprié.

Angl. *expropriated*

☐ **2.(adj.)** Qui subit une expropriation. Ex. Un propriétaire exproprié.

Contr. expropriant

Angl. *expropriated*

☐ **3.(n.)** Personne qui subit une expropriation. Ex. L'exproprié doit recevoir une indemnité juste.

Contr. expropriant

Comp. expropriation, exproprier

Angl. *expropriated party, expropriated person*

Exproprier *v.tr.*

☐ Procéder à l'expropriation d'un bien.

Comp. expropriation

Angl. *to expropriate*

Ex proprio motu

□ V. *PROPRIO MOTU.*

Expulser *v.tr.*

□ Chasser une personne d'un lieu qu'elle occupe sans droit. Ex. Expulser un locataire.

Comp. expulsion
Angl. *to expel*

Expulsion *n.f.*

□ **1.** Action de chasser une personne d'un lieu qu'elle occupe sans droit.

Comp. expulser
Angl. *expulsion*

• **Expulsion (bref d') :** Ordonnance du tribunal enjoignant à un officier public d'expulser par la force, si nécessaire, la partie qui a refusé d'exécuter dans le délai imparti le jugement qui l'a condamnée à délaisser un immeuble.

Angl. *writ of expulsion*

□ **2.** Ordre donné à un étranger, en vertu de la *Loi sur l'immigration*, de quitter le territoire canadien où il est entré illégalement.

Comp. exclusion
Angl. *deportation*

Exterritorialité *n.f.*

□ **1.** Fiction juridique en vertu de laquelle des personnes ou des biens échappent à l'application des lois du pays où ils se trouvent. Ex. Les diplomates sont considérés comme des résidents du pays qu'ils représentent à l'étranger, bénéficiant ainsi de l'exterritorialité.

Comp. immunité
Angl. *exterritoriality*

□ **2.** Privilège ou immunité qui en découle. Ex. L'exterritorialité des navires de guerre séjournant dans un port étranger.

Angl. *extraterritoriality*

Extinctif, ive *adj.*

□ Qui éteint un droit. Ex. La prescription extinctive repousse et en certains cas exclut la demande en accomplissement d'une obligation ou en reconnaissance d'un droit lorsque le créancier n'a pas réclamé pendant le temps fixé par la loi.

Comp. extinction, terme extinctif
Angl. *extinctive*

Extinction *n.f.*

□ **1.** Perte ou anéantissement d'un droit. Ex. Le paiement constitue un mode d'extinction d'une obligation.

Comp. annulation, extinctif, résiliation, résolution
Angl. *extinction, extinguishment*

□ **2.** Arrêt d'une situation juridique. Ex. L'extinction d'une instance par péremption.

Angl. *extinguishment, nonsuit*

Extorsion *n.f.*

□ Acte criminel par lequel une personne, sans justification ou excuse raisonnable, induit ou tente d'induire une autre personne à accomplir un acte par le moyen de menaces, de violence ou d'accusations.

Rem. Selon le *Code criminel*, le chantage constitue une forme d'extorsion.
Angl. *extortion*

Extracontractuel, elle *adj.*

□ Qui résulte d'une source autre que le contrat, qui se rapporte à une matière non contractuelle. Ex. Les obligations délictuelles sont des obligations extracontractuelles.

Contr. contractuel
Comp. contrat, quasi contractuel
Angl. *extra-contractual*

Extradition *n.f.*

□ Procédure par laquelle un État remet à un autre État, à la demande de ce dernier, un individu qui se trouve sur son territoire et qui est accusé, dans cet autre État, d'un crime donnant lieu à l'extradition ou qui y a été condamné pour un crime donnant lieu à l'extradition.

Rem. **1.** Ce crime doit avoir été commis dans l'État qui réclame l'extradition et il ne doit pas avoir un caractère politique. **2.** En règle générale, l'extradition n'est accordée qu'à l'égard de pays avec qui le Canada a signé un traité d'extradition.
Angl. *extradition*

Extrait *n.m.*

☐ **1.** Partie d'un acte copiée littéralement sur l'original ou la minute. Ex. Un extrait de l'un des registres de l'état civil.

Rem. L'extrait d'un acte authentique a la même force probante que l'original s'il est certifié par celui qui en est le dépositaire légal.

Angl. *extract*

☐ **2.** Résumé d'un acte qui en contient les parties essentielles. Ex. Un extrait des inscriptions délivrées par le régistrateur.

Angl. *memorial*

Extrajudiciaire *adj.*

☐ **1.** Qui a lieu en dehors du cours normal d'une instance. Ex. Un aveu extrajudiciaire.

Contr. judiciaire

Comp. aveu extrajudiciaire, connaissance

Angl. *extrajudicial*

☐ **2.** Se dit des frais encourus par les parties lors d'un procès mais qui ne sont pas inclus dans les dépens.

Comp. déboursés, frais extrajudiciaires, honoraires extrajudiciaires

Angl. *extrajudicial*

Extranéité *n.f.*

☐ **1.** Situation juridique d'un étranger dans un pays donné.

Angl. *extraneity*

☐ **2.** Élément d'une situation juridique qui met en contact les systèmes juridiques de deux ou plusieurs États, entraînant alors un conflit de loi ou de compétence. Ex. Lors d'un divorce, le fait que le mariage ait été célébré à l'étranger constitue un élément d'extranéité.

Angl. *foreign element*

Extraordinaire *adj.*

☐ V. RECOURS EXTRAORDINAIRE.

Extrapatrimonial, ale, aux *adj.*

☐ Qui ne fait pas partie du patrimoine d'une personne. Se dit d'un droit rattaché à une personne physique, qui est en principe intransmissible, imprescriptible et hors commerce. Ex. Le nom d'une personne.

Contr. patrimonial

Comp. droit extrapatrimonial

Angl. *extrapatrimonial*

Extraterritorialité *n.f.*

☐ **1.** Extension par un État des effets juridiques de sa législation en dehors de son territoire, en relation avec des faits survenant à l'étranger ou concernant des personnes qui s'y trouvent.

Comp. conflit de loi, conflit de compétence, exterritorialité

Angl. *extraterritoriality*

☐ **2.** Exercice par un État de certaines compétences de nature territoriale sur des espaces qui ne font pas partie de son territoire, notamment sur les mers ou les espaces aériens.

Angl. *extraterritoriality*

F

F.

☐ Abrév. de fédéral.

Fabricant, ante *n.*

☐ Personne qui transforme une matière première et organise les composantes d'un produit en vue d'en faire, en tout ou en partie, un bien meuble qui soit utilisable.

Angl. *manufacturer*

Fabrique *n.f.*

☐ Corporation ecclésiastique dont l'objet est d'acquérir, de posséder et d'administrer des biens reliés à l'exercice de la religion catholique dans une paroisse ou une desserte. Elle est composée du président d'assemblée, du curé de la paroisse ou du desservant de la desserte et d'un certain nombre de marguilliers.

Comp. desserte, desservant, ecclésiastique, paroisse

Angl. *fabrique*

Facteur *n.m.*

☐ Agent de commerce qui achète ou vend des marchandises dont il a la possession soit en son propre nom, comme s'il en était propriétaire, soit au nom de son principal de qui il reçoit une rétribution communément appelée commission. Ex. Les concessionnaires de marques d'automobiles sont bien souvent des facteurs (ou marchands à commission) à la solde des fabricants, même si, aux yeux du public, il sont considérés comme les propriétaires des véhicules qu'ils vendent.

Syn. commissionnaire

Comp. agent, concessionnaire, consignataire, courtier, marchand

Angl. *factor*

Factoring

☐ V. AFFACTURAGE.

Factum *n.m.*

☐ Terme autrefois utilisé pour désigner le mémoire contenant les prétentions, les arguments de fait ou de droit et les conclusions de chacune des parties en appel.

Syn. mémoire

Angl. *factum*

Facultatif, ive *adj.*

☐ Qui est laissé au choix d'un individu.

Comp. condition facultative, discrétionnaire, obligation facultative

Angl. *optional, permissive*

Faculté *n.f.*

☐ Possibilité ou droit de faire ou de ne pas faire quelque chose. Ex. La faculté de renoncer à une succession.

Comp. acte de pure faculté

Angl. *option, right*

Facultés mentales *n.f.pl.*

☐ V. ALIÉNATION MENTALE, DÉMENCE.

Faible d'esprit

☐ Personne majeure dont l'état mental fait craindre qu'elle ne dissipe ses biens et ne compromette gravement sa fortune, justifiant ainsi qu'on lui nomme un conseil judiciaire.

Comp. conseil judiciaire

Angl. *person of weak intellect*

Failli, ie *n.*

□ Personne qui a volontairement fait cession de ses biens ou contre laquelle une ordonnance de séquestre a été émise.
Comp. cession de biens, faillite, séquestre
Angl. *bankrupt*

• **Failli (libération du) :** V. LIBÉRATION DU FAILLI.

Faillite *n.f.*

□ **1.** Moyen légal par lequel une personne insolvable se libère de ses dettes soit volontairement, par une cession de biens, soit à la suite d'une ordonnance de séquestre la dessaisissant de ses avoirs au profit d'un syndic qui en effectue le partage entre les créanciers.
Syn. banqueroute
Comp. cession de biens, failli, séquestre, syndic
Angl. *bankruptcy*

• **Faillite (district de) :** Nom donné, dans la *Loi sur la faillite*, à chaque province canadienne.
Comp. faillite (division de)
Angl. *bankruptcy district*

• **Faillite (division de) :** Nom donné, dans la *Loi sur la faillite*, à une subdivision d'un district de faillite créée par le gouvernement pour l'administration de cette loi.
Comp. faillite (district de)
Angl. *bankruptcy division*

□ **2.** État d'un commerçant qui a cessé de faire ses paiements.
Angl. *bankruptcy*

Fait *n.m.*

□ **1.** Au sens large, tout événement, tout ce qui arrive.
Comp. droit, question de fait
Angl. *fact*

• **Fait d'autrui :** V. RESPONSABILITÉ DU FAIT D'AUTRUI.

• **Fait d'avarie commune :** V. AVARIE COMMUNE (FAIT D').

• **Fait des animaux :** V. RESPONSABILITÉ DU FAIT DES ANIMAUX.

• **Fait des bâtiments :** V. RESPONSABILITÉ DU FAIT DES BÂTIMENTS.

• **Fait des choses :** V. RESPONSABILITÉ DU FAIT DES CHOSES.

• **Fait des écumeurs de mer :** V. PIRATERIE.

• **Fait du prince :**
1. Décision de l'Administration publique ou intervention du législateur qui a pour effet d'entraîner la résolution d'un contrat intervenu entre l'Administration publique et un administré ou d'en rendre l'exécution plus onéreuse.
Comp. cas fortuit, cause étrangère, force majeure
Angl. *act of State*
2. Décision de l'Administration publique ou intervention du législateur qui affecte de façon imprévisible un contrat intervenu entre deux individus. Ex. L'expropriation d'un terrain vendu.
Comp. cas fortuit, cause étrangère, force majeure
Angl. *act of State*
3. Interdiction par les pouvoirs publics nationaux à l'armateur ou au capitaine, d'exécuter un contrat de transport maritime.
Angl. *act of State*

• **Fait et cause (prendre) :** De la part du tiers appelé en garantie, contester les prétentions du demandeur conjointement avec le défendeur ou à la place de ce dernier.
Rem. Le tiers appelé en garantie simple ne peut prendre le fait et cause du défendeur ; par contre, dans le cas de garantie formelle, le tiers peut le faire et le défendeur peut alors être mis hors de cause, s'il le requiert.
Comp. garantie, intervention forcée, mise en cause
Angl. *to take up the defence*

• **Fait juridique :** Événement auquel la loi attache des conséquences juridiques sans que celles-ci aient été volontairement recherchées par l'individu à qui on l'attribue. Ex. Les délits, quasi-délits et quasi-contrats sont des faits juridiques.
Rem. **1.** L'acte juridique implique un acte de volonté de la part de l'individu. Ex. Le contrat est un acte juridique. **2.** Certains auteurs ne distinguent pas le fait matériel du fait juridique ; ils opposent plutôt l'acte juridique au fait juridique ou matériel.

Contr. fait matériel
Comp. acte juridique
Angl. *juridical fact*

- **Fait(s) justificatif(s) :** Circonstances qui enlèvent à la conduite d'une personne son caractère répréhensible, faisant ainsi disparaître ou atténuant la responsabilité civile ou pénale qui normalement en découlerait. Ex. Le recours à la force par la victime d'une agression.
Comp. état de nécessité, défense (légitime)
Angl. *justification*

- **Fait matériel :** Événement qui n'implique pas nécessairement des conséquences juridiques. Ex. La chute d'une personne sur un trottoir.
Rem. Certains auteurs ne distinguent pas le fait matériel du fait juridique ; ils opposent plutôt l'acte juridique au fait juridique ou matériel.
Contr. fait juridique
Comp. acte juridique
Angl. *material fact, physical fact*

- **Fait (moyens de) :** V. MOYENS DE FAIT.

- **Fait personnel :** V. RESPONSABILITÉ DU FAIT PERSONNEL.

- **Fait (question de) :** V. QUESTION DE FAIT.

- **Faits et articles :** V. INTERROGATOIRE SUR FAITS ET ARTICLES.

□ **2.** Événement allégué dans un acte de procédure dont la partie doit faire la preuve lors de l'enquête ou de l'audition devant le tribunal.
Angl. *fact*

Falsification *n.f.*

□ Altération volontaire ou dénaturation d'un bien ou d'un écrit en vue de tromper.
Syn. adultération
Comp. altération
Angl. *adulteration, falsification*

Fam.

□ Abrév. de *Law Reports, Family Division.*

Fama

□ Terme latin signifiant « réputation ». Il constitue l'un des trois éléments de la possession d'état.
Comp. possession d'état

Fam. Ct.

□ Abrév. de **1.** *Family Court* ; **2.** *Provincial Court (Family division).*

Familiale, ale, aux *adj.*

□ **1.** Qui concerne la famille. Ex. Le droit familial.
Angl. *family*

□ **2.** Qui appartient à la famille, qui lui est destiné. Ex. La résidence familiale.
Angl. *family*

Famille *n.f.*

□ **1.** Groupe de personnes composé des père et mère et de leurs enfants vivant ensemble sous un même toit. Ex. Les époux doivent assurer ensemble la direction morale et matérielle de la famille.
Rem. Ces personnes peuvent être liées tant par le mariage ou l'union de fait que par la filiation ou l'adoption. De plus, la famille peut exister sans enfant, dès qu'il y a deux époux, ou même, en l'absence d'un des époux, dès que l'autre époux et un enfant dont il a la garde vivent dans la même résidence.
Comp. ménage, patrimoine familial, résidence familiale
Angl. *family*

- **Famille adoptive :**
1. Groupe formé par le ou les parents adoptifs et l'adopté (par opposition à la famille biologique).
Comp. adopté, adoptif, adoption, famille biologique
Angl. *adopting family*
2. Par extension, ensemble des personnes devenues apparentées à l'adopté par suite du jugement d'adoption.
Angl. *adopting family*

- **Famille biologique :** Famille dont les membres sont unis par les liens du sang (par opposition aux liens créés par l'adoption).
  Syn. famille par le sang
  Comp. famille adoptive
  Angl. *biological family*

- **Famille (conseil de) :** V. CONSEIL DE FAMILLE.

- **Famille d'origine :** Famille avec laquelle l'adopté est uni par les liens du sang (par opposition à la famille adoptive).
  Rem. La nouvelle filiation de l'adopté remplace l'ancienne, mais les empêchements au mariage avec sa famille d'origine subsistent.
  Comp. adopté, famille adoptive.
  Angl. *originating family*

- **Famille légitime :** Famille composée des parents unis par le lien du mariage et des enfants nés de cette union.
  Comp. famille biologique, famille naturelle
  Angl. *legitimate family*

- **Famille monoparentale :** Famille dans laquelle l'enfant vit soit avec sa mère, soit avec son père, que la filiation soit établie à l'égard des deux parents ou de l'un d'eux seulement.
  Angl. *one-parent family, single-parent family*

- **Famille naturelle :** Famille composée des parents qui ne sont pas unis par le lien du mariage et des enfants nés de cette union.
  Comp. famille légitime
  Angl. *natural family*

- **Famille nucléaire :** Groupe de personnes composé des père et mère et de leurs enfants vivant ensemble sous un même toit.
  Angl. *nuclear family*

- **Famille par le sang :** V. FAMILLE BIOLOGIQUE.

□ **2.** Au sens large, ensemble des personnes unies par les liens du sang ou par les liens résultant de l'adoption ou du mariage.
Rem. Vue sous cet angle, elle peut comprendre les parents et les alliés et, dans un sens encore plus large, toutes les personnes qui descendent d'un même auteur.
Comp. ascendant, collatéraux, descendant, ligne, parenté
Angl. *family*

□ **3.** Groupement de droits nationaux en fonction de leur origine ou de leurs caractéristiques communes.
Rem. Il existe deux grandes familles de droit, dans le monde occidental, le Droit civil et la *common law*.
Comp. système juridique
Angl. *family*

Famille (de droit)

□ V. FAMILLE (□ 3.).

Fam. L. Rev.

□ Abrév. de *Family Law Review*.

Fardeau de la preuve

□ **1.** Obligation pour une partie à un procès de convaincre le tribunal du bien-fondé de ses prétentions hors de tout doute raisonnable (en matière pénale) ou suivant une simple prépondérance de la preuve (en matière civile). Ex. Celui qui réclame l'exécution d'une obligation a le fardeau de la prouver.
Rem. Certains emploient, au lieu de l'expression « prépondérance de la preuve », celle de « balance des probabilités ».
Syn. fardeau de persuasion
Angl. *burden of proof*

□ **2.** Devoir pour une partie à un procès d'apporter les éléments de preuve permettant d'établir l'existence des faits qu'elle allègue.
Rem. Une partie peut être tenue de produire des éléments de preuve sans avoir nécessairement le fardeau de persuasion. Ainsi, en matière criminelle, l'accusé qui présente une défense a l'obligation de produire les éléments de preuve qui appuient ses prétentions ; cependant, le fardeau de convaincre le tribunal hors de tout doute raisonnable de sa culpabilité incombe à la poursuite.
Angl. *burden of proof*

Fardeau de persuasion

□ V. FARDEAU DE LA PREUVE.

Fausse monnaie

□ V. MONNAIE CONTREFAITE.

Fausse représentation

□ Affirmation ou comportement d'une personne qui vise à en tromper une autre sur les qualités d'un bien ou d'un service dans le but de l'amener à contracter.

Rem. En matière criminelle, on emploie plutôt les termes « escroquerie » « faux prétexte » et « faux semblant ».

Angl. *misrepresentation*

Faute *n.f.*

□ Acte ou omission dont l'auteur est une personne douée de discernement qui a fait défaut de se conformer à une prescription de la loi ou à l'obligation générale de se comporter en personne diligente et raisonnable à l'égard d'autrui. Elle peut être intentionnelle ou résulter d'une négligence, d'une imprudence ou d'une maladresse.

Rem. En matière pénale, on emploie plutôt le terme « infraction ».

Comp. infraction, préjudice, responsabilité, victime

Angl. *fault*

- **Faute civile :** Faute qui est susceptible d'engager la responsabilité civile de son auteur.

  Comp. responsabilité

  Angl. *civil fault*

- **Faute commune :** Faute unique dont plusieurs personnes sont collectivement responsables.

  Angl. *common fault, contributory fault*

- **Faute contractuelle :** Faute résultant de l'inobservation, par le débiteur, d'une obligation née d'un contrat.

  Comp. faute délictuelle, faute quasi délictuelle

  Angl. *contractual fault*

- **Faute d'action :** V. FAUTE PAR COMMISSION.

- **Faute de commission :** V. FAUTE PAR COMMISSION.

- **Faute délictuelle :** Faute commise avec l'intention de nuire à autrui, de lui causer un préjudice.

  Comp. faute contractuelle, faute quasi délictuelle

  Angl. *delictual fault*

- **Faute d'omission :** V. FAUTE PAR OMISSION.

- **Faute grave :** Écart de conduite ou manquement suffisamment sérieux qui justifie le congédiement d'un salarié et qui permet à l'employeur de le congédier sans préavis.

  Comp. congédiement, faute lourde

  Angl. *grave fault, gross negligence, gross misconduct, serious offence*

- **Faute intentionnelle :** Faute commise avec l'intention de nuire à autrui, de lui causer un préjudice.

  Contr. faute non intentionnelle

  Angl. *deliberate fault, intentional fault*

- **Faute légère :** Faute de peu de gravité que ne commettrait pas une personne raisonnable.

  Contr. faute lourde

  Angl. *peccadillo, slight offence*

- **Faute lourde :** Faute qui dénote chez son auteur une insouciance, une imprudence ou une négligence grossière, un mépris total des intérêts et des droits d'autrui.

  Rem. Les clauses exonératoires de responsabilité sont sans effet lorsque l'auteur du préjudice a commis une faute lourde.

  Contr. faute légère

  Angl. *gross negligence, gross fault, serious offence*

- **Faute non intentionnelle :** Faute commise par négligence, imprudence et maladresse sans intention de nuire ou de causer un préjudice à autrui.

  Contr. faute intentionnelle

  Angl. *non-deliberate fault, non-intentional fault*

- **Faute par commission :** Faute qui découle d'un acte positif de la part de son auteur. Ex. La faute de la personne qui en frappe une autre.

  Syn. *culpa in commitendo*, faute d'action, faute de commission

  Contr. faute par omission

  Comp. commission

  Angl. *fault of commission*

- **Faute par omission :** Faute qui découle de l'abstention ou de l'inaction de la part de son auteur. Ex. La faute de l'administrateur du bien d'autrui qui omet de poser les actes reliés à sa charge.

  Syn. *culpa in omittendo*

  Contr. faute par commission

  Comp. omission

Angl. *fault of omission*

- **Faute professionnelle :** Faute commise par une personne dans l'exercice de sa profession.

  Angl. *professional fault*

- **Faute quasi délictuelle :** Faute résultant d'un quasi délit.

  Comp. faute contractuelle, faute délictuelle

  Angl. *quasi-delictual fault*

Faute de

□ **1.** À défaut de. Ex. Faute par le vendeur d'avoir exercé son droit dans le terme prescrit, l'acheteur....

Comp. défaut

Angl. *in default of*

□ **2.** Dans le cas d'un manque de, par manque de. Ex. L'usufruitier a laissé dépérir l'immeuble dont il avait l'usufruit, faute d'entretien.

Angl. *for lack of*

Fautif, ive *adj. et n.*

□ **1.(adj.)** Qui est en faute. Ex. Il se sent fautif d'avoir posé tel acte.

Angl. *at fault*

□ **2.(adj.)** Qui constitue une faute. Ex. L'exercice d'un droit peut être fautif.

Angl. *faulty*

□ **3.(adj.)** Qui renferme des fautes. Ex. Un calcul fautif.

Angl. *faulty, incorrect*

□ **4.(n.)** Personne qui est en faute, qui est responsable. Ex. Le fautif dans une affaire.

Angl. *culprit*

Faux, fausse *adj.*

□ Contraire à la vérité, non conforme à la réalité.

Angl. *false*

- **Faux frais :** V. FRAIS FRUSTRATOIRES.

- **Faux prétexte :** V. FAUX SEMBLANT.

- **Faux semblant :** Infraction criminelle par laquelle une personne représente à une autre un fait présent ou passé, dont elle connaît la fausseté, dans le but d'induire celle-ci à agir d'après cette représentation. Ex. Une personne qui fournit de fausses déclarations concernant sa situation financière dans le but d'obtenir du crédit.

  Syn. escroquerie, faux prétexte

  Angl. *false pretence*

- **Faux serment :** V. PARJURE.

- **Faux témoignage :** Déposition mensongère faite par un témoin sous serment avec l'intention de tromper le tribunal.

  Comp. parjure

  Angl. *false evidence, perjury*

Faux *n.m.*

□ **1.** Acte criminel par lequel une personne fabrique un document dont elle connaît la fausseté, ou contrefait, altère ou appose des mentions fausses sur un document, dans le but de s'en servir au préjudice d'une autre personne.

Comp. faux semblant

Angl. *forgery*

□ **2.** Altération d'un acte authentique ou sous seing privé.

Comp. acte authentique, acte sous seing privé

Angl. *forgery*

- **Faux (action en) :** Action par laquelle une personne demande que soit déclaré faux ou falsifié un acte authentique.

  Rem. Cette demande est qualifiée normalement d'action en faux principal, par opposition au recours en faux incident.

  Comp. acte authentique, faux incident (inscription de)

  Angl. *action in improbation*

- **Faux incident (action en) :** V. FAUX INCIDENT (INSCRIPTION DE).

- **Faux incident (inscription de) :** Demande incidente par laquelle une partie à un litige demande que soit déclaré faux ou falsifié un acte authentique produit pendant l'instance par la partie adverse.

  Rem. Cette demande est qualifiée de faux incident ; lorsque la demande est formée par action principale, elle est qualifiée d'action en faux principal.

  Syn. action en faux incident, faux (inscription en)

Comp. acte authentique, faux (action en)
Angl. *improbation, incidental improbation*

- **Faux intellectuel :** Altération d'un acte authentique qui résulte d'une inscription fautive ou erronée, par l'officier public instrumentant, des déclarations émanant des parties ou des tiers. Ex. Il y a faux intellectuel lorsque le notaire instrumentant n'a pas rapporté fidèlement les déclarations des parties à l'acte.

  Comp. faux matériel
  Angl. *intellectual alteration, intellectual forgery*

- **Faux matériel :** Altération d'un acte authentique qui résulte d'une modification physique de l'acte. Ex. L'imitation d'une signature et l'inscription fautive de la date d'un contrat constituent un faux matériel.

  Comp. faux intellectuel
  Angl. *material alteration, material forgery*

- **Faux (s'inscrire en) :** Soutenir en justice qu'un acte authentique constitue un faux ou a été falsifié.

  Comp. faux (action en), faux incident (inscription de)
  Angl. *to improbate*

□ **3.** Document contrefait, altéré ou contenant des mentions fausses. Ex. Ce document constitue un faux.

Angl. *forgery*

F.C.

□ Abrév. de **1.** *Federal Court* ; **2.** *Canada Federal Court of Canada Reports.*

F.C.A.D.

□ Abrév. de *Federal Court Appellate Division.*

F.C.T.D.

□ Abrév. de *Federal Court Trial Division.*

Fed.

□ Abrév. de *Federal.*

Fed. C.A.

□ Abrév. de *Federal Court of Canada Appeal Division.*

Fédéral, ale *adj.*

□ **1.** Qui concerne une fédération. Ex. Le système fédéral.

Comp. fédération
Angl. *federal*

□ **2.** Qui forme une fédération. Ex. L'État fédéral.

Comp. fédération
Angl. *federal*

Fédéral *n.m.*

□ Gouvernement central d'un État fédéral.

Angl. *federal government*

Fédéralisme *n.m.*

□ **1.** Forme d'organisation politique impliquant un partage des diverses compétences constitutionnelles entre un gouvernement central, qui constitue l'État souverain au regard du droit international, et les gouvernements des groupements ou collectivités politiques qui composent cet État.

Comp. confédération, État, fédération, unitaire
Angl. *federalism*

□ **2.** Doctrine préconisant cette forme d'organisation politique.

Angl. *federalism*

Fédération *n.f.*

□ **1.** Forme d'organisation étatique selon laquelle des États (ou autres formes de groupements ou collectivités politiques) conviennent, par une entente constitutionnelle, de s'unir et de partager les compétences législatives entre un gouvernement central et des gouvernements régionaux, chacun jouissant de pouvoirs exclusifs dans ses champs de compétence.

Rem. **1.** Au regard du droit international, seul le gouvernement central constitue un État souverain. Par contre, les gouvernements régionaux ne sont aucunement subordonnés à l'autorité centrale dans l'exercice de leurs compétences exclusives. **2.** Le Canada est une fédération constituée par le Parlement fédéral et les législatures des provinces.

Comp. confédération, État
Angl. *federation*

☐ **2.** Association de groupements autonomes ayant des intérêts communs et qui acceptent d'être réunis sous une même autorité afin d'assurer les intérêts collectifs de leurs membres. Ex. Une fédération syndicale.

Angl. *federation*

Fed. T.D.

☐ Abrév. de *Federal Court of Canada - Trial Division.*

Fente *n.f.*

☐ Partage d'une succession ou d'une partie de celle-ci en deux parts égales l'une revenant à la ligne paternelle et l'autre à la ligne maternelle.

Comp. ligne, succession
Angl. *split*

Férié, ée *adj.*

☐ Se dit d'un jour où il y a cessation de travail en raison d'une fête religieuse ou légale. Ex. Les tribunaux ne siègent pas les jours fériés.

Syn. jour non juridique
Comp. jour juridique, fête légale
Angl. *holiday, legal holiday*

Ferme *adj.*

☐ Se dit d'un contrat qui est conclu définitivement ou d'une proposition dont on ne peut se dédire.

Angl. *binding, firm*

Fête légale

☐ Jour que la loi déclare férié et qui correspond généralement à une fête religieuse ou civile célébrée un autre jour que le dimanche ou à la célébration d'un événement historique. Ex. Noël, le 1er de l'An, le Vendredi-Saint, la Fête du travail.

Comp. férié, jour férié, jour non juridique
Angl. *legal holiday*

Fête nationale

☐ Jour de réjouissance publique en l'honneur de la patrie. Ex. La fête nationale du Québec est célébrée le 24 juin.

Angl. *National Holiday*

Fiançailles *n.f.pl.*

☐ Promesse solennelle de mariage qu'échangent les futurs époux lors d'une cérémonie religieuse ou civile.

Comp. mariage
Angl. *engagement*

Fiat

☐ **1.** Terme latin signifiant « qu'il soit fait » et désignant un acte de procédure par lequel une personne désirant exercer un recours en matière civile demandait autrefois l'émission d'un bref ou d'une ordonnance d'assignation.

Syn. *praecipe*

☐ **2.** Certificat décerné par la Chambre des notaires et autorisant l'exercice de la profession de notaire.

Fiche immobilière

☐ Document qui contient les inscriptions fournissant toute l'information concernant un immeuble inscrit dans un livre foncier.

Rem. Selon l'art. 2972 du *Code civil du Québec*, chaque livre foncier comprend autant de fiches immobilières qu'il y a de lots marqués sur le plan cadastral et, sur chaque fiche, sont répertoriées les inscriptions qui concernent chaque immeuble.
Comp. bureau de la publicité des droits, livre foncier, plan cadastral, publicité des droits, registre foncier
Angl. *land file*

Fictif, ive *adj.*

☐ Qui n'existe qu'en apparence, qui ne correspond pas à la réalité. Ex. Une vente fictive.

Comp. acte apparent, acte déguisé, acte fictif, acte simulé
Angl. *fictitious*

Fiction *n.f.*

☐ Procédé par lequel le législateur suppose l'existence d'un fait ou d'une situation juridique différents de la réalité afin de pouvoir en tirer les conséquences juridiques. Ex. Par une fiction de la loi, l'enfant conçu mais qui n'est pas encore né possède certains droits comme s'il était vivant.

Angl. *fiction*

Fidéicommis *n.m.*

☐ **1.** Terme utilisé parfois pour désigner le *trust* de *common law.*

Syn. *trust*

Angl. *trust*

- **Fidéicommis avant la constitution :** V. FIDÉICOMMIS PRÉ-INCORPORATIF.

- **Fidéicommis pré-incorporatif :** Institution juridique assimilable au *trust* suivant laquelle une personne est spécialement désignée, à titre de fiduciaire, pour agir au nom d'une personne morale à but lucratif qui doit être formée et avec pour mission d'acheter un bien ou d'effectuer une transaction au bénéfice de la future personne morale.

Rem. La validité de ce *trust* n'est pas reconnue unanimement par la jurisprudence ; la signature d'un nouveau contrat pour ratifier la transaction par la personne morale nouvellement formée peut alors être exigée par la loi ou les tribunaux.

Syn. fidéicommis avant la constitution

Comp. fidéicommis, fiducie

Angl. *pre-incorporation trust*

☐ **2.** Terme utilisé parfois pour désigner certains types de contrat de financement (acte de fidéicommis), de société (société de fidéicommis) ou de compte (compte en fidéicommis).

Rem. Il est alors synonyme de fiducie.

Comp. acte de fiducie, compte en fidéicommis, fiducie, société de fiducie, substitution fidéicommissaire

Angl. *trust*

- **Fidéicommis *de residuo* :** V. SUBSTITUTION *DE RESIDUO.*

Fidéicommissaire *adj. et n.*

☐ **1.(adj.)** V. FIDUCIAIRE (adj.).

☐ **2.(n.)** Bénéficiaire d'une substitution fidéicommissaire.

Comp. substitution fidéicommissaire

Angl. *fideicommissary*

☐ **3.(n.)** V. FIDUCIAIRE (n.).

Fidéjusseur *n.m.*

☐ Personne qui se porte garante de la dette d'une autre personne.

Syn. caution

Comp. cofidéjusseur, garantie

Angl. *fide-jussor, surety warrantee*

Fiduciaire *adj. et n.*

☐ **1.(adj.)** Qui crée une fiducie. Ex. Un legs fiduciaire, une donation fiduciaire.

Syn. fidéicommissaire

Comp. fiducie

Angl. *fiduciary*

☐ **2.(adj.)** Qui concerne une fiducie. Ex. Un patrimoine fiduciaire.

Syn. fidéicommissaire

Comp. patrimoine fiduciaire

Angl. *fiduciary*

☐ **3.(adj.)** Qui concerne une relation de confiance, des devoirs de diligence, de loyauté et de bonne foi de la part du titulaire d'un poste d'autorité et de responsabilité élevées. Ex. Les devoirs fiduciaires du cadre envers l'entreprise où il travaille ou de la direction d'une banque envers ses clients.

Rem. Ce terme tire son origine des mots « *fiduciary duties* » en matière de *trust.*

Syn. fidéicommissaire

Comp. *trust*

Angl. *fiduciary, fiduciary duties, fiduciary relationship*

☐ **4.(n.)** Personne qui s'oblige envers une autre personne, appelée constituant, à détenir et à administrer les biens que celle-ci lui confie en fiducie, en vue de les remettre ultérieurement à un tiers, appelé bénéficiaire.

Syn. fidéicommissaire

Comp. acte de fiducie, bénéficiaire, constituant

Angl. *trustee*

☐ **5.(n.)** Personne qui administre un *trust* et qui doit conséquemment agir avec intégrité, bonne foi, diligence et compétence dans les meilleurs intérêts du bénéficiaire qu'elle représente.

Comp. *trust*

Angl. *trustee*

Fiducie *n.f.*

□ Acte juridique par lequel une personne, appelée constituant, dans un acte constitutif qui représente sa volonté, transfère à titre onéreux ou gratuit et pour une fin particulière des biens qui lui appartiennent à un patrimoine qu'elle forme et qu'une autre personne, appelée fiduciaire, s'engage à détenir et à administrer pour le bénéfice d'un tiers, appelé bénéficiaire.

Rem. **1.** Ce nouveau patrimoine est un patrimoine d'affectation qui n'appartient en exclusivité à aucune des trois parties impliquées ; de plus, l'acceptation du fiduciaire dessaisit le constituant des biens, confie au premier le soin de veiller à leur affectation et à l'administration du patrimoine fiduciaire. **2.** Sous le *Code civil du Bas-Canada*, la fiducie ne pouvait être constituée qu'à titre gratuit, étant créée par donation ou testament ou par la loi. Le *Code civil du Québec* prévoit qu'elle peut naître également d'un contrat ou d'un jugement.

Comp. acte de fiducie, bénéficiaire, constituant, fiduciaire, patrimoine d'affectation, patrimoine fiduciaire, société de fiducie, *trust*

Angl. *trust*

- **Fiducie de garantie :** V. ACTE DE FIDUCIE.

- **Fiducie de sûreté :** V. ACTE DE FIDUCIE.

- **Fiducie d'investissement :** V. ACTE DE FIDUCIE.

- **Fiducie d'utilité privée :**
1. Fiducie ayant pour objet l'érection, l'entretien ou la conservation d'un bien corporel déterminé ou l'utilisation d'un bien affecté à un usage déterminé, soit à l'avantage indirect d'une personne ou à sa mémoire, soit dans un autre but de nature privée (*Code civil du Québec*, art. 1268).

Rem. Cette forme de fiducie peut être perpétuelle.

Comp. acte de fiducie, bénéficiaire, constituant

Angl. *private trust*

2. Fiducie constituée à titre onéreux dans le but, notamment, de permettre la réalisation d'un projet au moyen de placements ou d'investissements, de pourvoir à une retraite ou de procurer un autre avantage au constituant ou aux personnes qu'il désigne, aux membres d'une société ou d'une association, à des salariés ou à des porteurs de titre (*Code civil du Québec*, art. 1269).

Rem. Cette forme de fiducie peut être perpétuelle.

Comp. acte de fiducie, bénéficiaire, constituant

Angl. *private trust*

- **Fiducie d'utilité sociale :** Fiducie constituée dans un but d'intérêt général, notamment, à caractère culturel, éducatif, philanthropique, religieux ou scientifique et qui n'a pas pour objet essentiel de réaliser un bénéfice ou d'exploiter une entreprise (*Code civil du Québec*, art. 1270).

Rem. Cette forme de fiducie peut être perpétuelle et se transformer en fondation.

Comp. acte de fiducie, bénéficiaire, constituant, fondation

Angl. *social trust*

- **Fiducie personnelle** : Fiducie constituée à titre gratuit dans le but de procurer un avantage à un bénéficiaire déterminé ou qui peut l'être.

Rem. Cette forme de fiducie, qui correspond à celle du *Code civil du Bas-Canada*, ne peut comprendre plus de deux ordres de bénéficiaires des fruits et revenus des biens, en plus du bénéficiaire du capital.

Angl. *personal trust*

- **Fiducie (société de) :** V. SOCIÉTÉ DE FIDUCIE.

Fieri facias (bref de)

□ **1.** Nom autrefois donné au bref d'exécution émis à la suite d'un jugement ordonnant le paiement d'une somme d'argent.

Rem. **1.** L'expression latine « fieri facias » signifie « que tu fasses en sorte que ce soit fait ».**2.** Ce bref ordonne au shérif ou à l'huissier de procéder à la saisie et à la vente de biens appartenant au débiteur condamné, afin que le créancier en faveur de qui le jugement a été rendu puisse être remboursé de sa créance à même le produit de la vente.

Comp. bref de saisie-exécution

Angl. *writ of fieri facias*

- ***Fieri facias de bonis :*** Bref d'exécution qui ordonne la saisie et la vente de meubles.

Comp. saisie-exécution mobilière

- ***Fieri facias de terris :*** Bref d'exécution qui ordonne la saisie et la vente d'un immeuble.

Comp. saisie-exécution immobilière

□ **2.** En matière criminelle, bref d'exécution

émis à l'encontre d'une personne qui ne s'est pas conformée à un engagement ou à une condition de son engagement. Ex. Le bref d'exécution émis contre la caution d'un accusé qui a omis de comparaître.

Angl. *writ of fieri facias*

Filiation *n.f.*

□ **1.** Lien de parenté qui unit l'enfant à ses parents.

Comp. enfant, parenté

Angl. *filiation*

- **Filiation adoptive :** Filiation créée par une décision judiciaire au terme du processus d'adoption. Elle confère à l'adopté les mêmes droits que la filiation par le sang.

  Comp. adoption, filiation par le sang

  Angl. *adoptive filiation*

- **Filiation adultérine :** V. ADULTÈRE.

- **Filiation incestueuse :** V. INCESTE.

- **Filiation légitime :** Filiation de l'enfant conçu durant le mariage de ses parents.

  Rem. Cette terminologie a été abolie par le législateur québécois qui a conféré à l'enfant naturel les mêmes droits qu'à l'enfant légitime.

  Comp. enfant légitime, enfant naturel

  Angl. *legitimate filiation*

- **Filiation naturelle :** Filiation de l'enfant adultérin ou dont les parents ne sont pas mariés.

  Rem. Cette terminologie a été abolie par le législateur québécois qui a conféré à l'enfant naturel les mêmes droits qu'à l'enfant légitime. Cependant, on utilise parfois cette expression pour désigner la filiation par le sang, par opposition à la filiation adoptive.

  Comp. enfant légitime, enfant naturel

  Angl. *filiation by blood, illegitimate filiation*

- **Filiation par le sang :** Filiation qui résulte de la procréation d'un être par un homme et une femme, par opposition à la filiation adoptive.

  Comp. filiation adoptive

  Angl. *filiation by blood*

□ **2.** Au sens large, lien de parenté en ligne directe qui unit les générations entre elles.

Comp. famille, ligne, parenté

Angl. *filiation*

Filibuster(ing)

□ Mot anglais qui désigne une tactique utilisée par l'opposition, dans un parlement ou dans une assemblée délibérante, et visant à empêcher ou à retarder le vote sur un projet de loi ou une proposition.

Rem. **1.** En général, on se sert de divers procédés, tels l'utilisation abusive des règlements de l'assemblée, la présentation de discours interminables. **2.** Les synonymes « obstruction systématique » ou « obstruction parlementaire » sont rarement utilisés au Canada.

Comp. clôture

Fille-mère

□ V. MÈRE CÉLIBATAIRE.

Fin *n.f.*

□ Terme, cessation d'une activité.

Angl. *end*

Final, ale *adj.*

□ Se dit d'un jugement qui met fin à une instance en disposant du fond du litige. Ex. Dans une action en responsabilité, le jugement qui condamne le défendeur à verser au demandeur des dommages-intérêts est un jugement final.

Rem. Le législateur québécois qualifie de final le jugement qui dispose du fond du litige ; cependant, les tribunaux emploient indifféremment les mots « final » et « définitif » pour ce type de jugement.

Syn. définitif

Contr. interlocutoire

Comp. irrévocable

Angl. *final*

Fin de non-recevoir

□ Moyen par lequel le défendeur, sans engager le débat sur le fond, demande le rejet de l'action pour le motif qu'un obstacle juridique fondé sur le comportement fautif du demandeur s'oppose à la recevabilité de la demande.

Rem. Ce concept a une portée limitée au Québec car ce sont les moyens de non-recevabilité qui correspondent aux fins de non-recevoir du droit français. Ce moyen de défense ressemble plutôt à l'*estoppel* de *common law*, et il s'appuie essentiellement sur le comportement fautif de la partie contre qui il est invoqué, puisque l'on interdit à une personne de tirer avantage d'une faute qu'elle aurait commise.

Comp. *estoppel*, moyen de non-recevabilité
Angl. *fin de non-recevoir*

Fins *n.f.pl.*

□ But poursuivi. Ex. Les fins de la justice.
Angl. *aim, end, purpose*

Fisc *n.m.*

□ Administration chargée de l'assiette, de la liquidation et du recouvrement de l'impôt.
Comp. assiette, fiscal, fiscaliste, fiscalité, impôt, liquidation, recouvrement
Angl. *fisc, tax department*

Fiscal, ale, aux *adj.*

□ Qui se rapporte au fisc, à l'impôt.
Comp. droit fiscal, fisc, impôt
Angl. *fiscal*

Fiscaliste *n.*

□ Juriste qui se spécialise dans l'étude ou la pratique du droit fiscal.
Comp. administrativiste, civiliste, commercialiste, criminaliste, fisc, pénaliste, privatiste, publiciste
Angl. *specialist in fiscal law*

Fiscalité *n.f.*

□ Système fiscal, ensemble de la réglementation en matière fiscale. Ex. La réforme de la fiscalité.
Comp. fisc, fiscal
Angl. *fiscal system, tax system*

Flagrant, ante *adj.*

□ **1.** Se dit d'une infraction qui est commise sous les yeux mêmes d'une personne qui la constate. Ex. Être pris en flagrant délit de voler.
Angl. *blatant, flagrant*

□ **2.** Évident, que l'on ne peut nier. Ex. Une mauvaise foi flagrante.
Angl. *blatant*

Flottabilité *n.f.*

□ Caractère des cours d'eau sur lesquels des trains de bois peuvent circuler ou qui peuvent être utilisés pour le transport de bois d'une façon pratique et profitable.
Comp. flottable, navigabilité
Angl. *floatability*

Flottable *adj.*

□ Se dit d'un cours d'eau sur lequel des trains de bois peuvent circuler ou que l'on peut utiliser pour le transport de bois d'une façon pratique et profitable.
Rem. Les rivières et les fleuves qui sont navigables et flottables font partie du domaine public de l'État.
Comp. flottabilité, navigable
Angl. *floatable*

Flottant, ante *adj.*

□ V. CHARGE FLOTTANTE.

F.L.R.

□ Abrév. de *Family Law Review.*

F.L.R.A.C.

□ Abrév. de *Family Law Reform Act Cases.*

F.O.B.

□ Abrév. de *free on board.*

Foi *n.f.*

□ V. BONNE FOI, MAUVAISE FOI.

• **Foi (faire) :** Faire autorité, établir de façon indubitable. Ex. L'acte authentique fait foi de son contenu jusqu'à ce qu'on en prouve la fausseté.
Syn. faire preuve
Comp. force probante
Angl. *to be proof of*

Fol enchérisseur

□ Personne qui a fait une folle enchère lors d'une vente publique.
Comp. folle enchère
Angl. *false bidder*

Folle enchère

□ Lors d'une vente publique, enchère faite par le dernier enchérisseur, devenu adjudicataire, qui est incapable de satisfaire aux conditions de l'adjudication, notamment d'en payer le prix.

Comp. enchère, fol enchérisseur, vente à la folle enchère

Angl. *false bidding*

Foncier, ière *adj.*

□ **1.** Relatif à un bien-fonds. Ex. Un impôt foncier.

Comp. bien-fonds, fonds, immeuble

Angl. *land*

□ **2.** Qui possède un bien-fonds. Ex. Un propriétaire foncier.

Comp. bien-fonds, fonds, immeuble

Angl. *land*

Fonction *n.f.*

□ **1.** Exercice d'une charge, d'une occupation. Ex. La fonction de directeur général d'une entreprise.

Comp. charge (□ 6.), fonctionnaire

Angl. *duty, function, post*

□ **2.** Ensemble des actes posés par un organe dans l'exécution de ses prérogatives. Ex. La fonction législative.

Angl. *function*

• **Fonction exécutive :**
1. Fonction qui consiste à assurer l'exécution des lois.

Comp. pouvoir exécutif

Angl. *executive function*

2. Ensemble des tâches confiées au Conseil des ministres ou au Cabinet, qui consistent à élaborer les lois et les politiques, à coordonner les activités de l'État et à exercer certaines prérogatives propres au gouvernement.

Comp. Cabinet, Conseil des ministres, gouvernement, pouvoir exécutif

Angl. *executive function*

• **Fonction publique :** Ensemble des postes existant dans les ministères gouvernementaux ou dans des secteurs particuliers de l'administration publique. Ex. La fonction publique fédérale, la fonction publique d'une ville.

Angl. *public service*

Fonctionnaire *n.*

□ Personne qui occupe un poste dans la fonction publique.

Comp. fonction publique

Angl. *civil servant*

• **Fonctionnaire de l'état civil :** Officier public chargé de tenir les registres de l'état civil. Ex. Selon le *Code civil du Bas-Canada*, un prêtre catholique peut agir comme fonctionnaire de l'état civil.

Syn. officier de l'état civil

Comp. acte(s) de l'état civil, directeur de l'état civil, registres de l'état civil

Angl. *officer of civil status*

Fond *n.m.*

□ **1.** Substance, contenu essentiel du droit ou d'un acte juridique.

Contr. forme

Angl. *heart, substance*

□ **2.** Dans un procès, la matière qui fait l'objet du litige, par opposition à la procédure et aux moyens de preuve. Ex. Le *Code de procédure civile* prescrit que le fond doit l'emporter sur la forme.

Contr. forme

Angl. *merit, substance*

Fond marin

□ Partie de la croûte terrestre formant le fond des océans.

Angl. *ocean bottom, ocean floor, sea bottom, sea-floor, seabed*

Fondation *n.f.*

□ **1.** Institution qui résulte d'un acte par lequel une personne affecte, d'une façon irrévocable, tout ou partie de ses biens à une fin d'utilité sociale ayant un caractère durable. Ex. La création faite par testament d'une fondation dans le domaine culturel (*Code civil du Québec*, art. 1256).

Rem. Elle ne peut avoir pour objet essentiel la réalisation d'un bénéfice ni l'exploitation d'une entreprise.

Comp. fiducie

Angl. *foundation*

□ **2.** Personne morale sans but lucratif ou fiducie consacrée exclusivement à des fins d'utilité sociale. Ex. la Fondation de l'Opéra de Montréal.

Comp. fiducie
Angl. *foundation*

Fondé, ée *adj.*

□ Établi, justifié. Ex. La réclamation du demandeur est fondée.

Comp. bien-fondé, légitime
Angl. *founded, justified*

Fondé de pouvoir

□ Personne chargée d'agir aux lieu et place d'une autre personne (physique ou morale).

Comp. mandataire
Angl. *agent, person holding power of attorney, proxy*

Fondement *n.m.*

□ **1.** Base légale d'une prétention, d'une argumentation.

Angl. *base, foundation*

□ **2.** Dans un procès civil, ensemble de faits allégués par une partie à l'appui de ses conclusion.

Rem. La preuve de ces faits permet d'établir le bien-fondé des prétentions de cette partie.
Comp. bien-fondé
Angl. *grounds*

Fonds *n.m.*

□ **1.** Terme générique désignant les immeubles par nature.

Rem. Il désigne indifféremment le terrain non bâti ou celui sur lequel a été construit un édifice.
Comp. bien-fonds, foncier, immeuble par nature
Angl. *land*

• **Fonds asservi :** V. FONDS SERVANT.

• **Fonds dominant :** Immeuble au profit duquel existe une servitude.

Syn. héritage dominant
Contr. fonds servant
Comp. servitude
Angl. *dominant land, dominant tenement*

• **Fonds servant :** Immeuble assujetti à une servitude au profit du fonds dominant.

Syn. fonds asservi
Contr. fonds dominant
Comp. servitude
Angl. *encumbered estate, servient land, servient tenement*

□ **2.** Sommes d'argent, capital dont dispose une personne.

Comp. deniers
Angl. *capital, funds, money*

• **Fonds de commerce** : Ensemble des biens mobiliers possédés par un commerçant pour les fins de son entreprise.

Rem. Il se compose généralement d'éléments corporels, notamment le matériel, l'outillage, les marchandises et, accessoirement, l'immeuble où opère l'entreprise ; il se compose également d'éléments incorporels, notamment l'achalandage, la clientèle, le nom commercial, le droit au bail et les droits de propriété industrielle.
Comp. achalandage, clientèle, entreprise
Angl. *business, stock-in-trade*

• **Fonds en fiducie garantie :** Fonds reçus en fiducie par une société en vue de leur placement et dont le remboursement du capital ou le paiement des intérêts est garanti par celle-ci.

Comp. fiducie
Angl. *guaranteed trust money*

□ **3.** Capital constitué pour des fins particulières. Ex. Le Fonds monétaire international.

Angl. *fund*

Fongibilité *n.f.*

□ Caractère de ce qui est fongible.

Angl. *fungibility*

Fongible *adj.*

□ V. BIEN FONGIBLE.

For *n.m.*

□ Tribunal, juridiction.

Rem. Ce terme est employé essentiellement en Droit international privé. Ex. La loi du for.
Comp. *lex fori*
Angl. *Court, jurisdiction, tribunal*

Force *n.f.*

□ Pouvoir de contrainte physique ou juridique.

Comp. forcé
Angl. *force*

- **Force de chose jugée :** V. CHOSE JUGÉE (FORCE DE).

- **Force de loi :**
1. Caractère obligatoire de la loi.
Angl. *force of law*
2. Autorité équivalente à celle de la loi. Ex. Certains usages commerciaux ont force de loi.
Angl. *force of law*

- **Force exécutoire :** Effet attaché aux décisions judiciaires qui permet de prendre les mesures nécessaires, y compris le recours à la force publique, pour en assurer l'exécution.
Comp. exécution, force publique, homologation
Angl. *binding force, force and effect*

- **Force majeure :** Événement imprévisible, inévitable ou irrésistible qui provient d'une cause étrangère au débiteur et qui libère ce dernier de son obligation. Ex. Un incendie provoqué par la foudre.
Rem. L'art. 1470 du *Code civil du Québec* la définit comme suit : « Événement imprévisible et irrésistible ; y est assimilée la cause étrangère qui présente ces mêmes caractères ».
Syn. acte de Dieu
Comp. cas fortuit
Angl. *act of God, superior force*

- **Force obligatoire (du contrat) :** Principe selon lequel le contrat constitue la loi des parties et ne peut être révoqué que d'un commun accord ou pour des causes que la loi reconnaît.
Comp. contrat, obligatoire
Angl. *binding force*

- **Force probante :** Valeur et efficacité d'un moyen de preuve comme élément de conviction. Ex. Un acte authentique fait preuve de son contenu à moins qu'il ne soit contredit par inscription de faux, et sa force probante est supérieure à celle qui est attachée à l'acte sous seing privé.
Comp. preuve
Angl. *probative force, probative value*

- **Force publique :** Ensemble des forces (police, gendarmerie royale, armée) dont dispose un gouvernement pour veiller au maintien de l'ordre et au respect de la loi et pour assurer l'exécution des décisions judiciaires.
Angl. *armed forces, police power*

- **Force(s) armée(s) :** L'armée d'un pays.
Angl. *armed forces*

Forcé, ée *adj.*

□ **1.** Imposé par la loi. Ex. L'exécution forcée des jugements.

Contr. volontaire
Comp. exécution forcée, force, intervention forcée, mise en cause
Angl. *compulsory, forced*

- **Forcée (acceptation) :** V. ACCEPTATION FORCÉE.

□ **2.** Obtenu illégalement sous l'effet de la contrainte. Ex. Un consentement forcé.

Comp. force
Angl. *forced*

Forclore *v.tr.*

□ Priver quelqu'un du bénéfice d'un droit dont il est titulaire en raison de son défaut de l'exercer dans le délai prescrit. Ex. Lorsque le demandeur a fait enregistrer défaut de comparaître contre le défendeur, celui-ci est alors forclos de produire un acte de comparution.

Rem. Ce verbe n'est employé qu'à l'infinitif et au participe passé.
Comp. forclos, forclusion
Angl. *to debar, to foreclose*

Forclos, ose *adj.*

□ Se dit de la personne qui a encouru une forclusion de son droit.

Comp. forclore, forclusion
Angl. *debarred, foreclosed*

Forclusion *n.f.*

□ Déchéance encourue par le titulaire d'un droit qui a fait défaut de l'exercer dans le délai prescrit. Ex. La forclusion de la partie qui a omis d'interjeter appel, dans le délai prescrit, du jugement dont elle est insatisfaite.

Comp. forclore, forclos
Angl. *debarment, foreclosure*

Forfait *n.m.*

☐ **1.** Convention fixant à l'avance et de façon invariable un prix, notamment pour l'exécution de certains travaux ou la fourniture de certains services. Ex. Un contrat à forfait pour la construction d'un édifice.

Comp. clause pénale, devis, forfaitaire, marché à forfait
Angl. *fixed price, fixed price contract*

☐ **2.** Mode de réparation d'un préjudice selon lequel le montant de l'indemnité est fixé à l'avance, indépendamment de l'importance du préjudice effectivement subi. Ex. Certains contrats d'assurance prévoient des montants forfaitaires pour l'indemnisation du préjudice subi par l'assuré en cas d'accident.

Comp. forfaitaire
Angl. *fixed amount*

Forfaitaire *adj.*

☐ Dont le prix est fixé à l'avance et de façon invariable. Ex. Un contrat forfaitaire, une indemnité forfaitaire.

Comp. forfait
Angl. *agreed, fixed, inclusive*

Formalisme *n.m.*

☐ **1.** Principe en vertu duquel la validité d'un acte est subordonné à l'accomplissement de formalités particulières. Ex. L'acte solennel est soumis à un certain formalisme, sous peine de nullité.

Comp. acte solennel, formaliste, formalité
Angl. *formalism*

☐ **2.** Attachement parfois excessif, dans la législation ou dans l'application de la loi, à la forme des actes juridiques. Ex. Il y a lieu de combattre le formalisme procédural.

Comp. formalité, forme, juridisme, légalisme
Angl. *formalism*

Formaliste *adj.*

☐ **1.** Soumis par la loi à l'accomplissement de formalités particulières. Ex. Un contrat formaliste.

Comp. formalisme, formalité
Angl. *formalistic*

☐ **2.** Qui témoigne d'un attachement particulier à la forme des actes juridiques. Ex. Le juriste qui privilégie la forme au fond est formaliste.

Comp. formalisme, formalité
Angl. *formalistic*

Formalité *n.f.*

☐ Opération prescrite par la loi dans l'accomplissement de certains actes afin d'en assurer la validité ou l'efficacité.

Syn. forme
Comp. formalisme, formaliste
Angl. *formality*

- **Formalité de procédure :** Condition de forme prescrite par la loi pour l'accomplissement de certains actes de procédure en vue d'en assurer la validité. Ex. Une demande en cours d'instance se forme généralement par requête écrite appuyée d'un affidavit et accompagnée d'un avis de présentation.

  Angl. *procedural formality*

- **Formalité de publicité :** Formalité prescrite par la loi pour qu'un acte juridique soit opposable aux tiers. Ex. Les formalités de la publicité foncière.

  Comp. publicité des droits
  Angl. *formality as to publicity*

- **Formalité probatoire :** Formalité prescrite par la loi pour la preuve de certains actes juridiques. Ex. La rédaction d'un écrit pour un contrat civil dont la valeur excède une somme déterminée.

  Comp. preuve, probatoire
  Angl. *probative formality, probatory formality*

- **Formalité substantielle :** Formalité prescrite par la loi pour la validité d'un acte juridique. Ex. La rédaction d'un acte notarié pour un contrat d'hypothèque.

  Syn. solennité
  Angl. *essential formality*

Forme *n.f.*

☐ **1.** Manifestation visible de la volonté dans un acte juridique ou un jugement. Ex. Un testament peut être fait sous la forme d'un acte authentique ou sous celle d'un acte sous seing privé.

Contr. fond
Comp. formel
Angl. *form*

□ **2.** V. FORMALITÉ.

- **Forme (condition de) :** V. CONDITION DE FORME.

- **Forme (en bonne et due) :** Conformément aux prescriptions de la loi.
  Angl. *in due form, regular*

- **Forme (sans) :** Sans formalité prescrite par la loi ou par une convention.
  Angl. *without the proper form*

- **Forme (vice de) :** V. VICE DE FORME.

Formel, elle *adj.*

□ **1.** Qui concerne la forme, l'apparence d'un acte.
Comp. fond, formalité, forme
Angl. *formal*

□ **2.** Sans équivoque, catégorique. Ex. Une ordonnance d'injonction contient généralement une interdiction formelle de faire quelque chose.
Angl. *definite, positive*

□ **3.** V. GARANTIE FORMELLE.

Former *v.tr.*

□ Introduire une demande en justice selon les formes prescrites par la loi.
Comp. introduction
Angl. *to institute, to introduce*

Formulaire *n.m.*

□ Recueil de formules, de modèles d'actes. Ex. Un formulaire de procédure civile.
Comp. formule
Angl. *formulary*

Formule *n.f.*

□ Modèle contenant les termes dans lesquels un acte peut ou doit être rédigé afin qu'il soit conforme aux prescriptions de la loi.
Rem. Il s'agit souvent d'un texte imprimé contenant des espaces blancs que l'usager doit remplir.
Comp. formulaire
Angl. *formula, questionnaire*

Formuler *v.tr.*

□ Énoncer de façon précise.
Angl. *to express, to formulate, to lay down*

Fortuit, uite *adj.*

□ Qui se produit par hasard, qui est imprévisible.
Comp. cas fortuit, force majeure
Angl. *fortuitous*

Forum *n.m.*

□ Terme employé pour désigner généralement le tribunal devant lequel des demandes en justice peuvent être portées.
Rem. Ce terme est le plus souvent utilisé dans des expressions latines qui précisent le lieu du tribunal compétent où une affaire doit être portée et instruite.
Comp. compétence, tribunal
Angl. *forum*

- ***Forum actus* :** Expression latine désignant le tribunal du lieu où un acte a été posé.

- ***Forum contractus* :** Expression latine désignant le tribunal du lieu où un contrat est intervenu.

- ***Forum conveniens* :** Expression latine désignant le tribunal du lieu où il convient le mieux qu'une demande soit portée et instruite.
  Contr. *forum non conveniens*

- ***Forum domicilii* :** Expression latine désignant le tribunal du lieu du domicile du défendeur.

- ***Forum non conveniens* :** Expression latine qui réfère au pouvoir discrétionnaire d'un tribunal de se dessaisir d'une demande qui a été régulièrement portée devant lui lorsqu'il lui apparaît préférable, dans l'intérêt des parties ou de la justice en général, que celle-ci soit instruite par un autre tribunal.
  Rem. Cette exception, qui est fréquemment utilisée dans les juridictions de *common*

law, a fait l'objet de controverses dans la doctrine et la jurisprudence du Québec, vu l'absence de disposition législative permettant à un tribunal de décliner sa compétence pour ce motif. L'article 3135 du *Code civil du Québec* reconnaît maintenant sans ambiguïté cette exception.

Contr. *forum conveniens*

- ***Forum rei*** : Expression latine désignant le tribunal du lieu du domicile ou de la résidence du défendeur (génitif de *reus*) ou celui du bien qui fait l'objet du litige (génitif de *res*).

- ***Forum shopping*** : Opération par laquelle une personne cherche à tirer profit de la diversité des règles de compétence internationale des tribunaux pour porter sa demande devant le tribunal où elle espère obtenir la décision la plus favorable.

  Rem. Il n'existe pas présentement une version française de cette expression.

  Comp. fraude à la loi

  Angl. *forum shopping*

Fouille *n.f.*

☐ Investigation pratiquée sur une personne (y compris dans les divers orifices de son corps), ses vêtements ou ses bagages dans le but d'obtenir des informations ou d'y trouver des objets.

Rem. **1.** Les fouilles sont effectuée notamment dans le but de rechercher des preuves en matière criminelle ou dans le cadre de contrôles de sécurité (ex. un contrôle douanier). **2.** Le mot « fouille » réfère aux personnes alors que le mot « perquisition » réfère à un lieu.

Comp. perquisition

Angl. *bodily search*

Fournisseur, euse *n.*

☐ Personne qui fournit des marchandises ou des services à une autre. Ex. Le fournisseur de matériaux.

Angl. *supplier*

Fox Pat. C.

☐ Abrév. de *Fox's Patent, Trade Mark, Design and Copyright Cases.*

F.P.R.

☐ Abrév. de *Fisheries Pollution Reports.*

Frais *n.m.pl.*

☐ **1.** Dépenses occasionnées par une activité quelconque.

Comp. *costs, expenses, fees*

- **Frais accessoires :** Frais qui sont liés à une opération principale. Ex. Les frais de notaire et d'enregistrement lors de la vente d'un immeuble.

  Angl. *accessory expenses, ancillary costs, incidental charges*

- **Frais de conservation :** V. FRAIS DE GARDE.

- **Frais de dernière maladie :** Frais encourus pour assurer le traitement du débiteur lors de la maladie qui a précédé son décès.

  Rem. Ces frais, qui bénéficiaient d'un privilège, sous le *Code civil du Bas-Canada*, sont les frais de médecins, de pharmaciens et de garde-malades.

  Angl. *expenses of the last illness*

- **Frais de garde :** Frais encourus pour la surveillance et la conservation d'un bien.

  Syn. frais de conservation

  Comp. garde

  Angl. *costs of care, costs of preservation*

- **Frais de gésine :** Frais d'accouchement.

  Angl. *lying-in expenses*

- **Frais de labours et de semences :** Frais encourus pour le labourage et l'ensemencement d'une terre.

  Rem. Ces frais constituaient, sous le *Code civil du Bas-Canada*, une créance privilégiée.

  Angl. *expenses of tilling and sowing*

- **Frais de sauvetage :** En matière d'assurance maritime, frais qui, en vertu du droit maritime, peuvent être recouvrés par un sauveteur agissant sans contrat de sauvetage.

  Comp. avarie-frais

  Angl. *salvage charges*

- **Frais de vente :** Frais encourus lors de la vente volontaire ou forcée d'un bien.

  Comp. frais accessoires

  Angl. *costs of sale*

• **Frais funéraires :** Frais encourus pour assurer la sépulture du défunt.

Rem. Les frais funéraires bénéficiaient d'un privilège, sous le *Code civil du Bas-Canada*, lorsqu'ils convenaient à l'état et à la fortune du défunt.

Angl. *funeral expenses*

• **Frais professionnels :** Frais encourus par une personne dans l'exercice de son emploi ou de sa fonction.

Angl. *business expenses, professional costs, professional expenses*

□ **2.(Frais de justice)** Dépenses diverses encourues lors d'un litige porté devant un tribunal.

Rem. Au sens strict, ils ne comprennent que les dépens et ce sont les seuls frais qui bénéficient d'un privilège (ou d'une priorité) ou qui peuvent être colloqués lors de la distribution à la suite d'une vente en justice.

Comp. collocation, dépens, privilège

Angl. *law costs, legal costs*

• **Frais extrajudiciaires :** Honoraires ou frais qu'un avocat peut exiger pour des services professionnels, en sus des frais judiciaires, et qui découlent de l'exercice de sa profession. Ex. Les honoraires versés pour le temps de recherche dans un dossier constituent des frais extrajudiciaires.

Comp. débours, déboursés, dépens, frais judiciaires, honoraires

Angl. *extrajudicial costs*

• **Frais frustratoires :** Frais qu'une partie peut être condamnée à payer à la partie adverse en raison de son comportement jugé répréhensible par le tribunal. Ex. Le créancier qui fait sciemment saisir des biens insaisissables peut être tenu de payer les frais d'opposition et les autres frais frustratoires que le saisi a dû acquitter.

Angl. *costs consequent upon non fulfilment*

• **Frais judiciaires :** Honoraires ou frais qu'un avocat peut, selon l'issue du procès, exiger de la partie adverse ou de son client, conformément à un tarif établi par règlement. Ex. Les honoraires versés pour une journée d'audition devant le tribunal font partie des frais judiciaires.

Comp. dépens, frais extrajudiciaires, honoraires, tarif

Angl. *court costs, judicial costs*

Franc, franche *adj.*

□ **1.** Libre de toute contrainte, de toute charge. Ex. Acquérir un bien franc et quitte de toute charge.

Angl. *free*

□ **2.** V. DÉLAI FRANC, DÉLAI NON FRANC.

Franchisage *n.m.*

□ V. FRANCHISE (CONTRAT DE)

Franchise *n.f.*

□ **1.** Montant des dommages qui n'est pas couvert par le contrat d'assurance et qui reste à la charge de l'assuré.

Rem. Le terme « déductible » que l'on utilise souvent pour qualifier ce concept est un anglicisme.

Comp. assurance

Angl. *deductible*

□ **2.** Contrat par lequel une personne, le franchiseur, accorde à une autre, le franchisé, le droit d'utiliser son nom, sa marque de commerce, son savoir-faire et ses méthodes dans le but de faire affaires en distribuant des produits ou en fournissant des services ; le tout, sujet au contrôle du franchiseur et moyennant le paiement d'un droit initial et de redevances perçues à même les revenus obtenus par le franchisé.

Syn. franchisage

Comp. contrat d'adhésion, franchisé, franchiseur

Angl. *franchising*

□ **3.** Privilège conféré par le gouvernement à un individu ou à une personne morale.

Rem. Depuis le 1er janvier 1994, le *Code de procédure civile* utilise plutôt le terme « fonction ».

Comp. *quo warranto*

Angl. *franchise*

Franchisé, ée *n.*

□ Personne à qui une franchise a été concédée par contrat.

Contr. franchiseur

Comp. franchise

Angl. *franchisee*

Franchiseur, euse *n.*

□ Personne qui concède une franchise par contrat.
Contr. franchisé
Comp. franchise
Angl. *franchisor*

Fratricide *adj. et n.*

□ **1.(adj.)** Se dit d'une personne qui a tué son frère ou sa soeur.
Comp. matricide, parricide
Angl. *fratricidal*

□ **2.(n.)** Crime d'une personne qui a tué son frère ou sa soeur.
Comp. matricide, parricide
Angl. *fratricide*

Fraude *n.f.*

□ **1.** Acte accompli de mauvaise foi avec l'intention de porter atteinte aux droits ou aux intérêts d'autrui ou d'échapper à l'application d'une loi. Ex. La fraude est une cause de nullité des contrats.
Syn. dol
Comp. frauder, frauduleux
Angl. *fraud*

• **Fraude à la loi :**
1. Acte accompli dans l'intention de contourner la loi, de se soustraire à son application. Ex. L'acte simulé constitue souvent une fraude à la loi.
Comp. acte simulé
Angl. *evasion of the law*
2. En droit international privé, lorsqu'il y a conflit de lois, acte qui consiste à modifier un facteur de rattachement dans l'intention de se soustraire à la loi normalement applicable et de permettre l'application d'une autre loi jugée moins contraignante. Ex. Le changement de domicile effectué par une personne dans le but de bénéficier de la loi d'un autre État qui est plus favorable.
Comp. *forum shopping*
Angl. *evasion of the law*

• **Fraude électorale :** V. CORRUPTION ÉLECTORALE.

• **Fraude envers le gouvernement :** V. CORRUPTION.

• **Fraude fiscale :** V. ÉVASION FISCALE.

• **Fraude paulienne :** Acte accompli par un débiteur insolvable en vue de frauder ses créanciers.
Comp. action paulienne, action en inopposabilité
Angl. *paulian fraud*

□ **2.** Acte criminel accompli par une personne de mauvaise foi avec l'intention de causer préjudice à autrui ou à porter atteinte aux droits du public. Ex. La fraude commise par le débiteur qui donne ses biens dans le but de frauder ses créanciers.
Comp. contrefaçon, faux semblant
Angl. *fraud*

Frauder *v.tr.*

□ Commettre une fraude, être coupable de fraude.
Comp. fraude, frauduleux
Angl. *to defraud*

Frauduleux, euse *adj.*

□ Entaché de fraude. Ex. Un contrat frauduleux.
Comp. dolosif, fraude, frauder
Angl. *fraudulent*

Fraus omnia corrumpit

□ Maxime latine signifiant « la fraude corrompt tout ». Elle exprime le principe que tout acte juridique entaché de fraude peut être annulé.
Comp. action paulienne

Freinte *n.f.*

□ Perte de volume ou de poids subie par une marchandise lors de sa fabrication ou de son transport.
Angl. *shrinkage*

Fret *n.m.*

□ **1.** Prix payé pour le transport de marchandises.
Rem. **1.** L'article 2442 du *Code civil du Bas-Canada* le définit comme suit : « Le fret est le prix payable pour le loyer d'un bâti-

ment, ou le transport de marchandises, pour un voyage licite au lieu de sa destination ». **2.** Ce terme, utilisé autrefois pour le seul transport par mer, est maintenant étendu au transport par terre et par air.

Comp. affrètement, affréteur, fréteur
Angl. *freight*

□ **2.** Plus particulièrement, prix que paie l'affréteur au fréteur en vertu d'un contrat d'affrètement maritime.

Comp. affrètement, affréteur, fréteur
Angl. *freight*

□ **3.** Par extension, la marchandise transportée par un navire, un avion ou un camion.

Angl. *freight*

Fréteur *n.*

□ Personne qui, en vertu d'un contrat d'affrètement, met un navire à la disposition d'une autre personne, l'affréteur, pour le transport de marchandises.

Comp. affrètement, affréteur, fret
Angl. *lessor*

Frivole *adj.*

□ Se dit d'une action ou d'une procédure qui n'est pas sérieuse, qui ne repose sur aucun fondement juridique.

Comp. abusif, futile, vexatoire
Angl. *frivolous*

Frontière *n.f.*

□ Limite du territoire d'un État.

Angl. *border, boundary, frontier*

Fructus

□ Terme latin signifiant « fruits (d'un bien) » et désignant un des attributs du droit de propriété, le droit de percevoir les fruits d'un bien.

Syn. *jus fruendi*
Comp. *abusus, usus*

Fruits *n.m.pl.*

□ Biens que produit régulièrement et périodiquement un bien sans que sa substance n'en soit diminuée ou altérée.

Comp. usufruit
Angl. *fruits*

- **Fruits civils :** Revenus que produit un bien. Ex. Le loyer d'une maison, les intérêts sur une somme due.

  Angl. *civil fruits*

- **Fruits industriels :** Fruits produits par un bien grâce au travail de l'homme. Ex. Les légumes cultivés.

  Angl. *industrial fruits*

- **Fruits naturels :** Fruits produits spontanément par un bien. Ex. Les fruits des plantes non cultivées.

  Angl. *natural fruits*

F.T.R.

□ Abrév. de *Federal Trial Reports.*

Fugitif, ive *n.*

□ Selon l'art. 2 de la *Loi sur l'extradition* (L.R.C. 1985, c. E-23) ; « individu qui se trouve au Canada ou qu'on soupçonne de s'y trouver et qui est soit accusé d'un crime donnant lieu à l'extradition et commis dans le ressort d'un État étranger, soit a été condamné pour ce crime ».

Comp. extradition
Angl. *fugitive*

Fuite (délit de)

□ V. DÉLIT DE FUITE.

Functus officio

□ Locution latine signifiant « s'étant acquitté de sa fonction ». Se dit d'un tribunal, d'un organisme public ou d'un fonctionnaire qui est dessaisi d'une affaire parce qu'il a cessé l'exercice de sa fonction. Ex. Le juge qui a prononcé un jugement final est *functus officio.*

Rem. La personne qui est *functus officio* n'a plus d'autorité sur l'affaire dont elle était saisie et ne peut plus prendre de décisions à ce sujet.
Comp. compétence

Funéraire *adj.*

☐ V. FRAIS FUNÉRAIRES.

Fusion *n.f.*

☐ Opération par laquelle deux ou plusieurs compagnies ou sociétés par actions se regroupent dans le but de ne former qu'une seule entité.

Angl. *amalgamation, consolidation, merger*

- **Fusion horizontale :** Fusion de deux ou plusieurs filiales détenues par la compagnie-mère ou la société par actions-mère.

  Angl. *horizontal amalgamation, horizontal consolidation, horizontal merger*

- **Fusion ordinaire :** Fusion de deux ou plusieurs compagnies ou sociétés par actions indépendantes, qui signent une convention à cet effet.

  Angl. *conglomerate merger*

- **Fusion verticale :** Fusion de la compagnie-mère ou de société par actions-mère et de l'une ou plusieurs de ses filiales dont elle détient la totalité des actions.

  Angl. *vertical amalgamation, vertical consolidation, vertical merger*

Futile *adj.*

☐ Se dit d'une action qui n'est pas sérieuse, qui ne repose sur aucun fondement juridique.

Comp. abusif, frivole, vexatoire

Angl. *futile*

G

Gage *n.m.*

☐ **1.** Nantissement d'un bien meuble.

Comp. nantissement

Angl. *pawning*

☐ **2.** Plus précisément, contrat par lequel une personne, appelée le constituant, remet ou laisse entre les mains de son créancier, appelé le gagiste, ou à un tiers en sa faveur, un bien meuble pour sûreté de sa dette ; le créancier s'engageant à rendre le bien au débiteur si celui-ci acquitte sa dette à l'échéance.

Rem. Cette définition correspond à la notion de gage du *Code civil du Bas-Canada*.

Comp. constituant, créancier gagiste, gagiste

Angl. *pawning*

☐ **3.** Hypothèque mobilière avec dépossession qui est constituée par la remise d'un bien ou d'un titre au créancier ou, si le bien est déjà entre ses mains, par le maintien de la détention, du consentement du constituant, afin de garantir sa créance.

Rem. Cette définition correspond à la notion de gage du *Code civil du Québec*.

Comp. constituant, gagiste, hypothèque mobilière

Angl. *pawning*

☐ **4.** Par extension, le bien remis en gage.

Angl. *pawn*

• **Gage commun :** Se dit de l'ensemble des biens présents et à venir d'un débiteur, qui peuvent être saisis et vendus en justice par ses créanciers pour assurer le paiement de leur créance. Ex. Les biens du débiteur sont le gage commun de ses créanciers.

Angl. *common pledge*

Gages *n.m.pl.*

☐ Salaire d'un domestique ou d'un travailleur agricole.

Comp. salaire, traitement

Angl. *wages*

Gagiste *n.*

☐ Créancier dont la créance est garantie par un gage.

Syn. créancier gagiste

Comp. gage

Angl. *pledgee, pawnee*

Gains de survie

☐ Avantages conférés par la loi ou le contrat de mariage au conjoint survivant dans le partage des biens.

Comp. donation à cause de mort, douaire, usufruit légal

Angl. *accretion in case of survival, right of survivorship*

G.A.P.S.

☐ Abrév. de *Grievance Adjudicators Public Service.*

Garant, ante *n.*

☐ Personne qui assume une obligation de garantie

Comp. garanti, garantie

Angl. *guarantor, warrantor*

Garanti, ie *adj. et n.*

☐ **1.(adj.)** Se dit d'une personne à qui une garantie a été donnée. Ex. Un créancier garanti.

Comp. garant, garantie

Angl. *guarantee, guaranteed, warrantee*

☐ **2.(n.)** Personne à qui une garantie a été donnée.

Comp. garant, garantie
Angl. *guarantee, warrantee*

Garantie *n.f.*

☐ **1.** Obligation accessoire à certains contrats qui est imposée par la loi ou convenue par les parties et par laquelle l'une d'elles assure à l'autre la jouissance d'un bien ou d'un droit. Ex. La garantie contre l'éviction, contre les vices cachés.

Comp. aval
Angl. *warranty*

- **Garantie (action incidente en) :** V. GARANTIE (APPEL EN).

- **Garantie (action principale en) :** V. ACTION EN GARANTIE.

- **Garantie (appel en) :** Mise en cause forcée d'un tiers dans un procès dans le but d'obtenir du juge qu'il lui ordonne d'indemniser une partie, dont il est le garant, de toute condamnation qui pourrait être prononcée contre elle.

  Syn. action en garantie incidente
  Comp. action en garantie, garant, garantie (appelé en), mise en cause
  Angl. *impleading*

- **Garantie (appelé en) :** Tiers qui est mis en cause lors d'un appel en garantie.

  Comp. garantie (appel en)
  Angl. *third party called in warranty*

- **Garantie contractuelle :** V. GARANTIE CONVENTIONNELLE.

- **Garantie contre l'éviction :** Obligation pour le vendeur de défendre l'acheteur contre les atteintes des tiers à son droit de propriété, de s'abstenir personnellement de tout acte qui priverait l'acheteur d'une possession paisible et utile du bien vendu et d'indemniser celui-ci s'il ne peut lui assurer cette garantie.

  Rem. Cette garantie existe également en matière de donation et de louage.
  Comp. garantie du droit de propriété, garantie du fait des tiers, garantie du fait personnel
  Angl. *warranty against eviction*

- **Garantie contre les défauts cachés :** V. GARANTIE DES VICES CACHÉS

- **Garantie conventionnelle :** Garantie dont l'étendue est déterminée par contrat.

  Rem. Elle peut diminuer ou augmenter l'étendue de la garantie légale, ou même l'exclure, à moins que le législateur n'ait interdit de déroger à la loi.
  Syn. garantie contractuelle
  Comp. garantie légale
  Angl. *conventional warranty*

- **Garantie de fournir et faire valoir :** Lors d'une cession de créance, garantie offerte par le cédant de la solvabilité du débiteur au moment de l'échéance de la créance cédée.

  Comp. cession de créance, solvabilité
  Angl. *warranty of payment*

- **Garantie de qualité :** Obligation pour le vendeur d'assurer à l'acheteur la possession utile du bien vendu, c'est-à-dire de lui fournir un bien et ses accessoires qui soient, lors de la vente, exempts de vices cachés qui le rendent impropre à l'usage auquel on le destine ou qui diminuent tellement son utilité que l'acheteur ne l'aurait pas acheté ou n'aurait pas donné si haut prix, s'il les avait connus.

  Syn. garantie des vices cachés
  Comp. action rédhibitoire
  Angl. *warranty of quality*

- **Garantie des copartageants :** V. GARANTIE DU PARTAGE.

- **Garantie des vices cachés :** Obligation pour le vendeur d'assurer à l'acheteur la possession utile du bien vendu, c'est-à-dire de lui fournir un bien qui soit exempt de défauts cachés qui le rendraient impropre à l'usage auquel il est destiné ou qui en diminueraient considérablement l'utilité.

  Rem. Le locateur et le fabricant sont également tenus de procurer cette garantie à leur cocontractant.
  Syn. garantie contre les vices cachés, garantie contre les défauts cachés, garantie de qualité
  Comp. action rédhibitoire
  Angl. *warranty against latent defects*

- **Garantie du droit de propriété :** Obligation pour le vendeur de fournir à l'acheteur, non seulement une possession utile et paisible du bien vendu, mais également un bon titre lors de la vente.

Comp. garantie contre l'éviction
Angl. *warranty of ownership*

- **Garantie du fait des tiers :** Garantie contre l'éviction en vertu de laquelle le vendeur a l'obligation de défendre l'acheteur contre les atteintes des tiers à son droit de propriété et de l'indemniser s'il ne peut assurer cette garantie.

Comp. garantie du fait personnel
Angl. *warranty against acts of third persons*

- **Garantie du fait personnel :** Garantie contre l'éviction que la loi impose au vendeur, au donateur ou au bailleur et qui l'oblige à ne rien faire qui puisse troubler la jouissance et l'usage du bien par l'acheteur, le donataire ou le locataire.

Comp. garantie du fait des tiers
Angl. *warranty against personal acts*

- **Garantie du partage :** Obligation que la loi impose aux copartageants d'indemniser celui d'entre eux qui, après le partage, est évincé d'un bien compris dans son lot.

Syn. garantie des copartageants
Comp. copartageant, partage
Angl. *warranty of copartitioners, warranty of partition*

- **Garantie (exception de) :** Moyen dilatoire que soulève une partie, généralement la partie défenderesse, dans le but d'obtenir du juge un délai pour appeler un tiers en garantie.

Comp. garantie (appel en), moyen dilatoire
Angl. *exception of warranty*

- **Garantie formelle :** Lors d'un appel en garantie, qualification du recours exercé par le demandeur en garantie qui est poursuivi seulement comme détenteur d'un bien. Ex. L'acquéreur d'un immeuble qui est poursuivi par un tiers qui prétend en être le propriétaire peut appeler en garantie formelle son vendeur.

Rem. Le tiers poursuivi en garantie formelle peut alors être contraint par le demandeur en garantie de se substituer à lui en tant que partie défenderesse dans l'action principale. Cependant, le jugement rendu contre le garant est, après signification au garanti, exécutoire contre ce dernier.

Syn. garantie réelle
Comp. garantie (appel en), garantie simple
Angl. *legal warranty, real warranty*

- **Garantie légale :** Garantie généralement minimale qui est prévue par la loi.

Rem. À moins que le législateur n'ait formellement interdit d'y déroger, les parties à un contrat peuvent convenir d'en étendre ou d'en restreindre la portée, ou même de l'exclure. Ex. En matière de protection du consommateur, il est interdit de prévoir, par contrat, pour des biens mobiliers une garantie moindre de celle que prescrit la loi.

Comp. garantie conventionnelle
Angl. *legal warranty*

- **Garantie personnelle :** V. GARANTIE SIMPLE.

- **Garantie réelle :** V. GARANTIE FORMELLE.

- **Garantie simple :** Lors d'un appel en garantie, qualification du recours exercé par le demandeur en garantie qui est personnellement obligé envers le demandeur principal. Ex. L'entrepreneur qui est poursuivi par le propriétaire d'un immeuble défectueux qu'il a construit peut appeler en garantie simple l'architecte qui a conçu les plans de l'édifice.

Rem. Le tiers poursuivi en garantie simple ne peut se substituer à celui qui l'a appelé en garantie ; il peut seulement contester la demande formée contre ce dernier, si bon lui semble.

Syn. garantie personnelle
Comp. garantie (appel en), garantie formelle
Angl. *personal warranty, simple warranty*

- **Garantie supplémentaire (contrat de) :** V. CONTRAT DE GARANTIE SUPPLÉMENTAIRE.

□ **2.** Terme employé parfois comme synonyme de sûreté. Ex. Donner sa maison en garantie à son créancier hypothécaire.

Comp. sûreté
Angl. *security, suretyship*

□ **3.** Engagement par l'assureur d'indemniser l'assuré si celui-ci cause un préjudice à autrui ou s'il subit un préjudice de la part d'autrui. Ex. Tout manquement de l'assuré aux engagements formels qu'il a pris suspend la garantie s'il en résulte une aggravation du risque.

Syn. obligation de garantie
Comp. assurance, couverture, risque
Angl. *coverage*

□ **4.** Engagement pris par un cocontractant de poser certains actes de nature à diminuer les risques couverts par le contrat. Ex. La garantie donnée par l'assuré de maintenir une surveillance permanente d'un immeuble faisant l'objet du contrat d'assurance.

Comp. assurance, risque
Angl. *guarantee, warranty*

□ **5.** Disposition juridique visant à protéger certains droits fondamentaux. Ex. Les chartes des droits et libertés assurent aux citoyens des garanties qui sont constitutionnellement reconnues.

Comp. charte, droit (subjectif)
Angl. *guarantee*

Garde *n.f.*

□ **1.** Obligation légale ou conventionnelle qui impose à une personne de veiller à la conservation d'un bien en sa possession afin d'en éviter la détérioration, la perte ou la disposition. Ex. Le dépositaire a la garde du bien qu'il a reçu en dépôt ; le débiteur saisi a normalement la garde des biens ayant fait l'objet d'une saisie-exécution.

Angl. *safekeeping*

□ **2.** Pouvoir de surveillance, de direction et de contrôle exercé par une personne sur une autre personne, un animal ou un bien et qui a pour effet de la rendre responsable lorsque cette personne, l'animal ou le bien, par son fait autonome, cause un préjudice à autrui.

Rem. Le gardien peut cependant se dégager de sa responsabilité s'il peut prouver qu'il a été incapable d'empêcher le fait générateur du préjudice.
Angl. *care, custody*

• **Garde conjointe :** Garde exercée simultanément et au même titre par plusieurs individus sur une personne, un animal ou un bien. Ex. La garde conjointe des copropriétaires d'un immeuble.

Syn. garde cumulative
Comp. conjoint
Angl. *joint custody*

• **Garde cumulative :** V. GARDE CONJOINTE.

• **Garde de la structure :** Garde qui porte exclusivement sur la composition interne d'un bien, non sur son utilisation, et qui rend ainsi son gardien responsable du préjudice causé par un vice interne ou un défaut de structure du bien. Ex. Le propriétaire d'une automobile conserve la garde de la structure du véhicule lorsqu'il le prête à une autre personne.

Rem. Cette notion se fonde sur une théorie voulant que l'on distingue la garde de la structure de la garde du comportement d'un bien. Peu utilisée par la jurisprudence, elle est combattue généralement par la doctrine.
Comp. garde du comportement
Angl. *custody of the structure*

• **Garde du comportement :** Garde qui porte sur l'utilisation d'un bien, non sur la composition interne d'un bien, et qui rend ainsi son gardien responsable du préjudice causé par le maniement du bien. Ex. Le conducteur est responsable du comportement du véhicule qui lui a été prêté, non pas de ses vices cachés.

Rem. Cette notion se fonde sur une théorie voulant que l'on distingue la garde de la structure de la garde du comportement d'un bien. Peu utilisée par la jurisprudence, elle est généralement combattue par la doctrine.
Comp. garde de la structure
Angl. *custody of the activity*

• **Garde juridique :** Pouvoir de surveillance, de direction et de contrôle que l'on exerce sur une personne, un animal ou un bien.

Rem. **1.** L'expression « garde légale » est un anglicisme. **2.** Certains juristes opposent la garde juridique à la garde physique, lorsqu'elle concerne un enfant ; toutefois, selon la jurisprudence récente, cette distinction n'est pas fondée.
Comp. garde physique
Angl. *legal custody*

• **Garde légale :** V. GARDE JURIDIQUE.

• **Garde matérielle :** Détention physique d'une personne, d'un animal ou d'un bien qui ne repose sur aucun fondement juridique. Ex. Un voleur a la garde matérielle du bien qu'il a volé.

Contr. garde juridique
Comp. détention, garde physique
Angl. *de facto custody, material custody*

□ **3.** Droit et obligation qu'a une personne d'habiter avec son enfant mineur et de veiller à son éducation, son entretien, sa santé et sa sécurité.

Rem. Bien que cet attribut de l'autorité parentale soit généralement exercé conjointement par le père et la mère, ceux-ci ont le pouvoir de déléguer la garde de l'enfant à un tiers. De plus, en cas de séparation de corps, de divorce ou de déchéance de l'autorité parentale, celle-ci peut être confiée à un seul parent ou à un tiers ; le parent ou les parents ainsi privés de l'exercice de la garde de l'enfant ne perdent cependant pas le droit de garde ni les attributs généraux de l'autorité parentale.
Syn. droit de garde
Comp. droit de visite, garde juridique, garde matérielle
Angl. *care, custody*

- **Garde alternative :** V. GARDE ALTERNÉE.

- **Garde alternée :** Garde intégrale et exclusive d'un enfant que le père et la mère, après leur divorce ou leur séparation, exercent chacun à son tour pour des périodes déterminées, conformément à une entente qu'ils ont conclue ou à une décision du tribunal.
Rem. On emploie souvent, mais à tort, les mots « garde partagée » pour décrire cette réalité.
Syn. garde alternative
Comp. garde partagée
Angl. *alternate custody*

- **Garde conjointe :**
1. Garde exercée par les parents qui font vie commune et exercent ensemble l'autorité parentale sur leur enfant qui réside dans la maison familiale.
Comp. autorité parentale
Angl. *joint custody*
2. Expression employée couramment dans la doctrine et la jurisprudence pour désigner le droit et le devoir des père et mère divorcés ou séparés de prendre ensemble les décisions importantes concernant l'éducation, l'entretien, la santé et la sécurité de leur enfant.
Rem. Cette expression fait aujourd'hui l'objet de contestation puisqu'elle réfère plutôt à l'exercice conjoint de l'autorité parentale par des parents divorcés ou séparés.
Comp. garde alternée
Angl. *joint custody*

- **Garde de fait :** V. GARDE MATÉRIELLE.

- **Garde (droit de) :** V. GARDE.

- **Garde partagée :** Expression employée à tort pour désigner la garde alternée.
Rem. On pourrait cependant l'utiliser pour qualifier la garde que des parents exercent en commun.
Comp. garde alternée, garde conjointe
Angl. *alternate custody*

- **Garde physique :** Expression ambiguë qui désigne parfois la garde matérielle et parfois l'un des éléments de la garde juridique d'un enfant.
Rem. La jurisprudence suggère d'en bannir l'emploi.
Comp. garde juridique, garde matérielle
Angl. *legal custody, material custody*

□ **4.** Pouvoir de surveillance, de direction et de contrôle du curateur ou du tuteur sur la personne majeure bénéficiant d'un régime de protection.
Angl. *custody*

□ **5.** Placement d'une personne majeure qui n'est pas en mesure de prendre soin d'elle-même dans un établissement qui dispense les soins que requiert son état. Ex. La garde d'une personne dans un établissement de santé en vue d'un examen psychiatrique.
Comp. détention
Angl. *custody*

□ **6.** Placement d'une personne dans un lieu imposé par la loi ou le tribunal.
Comp. détention
Angl. *custody*

- **Garde en milieu fermé :** Garde d'un adolescent délinquant dans un établissement désigné par le gouvernement pour le placement ou l'internement sécuritaire des adolescents.
Comp. garde en milieu ouvert, jeune contrevenant
Angl. *secure custody*

- **Garde en milieu ouvert :** Garde d'un adolescent délinquant dans un lieu désigné à ce titre par le gouvernement, dont la surveillance n'exige pas de mesures sécuritaires. Ex. Des centres résidentiels, des camps forestiers ou de plein air.
Comp. garde en milieu fermé, jeune contrevenant
Angl. *open custody*

Gardien, ienne *n.*

□ **1.** Personne qui a la garde d'un bien, d'un animal ou d'une autre personne.
Comp. garde, possesseur, responsabilité
Angl. *custodian, guardian, keeper*

□ **2.** Personne qui assume une obligation de garde en vertu de la loi ou d'un contrat. Ex. Le saisi, lors d'une saisie-exécution de biens meubles, le dépositaire, le gardien d'un édifice.
Comp. garde, saisi, séquestre
Angl. *custodian, guardian*

Gardiennage *n.m.*

□ Fait de garder un bien, un animal ou une personne. Ex. Les frais de gardiennage d'un édifice.
Angl. *caretaking, guarding*

Garnison (mettre)

□ Placer un ou des gardiens pour assurer la surveillance d'un bien. Ex. Lorsqu'une saisie-exécution de biens meubles ne peut être terminée pendant les heures légales, elle peut être continuée le jour juridique suivant et l'huissier doit alors apposer les scellés ou mettre garnison.
Comp. garde, saisie-exécution
Angl. *to place guards*

GATT

□ Abrév. de *General Agreement on Tariffs and Trade.*

Gaz.

□ Abrév. de Gazette.

Gaz. Can.

□ Abrév. de Gazette du Canada (La).

Gazette

□ Abrév. de *Law Society, Gazette (The).*

Gazette officielle

□ Publication gouvernementale qui paraît périodiquement et contient des textes de lois, des décrets, des règlements et des avis divers dont l'insertion y est obligatoire.
Rem. **1.** Celle du gouvernement fédéral se nomme *Gazette du Canada* et celle du Québec *Gazette officielle du Québec.* **2.** Bon nombre de lois, décrets, règlements et nominations officielles n'entrent en vigueur qu'au moment de leur publication dans la *Gazette officielle.*
Comp. journal des débats
Angl. *Official Gazette*

Gaz. Pal.

□ Abrév. de Gazette du Palais (La).

Gaz. tra.

□ Abrév. de Gazette du travail (La).

Général, ale *adj.*

□ **1.** Qui concerne ou intéresse les membres d'un groupe ou d'une collectivité. Ex. L'intérêt général, une règle générale.
Contr. particulier, spécial
Angl. *general*

□ **2.** Qui s'étend à un certain nombre de cas, plus ou moins déterminés. Ex. Un mandat général, une procuration générale.
Contr. spécial
Angl. *general*

□ **3.** V. PROCUREUR GÉNÉRAL.

Generalia specialibus non derogant

□ Maxime latine signifiant « Les dispositions générale ne dérogent pas aux dispositions spéciales ». Il s'agit d'une règle d'interprétation selon laquelle une loi générale n'est pas censée abroger une loi particulière antérieure ou postérieure ou selon laquelle le sens particulier des mots doit l'emporter sur leur sens général.

Génération *n.f.*

□ **1.** Chacun des degrés de filiation qui se succèdent dans une même famille. Ex. Les générations précédentes.
Comp. degré, filiation
Angl. *generation*

☐ **2.** Espace de temps correspondant à l'intervalle moyen entre deux générations.

Angl. *generation*

☐ **3.** Ensemble des individus ayant sensiblement le même âge. Ex. La génération des 15-20 ans.

Angl. *generation*

Génocide *n.m.*

☐ Acte criminel commis avec l'intention de détruire tout ou partie d'un peuple, d'une ethnie ou de tout autre groupe identifiable par sa couleur ou sa religion, soit en tuant ses membres soit en les soumettant à des conditions de vie propres à entraîner leur disparition.

Angl. *genocide*

Genre *n.m.*

☐ V. BIEN FONGIBLE.

Gentlemen's agreement

☐ Expression anglaise désignant un contrat, généralement non écrit et sans force exécutoire, intervenu entre des parties qui présument de son exécution puisqu'il se fonde sur la bonne foi.

Angl. *gentlemen's agreement*

Gérance *n.f.*

☐ Fonction de gérant, administration par un gérant.

Comp. gérant, géré, gérer, gestion

Angl. *management*

Gérant, ante *n.*

☐ **1.** Personne qui administre pour le compte d'autrui.

Syn. *negotiorum gestor*

Contr. géré

Comp. administrateur, gérance, gérer

Angl. *manager, negotiorum gestor*

☐ **2.** Dans une gestion d'affaires, personne qui administre volontairement sans avoir été mandatée à cette fin et en dehors de toute obligation légale.

Comp. gestion d'affaires

Angl. *manager, negotiorum gestor*

☐ **3.** Nom autrefois donné au commandité, dans une société en commandite.

Syn. commandité

Angl. *general partner*

☐ **4.** Nom donné à la personne choisie par le conseil d'administration d'un syndicat de copropriétaires pour s'occuper de l'administration courante de la copropriété.

Comp. copropriété, syndicat

Angl. *manager*

Géré, ée *n.*

☐ Dans la gestion d'affaires, personne pour le compte de qui agit le gérant.

Contr. gérant

Comp. gestion d'affaires

Angl. *principal*

Gérer *v.tr.*

☐ Administrer ses propres affaires ou celles d'un autre.

Angl. *to administer, to manage*

Germain, aine *adj. et n.*

☐ Se dit de frères ou de soeurs nés des mêmes père et mère.

Comp. consanguin, utérin

Angl. *german*

• **Germains (cousins) :** cousins qui ont, dans la ligne paternelle ou maternelle, des grands-parents communs. Ex. Les enfants issus de deux frères sont cousins germains.

Angl. *first cousins*

Gestion *n.f.*

☐ Action de gérer un bien ou un ensemble de biens conformément à une prescription de la loi, à une décision judiciaire ou à une convention. Ex. La gestion du tuteur, du séquestre, du mandataire.

Comp. cogestion (d'une entreprise), gérance, gérant, gérer, géré

Angl. *management*

• **Gestion d'affaires :** Fait pour une personne, le gérant, d'agir de sa propre initiative dans l'intérêt d'une autre personne, le géré, sans en avoir reçu mandat et en dehors de toute obligation légale. Ex. Le remplacement d'une vitre brisée sur l'immeuble d'un voisin, pendant l'absence de celui-ci.

Rem. Le gérant doit mener à terme l'initiative qu'il a entreprise, comme s'il était le mandataire du géré ; de plus, celui-ci est tenu de remplir les engagements pris par le gérant et de l'indemniser pour les dépenses qu'il a encourues.

Syn. *negotiorum gestio*

Comp. gérant, géré, quasi-contrat

Angl. *management of the affairs of another, negotiorum gestio*

Gestionnaire *n.*

□ Nom donné à une personne qui occupe un poste de gestion dans une entreprise ou une administration publique. Ex. Les gestionnaires de l'État.

Comp. gestion

Angl. *administrator*

G.F.P.

□ Abrév. de Griefs, Fonction publique.

G.O.

□ Abrév. de Gazette officielle du Québec.

Gouvernement *n.m.*

□ **1.** Autorité politique qui exerce le pouvoir exécutif dans un État.

Comp. gouvernemental

Angl. *government*

□ **2.** Ensemble des organes qui exercent le pouvoir exécutif dans un État.

Comp. gouvernemental

Angl. *government*

□ **3.** Exercice du pouvoir politique. Ex. Le gouvernement par les juges (par l'interprétation des Chartes des droits et libertés).

Comp. Cabinet, Conseil des ministres, Conseil exécutif

Angl. *government*

Gouvernemental, ale, aux *adj.*

□ **1.** Relatif au gouvernement.

Comp. administratif, exécutif, gouvernement, législatif, ministériel

Angl. *governmental*

□ **2.** Qui est favorable au gouvernement. Ex. Le parti gouvernemental.

Comp. gouvernemental

Angl. *government*

Gouverneur général

□ Représentant du Souverain au Canada, nommé par celui-ci pour cinq ans, sur la recommandation du premier ministre fédéral. Il exerce les fonctions dont la Reine (ou le Roi) est titulaire, notamment la signature des traités les plus solennels, la sanction des lois, la dissolution du Parlement, la désignation du premier ministre ainsi que la nomination des sénateurs et de certains juges.

Rem. De façon générale, il agit sur avis et à l'invitation du gouvernement.

Comp. lieutenant-gouverneur, Souverain

Angl. *Governor-general*

• **Gouverneur général en conseil :** Gouverneur général agissant sur l'avis du Conseil privé du Souverain pour le Canada, et dont les pouvoirs sont exercés, dans les faits, par le Cabinet (agissant à titre de Comité du Conseil privé).

Rem. Cette expression désigne généralement le Conseil des ministres du gouvernement fédéral.

Syn. Cabinet, Conseil des ministres, Conseil exécutif

Comp. Conseil privé, lieutenant-gouverneur en conseil

Angl. *governor-general in council*

Gr.

□ Abrév. de *Upper Canada Chancery Reports (Grant).*

Grâce *n.f.*

□ V. DÉLAI DE GRÂCE.

Gracieux, euse *adj.*

□ Qui n'est pas contentieux, qui n'est pas contesté.

Rem. Au Québec, on emploie plutôt les mots « non contentieux(euse) ». Ex. Juridiction non contentieuse, procédure non contentieuse.

Contr. contentieux

Angl. *non-contentious*

- **Gracieuse (décision) :** Décision rendue en matière gracieuse.

  Rem. Telle décision n'a pas l'autorité de la chose jugée.

  Comp. chose jugée (autorité de la), gracieuse (matière)

  Angl. *non-contentious decision,non-contentious judgment*

- **Gracieuse (juridiction) :** Pouvoir que la loi confère aux tribunaux de statuer en matière gracieuse, le juge étant alors appelé à exercer une fonction d'administration judiciaire et non d'adjudication.

  Rem. Le juge a alors pour rôle essentiel de contrôler certains actes, de donner des autorisations et d'homologuer des décisions.

  Contr. contentieuse (juridiction)

  Comp. adjudication, autorisation, homologation, gracieuse (matière)

  Angl. *non-contentious jurisdiction*

- **Gracieuse (matière) :** Ensemble des affaires dont le juge est saisi sans qu'il y ait litige et dont la loi exige, en raison de leur nature ou de la qualité du requérant, qu'elles soient soumises à son contrôle. Ex. La nomination d'un curateur, la vente des biens d'un mineur.

  Rem. On emploie généralement les mots « matière non contentieuse ».

  Comp. contentieux

  Angl. *non-contentious matter*

- **Gracieuse (procédure) :** Procédure suivie dans les matières dites non contentieuses dans le *Code de procédure civile* et dans des lois particulières.

  Rem. Dès qu'il y a contestation d'une demande gracieuse, l'instance acquiert un caractère contentieux et les règles de la procédure contentieuse s'y appliquent.

  Syn. procédure non contentieuse

  Contr. contentieux

  Comp. gracieuse (matière)

  Angl. *non-contentious procedure*

Graduel, elle *adj.*

☐ V. PRÉJUDICE GRADUEL.

Grande charte

☐ V. MAGNA CARTA.

Gratification *n.f.*

☐ Somme d'argent versée à un employé, en sus de son salaire, à titre de récompense ou à la suite d'un événement particulier. Ex. Les bonis de Noël.

Rem. Cette somme d'argent est généralement considérée par l'État comme étant un revenu imposable.

Comp. avantage, gratifié, gratifier

Angl. *bonus, gratification*

Gratifié, ée *adj. et nom*

☐ **1.(adj.)** Se dit d'un employé qui a reçu une gratification.

Comp. gratification, gratifier

Angl. *gratified*

☐ **2.(n.)** Personne qui est bénéficiaire d'une libéralité.

Comp. appelé, grevé, libéralité

Angl. *beneficiary*

Gratifier *v.tr.*

☐ **1.** Accorder une gratification à un employé.

Comp. gratification, gratifié

Angl. *to gratify*

☐ **2.** Faire la donation d'un bien. Ex. Gratifier quelqu'un d'une collection de timbres.

Comp. donation, legs

Angl. *to donate, to make a donation*

Gratuit, uite *adj.*

☐ V. ACTE À TITRE GRATUIT.

Gratuité de la justice

☐ Principe en vertu duquel le justiciable qui recourt au système judiciaire mis en place par l'État n'est pas appelé à rémunérer le juge à qui il soumet ses prétentions ni à payer le personnel judiciaire engagé par l'État pour la gestion de l'appareil judiciaire.

Rem. Ce principe n'est pas absolu car les parties à un procès doivent supporter certains frais imposés par l'État. Si elles ne possèdent pas les ressources nécessaires pour faire valoir adéquatement leurs droits, celui-ci met alors à leur disposition diverses formes d'aide juridique.

Angl. *free (of cost) justice*

Grave *adj.*

☐ V. FAUTE GRAVE.

Gré à gré (de)

☐ Par entente mutuelle, par un libre échange de consentements et sans formalité particulière. Ex. Une vente de gré à gré.

Comp. contrat de gré à gré, vente de gré à gré

Angl. *by mutual agreement, by mutual consent*

Greffe *n.m.*

☐ **1.** Ensemble des actes et documents d'intérêt général qui doivent être répertoriés et conservés par un officier public.

Comp. greffier

Angl. *office*

- **Greffe (arpenteur-géomètre) :** Les minutes, les notes d'opération d'arpentage et les pièces qui s'y rattachent et qui sont nécessaires à la reconstitution de cette opération ainsi que le répertoire et l'index qui s'y rapportent.

Angl. *records of a land surveyor*

- **Greffe (notaire) :** Ensemble des actes reçus en minute par un notaire, le répertoire de ces actes et l'index y correspondant de même que ceux dont il est cessionnaire.

Comp. notaire

Angl. *records of a notary*

☐ **2.** Lieu où sont conservées les archives des tribunaux et où sont déposés notamment les actes de procédure, les pièces qui les appuient et les minutes des jugements.

Comp. acte de procédure, archives, greffier, minute, pièce

Angl. *office of the court*

☐ **3.** Bureaux des greffiers des différents tribunaux.

Comp. greffier, protonotaire

Angl. *clerk's office, court office, office of the court*

Greffier, ière *n.*

☐ **1.** Officier de justice responsable d'un greffe.

Rem. **1.** Il exerce de nombreuses fonctions administratives qui varient selon le tribunal auquel il est rattaché. Il est parfois investi de pouvoirs d'adjudication. Ex. Le greffier de la Cour du Québec, chambre civile, peut rendre jugement dans les actions sur compte qui n'ont pas été contestées. **2.** L'art. 4*d* du *Code de procédure civile* le définit comme suit : « un fonctionnaire du ministère de la Justice oeuvrant dans un greffe et nommé à cette fin conformément à la loi ».

Comp. greffe, officier de justice, officier public, protonotaire

Angl. *clerk, court clerk*

- **Greffier de la Cour d'appel :** Officier de justice qui, en plus d'exercer ses fonctions normales de responsable du greffe de ce tribunal, accomplit certains actes d'administration judiciaire liés à la procédure d'appel.

Comp. acte d'administration judiciaire, Cour d'appel

Angl. *clerk of the Court of Appeal*

- **Greffier de la Cour du Québec :** Officier de justice responsable du greffe de la Cour du Québec dans un district judiciaire.

Syn. greffier de la Cour provinciale

Angl. *clerk of the Court of Quebec*

- **Greffier de la Cour provinciale :** V. GREFFIER DE LA COUR DU QUÉBEC.

- **Greffier de la Cour supérieure :** Officier de justice responsable du greffe de la Cour supérieur dans un district judiciaire.

Rem. Avant le 1er janvier 1994, il portait le nom de protonotaire.

Angl. *clerk of the Superior Court*

☐ **2.** Officier de justice exerçant certaines fonctions administratives ou judiciaires auprès des tribunaux.

Angl. *clerk*

- **Greffier adjoint :** Officier de justice qui travaille sous la responsabilité du greffier et qui peut, s'il est nommé à cette fin, exercer les pouvoirs conférés à ce dernier concurremment avec le juge.

Syn. protonotaire adjoint

Angl. *deputy clerk*

- **Greffier-audiencier :** Officier de justice qui assiste le tribunal lors de l'audition d'une cause.

Rem. Il est notamment chargé de l'identification et de l'assermentation des témoins, de la réception des pièces, de la consignation des décisions du tribunal et de la rédaction du procès-verbal d'audience.

Angl. *court clerk*

- **Greffier de la Couronne :** Greffier de la Cour supérieure, chambre criminelle, qui possède des pouvoirs similaires à ceux du greffier de la paix.

Comp. greffier de la paix

Angl. *clerk of the Crown*

- **Greffier de la paix :** Greffier en matière pénale qui assiste les juges de paix ou les juges de la Cour du Québec, chambre criminelle.

Rem. Il est responsable des registres, des dossiers et des livres de compte ; de plus, il exerce certaines fonctions, telles l'assignation de témoins, la réception des dénonciations, des cautionnements ou des dépôts judiciaires ainsi que la garde de biens saisis lors d'une perquisition. Il peut également poser certains actes d'administration judiciaire.

Comp. juge de paix

Angl. *clerk of the peace*

- **Greffier spécial :** Officier de justice qui détient certains pouvoirs d'adjudication.

Rem. En matière civile, il peut notamment prononcer sur les demandes incidentes ainsi que sur certaines demandes principales lorsque la partie défenderesse n'a pas produit de contestation. En matière pénale, il possède des pouvoirs du juge de paix et il peut entendre et juger certaines poursuites statutaires non contestées.

Comp. juge de paix, protonotaire spécial

Angl. *special clerk*

Grève *n.f.*

□ **1.** Cessation concertée de travail par un groupe de salariés dans le but d'obtenir la satisfaction d'une revendication professionnelle.

Rem. La grève ne met pas fin au contrat du travailleur et celui-ci ne peut être congédié s'il exerce légalement son droit de grève. **2.** L'art. 3 du *Code canadien du travail* (L.R.C. 1985, c. L-2) donne une définition élargie du mot « grève » : « s'entend notamment d'un arrêt du travail ou du refus de travailler, par des employés agissant conjointement, de concert ou de connivence ; lui sont assimilés le ralentissement du travail ou toute autre activité concertée, de la part des employés, ayant pour objet la diminution ou la limitation du rendement et relative au travail de ceux-ci ».

Contr. lock-out

Comp. syndicat, unité de négociation

Angl. *strike*

- **Grève bouchon :** Grève d'un nombre restreint de travailleurs occupant des postes stratégiques dans une entreprise et qui a pour effet d'en paralyser le fonctionnement. Elle peut conduire à un chômage technique, non seulement pour les autres travailleurs de l'entreprise, mais également dans un secteur industriel dont celle-ci occupe une position clé.

Syn. grève thrombose

Angl. *key strike, strategic strike*

- **Grève (droit de) :**

1. Droit pour un syndicat accrédité de déclarer une grève conformément aux règlements et normes régissant les rapports collectifs de travail.

Angl. *right to strike*

2. Droit reconnu à chaque travailleur faisant partie d'une unité de négociation de participer à une grève légale et de conserver son statut pendant le conflit.

Comp. grève légale, unité de négociation

Angl. *right to strike*

- **Grève du zèle :** Respect strict, voire outrancier, par les travailleurs des règlements et des normes qui régissent leurs activités, diminuant ainsi l'efficacité de leur travail et perturbant le fonctionnement de l'entreprise.

Rem. Le *Code du travail* du Québec ne la considère pas comme une grève véritable alors que la définition du mot « grève » dans le *Code canadien du travail* l'inclut.

Angl. *work to rule, zeal strike*

- **Grève illégale :**

1. Grève qui ne respecte pas les prescriptions de la loi. Ex. La grève qui est déclenchée avant l'expiration des délais imposés par le *Code du travail.*

Contr. grève légale

Angl. *illegal strike*

2. Grève déclenchée par un groupe de travailleurs à qui la loi interdit tout arrêt de travail en raison de leurs fonctions. Ex. La grève de policiers, de pompiers.

Angl. *illegal strike*

- **Grève légale :** Grève déclenchée après que les travailleurs se soient conformés aux prescriptions de la loi.

  Contr. grève illégale

  Angl. *legal strike*

- **Grève perlée :** Ralentissement volontaire par les travailleurs du rythme de production de l'entreprise.

  Rem. Le *Code du travail* du Québec ne la considère pas comme une grève véritable alors que la définition du mot « grève » dans le *Code canadien du travail* l'inclut.

  Angl. *selective strike, slowdown strike*

- **Grève (préavis de) :** Délai que le syndicat doit, selon la loi, respecter entre le moment où il décide de faire la grève et celui où il la déclenche.

  Angl. *strike prior notice*

- **Grève sauvage :** Grève déclenchée par les travailleurs en l'absence d'une décision du syndicat.

  Angl. *illegal strike, wildcat strike*

- **Grève thrombose :** V. GRÈVE BOUCHON.

- **Grève tournante :** Grève qui affecte successivement les différents secteurs d'une même unité de négociation, selon un calendrier déterminé.

  Comp. unité de négociation

  Angl. *rotating strike*

Grevé, ée *adj. et n.*

- ☐ **1.(adj.)** Se dit d'un bien qui est affecté d'une charge. Ex. Un immeuble grevé d'une hypothèque.

  Comp. grever

  Angl. *charged*

- ☐ **2.(n.)** Dans une substitution, personne qui reçoit des biens par donation ou testament et les possède à titre de propriétaire mais qui doit les remettre, à son décès ou à une autre date déterminée, à une autre personne, l'appelé.

  Comp. appelé, substitution

  Angl. *institute*

Grever *v. tr.*

- ☐ Affecter d'une charge. Ex. Grever un immeuble d'une hypothèque, d'une servitude.

  Comp. grevé

  Angl. *to affect, to charge*

Grief *n.m.*

- ☐ **1.** Mésentente relative à l'interprétation ou à l'application d'une convention collective.

  Comp. convention collective (de travail)

  Angl. *grievance*

- ☐ **2.** Plainte déposée par un travailleur régi par une convention collective relativement à l'application de celle-ci.

  Comp. convention collective (de travail)

  Angl. *grievance*

- ☐ **3.** Motif sur lequel se fonde le défendeur pour soulever l'irrecevabilité d'une demande en justice et conclure à son rejet.

  Comp. moyen de non-recevabilité

  Angl. *ground*

Grosses réparations

- ☐ V. RÉPARATIONS (MAJEURES).

Grossesse *n.f.*

- ☐ État d'une femme enceinte, de la conception à l'accouchement.

  Comp. filiation

  Angl. *pregnancy*

- **Grossesse (interruption volontaire de la) :** V. AVORTEMENT

Grossier, ère *adj.*

- ☐ V. NÉGLIGENCE GROSSIÈRE.

Grosso modo

- ☐ Locution latine signifiant « dans les grandes lignes », « globalement ».

  Angl. *generally, overall*

Groupe *n.m.*

- ☐ Ensemble de personnes ayant des caractères ou des intérêts communs.

Comp. assemblée, association, comité, groupement
Angl. *group*

- **Groupe de pression :** Ensemble de personnes ayant des intérêts communs et qui tentent d'imposer leurs idées aux personnes ou aux organismes publics détenant des pouvoirs décisionnels.
  Angl. *pressure group*

Groupement *n.m.*

□ Réunion de personnes ayant des buts ou des intérêts communs.

Comp. association, groupe
Angl. *group*

- **Groupement momentané d'entreprises :** V. JOINT VENTURE.

Guide *n.m.*

□ V. DIRECTIVE.

Guillotine *n.f.*

□ V. CLÔTURE.

Habeas corpus (bref d')

☐ **1.** Bref d'origine anglaise en vertu duquel un ordre est donné à celui qui détient une personne emprisonnée ou autrement privée de sa liberté, de se présenter devant le juge en compagnie de celle-ci, pour qu'il justifie la légalité de sa détention.

Rem. Il s'agit d'une abréviation de la locution latine *habeas corpus ad subjiciendum* qui signifie « que tu aies (ou amènes) le corps pour le produire ».
Comp. détention, emprisonnement
Angl. *habeas corpus (writ of)*

☐ **2.** Bref d'origine anglaise en vertu duquel un ordre est donné à celui qui détient une personne dans une prison de conduire le prisonnier devant le juge pour qu'il témoigne.

Rem. Il s'agit d'une abréviation de la locution latine *habeas corpus ad testificandum* qui signifie « que tu aies (ou amènes) le corps pour qu'il témoigne ».
Comp. détention, emprisonnement, témoignage
Angl. *habeas corpus (writ of)*

Habile *adj.*

☐ Qui remplit les conditions juridiques requises pour l'accomplissement d'un acte ou l'exercice d'une fonction. Ex. Une personne majeure est généralement habile à contracter.

Contr. inhabile
Comp. apte, capacité, compétence, qualité
Angl. *capable, competent, fit*

Habilitant, ante *adj.*

☐ Qui habilite, qui confère à quelqu'un le pouvoir d'accomplir des actes ou d'exercer une fonction.

Contr. habilité
Comp. habilitation
Angl. *enabling*

Habilitation *n.f.*

☐ **1.** Acte par lequel une personne confère à une autre une personne ou à une autorité publique le pouvoir d'accomplir certains actes en son nom ou pour le compte d'autrui. Ex. L'Assemblée nationale procède par habilitation législative pour accorder des pouvoirs réglementaires au gouvernement.

Comp. décret, délégation, habilitant, habilité, habiliter, règlement
Angl. *enabling (act), enabling (statute)*

☐ **2.** Action de conférer à un incapable la capacité d'exercer certains droits. Ex. L'habilitation d'un mineur par un jugement.

Comp. aptitude, autorisation, capacité
Angl. *capacitation, enabling*

Habilité, ée *adj.*

☐ Rendu légalement capable d'accomplir des actes ou d'exercer certains pouvoirs en vertu d'une loi, d'une décision judiciaire ou d'une autorisation. Ex. Le mineur habilité à se marier grâce au consentement de ses parents.

Contr. habilitant
Comp. habilitation
Angl. *enabled, entitled*

Habiliter *v.tr.*

☐ **1.** Conférer à quelqu'un le pouvoir d'accomplir certains actes ou d'exercer certains droits.

Comp. habilitation
Angl. *to enable, to entitle, to empower, to habilitate*

Habitation (droit d')

☐ Droit d'usage conféré à une personne sur une maison afin qu'elle puisse s'y loger avec sa famille.

Rem. Le *Code civil du Québec* n'a pas retenu cette notion du *Code civil du Bas-Canada* puisque le droit d'habitation est nécessairement compris dans la notion d'usage.
Comp. nue-propriété, propriété, usage, usufruit
Angl. *right of habitation*

Halage *n.m.*

☐ V. SERVITUDE DE HALAGE.

Handicap *n.m.*

☐ Déficience physique ou mentale dont une personne est atteinte de façon significative et persistante et qui lui impose des limites dans l'accomplissement de ses activités normales.

Comp. personne handicapée
Angl. *handicap*

Handicapé, ée *adj. et n.*

☐ V. PERSONNE HANDICAPÉE.

Hansard

☐ V. JOURNAL DES DÉBATS.

Harmonisation *n.f.*

☐ **1.** Opération par laquelle le législateur adapte des lois existantes en vue d'en assurer la cohérence ou la complémentarité ou modifie les lois en vigueur dans le but de les rendre conformes à une législation nouvelle. Ex. L'harmonisation des lois du Québec au nouveau *Code civil*.

Comp. codification
Angl. *harmonization*

☐ **2.** Opération par laquelle des États (ou provinces, au Canada) coordonnent leur législation en vue de les rendre cohérentes ou complémentaires. Ex. L'harmonisation des lois provinciales concernant la perception des pensions alimentaires.

Angl. *concordance*

Harr. & Hodg.

☐ Abrév. de *Harrison & Hodgins' Municipal Reports* (Ont.).

Harv. L. Rev.

☐ Abrév. de *Harvard Law Review.*

Haute (Chambre)

☐ V. CHAMBRE HAUTE, SÉNAT.

Havre *n.m.*

☐ Port ou lieu public ou non public, naturel ou artificiel, dans lequel les navires peuvent chercher refuge ou embarquer ou débarquer des marchandises ou des passagers.

Angl. *harbour*

H.C.

☐ Abrév. de *High Court of Justice*

Health L. Can.

☐ Abrév. de *Health Law in Canada.*

Héréditaire *adj.*

☐ **1.** Relatif à l'hérédité. Ex. La vocation héréditaire.

Comp. hérédité, succession, vocation
Angl. *hereditary*

☐ **2.** Qui se transmet par succession. Ex. Un titre héréditaire.

Comp. hérédité, succession
Angl. *hereditary*

Hérédité *n.f.*

☐ Ensemble des biens que laisse une personne lors de son décès.

Syn. héritage, succession
Comp. patrimoine, vocation
Angl. *inheritance*

Héritage *n.m.*

☐ **1.** Ensemble des biens d'une personne qui sont transmis par succession.

Syn. hérédité, succession

Comp. patrimoine
Angl. *inheritance, hereditaments*

□ **2.** Mode d'acquisition ou de transmission de biens. Ex. Acquérir des immeubles par héritage.

Syn. succession
Comp. patrimoine
Angl. *inheritance*

□ **3.** Terme employé en droit civil pour désigner un immeuble par nature.

Syn. immeuble par nature
Angl. *immoveable*

• **Héritage dominant :** V. FONDS DOMINANT.

• **Héritage servant :** V. FONDS SERVANT.

Héritier, ière *n.*

□ **1.** Personne à qui une succession est dévolue par la loi ou par testament.

Rem. Selon le *Code civil du Québec*, il y a lieu de distinguer le successible de l'héritier, ce dernier étant un successible qui a accepté la succession.
Comp. cohéritier, successible, succession, testament
Angl. *heir*

□ **2.** Dans un sens plus restreint, personne à qui une succession est dévolue par la loi, par opposition au légataire à qui les biens sont dévolus par testament.

Comp. légataire, succession, testament
Angl. *heir*

□ **3.** Héritier qui a accepté la succession, successible ayant la saisine des biens.

Comp. saisine, successible, succession
Angl. *heir*

□ **4.** Personne dont la qualité d'héritier est formellement établie, par opposition à l'héritier apparent ou à l'héritier présomptif.

Rem. Selon l'art. 619 du *Code civil du Québec*, est héritier depuis l'ouverture de la succession, pour autant qu'il l'accepte, le successible à qui est dévolue la succession *ab intestat* et celui qui reçoit, par testament, un legs universel ou à titre universel.
Comp. héritier apparent, héritier présomptif
Angl. *heir*

• **Héritier *ab intestat* :** Personne appelée à recueillir une succession en vertu de la loi seule, en l'absence d'un testament.

Syn. héritier légal
Contr. héritier testamentaire, légataire
Comp. succession
Angl. *abintestate heir*

• **Héritier acceptant :** Héritier qui accepte une succession purement et simplement ou sous bénéfice d'inventaire.

Comp. bénéfice d'inventaire
Angl. *accepting heir*

• **Héritier apparent :** Personne qui est présumée être le véritable héritier d'une succession et dont les actes passés avant son éviction demeurent valables à l'égard des tiers de bonne foi. Ex. L'héritier qui vend des biens de la succession avant qu'il ne soit déclaré indigne.

Angl. *apparent heir*

• **Héritier bénéficiaire :** Héritier qui accepte la succession sous bénéfice d'inventaire.

Rem. Il ne peut alors être tenu des dettes qu'à concurrence de l'actif successoral.
Comp. bénéfice d'inventaire
Angl. *beneficiary heir*

• **Héritier institué :**

1. Personne que le défunt a désigné comme héritier dans son testament.

Comp. légataire
Angl. *testamentary heir*

2. Dans un contrat de mariage, se dit d'une personne que le donateur désigne comme héritier en vertu d'une institution contractuelle.

Comp. institution contractuelle
Angl. *conventional heir*

• **Héritier légal :** V. HÉRITIER *AB INTESTAT.*

• **Héritier présomptif :** Personne qui, du vivant d'une autre, est présumée avoir vocation de lui succéder. Ex. Selon *Code civil du Bas-Canada*, les héritiers présomptifs d'une personne absente depuis cinq ans peuvent se faire envoyer en possession provisoire de ses biens.

Comp. héritier *ab intestat*, successible
Angl. *presumptive heir*

• **Héritier pur et simple :** Héritier qui est tenu des dettes du défunt, même au-delà de l'actif successoral, parce qu'il a accepté la succession sans condition ou qu'il a été déchu de la faculté d'y renoncer. Ex. Selon *Code civil du Bas-Canada*, l'héritier qui cache certains biens de la succession dans le but de les soustraire au partage devient héritier pur et simple.

Comp. acceptation, bénéfice d'inventaire, succession

Angl. *heir pure and simple*

- **Héritier renonçant :** Héritier qui a renoncé à une succession.

  Comp. renonciation

  Angl. *renouncing heir*

- **Héritier testamentaire :** V. LÉGATAIRE.

Heure *n.f.*

☐ Espace de temps égal à la vingt-quatrième partie d'un jour.

Comp. an, jour

Angl. *hour*

- **Heures légales :** Heures fixées par la loi durant lesquelles certains actes peuvent et doivent être accomplis. Ex. Les heures légales pour la signification des actions, pour la saisie-exécution des biens.

  Rem. En dehors de ces heures, il faut généralement obtenir une autorisation d'un juge pour agir.

  Angl. *civil time*

- **Heures supplémentaires :** Heures de travail accomplies au-delà de l'horaire normal de travail déterminé par la loi ou la convention collective et qui doivent en principe être payées à un tarif plus élevé.

  Angl. *overtime*

Hic et nunc

☐ Locution latine signifiant « ici et maintenant », immédiatement, sans délai.

Angl. *here-and-now, here and now, hic et nunc*

Histoire illustrée du crime

☐ Magazine, périodique ou livre comprenant, exclusivement ou pour une part importante, de la matière qui représente, au moyen d'illustrations, la perpétration de crimes réels ou fictifs ou des événements qui y sont reliés.

Angl. *crime comic*

H.L.

☐ Abrév. de *House of Lords*.

H.L.Cas.

☐ Abrév. de *House of Lords Cases (Clark)*.

H.O.

☐ Abrév. de *Hearing Officer, Trade Marks*.

Hodg.

☐ Abrév. de *Hodgins, Elections* (Ont.).

Hoirie *n.f.*

☐ Terme ancien qui désigne un héritage, une succession.

Syn. héritage, succession

Comp. avancement d'hoirie

Angl. *inheritance, succession*

Holding *n.m.*

☐ Terme anglais (abréviation de *holding company*) qui désigne une compagnie ou une société par actions qui n'a pas d'activités industrielles ou commerciales propres et dont l'objet principal est de diriger et de contrôler les activités d'autres compagnies ou sociétés par actions dont elle détient une partie ou la totalité des actions.

Angl. *holding*

Homicide *n.m.*

☐ Fait de tuer un être humain.

Rem. L'homicide qui n'est pas coupable ne constitue pas une infraction. Constituent un homicide coupable le meurtre, l'homicide involontaire coupable et l'infanticide ; il en est également ainsi lorsqu'une personne cause la mort d'un être humain au moyen d'un acte illégal, par négligence criminelle, en le portant illégalement à poser des actes qui causeront sa mort ou, dans le cas d'un enfant ou d'une personne majeure, en l'effrayant volontairement.

Comp. infanticide, meurtre

Angl. *homicide*

- **Homicide involontaire coupable :** Homicide commis par une personne qui n'avait pas l'intention spécifique de causer la mort ou de poser l'acte qui l'a entraînée, qu'elle ait agi sous le coup d'une impulsion soudaine ou par suite d'une imprudence ou d'une négligence. Ex. Un homicide coupable, qui autrement serait un meurtre, peut être réduit à un homicide involontaire coupable si la personne qui l'a commis a agi dans un accès de colère causé par une provocation.

Comp. défense, infanticide, meurtre, provocation

Angl. *manslaughter*

Homme *n.m.*

☐ V. SERVITUDE DU FAIT DE L'HOMME.

- **Homme de loi :** V. AVOCAT, CONSEILLER EN LOI, NOTAIRE.

- **Homme de paille :** V. PRÊTE-NOM.

- **Homme (droits de l') :** V. DROITS DE LA PERSONNE.

Homologation *n.f.*

☐ **1.** Approbation ou confirmation d'un acte par une autorité judiciaire ou administrative en vue de lui conférer une force exécutoire. Ex. L'homologation par le juge d'un partage en justice, l'homologation du rôle d'évaluation par un conseil municipal.

Rem. L'homologation administrative laisse à l'autorité un pouvoir discrétionnaire d'approbation ou de confirmation. En règle générale, l'homologation judiciaire se limite à un contrôle de la légalité de l'acte.

Comp. homologuer

Angl. *approval, homologation, probate*

☐ **2.** Approbation par une autorité judiciaire d'une décision émanant d'un organisme autre qu'une cour de justice en vue de la rendre exécutoire. Ex. L'homologation d'une sentence arbitrale.

Rem. Elle donne lieu à un contrôle de la légalité, non pas de l'opportunité, par le juge qui doit alors s'assurer qu'il n'y a pas eu violation d'une règle d'ordre public ou excès de pouvoir.

Comp. force exécutoire

Angl. *homologation*

Homologuer *v.tr.*

☐ Approuver ou confirmer un acte ou une décision en vue de lui donner force exécutoire.

Comp. homologation

Angl. *to admit, to probate, to approve, to homologate, to probate*

Honnêteté *n.f.*

☐ Qualité de la personne qui respecte le bien d'autrui, qui ne cherche pas à se l'approprier. Ex. L'administrateur d'une personne morale, à cause de son devoir d'honnêteté, ne peut confondre les biens de celle-ci avec les siens.

Comp. loyauté

Angl. *honesty*

Honoraires *n.m.pl.*

☐ Rémunération accordée aux personnes qui exercent une profession libérale en échange des services qu'elles rendent à leurs clients. Ex. Les honoraires de l'avocat, du médecin.

Rem. **1.** Les professionnels qui sont à l'emploi exclusif d'une personne reçoivent généralement un salaire, non pas des honoraires. **2.** Les honoraires sont fixés par règlement du gouvernement ou sont déterminés par des normes établies par les corporations professionnelles.

Comp. débours, déboursés, dépens, frais

Angl. *fee, fees*

- **Honoraires d'office :** Rémunération versée à une personne occupant une charge ou une fonction publique. Ex. Autrefois, certains officiers de justice (ex. les protonotaires), qui n'étaient pas salariés, recevaient des honoraires d'office pour les services qu'ils rendaient en cette qualité.

Rem. Dans le *Code de procédure civile* du Québec, le terme « honoraire » est écrit au singulier.

Angl. *fee of office*

- **Honoraires judiciaires :** Sommes auxquelles le procureur d'une partie a droit en vertu d'un tarif établi par règlement, pour des services qu'il a rendus à l'occasion d'un procès. Ils font partie des dépens.

Rem. Lorsqu'une partie a été condamnée à payer les dépens d'un procès, elle est tenue d'acquitter non seulement les honoraires judiciaires et les débours qu'elle a encourus mais aussi les honoraires judiciaires du procureur de la partie adverse ainsi que ses débours.

Comp. déboursés judiciaires, dépens, frais, honoraires extrajudiciaires

Angl. *judicial fees*

- **Honoraires extrajudiciaires :** Sommes non prévues à un tarif établi par règlement qu'un procureur peut réclamer de la partie qu'il représente pour les services qu'il lui a rendus à l'occasion d'un procès. Ex. Les honoraires extrajudiciaires pour vacations, voyages, consultations écrites et orales, envois de documents, recherche.

  Rem. Les honoraires extrajudiciaires s'ajoutent aux honoraires judiciaires et ils sont déterminés notamment en fonction de l'expérience du procureur, de la difficulté de la cause et du temps consacré au dossier.

  Comp. déboursés extrajudiciaires, honoraires extrajudiciaires, vacation

  Angl. *extrajudicial fees*

Honoris causa

□ Locution latine signifiant « à titre honorifique ». Ex. Un doctorat *honoris causa*.

Hors de cause

□ Se dit d'une partie qui, à sa demande ou à celle d'une autre partie, est écartée de l'instance. Ex. L'appelé en garantie formelle peut être mis hors de cause.

Comp. cause

Angl. *relieved from the contestation*

Hôte, esse *n.*

□ Personne qui reçoit les services dans un contrat d'hôtellerie.

Contr. hôtelier

Comp. hôtellerie (contrat d')

Angl. *guest*

Hôtelier, ière *n.*

□ Personne qui, dans un contrat d'hôtellerie, s'engage à loger une autre personne.

Contr. hôte

Comp. hôtellerie (contrat d')

Angl. *hotel-keeper, inn-keeper*

Hôtellerie (contrat d')

□ Contrat par lequel un hôtelier s'engage à loger un hôte dans son établissement, à lui fournir certains services et à assurer la garde des effets qu'il apporte.

Comp. dépôt hôtelier, droit de rétention, hôte, hôtelier

Angl. *hostelry (contract of)*

Huis clos *n.m.*

□ Expression signifiant « les portes étant fermées ». Elle désigne une exception au principe de la publicité des débats, qui consiste à interdire au public l'accès à la salle d'audience. Ex. Les procès en matière familiale se déroulent à huis clos.

Rem. En règle générale, le huis clos est ordonné lorsque sont en cause la morale ou l'ordre public, la protection des enfants ou la sécurité nationale.

Angl. *exclusion of public, in camera*

Huissier, ière *n.*

□ Officier de justice ayant pour principales fonctions de signifier des actes de procédure émanant de tout tribunal et de procéder à l'exécution des jugements ayant force exécutoire.

Rem. Les huissiers du Québec se déclarent de plus en plus huissiers de justice, à l'instar de certains de leurs confrères européens (notamment, français et belges).

Comp. officier de justice, officier public, shérif

Angl. *bailiff*

- **Huissier-audiencier :** Personne chargée de maintenir l'ordre dans une salle d'audience, d'accompagner le juge pour assurer sa sécurité et d'effectuer certaines tâches au service de ce dernier.

  Comp. greffier-audiencier

  Angl. *usher*

- **Huissier (exploit d') :** Acte par lequel un huissier assure l'accomplissement d'une formalité requise par la loi.

  Comp. notification, signification

  Angl. *bailiff's notice*

Hunt.

□ Abrév. de *Hunter's Torrens Cases* (Can.).

Hypothécaire *adj.*

□ **1.** Relatif à une hypothèque. Ex. Une action hypothécaire.

Comp. action hypothécaire, créancier hypothécaire, hypothécairement, hypothèque, hypothéquer

Angl. *pertaining to mortgage, hypothecary*

□ **2.** Garanti par une hypothèque. Ex. Un prêt hypothécaire.

Comp. hypothèque

Angl. *hypothecary*

Hypothécairement *adv.*

□ Par hypothèque, en vertu d'une hypothèque. Ex. Être poursuivi hypothécairement.

Comp. hypothèque

Angl. *hypothecarily*

Hypothèque *n.f.*

□ **1.** Droit réel sur un bien, meuble ou immeuble, affecté à l'exécution d'une obligation, sans dessaisissement de son propriétaire. Elle confère au créancier le droit de suivre le bien en quelques mains qu'il soit, de le prendre en possession ou en paiement, de le vendre ou de le faire vendre et d'être alors préféré sur le produit de cette vente suivant le rang fixé par la loi.

Rem. Sous le *Code civil du Bas-Canada*, l'hypothèque ne pouvait porter que sur des immeubles (sauf quelques rares exceptions).

Comp. antichrèse, droit de préférence, droit de suite, hypothécaire, hypothécairement, hypothéquer, priorité, privilège, recours hypothécaire

Angl. *hypothec, mortgage*

- **Hypothèque à l'abri :** Hypothèque consentie par une institution financière qui, à certaines conditions, garantit à l'emprunteur que ses remboursements mensuels n'augmenteront pas plus que le taux d'inflation annuel, malgré la variation du taux d'intérêt convenu par les parties lors du renouvellement du prêt.

  Angl. *secured hypothec*

- **Hypothèque conventionnelle :** Hypothèque constituée par acte authentique conformément à une convention.

  Comp. hypothèque judiciaire, hypothèque légale

  Angl. *conventional hypothec*

- **Hypothèque enveloppe :** Prêt garanti par une deuxième hypothèque qui permet à un débiteur d'obtenir un financement additionnel garanti par le bien déjà hypothéqué sans qu'il ne soit tenu de rembourser la première hypothèque déjà existante dont le taux est avantageux.

  Rem. Le montant de l'hypothèque enveloppe est égal au solde de la première hypothèque auquel s'ajoute le montant réellement versé par le prêteur de deuxième rang.

  Angl. *blanket mortgage, wrap-around*

- **Hypothèque flottante :** Hypothèque consentie par une entreprise au moyen d'un acte de fiducie et qui a le caractère d'une charge flottante.

  Comp. acte de fiducie, charge flottante

  Angl. *floating hypothec*

- **Hypothèque immobilière :** Hypothèque qui grève un immeuble ou une universalité immobilière.

  Contr. hypothèque mobilière

  Angl. *immovable hypothec*

- **Hypothèque inversée :** Forme de rente dont le financement est garanti par une hypothèque sur un immeuble. Elle vise à procurer à l'emprunteur des versements périodiques qu'il devra rembourser par une seule remise globale à l'échéance.

  Angl. *reverse mortgage*

- **Hypothèque judiciaire :** Hypothèque qui résulte d'un jugement contradictoire ou par défaut rendu par un tribunal du Québec et portant condamnation à payer une somme d'argent déterminée ou qui résulte d'un acte de cautionnement reçu en justice ou de tout autre acte de procédure judiciaire créant l'obligation de payer une somme d'argent déterminée.

  Rem. L'hypothèque judiciaire du *Code civil du Bas-Canada* devient, dans le *Code civil du Québec*, une hypothèque légale.

  Comp. hypothèque conventionnelle, hypothèque légale

  Angl. *judicial hypothec*

- **Hypothèque légale :** Hypothèque qui résulte de la loi seule.

  Rem. Le *Code civil du Bas-Canada* reconnaissait l'hypothèque légale des femmes mariées (abrogée en 1969), des mineurs et des majeurs en tutelle ou en curatelle et de la Couronne. Le *Code civil du Québec*, à l'article 2724, énumère comme suit les seules créances qui peuvent donner lieu à une hypothèque légale : 1 les créances de l'État pour les sommes dues en vertu des lois fiscales, ainsi que certaines autres créances de l'État ou de personnes morales de droit public, spécialement prévues dans des lois particulières (elles constituent également des priorités) ; 2 les créances des personnes qui ont participé à la construction ou à la rénovation d'un immeuble (elles constituaient, sous le *Code civil du Bas-Canada*, un privilège) ; 3 les créances du syndicat des copropriétaires pour le paiement des charges communes et des contributions au fonds de prévoyance (elles constituaient, sous le *Code civil du Bas-Canada*, un privilège) ; 4 les créances qui résultent d'un jugement (elles constituaient, sous le *Code civil du Bas-Canada*, une hypothèque judiciaire).

Comp. ouvrier (privilège), priorité, privilège

Angl. *legal hypothec*

- **Hypothèque maritime :** Hypothèque consentie sur un navire et sa cargaison ou sur un navire en construction.

Comp. prêt à la grosse

Angl. *mortgage and hypothecation of vessels*

- **Hypothèque mobilière :** Hypothèque qui grève un meuble ou une universalité mobilière.

Contr. hypothèque immobilière

Angl. *movable hypothec*

- **Hypothèque ouverte :** Hypothèque dont certains effets sont suspendus jusqu'au moment où, le débiteur ou le constituant ayant manqué à ses obligations, le créancier provoque la clôture de l'hypothèque.

Rem. Tant qu'il n'y a pas clôture de l'hypothèque, le constituant a la libre disposition de ses biens et il peut les aliéner ou constituer sur eux d'autres hypothèques.

Comp. charge flottante, clôture, constituant

Angl. *floating hypothec*

- **Hypothèque testamentaire :** Hypothèque créée par testament.

Comp. testament

Angl. *hypothec created by a will, testamentary hypothec*

□ **2.** Droit réel sur un bien meuble, affecté à l'exécution d'une obligation, avec dépossession du bien hypothéqué.

Rem. Elle porte généralement le nom de gage.

Syn. gage

Comp. priorité, privilège

Angl. *movable hypothec with delivery*

Hypothéquer *v.tr.*

□ **1.** Grever d'une hypothèque. Ex. hypothéquer un immeuble.

Comp. hypothèque

Angl. *to hypothecate*

□ **2.** Garantir par une hypothèque. Ex. hypothéquer une créance.

Comp. hypothèque

Angl. *to hypothecate*

I

I.A.B.

☐ Abrév. de *Immigration Appeal Board.*

I.A.C.

☐ Abrév. de *Immigration Appeal Cases* / Affaires d'immigration en appel.

Ib.

☐ Abrév. de *ibidem.*

Ibid.

☐ Abrév. de *ibidem.*

Ibidem

☐ Terme latin signifiant « ici même », « au même endroit ».

Rem. **1.** On emploie ce terme dans les citations, notamment dans les notes infrapaginales, pour exprimer que le mot ou le passage cités proviennent du même ouvrage ou du même texte cités précédemment. Il évite la répétition de la référence complète. Ex. ( ) *ibidem,* p. ___ ou ( ) *ibidem,* Baudouin, p. ___. **2.** On utilise souvent les abréviations « *ib.* » ou « *ibid.* ».

Syn. *idem* (dans ce sens)

Icelui, Icelle, Icelles, Iceux *pron. et adj. dém.*

☐ Celui-ci, celle-ci.

Rem. S'emploie parfois dans la langue juridique, notamment dans certains contrats.

Angl. *this*

Id.

☐ Abrév. de *idem.*

Idem

☐ Terme latin signifiant « le même », « la même ».

Rem. **1.** On emploie ce mot généralement pour éviter la répétition d'un nom dans une liste ou une énumération. On le retrouve parfois à la place du mot « *ibidem* » dans des références. **2.** On utilise souvent l'abréviation « *id.* ».

Comp. *ibidem*

Identification *n.f.*

☐ Action de reconnaître quelqu'un ou quelque chose, résultat de cette action. Ex. Identification d'un accusé par des témoins oculaires.

Angl. *identification*

- **Identification (parade d')** : Séance au cours de laquelle une personne soupçonnée d'un crime défile, en compagnie d'autres individus dont la description correspond généralement à celle du suspect, devant la victime ou des témoins oculaires d'un crime afin qu'ils identifient la personne qui, à leur avis, en est l'auteur.

  Comp. confrontation

  Angl. *identification, lineup, parade*

- **Identification (preuve d')** : Ensemble des moyens utilisés, en matière criminelle, en vue de déterminer si la personne soupçonnée d'avoir commis une infraction en est véritablement l'auteur. Ex. Les empreintes digitales, photographies, témoins oculaires, vêtements.

  Syn. identité

  Comp. confrontation

  Angl. *identification, proof of identity*

Identique *adj.*

☐ Se dit d'un objet ou d'un être qui, tout en étant distinct, présente avec un autre une parfaite ressemblance.

Comp. connexe
Angl. *identical*

Identité *n.f.*

☐ V. IDENTIFICATION.

Id est

☐ Locution latine signifiant « c'est-à-dire ».

Rem. On utilise surtout son abréviation « *i.e.* » dans des textes anglais.
Angl. *id est*

I.e.

☐ Abrév. de *id est*.

Ignorance de la loi

☐ **1.** Méconnaissance ou incompréhension de la loi.

Rem. Selon l'article 19 du *Code criminel*, la personne qui a commis une infraction ne peut offrir comme excuse son ignorance de la loi. Cette même règle s'applique en droit pénal provincial ou fédéral.
Comp. défense d'erreur, *nemo censetur ignorare legem*, nul n'est censé ignorer la loi
Angl. *ignorance of the law*

2. État de la personne qui ignore la loi.
Angl. *ignorance of the law*

I.L.J.

☐ Abrév. de *Insurance Law Journal*.

Illégal, ale, aux *adj.*

☐ **1.** Qui est contraire à la loi. Ex. Un règlement illégal, un contrat illégal, l'exercice illégal d'une profession.

Contr. légal
Comp. illégalité, illégitime, illicite
Angl. *illegal*

☐ **2.** Dans un sens plus large, qui est contraire au Droit en général, à l'ordre public et aux bonnes moeurs.

Syn. illicite
Contr. légal
Comp. illégalité, illégitime, immoral
Angl. *illegal*

Illégalement *adv.*

☐ D'une manière illégale.

Contr. légalement
Comp. illégal, illégalité
Angl. *illegally, unlawfully*

Illégalité *n.f.*

☐ **1.** Caractère de ce qui est illégal. Ex. Un règlement frappé d'illégalité.

Contr. légalité
Comp. illégal, illégalement, illégitimité, illicéité
Angl. *illegality*

☐ **2.** Atteinte à la légalité. Ex. L'illégalité d'un acte criminel.

Contr. légalité
Comp. illégal, illégalement, illégitimité, illicéité
Angl. *illegality*

Illégitime *adj.*

☐ **1.** Qui n'est pas conforme à la justice, à l'équité. Ex. Une décision illégitime.

Syn. injuste
Contr. légitime
Comp. illégal, illégitimité, illicite
Angl. *illegitimate*

☐ **2.** Se dit d'un État dépourvu de légitimité.

Contr. légitime
Comp. illégal, illégitimité, illicite
Angl. *illegitimate*

☐ **3.** Hors mariage. Ex. Un enfant illégitime.

Contr. légitime
Comp. enfant illégitime
Angl. *illegitimate*

Illégitimement *adv.*

☐ D'une manière illégitime.

Contr. légitimement
Comp. illégitime, illégitimité
Angl. *illegitimately*

Illégitimité *n.f.*

☐ Caractère de ce qui est illégitime.

Contr. légitimité
Comp. illégalité, illégitime, illégitimement, illicéité
Angl. *illegitimacy*

Illicéité *n.f.*

☐ Caractère de ce qui est illicite. Ex. L'illicéité d'un acte.

Contr. licéité
Comp. illégalité, illégitimité,illicite, illicitement
Angl. *illicitness*

Illicite *adj.*

☐ Qui est contraire au Droit, qui est défendu par la loi ou contraire à l'ordre public ou aux bonnes moeurs. Ex. La cause illicite d'un contrat.

Rem. Dans ce sens, « illicite » a un sens plus large que « illégal » puisqu'il inclut la notion de moralité. Cependant, on peut lui donner une définition plus restreinte d'où serait exclue toute référence aux bonnes moeurs.
Contr. licite
Comp. illégal, illégitime, immoral
Angl. *illicit, illegal*

Illicitement *adv.*

☐ D'une manière illicite.

Contr. licitement
Comp. illicéité, illicite
Angl. *illicitly*

I.L.O

☐ Abrév. de *International Labour Organization.*

I.L.R.

☐ Abrév. de **1.** *Canadian Insurance Law Reports* ; **2.** *Insurance Law Reporter* (Can.).

Imbécillité *n.f.*

☐ État d'une personne souffrant d'une grande faiblesse d'esprit ou dont les facultés mentales sont altérées profondément.

Rem. Avant l'adoption, en 1989, de nouveaux régimes de protection des majeurs, le *Code civil du Bas-Canada*, à l'art. 325, prévoyait l'interdiction de la personne qui était dans un « état habituel d'imbécillité, démence ou fureur ».
Comp. démence, interdiction
Angl. *imbecility*

Immatriculation *n.f.*

☐ Action d'inscrire sur un registre officiel (et généralement public) une personne, un animal ou un bien en vue de l'identifier pour des fins déterminées par la loi ; le résultat de cette action. Ex. L'immatriculation d'un véhicule-automobile.

Comp. immatriculer
Angl. *immatriculation, registration*

• **Immatriculation des immeubles :** Opération consistant à situer les immeubles en position relative sur un plan cadastral, à indiquer leurs limites, leurs mesures et leur contenance et à leur attribuer un numéro particulier.

Rem. Elle est complétée par l'identification du propriétaire ainsi que par l'indication du mode d'acquisition et du numéro d'inscription.
Comp. cadastre, plan, plan cadastral, registre foncier
Angl. *immatriculation of immovables*

Immatriculer *v.tr.*

☐ Inscrire sur un registre officiel (et généralement public) en vue d'identifier.

Comp. immatriculation
Angl. *to register*

Immémorial, ale, aux *adj.*

☐ Qui remonte à une époque si ancienne qu'il ne reste aucun souvenir de son origine. Ex. La possession immémoriale d'un bien.

Comp. temps
Angl. *immemorial*

Immeuble *adj. et n.m.*

☐ **1.(adj.)** Qui ne peut être déplacé ou auquel la loi confère un caractère immobilier.

Syn. immobilier
Contr. meuble
Angl. *immovable*

☐ **2.(n.)** Bien qui ne peut être déplacé ou

auquel la loi confère un caractère immobilier.

Rem. 1. Le *Code civil du Bas-Canada* précise que les biens sont immeubles par leur nature, par leur destination, par l'objet auquel ils s'attachent ou par la détermination de la loi. 2. Le *Code civil du Québec* conserve globalement les mêmes concepts même si les termes employés diffèrent.

Contr. meuble

Comp. immobilier, locatif (immeuble)

Angl. *immovable (Code civil du Québec), immoveable (Code civil du Bas-Canada)*

- **Immeuble par destination** : Bien meuble qui est réputé immeuble du fait qu'il est, à demeure, matériellement attaché ou réuni à un immeuble sans toutefois perdre son individualité et sans y être incorporé.

  Rem. Il est réputé immeuble tant qu'il reste attaché ou réuni à l'immeuble.

  Comp. meuble

  Angl. *immoveable by destination, landlord's fixture*

- **Immeuble par détermination de la loi** : Bien meuble auquel la loi confère le caractère immobilier. Ex. Les sommes d'argent données par les ascendants à leurs enfants en considération de leur mariage pour l'achat d'un immeuble.

  Angl. *immoveable by determination of law*

- **Immeuble par l'objet auquel il s'attache** : Bien incorporel auquel la loi reconnaît le caractère immobilier vu qu'il porte sur un immeuble. Ex. La servitude, l'usufruit d'un immeuble, l'action visant à obtenir la possession d'un immeuble.

  Rem. L'art. 904 du *Code civil du Québec* précise que sont immeubles les droits réels qui portent sur des immeubles, les actions qui tendent à les faire valoir et celles qui visent à obtenir la possession d'un immeuble.

  Angl. *immoveable by reason of the object to which it is attached*

- **Immeuble par nature** : Bien qui, par sa nature, ne peut se déplacer ou être transporté (le fonds de terre) ou qui devient immeuble par son incorporation au sol (les constructions et ouvrages à caractère permanent qui s'y trouvent et tout ce qui en fait partie intégrante).

  Rem. L'article 901 du *Code civil du Québec* prescrit que font partie intégrante d'un immeuble les meubles qui sont incorporés à l'immeuble, perdent leur individualité et assurent l'utilité de l'immeuble.

  Syn. héritage

  Angl. *immoveable by nature*

Immigrant, ante *n.*

□ Personne qui entre ou cherche à entrer dans un pays autre que le sien en vue de s'y établir de façon durable ou définitive.

Contr. émigrant

Comp. immigration, immigré

Angl. *immigrant*

Immigration *n.f.*

□ Fait pour une personne d'entrer ou de chercher à entrer dans un pays dont elle ne possède pas la nationalité en vue de s'y établir de façon durable ou définitive.

Contr. émigration

Comp. immigrant, immigré

Angl. *immigration*

Immigré, ée *adj. et n.*

□ **1.(adj.)** Établi dans un pays par immigration.

Contr. émigré

Comp. immigrant, immigration

Angl. *immigrant*

□ **2. (n.)** Personne qui est établie dans un pays par immigration.

Contr. émigré

Comp. immigrant, immigration

Angl. *immigrant*

Imm.L.R.

□ Abrév. de *Immigration Law Reporter.*

Imm.L.R.(2d)

□ Abrév. de *Immigration Law Reporter (Second series).*

Immobilier, ière *adj.*

□ **1.** Qui se rapporte à un immeuble, aux immeubles. Ex. Une saisie immobilière.

Contr. mobilier

Comp. immeuble

Angl. *immovable (Code civil du Québec), immoveable (Code civil du Bas-Canada)*

□ **2.** Qui a le caractère d'un immeuble, qui est considéré comme un immeuble. Ex. Les biens immobiliers.

Contr. mobilier

Comp. immeuble

Angl. *immovable (Code civil du Québec), immoveable (Code civil du Bas-Canada)*

Immobilisation *n.f.*

□ Fait d'attribuer à un meuble certains caractères juridiques des immeubles. Ex. L'immobilisation des sommes d'argent revenant au mineur du prix de ses immeubles vendus pendant sa minorité.

Contr. mobilisation

Comp. ameublissement, immeuble par détermination de la loi, immobiliser

Angl. *immobilization*

Immobiliser *v.tr.*

□ Attribuer à un meuble, par une fiction de la loi, la qualité d'immeuble.

Comp. ameublir, immobilisation

Angl. *immobilize*

Immoral, ale, aux *adj.*

□ Contraire aux bonnes moeurs.

Contr. moral

Comp. bonnes moeurs, condition immorale, immoralité

Angl. *immoral*

Immoralité *n.f.*

□ Caractère immoral. Ex. L'immoralité d'un contrat.

Contr. moral

Comp. bonnes moeurs, condition immorale, immoral

Angl. *immorality*

Immunité *n.f.*

□ Prérogative ou exemption accordée aux États ou à certaines personnes en vertu de laquelle ils bénéficient de dérogations au droit commun qui leur permettent notamment d'être dispensés de certaines obligations ou déchargés des conséquences légales de leurs actes. Ex. L'immunité de la Couronne en matière fiscale, des juges relativement aux actes posés dans l'exercice de leurs fonctions, des États ou territoires étrangers.

Comp. exterritorialité

Angl. *immunity*

- **Immunité de juridiction** : Prérogative en vertu de laquelle un État étranger, ses représentants et ses agents diplomatiques ou consulaires ainsi que certains organismes internationaux et leurs membres ne peuvent être poursuivis devant les tribunaux nationaux sans leur consentement.

Rem. Elle constitue l'un des volets de l'immunité de l'État souverain.

Angl. *immunity from jurisdiction, immunity of jurisdiction*

- **Immunité de l'État souverain** : Prérogative fondée sur le principe de l'égalité des États en vertu de laquelle un État ou un chef d'État étranger ne peut être poursuivi devant les tribunaux nationaux sans son consentement ou ne peut voir les biens qu'il possède en territoire étranger faire l'objet d'une mesure d'exécution.

Syn. immunité souveraine

Angl. *sovereign immunity*

- **Immunité d'exécution** : Prérogative en vertu de laquelle un État étranger, ses représentants et ses agents diplomatiques ou consulaires ainsi que certains organismes internationaux et leurs membres peuvent se soustraire à toute mesure d'exécution contre les biens qu'ils possèdent en territoire étranger.

Rem. Elle constitue l'un des volets de l'immunité de l'État étranger

Angl. *immunity from execution*

- **Immunité diplomatique** : Ensemble des prérogatives accordées aux représentants diplomatiques accrédités en vue de favoriser le libre exercice de leur fonction dans le pays où ils sont en poste.

Rem. Ces prérogatives s'étendent notamment à l'inviolabilité de la personne et des biens du représentant et à celle des locaux de l'ambassade, à la liberté de communication, à des privilèges fiscaux ainsi qu'à une protection contre des poursuites devant les tribunaux de ce pays. Elles peuvent également s'appliquer aux membres de la famille du diplomate ainsi qu'au personnel de l'ambassade. On doit noter que les protections accordées aux consuls sont, à certains égards, plus restreintes ; de plus, l'immunité contre les poursuites pénales est absolue alors qu'elle est relative en matière civile.

Comp. exterritorialité

Angl. *diplomatic immunity*

- **Immunité parlementaire** : Prérogative accordée aux membres des Chambres parlementaires en vertu de laquelle ils sont à l'abri de poursuites judiciaires pour les paroles qu'ils ont prononcées ou les actes qu'ils ont posés dans l'enceinte de la Chambre et dans les commissions parlementaires. Elle interdit leur arrestation pour outrage au tribunal en matière civile ou leur assignation en tant que témoin ou juré pendant les sessions de la Chambre ou au cours des vingt (20) jours qui les précèdent ou les suivent.

  Angl. *legislative immunity, parliamentary immunity*

- **Immunité souveraine** : V. IMMUNITÉ DE L'ÉTAT SOUVERAIN.

Immutabilité *n.f.*

□ Qualité de ce qui ne peut ou ne doit pas être changé.

Comp. indissolubilité, irrévocabilité

Angl. *immutability*

- **Immutabilité des régimes matrimoniaux** : Règle en vertu de laquelle les époux ne peuvent apporter aucune modification à leurs conventions matrimoniales après la célébration de leur mariage.

  Rem. Cette règle n'a plus d'application au Québec, depuis 1970.

  Comp. conventions matrimoniales, régime matrimonial

  Angl. *immutability of the matrimonial regime*

Imparfait, aite *adj.*

□ V. DÉLÉGATION IMPARFAITE, OBLIGATION IMPARFAITE, REPRÉSENTATION IMPARFAITE, SOLIDARITÉ IMPARFAITE.

Impartialité *n.f*

□ Qualité du juge qui examine sans parti pris les éléments de preuve soumis par les parties et qui rend jugement après un examen objectif de leurs prétentions.

Comp. neutralité

Angl. *impartiality*

Impartir *v.tr.*

□ Accorder, imposer. Ex. Lorsque le juge a fixé un délai pour l'accomplissement d'un acte, celui-ci doit être fait dans le délai imparti, sous peine de sanction.

Angl. *to allow, to grant*

Impenses *n.f.pl.*

□ Dépenses faites pour la conservation ou l'amélioration d'un bien par une personne qui en a la jouissance sans en être propriétaire.

Syn. améliorations, dépenses

Comp. améliorations

Angl. *disbursements, expenditures, expenses*

- **Impenses d'agrément :** Impenses qui sont faites pour le seul plaisir de leur auteur et qui n'augmentent pas la valeur du bien.

  Syn. impenses voluptuaires

  Contr. impenses nécessaires

  Angl. *disbursements for amenities*

- **Impenses nécessaires** : Impenses qui sont indispensables à la conservation du bien. Ex. La réfection du mur d'un immeuble.

  Syn. améliorations nécessaires, dépenses nécessaires

  Contr. impenses voluptuaires

  Comp. impenses utiles

  Angl. *necessary disbursements, necessary expenses*

- **Impenses somptuaires** : V. IMPENSES VOLUPTUAIRES.

- **Impenses utiles** : Impenses qui ne sont pas indispensables à la conservation du bien mais en augmentent la valeur. Ex. La construction d'une clôture.

  Syn. améliorations utiles, dépenses utiles

  Comp. impenses nécessaires, impenses voluptuaires

  Angl. *useful disbursements, useful expenses*

- **Impenses voluptuaires** : Impenses qui sont faites pour le seul plaisir de leur auteur et qui n'augmentent pas la valeur du bien. Ex. La plantation de fleurs.

  Syn. améliorations somptuaires, améliorations voluptuaires, dépenses somptuaires, dépenses voluptuaires, impenses somptuaires

Contr. impenses nécessaires
Angl. *voluptuary disbursements, voluptuary expenses*

Impératif, ive *adj.*

□ Se dit d'une règle, d'un texte législatif ou réglementaire ou d'une formalité auxquels on ne peut déroger par une convention particulière. Ex. Une loi impérative.

Rem. L'emploi du terme « doit », dans un texte, constitue un indice de son caractère impératif.
Syn. obligatoire
Comp. supplétif
Angl. *imperative, mandatory*

• **Impérative (loi) :** Loi à laquelle on ne peut déroger par une convention particulière.

Contr. dispositive (loi)
Angl. *imperative law, mandatory law*

Imperium *n.m.*

□ Terme latin signifiant « pouvoir de commander ». Il désigne le pouvoir qui appartient au juge de prendre des décisions et de prescrire toutes les mesures nécessaires pour qu'elles soient respectées. Ex. C'est en se fondant sur son *imperium* que le juge condamne le débiteur à verser une somme d'argent à son créancier et qu'il rend les ordonnances propres à assurer l'exécution, même forcée, de sa décision.

Rem. L'autre pouvoir qui est dévolu au juge est la *jurisdictio*, c'est-à-dire celui de dire le droit.
Comp. *jurisdictio*
Angl. *imperium*

Implicite *adj.*

□ Qui peut s'inférer de la nature d'un acte ou des faits et gestes d'une personne sans être exprimé formellement par écrit ou verbalement.

Syn. tacite
Contr. explicite
Comp. consentement implicite, exprès
Angl. *implicit, implied*

Imposable *adj.*

□ Assujetti à l'impôt, qui peut être imposé.

Comp. contribuable, imposer, imposition, impôt
Angl. *taxable*

Imposer *v.tr.*

□ **1.** Enjoindre, soumettre à une obligation, contraindre.

Angl. *to impose*

□ **2.** Assujettir à l'impôt.

Comp. imposable, imposition, impôt
Angl. *to tax*

Imposition *n.f.*

□ Détermination d'un impôt. Ex. Le taux d'imposition.

Comp. imposable, imposer, impôt, taxation
Angl. *taxation*

Impossibilité *n.f.*

□ Caractère de ce qui est impossible.

Angl. *impossibility*

Impossible *adj.*

□ Qui ne peut se produire, qui ne peut se réaliser. Ex. Un contrat qui dépend de l'accomplissement d'une condition impossible est nul.

Comp. possible
Angl. *impossible*

Impôt *n.m.*

□ Prélèvement que l'État ou une autre autorité taxatrice opère sur les biens et revenus des citoyens afin de subvenir aux dépenses publiques ; l'ensemble de ces prélèvements. Ex. L'impôt sur le revenu, l'impôt sur les sociétés.

Rem. La taxe se distingue de l'impôt en ce sens qu'elle est généralement la contrepartie directe d'un service dont bénéficie le contribuable. Ex. Les taxes municipales ou scolaires.
Comp. contribuable, déclaration d'impôt, imposable, imposer, imposition, taxe
Angl. *tax*

- **Impôt direct** : Impôt réclamé d'un individu nominativement, selon des tables ou critères déterminés. Ex. L'impôt sur le revenu, l'impôt foncier.
  Comp. taxe
  Angl. *direct tax*

- **Impôt foncier** : Impôt général levé par une autorité taxatrice sur les immeubles et auxquels sont assujettis, sauf exception de droit, les propriétaires d'immeubles ou, dans certains cas, les locataires ou occupants d'immeubles.
  Angl. *land tax, property tax, real property tax*

- **Impôt indirect** : Impôt qu'un individu paie à l'occasion d'une activité, conformément à un tarif déterminé par l'État ou par une autre autorité taxatrice. Ex. La taxe d'affaires, la taxe sur l'essence.
  Comp. taxe
  Angl. *indirect tax*

Imprescriptibilité *n.f.*

□ Caractère de ce qui est imprescriptible. Ex. L'imprescriptibilité du domaine public de l'État.
Contr. prescriptibilité
Comp. imprescriptible
Angl. *imprescriptibility*

Imprescriptible *adj.*

□ Qui ne peut être objet de la prescription ; se dit d'un droit qui ne peut s'acquérir ou d'une obligation qui ne peut s'éteindre par le seul écoulement du temps. Ex. Un bien inaliénable est en principe imprescriptible.
Comp. imprescriptibilité, prescription
Angl. *imprescriptible*

Imprévisibilité *n.f.*

□ Caractère de ce qui est imprévisible.
Contr. prévisibilité
Comp. imprévisible
Angl. *unforeseeability, unpredictability*

Imprévisible *adj.*

□ Se dit d'une situation ou d'un dommage qu'une personne raisonnable ne peut prévoir. Ex. Un cas fortuit est imprévisible.
Rem. Le débiteur n'est tenu que des dommages-intérêts prévus ou prévisibles au moment où l'obligation a été contractée, sauf en cas de dol de sa part.
Contr. prévisible
Comp. cas fortuit, force majeure, imprévisibilité
Angl. *unforeseeable, unpredictable*

Imprévision (théorie de l')

□ Théorie en vertu de laquelle la personne qui a conclu un contrat avec l'Administration peut obtenir de celle-ci une indemnité pour les dépenses supplémentaires qu'elle doit encourir par suite de conditions imprévisibles qui en rendent l'exécution plus difficile ou onéreuse.
Rem. Cette théorie de droit français n'est pas reconnue au Québec.
Comp. imprévisible, imprévisibilité
Angl. *theory of unforeseen events*

Imprévu, e *adj.*

□ Qui survient sans qu'on l'ait prévu.
Contr. prévu
Angl. *unexpected, unforeseen*

Imprimatur

□ Terme latin signifiant « qu'il soit imprimé ». Autorisation d'imprimer et de publier accordée par une autorité compétente (généralement une autorité ecclésiastique).
Comp. *nihil obstat*

Imprudence *n.f.*

□ Faute non intentionnelle due à un manque de précautions ou de prévoyance et qui engage la responsabilité civile, et parfois pénale, de son auteur.
Comp. faute, négligence
Angl. *imprudence*

Impuberté *n.f.*

□ État d'une personne qui n'a pas atteint l'âge légal requis pour se marier. Elle constitue un empêchement au mariage.
Rem. Selon le *Code civil du Bas-Canada*, l'âge légal est fixé à quatorze ans révolus pour les garçons et à douze ans révolus pour les filles. Le *Code civil du Québec* exige que les futurs époux soient âgés d'au moins seize ans.

Comp. âge légal
Angl. *impuberty*

Impuissance *n.f.*

□ Inaptitude manifeste et apparente de l'homme ou de la femme à accomplir l'acte sexuel complet pour des raisons d'ordre physique ou psychologique.

Rem. Selon le *Code civil du Bas-Canada*, son existence, au moment de la célébration du mariage, constitue une cause d'annulation qui peut être soulevée pendant une période de trois ans.
Angl. *impotency*

Imputabilité *n.f.*

□ **1.** Possibilité d'attribuer la responsabilité d'une faute civile ou pénale à une personne qui, étant capable de discerner le bien du mal, a agi consciemment et librement. Ex. On ne peut imputer une faute à une personne qui souffre d'aliénation mentale.

Comp. faute, responsabilité
Angl. *imputability*

□ **2.** Possibilité d'attribuer à une personne la responsabilité d'une faute civile parce qu'elle en est l'auteur ou parce qu'elle est tenue de répondre du fait d'un tiers. Ex. L'imputabilité du propriétaire d'un animal qui a causé un préjudice à quelqu'un.

Comp. faute, imputable, imputation, imputer, responsabilité
Angl. *imputability*

Imputable *adj.*

□ Qui peut ou doit être attribué à une personne.

Comp. imputabilité
Angl. *imputable*

Imputation *n.f.*

□ Action d'imputer.

Comp. imputer
Angl. *imputation*

• **Imputation des paiements** : Détermination, par la loi ou par le débiteur, de la dette qui fait l'objet du paiement lorsque le débiteur est tenu envers le même créancier de plusieurs dettes de même nature et qu'il effectue un versement insuffisant pour éteindre toutes les dettes.

Comp. paiement
Angl. *imputation of payments*

• **Imputation (rapport par)** : En matière successorale, opération qui consiste à placer fictivement dans la masse la valeur d'un bien rapportable (ex. une libéralité ou une dette) et à mettre ensuite fictivement cette valeur dans le lot d'un héritier afin de déterminer la part qui lui revient ou l'excédent qu'il doit remettre à la succession.

Comp. masse, rapport, succession
Angl. *imputation*

Imputer *v.tr.*

□ **1.** Attribuer à une personne la responsabilité d'une faute civile ou pénale.

Comp. faute, imputabilité, responsabilité
Angl. *to impute*

□ **2.** Affecter une somme d'argent au paiement d'une obligation spécifique lorsque le versement effectué ne couvre qu'une partie des dettes du débiteur envers un même créancier.

Comp. imputabilité, imputation, paiement
Angl. *to impute*

□ **3.** Placer fictivement dans la masse successorale la valeur d'un bien rapportable et mettre ensuite fictivement cette valeur dans le lot d'un héritier afin de déterminer la part qui lui revient ou l'excédent qu'il doit remettre à la succession.

Comp. imputation, masse, rapport, succession
Angl. *to impute*

In absentia

□ Locution latine signifiant « en l'absence » (de la personne concernée).

Comp. *ex parte*

In abstracto

□ Locution latine signifiant « dans l'abstrait ». Se dit d'une situation qui est analysée en comparaison avec celle d'un modèle abstrait et objectif, indépendant de la personne impliquée.

Contr. *in concreto*

Inaliénabilité *n.f.*

☐ Caractère d'un bien ou d'un droit qui ne peut faire l'objet d'une aliénation en raison de sa nature, de l'interdiction de la loi ou de la volonté de l'homme. Ex. L'inaliénabilité du domaine public de l'État.

Contr. aliénabilité
Comp. imprescriptibilité, inaliénable, incessibilité, intransmissibilité
Angl. *inalienability*

Inaliénable *adj.*

☐ Qui ne peut faire l'objet d'une aliénation.

Contr. aliénable
Comp. aliénation, cessible, chose commune, chose hors du commerce, inaliénabilité, transmissible
Angl. *inalienable, unalienable*

Inaliénation *n.f.*

☐ État de ce qui n'est pas aliéné.

Contr. aliénation
Angl. *inalienation*

Inamovibilité *n.f.*

☐ Situation juridique du titulaire d'une fonction publique qui ne peut être révoqué, suspendu, rétrogradé ou déplacé qu'en des circonstances et suivant une procédure exceptionnelle afin que soit assurée son indépendance et son impartialité. Ex. L'inamovibilité des juges.

Comp. inamovible
Angl. *irremovability, security of tenure*

Inamovible *adj.*

☐ Qui jouit du privilège de l'inamovibilité.

Comp. inamovibilité
Angl. *irremovable*

Inappropriable *adj.*

☐ Se dit d'une chose qui n'est pas susceptible d'appropriation.

Contr. appropriable
Angl. *inappropriable*

Inapte *adj.*

☐ Qui n'a pas la capacité d'exercer ses droits.

Contr. apte
Comp. inaptitude
Angl. *incapable*

Inaptitude *n.f.*

☐ **1.** Terme employé parfois pour désigner l'incapacité juridique d'une personne. Ex. Demander au tribunal de constater l'inaptitude d'une personne à consentir à des soins.

Contr. aptitude
Comp. inapte, incapacité
Angl. *incapacity*

☐ **2.** Pour une personne juridiquement capable, incapacité de fait à poser des actes, à exercer ses droits. Ex. L'inaptitude d'une personne à prendre soin d'elle-même et à administrer ses biens.

Contr. aptitude
Comp. inapte, incapacité
Angl. *inability, incapacity*

- **Inaptitude au travail** : État d'une personne qui est, de fait, incapable d'occuper un emploi ou de le conserver.

  Angl. *inability, unemployability*

- **Inaptitude du mandant (mandat donné en prévision de l')** : V. MANDAT DONNÉ EN PRÉVISION DE L'INAPTITUDE DU MANDANT.

In articulo mortis

☐ Expression latine signifiant « à l'article de la mort ».

Comp. *in extremis*

Inc.

☐ Abrév. des mots « incorporated » ou « incorporé(e) ».

In camera

☐ Locution latine signifiant « en chambre » et désignant la situation du juge siégeant à huis clos ou dans son cabinet.

Comp. huis clos

Incapable *adj. et n.*

☐ **1.(adj.)** Qui n'a pas la capacité légale.
Syn. inhabile
Contr. capable
Comp. incapacité
Angl. *incapable*

☐ **2.(nom)** Personne frappée d'une incapacité.
Comp. inapte, régime de protection du majeur
Angl. *incapable*

Incapacité *n.f.*

☐ **1.** État d'une personne privée par la loi ou par une décision judiciaire de l'exercice de certains droits. Ex. L'incapacité du mineur.
Syn. inhabilité
Contr. capacité
Comp. inaptitude, incapable
Angl. *incapacity*

• **Incapacité de fait** : État d'une personne considérée mentalement inapte à donner un consentement valable. Ex. L'incapacité de fait de la personne en état d'ébriété, du majeur sans régime de protection.
Syn. incapacité naturelle
Comp. inhabilité
Angl. *de facto incapacity*

• **Incapacité de jouissance** : Inaptitude d'une personne à être titulaire d'un droit ou d'une obligation. Ex. Le tuteur ne peut, pour cause d'incapacité de jouissance, se porter acquéreur de biens appartenant au mineur qu'il représente.
Contr. capacité de jouissance
Comp. incapacité d'exercice
Angl. *incapacity to enjoy*

• **Incapacité d'exercice** : Inaptitude d'une personne à exercer les droits dont elle est titulaire à moins qu'elle ne soit représentée ou assistée à cet effet par un tiers. Ex. L'incapacité d'exercice du mineur.
Contr. capacité d'exercice
Comp. curatelle, incapacité de jouissance, tutelle
Angl. *incapacity to exercise*

• **Incapacité naturelle** : V. INCAPACITÉ DE FAIT.

☐ **2.** État d'une personne dont les facultés physiques ou mentales ont été altérées par une maladie ou un accident, la rendant ainsi inapte à poursuivre ses activités normales ou à accomplir son travail correctement.
Rem. Elle peut être partielle ou totale, temporaire ou permanente, et elle peut donner droit à une indemnité compensatoire qui varie suivant la gravité et la durée de l'incapacité.
Comp. invalidité
Angl. *disability, disablement*

• **Incapacité partielle** : Incapacité qui diminue l'aptitude d'une personne à poursuivre ses activités normales.
Rem. Elle peut être permanente (IPP) ou temporaire (IPT).
Comp. incapacité totale
Angl. *partial disability*

• **Incapacité permanente** : Incapacité qui rend une personne inapte pour l'avenir à poursuivre ses activités normales.
Rem. Elle peut être partielle (IPP) ou totale (ITP).
Comp. incapacité temporaire
Angl. *permanent disability*

• **Incapacité temporaire** : Incapacité qui rend une personne inapte à poursuivre, pendant une période plus ou moins prolongée, ses activités normales.
Rem. Elle peut être partielle (IPT) ou totale (ITT).
Comp. incapacité permanente
Angl. *temporary disability*

• **Incapacité totale** : Incapacité qui rend une personne tout à fait inapte à poursuivre ses activités normales.
Rem. Elle peut être permanente (ITP) ou temporaire (ITT).
Comp. incapacité partielle
Angl. *total disability*

Incarcération *n.f.*

☐ Mise en prison.
Syn. emprisonnement
Comp. détention
Angl. *imprisonment*

In casu

☐ Locution latine signifiant « en l'espèce », « dans le cas à l'étude ».

Incendie criminel

☐ Acte criminel par lequel une personne, intentionnellement ou sans se soucier des conséquences de son acte, cause par le feu ou par une explosion un dommage à un bien qui lui appartient ou qui appartient à autrui.

Rem. La sanction varie notamment selon que l'incendie a causé des dommages matériels ou des lésions corporelles, ou que l'acte a été commis avec l'intention de frauder ou par simple négligence.

Angl. *arson*

Incertain, aine *adj.*

☐ **1.** Indéterminé, dont l'identité n'est pas connue.

Contr. certain

Angl. *uncertain, unsure*

☐ **2.** Dont l'existence est mise en doute. Ex. Une dette incertaine.

Contr. certain

Comp. exigible, liquide

Angl. *doubtful*

☐ **3.** Qui peut ne pas se produire ou qui se produira à une date inconnue. Ex. Un dommage futur et incertain, le décès d'une personne.

Contr. certain

Comp. date certaine, fortuit, terme certain

Angl. *uncertain, unspecified*

Incessibilité *n.f.*

☐ Qualité d'un droit, d'un bien qui ne peut faire l'objet d'une cession. Ex. L'incessibilité des droits extra-patrimoniaux.

Contr. cessibilité

Comp. inaliénabilité, incessible, indisponibilité, intransmissibilité

Angl. *non-assignability, unassignability*

Incessible *adj.*

☐ Qui ne peut faire l'objet d'une cession.

Contr. cessible

Comp. inaliénable, incessibilité, indisponible, intransmissible

Angl. *inalienable, non-assignable, unassignable*

Inceste *n.m.*

☐ **1.** Rapport sexuel entre un homme et une femme unis par un degré de parenté interdit par la loi.

Comp. adultère, incestueux

Angl. *incest*

☐ **2.** Rapport sexuel entre personnes unies par les liens du sang à un degré prohibé par la loi, constituant ainsi un acte criminel pour celle qui connaît l'existence de ces liens.

Comp. adultère, incestueux

Angl. *incest*

Incestueux, euse *adj.*

☐ **1.** Issu de l'inceste. Ex. Un enfant incestueux.

Comp. adultérin, inceste

Angl. *incestuous*

☐ **2.** Qui a le caractère de l'inceste. Ex. Un rapport incestueux.

Comp. adultérin, inceste

Angl. *incestuous*

Incident, ente *adj.*

☐ Qui survient au cours d'un procès déjà engagé. Ex. Une demande incidente.

Comp. principal

Angl. *incident*

- **Incident (appel)** : V. APPEL INCIDENT.

- **Incident (dol)** : V. DOL.

Incident *n.m*

☐ **1.** Moyen de procédure présenté par une partie en cours d'instance, dans le but d'en suspendre, modifier ou arrêter le déroulement. Ex. L'amendement, l'intervention, la récusation et la réunion d'actions sont des incidents.

Comp. moyens préliminaires

Angl. *incident*

☐ **2.** Au sens large, tout ce qui survient au cours d'un procès déjà engagé.

Rem. Il couvre généralement toute demande ou décision qui ne porte pas sur le bien-fondé de la demande principale.

Angl. *incident proceedings*

Inclusio unius fit exclusio alterius

- V. *EXPRESSIO UNIUS FIT EXCLUSIO ALTERIUS.*

Incomber *v.intr.*

- Être imposé à (qqn), poser sur (qqn), en parlant d'une charge ou d'une obligation. Ex. Le fardeau de la preuve incombe au demandeur.

Comp. *actori incumbit onus probandi, actori incumbit probatio*
Angl. *to be incumbent on*

Incommutabilité *n.f.*

- Caractère de ce qui est incommutable.

Comp. aliénation, incommutable, propriété, possession
Angl. *inalienability, indefeasibility*

Incommutable *adj.*

- Qui ne peut ou dont on ne peut changer le possesseur ou le propriétaire. Ex. Un propriétaire incommutable ne peut être dépossédé du bien dont il a la propriété.

Comp. incommutabilité
Angl. *inalienable, indefeasible*

Incompatibilité *n.f.*

- Caractère de ce qui est incompatible.

Rem. Se dit notamment de recours qui ne peuvent être cumulés à cause des différences essentielles qu'ils comportent.
Comp. incompatible
Angl. *incompatibility*

Incompatible *adj.*

- Se dit de recours qui ne peuvent être cumulés à cause des différences essentielles qu'ils comportent.

Comp. cumul des causes d'actions, incompatibilité
Angl. *incompatible*

Incompétence *n.f.*

- **1.** Inaptitude d'une autorité publique à accomplir un acte juridique.

Contr. compétence
Comp. incompétent
Angl. *incompetence*

- **2.** Inaptitude d'une juridiction à instruire et à juger une affaire.

Contr. compétence
Comp. incompétent, juridiction, moyen déclinatoire
Angl. *incompetence*

- **Incompétence absolue :** V. INCOMPÉTENCE D'ATTRIBUTION.

- **Incompétence d'attribution :** Absence de compétence d'attribution.

Rem. Elle peut être soulevée en tout état de cause.
Syn. incompétence absolue, incompétence matérielle, incompétence *ratione materiae*
Contr. compétence d'attribution
Comp. moyen déclinatoire
Angl. *incompetence ratione materiae, lack of jurisdiction due to the subject matter*

- **Incompétence (exception d') :** V. MOYEN DÉCLINATOIRE.

- **Incompétence matérielle :** V. INCOMPÉTENCE D'ATTRIBUTION.

- **Incompétence *ratione loci* :** V. INCOMPÉTENCE TERRITORIALE.

- **Incompétence *ratione materiae* :** V. INCOMPÉTENCE D'ATTRIBUTION.

- **Incompétence relative :** V. INCOMPÉTENCE TERRITORIALE.

- **Incompétence territoriale :** Absence de compétence territoriale.

Rem. Le défendeur doit la soulever en début d'instance.
Syn. incompétence *ratione loci*, incompétence relative
Contr. compétence territoriale
Comp. moyen déclinatoire
Angl. *incompetence ratione loci, lack of jurisdiction due to the place*

Incompétent, ente *adj.*

- Se dit d'une autorité publique ou d'une juridiction qui n'a pas la compétence requise pour accomplir un acte ou juger une affaire.

Comp. incompétence
Angl. *incompetent*

In concreto

☐ Locution latine signifiant « dans le concret », « de façon concrète ». Se dit d'une situation qui est analysée en comparaison avec la conduite habituelle d'une personne, en tenant compte notamment de sa personnalité et de son mode de vie.

Contr. *in abstracto*

Inconstitutionnalité *n.f.*

☐ Caractère de ce qui n'est pas conforme à la constitution d'un État. Ex. Soulever l'inconstitutionnalité d'une loi.

Contr. constitutionnalité
Comp. constitution, inconstitutionnel
Angl. *unconstitutionality*

Inconstitutionnel, elle *adj.*

☐ Qui est contraire à la constitution d'un État.

Contr. constitutionnel
Comp. constitution, inconstitutionnalité, *ultra vires*
Angl. *unconstitutional*

Inconvénients *n.m.pl.*

☐ V. ÉVALUATION COMPARATIVE DES INCONVÉNIENTS.

Incorporation *n.f.*

☐ Terme utilisé pour désigner l'opération visant à constituer une compagnie ou société par actions. Ex. L'incorporation d'une entreprise.

Comp. acte constitutif, charte, incorporé
Angl. *incorporation*

In corpore

☐ **1.** Locution latine signifiant « en nature ». Se dit de l'exécution en nature d'une obligation.

Comp. exécution en nature

☐ **2.** Locution latine signifiant « en personne ». Elle est parfois utilisée pour indiquer que la présence physique d'une personne est requise.

Incorporé, ée *adj.*

☐ Terme que l'on ajoute à la dénomination d'une entreprise pour désigner son statut corporatif et le caractère limité de la responsabilité de ses actionnaires.

Rem. On utilise toujours son abréviation « inc. ». Ex. La compagnie ABC inc.
Syn. limité
Comp. enregistré, incorporation
Angl. *incorporated*

Incorporel, elle *adj.*

☐ Qui n'a pas d'existence matérielle. Ex. Le droit d'auteur est un bien incorporel.

Contr. corporel
Comp. bien incorporel
Angl. *incorporeal, intangible*

Incriminant *adj.*

☐ V. DÉCLARATION INCRIMINANTE.

Incrimination *n.f.*

☐ Action d'incriminer.

Comp. incriminer
Angl. *incrimination*

Incriminer *v.tr.*

☐ **1.** Imputer un crime, rendre responsable d'une infraction.

Comp. crime, incrimination, infraction
Angl. *to incriminate*

☐ **2.** Impliquer dans une affaire criminelle.

Comp. crime, incrimination, infraction
Angl. *to incriminate*

Inculpation *n.f.*

☐ Imputation officielle d'une infraction à son auteur présumé, donnant ainsi ouverture à un procès contre lui.

Syn. accusation
Comp. inculpé, inculper
Angl. *accusation, inculpation*

Inculpé, ée *adj. et n.*

☐ Personne qui a fait l'objet d'une inculpation.

Syn. accusé

Comp. inculpation, inculper
Angl. *accused, charged*

Inculper *v.tr.*

- Imputer officiellement une infraction à son auteur présumé, donnant ainsi ouverture à un procès contre lui.
  Syn. accuser
  Comp. inculpation, inculpé
  Angl. *to charge, to inculpate*

In curia

- Locution latine signifiant « dans la cour », « devant le tribunal ».
  Contr. *ex curia*

Indéfini, ie *adj.*

- V. CAUTIONNEMENT INDÉFINI.

Indemnisation *n.f.*

- Action d'indemniser, paiement d'une indemnité.
  Syn. réparation
  Comp. indemnisé, indemniser, indemnité
  Angl. *indemnification*

Indemnisé, ée *adj.*

- Se dit d'une personne qui a reçu une indemnité.
  Comp. indemnisation, indemniser, indemnitaire, indemnité
  Angl. *compensated, indemnified*

Indemniser *v.tr.*

- **1.** Compenser une perte, dédommager pour un préjudice subi. Ex. Indemniser quelqu'un pour les blessures qu'il a subies.
  Comp. indemnisation, indemnisé, indemnité
  Angl. *to indemnify, to repair*

- **2.** Rembourser les dépenses et les frais encourus, accorder une allocation pour pallier à certains inconvénients. Ex. Indemniser un travailleur pour le stress relié à son emploi.
  Comp. indemnisation, indemnisé, indemnité
  Angl. *to compensate*

Indemnitaire *adj. et n.*

- **1.(adj.)** Qui a le caractère d'une indemnité, qui se rapporte à une indemnité.
  Comp. indemnité
  Angl. *indemnificatory*

- **2.(n.)** Personne qui a droit à une indemnité.
  Comp. indemnisé, indemnité
  Angl. *indemnitee*

Indemnité *n.f.*

- **1.** Somme d'argent accordée à une personne en compensation d'une perte ou en dédommagement d'un préjudice qu'elle a subi.
  Comp. dommages-intérêts, indemnisation, indemnitaire
  Angl. *indemnity*

- **2.** Somme d'argent accordée à une personne en remboursement de dépenses ou de frais encourus ou à titre d'allocation pour pallier à certains inconvénients reliés à ses fonctions ou à son emploi.
  Comp. indemnisation, indemnitaire
  Angl. *allowance, compensation*

Indépendance *n.f.*

- **1.** Situation d'un organe public qui n'est pas soumis à une autorité dans l'exercice de ses activités et dans la prise de ses décisions. Ex. L'indépendance de la magistrature.
  Angl. *independence*

- **2.** Situation d'une collectivité ou d'un État qui exerce ses compétences internes et externes sans être soumis à une autre collectivité ou à un autre État.
  Comp. souveraineté
  Angl. *independence*

Indéterminé, ée *adj.*

- Qui n'est pas encore précisé, fixé. Ex. Une date indéterminée.
  Comp. incertain
  Angl. *indeterminate, unspecified*

Indexation *n.f.*

- Procédé qui consiste à faire varier le montant d'une obligation en fonction des fluctuations d'un indice d'ordre économique ou monétaire. Ex. L'indexation des pensions alimentaires en fonction de l'indice du coût de la vie.

Rem. L'indexation constitue un moyen de défense contre l'inflation.

Comp. clause d'échelle mobile, indexer

Angl. *indexation*

- **Indexation (clause d')** : V. CLAUSE D'ÉCHELLE MOBILE.

Index des immeubles

☐ Registre conservé dans un bureau d'enregistrement contenant l'inscription de tous les actes affectant chacun des immeubles d'une division d'enregistrement constituée par la loi, dans l'ordre de leur date d'enregistrement.

Rem. L'index ne contient qu'une référence à chacun des actes, incluant la nature de l'acte, le nom des parties, la date où il a été passé et, s'il y a lieu, le prix de la transaction ainsi que le numéro de référence où il est possible de consulter l'acte enregistré.

Comp. bureau d'enregistrement, enregistrement, immeuble, registre foncier

Angl. *index of immoveables*

Indexée (clause)

☐ V. CLAUSE D'ÉCHELLE MOBILE.

Indexer *v.tr.*

☐ Lier la détermination du montant d'une obligation à un indice d'ordre économique ou monétaire. Ex. Indexer les prestations d'aide sociale sur l'indice du coût de la vie.

Comp. clause d'échelle mobile, indexation

Angl. *to index*

Indication de paiement

☐ Acte par lequel le débiteur informe le créancier qu'il a donné mandat à un tiers de payer à sa place ou par lequel le créancier informe le débiteur qu'il a donné mandat à un tiers de recevoir paiement à sa place.

Rem. L'indication de paiement n'opère pas novation.

Comp. délégation

Angl. *indication of payment*

Indice *n.m.*

☐ Événement ou objet qui rend probable l'existence d'un fait et qui rend possible la constitution d'une preuve par présomption. Ex. Certains indices laissent croire qu'il s'agit d'un meurtre.

Comp. présomption de fait, preuve circonstancielle

Angl. *clue, piece of evidence, sign*

Indignité successorale

☐ Déchéance du droit de succéder imposée à titre de peine à l'héritier ou au légataire ayant commis à l'égard du défunt une faute grave déterminée par la loi. Ex. L'attentat à la vie du défunt constitue une des causes d'indignité successorale.

Comp. ingratitude

Angl. *unworthiness of inheriting*

Indirect, ecte *adj.*

☐ V. ACTION OBLIQUE, DONATION INDIRECTE, IMPÔT INDIRECT, PRÉJUDICE INDIRECT.

Indisponibilité *n.f.*

☐ 1. Qualité d'un bien ou d'un droit dont on ne peut disposer librement.

Contr. disponibilité

Comp. acte de disposition, inaliénabilité, incessibilité, indisponible, intransmissibilité

Angl. *inalienability, indisposability, undisposability*

☐ 2. Qualité d'un bien qui ne peut être utilisé ou livré immédiatement.

Contr. disponibilité

Comp. indisponible

Angl. *indisposability, unavailability, undisposability*

Indisponible *adj.*

☐ **1.** Qui ne peut faire l'objet d'un acte de disposition.

Contr. disponible

Comp. acte de disposition, inaliénable, incessible, intransmissible

Angl. *inalienable, indisposable, undisposable*

☐ **2.** Qui ne peut être utilisé ou livré immédiatement.

Contr. disponible
Comp. indisponibilité
Angl. *indisposable, unavailable, undisposable*

Indissolubilité *n.f.*

☐ Caractère de ce qui est indissoluble.
Comp. dissolution, immutabilité, indissoluble
Angl. *indissolubility*

Indissoluble *adj.*

☐ Qui ne peut être dissous, dont on ne peut se dégager. Ex. Selon l'Église catholique, le mariage est indissoluble.
Comp. indissolubilité
Angl. *indissoluble*

Individualisation *n.f.*

☐ Adaptation de la sanction imposée à un individu à certains caractères de sa personnalité ou aux circonstances particulières de l'affaire à laquelle il a été partie. Ex. La loi permet une individualisation de la peine imposée à un jeune contrevenant.
Angl. *individualization*

Individuel, elle *adj.*

☐ **1.** Qui ne concerne qu'un individu.
Contr. collectif
Comp. acte unilatéral, contrat individuel
Angl. *individual*

☐ **2.** Qui est propre à un individu. Ex. Les libertés individuelles.
Contr. collectif
Comp. liberté
Angl. *individual*

Indivis, ise *adj.*

☐ **1.** Se dit d'un bien (ou d'un ensemble de biens) sur lequel plusieurs personnes ont un droit et qui n'est pas matériellement divisé ou partagé entre elles.
Contr. divis
Comp. indivision
Angl. *undivided*

☐ **2.** Se dit de personnes qui sont dans l'indivision. Ex. Les propriétaires indivis d'un immeuble.
Contr. divis
Comp. indivisaire, indivision
Angl. *undivided*

- **Indivis (par)** : Sans division, sans partage. Ex. Les propriétaires par indivis d'un immeuble.
  Syn. indivisément
  Angl. *in joint-tenancy, without partition*

Indivisaire *n.*

☐ Personne qui est propriétaire par indivis.
Comp. copartageant, indivis, indivision
Angl. *co-owner, tenant in common, undivided-co-owner, undivided owner*

Indivisément *adv.*

☐ Sans qu'il y ait division ou partage.
Syn. par indivis
Comp. indivis, indivision
Angl. *jointly*

Indivisibilité *n.f.*

☐ État du bien ou de l'acte qui ne peut être divisé en raison de sa nature, de la convention des parties ou des prescriptions de la loi. Ex. L'indivisibilité d'un patrimoine, l'indivisibilité d'un aveu.
Comp. aveu, obligation indivisible, indivisible, indivision
Angl. *indivisibility*

- **Indivisibilité active** : Indivisibilité qui existe entre les créanciers.
  Contr. indivisibilité passive
  Angl. *active indivisibility*

- **Indivisibilité conventionnelle** : Indivisibilité qui résulte de la convention des parties à un acte. Ex. L'indivisibilité du paiement d'une somme d'argent conformément à un contrat.
  Contr. indivisibilité naturelle
  Angl. *conventional indivisibility*

- **Indivisibilité naturelle** : Indivisibilité qui résulte de la nature de l'objet de l'obligation. Ex. L'obligation de livrer un animal vivant.
  Contr. indivisibilité conventionnelle
  Angl. *natural indivisibility*

- **Indivisibilité passive** : Indivisibilité qui existe entre les débiteurs.

Contr. indivisibilité active
Angl. *passive indivisibility*

Indivisible *adj.*

☐ Qui ne peut être divisé, qui ne peut faire l'objet d'une division. Ex. Une dette indivisible.

Contr. divisible
Comp. indivisibilité
Angl. *indivisible*

Indivision *n.f.*

☐ Situation juridique par laquelle plusieurs personnes possèdent un droit sur un bien (ou un ensemble de biens) sans que celui-ci soit matériellement divisé ou partagé entre elles.

Comp. copropriété, indivis, indivisaire, indivisibilité
Angl. *co-ownership, indivision, joint possession*

- **Indivision conventionnelle** : Indivision qui résulte de la convention des parties à un acte.

Comp. indivision légale
Angl. *conventional indivision, indivision by agreement*

- **Indivision forcée** : V. COPROPRIÉTÉ FORCÉE.

- **Indivision légale** : Indivision qui s'établit de plein droit dans les cas déterminés par la loi.

Comp. indivision conventionnelle
Angl. *indivision by operation of the law, legal indivision*

Indu, ue *adj.*

☐ Qui n'est pas dû.

Comp. dette
Angl. *undue*

Indu *n.m.*

☐ Ce qui n'est pas dû.

Comp. dette
Angl. *thing not due*

- **Indu (paiement de l')** : Paiement d'une somme d'argent à une personne dont on se croyait par erreur débiteur.

Rem. Il donne ouverture à l'action en répétition de l'indu.
Comp. action en répétition de l'indu
Angl. *payment of a thing not due*

Indust. L.J.

☐ Abrév. de *Industrial Law Journal.*

Industriel, elle *adj.*

☐ V. ACCESSION ARTIFICIELLE, FRUITS INDUSTRIELS.

Inédit, ite *adj.*

☐ Se dit d'une décision judiciaire qui n'a pas été éditée ou qui n'a pas encore été recensée.

Angl. *unpublished*

Ineffectivité *n.f.*

☐ **1.** Caractère d'une règle de droit qui n'est pas ou qui est peu appliquée.

Contr. effectivité
Angl. *ineffectiveness*

☐ **2.** Fait pour une décision de justice de ne pouvoir être exécutée. Ex. L'ineffectivité au Québec d'un jugement étranger qui n'y a pas fait l'objet d'une reconnaissance.

Contr. effectivité
Angl. *ineffectiveness*

Inefficacité *n.f.*

☐ Caractère d'une règle de droit qui ne produit pas l'effet recherché par le législateur, qui n'est pas appliquée réellement.

Contr. effectivité
Angl. *ineffectiveness, inefficiency*

Inéligibilité *n.f.*

☐ État d'une personne qui ne remplit pas les conditions prescrites par la loi pour être élue.

Contr. éligibilité
Comp. élection, inéligible
Angl. *ineligibility*

Inéligible *adj.*

☐ Qui ne remplit pas les conditions prescrites par la loi pour être élu.

Contr. éligible
Comp. inéligibilité
Angl. *ineligible*

Inexcusable *adj.*

☐ Se dit d'une faute ou d'une erreur grossière particulièrement grave qui ne peut trouver aucune justification.

Comp. faute lourde
Angl. *inexcusable*

Inexécuté, ée *adj.*

☐ Qui n'a pas fait l'objet d'une exécution.

Comp. inexécution, inexécutoire
Angl. *not carried out, unexecuted, unfulfilled, unperformed*

Inexécution *n.f.*

☐ Défaut d'exécution. Ex. L'inexécution d'un contrat.

Rem. Elle peut être totale ou partielle. De plus, elle peut résulter d'un acte du débiteur ou d'une omission de sa part ou provenir d'une cause étrangère qui ne peut lui être imputée.
Contr. exécution
Comp. inexécuté, inexécutoire
Angl. *inexecution, non-fulfilment, non-performance, nonperformance*

Inexécutoire *adj.*

☐ Qui ne peut faire l'objet d'une exécution. Ex. Un jugement inexécutoire.

Contr. exécutoire
Comp. inexécution, inexécuté
Angl. *unenforceable*

Inexigibilité *n.f.*

☐ Caractère de ce qui ne peut être exigé.

Contr. exigibilité
Comp. inexigible
Angl. *non-exigibility*

Inexigible *adj.*

☐ Qui ne peut être exigé.

Contr. exigible
Comp. inexigibilité
Angl. *inexigible*

Inexistant, ante *adj.*

☐ Qui n'existe pas.

Comp. inexistence
Angl. *non-existent*

Inexistence *n.f.*

☐ Défaut d'existence d'un acte juridique résultant de l'absence d'un élément essentiel à sa formation. Ex. L'inexistence d'un contrat en l'absence du consentement de l'une des parties.

Comp. inexistant, nullité absolue
Angl. *non-existence*

In extenso

☐ Locution latine signifiant « au long », « dans toute son étendue ». Se dit d'un acte juridique ou d'un texte qui est reproduit intégralement.

Comp. extrait

In extremis

☐ Locution latine signifiant « dans les derniers moments », « à l'article de la mort ». Ex. Faire un testament *in extremis*.

Comp. *in articulo mortis*

Inf.

☐ Abrév. de **1.** infirmant ; **2.** infirmé.

In facie

☐ Locution latine signifiant « en face », « en présence de ». En matière d'outrage au tribunal, locution qui désigne un outrage commis en présence du tribunal. Ex. Le témoin qui refuse d'obéir à un ordre du juge d'audience commet un outrage au tribunal *in facie*.

Contr. *ex facie*
Comp. outrage au tribunal

Infans

☐ Terme latin employé parfois pour désigner un enfant en bas âge qui n'a pas encore atteint l'âge de raison.

Comp. enfant

Infans conceptus pro nato habetur quoties de commodis ejus agitur

☐ Maxime latine signifiant « l'enfant conçu est considéré comme né chaque fois qu'il y va de son intérêt ». Ex. L'enfant conçu mais qui n'est pas encore né peut hériter à la condition qu'il naisse viable.

Infanticide *n.m.*

☐ Fait pour une mère de tuer, par un acte ou une omission volontaire, son enfant nouveau-né.

Rem. Selon l'art. 233 du *Code criminel* (L.R.C. 1985, c. C-46), il y a infanticide si la mère, lorsqu'elle a commis l'acte criminel, souffrait d'un déséquilibre de l'esprit causé à la naissance de l'enfant ou par la lactation consécutive à cette naissance.

Comp. meurtre

Angl. *infanticide*

Inférence *n.f.*

☐ V. PRÉSOMPTION.

In fine

☐ Locution latine signifiant « à la fin ». Dans une référence, désigne les dernières lignes du texte cité.

Infirmatif, ive *adj.*

☐ Qui infirme, qui annule. Ex. Un arrêt infirmatif d'un jugement de première instance.

Contr. confirmatif

Comp. information, infirmer

Angl. *invalidating, quashing*

Infirmation *n.f.*

☐ Réformation ou annulation totale ou partielle d'une décision de justice par une juridiction supérieure. Ex. L'infirmation par la Cour d'appel d'un jugement de la Cour supérieure.

Contr. confirmation

Comp. infirmatif, infirmer, réformation

Angl. *invalidation, quashing*

Infirmer *v.tr.*

☐ Réformer ou annuler totalement ou partiellement une décision d'une juridiction inférieure. Ex. Infirmer un jugement de première instance.

Contr. confirmer

Comp. infirmatif, infirmation

Angl. *to invalidate, to quash*

In forma pauperis

☐ Locution latine signifiant « dans la forme du pauvre », « à la manière du pauvre ». Se disait autrefois de la permission accordée par un juge à une personne économiquement défavorisée de faire valoir ses droits devant les tribunaux sans être tenue d'acquitter certains honoraires et déboursés.

Rem. Les procédures *in forma pauperis* ont disparu du *Code de procédure civile* en 1966 et sont maintenant remplacées par un régime d'aide juridique.

Information (théorie de l')

☐ V. RÉCEPTION (THÉORIE DE LA).

Infra

☐ Terme latin signifiant « au-dessous », « plus bas », « ci-après ». Sert à renvoyer à un passage qui se trouve plus loin dans un même texte.

Contr. *supra*

Infraction *n.f.*

☐ Comportement prohibé par le législateur parce qu'il porte atteinte à l'ordre et au bien-être dans la société. L'infraction engage la responsabilité pénale de son auteur en ce qu'elle est dirigée contre l'État ou la société en général.

Rem. **1.** Selon l'art. 34(1) de la *Loi d'interprétation* (L.R.C. 1985, c. I-21), lorsqu'un texte crée une infraction, celle-ci est réputée un acte criminel si le texte prévoit que le contrevenant peut être poursuivi par mise en accusation ; cependant, en l'absence d'indication sur la nature de l'infraction, celle-ci est alors réputée punissable sur déclaration de culpabilité par procédure sommaire. Enfin, s'il est prévu que l'infraction est punissable sur déclaration de culpabilité soit par mise en accusation soit par procédure sommaire, la personne déclarée coupable de l'infraction n'est pas censée avoir été condamnée pour un acte criminel. **2.** Pour qu'il y ait infraction, deux éléments doivent généralement exister ensemble, au même moment, et être prouvés par le poursuivant hors de tout doute raisonnable. Ce sont l'élément matériel (*actus reus*) et l'élément mental (*mens rea*). Lorsqu'il y a crime, infraction criminelle ou infraction de *mens rea*, la preuve de l'élément mental est requise ; par contre, dans le cas d'infractions réglementaires, elle n'est généralement pas exigée.

Comp. acte criminel, *actus reus*, crime, délinquant, *mens rea*

Angl. *offence*

- **Infraction continue :** Infraction de droit pénal qui a une continuité dans le temps, qui se poursuit sur plusieurs journées ou parties de journées.

Rem. En droit pénal québécois, on calcule une infraction distincte pour chaque jour de contravention avec sanction pour chaque jour. Il s'agit d'une exception au principe de l'interdiction de condamnations multiples.

Comp. droit pénal, infraction

Angl. *continuing offence*

- **Infraction contre le bien-être public :** V. INFRACTION RÉGLEMENTAIRE.

- **Infraction criminelle :** Infraction grave créée par le législateur fédéral pour sanctionner les comportements qui portent atteinte aux valeurs fondamentales de la société. Elle exige la preuve d'un état d'esprit coupable (*mens rea*) chez la personne accusée ; elle se reconnaît surtout à sa procédure de poursuite, la mise en accusation, et à la sévérité de la peine.

Rem. Ces termes entrent dans la classification des infractions selon leur provenance (fédérale ou provinciale).

Contr. infraction réglementaire

Comp. acte criminel, crime

Angl. *criminal offence*

- **Infraction de *mens rea* :** Infraction généralement criminelle qui exige la preuve de l'état d'esprit coupable chez la personne accusée.

Rem. 1. Lorsqu'elle est créée par le législateur provincial, elle ne constitue pas une infraction criminelle mais elle est soumise à une procédure criminelle. 2. Ces termes entrent dans la classification des infractions selon leur élément mental, c'est-à-dire l'état d'esprit coupable ou *mens rea*.

Contr. infraction de responsabilité absolue, infraction de responsabilité stricte

Comp. infraction criminelle, infraction réglementaire, *mens rea*

Angl. *offence of mens rea*

- **Infraction de responsabilité absolue :** Infraction réglementaire exceptionnelle qui n'exige pas la preuve d'un état d'esprit coupable mais qui donne lieu à une condamnation dès que la preuve de l'élément matériel de l'infraction est établie. Elle doit être prévue clairement par le législateur puisque la personne accusée ne peut se disculper.

Rem. Ces termes entrent dans la classification des infractions selon leur élément mental, soit l'état d'esprit coupable ou *mens rea*.

Contr. infraction de *mens rea*

Comp. infraction de responsabilité stricte, infraction réglementaire

Angl. *absolute liability offence, offence of absolute liability*

- **Infraction de responsabilité stricte :** Infraction réglementaire qui n'exige pas la preuve d'un état d'esprit coupable mais qui donne lieu à une condamnation dès que la preuve de l'élément matériel de l'infraction est établie, à moins que la personne accusée ne prouve qu'elle a pris toutes les précautions nécessaires, notamment la diligence raisonnable, ou qu'il existe une erreur de fait raisonnable.

Rem. Ces termes entrent dans la classification des infractions selon leur élément mental, c'est-à-dire l'état d'esprit coupable ou *mens rea*.

Contr. infraction de *mens rea*

Comp. infraction de responsabilité absolue, infraction réglementaire

Angl. *offence of strict liability, strict liability offence*

- **Infraction d'intention générale :** V. INTENTION GÉNÉRALE.

- **Infraction d'intention spécifique :** V. INTENTION SPÉCIFIQUE.

- **Infraction hybride :** V. INFRACTION MIXTE.

- **Infraction incluse :** Infraction qui est comprise dans une autre plus grave.

Rem. Si la personne accusée est acquittée de l'infraction la plus grave, elle peut cependant être condamnée pour l'infraction incluse.
Comp. infraction
Angl. *included offence*

- **Infraction mixte :** Infraction pour laquelle l'État a le choix de poursuivre par voie de mise en accusation (acte criminel) ou par voie de déclaration sommaire de culpabilité (infraction sommaire). Elle est présumée constituer un acte criminel à moins que l'État n'effectue un choix contraire. Lorsque celui-ci a été effectué, elle cesse d'être mixte et devient, selon le cas, un acte criminel ou une infraction sommaire. Un ensemble de circonstances, notamment le sérieux de l'infraction et le passé pénal de la personne accusée, détermine le choix du mode de poursuite.

Rem. Ces termes entrent dans la classification des infractions selon leur mode de poursuite, aussi appelée qualification procédurale des infractions.
Syn. infraction hybride
Comp. acte criminel, infraction sommaire
Angl. *hybrid offence*

- **Infraction punissable par voie de déclaration sommaire de culpabilité :** V. INFRACTION SOMMAIRE.

- **Infraction réglementaire :** Infraction créée par le législateur fédéral ou provincial en vue de promouvoir l'intérêt public et le bien-être de la société. Elle réglemente les modalités d'exercice de certaines activités (ex. la conduite automobile, la consommation de boissons alcooliques). Cette infraction, qui n'exige généralement pas la preuve d'un état d'esprit coupable (*mens rea*) chez la personne accusée, se reconnaît surtout à sa procédure de poursuite (déclaration sommaire de culpabilité) et à sa peine moins élevée que pour une infraction criminelle.

Rem. **1.** Toutes les infractions de droit pénal provincial sont des infractions réglementaires. **2.** Les infractions réglementaires se divisent en infractions de responsabilité stricte et en infractions de responsabilité absolue. **3.** Ces termes entrent dans la classification des infractions selon leur provenance (fédérale ou provinciale).
Syn. infraction contre le bien-être public, infraction statutaire
Contr. infraction criminelle
Comp. infraction de responsabilité absolue, infraction de responsabilité stricte, infraction sommaire
Angl. *offence of a regulatory nature, regulatory offence*

- **Infraction séditieuse :** Infraction relative à la sédition.

Comp. conspiration séditieuse, intention séditieuse, libelle séditieux, paroles séditieuses, sédition
Angl. *seditious offence*

- **Infraction sommaire :** Infraction qui n'est pas un acte criminel et pour laquelle une personne est poursuivie par voie de déclaration sommaire de culpabilité. Étant d'une gravité moindre que l'acte criminel, elle est soumise à un régime procédural plus simple, se prescrit par un délai très court et est punie moins sévèrement.

Rem. Ces termes entrent dans la classification des infractions selon leur mode de poursuite, aussi appelée qualification procédurale des infractions.
Syn. infraction punissable par voie de déclaration sommaire de culpabilité
Contr. acte criminel
Comp. infraction mixte
Angl. *summary offence*

- **Infraction statutaire :** V. INFRACTION RÉGLEMENTAIRE.

Infra petita

□ Locution latine signifiant « en deçà de ce qui a été demandé ». Se dit de la décision du juge qui ne prononce pas sur toutes les conclusions de la demande.

Rem. Cette omission peut donner ouverture à la rétractation de jugement.
Contr. *ultra petita*
Comp. conclusion, rétractation de jugement

In futuro

□ V. *IN FUTURUM.*

In futurum

□ Locution latine signifiant « pour l'avenir ».

Syn. *in futuro*

Ingratitude *n.f.*

□ Manque de reconnaissance du donataire ou du légataire à l'égard de celui qui l'a gratifié et qui emporte la révocation de la donation ou du legs dans les cas prévus par la loi. Ex. L'attentat à la vie et les sévices constituent des cas d'ingratitude.

Comp. indignité successorale
Angl. *ingratitude, ungratefulness*

Inhabile *adj.*

□ Qui n'a pas la capacité juridique.

Syn. incapable
Contr. habile
Angl. *incapable*

Inhabilité *n.f.*

□ État d'une personne privée par la loi ou par une décision judiciaire de l'exercice de certains droits.

Syn. incapacité
Angl. *incapacity*

Inhumation *n.f.*

□ Action d'enterrer une personne décédée selon les cérémonies d'usage.

Angl. *burial, inhumation*

Initié, ée *n.*

□ Personne qui joue un rôle important dans une compagnie ou une société par actions en raison du poste qu'elle y occupe ou du pourcentage d'actions qu'elle y détient.

Rem. La loi considère généralement comme initiés les administrateurs ou dirigeants de la compagnie ou de la société par actions ainsi que toute personne détenant un certain pourcentage d'actions comportant un droit de vote ou un droit de participer sans limite aux bénéfices ou au partage en cas de liquidation. Les initiés doivent faire rapport de leurs transactions d'actions ou de titres ; de plus, certains types de transactions leur sont interdits.
Angl. *insider*

Injonction *n.f.*

□ **1.** Ordonnance d'un juge enjoignant à une personne physique ou morale de ne pas faire, de cesser de faire ou d'accomplir un acte ou une opération déterminés, sous peine d'outrage au tribunal. Ex. Une injonction interdisant à des employés en grève de faire du piquetage devant les locaux de leur entreprise.

Rem. Elle peut s'adresser, non seulement à la personne elle-même, mais également à ses dirigeants, représentants ou employés.
Comp. outrage au tribunal
Angl. *injunction*

• **Injonction intérimaire** : V. INJONCTION INTERLOCUTOIRE SANS AVIS.

• **Injonction interlocutoire** : Injonction accordée par le juge normalement en début de procès et après audition des parties impliquées, pour une période déterminée ou, plus généralement, jusqu'à la prononciation du jugement final sur la demande principale. Ex. Dans une action visant à obtenir une injonction permanente interdisant la vente d'un produit fabriqué illégalement, l'ordonnance d'injonction interlocutoire pourra en prohiber la fabrication pendant toute la durée du procès.

Rem. L'injonction interlocutoire est accordée lorsque celui qui la demande paraît y avoir droit et qu'elle est jugée nécessaire pour empêcher que ne lui soit causé un préjudice sérieux ou irréparable, ou que ne soit créé un état de fait ou de droit de nature à rendre le jugement final inefficace.
Comp. injonction interlocutoire sans avis, injonction permanente
Angl. *interlocutory injunction*

• **Injonction interlocutoire sans avis** : Injonction interlocutoire émise par le juge, en cas d'extrême urgence, sans que la personne à qui elle s'adresse ait pu présenter ses moyens de contestation. Ex. L'injonction prononcée contre la personne qui s'apprête à démolir un édifice.

Rem. Cette injonction est accordée pour un temps très limité (maximum dix jours, selon le *Code de procédure civile*), vu l'entorse à la règle *audi alteram partem.*
Syn. injonction intérimaire, injonction provisoire
Comp. *audi alteram partem*, injonction interlocutoire, injonction permanente
Angl. *provisional injunction*

- **Injonction mandatoire** : Injonction qui ordonne d'accomplir un acte ou une opération déterminés. Ex. L'injonction qui ordonne à l'Hydro-Québec de fournir l'électricité à l'un de ses usagers.

  Rem. Le mot « mandatoire » est utilisé au Québec parce qu'on l'apparente au mot « *mandamus* » dont l'objet est semblable.

  Comp. injonction prohibitive, *mandamus*

  Angl. *mandatory injunction*

- **Injonction permanente** : Injonction qui, ayant fait l'objet d'une demande principale, est prononcée par le jugement final. Ex. L'injonction qui ordonne la démolition d'un édifice construit en contravention d'un règlement municipal.

  Comp. injonction interlocutoire, injonction interlocutoire sans avis, jugement final

  Angl. *permanent injunction*

- **Injonction prohibitive** : Injonction qui ordonne de ne pas faire ou de cesser de faire quelque chose. Ex. L'injonction qui interdit à quelqu'un de construire un édifice.

  Comp. injonction mandatoire

  Angl. *prohibitory injunction*

- **Injonction provisoire** : V. INJONCTION INTERLOCUTOIRE SANS AVIS.

☐ **2.** Lors d'un procès, tout ordre donné par un juge dans l'exercice normal de sa compétence. Ex. L'injonction du juge enjoignant à un témoin de produire un document ou lui interdisant de communiquer avec un autre témoin.

Angl. *order*

Injure *n.f.*

☐ Paroles ou gestes offensants envers une personne.

Rem. L'injure grave était autrefois considérée comme une cause spécifique de séparation de corps. Selon le *Code civil du Bas-Canada*, l'injure grave constitue une marque d'ingratitude de la part du donataire, donnant ainsi ouverture à la révocation d'une donation.

Comp. cruauté mentale, donation, ingratitude

Angl. *grievous injury, grievous insult, injury, insult*

In limine litis

☐ Locution latine signifiant « au début du litige », « au seuil du procès ». Ex. Certains moyens préliminaires doivent être soulevés *in limine litis*, c'est-à-dire avant la contestation du bien-fondé de la demande.

In loco parentis

☐ Locution latine signifiant « en lieu et place d'un parent ». Se dit d'une situation au cours de laquelle une personne se voit conférer les attributs de l'autorité parentale. Ex. Les instituteurs agissent *in loco parentis* pendant les heures de classe.

Innavigabilité *n.f.*

☐ **1.** Caractère d'un cours d'eau qui n'est pas navigable.

Contr. navigabilité

Comp. innavigable

Angl. *innavigability*

☐ **2.** État d'un navire qui ne peut prendre la mer.

Contr. navigabilité

Comp. innavigable

Angl. *innavigability*

Innavigable *adj.*

☐ **1.** Qui n'est pas navigable. Ex. Une rivière innavigable.

Contr. navigable

Comp. innavigabilité

Angl. *innavigable*

☐ **2.** Qui n'est pas en état de prendre la mer, qui est impropre à la navigation.

Contr. navigable

Comp. innavigabilité

Angl. *innavigable*

☐ **3.** Qui n'est pas en état de naviguer.

Contr. navigable

Comp. innavigabilité

Angl. *unseaworthy*

Innocence *n.f.*

☐ État d'une personne qui n'est pas coupable de l'infraction qu'on lui reproche.

Contr. culpabilité

Comp. présomption d'innocence
Angl. *innocence*

Innommé, ée *adj.*

☐ V. CONTRAT INNOMMÉ.

Inopérant, ante *adj.*

☐ Qui ne produit aucun effet. Ex. Une loi inopérante.

Angl. *ineffective, inoperative*

Inopposabilité *n.f.*

☐ Caractère d'un droit ou d'un moyen de défense qui ne peut être invoqué à l'encontre d'une personne. Ex. L'inopposabilité d'un jugement aux tiers qui n'étaient pas parties à l'instance.

Contr. opposabilité
Comp. inopposable
Angl. *inopposability*

Inopposable *adj.*

☐ Qui ne peut être opposé, qui ne peut être invoqué à l'encontre d'une personne. Ex. Un jugement est inopposable aux tiers qui n'étaient pas parties à l'instance.

Contr. opposable
Comp. inopposabilité
Angl. *inopposable*

In personam

☐ V. JUS IN PERSONAM.

Inquisitoire *adj.*

☐ Se dit d'un système de procédure en vertu duquel le juge dirige le procès et exerce un rôle prépondérant dans la recherche des faits et des éléments de preuve.

Contr. accusatoire
Angl. *inquisitorial*

In re

☐ Locution latine signifiant « dans la chose », « dans l'affaire de ». Elle sert parfois à désigner les parties à un procès, notamment en matière de faillite et de succession ou dans les litiges dans lesquels il n'y a pas de partie adverse. Elle sert également à désigner l'objet d'une lettre, d'un message, etc.

Rem. Les arrêtistes tendent à remplacer cette locution, dans les rapports judiciaires, par les mots « Dans l'affaire de ». Dans les lettres et messages, on écrit maintenant « objet » plutôt que *in re*.
Comp. *jus in re*

In rem

☐ Locution latine signifiant « dans la chose ». Se dit d'un droit qui se rattache à un bien, qui s'exerce sur un bien. Ex. Le droit de propriété. Se dit également d'une action dirigée contre un bien en particulier. Ex. L'action en revendication d'une automobile.

Comp. personnel, réel

Ins.

☐ Abrév. de *Insurance*.

Insaisissabilité *n.f.*

☐ Caractère d'un bien qui ne peut faire l'objet d'une saisie. Ex. L'insaisissabilité des instruments nécessaires à l'exercice d'une profession.

Contr. saisissabilité
Comp. insaisissables, saisie
Angl. *exemption from seizure, non-seizability, unseizability*

Insaisissable *adj.*

☐ Qui ne peut faire l'objet d'une saisie. Ex. La loi déclare insaisissables certains biens appartenant au débiteur. (ex. les objets indispensables à sa vie et à celle de sa famille).

Contr. saisissable
Comp. insaisissabilité, saisie
Angl. *exempt from seizure, non-seizable, unseizable*

Insalubre *adj.*

☐ Se dit d'un lieu qui constitue une menace pour la santé de ses occupants ou du public. Ex. Un logement insalubre.

Angl. *insalubrious, unhealthy*

Insanité *n.f.*

☐ V. ALIÉNATION MENTALE.

Inscription *n.f.*

☐ **1.** Mention faite sur un document, un registre. Ex. L'inscription d'une hypothèque dans l'index des immeubles.
Angl. *entry, registration*

☐ **2.** Nom donné à certains actes de procédure.
Angl. *inscription*

• **Inscription au rôle :** V. INSCRIPTION POUR ENQUÊTE ET AUDITION.

• **Inscription de faux incident :** V. FAUX INCIDENT (INSCRIPTION DE).

• **Inscription pour enquête et audition :** Dans un procès civil, acte de procédure par lequel une partie informe le tribunal que la contestation est liée, relativement à la procédure écrite, et que les parties sont prêtes à procéder à l'instruction de la cause devant un juge.
Syn. inscription au rôle
Comp. contestation liée, enquête, instruction, mise au rôle, rôle
Angl. *inscription for proof and hearing*

Inscrire (s') en faux

☐ V. FAUX (S'INSCRIRE EN).

In se

☐ Locution latine signifiant « en soi », «en luimême».
Comp. *per se*

In solidum

☐ V. OBLIGATION *IN SOLIDUM*, SOLIDARITÉ.

Insolvabilité *n.f.*

☐ **1.** État d'une personne dont le passif patrimonial excède l'actif.
Contr. solvabilité
Comp. déconfiture, faillite, insolvable
Angl. *insolvency*

☐ **2.** État d'une personne incapable d'acquitter ses obligations au fur et à mesure de leur échéance ou qui a cessé d'effectuer ses paiements dans le cours ordinaire de ses affaires.
Contr. solvabilité
Comp. action paulienne, concours, déconfiture, faillite, insolvable
Angl. *insolvency*

Insolvable *adj et n.*

☐ **1.** Se dit d'une personne dont le passif patrimonial excède l'actif.
Contr. solvable
Comp. failli, insolvabilité
Angl. *insolvent*

☐ **2.** Se dit d'une personne incapable d'acquitter ses obligations au fur et à mesure de leur échéance ou qui a cessé d'effectuer ses paiements dans le cours ordinaire de ses affaires.
Contr. solvable
Comp. failli, insolvabilité
Angl. *insolvent*

Insouciance *n.f.*

☐ En matière criminelle, forme de *mens rea* qui se distingue de l'intention proprement dite et suivant laquelle l'auteur d'un acte, bien que conscient de l'effet prévisible ou problable de son comportement, décide de le commettre sans se soucier des conséquences néfastes qu'il entraîne.
Comp. intention, négligence
Angl. *recklessness*

Instance *n.f.*

☐ **1.** Période de temps qui sépare le début d'un procès du jour où il prend fin avec le jugement final ou avec toute autre décision visant à y mettre fin (ex. désistement, péremption).
Syn. procès
Angl. *suit*

☐ **2.** Ensemble des différentes étapes d'un procès, de l'introduction de la demande jusqu'au jugement final ou à toute autre décision qui y met fin.
Angl. *legal proceedings, suit*

☐ **3.** Situation juridique de nature procédurale

qui existe entre les parties à un procès depuis le jour où la demande principale a été signifiée à la partie défenderesse jusqu'au jour où le jugement final sera prononcé ou que sera prise une décision visant à y mettre fin.

Rem. À cet égard, la doctrine emploie généralement l'expression « lien juridique d'instance ».

Angl. *legal proceedings, suit*

☐ **4.** Degré de juridiction. Ex. On qualifie de première instance celle qui se déroule devant le premier degré de juridiction.

Comp. juridiction

Angl. *instance*

Instantané, ée *adj.*

☐ V. CONTRAT À EXÉCUTION INSTANTANÉE.

Instanter

☐ Terme latin signifiant « sur-le-champ », « séance tenante ». Ex. Un jugement prononcé *instanter.*

Instituant, ante *n.*

☐ Personne qui, dans une donation à cause de mort ou dans un testament, effectue la donation.

Contr. institué

Comp. donateur, institution d'héritier, testament

Angl. *appointor*

Institué, ée *n.*

☐ Personne qui, dans une donation à cause de mort ou dans un testament, est désignée comme héritier.

Contr. instituant

Comp. donataire, grevé, héritier, institution d'héritier, testament

Angl. *appointee*

Instituer *v.tr.*

☐ **1.** Créer, établir de manière durable. Ex. Instituer un tribunal, un organisme.

Angl. *to establish, to institute*

☐ **2.** Désigner comme héritier dans un testament ou un contrat de mariage.

Comp. institution contractuelle, institution d'héritier

Angl. *to appoint*

Institutes *n.f.pl.*

☐ Terme qui désigne les traités de droit rédigés par les jurisconsultes romains. Ex. Les Institutes de Justinien.

Angl. *Institutes*

Institution *n.f.*

☐ **1.** Structures politiques et sociales d'une collectivité telles qu'établies par les lois fondamentales, les usages ou les coutumes. Ex. Les institutions politiques du Canada, les institutions religieuses.

Angl. *institution*

☐ **2.** Ensemble des mécanismes et structures juridiques encadrant la conduite des individus au sein d'une collectivité. Ex. L'institution du mariage.

Angl. *legal institution*

☐ **3.** Groupement de personnes organisées en vue de réaliser une fin supérieure sous le contrôle d'une autorité. Ex. L'institution de l'État canadien.

Angl. *institution*

☐ **4.** Action de désigner comme héritier dans un testament ou un contrat de mariage.

Angl. *appointment*

• **Institution contractuelle** : Donation par contrat de mariage qui prendra effet lors du décès du donateur et par laquelle une personne dispose en totalité ou en partie de sa succession en faveur des conjoints (ou de l'un d'eux) ou des enfants à naître de leur mariage.

Rem. Elle peut être universelle, à titre universel ou à titre particulier. Elle peut être constituée de biens présents et de biens à venir. La donation peut être faite par tout parent des futurs époux, par l'un des époux et même par des étrangers. Elle est irrévocable mais le contrat de mariage peut réserver au donateur le droit de faire un testament qui en modifiera les modalités.

Comp. donation, institution d'héritier

Angl. *conventional appointment of heir*

• **Institution d'héritier** : Disposition testamentaire par laquelle le testateur confère la qualité d'héritier à une personne qu'il désigne.

Rem. L'institution contractuelle est une institution d'héritier par contrat de mariage.
Comp. institution contractuelle
Angl. *appointment of heir*

Instruction *n.f.*

☐ **1.** Phase d'un procès au cours de laquelle les parties font devant le tribunal la preuve de leurs prétentions.
Syn. audition, enquête
Comp. contestation liée, instruire
Angl. *trial*

☐ **2.** Recommandation adressée à un fonctionnaire ou à une autorité administrative, qui peut prendre la forme d'une suggestion, d'un avertissement, d'un ordre ou d'une directive.
Rem. Cette recommandation provient généralement d'une autorité de tutelle. Ex. Les instructions de l'Office des professions du Québec aux différentes corporations professionnelles en vue d'assurer la meilleure formation de leurs membres.
Comp. directive
Angl. *directive, instruction*

Instruire *v.tr.*

☐ **1.** Procéder à l'instruction. Ex. Instruire un procès.
Comp. instruction
Angl. *to hear (a case), to try*

☐ **2.** Donner des instructions. Ex. Instruire le jury, lui donner des directives sur le droit applicable compte tenu de la preuve qui lui a été soumise.
Comp. instruction
Angl. *to instruct*

Instrumentaire *adj.*

☐ Qui constate ou qui a été dressé en vue de constater un acte juridique ; qui se rapporte à la confection d'un tel acte.
Comp. écrit instrumentaire
Angl. *instrumental, instrumentary*

Instrumentant, ante *adj.*

☐ Qui dresse ou reçoit un acte, qui effectue une opération. Ex. Le notaire instrumentant.
Comp. instrumenter
Angl. *instrumenting*

Instrumenter *v. intr.*

☐ Dresser ou recevoir un acte, effectuer une opération.
Comp. instrumentant
Angl. *to draw up, to instrument*

Instrumentum

☐ Terme latin signifiant « document », « pièce » que l'on utilise pour désigner, dans un acte juridique, l'écrit qui le constate.
Syn. écrit instrumentaire
Comp. *negotium*

Intégrité *n.f.*

☐ **1.** État d'une chose qui est intacte, à laquelle rien ne manque. Ex. L'intégrité du territoire canadien.
Angl. *integrity*

☐ **2.** État d'une personne d'une extrême probité. Ex. L'intégrité d'un juge.
Comp. corruption
Angl. *honesty, integrity, uprightness*

Intellectuel, elle *adj.*

☐ V. PROPRIÉTÉ INTELLECTUELLE.

Intenter *v.tr.*

☐ Entreprendre des poursuites judiciaires contre quelqu'un. Ex. Intenter une action contre quelqu'un.
Syn. ester (en justice)
Comp. action
Angl. *to bring an action, to institute proceedings, to sue*

Intention *n.f.*

☐ **1.** But poursuivi, volonté. Ex. L'intention des parties à un contrat, l'intention du législateur.
Comp. consentement
Angl. *intention*

- **Intention libérale** : Volonté de procurer un avantage à autrui sans exiger de sa part une contrepartie.
Syn. *animus donandi*
Comp. acte à titre gratuit, libéralité
Angl. *donative intention, liberal intention*

☐ **2.** En matière criminelle, état d'esprit qui se traduit par la volonté libre et consciente de poser un acte et qui fait présumer que son auteur en a recherché les conséquences raisonnables et probables.

Comp. insouciance, *mens rea*, négligence
Angl. *intent*

- **Intention générale** : Intention requise pour toute infraction criminelle. Elle se caractérise par la seule exigence que l'accusé ait agi volontairement, en sachant ce qu'il faisait, sa conduite n'étant pas le produit d'un accident ou d'une erreur.

Rem. Il n'est alors pas nécessaire de prouver que l'accusé avait l'intention de causer le mal précis qui a résulté de l'acte qu'il a commis. L'utilisation des mots « volontairement », « sciemment », ou « de propos délibéré » dans une loi criminelle indiquent que l'on est en présence d'une infraction d'intention générale.
Comp. insouciance, intention spécifique, *mens rea*
Angl. *general intent*

- **Intention séditieuse :** Volonté de prôner la sédition.

Rem. Selon l'art. 59 du *Code criminel*, est présumée avoir une intention séditieuse la personne qui enseigne ou préconise l'usage, sans l'autorité des lois, de la force comme moyen d'opérer un changement de gouvernement au Canada, ou qui publie ou fait circuler un écrit dans ce même but.
Comp. sédition
Angl. *seditious intention*

- **Intention spécifique** : Intention particulière requise pour certaines infractions criminelles. Elle se caractérise par l'exigence d'une preuve que l'accusé ait recherché un objectif précis lorsqu'il a commis l'infraction. Ex. L'usage d'une arme à feu dans le but de commettre un vol constitue une infraction d'intention spécifique.

Rem. L'utilisation des mots « aux fins de » ou « dans l'intention de » dans une loi criminelle indique que l'on est en présence d'une infraction d'intention spécifique.
Comp. insouciance, intention générale, *mens rea*
Angl. *specific intent*

Intentionnel, elle *adj.*

☐ V. FAUTE INTENTIONNELLE.

Inter alia

☐ Locution latine signifiant « entre autres choses » qui précède généralement une énumération qui n'est pas exhaustive.

Interdépendance *n.f.*

☐ Dépendance réciproque dans laquelle se trouvent deux personnes ou deux États. Ex. L'interdépendance des États-Unis et du Canada.

Contr. indépendance
Angl. *interdependence*

Interdiction *n.f.*

☐ **1.** Défense, prohibition. Ex. L'interdiction d'aliéner un bien.

Angl. *ban, banning of, prohibition*

☐ **2.** Mesure juridique par laquelle un individu majeur est privé de la gestion de ses biens, parfois même de la libre disposition de sa personne, en raison de l'état de ses facultés mentales. Ex. L'interdiction d'une personne souffrant d'aliénation mentale.

Rem. Depuis 1990, les règles relatives à l'interdiction ont été remplacées pour être intégrées dans un nouveau régime de protection des personnes majeures.
Comp. conseiller au majeur, curatelle au majeur, interdire, interdit, régime de protection du majeur, tutelle au majeur
Angl. *interdiction*

Interdire *v.tr.*

☐ **1.** Défendre, prohiber.

Comp. interdiction
Angl. *to ban, to forbid*

☐ **2.** Prononcer l'interdiction de quelqu'un. Ex. Interdire une personne souffrant d'aliénation mentale.

Comp. interdiction
Angl. *to interdict*

Interdit, ite *adj. et n.*

☐ **1.(adj.)** Dont l'interdiction a été prononcée. Ex. Un majeur interdit.

Comp. interdiction, interdire
Angl. *banned, forbidden, interdicted, prohibited*

☐ **2.(n.)** Personne dont le tribunal a prononcé l'interdiction.

Rem. Depuis 1990, les règles relatives à l'interdiction ont été remplacées pour être intégrées dans un nouveau régime de protection des personnes majeures.

Comp. conseiller au majeur, interdiction, interdire

Angl. *interdicted person*

Intéressement *n.m.*

☐ Action de faire participer le personnel aux bénéfices d'une entreprise.

Rem. Cette rémunération s'ajoute au salaire qui leur est versé.

Angl. *profit sharing*

Intérêt *n.m.*

☐ **1.** Avantage pécuniaire ou moral que retirera la partie demanderesse du recours qu'elle exerce, si le juge le déclare fondé.

Rem. Il constitue l'une des conditions de recevabilité de toute demande en justice. Le *Code de procédure civile* exige de celui qui forme une demande en justice qu'il ait un intérêt suffisant, sans qualifier cette notion de façon plus précise ; la mesure de l'intérêt étant toujours une question d'espèce, le législateur a choisi d'exprimer la règle en termes qui laissent au tribunal le soin de le déterminer empiriquement.

Comp. capacité, qualité, recevabilité, *standing*

Angl. *interest*

- **Intérêt assurable** : V. INTÉRÊT D'ASSURANCE.

- **Intérêt d'assurance** : Intérêt qu'a le preneur de s'assurer contre un risque dont la réalisation pourrait lui causer un préjudice direct et immédiat.

Rem. En matière d'assurance de personnes, le preneur a intérêt à ce que la personne sur la tête de laquelle l'assurance est prise conserve sa santé ou son intégrité (ex. assurance-vie, assurance-maladie). En matière d'assurance de dommages, le preneur a intérêt à se prémunir contre les dommages qu'il pourrait subir à la suite de la perte ou de la détérioration du bien assuré (ex. assurance contre le feu ou le vol).

Syn. intérêt assurable

Comp. assurance

Angl. *insurable interest*

- **Intérêt public** : Ce qui concerne les intérêts vitaux de la société, ce qui est à l'avantage de l'ensemble des citoyens.

Comp. action d'intérêt public, utilité publique

Angl. *public interest*

☐ **2.** Somme d'argent versée en rémunération d'un prêt, généralement sur une base périodique, et correspondant à un certain pourcentage du capital emprunté.

Rem. L'art. 347(2) du *Code criminel* définit le mot « intérêt » comme suit : « L'ensemble des frais de tous genres, y compris les agios, commissions, pénalités et indemnités, qui sont payés ou payables à qui que ce soit par l'emprunteur ou pour son compte, en contrepartie du capital prêté ou à prêter ».

Comp. capital, taux d'intérêt, usure

Angl. *interest*

- **Intérêt (au taux) légal** : Intérêt dont le taux est déterminé par la loi et qui est applicable à défaut de convention.

Angl. *interest at the legal rate*

- **Intérêts composés :** Intérêts calculés sur un capital augmenté de ses intérêts accumulés.

Comp. anatocisme, emprunt, prêt

Angl. *compound interest*

Intérim *n.m.*

☐ Période de temps pendant laquelle une fonction ou une charge vacante est occupée provisoirement par une autre personne que le titulaire. Ex. Le directeur par intérim d'un contentieux gouvernemental.

Rem. Le terme latin *interim* signifie « pendant ce temps », « en attendant », « dans l'intervalle ».

Comp. intérimaire

Angl. *interim*

Intérimaire *adj.*

☐ **1.** Qui s'exerce par intérim, qui est relatif à un intérim.

Rem. Se dit notamment d'une personne qui occupe provisoirement une fonction ou une charge laissée vacante par son titulaire.

Comp. intérim, vacataire

Angl. *interim, temporary*

☐ **2.** Terme autrefois employé pour qualifier

une injonction interlocutoire sans avis.

Syn. injonction interlocutoire sans avis

Angl. *provisional*

Interjection d'appel

☐ Action d'interjeter appel d'une décision.

Comp. appel, interjeter appel

Angl. *lodging of an appeal*

Interjeter appel *v.tr.*

☐ Introduire, entreprendre l'appel d'une décision. Ex. Interjeter appel d'un jugement de première instance.

Comp. appel, interjection d'appel

Angl. *to appeal, to bring an appeal, to lodge an appeal*

Interligne *n.m.*

☐ Ce que l'on écrit dans l'espace qui existe entre deux lignes écrites ou imprimées. Ex. La *Loi sur le notariat* (L.R.Q., c. N-2) interdit les interlignes dans les actes notariés.

Angl. *interlineation, space between the lines*

Interlocutoire *adj.*

☐ Se dit d'un jugement rendu en cours d'instance, avant le jugement final qui dispose du fond du litige. Ex. Un jugement ordonnant au demandeur de fournir des précisions sur certaines allégations de sa déclaration ; un jugement qui autorise le défendeur à appeler un tiers en garantie.

Comp. définitif, final, jugement

Angl. *interlocutory*

Intermédiaire *n.*

☐ Personne qui fait profession de mettre en relation deux ou plusieurs personnes en vue de la conclusion d'une entente. Ex. Les courtiers et les conseillers en valeurs mobilières, les planificateurs financiers.

Rem. La *Loi sur les intermédiaires de marché* (L.R.Q., c. I-15.1) régit cette profession.

Comp. agent, courtier, facteur, médiateur

Angl. *intermediary*

International, ale, aux *adj.*

☐ **1.** Qui concerne les relations entre deux ou plusieurs États.

Angl. *international*

☐ **2.** Qui a lieu ou se fait entre deux ou plusieurs États. Ex. Une convention internationale.

Angl. *international*

☐ **3.** Qui concerne le droit de deux ou plusieurs États. Ex. Un contrat international.

Angl. *international*

☐ **4.** V. DROIT INTERNATIONAL PRIVÉ, DROIT INTERNATIONAL PUBLIC.

Interne *adj.*

☐ V. COMPÉTENCE INTERNE, DROIT INTERNE.

Internement *n.m.*

☐ **1.** Placement d'une personne dans un établissement de santé sur ordonnance d'un juge qui a prononcé son interdiction.

Rem. Depuis 1989, les règles relatives à l'interdiction ont été remplacées pour être intégrées dans un nouveau régime de protection des personnes majeures. On y utilise maintenant la notion de cure fermée plutôt que celle d'internement.

Comp. cure fermée, détention, emprisonnement

Angl. *confinement*

☐ **2.** En temps de guerre, assignation dans des camps de détention de personnes soupçonnées d'agir dans l'intérêt de l'ennemi, en particulier lorsqu'il s'agit de leur pays d'origine.

Angl. *internment*

Inter partes

☐ Locution latine signifiant « entre les parties ». Se dit d'un acte ou d'un jugement qui n'a d'effet qu'à l'égard des parties directement impliquées et qui n'affecte pas les tiers.

Contr. *erga omnes*

Interpellation *n.f.*

☐ **1.** Demande de convocation d'une commission parlementaire par un député qui désire interroger un ministre sur une question qui relève de sa compétence.

Comp. question

Angl. *hailing, interpellation, questioning*

☐ **2.** V. QUESTION ÉCRITE.

Interposition de personne

☐ Forme de simulation qui consiste à faire figurer dans un acte juridique le nom d'une personne alors que les parties à l'acte ont convenu, généralement par une contre-lettre, que le véritable contractant n'est pas celui dont le nom apparaît mais un tiers dont elles ne veulent pas divulguer l'identité.

Comp. contre-lettre, prête-nom, simulation
Angl. *interposition of person*

Interprétatif, ive *adj.*

☐ Qui sert à préciser le sens ou la portée d'un texte. Ex. Une loi interprétative.

Comp. interprète, interprétation
Angl. *interpretative*

- **Interprétative (loi) :** Loi qui vise à préciser le sens ou la portée d'une loi dont le texte est obscur ou ambigu.

Angl. *declaratory act, declaratory statute*

Interprétation *n.f.*

☐ **1.** Opération qui consiste à déterminer ou à préciser le sens et la portée d'un texte obscur ou ambigu. Ex. L'interprétation d'une loi, d'un jugement, d'un contrat.

Rem. Selon l'art. 12 *Code civil du Bas-Canada*, lorsqu'une loi présente du doute ou de l'ambiguïté, elle doit être interprétée de manière à lui faire remplir l'intention du législateur et atteindre l'objet pour lequel elle a été passée.
Comp. interprète, interprétatif
Angl. *construction, interpretation*

☐ **2.** Par extension, le résultat de cette opération.

Angl. *construction, interpretation*

- **Interprétation extensive :** V. INTERPRÉTATION LIBÉRALE.

- **Interprétation libérale** : Méthode d'interprétation en vertu de laquelle on donne à un texte un sens large afin de favoriser l'accomplissement du but apparemment poursuivi par son auteur.

Syn. interprétation extensive
Contr. interprétation littérale
Angl. *extensive interpretation, liberal interpretation*

- **Interprétation littérale** : Méthode d'interprétation en vertu de laquelle l'interprète accorde une importance prépondérante au texte tel que rédigé, excluant, lorsque la formule est claire, la considération de tout autre élément.

Rem. Selon cette méthode, on ne doit pas interpréter un texte clair ou chercher à lui donner un sens en tenant compte d'éléments extérieurs.
Contr. interprétation libérale
Angl. *literal construction, literal interpretation*

- **Interprétation restrictive** : V. INTERPRÉTATION STRICTE.

- **Interprétation stricte** : Méthode d'interprétation qui exclut de l'application d'un texte tout ce qui n'y est pas expressément prévu. Ex. En matière pénale, on doit interpréter strictement les textes de loi en ce sens qu'une personne ne peut être condamnée pour une infraction qui n'est pas expressément prévue par la loi.

Rem. On emploie parfois l'expression « interprétation de droit strict »
Syn. interprétation restrictive
Comp. droit strict (en)
Angl. *close interpretation, strict interpretation*

Interprète *n.*

☐ **1.** Personne qui détermine ou qui précise le sens ou la portée d'un texte obscur ou ambigu.

Comp. interprétatif, interprétation
Angl. *interpreter*

☐ **2.** Personne qui, grâce à la traduction orale, permet à deux personnes ne parlant pas la même langue de communiquer oralement entre elles.

Comp. interprétation
Angl. *interpreter*

Interrogation *n.f.*

☐ Action d'interroger, de poser des questions. Ex. Lors d'un interrogatoire, on procède à l'interrogation du témoin.

Comp. interrogatoire
Angl. *interrogation, questioning*

Interrogatoire *n.m.*

□ **1.** Ensemble des questions posées à un témoin lors de sa déposition.

Comp. interrogation

Angl. *examination, interrogatory*

• **Interrogatoire hors de cour** : Interrogatoire qui, du consentement des parties ou sur ordonnance du tribunal, a lieu dans un autre endroit qu'une salle d'audience, devant une personne autorisée à recevoir le serment. Ex. Dans les causes par défaut, les témoins peuvent être interrogés hors de cour.

Angl. *examination out of court*

• **Interrogatoire préalable** : Interrogatoire sous serment d'une personne avant l'instruction de la cause au cours duquel elle est appelée à répondre, devant le juge ou le greffier (ou une personne autorisée à recevoir les serments), à des questions portant sur les faits en litige.

Rem. Il a pour but de permettre à la partie qui interroge de constituer sa preuve ou d'obtenir des précisions sur les prétentions de son adversaire afin d'en apprécier le bien-fondé. On peut interroger de plein droit la partie adverse ou, avec la permission du tribunal et aux conditions qu'il détermine, toute autre personne. La partie qui a procédé à l'interrogatoire peut produire au dossier de la Cour l'ensemble ou des extraits de la déposition afin de s'en servir comme éléments de preuve lors de l'instruction.

Comp. instruction

Angl. *examination on discovery*

• **Interrogatoire sur faits et articles** : Procédure par laquelle une partie enjoint son adversaire de comparaître devant le tribunal, le juge ou le greffier pour répondre sous serment à des questions précises consignées dans un interrogatoire écrit dans le but d'en obtenir des aveux ou un commencement de preuve.

Rem. Dans les causes par défaut, cet interrogatoire a lieu à l'initiative de la partie demanderesse alors que, dans les causes contestées, il peut se tenir après production de la défense à la demande de l'une des parties. L'absence ou l'insuffisance des réponses équivalent à une reconnaissance, par la partie interrogée, des faits sur lesquels portent les questions.

Syn. interrogatoire sur les faits se rapportant au litige

Angl. *examination upon articulated facts, interrogatory upon articulated facts*

• **Interrogatoire sur les faits se rapportant au litige :** Nom donné dans le *Code de procédure civile*, depuis le 1er janvier 1994, à l'interrogatoire sur faits et articles.

Syn. interrogatoire sur faits et articles

Angl. *examination upon articulated facts, interrogatory upon atriculated facts*

□ **2.** Plus précisément, interrogation d'un témoin par la partie qui l'a produit.

Rem. En matière civile, les questions doivent porter sur les faits de la contestation seulement, c'est-à-dire sur les faits allégués dans les actes de procédure.

Syn. interrogatoire en chef, interrogatoire principal

Comp. contre-interrogatoire, question suggestive

Angl. *examination*

• **Interrogatoire en chef** : V. INTERROGATOIRE.

• **Interrogatoire principal** : V. INTERROGATOIRE.

□ **3.** Ensemble des questions posées par un agent de la paix à une personne soupçonnée d'être partie à une infraction ou susceptible de connaître des faits pouvant conduire à des poursuites pénales.

Comp. agent de la paix

Angl. *examination*

Interruptif, ive *adj.*

□ Se dit des actes ou des faits qui interrompent la prescription.

Rem. Dans le cas d'une instance, il y a suspension et non interruption.

Comp. suspensif

Angl. *interruptive*

Interruption *n.f.*

□ Action d'arrêter, de rompre la continuité (de quelque chose) ; résultat de cette action.

Comp. suspension

Angl. *interruption*

• **Interruption civile de la prescription** : Interruption de la prescription résultant soit d'une demande en justice formée régulièrement par le propriétaire d'un bien ou par le créancier contre qui la prescription court, soit d'une renonciation au bénéfice du temps écoulé par celui qui en bénéficie, soit de la reconnaissance que le possesseur ou le débiteur fait du droit de celui contre qui il est en voie de prescrire.

Comp. interruption naturelle de la prescription
Angl. *civil interruption of prescription*

- **Interruption de la prescription :** Arrêt du cours de la prescription pour une cause déterminée par la loi qui efface le délai écoulé, de sorte que le temps antérieur à la date du fait interruptif ne peut plus être compté comme utile à l'accomplissement de la prescription. Ex. Une demande en justice formée régulièrement devant le tribunal compétent interrompt la prescription.

Rem. Une nouvelle prescription peut reprendre ; elle recommence alors à zéro, sans égard au délai précédent.
Comp. suspension de la prescription
Angl. *interruption of prescription*

- **Interruption d'une instance :** V. SUSPENSION.

Rem. Dans le cas d'une instance, il y a suspension et non interruption.

- **Interruption naturelle de la prescription :** Interruption de la prescription résultant de la perte effective, par le détenteur qui est en voie de prescrire, de la possession du bien pendant un an, du fait de l'ancien propriétaire ou d'un tiers.

Comp. interruption civile de la prescription
Angl. *natural interruption of prescription*

- **Interruption volontaire de la grossesse :** V. AVORTEMENT.

Intervalle lucide

□ Période de temps pendant laquelle une personne dont les facultés intellectuelles sont habituellement altérées recouvre temporairement la raison.

Comp. aliénation mentale
Angl. *lucid interval*

Intervenant, ante *n.*

□ Tiers qui, par voie d'intervention volontaire ou forcée, devient partie à un procès en cours.

Comp. intervenir, intervention
Angl. *intervenant, intervener*

Intervenir *v.intr.*

□ S'introduire dans un procès en cours par voie d'intervention.

Comp. intervenant, intervention
Angl. *to intervene*

Intervention *n.f.*

□ Introduction volontaire ou forcée d'un tiers dans un procès en cours.

Angl. *intervention*

- **Intervention agressive** : V. INTERVENTION VOLONTAIRE.

- **Intervention conservatoire** : V. INTERVENTION VOLONTAIRE.

- **Intervention forcée** : Procédure incidente par laquelle une partie engagée dans un procès civil y appelle un tiers dont la présence est nécessaire pour permettre une solution complète du litige ou contre qui elle prétend exercer un recours en garantie.

Syn. mise en cause
Comp. action en garantie, garantie (appel en)
Angl. *forced intervention*

- **Intervention volontaire** : Dans un procès civil, procédure incidente par laquelle un tiers demande que lui soit reconnu un droit sur lequel la contestation est engagée (intervention dite agressive) ou cherche à se substituer à l'une des parties pour la représenter ou à se joindre à elle pour l'assister, soutenir sa demande ou appuyer ses prétentions (intervention dite conservatoire).

Comp. volontaire
Angl. *voluntary intervention*

Interversion (de titre)

□ Modification du titre en vertu duquel s'exerçait la détention d'un bien et qui en transforme la détention précaire en possession utile pour la prescription acquisitive.

Rem. L'interversion survient lorsque le détenteur, qui ne pouvait prescrire en raison de son titre précaire, voit son titre modifié par une cause venant d'un tiers ou oppose à celui qu'il reconnaissait comme propriétaire un titre apparent qui le rend lui-même propriétaire du bien. Ex. La personne qui achète le bien dont elle était le détenteur précaire.

Comp. constitut possessoire, intervertir (un titre), prescription, titre, tradition feinte

Angl. *interversion (of title)*

Intervertir (un titre)

□ Opérer l'inversion d'un titre.

Comp. interversion (de titre)

Angl. *to intervert (a title)*

Inter vivos

□ Locution latine signifiant « entre personnes vivantes ».

Rem. Se dit notamment des donations qui prennent effet du vivant des personnes impliquées, par opposition aux donations à cause de mort.

Syn. entre vifs

Intestat *adj.*

□ Se dit de la personne qui décède sans avoir fait de testament.

Comp. ab intestat

Angl. *abintestate, intestate*

Intimé, ée *adj. et n.*

□ **1.** Partie contre laquelle un appel est formé.

Contr. appelant

Comp. appel, défendeur

Angl. *respondent*

□ **2.** Partie contre laquelle une requête est formée.

Contr. requérant

Comp. requête

Angl. *respondent*

Intimidation *n.f.*

□ Infraction par laquelle une personne, dans le but de forcer illégalement une autre personne à poser des actes ou à s'abstenir de le faire, use notamment de violence envers elle ou envers sa famille, endommage ses biens, la suit avec persistance d'un endroit à un autre ou cerne sa résidence ou le lieu de son travail.

Comp. piquetage

Angl. *intimidation*

Int.L.R.

□ Abrév. de *International Labor Review.*

Intoxication involontaire

□ Intoxication, non imputable à une faute de l'accusé, qui a pour effet de lui faire perdre contact avec la réalité et de le mettre dans un état qu'il n'a nullement recherché. Ex. L'état d'une personne accusée de conduite avec facultés affaiblies et que le médecin avait omis d'informer qu'elle ne devait consommer aucun alcool avec les médicaments qu'il lui avait prescrits.

Comp. défense d'automatisme, défense d'intoxication

Angl. *unintentional intoxication*

Intransférable *adj.*

□ Qui ne peut être transféré.

Contr. transférable

Angl. *intransferable, untransferable*

Intransmissibilité *n.f.*

□ Caractère d'un bien ou d'une obligation qui ne peut faire l'objet d'une transmission.

Contr. transmissibilité

Comp. inaliénabilité, incessibilité, indisponibilité, intransmissible, *intuitu personae*

Angl. *intransmissibility*

Intransmissible *adj.*

□ Se dit d'un bien ou d'une obligation qui ne peut faire l'objet d'une transmission

Contr. transmissible

Comp. inaliénable, incessible, indisponible, intransmissibilité

Angl. *intransmissible*

Intra vires

□ Locution latine signifiant « à l'intérieur des pouvoirs », « dans les limites des pouvoirs ». Se dit d'un acte posé par une autorité (administrative, judiciaire ou législative) conformément à la compétence qui lui est attribuée par la loi ou par son acte constitutif.

Contr. *ultra vires*

• ***Intra vires hereditatis*** : Locution latine signifiant « dans les limites (ou jusqu'à concurrence) de l'actif successoral ». On l'emploie notamment pour indiquer que l'héritier ou le légataire ayant accepté la succession sous bénéfice d'inventaire est tenu d'en assumer les dettes jusqu'à concurrence seulement de ce qu'il recueille.

Syn. *intra vires successionis*
Comp. bénéfice d'inventaire

- ***Intra vires successionis*** : V. *INTRA VIRES HEREDITATIS.*

Introductif, ive *adj.*

□ Qui sert à introduire, qui marque le début. Ex. Une requête peut être introductive d'instance.

Comp. introduction
Angl. *originating*

Introduction *n.f.*

□ **1.** Action d'introduire, de commencer. Ex. L'introduction d'une action.

Comp. introductif
Angl. *commencement, institution, introduction*

□ **2.** Action de s'introduire.

Angl. *entering*

- **Introduction par effraction :** Acte criminel qui consiste à pénétrer par effraction dans un endroit dans un dessein criminel, à s'y trouver sans excuse légitime ou à en sortir par effraction après y avoir commis un acte criminel ou y avoir pénétré dans un dessein criminel.

Comp. effraction
Angl. *breaking and entering*

Intuitu personae

□ Locution latine signifiant « en considération de la personne ». Elle est généralement employée pour caractériser les conventions dans lesquelles la personnalité ou des qualités particulières de l'un des contractants ont été prises en considération par les parties. Ex. Le mandat, le contrat de société, le contrat entre un médecin et son patient.

Rem. **1.** Le caractère *intuitu personae* d'une convention conduit à l'intransmissibilité des droits qui en font l'objet. **2.** On lit parfois l'expression « des contrats *intuitus personae* ».

Comp. intransmissibilité

Intuitus personae

□ Locution latine signifiant « considération de la personne ». V. *INTUITU PERSONAE.*

In utero

□ Locution latine signifiant « dans le ventre ». Elle sert à désigner généralement les différentes mesures prises en faveur de l'enfant à naître.

Invalidation *n.f.*

□ Déclaration d'invalidité d'un acte ou d'une opération. Ex. L'invalidation d'une élection par les tribunaux.

Comp. invalide, invalider, invalidité
Angl. *invalidation*

Invalide *adj.*

□ **1.** Qui est dénué de toute valeur juridique ou privé de tout effet juridique.

Contr. valide
Comp. caduc, invalidation, invalider, invalidité, nul
Angl. *invalid*

□ **2.** Qui souffre d'une incapacité physique. Ex. Un travailleur invalide.

Comp. incapable, incapacité
Angl. *disabled*

Invalider *v.tr.*

□ Prononcer l'invalidité, rendre invalide. Ex. Invalider une loi.

Comp. invalidation, invalide, invalidité
Angl. *to invalidate*

Invalidité *n.f.*

□ **1.** État d'un acte dénué de toute valeur juridique ou privé de tout effet juridique. Ex. L'invalidité d'une loi, d'un règlement.

Contr. validité
Comp. caducité, invalidation, invalide, invalider, nullité
Angl. *invalidity*

□ **2.** État d'incapacité physique totale ou partielle, à caractère permanent ou temporaire, qui peut donner droit au versement d'une rente ou d'une indemnité à la personne qui en souffre. Ex. L'invalidité d'une personne qui a été victime d'un accident du travail.

Comp. incapacité, invalide
Angl. *disability*

Inventaire *n.m.*

□ Liste détaillée, contenant une énumération, une description et, le cas échéant, une évaluation des biens qui composent l'actif et le passif d'une personne, d'une succession, d'une communauté, etc.

Comp. bénéfice d'inventaire
Angl. *inventory*

Investissement (contrat d')

□ V. CONTRAT D'INVESTISSEMENT.

Inviolabilité *n.f.*

□ Caractère de ce qui est inviolable. Ex. L'inviolabilité du domicile.

Comp. inviolable
Angl. *inviolability*

- **Inviolabilité de la personne** : Droit fondamental reconnu à tout individu en vertu duquel il est interdit de porter atteinte à son intégrité physique sans y être préalablement autorisé par lui ou par la loi.

Comp. intégrité
Angl. *inviolability of the person*

Inviolable *adj.*

□ Qu'il est impossible ou interdit de violer, d'enfreindre.

Comp. inviolabilité
Angl. *inviolable*

In vitro

□ Locution latine signifiant « en laboratoire », « dans une éprouvette ». Elle sert à qualifier la reproduction de phénomènes biologiques par des voies artificielles. Ex. La fécondation *in vitro*.

Involontaire *adj.*

□ V. FAUTE NON INTENTIONNELLE, HOMICIDE INVOLONTAIRE COUPABLE.

Invoquer *v.tr.*

□ Donner comme argument, faire appel à. Ex. Invoquer une loi au soutien de ses prétentions.

Angl. *to invoke, to plead*

I.P.É.

□ Abrév. de Île du Prince-Édouard.

I.P.J.

□ Abrév. de *Intellectual Property Journal.*

Ipse dixit

□ Locution latine signifiant « lui-même l'a dit ». On l'emploie pour qualifier une déclaration n'ayant comme seule autorité que les dires de la personne qui l'a faite.

Ipso facto

□ Locution latine signifiant « par le fait même », « du seul fait ». Se dit de ce qui constitue une conséquence obligée d'un fait ou d'un acte juridique. Ex. L'insolvabilité du débiteur entraîne *ipso facto* la déchéance du terme en faveur du créancier.

Ipso jure

□ Locution latine signifiant « de plein droit », « de son propre droit ». Elle signifie que l'effet juridique d'un acte ou d'une opération se produit sans que n'intervienne la volonté des parties ou l'appréciation du juge. Ex. La compensation s'opère *ipso jure* entre deux dettes également liquides et exigibles ayant pour objet une somme d'argent.

Syn. *de plano*

I.Q.A.J.

□ Abrév. de Institut québécois d'administration judiciaire.

I.R.B.

□ Abrév. de *Industrial Relations Board.*

Irrecevabilité *n.f.*

□ **1.** Caractère de ce qui est irrecevable.

Contr. recevabilité
Angl. *inadmissibility, unacceptability*

□ **2.** Sanction de l'inobservation de certaines prescriptions légales qui consiste à empêcher l'examen du bien-fondé d'une prétention, d'une preuve ou d'une demande en justice.
Comp. fin de non-recevoir, moyen de non-recevabilité
Angl. *dismissal*

Irrecevable *adj.*

□ **1.** Qui ne peut être reçu, qui ne peut être pris en considération.
Contr. recevable
Angl. *inadmissible, not receivable*

□ **2.** Se dit d'une prétention, d'une preuve ou d'une demande en justice dont le bien-fondé ne peut être examiné à cause de l'inobservation de certaines prescriptions légales.
Contr. recevable
Comp. fin de non-recevoir, moyen de non-recevabilité
Angl. *inadmissible, non receivable*

Irrécouvrable *adj.*

□ Qu'on ne peut recouvrer. Ex. Une créance irrécouvrable.
Contr. recouvrable
Angl. *irrecoverable*

Irréfragable *adj.*

□ Qu'on ne peut contredire par une preuve contraire. Se dit de certaines présomptions légales qui ne peuvent être combattues par une preuve contraire.
Syn. absolu, *juris et de jure*
Contr. réfragable, *juris tantum*
Comp. présomption
Angl. *conclusive, irrefutable*

Irrégularité *n.f.*

□ **1.** Inobservation d'une règle de fond ou de forme susceptible d'entraîner l'annulation d'un acte. Ex. L'irrégularité d'une perquisition, l'irrégularité de la procédure d'adoption d'un règlement.
Contr. régularité
Comp. illégalité, invalidité, nullité
Angl. *irregularity*

□ **2.** Inobservation d'une formalité qui n'affecte pas nécessairement la validité d'un acte.
Rem. Il est toujours permis de corriger les irrégularités apparaissant dans les actes de procédure (ex. la désignation erronée d'une partie).
Comp. irrégulier
Angl. *irregularity*

Irrégulier, ière *adj.*

□ **1.** Qui est entaché d'une irrégularité.
Contr. régulier
Comp. irrecevable, irrégularité
Angl. *irregular*

□ **2.** V. SUCCESSION IRRÉGULIÈRE.

Irrésistibilité *n.f.*

□ Caractère d'un fait, d'un événement auquel on ne peut résister.
Comp. cas fortuit, force majeure, imprévisibilité, irrésistible
Angl. *irresistibility*

Irrésistible *adj.*

□ Se dit d'un fait, d'un événement qui rend impossible l'exécution d'une obligation ou constitue un motif d'exonération de responsabilité.
Comp. cas fortuit, force majeure, imprévisible, irrésistibilité
Angl. *irresistible*

Irresponsabilité *n.f.*

□ Absence de responsabilité légale. Ex. L'irresponsabilité de l'enfant en bas âge qui cause un dommage.
Comp. clause de non-responsabilité, irresponsabilité
Angl. *irresponsibility*

Irresponsable *adj. et n.*

□ **1.(adj.)** Qui n'a pas à répondre de ses actes, à qui on ne peut imputer un fait dommageable. Ex. Une personne souffrant d'aliénation mentale lors de la commission d'un acte criminel est irresponsable.
Comp. aliénation mentale
Angl. *irresponsible, non responsible*

☐ **2.(n.)** Personne qui n'a pas à répondre de ses actes ou à qui on ne peut imputer un fait dommageable, généralement à cause de son âge ou de son état mental.

Comp. aliéné, enfant, interdit
Angl. *irresponsible, non-responsible*

Irrévocabilité *n.f.*

☐ Caractère de ce qui est irrévocable. Ex. L'irrévocabilité d'une donation.

Contr. révocabilité
Comp. irrévocable
Angl. *irrevocability*

Irrévocable *adj.*

☐ **1.** Se dit d'un acte qui ne peut être révoqué par la personne qui l'a fait. Ex. Une donation irrévocable.

Contr. révocable
Comp. irrévocabilité
Angl. *irrevocable*

☐ **2.** Se dit d'un jugement qui n'est pas sujet à appel ou qui ne peut plus faire l'objet d'un appel du fait que le droit d'appel a été exercé ou que les délais pour l'exercer sont expirés. Ex. Une décision de la Cour suprême du Canada est irrévocable.

Comp. définitif, final, interlocutoire
Angl. *absolute, irrevocable*

Isoloir *n.m.*

☐ Lieu spécialement aménagé pour permettre à un électeur de voter à l'abri de tout regard.

Angl. *polling booth, voting booth, voting compartment*

Item

☐ Terme latin signifiant « de même », « en outre ».

Rem. On l'utilise parfois à tort comme substantif dans les divers sens que lui donne la langue anglaise. Ex. Un item d'un compte, un item à l'ordre du jour d'une assemblée.

Ivresse *n.f.*

☐ État d'une personne qui a consommé de l'alcool à un point tel que ses réflexes et ses facultés intellectuelles en sont altérés.

Syn. ébriété
Comp. conduite avec facultés affaiblies, défense d'intoxication, défense d'ivresse, intoxication involontaire
Angl. *drunkenness, intoxication*

Ivressomètre *n.m.*

☐ Terme employé couramment pour qualifier un appareil qui permet d'effectuer des prélèvements d'haleine dans le but de déterminer le taux d'alcool dans le sang d'une personne.

Rem. Il s'agit en fait d'un alcootest approuvé.
Syn. alcootest approuvé
Angl. *breathalyzer, approved instrument*

Ivrogne d'habitude

☐ Personne qui, d'après la commune renommée dans son voisinage, a acquis la réputation d'être un ivrogne qui dissipe ses biens ou les administre mal.

Rem. Selon le *Code civil du Bas-Canada*, un ivrogne d'habitude pouvait autrefois faire l'objet d'une interdiction.
Comp. interdiction
Angl. *drunkard, habitual drunkard*

J

J.A.

☐ Abrév. de *Justice of Appeal*.

Jactance *n.f.*

☐ V. ACTION PROVOCATOIRE.

J. Bus. L.

☐ Abrév. de *Journal of Business Law*.

J. Can. Studies

☐ Abrév. de *Journal of Canadian Studies* / Revue d'études canadiennes.

J.C.P.

☐ Abrév. de Juris-Classeur périodique.

J. du Trav.

☐ Abrév. de Journal du Travail.

J.E.

☐ Abrév. de Jurisprudence Express.

Jeton de présence

☐ Somme allouée, à titre de rémunération ou de remboursement forfaitaire des frais encourus, aux membres présents d'un conseil d'administration ou d'une assemblée.

Angl. *attendance allowance, attendance fees*

Jeu *n.m.*

☐ Contrat aléatoire par lequel les parties, engagées dans une compétition basée totalement ou partiellement sur le hasard, conviennent de verser une somme d'argent ou de remettre un objet à celle qui la remportera.

Rem. L'art. 197(1) du *Code criminel* le définit comme suit : « jeu de hasard ou jeu où se mêlent le hasard et l'adresse ».

Comp. contrat de jeu et de pari, maison de jeu, pari

Angl. *game, gaming contract*

Jeune contrevenant

☐ Contrevenant âgé d'au moins douze ans et de moins de dix-huit ans ou qui a apparemment un âge compris entre ces limites.

Rem. **1.** Il bénéficie d'un régime spécial de responsabilité en matière pénale ; de plus, diverses mesures particulières s'appliquent à cette catégorie de contrevenants, notamment en ce qui concerne la protection de sa vie privée et la tenue de dossiers à son sujet (voir la *Loi sur les jeunes contrevenants*, L.R.C. 1985, c. Y-1, art. 38 ss.). **2.** On employait autrefois les mots « jeune délinquant » pour qualifier ces individus.

Comp. contrevenant, délinquant

Angl. *young offender*

J.I.B.C.

☐ Abrév. de *Justice Institute of British Columbia*.

J. Juges Prov.

☐ Abrév. de Journal des juges provinciaux / *Provincial Judges Journal*.

J.L.

☐ Abrév. de Jurisprudence Logement.

J. Lég. Ed.

□ Abrév. de *Journal of Legal Education.*

J.L. & Social Pol'y

□ Abrév. de Journal of *Law and Social Policy* / Revue des lois et des politiques sociales.

J.M.

□ Abrév. de Justice municipale.

J.M.V.L.

□ Abrév. de *Journal of Motor Vehicle Law.*

J. Not. et Av.

□ Abrév. de Journal des notaires et des avocats.

J.O.

□ Abrév. de Journal officiel.

Joint venture *n.m.*

□ Contrat par lequel deux ou plusieurs entreprises ayant leurs propres activités se regroupent pour un temps déterminé en vue de réaliser un projet particulier avec partage des risques. À cette fin, les parties peuvent créer une filiale commune.

Rem. **1.** Cet accord constitue un contrat innommé soumis aux règles générales du droit civil en matière contractuelle. **2.** Cette expression anglaise est maintenant consacrée par l'usage, en droit des affaires.
Syn. coentreprise, groupement momentané d'entreprises
Angl. *joint venture*

Jonction *n.f.*

□ Action de joindre ; résultat de cette action.
Angl. *joinder, joining, junction*

- **Jonction d'actions** : V. RÉUNION D'ACTIONS

- **Jonction de parties** : Acte par lequel plusieurs personnes, dont les recours ont le même fondement juridique ou soulèvent les mêmes points de droit ou de fait, se joignent dans une même demande en justice.
Comp. réunion d'actions, réunion de causes d'actions
Angl. *joinder of parties*

Jouir *v.intr.*

□ Avoir la jouissance.
Comp. jouissance
Angl. *to enjoy*

Jouissance *n.f.*

□ **1.** Utilisation d'un bien dont on perçoit, le cas échéant, les fruits. Ex. Le locateur doit procurer au locataire la jouissance paisible des lieux qu'il lui a loués.

Rem. Selon le *Code civil du Bas-Canada*, lorsqu'un conjoint décède intestat, celui qui survit possède, dans certains cas, la jouissance des acquêts ou des biens de la communauté venant à ses enfants du chef du conjoint prédécédé jusqu'à leur majorité ou leur émancipation.
Syn. droit de jouissance
Comp. abus de jouissance, jouir
Angl. *enjoyment*

□ **2.** Fait d'être titulaire d'un droit ou d'être apte à l'acquérir. Ex. Selon le *Code civil*, tout être humain a la pleine jouissance des droits civils, sous réserve des dispositions expresses de la loi.
Comp. droits civils
Angl. *enjoyment*

Jour *n.m.*

□ **1.** Espace de temps de vingt-quatre heures, de minuit à minuit, servant à la computation des délais qui se calculent par jour et non par heure. Ex. Le délai d'appel est de trente jours.
Comp. heure
Angl. *day*

□ **2.** Espace de temps au cours de la journée au-delà duquel certains actes ne pouvaient autrefois être accomplis. Ex. Les saisies devaient être pratiquées de jour, soit entre le lever et le coucher du soleil.
Angl. *day*

- **Jour de fête :** V. JOUR FÉRIÉ

- **Jour de grâce :** Jour supplémentaire que la

loi ou le créancier accorde au débiteur pour l'exécution de son obligation.

Rem. L'art. 41 de la *Loi sur les lettres de change* (L.A.C. 1985, c. B-4) prescrit que, dans le cas d'une lettre autre que payable sur demande, le débiteur jouit, sauf disposition à l'effet contraire, d'un délai de grâce de trois jours, la lettre étant alors payable le dernier de ces trois jours.
Comp. délai de grâce
Angl. *day of grace*

- **Jour férié :** Jour réservé par la loi pour la célébration d'une fête civile ou religieuse. Ex. Le dimanche, le premier lundi de septembre (fête du Travail) et le 25 décembre sont des jours fériés.

Rem. Les jours fériés étaient autrefois chômés ; cependant, l'évolution de la société a entraîné de nombreuses exceptions à cette règle.
Syn. jour de fête
Contr. jour ouvrable
Comp. férié, fête légale, jour non juridique
Angl. *holiday, legal holiday*

- **Jour franc :** V. DÉLAI FRANC.

- **Jour juridique :** Jour au cours duquel les activités régulières des tribunaux peuvent être tenues. Ex. Lorsque, selon la loi, un jour est juridique, les tribunaux peuvent siéger, les greffes sont ouverts et les actes de procédure peuvent être signifiés.

Contr. jour non juridique
Angl. *juridical day*

- **Jour non juridique :** Jour au cours duquel les activités régulières des tribunaux sont généralement suspendues. Ex. Lorsque, selon la loi, un jour est non juridique, les tribunaux ne siègent pas, les greffes sont fermés et les actes de procédure ne peuvent être signifiés.

Rem. Au Québec, les jours fériés sont considérés comme étant non juridiques.
Contr. jour juridique
Comp. jour férié
Angl. *non-juridical day*

- **Jour ouvrable :** Jour en principe consacré au travail et aux activités professionnelles.

Contr. jour férié
Angl. *business day, juridical day, working day*

☐ **3.** Ouverture dans un mur faite de verre dormant et destinée à laisser pénétrer la lumière et non les regards.

Rem. Ce type de fenêtre est fixe et celle-ci ne peut être ouverte.
Comp. servitude de vue, verre dormant, vue
Angl. *light*

- **Jour de souffrance (ou de tolérance) :** Ouverture pouvant être pratiquée dans un mur non mitoyen adjacent à l'immeuble voisin. Cette ouverture doit être grillagée et à verre dormant de façon à laisser entrer la lumière sans qu'elle ne puisse être ouverte.

Comp. tolérance
Angl. *light, light existing by sufferance (or by tolerance)*

Journal A.B. Can.

☐ Abrév. de Journal Association du Barreau canadien / *Journal Canadian Bar Association.*

Journal Can. B. A.

☐ Abrév. de *Journal Canadian Bar Association* / Journal Association du Barreau canadien.

Journal des débats

☐ Rapport officiel des débats d'un parlement. Ex. Le Journal des débats de l'Assemblée nationale.

Syn. hansard
Angl. *hansard*

J.P.

☐ Abrév. de *Justice of the peace.*

J. Plan. & Env. L.

☐ Abrév. de *Journal of Planning and Environmental Law.*

J. Soc. Civ. et Comm.

☐ Abrév. de Journal des Sociétés Civiles et Commerciales.

J. Social Welfare L.

☐ Abrév. de *Journal of Social Welfare Law.*

Judicatum solvi

□ Expression latine signifiant « que ce qui est jugé soit payé ».

Comp. cautionnement *judicatum solvi*

Judiciaire *adj.*

□ **1.** Qui concerne la justice en général et son administration. Ex. Le pouvoir judiciaire.

Comp. district judiciaire, droit judiciaire, droits judiciaires, pouvoir judiciaire, tribunal judiciaire

Angl. *judicial*

□ **2.** Qui émane d'un juge, qui est prononcé par un juge. Ex. Une autorisation judiciaire, la compensation judiciaire.

Contr. conventionnel, légal

Comp. acte d'administration judiciaire, acte judiciaire, cautionnement judiciaire, compensation judiciaire, hypothèque judiciaire

Angl. *judicial*

• **Judiciaire (courtoisie) :** V. COURTOISIE JUDICIAIRE.

□ **3.** Qui est nommé par décision de justice. Ex. Le séquestre judiciaire.

Comp. conseil judiciaire, séquestre judiciaire

Angl. *judicial*

□ **4.** Qui survient en cours d'instance. Ex. Un aveu judiciaire.

Angl. *judicial*

Juge *n.m.*

□ Personne désignée par l'État pour trancher les litiges selon les prescriptions de la loi ou pour rendre des décisions sur toutes autres questions qui sont de sa compétence.

Rem. Dans le *Code de procédure civile*, ce terme désigne parfois le juge siégeant en son cabinet, parfois le juge siégeant dans une salle d'audience.

Comp. juridiction contentieuse, juridiction gracieuse, tribunal

Angl. *judge*

• **Juge *ad hoc* :** Dans un sens restreint, juge nommé pour entendre spécialement une affaire.

Rem. On qualifie ainsi le juge de la Cour supérieure dont les services sont prêtés à la Cour d'appel pour y entendre un ou plusieurs appels ou pour y siéger pendant une période déterminée.

Comp. *ad hoc*

Angl. *ad hoc judge, judge ad hoc*

• **Juge-avocat général :** Avocat (ayant un grade de brigadier-général) nommé par le gouverneur général en conseil pour administrer la justice dans les forces armées canadiennes. Il est notamment responsable de l'administration de la discipline militaire.

Comp. avocat

Angl. *judge-advocate general*

• **Juge de district :** Juge autrefois nommé par le gouvernement provincial pour siéger dans un district de la Cour de magistrat.

Syn. magistrat de district

Comp. Cour de magistrat

Angl. *district judge*

• **Juge de paix :** Officier de justice ayant compétence, en matière pénale, pour juger les infractions à certaines lois provinciales. Il possède également des pouvoirs qui lui sont attribués par le *Code criminel* et par le *Code de procédure pénale du Québec.*

Rem. Il peut notamment recevoir des serments et des dénonciations, délivrer des mandats d'arrestation et de perquisition, ordonner la mise en liberté provisoire d'un accusé.

Comp. juge, Tribunal des juges de paix

Angl. *Justice of the peace*

• **Juge dissident :** Dans un tribunal collégial, juge qui refuse d'endosser totalement ou partiellement la décision prise par la majorité.

Comp. dissidence, opinion dissidente

Angl. *dissenting judge*

• **Juge en chambre :** Juge siégeant en son cabinet (par opposition au juge qui siège dans une salle d'audience).

Rem. **1.** La compétence du juge en chambre est déterminée par le *Code de procédure civile*. **2.** Depuis le 1er janvier 1994, le législateur a supprimé du Code les mots « en chambre ».

Syn. juge exerçant en son bureau

Contr. tribunal

Angl. *judge, judge in chambers*

• **Juge en chef :** Juge qui est chargé de la direction générale d'un tribunal et à qui sont conférés certains pouvoirs particuliers. Il a notamment pour fonctions d'assurer le bon fonctionnement du tribunal dont il est responsable et de voir à ce que les juges qui en sont membres respectent les règles de la déontologie.

Comp. juge puîné
Angl. *Chief Justice*

• **Juge exerçant en son bureau :** V. JUGE EN CHAMBRE.

• **Juge puîné :** Juge qui n'exerce pas des fonctions de direction dans un tribunal. Ex. La Cour suprême du Canada est composée du juge en chef et de huit juges puînés.

Comp. juge en chef, puîné
Angl. *puisne, judge*

• **Juge surnuméraire :** Juge d'une cour supérieure qui, après avoir occupé son poste pendant un certain nombre d'années et atteint un certain âge, abandonne ses fonctions judiciaires normales pour exercer les fonctions judiciaires spéciales que lui assigne son juge en chef.

Rem. Présentement, peuvent devenir surnuméraires les juges âgés de soixante-cinq ans s'ils justifient d'au moins quinze ans d'ancienneté dans la magistrature ou les juges âgés de soixante-dix ans s'ils justifient d'au moins dix ans d'ancienneté dans la magistrature.
Comp. cour supérieure
Angl. *supernumerary judge*

• **Juge unique :** Termes employés pour désigner, dans certaines circonstances, un juge qui siège seul.

Rem. C'est le cas, notamment, lorsqu'un juge de la Cour d'appel entend des demandes incidentes ou lorsqu'un procès criminel se déroule en l'absence du jury.
Comp. collégial, jury
Angl. *judge sitting alone*

Jugement *n.m.*

☐ **1.** Décision de justice émanant d'un juge ou d'un tribunal.

Rem. Au Canada, on utilise généralement ce terme pour désigner toutes les décisions judiciaires, qu'elles émanent d'un tribunal de première instance ou d'une juridiction d'appel et qu'elles soient interlocutoires ou finales. On pourrait, à l'instar notamment du droit judiciaire français, réserver ce terme pour les décisions rendues par un tribunal de première instance et utiliser le mot « arrêt » pour les décisions finales des cours d'appel.
Comp. arrêt, délibéré, décision, dispositif, question académique, sentence, verdict
Angl. *judgment*

• **Jugement *a quo* :** Jugement qui est frappé d'appel, contre lequel on se pourvoit.

Syn. jugement dont appel
Comp. *a quo*
Angl. *judgment a quo, judgment in appeal*

• **Jugement au mérite :** Expression employée parfois pour désigner le jugement qui statue sur le fond du litige.

Rem. Elle constitue une traduction littérale de l'anglais (*judgment on merits*).
Syn. jugement définitif, jugement final, jugement sur le fond
Contr. jugement interlocutoire
Comp. bien-fondé, fond, jugement sur le fond, mérite
Angl. *decision on merits, judgment on merits*

• **Jugement constitutif :** Jugement qui a pour effet de créer une nouvelle situation juridique. Ex. Le jugement de divorce ou d'adoption.

Contr. jugement déclaratif
Comp. constitutif
Angl. *judgment creating rights*

• **Jugement contradictoire :** Se dit d'un jugement rendu après que les parties aient comparu et fait valoir leurs moyens respectifs. Il s'oppose au jugement par défaut.

Angl. *judgment after trial*

• **Jugement déclaratif :** Jugement qui constate ou reconnaît les droits des parties existant lors de l'ouverture du procès. Ex. Le jugement rendu sur une demande d'annulation de contrat.

Contr. jugement constitutif
Comp. déclaratif
Angl. *declaratory judgment*

• **Jugement déclaratif de décès :** Jugement établissant le décès d'une personne dont le cadavre n'a pas été retracé ou qui est disparue dans des circonstances qui permettent au tribunal de croire à une mort certaine. Ce jugement tient lieu d'acte de sépulture.

Comp. décès
Angl. *declaratory judgment of death*

- **Jugement déclaratoire sur requête :** Nom donné au moyen de procédure par lequel une personne demande à un tribunal de déterminer, pour la solution d'une difficulté réelle, la portée d'un droit dont elle se prétend titulaire ou la régularité ou l'irrégularité d'une situation juridique donnée.

  Rem. Le jugement sur cette requête ne comporte ni condamnation, ni ordonnance ; il a cependant autorité de la chose jugée.

  Comp. action déclaratoire

  Angl. *declaratory judgment on motion*

- **Jugement de donner acte :** Jugement par lequel le tribunal fait état d'une constatation ou d'une déclaration que les parties, ou l'une d'elles, lui soumettent.

  Comp. jugement d'expédient

  Angl. *judgment acknowledging receipt of*

- **Jugement définitif :** V. JUGEMENT FINAL.

- **Jugement d'équité :** Décision judiciaire par laquelle le juge tranche un litige sans respecter les règles imposées par le droit positif, lorsque, à son avis, l'application de la loi aurait des conséquences trop rigoureuses.

  Comp. équité

  Angl. *judgment in equity*

- **Jugement d'expédient :** Jugement qui entérine une entente intervenue entre les parties à un procès et qui lui confère une force exécutoire et l'autorité de la chose jugée.

  Comp. jugement de donner acte

  Angl. *judgment of expediency*

- **Jugement dont appel :** Jugement qui est frappé d'appel, contre lequel on se pourvoit.

  Syn. jugement a *quo*

  Angl. *judgment in appeal*

- **Jugement *ex parte* :** V. JUGEMENT PAR DÉFAUT DE PLAIDER.

- **Jugement final :** Jugement qui statue sur l'objet même de la demande en justice et qui, disposant des droits des parties, dessaisit le juge de la contestation et a relativement à celle-ci l'autorité de la chose jugée.

  Rem. **1.** Le jugement final peut être porté en appel, de plein droit ou sur permission, aux conditions déterminées par la loi. **2.** Certaines lois fédérales utilisent les termes « jugement définitif » plutôt que « jugement final ». **3.** En matière de recours collectif, on qualifie de jugement final celui qui dispose des questions de droit ou de fait traitées collectivement.

  Syn. jugement au mérite, jugement définitif, jugement sur le fond

  Comp. appel, autorité de la chose jugée

  Angl. *final judgment*

- **Jugement gracieux :** Jugement rendu en matière gracieuse.

  Comp. contentieux, gracieux

  Angl. *non-contentious judgment*

- **Jugement interlocutoire :** Jugement rendu en cours d'instance, avant le jugement final qui dispose du fond de la demande.

  Contr. jugement sur le fond

  Angl. *interlocutory judgment*

- **Jugement par défaut de comparaître :** Jugement qui statue sur le fond de la demande principale contre un défendeur qui a fait défaut de produire un acte de comparution dans le délai prescrit.

  Comp. défaut de comparaître

  Angl. *default to appear judgment, judgment by default to appear*

- **Jugement par défaut de plaider :** Jugement qui statue sur le fond de la demande principale contre un défendeur qui a fait défaut de produire une défense dans le délai prescrit ou qui ne s'est pas présenté devant le tribunal au jour fixé pour l'audition de la cause.

  Rem. Les praticiens du droit utilisent généralement l'expression « jugement *ex parte* ».

  Comp. défaut de plaider, *ex parte*

  Angl. *default to plead judgment, ex parte judgment, judgment by default to plead*

- **Jugement sur le fond :** Jugement qui statue sur l'objet même de la demande en justice et qui, disposant des droits des parties, dessaisit le juge de la contestation et a relativement à celle-ci l'autorité de la chose jugée.

  Rem. Les mots « sur le fond » ne s'appliquent pas au jugement qui prononce sur une demande interlocutoire.

  Syn. jugement au mérite, jugement définitif, jugement final

  Comp. jugement interlocutoire

  Angl. *decision on merits, judgment on merits*

□ **2.** L'écrit qui exprime la décision rendue par un juge ou un tribunal.

  Comp. dispositif, minute, motif

  Angl. *judgment*

Jug. et Dél. N.F.

☐ Abrév. de Jugements et Délibérations du Conseil souverain de la Nouvelle-France.

Jug. et Dél. Q.

☐ Abrév. de Jugements et Délibérations du Conseil supérieur de Québec.

Jur.

☐ Abrév. de *Jurist Reports*.

Jurat *n.m.*

☐ Formule à la fin d'une déclaration sous serment où apparaît la signature de la personne qui l'a reçue, avec mention de la date et du lieu de réception.

Comp. affidavit, serment
Angl. *jurat*

Juratoire *adj.*

☐ V. CAUTIONNEMENT JURATOIRE.

Juré *n.m.*

☐ Membre d'un jury.

Comp. jury, tableau des jurés
Angl. *juror*

Jurer *v.intr.*

☐ Prêter serment, affirmer par un serment. Ex. Jurer de dire la vérité.

Comp. serment
Angl. *to pledge, to swear*

Juridicité *n.f.*

☐ Caractère de ce qui relève du droit (par opposition aux normes sociales ou religieuses que celui-ci ne reconnaît pas).

Comp. juridique, légalisation
Angl. *legal nature*

Juridiction *n.f.*

☐ **1.** Organe détenant le pouvoir de juger, de rendre la justice.

Comp. compétence, Cour
Angl. *competence, jurisdiction*

- **Juridiction contentieuse :** V. CONTENTIEUSE (JURIDICTION).

- **Juridiction d'appel :** Tribunal qui a compétence, tant en matière civile que criminelle, pour entendre les appels formés à l'encontre des décisions d'un tribunal d'un degré inférieur de juridiction.

  Rem. Au Canada, il existe, en appel, deux degrés de juridiction.
  Comp. appel, juridiction de première instance
  Angl. *appellate jurisdiction*

- **Juridiction de droit commun :** V. TRIBUNAL DE DROIT COMMUN.

- **Juridiction de première instance :** Tribunal qui a compétence pour entendre les litiges qui sont soumis, pour une première appréciation, à une juridiction ayant des pouvoirs judiciaires.

  Comp. juridiction d'appel, tribunal
  Angl. *court of first instance*

- **Juridiction d'exception :** V. TRIBUNAL D'EXCEPTION.

- **Juridiction gracieuse :** V. GRACIEUSE (JURIDICTION).

- **Juridiction supérieure :** V. COUR SUPÉRIEURE (SENS GÉNÉRAL).

☐ **2.** Ensemble des tribunaux de même nature (ex. les juridictions pénales) ou de même degré (ex. les juridictions d'appel).

Comp. tribunal
Angl. *jurisdiction*

- **Juridiction administrative :** Ensemble des tribunaux administratifs et des organes de l'administration chargés d'entendre les litiges entre les citoyens et l'État.

  Rem. À la différence de la France, le Québec et le Canada ne connaissent pas d'institutions (ex. le Conseil d'État) qui assurent le contrôle juridictionnel de l'administration, cette fonction étant dévolue aux tribunaux judiciaires.
  Comp. juridiction civile, juridiction pénale, tribunal administratif
  Angl. *administrative jurisdiction*

- **Juridiction civile :** Ensemble des tribunaux qui connaissent les litiges autres que ceux qui sont réservés aux juridictions administrative et pénale.

Rem. Au Québec et au Canada, ces tribunaux sont chargés d'entendre, non seulement les litiges dans lesquels des intérêts privés sont en jeu, mais également (pour certains d'entre eux) des demandes visant à assurer le contrôle juridictionnel de l'administration.
Comp. juridiction administrative, juridiction pénale
Angl. *civil jurisdiction*

- **Juridiction criminelle :** V. JURIDICTION PÉNALE.

- **Juridiction (degré de) :** Dans la hiérarchie des juridictions, qualification donnée à chacun des niveaux de juridiction du système judiciaire.
  Rem. Au Canada, sauf de rares exceptions, il existe trois degrés de juridiction : les tribunaux de première instance, les cours d'appel et la Cour suprême du Canada.
  Comp. juridiction d'appel, juridiction de première instance
  Angl. *degree of jurisdiction*

- **Juridiction pénale :** Ensemble des tribunaux qui sont chargés de juger les actes criminels et les infractions.
  Rem. Pour certaines juridictions, on peut employer indifféremment les mots « juridiction pénale » et « juridiction criminelle », alors que, pour d'autres, cette dernière expression ne couvre pas le droit pénal provincial.
  Comp. juridiction administrative, juridiction civile
  Angl. *criminal jurisdiction*

- **Juridictions (conflit de) :** V. CONFLIT DE JURIDICTIONS.

□ **3.** Compétence (d'un tribunal).
Rem. Sous l'influence de la langue anglaise, qui utilise le mot *jurisdiction* dans le sens de compétence, le législateur et les juges du Québec sont portés à employer le mot « juridiction » pour qualifier la compétence d'un tribunal.
Comp. compétence, juridictionnel
Angl. *competence, jurisdiction*

- **Juridiction d'attribution :** V. COMPÉTENCE D'ATTRIBUTION.

- **Juridiction concurrente :** V. COMPÉTENCE CONCURRENTE.

- **Juridiction exclusive :** V. COMPÉTENCE EXCLUSIVE.

- **Juridiction internationale :** V. COMPÉTENCE INTERNATIONALE.

- **Juridiction interne :** V. COMPÉTENCE INTERNE.

- **Juridiction territoriale :** V. COMPÉTENCE TERRITORIALE.

□ **4.** Dans un sens général, compétence particulière conférée à une autorité publique, à un pouvoir politique. Ex. La juridiction du Parlement fédéral en matière de faillite.
Rem. Il s'agit là d'un emploi discutable du mot « juridiction » car, en français, ce terme est normalement réservé au domaine judiciaire. On devrait utiliser de préférence les termes « compétence » ou « autorité ».
Comp. compétence
Angl. *jurisdiction*

- **Juridiction concurrente :** En droit constitutionnel, pouvoir du Parlement fédéral et des législatures provinciales de légiférer sur une même matière. Ex. Le fédéral et les provinces ont une juridiction concurrente en matière d'environnement.
  Contr. juridiction exclusive
  Angl. *concurrent jurisdiction*

- **Juridiction exclusive :** En droit constitutionnel, pouvoir accordé au Parlement fédéral de légiférer seul sur une matière (à l'exclusion des législatures provinciales) ; ou pouvoir accordé aux législatures provinciales de légiférer seules sur une matière (à l'exclusion du Parlement fédéral). Ex. La constitution canadienne accorde au Parlement fédéral une juridiction exclusive en matière de divorce et de faillite.
  Contr. juridiction concurrente
  Angl. *exclusive jurisdiction*

Juridictionnel, elle *adj.*

□ **1.** Qui est relatif à la juridiction.
Comp. compétence juridictionnelle, juridiction
Angl. *jurisdictional*

□ **2.** Qui concerne la fonction adjudicatrice du juge.
Comp. acte judiciaire, acte juridictionnel, adjudication, contrat judiciaire
Angl. *jurisdictional*

Juridique *adj.*

□ **1.** Qui se rapporte au droit. Ex. Une opinion juridique, une théorie juridique.

Angl. *juridical, legal*

□ **2.** Qui a des conséquences en droit, qui produit un effet de droit. Ex. La possession juridique.

Comp. acte juridique, fait juridique, jour juridique

Angl. *juridical, legal*

□ **3.** Qui est conforme au droit. Ex. Une situation juridique.

Angl. *juridical, legal*

Juridisme *n.m.*

□ Attitude d'une personne qui s'en tient à la lettre des textes juridiques qu'elle interprète ou analyse.

Comp. formalisme

Angl. *legal formalism*

Jurisconsulte *n.*

□ Personne qui fait profession de donner des consultations juridiques ou qui a pour mission de donner des avis juridiques. Ex. Le ministre de la Justice est le jurisconsulte du gouvernement.

Comp. juriste, légiste

Angl. *jurisconsult*

Jurisdictio

□ Terme latin signifiant « pouvoir de dire le droit ». Il désigne le pouvoir qui appartient au juge de dire le droit en se prononçant sur les faits litigieux qui lui sont soumis par une déclaration conforme aux règles de droit, à la procédure prescrite et à la preuve admise.

Rem. L'autre pouvoir qui est dévolu au juge est l'*imperium*, c'est-à-dire le pouvoir de prendre des décisions et de prescrire les mesures nécessaires à leur mise à exécution.

Comp. *imperium*

Juris et de jure

□ V. PRÉSOMPTION ABSOLUE.

Jurisprudence *n.f.*

□ **1.** Ensemble des décisions rendues par les tribunaux.

Rem. Ce terme peut être employé relativement à un tribunal en particulier (ex. la jurisprudence de la Cour d'appel), à une matière ou à une branche du droit (ex. la jurisprudence en droit des obligations) ou à l'ensemble du droit (par opposition à la loi et à la doctrine).

Comp. doctrine, jurisprudentiel, loi

Angl. *jurisprudence, precedents*

• **Jurisprudence (recueil de) :** V. RECUEIL DE JURISPRUDENCE.

□ **2.** Ensemble des principes juridiques qui se dégagent des solutions apportées par les tribunaux lorsqu'ils sont appelés à interpréter la loi ou à créer du droit en cas de silence de la loi.

Rem. Elle constitue l'une des sources du droit, les autres étant la loi et la doctrine.

Comp. doctrine, droit, jurisprudentiel, loi

Angl. *case law, jurisprudence*

• **Jurisprudence (revirement de) :** Adoption par une juridiction d'appel d'une interprétation de la loi qui diffère largement de celle qu'elle avait jusqu'alors admise ou qui la contredit ouvertement.

Angl. *overrule*

Jurisprudentiel, elle *adj.*

□ **1.** Qui se rapporte à la jurisprudence. Ex. Une recherche jurisprudentielle.

Comp. jurisprudence

Angl. *jurisprudential*

□ **2.** Qui émane de la jurisprudence. Ex. Une solution jurisprudentielle.

Comp. judiciaire, jurisprudence

Angl. *jurisprudential*

Juris tantum

□ V. PRÉSOMPTION SIMPLE.

Juriste *n.*

□ **1.** Personne qui possède de grandes connaissances juridiques ou qui rédige des ouvrages juridiques.

Comp. jurisconsulte, légiste
Angl. *jurist*

□ **2.** Personne qui exerce une profession juridique. Ex. Les juristes à l'emploi de l'État québécois.

Comp. avocat, conseiller en loi, notaire
Angl. *jurist*

Jury *n.m.*

□ Groupe de personnes choisies selon la loi pour entendre la preuve des faits, lors d'un procès, et de prononcer un verdict sur la culpabilité ou la responsabilité d'une personne.

Rem. **1.** Au Canada, les personnes inculpées d'un acte criminel doivent généralement être jugées par un tribunal composé d'un juge et d'un jury. **2.** Au Québec, le procès par jury en matière civile a été aboli en 1975 mais il existe encore dans certaines provinces canadiennes. **3.** Dans un procès par jury, le juge tranche les questions de droit et le jury, les questions de fait. Le juge ne délibère pas en compagnie du jury.
Comp. acte criminel, juré, tableau des jurés, verdict
Angl. *jury*

Jus

□ Terme latin signifiant « droit ».

Comp. droit

- ***Jus abutendi* :** V. *ABUSUS*

- ***Jus ad rem* :** Expression latine signifiant « droit à une chose ». Elle désigne le droit personnel, le droit de réclamer un bien du débiteur d'une obligation.

  Syn. droit personnel, *jus in personam*
  Contr. *jus in re*

- ***Jus fruendi* :** V. *FRUCTUS.*

- ***Jus in personam* :** Expression latine signifiant « droit opposable à une personne ». Elle désigne le droit personnel par opposition au droit réel que l'on nomme *jus in re.*

  Syn. droit personnel, *jus ad rem*
  Contr. *jus in re*

- ***Jus in re* :** Expression latine signifiant « droit dans une chose ». Elle désigne le droit réel par opposition au droit personnel que l'on nomme *jus in personam.*

  Syn. droit réel
  Contr. *jus in personam*

Just.

□ Abrév. de Justinien.

Juste titre

□ V. TITRE DE PROPRIÉTÉ.

Juste valeur marchande

□ Prix le plus élevé qui puisse être obtenu sur un marché libre, lorsque les parties à une transaction sont bien informées, prudentes et indépendantes l'une de l'autre et qu'aucune d'elles n'est forcée de conclure la transaction.

Rem. Les tribunaux utilisent indifféremment les mots « valeur marchande » et « juste valeur marchande ».
Comp. marché, transaction
Angl. *fair market value*

Justice *n.f.*

□ **1.** Terme qui désigne ce qui est conforme à l'équité et à la raison.

Angl. *justice*

□ **2.** Terme qui désigne ce à quoi peut prétendre tout individu dans une société, en vertu des règles du droit positif. Ex. Obtenir justice devant les tribunaux.

Angl. *justice*

- **Justice (déni de) :** V. DÉNI DE JUSTICE.

- **Justice fondamentale (principes de) :** Expression employée dans la *Charte canadienne des droits et libertés* pour qualifier les limites qui ne peuvent être franchies lorsque l'on veut porter atteinte aux droits fondamentaux que sont le droit à la vie, à la liberté et à la sécurité.

  Rem. **1.** Ces principes se retrouvent dans les préceptes fondamentaux de notre système juridique et non pas seulement dans ceux de notre processus judiciaire. **2.** La justice fondamentale se distingue de la justice naturelle en ce sens qu'elle peut avoir une signification substantielle et ne renvoie pas seulement à des garanties procédurales.

Comp. justice naturelle
Angl. *principles of fundamental justice*

- **Justice naturelle :** Ensemble de garanties procédurales dont un individu bénéficie lorsque ses droits sont affectés par une décision de l'Administration. Elle lui confère notamment le droit de faire valoir ses prétentions (règle *audi alteram partem*) et d'être traité de façon impartiale et sans préjugé (règle *nemo judex in sua causa*).

Comp. *audi alteram partem*, droit naturel, justice fondamentale (principes de), *nemo judex in sua causa*
Angl. *natural justice*

□ **3.** Ensemble des juridictions chargées d'administrer la justice dans un État.

Comp. justiciable
Angl. *justice*

- **Justice administrative :** Ensemble des juridictions administratives.

Comp. juridiction administrative
Angl. *administrative justice*

- **Justice civile :** Ensemble des juridictions civiles.

Comp. juridiction civile
Angl. *civil justice*

- **Justice pénale :** Ensemble des juridictions pénales.

Comp. juridiction pénale
Angl. *criminal justice*

- **Justice (s'en rapporter à la) :** De la part d'une partie dans une instance, déclarer qu'elle s'en remet au juge appelé à trancher le litige plutôt que de présenter ses moyens de contestation.

Rem. Selon le *Code de procédure civile*, la déclaration par le défendeur qu'il s'en rapporte à la justice n'équivaut pas à une contestation de la demande ni à un acquiescement aux prétentions du demandeur.
Comp. défense
Angl. *to submit to justice*

□ **4.** Service public responsable de l'organisation et de l'administration de la justice dans un État. Ex. Le ministère de la Justice.

Angl. *justice*

- **Justice (huissier de) :** V. HUISSIER.

Justice Rep.

□ Abrév. de *Justice Report*.

Justiciable *adj. et n.*

□ **1.(adj.)** Qui relève de la compétence des tribunaux, qui peut être soumis à un tribunal pour adjudication. Ex. Une question justiciable.

Comp. justice
Angl. *justiciable*

□ **2.(n.)** Personne qui relève de la justice d'un État.

Comp. justice
Angl. *justiciable, ordinary person (in the eyes of the law)*

Justificatif, ive *adj.*

□ V. FAIT(S) JUSTIFICATIF(S), PIÈCE JUSTIFICATIVE.

Jus utendi

□ V. USUS.

Juv. Ct.

□ Abrév. de *Juvenile Court*.

K

K.B.

☐ Abrév. de **1.** *Court of King's Bench* ; **2.** *King's Bench* ; **3.** *King's Bench Division.*

K.B.D.

☐ Abrév. de *King's Bench Division.*

K.C.

☐ Abrév. de *King's Counsel.*
Comp. Q.C.

Kidnapper *v.tr.*

☐ Enlever une personne, généralement en vue d'extorquer une rançon.
Comp. enlèvement, kidnappeur, kidnapping, rapt
Angl. *to kidnap*

Kidnappeur, euse *n.*

☐ Personne qui kidnappe.
Comp. kidnapper, kidnapping
Angl. *kidnapper*

Kidnapping *n.m.*

☐ Fait d'enlever une personne, généralement en vue d'extorquer une rançon.
Syn. enlèvement
Comp. kidnapper, kidnappeur, rapt
Angl. *kidnapping*

Know-How

☐ V. SAVOIR-FAIRE.

Kn. P.C.

☐ Abrév. de *Knapp, Privy Council.*

L

L.A.

☐ Abrév. de *Labor Arbitration Reports.*

Lab. Gaz.

☐ Abrév. de *Labour Gazette.*

L.A.C.

☐ Abrév. de *Labour Arbitration Cases.*

L.A.C. (2d)

☐ Abrév. de *Labour Arbitration Cases* (Second Series).

L.A.C. (3d)

☐ Abrév. de *Labour Arbitration Cases* (Third Series).

Laches (théorie des)

☐ Règle d'*equity* suivant laquelle une demande en justice ne peut être accueillie lorsque celui qui la forme a, par omission ou par négligence, tardé à exercer son recours et que ce délai cause un préjudice à la partie adverse.

Rem. Cette règle repose sur une maxime voulant que l'*equity* vient en aide à la personne qui est vigilante et non pas à celle qui sommeille sur ses droits. On l'applique notamment en matière d'injonction interlocutoire lorsqu'il apparaît que le requérant semble avoir acquiescé aux actes qu'il reproche à la partie adverse.

Angl. *laches (doctrine of)*

Lais (et relais) de la mer

☐ Terrains que la mer laisse à découvert en se retirant.

Rem. On les appelle lais de mer lorsqu'il s'agit de terres qui s'accumulent sur les rives et relais de mer lorsqu'elles émergent par suite du retrait des eaux.

Comp. accroissement, alluvion, atterrissement, avulsion

Angl. *foreshore, lands reclaimed from the sea*

L.A.N.

☐ Abrév. de *Labour Arbitration News.*

Larcin *n.m.*

☐ Vol de faible importance commis subrepticement et sans violence ; l'objet volé.

Comp. vol

Angl. *larceny, theft*

La Th.

☐ Abrév. de Thémis (La).

Latissimo sensu

☐ Expression latine signifiant « au sens le plus large ».

Comp. *lato sensu*

Lato sensu

☐ Locution latine signifiant « au sens large » que l'on utilise généralement dans l'interprétation d'un texte législatif ou réglementaire, d'une convention ou d'un mot.

Contr. *stricto sensu*

Comp. *latissimo sensu*

Law Repr.

☐ Abrév. de *The Law Reporter (Ramsay & Morin).*

L.C.

☐ Abrév. de **1.** Labour Cases ; **2.** Leading Cases ; **3.** Lord Chancelor ; **4.** Lower Canada.

L. & C.

☐ Abrév. de *Lefroy & Cassel's Practice Cases* (Ont.).

L.C.B.

☐ Abrév. de *Land Compensation Board.*

L.C.J.

☐ Abrév. de **1.** *Lord Chief Justice* ; **2.** *Lower Canada Jurist.*

L.C. Jur.

☐ Abrév. de *Lower Canada Jurist.*

L.C.L.J.

☐ Abrév. de *Lower Canada Law Journal.*

L.C.R.

☐ Abrév. de **1.** *Land Compensation Reports* ; **2.** *Lower Canada Reports.*

L.C. Rep.

☐ Abrév. de *Lower Canada Reports.*

L.C.V.

☐ Abrév. de *Loi sur les cités et villes.*

Leasing

☐ V. CRÉDIT-BAIL.

Lecture *n.f.*

☐ **1.** Énonciation à haute voix du contenu d'un écrit en vue d'en donner connaissance à autrui. Ex. La lecture d'un contrat de mariage par un notaire.

Angl. *reading*

• **Lecture faite :** Mention à la fin d'un acte notarié créant une présomption que celui-ci a été lu aux parties conformément aux dispositions de la loi.

Comp. acte notarié
Angl. *after due reading*

☐ **2.** Action de prendre connaissance du contenu d'un écrit.

Rem. Cette action est généralement silencieuse.
Angl. *reading*

☐ **3.** Examen d'un projet de loi par une assemblée législative.

Rem. Jusqu'en 1984, les projets de lois soumis à l'Assemblée nationale du Québec faisaient l'objet de trois lectures. On a maintenant remplacé les expressions « première lecture » par « présentation », « deuxième lecture » par « adoption du principe » et « troisième » lecture par « adoption ».
Comp. présentation
Angl. *reading*

Légal, ale, aux *adj.*

☐ **1.** Qui résulte de la loi, qui est prescrit ou régi par la loi. Ex. Une obligation légale, une fête légale, une servitude légale.

Contr. illégal
Comp. contractuel, judiciaire, juridique, légalement, légalité, légitime, licite
Angl. *extracontractual, legal*

☐ **2.** Qui a valeur de loi. Ex. Une disposition légale.

Comp. législatif
Angl. *legal*

☐ **3.** Qui est conforme à la loi. Ex. Un règlement légal (qui est conforme à sa loi habilitante).

Contr. illégal
Comp. légalement, légalité, légitime, licite
Angl. *legal*

Légalement *adv.*

☐ D'une manière légale.

Contr. illégalement
Comp. légal, légalité
Angl. *lawfully, legally*

Légalisation *n.f.*

□ **1.** Reconnaissance par la loi d'une pratique non réglementée ou d'un comportement illicite que, généralement, la société a déjà toléré. Ex. La légalisation de l'avortement.
Comp. confirmation, légitimation, validation
Angl. *legalization*

□ **2.** Opération par laquelle un officier public atteste de l'authenticité des signatures d'un acte public ou privé.
Angl. *notarization*

Légalité *n.f.*

□ **1.** Caractère de ce qui est légal, conforme à la loi. Ex. La légalité d'un règlement, d'un acte.
Contr. illégalité
Comp. légal, légalement, légitimité, licéité, validité
Angl. *legality*

□ **2.** Ce qui est légal ; ensemble des actes et des moyens établis ou autorisés par la loi. Ex. Agir dans les limites de la légalité.
Contr. illégalité
Comp. légal, légalement
Angl. *legality*

• **Légalité (principe de la) :**
1. En droit administratif, principe en vertu duquel l'administration a l'obligation d'agir conformément à la loi.
Comp. primauté du droit
Angl. *rule of law*
2. En droit pénal, principe en vertu duquel un acte ne peut constituer une infraction que s'il a été expressément prévu par la loi tout comme les peines qui lui sont applicables.
Comp. *nullum crimen, nulla poena, sine lege*
Angl. *principle of legality*

Legal N.

□ Abrév. de *Legal News*.

Légataire *n.*

□ Personne qui est bénéficiaire d'un legs.
Comp. colégataire, legs
Angl. *legatee*

• **Légataire à titre particulier :** Bénéficiaire d'un legs à titre particulier.
Comp. legs à titre particulier
Angl. *legatee by particular title*

• **Légataire à titre universel :** Bénéficiaire d'un legs à titre universel.
Comp. legs à titre universel
Angl. *legatee by general title*

• **Légataire universel :** Bénéficiaire d'un legs universel.
Comp. legs universel
Angl. *universal legatee*

Léger, ère *adj.*

□ V. FAUTE LÉGÈRE.

Légiférer *v.intr.*

□ Faire des lois.
Comp. législateur, législation
Angl. *to legislate*

Législateur, trice *n.*

□ **1.** L'autorité qui, dans une société, fait les lois.
Comp. légiférer, législature, pouvoir exécutif, pouvoir judiciaire, pouvoir législatif
Angl. *legislator*

□ **2.** Terme fréquemment employé pour désigner la loi. Ex. Le législateur prescrit que ...
Comp. législation, loi
Angl. *law, legislator*

Législatif, ive *adj.*

□ **1.** Qui émane de la loi ou qui s'y rapporte. Ex. L'origine législative d'une norme.
Comp. exécutif, judiciaire, légal, législation
Angl. *legislative*

□ **2.** Qui a le caractère d'une loi. Ex. Un texte législatif.
Comp. législation
Angl. *legislative*

□ **3.** Qui a pour mission de légiférer.
Angl. *legislative*

Législation *n.f.*

☐ **1.** Ensemble des lois d'un État ou des lois qui concernent un domaine déterminé du droit. Ex. La législation québécoise, la législation du travail.
Comp. législateur, législatif, pouvoir législatif
Angl. *legislation*

• **Législation déléguée :** Expression utilisée fréquemment pour désigner l'ensemble des règlements adoptés par le gouvernement en vertu d'un pouvoir que lui confère le Parlement ou l'Assemblée nationale.
Comp. pouvoir réglementaire, règlement
Angl. *delegated legislation*

☐ **2.** Action de légiférer, de faire des lois.
Comp. légiférer, législature
Angl. *legislation*

Législature *n.f.*

☐ **1.** Corps législatif d'un État. Ex. La législature du Québec.
Comp. législateur, parlement
Angl. *legislature*

☐ **2.** Période pour laquelle une assemblée législative est élue. Ex. Au Québec, une législature est d'au plus cinq ans.
Angl. *legislature*

Légiste *n.*

☐ Terme fréquemment employé pour désigner un juriste qui rédige des lois. Ex. Les légistes de l'État québécois.
Comp. jurisconsulte, juriste, législateur, légistique
Angl. *jurist, legist*

• **Légiste (médecin) :** V. MÉDECIN LÉGISTE.

Légistique *n.f.*

☐ Science qui s'intéresse aux méthodes de rédaction des textes de loi.
Comp. législation, légiste
Angl. *juristics*

Légitimation *n.f.*

☐ Procédé légal (qui n'a plus d'application aujourd'hui) suivant lequel un enfant naturel acquiert la condition d'enfant légitimé en raison du mariage de ses parents ou en vertu d'une décision du tribunal.
Comp. légitimité
Angl. *legitimation*

Légitime *adj.*

☐ **1.** Qui est fondé en droit. Ex. Être le dépositaire légitime d'un bien.
Contr. illégitime
Comp. cause légitime de préférence, détention légitime, légal, légitimement, légitimité, licite
Angl. *lawful, legitimate*

☐ **2.** Qui mérite d'être pris en considération par la loi. Ex. Un motif légitime peut dispenser une personne de témoigner lors d'un procès.
Contr. illégitime
Angl. *legitimate*

☐ **3.** Qui est conforme à la justice, à l'équité. Ex. Les conditions légitimes de travail dans une entreprise.
Contr. illégitime
Comp. légal, licite
Angl. *legitimate*

☐ **4.** Se dit, relativement aux rapports familiaux, de ceux qui sont inhérents au mariage. Ex. Un enfant légitime, la famille légitime.
Contr. illégitime
Comp. enfant légitime, famille légitime, légitimer, légitimité, succession légitime, union
Angl. *legitimate*

☐ **5.** Se dit d'une institution qui a la légitimité.
Comp. légitimité
Angl. *legitimate*

☐ **6.** V. DÉFENSE (LÉGITIME).

Légitimement *adv.*

☐ D'une manière légitime.
Contr. illégitimement
Comp. légalement, légitime, légitimité, licitement
Angl. *legitimately*

Légitimer *v.tr.*

☐ **1.** Conférer la légitimité. Ex. Légitimer un enfant naturel.
Comp. légitime, légitimité
Angl. *to legitimate*

☐ **2.** Reconnaître pour légitime. Ex. Légitimer un acte.
Comp. légitime, légitimité
Angl. *to legitimate*

Légitimité *n.f.*

☐ **1.** Qualité de ce qui est légitime ou considéré comme tel. Ex. La légitimité d'une revendication.
Contr. illégitimité
Comp. légalité, légitime, licéité, validité
Angl. *legitimacy*

☐ **2.** État d'une personne que la loi reconnaît comme légitime. Ex. La légitimité d'un enfant.
Contr. illégitimité
Comp. légitime, légitimer
Angl. *legitimacy*

☐ **3.** Conformité d'une institution à une norme non écrite qui est reconnue par une société comme étant fondamentale et qui sert d'assise à son autorité morale ou politique. Ex. Les partis d'opposition contestent généralement la légitimité d'un gouvernement lorsque les sondages auprès de la population démontrent son impopularité.
Contr. illégitimité
Comp. légalité, légitime
Angl. *legitimacy*

Legs *n.m.*

☐ **1.** Disposition à titre gratuit contenue dans un testament.
Rem. Un legs peut être à titre particulier, à titre universel ou universel.
Comp. donation, légataire, léguer, libéralité
Angl. *bequest, legacy*

• **Legs à titre particulier :** Legs qui a pour objet un ou plusieurs biens déterminés par le testateur. Ex. Le legs d'un bijou, d'une automobile.
Syn. legs particulier
Comp. donation
Angl. *bequest by particular title, legacy by particular title*

• **Legs à titre universel :** Legs qui a pour objet une quote-part des biens du testateur (ex. la moitié de ses biens), une universalité de ses biens (ex. l'ensemble de ses immeubles) ou une quote-part d'une universalité de ses biens (ex. la moitié de ses immeubles).
Comp. donation
Angl. *legacy by general title*

• **Legs conjoint :** Legs fait à plusieurs personnes concurremment et sans assignation de parts.
Angl. *joint legacy*

• **Legs *de residuo* :** Disposition testamentaire dans laquelle le testateur, après avoir effectué des legs particuliers, désigne la personne à qui il lègue le restant de ses biens.
Angl. *legacy de residuo*

• **Legs particulier :** V. LEGS À TITRE PARTICULIER.

• **Legs universel :** Legs qui a pour objet l'universalité des biens du testateur. Ex. Le legs par le testateur de tous ses biens à une organisation charitable.
Rem. Il peut être fait à une ou plusieurs personnes.
Angl. *universal legacy*

☐ **2.** Objet d'un legs. Ex. Certains legs sont sujets au rapport successoral.
Comp. rapport
Angl. *bequest, legacy*

Léguer *v.tr.*

☐ Donner par testament, faire un legs.
Comp. legs, testament
Angl. *to bequeath*

Léonin, ine *adj.*

☐ Se dit d'une convention ou d'une clause dans un contrat où une partie se réserve l'ensemble ou la plupart des avantages, mettant ainsi à la charge de l'autre partie la totalité ou une part exorbitante des obligations.
Comp. abusif, clause abusive
Angl. *leonine, one-sided*

Léser *v.tr.*

☐ Causer préjudice (à quelqu'un) par une lésion.

Comp. lésion, lésionnaire
Angl. *to damage, to injure*

Lésion *n.m.*

☐ **1.** Préjudice subi par une partie à un contrat en raison d'une différence de valeur entre les prestations réciproques que celui-ci impose.

Rem. **1.** Selon l'art. 1406 du *Code civil du Québec*, la lésion résulte de l'exploitation de l'une des parties par l'autre, qui entraîne une disproportion importante entre les prestations des parties ; le fait même qu'il y ait disproportion importante fait présumer l'exploitation. **2.** Dans certains cas, elle justifie la rescision de l'acte lésionnaire.
Comp. léser, lésionnaire, rescision
Angl. *lesion*

☐ **2.** Préjudice subi par une partie à un partage en raison d'une différence de valeur entre les lots.

Rem. Elle peut exceptionnellement justifier la rescision du partage.
Comp. rescision
Angl. *lesion*

☐ **3.** Plus généralement, un préjudice subi par une personne. Ex. Les lésions corporelles.

Comp. préjudice
Angl. *damage, injury, lesion*

• **Lésion professionnelle :** Blessure ou maladie qui survient par le fait ou à l'occasion d'un accident du travail ou d'une maladie professionnelle.

Angl. *employment injury*

Lésionnaire *adj.*

☐ Se dit d'un contrat ou d'un partage entaché de lésion.

Comp. léser, lésion
Angl. *lesionary*

Lettre *n.f.*

☐ **1.** Écrit que l'on adresse à quelqu'un dans le but de l'informer de quelque chose.

Angl. *letter*

• **Lettre certifiée :** V. COURRIER CERTIFIÉ.

• **Lettre d'avocat :** V. DEMEURE (MISE EN).

• **Lettre morte :** Se dit d'un texte tombé en désuétude, qui n'a plus de valeur juridique.

Comp. désuétude
Angl. *dead letter*

• **Lettre recommandée :** V. COURRIER RECOMMANDÉ.

☐ **2.** Nom donné à certains écrits officiels ou à des actes expédiés au nom d'une autorité.

Angl. *letter*

• **Lettres de créance :** Document officiel qui accrédite un diplomate auprès d'un gouvernement étranger. Ex. Présenter ses lettres de créance au chef d'un État étranger.

Comp. accréditation
Angl. *credentials*

• **Lettres patentes :** Acte constitutif d'une compagnie ou d'une société par actions qui est émis par l'État, à la demande des actionnaires, et qui en précise les droits, les privilèges et les obligations.

Rem. Autrefois, les lettres patentes, émises par le souverain d'Angleterre, accordaient certains privilèges à des individus, à des entreprises ou à des groupes ; par exemple, des terres furent concédées ou des monopoles accordés par lettres patentes. Aujourd'hui, elles réfèrent uniquement au mode d'incorporation d'une compagnie ou d'une société par actions.
Angl. *letters patent*

☐ **3.** Terme que l'on associe à d'autres pour désigner certains actes instrumentaires, notamment en droit commercial.

Angl. *bill, letter, note*

• **Lettre de change :** Effet de commerce par lequel une personne, le tireur, ordonne à une deuxième personne, le tiré, de payer une somme d'argent précise, sur demande ou à une date déterminée ou susceptible de l'être, soit à une troisième personne, le bénéficiaire ou preneur, ou à l'ordre de cette dernière, soit au porteur.

Syn. traite
Comp. billet, chèque, détenteur, effet de commerce, protêt, tirage
Angl. *bill of exchange*

- **Lettre de change (libération de la) :** V. LIBÉRATION DE LA LETTRE DE CHANGE.

- **Lettre de complaisance :** Lettre de change qu'une personne signe comme tireur, accepteur ou endosseur sans avoir reçu de contrepartie et dans le seul but de prêter son nom et son crédit à une autre personne.
  Syn. effet de complaisance
  Comp. lettre de change
  Angl. *accommodation bill*

- **Lettre de consommation :** « Lettre émise pour un achat de consommation et qui engage, en tant que partie, la responsabilité de l'acheteur ou de tout signataire complaisant » (*Loi sur les lettres de change*, L.R.C. 1985, c. B-4, art. 189).
  Rem. Elle est soumise à des règles particulières visant à protéger le consommateur des défaillances du vendeur, dans certaines circonstances.
  Syn. lettre du consommateur
  Comp. achat de consommation, billet de consommation
  Angl. *consumer bill*

- **Lettre de crédit :** Document adressé généralement par une banque à une banque correspondante par lequel elle lui demande de remettre une somme d'argent à une personne qu'elle désigne ou d'ouvrir à celle-ci un crédit jusqu'à concurrence d'un montant qu'elle détermine.
  Rem. La banque correspondante a alors droit de se faire rembourser par la banque émettrice de la lettre toutes les sommes qu'elle a versées quel que soit l'état du compte entre celle-ci et son client.
  Angl. *letter of credit*

- **Lettre du consommateur :** V. LETTRE DE CONSOMMATION.

Levée *n.f.*

□ **1.** Action d'enlever, de retirer.
  Angl. *removing*

- **Levée des scellés :** Opération par laquelle une personne désignée par le tribunal, après s'être assurée que les scellés apposés sur une pièce ou un meuble étaient intacts ou, dans le cas contraire, après avoir noté leur état, procède à leur enlèvement afin que les biens sous scellés soient remis aux personnes qui y ont droit.
  Contr. apposition (des scellés)
  Comp. scellés
  Angl. *removing seals*

□ **2.** Manifestation de volonté visant à supprimer une incertitude.
  Angl. *approval*

- **Levée d'option :** Acte par lequel le bénéficiaire d'une promesse unilatérale de vente accepte de conclure le contrat tel que proposé.
  Comp. vente
  Angl. *exercise of an option*

Lex

□ Terme latin signifiant « loi ».
  Syn. loi

- ***Lex domicilii*** : Expression latine signifiant « la loi du domicile » et désignant, en droit international privé, la loi du domicile du créancier ou du débiteur.

- ***Lex fori*** **:** Expression latine signifiant « loi du forum », « loi du tribunal » et désignant, en droit international privé, la loi du lieu où siège le tribunal saisi d'un litige.
  Syn. loi du for

- ***Lex loci*** **:** Expression latine signifiant « loi du lieu », « loi de l'endroit » et désignant la loi du lieu où s'est produit un fait ou un acte juridique.

- ***Lex loci actus*** **:** Expression latine signifiant « loi du lieu de l'acte » et désignant la loi du lieu où un acte juridique a été passé.

- ***Lex loci celebrationis*** **:** Expression latine signifiant « loi du lieu de la célébration » et désignant la loi du lieu où la célébration (d'un mariage) a été tenue.

- ***Lex loci contractus*** : Expression latine signifiant « loi du lieu du contrat » et désignant la loi du lieu où un contrat a été passé.
  Comp. *lex loci actus*

- ***Lex loci delicti*** **:** Expression latine signifiant « loi du lieu du délit » et désignant la loi du lieu où un délit (ou quasi-délit) a été commis.
  Rem. Elle peut également désigner la loi du lieu

où une infraction a été commise.
Syn. *lex loci delicti commissi, lex loci delictus*

- ***Lex loci delicti commissi*** : V. *LEX LOCI DELICTI.*

- ***Lex loci delictus*** : V. *LEX LOCI DELICTI.*

- ***Lex loci rei sitae*** : Expression latine signifiant « loi du lieu où une chose est située » et désignant, en droit international privé, la loi du lieu où est situé le bien en litige.
Syn. *lex rei sitae, lex situs*
Comp. territorialité

- ***Lex loci solutionis*** : Expression latine signifiant « loi du lieu de la solution » et désignant la loi du lieu du paiement ou du lieu où l'obligation doit être exécutée.
Syn. *lex solutionis*

- ***Lex mercatoria*** : Expression latine signifiant « loi du commerce » et qui désigne à la fois les lois et les usages relatifs au commerce.

- ***Lex rei sitae*** : V. *LEX LOCI REI SITAE.*

- ***Lex situs*** : V. *LEX LOCI REI SITAE.*

- ***Lex solutionis*** : V. *LEX LOCI SOLUTIONIS.*

Libelle *n.m.*

□ Publication ou écrit de nature blasphématoire, diffamatoire ou séditieuse.
Angl. *libel*

- **Libelle blasphématoire :** Acte criminel qui consiste à publier ou à diffuser de mauvaise foi des propos blasphématoires dans le but d'outrager les personnes qui ont des convictions religieuses.
Comp. blasphème, diffamation
Angl. *blasphemous libel*

- **Libelle diffamatoire :** Acte criminel qui consiste à publier ou à faire diffuser, sans raison valable, un écrit mensonger qui vise à insulter une personne ou à nuire à sa réputation, que la personne diffusant l'information sache ou ignore que l'écrit est faux.
Rem. **1.** Selon le *Code criminel*, il faut que la matière ait été publiée sans justification ni excuse légitime et qu'elle soit de nature à nuire à la réputation de quelqu'un en l'exposant à la haine, au mépris ou au ridicule ou qu'elle soit destinée à outrager la personne contre qui l'écrit a été publié. **2.** Certains prétendent que l'expression « libelle diffamatoire » de l'article 298 du *Code criminel* est un anglicisme et qu'elle devrait être remplacée par le mot « diffamation ».
Comp. acte criminel, diffamation
Angl. *defamatory libel, libel* (écrit), *slander* (oral). N.B. Cette distinction est aujourd'hui dépassée.

- **Libelle séditieux :** Acte criminel qui consiste à publier ou à diffuser un écrit exprimant une intention séditieuse.
Comp. intention séditieuse, sédition
Angl. *seditious libel*

Libellé *n.m.*

□ **1.** Termes dans lesquels un acte est rédigé. Ex. Le libellé d'un jugement.
Angl. *wording*

□ **2.** Plus spécialement, mentions qui doivent être ajoutées à un écrit préparé en blanc. Ex. Le libellé d'un formulaire d'assurance.
Angl. *wording*

Libéral, ale, aux *adj.*

□ **1.** Se dit de l'interprétation large d'un texte.
Contr. strict
Angl. *liberal, not literal*

□ **2.** Se dit de certaines professions de caractère intellectuel qui s'exercent en toute indépendance ou sous le seul contrôle d'une corporation professionnelle. Ex. Le médecin exerce une profession libérale.
Angl. *liberal, professional*

□ **3.** Qui donne facilement, qui concerne les libéralités. Ex. Une intention libérale.
Comp. gracieux, onéreux
Angl. *liberal*

□ **4.** Qui favorise les libertés individuelles ou la liberté de marché. Ex. Un État libéral, une économie libérale.
Angl. *liberal*

Libéralisation *n.f.*

□ **1.** Tendance législative à accroître les cas d'ouverture à l'exercice de certains droits ou à restreindre les formalités requises pour leur application. Ex. La libéralisation du divorce.

Angl. *liberalization*

□ **2.** Tendance législative à faciliter les relations commerciales entre les États. Ex. La libéralisation des échanges commerciaux.

Angl. *easing of restrictions, liberalization*

Libéralité *n.f.*

□ Acte par lequel une personne consent à une autre un avantage, sans contrepartie.

Rem. Elle peut être entre vifs ou à cause de mort.

Comp. donation, testament

Angl. *liberality*

Libération *n.f.*

□ **1.** Remise en liberté d'une personne détenue en rapport avec une infraction. Ex. La libération d'un accusé.

Contr. incarcération, internement

Angl. *discharge, release*

• **Libération conditionnelle :** Mise en liberté anticipée dont peut bénéficier une personne condamnée à l'emprisonnement, lorsqu'elle a purgé une partie de sa peine et qu'elle présente des signes sérieux de réhabilitation sociale.

Comp. détention légitime, liberté surveillée, semi-liberté

Angl. *conditional liberation, parole*

• **Libération inconditionnelle :** Mesure par laquelle un juge absout totalement un accusé qui a comparu devant lui et qui a plaidé coupable ou a été reconnu coupable de l'infraction qu'on lui reprochait.

Rem. Le contrevenant qui bénéficie d'une libération inconditionnelle est réputé ne jamais avoir été condamné pour cette infraction. Le juge l'accorde lorsque, à son avis, il y va de l'intérêt véritable de l'accusé et que sa décision ne nuit pas à l'ordre public.

Syn. absolution

Angl. *absolute discharge*

• **Libération provisoire :** Mesure par laquelle un juge remet en liberté un détenu placé en détention jusqu'à ce qu'il soit jugé et qu'une sentence d'emprisonnement soit prononcée contre lui.

Comp. liberté provisoire

Angl. *interim release, release on bail, temporary release*

□ **2.** Fait pour une personne de ne plus être tenue d'une obligation. Ex. La libération du débiteur résultant du paiement ou de la remise de la dette.

Syn. décharge

Comp. dissolution, extinction, libératoire, quittance

Angl. *discharge, release*

• **Libération de la lettre de change :** Extinction des droits d'action liés à la lettre de change.

Rem. Le mode normal de libération est le paiement régulier de la lettre.

Comp. lettre de change

Angl. *discharge of the bill of exchange*

• **Libération des actions :** Versement par un actionnaire du montant nominal des actions qu'il a souscrites.

Rem. Selon la *Loi sur les compagnies* (L.R.Q., c. C-48), les actions peuvent être libérées en partie ; par contre, la *Loi sur les sociétés par actions* (L.R.C. 1985, c. C-44) exige que les actions soient entièrement payées pour qu'elles soient libérées.

Comp. action (de compagnie ou de société par actions), liberté

Angl. *paying up of shares*

• **Libération du failli :** Fait pour un failli d'être libéré par jugement du paiement des réclamations qui peuvent exister et être prouvées contre lui.

Rem. La loi prescrit que le failli est tenu d'acquitter certaines dettes, même après sa libération.

Comp. failli, faillite

Angl. *discharge of bankrupt*

• **Libération du syndic :** Fait pour un syndic d'être libéré par jugement de l'administration des biens du failli.

Comp. failli, faillite, syndic

Angl. *discharge of trustee*

□ **3.** Fait pour un bien de ne plus être grevé d'une charge, d'un droit réel. Ex. La libération d'un immeuble résultant de l'extinction de l'hypothèque dont il était grevé.

Angl. *discharge*

Libératoire *adj.*

☐ Qui a pour effet de libérer. Ex. L'effet libératoire d'un paiement.

Comp. extinction, libération, quittance

Angl. *in full discharge from debt, liberating*

Libéré, ée *adj.*

☐ Lorsqu'il s'applique à une action ou à un capital-actions, terme qui désigne une action ou un capital-actions entièrement payé et aucunement sujet à quelque responsabilité, actuelle ou éventuelle, envers la compagnie ou société par actions.

Comp. action, capital-actions, libération des actions

Angl. *paid-up*

Libéré conditionnel

☐ Lorsqu'il s'applique à une personne incarcérée, terme qui désigne un détenu à qui a été accordée une libération conditionnelle.

Comp. libération conditionnelle

Angl. *parole inmate, parolee*

Liberté *n.f.*

☐ **1.** État d'une personne qui n'est pas captive ou emprisonnée.

Comp. emprisonnement, libre

Angl. *freedom, liberty, release*

• **Liberté conditionnelle :** En matière criminelle, état d'une personne qui bénéficie d'une libération conditionnelle.

Comp. libération conditionnelle

Angl. *parole*

• **Liberté provisoire :** En matière criminelle, état d'une personne qui bénéficie d'une libération provisoire.

Comp. libération provisoire

Angl. *interim release, release on bail, temporary release*

• **Liberté surveillée :** État d'un détenu qui est mis en liberté avant l'expiration de sa peine par suite d'une réduction de celle-ci.

Rem. Il y est alors astreint dès son élargissement et pendant toute la durée non écoulée de sa peine.

Comp. détention légitime, libération conditionnelle

Angl. *mandatory supervision*

☐ **2.** Pouvoir que la loi reconnaît, en principe, à toute personne d'agir sans contrainte ou entrave dans un domaine déterminé.

Comp. libre

Angl. *freedom, liberty*

• **Libertés civiles :** Ensemble des libertés dont jouit une personne dans ses relations avec d'autres personnes. Ex. La liberté de tester, la liberté de contracter.

Comp. droits civils

Angl. *civil rights*

• **Liberté contractuelle :** Principe juridique en vertu duquel chaque individu a le droit de s'engager par contrat quand il le désire et de déterminer librement le contenu, les conditions, la forme et les effets des contrats auxquels il souscrit.

Comp. contrat

Angl. *liberty of contract*

• **Liberté d'association :** Droit fondamental de tout individu de se joindre à d'autres personnes ou de contribuer à la formation d'un groupe de personnes dans le but de réaliser des objectifs communs qui sont reconnus par la loi.

Rem. Cette liberté est protégée par l'article 2*d*) de la *Charte canadienne des droits et libertés* et par l'article 3 de la *Charte des droits et libertés de la personne* du Québec.

Angl. *freedom of association*

• **Liberté de circulation :** Droit de tout citoyen canadien de demeurer au Canada, d'y entrer ou d'en sortir.

Rem. Ce droit fondamental est garanti par l'article 6(1) de la *Charte canadienne des droits et libertés.*

Comp. liberté d'établissement

Angl. *right to move*

• **Liberté de conscience et de religion :** Droit fondamental de tout individu d'adhérer à la religion de son choix, de l'exercer publiquement sans contrainte et de propager ses convictions sous réserve, toutefois, de la liberté d'autrui et des restrictions nécessaires à la préservation de la sécurité et de l'ordre publics.

Rem. **1.** Cette liberté, qui a pour objet d'assurer que la société ne s'ingère pas dans les croyances intimes de chacun, s'étend même à la liberté de ne pas exercer de religion. **2.** Cette liberté est protégée par l'article 2a) de la *Charte canadienne des droits et libertés* et par l'article 3 de la *Charte des droits et libertés de la personne* du Québec.

Angl. *freedom of conscience and religion*

• **Liberté de religion :** V. LIBERTÉ DE CONSCIENCE ET DE RELIGION.

• **Liberté de réunion pacifique :** Droit fondamental de tout individu de former une assemblée ou d'y participer à la condition de respecter les prescriptions du *Code criminel* qui interdit notamment les attroupements illégaux et les émeutes.

Rem. Cette liberté est protégée par l'article 2c) de la *Charte canadienne des droits et libertés* et par l'article 3 de la *Charte des droits et libertés de la personne* du Québec.

Angl. *freedom of peaceful assembly*

• **Liberté d'établissement :** Droit de tout citoyen canadien et de toute personne ayant le statut de résident permanent au Canada de se déplacer dans tout le pays, d'y établir sa résidence et de gagner sa vie dans toute province.

Rem. Ce droit fondamental est garanti par l'article 6(2) de la *Charte canadienne des droits et libertés.*

Comp. liberté de circulation

Angl. *rights to move and gain livelihood*

• **Liberté d'expression :** Droit fondamental de tout individu d'exprimer ses opinions sous toutes les formes de son choix, à l'exclusion de celles qui impliquent un recours à la violence. Ex. La liberté de la presse constitue une des facettes de la liberté d'expression.

Rem. Cette liberté est protégée par l'article 2b) de la *Charte canadienne des droits et libertés* et par l'article 3 de la *Charte des droits et libertés de la personne* du Québec.

Angl. *freedom of expression*

• **Libertés fondamentales :** Droits de la personne reconnus et protégés juridiquement.

Rem. Selon l'article 2 de la *Charte canadienne des droits et libertés*, chaque citoyen est titulaire des libertés fondamentales suivantes : a) liberté de conscience et de religion ; b) liberté de pensée, de croyance, d'opinion et d'expression, y compris la liberté de la presse et des autres moyens de communication ; c) liberté de réunion pacifique ; d) liberté d'association. Selon l'article 3 de la *Charte des droits et libertés de la personne* du Québec, toute personne est titulaire des libertés fondamentales telles les libertés de conscience, de religion, d'opinion, d'expression, de réunion pacifique et d'association.

Comp. libertés civiles, libertés publiques

Angl. *civil liberties, fundamental freedoms*

• **Libertés publiques :** Ensemble des libertés dont jouit une personne dans ses relations avec l'État. Ex. La liberté d'association et la liberté de circulation constituent des libertés publiques.

Comp. libertés fondamentales

Angl. *civil liberties, fundamental freedoms*

• **Liberté syndicale :**

1. Droit de tout individu d'adhérer au syndicat de son choix et de participer à sa formation, à ses activités licites et à son administration. Elle comprend également le droit de se retirer du syndicat ou de refuser d'en être membre.

Comp. syndicat

Angl. *right to organize*

2. Droit de tout syndicat de se constituer, de s'organiser et de s'administrer sans ingérence ou tentative d'ingérence de la part de l'employeur.

Comp. liberté d'association

Angl. *freedom of association, right of association*

Libre *adj.*

☐ **1.** Qui n'est pas détenu, qui n'a pas fait l'objet d'une arrestation.

Comp. liberté

Angl. *free*

☐ **2.** Qui est fondé sur des libertés fondamentales reconnues et garanties par la Constitution. Ex. Les citoyens canadiens vivent dans une société libre et démocratique.

Comp. liberté

Angl. *free*

☐ **3.** Qui n'est pas soumis à une autorité arbitraire, qui n'est pas privé de sa liberté physique. Ex. Un homme libre.

Comp. liberté
Angl. *free*

☐ **4.** Qui n'est pas soumis à une puissance étrangère. Ex. Un pays libre.
Comp. souverain
Angl. *free*

☐ **5.** Qui n'est pas légalement reconnu. Ex. Une union libre.
Comp. union
Angl. *free*

☐ **6.** Qui a le pouvoir d'agir ou de décider seul. Ex. Un juge doit être libre de ses décisions.
Angl. *free*

☐ **7.** Qui dépend de la seule volonté d'une personne. Ex. Avoir la libre disposition de ses biens.
Angl. *free*

☐ **8.** Qui n'est pas soumis à une obligation juridique, qui n'est pas grevé. Ex. Un immeuble libre de toute hypothèque.
Angl. *free*

☐ **9.** Qui n'est pas réglementé, qui n'est pas contrôlé. Ex. La vente libre de certains produits.
Angl. *free, unrestricted*

• **Libre concurrence :** V. CONCURRENCE (LIBRE).

Libre-échange *n.m.*

☐ Système économique dans lequel les transactions commerciales entre des pays sont libres de toutes entraves gouvernementales dont, notamment les droits de douane. Ex. Le Traité de libre-échange entre le Canada et les États-Unis.
Contr. protectionnisme
Comp. traité, union douanière
Angl. *free trade*

Licéité *n.f.*

☐ Caractère de ce qui est licite. Ex. La licéité d'un acte.
Contr. illicéité
Comp. légalité, légitimité, licite, licitement, validité
Angl. *licitness*

Licence *n.f.*

☐ **1.** Autorisation administrative permettant à une personne d'exercer une activité réglementée ; par extension, le document qui constate cette autorisation. Ex. Une licence autorisant une personne à faire du transport routier, à tenir un bar.
Angl. *license, permit*

☐ **2.** Autorisation que le titulaire d'un droit de propriété industrielle concède à une personne d'en faire l'exploitation dans des conditions déterminées et moyennant, généralement, le paiement de redevances. Ex. La licence accordée par le détenteur d'un brevet ou d'une marque de commerce.
Comp. droit d'auteur, franchise
Angl. *license, patent*

☐ **3.** Grade universitaire. Ex. Une licence en droit.
Comp. licencié
Angl. *bachelor's degree*

Licencié, ée *adj. et n.*

☐ **1.(adj.)** Qui a été congédié. Ex. Un employé licencié.
Comp. congédiement, licenciement
Angl. *laid off*

☐ **2.(n.)** Titulaire ou bénéficiaire d'une licence. Ex. Un licencié en droit.
Comp. concessionnaire, licence
Angl. *graduate, licensee*

Licenciement *n.m.*

☐ Résiliation du contrat de travail d'un employé par son employeur.
Rem. Selon certains, les termes « licenciement » et « congédiement » constituent deux notions distinctes alors que, pour d'autres, le congédiement serait une forme de licenciement.
Contr. démission
Comp. congédiement, débauchage, licencié, mise à pied, suspension
Angl. *dismissal*

• **Licenciement collectif :** Licenciement qui touche un nombre important d'employés d'une entreprise et qui est causé notamment par des changements technologiques ou par des difficultés économiques majeures.

Rem. La loi fédérale impose aux entreprises qui y sont soumises des règles de conduite à suivre en ce cas.
Angl. *collective dismissal, mass layoff*

- **Licenciement (préavis de) :** Avis écrit donné par l'employeur à l'employé dont les services ont été retenus pour une période indéterminée dans le but de l'informer de la résiliation de son contrat de travail.
  Rem. Le délai de préavis est généralement déterminé en fonction de la période durant laquelle l'employé a été au service de l'entreprise.
  Comp. congédiement, délai-congé, licenciement
  Angl. *advance layoff notice, prior layoff notice*

Licitation *n.f.*

□ Vente aux enchères publiques ou par un mode équivalent de biens qui appartiennent à des propriétaires indivis et ne peuvent être commodément partagés en nature.
Comp. biens indivis, indivis, liciter
Angl. *licitation*

- **Licitation en justice :** Licitation qui a lieu sous la responsabilité d'un juge, généralement en vertu d'un jugement de partage, lorsque des cohéritiers ou des copropriétaires ne s'entendent pas sur le partage des biens communs et que celui-ci ne peut être commodément fait en nature.
  Syn. licitation forcée, licitation judiciaire
  Angl. *judicial licitation*

- **Licitation forcée :** V. LICITATION EN JUSTICE.

- **Licitation judiciaire :** V. LICITATION EN JUSTICE.

- **Licitation volontaire :** Licitation faite sans intervention du tribunal, selon les modalités déterminées par les personnes intéressées.
  Angl. *voluntary licitation*

Licite *adj.*

□ Qui est permis par la loi, qui n'est pas défendu par la loi, l'ordre public et les bonnes moeurs. Ex. Une activité licite.
Rem. Dans ce sens, « licite » a un sens plus large que « légal » puisqu'il inclut la notion de moralité. Cependant, on peut lui donner une définition plus restreinte d'où serait exclue toute référence aux bonnes moeurs.
Contr. illicite
Comp. légal, légitime, licéité, licitement, moral
Angl. *legal, licit*

Licitement *adv.*

□ D'une manière licite.
Contr. illicitement
Comp. légalement, légitimement, licéité, licite
Angl. *lawfully, licitly*

Liciter *v.tr.*

□ Vendre par licitation.
Comp. licitation
Angl. *to sell by auction*

Lié, liée *adj.*

□ V. COMPÉTENCE LIÉE, CONTESTATION LIÉE.

Lien de causalité

□ V. CAUSALITÉ (LIEN DE).

Lier *v.tr.*

□ Contraindre juridiquement, obliger. Ex. Le juge n'est pas lié par le rapport d'un expert.
Angl. *to be binding, to bind*

Lieutenant-gouverneur *n.m.*

□ Personne nommée pour cinq ans par le gouverneur général pour représenter le Souverain dans une province canadienne. Il exerce, dans la province, certaines des fonctions dont le gouverneur général est titulaire.
Comp. gouverneur général, Souverain
Angl. *lieutenant governor*

- **Lieutenant-gouverneur en conseil :** Expression qui désigne généralement le Conseil des ministres du gouvernement d'une province.
  Syn. cabinet, conseil des ministres
  Comp. gouverneur général en conseil
  Angl. *lieutenant governor in council*

Lieut. gov.

□ Abrév. de *lieutenant governor.*

Ligne *n.f.*

□ Suite des générations successives de parents.

Rem. Selon le *Code civil*, chaque génération forme un degré et la suite des degrés forme la ligne.

Comp. degré, fente, génération

Angl. *line*

• **Ligne collatérale :** Suite des générations entre personnes qui ne descendent pas les unes des autres, mais qui sont issues d'un auteur commun. Ex. Les frères et soeurs, oncles et tantes, neveux et nièces.

Angl. *collateral line*

• **Ligne directe :** Suite des générations entre personnes qui descendent les unes des autres. Ex. Le père et le fils.

Comp. ligne directe ascendante, ligne directe descendante

Angl. *direct line*

• **Ligne directe ascendante :** Suite des générations entre une personne et celles de qui elle descend. Ex. La fille, la mère, la grand-mère.

Comp. ligne directe descendante, unilinéaire

Angl. *direct ascending line*

• **Ligne directe descendante :** Suite des générations entre une personne et celles qui descendent d'elles. Ex. Le grand-père, le père, le fils.

Comp. ligne directe ascendante

Angl. *direct descending line*

• **Ligne maternelle :** Ensemble des parents d'une personne du côté de sa mère ; plus particulièrement, la branche maternelle de la ligne directe ascendante.

Comp. ligne paternelle, utérin

Angl. *maternal line*

• **Ligne paternelle :** Ensemble des parents d'une personne du côté de son père ; plus particulièrement, la branche paternelle de la ligne directe ascendante.

Comp. consanguin, ligne maternelle

Angl. *paternal line*

Limité, ée *adj.*

□ Terme que l'on ajoute à la dénomination sociale d'une entreprise pour désigner son statut corporatif et le caractère limité de la responsabilité de ses actionnaires.

Rem. On utilise toujours son abréviation « ltée ». Ex. La compagnie XYZ ltée.

Syn. incorporé

Comp. enregistré

Angl. *limited*

Liquidateur *n.m.*

□ Personne ayant pour mission de procéder à la liquidation d'une masse de biens. Ex. Le liquidateur d'une entreprise dont la dissolution a été ordonnée judiciairement, le liquidateur d'une succession.

Comp. liquidation

Angl. *liquidator*

• **Liquidateur de la succession :** Personne désignée par les héritiers ou par le testateur pour veiller, selon le cas, à la liquidation d'une succession *ab intestat* ou testamentaire. Il exerce, à compter de l'ouverture de la succession et pendant le temps nécessaire à la liquidation, la saisine des héritiers et des légataires particuliers.

Rem. Dans le *Code civil du Bas-Canada*, il porte le nom d'exécuteur testamentaire.

Syn. exécuteur testamentaire

Comp. liquidation d'une succession, saisine

Angl. *liquidator of a succession*

Liquidation *n.f.*

□ **1.** Opération par laquelle une personne, appelée liquidateur, procède au partage d'une masse de biens. Ex. La liquidation d'une entreprise, d'une succession.

Rem. La liquidation d'une entreprise peut être volontaire ou forcée. Les biens sont alors confiés au liquidateur qui, le cas échéant, termine les activités en cours, désintéresse les créanciers et procède à la vente des actifs en vue d'en distribuer le produit aux personnes y ayant droit. Le *Code civil du Québec* prescrit les règles relatives à la liquidation d'une succession.

Comp. liquidateur, séquestre

Angl. *liquidation, winding up*

• **Liquidation d'une succession :** Opération qui consiste à identifier et à appeler les successibles, à déterminer le contenu de la succession, à recouvrer les créances, à payer les dettes de la succession, qu'il s'agisse des dettes du défunt, des charges de la succession ou des dettes alimentaires, à payer les legs particuliers, à rendre compte et à faire la délivrance des biens (*Code civil du Québec*, art. 776).

Comp. liquidateur de la succession
Angl. *liquidation of a succession*

☐ **2.** Action de rendre liquide, de déterminer de façon définitive le montant d'une créance ou d'une dette. Ex. La liquidation des dépens.

Comp. liquide
Angl. *settlement*

☐ **3.** Vente de marchandises à bas prix par une entreprise qui cesse de faire commerce ou qui désire se départir rapidement de certains stocks.

Angl. *clearance sale*

Liquide *adj.*

☐ **1.** Se dit d'une obligation dont l'existence est certaine et dont le montant est déterminé avec certitude. Ex. Une créance, une dette liquide.

Comp. compensation, exigible, fongible, liquidité
Angl. *liquid*

☐ **2.** Dans le langage courant, désigne l'argent en espèces. Ex. Payer en liquide.

Angl. *cash*

Liquider *v.tr.*

☐ **1.** Procéder à la liquidation. Ex. Liquider un syndicat de copropriétaires.

Comp. liquidation, liquide
Angl. *to liquidate*

☐ **2.** Rendre liquide. Ex. Liquider une obligation.

Comp. liquidation, liquide
Angl. *to liquidate*

Liquidité *n.f.*

☐ **1.** Qualité d'une obligation dont l'existence est certaine et dont le montant est déterminé avec certitude. Ex. La liquidité d'une créance.

Comp. compensation, exigibilité, fongibilité, liquide
Angl. *liquidity*

☐ **2.(au pluriel)** Dans le langage courant, désigne des fonds disponibles dont une entreprise peut disposer immédiatement ou à court terme. Ex. Avoir les liquidités nécessaires.

Angl. *liquid assets*

Lis

☐ Terme latin signifiant « litige », « procès ».

Comp. procès

Lis pendens

☐ Expression latine signifiant « procès pendant », « procès en cours ».

Comp. litispendance, procès

Liste *n.f.*

☐ Série de mots, de noms de personnes placés les uns à la suite des autres.

Angl. *list*

- **Liste des actionnaires :** Liste énonçant généralement les noms et adresses des personnes détenant des actions dans une compagnie ou une société par actions ainsi que le nombre d'actions que détient chacune d'elles et contenant toute autre information requise par la loi.

  Comp. registre
  Angl. *shareholder list*

- **Liste électorale :** Liste officielle des personnes habilitées à voter lors d'une élection.

  Comp. élection
  Angl. *registered voters*

Litigant, ante *n.*

☐ Personne qui est engagée dans un procès.

Comp. défendeur, demandeur, intervenant, mis en cause, partie
Angl. *litigant party*

Litige *n.m.*

☐ Différend entre deux ou plusieurs personnes donnant matière à procès. Plus généralement, synonyme de procès. Ex. Les faits en litige.

Comp. différend, grief, litigieux, procès
Angl. *case, dispute, litigation*

Litigieux, euse *adj.*

☐ Qui fait l'objet d'un litige, qui peut être en litige.

Comp. amiable compositeur, droit litigieux, gracieux, litige

Angl. *litigious*

Litisconsorts *n.m.pl.*

☐ Plaideurs qui, dans un procès, ont des intérêts communs ou similaires. Ex. Les codemandeurs, les codéfendeurs.

Comp. codéfendeur, codemandeur

Angl. *co-litigant*

Litispendance *n.f.*

☐ Situation dans laquelle deux tribunaux d'un même degré, également compétents, sont saisis simultanément d'un même litige. Ex. Une demande en justice portée à la fois devant la Cour supérieure du Québec et la Cour fédérale.

Rem. Le tribunal dernièrement saisi doit alors, à la demande d'une partie, décliner sa compétence au profit du premier.

Comp. chose jugée (autorité de la), chose jugée (force de), moyen déclinatoire, moyen de non-recevabilité

Angl. *lis pendens*

Littéral, ale, aux *adj.*

☐ V. INTERPRÉTATION LITTÉRALE, PREUVE LITTÉRALE.

Livraison *n.f.*

☐ **1.** Opération juridique par laquelle le transporteur remet au destinataire, qui l'accepte, la marchandise qu'il est chargé de lui apporter.

Angl. *delivery*

☐ **2.** Terme employé parfois comme synonyme du terme « délivrance ».

Rem. Le *Code civil du Bas-Canada* utilise, parfois indifféremment, les deux termes.

Syn. délivrance

Comp. remise, tradition

Angl. *delivery*

☐ **3.** Transfert de possession réelle ou présumée de la lettre de change d'une personne à une autre.

Comp. lettre de change

Angl. *delivery*

Livre *n.m.*

☐ **1.** Division majeure d'un code. Ex. Le *Code de procédure civile* se divise en dix livres.

Rem. Dans un code, on retrouve généralement les divisions suivantes : livre, titre, chapitre, section, sous-section.

Angl. *book*

☐ **2.** Document officiel émanant d'un gouvernement.

Angl. *paper*

• **Livre blanc :** Document que le gouvernement soumet à l'Assemblée nationale ou au Parlement dans lequel il expose un problème d'intérêt général et les mesures qu'il propose pour le résoudre. Ex. Le livre blanc sur la fiscalité.

Rem. Ce document fait généralement l'objet de discussions publiques qui sont suivies du dépôt d'un projet de loi tenant compte des commentaires reçus.

Comp. livre vert

Angl. *white paper*

• **Livre vert :** Document que le gouvernement soumet à l'Assemblée nationale ou au Parlement dans lequel il expose un problème d'intérêt général et les mesures qui pourraient être éventuellement adoptées pour le résoudre. Ex. Le livre vert sur l'environnement.

Rem. Ce document a pour but de permettre au gouvernement de tâter le pouls de la population sur une question sans, pour autant, proposer des mesures précises qui l'engagent. Il peut éventuellement conduire au dépôt d'un projet de loi.

Comp. livre blanc

Angl. *green paper*

☐ **3.** Registre.

Angl. *book*

• **Livre de renvois :** Volume accompagnant un plan cadastral dans lequel sont insérés une description générale de chaque lot porté sur le plan, le nom du propriétaire de chaque lot ainsi que toutes les remarques nécessaires pour faire comprendre le plan.

Comp. plan, plan cadastral

Angl. *book of reference*

- **Livre des minutes :** V. REGISTRE DES PROCÈS-VERBAUX ET RÉSOLUTIONS.

- **Livre foncier :** Livre qui se fonde sur le plan cadastral d'un territoire déterminé et qui contient les informations exigées par la loi pour la publicité des droits relativement aux immeubles qui y sont répertoriés.

Rem. **1.** Selon l'art. 2972 du *Code civil du Québec*, chaque livre foncier comprend autant de fiches immobilières qu'il y a de lots marqués sur le plan cadastral. **2.** Le registre foncier d'un bureau de la publicité des droits est constitué d'autant de livres fonciers qu'il y a de cadastres dans le ressort du bureau.

Comp. bureau de la publicité des droits, fiche immobilière, index des immeubles, plan cadastral, publicité des droits

Angl. *land book*

L.J.

□ Abrév. de **1.** *Law Journal Reports* ; **2.** *Lord Justice of Appeal.*

L.J.Ch.

□ Abrév. de *Law Journal Reports Chancery.*

L.J.C.P.

□ Abrév. de *Law Journal Common Pleas.*

L.J.K.B.

□ Abrév. de *Law Journal Reports King's Bench.*

L.J.P.C.

□ Abrév. de *Law Journal Reports Privy Council.*

L.J.Q.B.

□ Abrév. de *Law Journal Reports Queen's Bench.*

LL.B.

□ Abrév. de *Bachelor of Laws.*

Rem. Il y a duplication de la lettre L (LL) vu l'utilisation du pluriel du terme *law*.

LL.D.

□ Abrév. de *Doctor of Laws.*

Rem. Il y a duplication de la lettre L (LL) vu l'utilisation du pluriel du terme *law*.

LL.M.

□ Abrév. de *Masters of Laws.*

Rem. Il y a duplication de la lettre L (LL) vu l'utilisation du pluriel du terme *law*.

L.M.

□ Abrév. de Lois du Manitoba.

L.N.

□ Abrév. de *Legal News* (Qué.).

L.N.B.

□ Abrév. de Lois du Nouveau-Brunswick.

Local Cts. & Mun. Gaz.

□ Abrév. de *Local Courts and Municipal Gazette.*

Local d'habitation

□ V. LOGEMENT.

Localisation *n.f.*

□ **1.** Action de situer un bien dans un lieu déterminé. Ex. Le certificat de localisation d'un immeuble.

Angl. *localization, location*

- **Localisation (certificat de) :** Document comportant un rapport et un plan, dans lequel l'arpenteur-géomètre exprime son opinion sur la situation et la condition actuelles d'un bien-fonds par rapport aux titres, au cadastre ainsi qu'aux lois et aux règlements pouvant l'affecter.

Comp. bien-fonds, cadastre, titre

Angl. *location certificate*

☐ **2.** Démarche qui consiste à situer un rapport de droit dans la sphère d'application d'un système juridique dans le but de pouvoir déterminer la loi applicable ou la juridiction compétente. Ex. La localisation du contrat de vente aux États-Unis de marchandises provenant du Québec.

Rem. En matière de contrats internationaux, le juge appelé à déterminer la loi applicable doit tenir compte, selon les circonstances, des indices de localisation significatifs, tels qu'ils ont été voulus par les parties ou tels qu'ils se sont objectivement constitués.
Comp. rattachement
Angl. *localization*

Locataire *n.*

☐ **1.** Dans un contrat de bail, personne qui obtient le droit d'utiliser le bien loué en contrepartie d'un loyer versé au locateur.

Rem. Selon la *Loi sur les cités et villes* (L.R.Q., c. C-19), ce mot signifie toute personne tenue de payer un loyer en argent ou de donner une partie des fruits ou revenus de l'immeuble qu'elle occupe.
Contr. locateur
Comp. colocataire, loyer
Angl. *lessee, tenant*

• **Locataire principal :** Locataire qui loue à un tiers le bien qu'il a lui-même pris en location.

Rem. Il devient alors sous-locateur. Il reste cependant tenu envers le locateur initial des obligations qu'il a contractées envers lui.
Comp. sous-locataire
Angl. *principal lessee*

• **Locataire (sous-) :** V. SOUS-LOCATAIRE.

☐ **2.** Dans un contrat de louage d'ouvrage, personne pour laquelle le locateur s'engage à faire un ouvrage ou à fournir des services.

Contr. locateur
Comp. louage d'ouvrage
Angl. *lessee*

Locateur, trice *n.*

☐ **1.** Dans un contrat de bail, personne qui accorde le droit d'utiliser le bien loué, moyennant le paiement d'un loyer par le locataire.

Syn. bailleur
Contr. locataire
Comp. loyer
Angl. *landlord, lessor*

☐ **2.** Dans un contrat de louage d'ouvrage, personne qui s'engage à faire un ouvrage ou à fournir des services.

Contr. locataire
Comp. louage d'ouvrage
Angl. *lessor, lessor of work*

Locatif, ive *adj.*

☐ Relatif, inhérent à la location d'un bien.

Comp. location
Angl. *rental, renting*

• **Locatif (immeuble) :** Immeuble comprenant des logements destinés à être mis en location, par opposition à un immeuble détenu en copropriété.

Comp. copropriété, location
Angl. *rental real estate*

• **Locatives (charges) :** V. LOCATIVES (RÉPARATIONS).

• **Locatives (réparations) :** Réparations d'entretien mineures, normalement à la charge du locataire sauf lorsqu'elles résultent du vieillissement normal du bien loué ou de la force majeure.

Syn. charges locatives
Angl. *lessee's repairs, minor repairs*

• **Locative (valeur) :** Montant estimé du loyer que l'on peut obtenir en louant un bien selon les conditions du marché.

Comp. loyer
Angl. *rental value*

Location *n.f.*

☐ Action de donner ou de prendre à loyer. Ex. La location d'une maison.

Syn. bail
Comp. locataire, locateur, locatif, loyer
Angl. *lease*

• **Location (sous-) :** V. SOUS-LOCATION.

• **Location-vente :** Contrat par lequel le propriétaire d'un bien le loue à une autre personne avec faculté pour celle-ci d'en acquérir la propriété au cours ou à la fin du contrat.

Rem. Il s'agit d'un bail avec promesse de vente

qui porte habituellement sur des biens mobiliers (ex. une automobile).

Comp. crédit-bail

Angl. *hire-purchase*

Loc. cit.

☐ Abrév. de *loco citato.*

Loc. Ct. Gaz.

☐ Abrév. de *Local Courts and Municipal Gazette* (Ont.).

Lock-out *n.m.*

☐ Fermeture temporaire d'une entreprise décidée par la direction à l'occasion d'un conflit de travail.

Rem. **1.** Le lock-out peut viser divers objectifs : intimider les salariés, réagir au déclenchement d'une grève ou devancer une grève appréhendée ; il peut prendre la forme d'une fermeture totale ou partielle de l'entreprise ou d'une réduction des horaires de travail. **2.** Selon l'article 2*h*) du *Code du travail* du Québec (L.R.Q., c. C-27), le lock-out est « le refus par un employeur de fournir du travail à un groupe de salariés à son emploi en vue de les contraindre à accepter certaines conditions de travail ou de contraindre pareillement des salariés d'un autre employeur ». À l'article 3 du *Code canadien du travail* (L.R.C. 1985, c. L-2), on le définit comme suit : « S'entend notamment d'une mesure - fermeture du lieu de travail, suspension du travail ou refus de continuer à employer un certain nombre des employés - prise par l'employeur pour contraindre ses employés, ou aider un autre employeur à contraindre ses employés, à accepter des conditions d'emploi ».

Syn. contre-grève

Contr. grève

Angl. *lock-out*

Loco citato

☐ Locution latine signifiant « au lieu cité », « à l'endroit cité » que l'on utilise en note infrapaginale pour indiquer que le volume dont il est fait mention a été cité précédemment dans l'ouvrage. Elle évite de reprendre au complet la référence.

Rem. On emploie le plus souvent son abréviation *loc. cit.*

Comp. *opere citato*

Locus regit actum

☐ Maxime latine signifiant « le lieu régit l'acte ». Selon ce principe de droit international privé, un acte juridique est soumis aux règles de forme du pays où il a été passé.

Rem. Il s'ensuit que, lorsqu'un acte respecte les règles de forme prescrites par la loi du pays où il a été passé, il est également valide dans celui où il lui sera donné effet, même si les exigences de forme y sont différentes.

Comp. *lex loci celebrationis, lex loci contractus*

Locus standi

☐ Locution latine qui désigne, en *common law*, le droit d'une personne de comparaître devant un tribunal et d'y être entendue.

Rem. On emploie également le terme *standing*. Cette expression recouvre les notions d'intérêt et de qualité du droit judiciaire québécois.

Comp. intérêt, qualité

Angl. *standing*

Logement *n.m.*

☐ Local destiné à des fins résidentielles. Ex. Le bail d'un logement.

Rem. Ce terme remplace aujourd'hui les mots « local d'habitation ».

Angl. *dwelling, housing, lodging*

• **Logement impropre à l'habitation :** Logement dont l'état constitue une menace sérieuse pour la santé ou la sécurité des occupants ou du public, ou celui qui a été déclaré tel par le tribunal ou par l'autorité compétente.

Angl. *dwelling unfit for habitation*

Loi *n.f.*

☐ **1.** Au sens large, toute norme ou ensemble de normes juridiques ou morales.

Comp. droit naturel, droit positif

Angl. *law*

☐ **2.** Texte juridique voté par le pouvoir législatif (Parlement ou Assemblée nationale) et sanctionné par le représentant du Souverain (gouverneur général ou lieutenant-gouverneur).

Rem. En ce sens, la loi se distingue des actes réglementaires adoptés par l'Administration (ex. arrêté-en-conseil, décret, règlement).

Comp. acte législatif, arrêté-en-conseil, code, décret, règlement

Angl. *act, law, legislation, statute*

- **Loi antitrust :** Loi visant notamment, de façon directe ou indirecte, à maintenir ou promouvoir la concurrence ou à empêcher ou réprimer les monopoles ou les pratiques restrictives du commerce.

  Comp. monopole

  Angl. *antitrust law*

- **Loi (avant-projet de) :** V. PROJET DE LOI (AVANT-).

- **Loi-cadre :** Loi qui se borne à définir des principes généraux pour l'ensemble d'une matière, laissant à l'Exécutif le soin d'en préciser les modalités d'application par l'exercice de son pouvoir réglementaire.

  Angl. *blueprint act*

- ***Loi canadienne sur les droits de la personne* :** Loi fédérale de nature quasi constitutionnelle ayant pour objet de protéger les individus contre la discrimination dans les domaines qui relèvent de la juridiction fédérale.

  Comp. charte

  Angl. *Canadian Human Rights Act*

- ***Loi constitutionnelle de 1867* :** Nom générique donné, depuis 1982, à la loi du Parlement britannique qui a créé la Confédération canadienne en 1867.

  Rem. On l'appelait antérieurement *Acte de l'Amérique du Nord britannique* ou A.A.N.B.

  Angl. *British North America Act, 1867, Constitutional Act of 1867*

- **Loi d'autonomie :** V. AUTONOMIE (LOI D').

- **Loi d'exception :** V. LOI SPÉCIALE.

- **Loi dispositive :** V. DISPOSITIVE (LOI).

- **Loi du for :** V. *LEX FORI.*

- **Loi impérative :** V. IMPÉRATIVE (LOI).

- **Loi interprétative :** V. INTERPRÉTATIVE (LOI).

- **Loi martiale :** Nom donné autrefois à la loi autorisant le gouvernement du Canada à recourir aux forces armées et lui confiant des pouvoirs exceptionnels pour lui permettre d'effectuer une répression à l'intérieur du pays ; par extension, le régime d'exception établi par cette loi.

  Rem. Depuis 1988, la *Loi sur les mesures d'urgence* (L.R.C. (1985), c. E-4.5) s'applique lorsqu'il existe une situation de crise nationale résultant d'un concours de circonstances critiques à caractère d'urgence et de nature temporaire auquel il n'est pas possible de faire face adéquatement sous le régime des lois du Canada.

  Angl. *martial law*

- **Loi *omnibus* :** Loi portant sur des matières distinctes et variées. Ex. La *Loi modifiant le Code du travail, le Code de procédure civile et d'autres dispositions législatives,* L.Q. 1982, c. 37.

  Comp. *omnibus*

  Angl. *omnibus bill*

- **Loi (projet de) :** V. PROJET DE LOI.

- **Lois du Canada :** Nom donné, depuis 1987, au recueil annuel des Lois du Canada. Ex. Les Lois du Canada de 1992.

  Syn. Statuts du Canada

  Comp. Lois du Québec, Statuts du Québec

  Angl. *Statutes of Canada*

- **Lois du Québec :** Nom donné, depuis 1970, au recueil annuel des lois du Québec. Ex. Les Lois du Québec de 1992.

  Syn. Statuts du Québec

  Comp. Lois du Canada, Statuts du Canada

  Angl. *Statutes of Quebec*

- **Loi spéciale :** Loi d'exception visant à résoudre un problème particulier impliquant généralement une certaine urgence. Ex. Une loi spéciale ordonnant le retour au travail de certains syndiqués.

  Syn. loi d'exception

  Angl. *Special statute*

- **Lois refondues :** Publication officielle contenant le texte des lois en vigueur au Québec à une date déterminée. Seules y sont insérées les lois à caractère général et permanent ainsi que celles à caractère local ou temporaire et d'utilisation courante que désigne le ministre de la Justice.

Rem. Jusqu'en 1977, la refonte des lois était périodique (ex. 1925, 1941, 1964). Depuis cette date, la mise à jour de ces lois est permanente.

Comp. lois révisées

Angl. *revised statutes*

- **Lois révisées :** Publication officielle contenant le texte des lois fédérales d'intérêt public et général qui sont en vigueur à une date déterminée. Elle contient également des appendices contenant les textes juridiques relatifs à la Constitution du Canada, de ses provinces et de ses territoires.

Rem. Jusqu'en 1985, la révision des lois était périodique (ex. 1952, 1970). Depuis cette date, la mise à jour de ces lois est permanente.

Comp. lois refondues

Angl. *revised statutes*

- ***Loi sur les cités et villes* :** Loi provinciale traitant de l'érection, de l'organisation, des pouvoirs et du fonctionnement des cités et villes, à l'exception des municipalités régies par le *Code municipal* ou une charte spéciale.

Rem. Certaines dispositions de cette loi s'appliquent subsidiairement aux municipalités qui bénéficient d'une charte spéciale.

Comp. charte, *Code municipal*

Angl. *Cities and Towns Act*

☐ **3.** Règle de droit écrit d'origine étatique, par opposition à la coutume.

Rem. En ce sens, elle englobe les textes émanant tant du pouvoir législatif que de l'Administration

Comp. coutume, doctrine, jurisprudence

Angl. *law*

☐ **4.** Système juridique d'un État, ensemble du droit positif d'un pays. Ex. Selon la loi québécoise, ...

Comp. système juridique

Angl. *law*

- **Lois (conflit de) :** V. CONFLIT DE LOIS.

☐ **5.** Ce qui est juridiquement obligatoire. Ex. La convention est la loi des parties.

Angl. *law*

L.O.M.J.

☐ Abrév. de *Law Office Management Journal.*

Lot *n.m.*

☐ **1.** Parcelle de terrain ayant son propre numéro cadastral.

Comp. cadastre, loti, lotir, lotissement, lotisseur

Angl. *lot*

☐ **2.** Ensemble des biens attribués à chacun des copartageants lors d'un partage conventionnel ou en justice. Ex. Le juge qui ordonne le partage des biens d'une succession doit nommer un praticien pour procéder à la composition des lots.

Comp. loti, partage, quote-part

Angl. *share*

Loti, ie *adj.*

☐ **1.** Divisé ou vendu en lots. Ex. Un terrain loti.

Comp. lot, lotissement

Angl. *subdivided*

☐ **2.** Mis en possession d'un lot, attributaire d'un lot. Ex. Un héritier loti.

Comp. lot, lotissement, lotisseur

Angl. *allottee*

Lotir *v.tr.*

☐ Effectuer un lotissement.

Comp. lot, lotissement

Angl. *to subdivide*

Lotissement *n.m.*

☐ Opération consistant à diviser un terrain en plusieurs lots afin qu'ils puissent être vendus séparément ; le terrain ainsi divisé.

Comp. lot

Angl. *sharing out, subdivision*

Lotisseur, euse *n.*

☐ Personne qui procède à un lotissement.

Comp. lot, loti, lotissement

Angl. *subdivider*

Louage *n.m.*

☐ Contrat par lequel une personne, appelée locateur, confère à une autre, appelée locataire, l'usage d'un bien ou la fourniture de services, moyennant un prix déterminé dont les parties conviennent.

Rem. Selon l'art. 1851 du *Code civil du Québec*, le louage, aussi appelé bail, est le contrat par lequel une personne, le locateur, s'engage envers une autre personne, le locataire, à lui procurer, moyennant un loyer, la jouissance d'un bien, meuble ou immeuble, pendant un certain temps.

Syn. bail

Comp. locataire, locateur, location

Angl. *lease, lease and hire*

- **Louage de biens :** Contrat par lequel une personne, appelée locateur, accorde à une autre, appelée locataire, la jouissance d'un bien pendant un certain temps, moyennant un prix déterminé dont les parties conviennent.

Syn. bail, location

Angl. *lease of things*

- **Louage de services :** Contrat par lequel une personne, appelée salarié, s'engage à mettre temporairement son activité professionnelle à la disposition d'une autre, appelée employeur, à laquelle elle est subordonnée, moyennant une rémunération, appelée salaire, dont les parties conviennent.

Syn. contrat de travail

Comp. contrat d'entreprise, contrat de services, louage d'ouvrage

Angl. *contract of employment, lease and hire, services*

- **Louage d'ouvrage :** Contrat par lequel une personne, appelée locateur d'ouvrage ou entrepreneur, s'engage à effectuer au profit d'une autre, appelée locataire d'ouvrage, un travail déterminé moyennant une rémunération dont les parties conviennent, sans que n'existe entre elles un lien de subordination.

Rem. Le contrat de louage d'ouvrage du *Code civil du Bas-Canada* a été remplacé, dans le *Code civil du Québec*, par les contrats d'entreprise, de service, de transport et de travail.

Syn. contrat d'entreprise

Comp. contrat de services, contrat de travail, louage de services

Angl. *lease and hire of work*

Louer *v.tr.*

☐ **1.** Donner ou prendre à bail. Ex. Louer une maison.

Comp. location, louage

Angl. *to lease, to let, to rent*

☐ **2.** Utiliser les services d'une personne ou, pour celle-ci, procurer ses services. Ex. Louer les services d'un architecte.

Comp. louage

Angl. *to hire*

Lourd, lourde *adj.*

☐ V. FAUTE LOURDE.

Low. Can. L.J.

☐ Abrév. de *Lower Canada Law Journal.*

Low. Can. R.

☐ Abrév. de *Lower Canada Reports.*

Loyauté *n.f.*

☐ **1.** Fidélité à tenir ses engagements, respect des règles d'honneur et de probité. Ex. Le devoir de loyauté impose à l'administrateur du bien d'autrui l'obligation de ne pas se placer dans une situation de conflit entre son intérêt personnel et ses obligations d'administrateur.

Rem. L'art. 322 du *Code civil du Québec* exige de l'administrateur d'une personne morale un devoir de loyauté qui implique un respect entier des engagements pris ou imposés par la loi, des règles d'honneur et de probité et une prise en charge des intérêts de la personne morale. L'art. 1309 du *Code* impose cette même obligation à l'administrateur du bien d'autrui, l'art. 2088 au salarié et l'art. 2138 au mandataire.

Comp. honnêteté

Angl. *faithfulness, loyalty*

☐ **2.** Fidélité du fonctionnaire fédéral ou provincial envers son pays, les institutions qui le régissent et le gouvernement que les citoyens ont élu.

Comp. allégeance

Angl. *loyalty*

Loyer *n.m.*

- Prix que doit payer le locataire au locateur pour la jouissance du bien loué.
  - Rem. Ce terme s'applique généralement aux baux immobiliers.
  - Comp. bail, location, louage
  - Angl. *rent*

L.Q.

- Abrév. de Lois du Québec.

L.Q.R.

- Abrév. de *Law Quarterly Review.*

L.Q. Rev.

- Abrév. de *Law Quarterly Review.*

L.R.

- Abrév. de *Law Reports.*

L.R.A.

- Abrév. de *Lawyer's Reports Annotated.*

L.R. 1 A. & E.

- Abrév. de *Law Reports, Admiralty and Ecclesiastical Cases.*

L.R.B.

- Abrév. de *Labour Relations Board.*

L.R. 1 C.C.R.

- Abrév. de *Law Reports, Crown Cases Reserved.*

L.R. 1 CH.

- Abrév. de *Law Reports, Chancery Appeals Cases.*

L.R. 1 C.P.

- Abrév. de *Law Reports, Common Pleas Cases.*

L.R. 1 EQ.

- Abrév. de *Law Reports, Equity Cases.*

L.R. 1 EX.

- Abrév. de **1.** *Exchequer Cases* ; **2.** *Law Reports, Exchequer.*

L.R. 1 H.L.

- Abrév. de *Law Reports, House of Lords Cases.*

L.R. N.B.

- Abrév. de Lois révisées du Nouveau-Brunswick.

L.R.P.

- Abrév. de *Law Reports Probate Division.*

L.R.P.C.

- Abrév. de **1.** *Law Reports Privy Council Appeals* ; **2.** *Law Reports, Privy Council Cases.*

L.R. 1 P. & D.

- Abrév. de *Law Reports, Probate and Divorce.*

L.R.Q.

- Abrév. de Lois refondues du Québec.

L.R. 1 Q.B.

- Abrév. de *Law Reports, Queen's Bench.*

L.R. 1 Sc. & Div.

- Abrév. de *Law Reports, Scottish and Divorce.*

L. Soc. Gaz.

- Abrév. de *Law Society Gazette.*

L.S.U.C.

- Abrév. de *Law Society of Upper Canada.*

L.T.

☐ Abrév. de *Law Times Reports, New Series.*

LTD.

☐ Abrév. de *Limited.*

Ltée

☐ Abrév. de limité.
Comp. limité
Angl. *Ltd.*

L.T.R.

☐ Abrév. de *Law Times Reports.*

Lucratif, ive *adj.*

☐ Qui procure un gain, un profit, des bénéfices. Ex. Créer une entreprise dans un but lucratif.
Angl. *lucrative, profitable*

- **Lucratif (corporation sans but) :** V. CORPORATION SANS BUT LUCRATIF.

Lucrum cessans

☐ Expression latine signifiant « le profit cessant » et qui désigne, en matière de responsabilité civile, le manque à gagner dont la victime d'un préjudice est privée, en plus de la perte qu'elle a réellement subie (ou *damnum emergens*).
Syn. manque à gagner
Comp. *damnum emergens, dommages-intérêts*

L.V.A.C.

☐ Abrév. de *Land Value Appraisal Commission.*

M

Mag.

□ Abrév. de *Magistrate(s).*

Mag. Ct.

□ Abrév. de *Magistrate's Court.*

Magistrat *n.m.*

□ Terme utilisé pour désigner certains juges des cours inférieures ou des personnes détenant certains pouvoirs de nature juridictionnelle.

Rem. La *Loi sur les privilèges des magistrats* (L.R.Q., c. P-24) vise à protéger les juges de la Cour du Québec, les juges de paix et les officiers remplissant des devoirs publics.
Comp. Cour de magistrat, juge, juge de paix
Angl. *magistrate*

• **Magistrat de district :** V. JUGE DE DISTRICT.

Magistrature *n.f.*

□ Ensemble des personnes exerçant la fonction de juge, corps judiciaire.

Comp. conseil de la magistrature
Angl. *magistracy, magistrature*

Magna Carta

□ V. *MAGNA CHARTA.*

Magna Charta

□ Expression latine signifiant « la Grande Charte » et désignant un document qui est considéré comme l'un des piliers de la constitution britannique en matière de libertés publiques.

Rem. Elle fut concédée en 1215 par le roi Jean à la suite des pressions exercées par les barons. La Grande Charte portait notamment sur l'organisation et le fonctionnement de l'appareil judiciaire, le droit de propriété, le droit à la liberté et les limites du pouvoir de l'État en matière de taxation.
Syn. *Magna Carta*
Angl. *Great Charter, Magna Charta*

Main *n.f.*

□ **1.** Organe du corps humain.

Comp. signification à personne, vote à main levée
Angl. *hand*

• **Mains propres (théorie des) :** Règle d'*equity* selon laquelle une personne ne peut réussir dans un recours en justice visant à faire reconnaître un droit dont elle se prétend titulaire lorsqu'il est mis en preuve que sa conduite, à l'égard de la partie adverse, n'est pas irréprochable (ex. actes frauduleux, mauvaise foi). Ex. Une demande d'injonction par une partie à un contrat qui n'a pas rempli ses propres obligations.

Angl. *clean hands theory*

□ **2.** Par extension, le titulaire d'un droit ou d'un pouvoir sur un bien. Ex. Saisir un bien en quelque main qu'il se trouve, placer des biens sous main de justice.

Comp. saisie-exécution
Angl. *control*

Mainlevée *n.f.*

□ **1.** Disparition ou suppression d'un obstacle juridique à l'accomplissement d'un acte ou à l'exercice d'un droit. Ex. La mainlevée d'une saisie, d'une inscription hypothécaire, d'une opposition au mariage.

Comp. désistement, radiation, rejet, renonciation, révocation
Angl. *discharge, release*

☐ **2.** Acte qui met fin aux effets d'un jugement. Ex. La mainlevée d'un jugement ayant prononcé l'ouverture d'un régime de protection pour une personne majeure.
Angl. *removal*

Mainmorte *n.f.*

☐ V. BIEN(S) DE MAINMORTE.

Maintien dans les lieux

☐ Droit reconnu par la loi au locataire d'un logement, hormis certaines exceptions, d'occuper les lieux loués à condition de respecter ses obligations ; ce droit étant également reconnu à ceux qui habitaient avec le locataire, advenant son décès ou son départ.
Comp. location
Angl. *maintenance in the premises*

Maison *n.f.*

☐ **1.** Bâtiment d'habitation, lieu où demeurent des personnes.
Angl. *house*

• **Maison de débauche :** Local qui est tenu ou occupé ou qui est fréquenté à des fins de prostitution ou pour la pratique d'actes d'indécence.
Comp. prostitution
Angl. *common bawdy-house*

• **Maison de désordre :** Termes génériques qui désignent, dans le *Code criminel*, une maison de débauche, une maison de pari ou une maison de jeu.
Angl. *disorderly house*

• **Maison de jeux :** Établissement public où des personnes peuvent se livrer à des jeux de hasard ou à des jeux où se mêlent le hasard et l'adresse.
Comp. jeu, maison de pari, pari
Angl. *common gaming house, gaming-house*

• **Maison de pari :** Local que des personnes peuvent fréquenter dans le but de parier entre elles ou avec le tenancier de l'établissement ou qui sert à la réception, la transmission ou le paiement de paris ou, encore, à l'annonce de leurs résultats.
Comp. maison de jeux
Angl. *common betting house*

• **Maison de pension :** Maison d'habitation meublée où des visiteurs peuvent, moyennant le paiement d'une somme d'argent, être logés et nourris.
Angl. *boarding-house*

• **Maison familiale :** V. RÉSIDENCE FAMILIALE.

• **Maison meublée :** Maison avec les meubles qui servent à l'usage du ménage (ou meubles meublants).
Comp. meubles meublants
Angl. *furnished house*

• **Maison mobile :** Bâtiment d'habitation que l'on peut déplacer.
Rem. Une maison mobile érigée sur un châssis, avec ou sans fondation permanente, constitue un logement, selon le *Code civil*.
Angl. *mobile home*

☐ **2.** Personnes qui habitent ou vivent ensemble. Ex. Les personnes qui font partie de la maison d'un assuré.
Angl. *household*

Maître *n.m.*

☐ **1.** Personne qui détient une autorité sur quelqu'un ou quelque chose.
Rem. Dans le *Code civil du Bas-Canada*, il désigne la personne qui emploie un domestique.
Comp. commettant, domestique
Angl. *master*

• **Maître de l'ouvrage :** Dans un contrat d'entreprise, personne envers laquelle l'entrepreneur s'engage à fournir un ouvrage.
Rem. **1.** Ne pas confondre avec le maître d'oeuvre. **2.** Le *Code civil du Québec* utilise le terme « client ».
Syn. client
Comp. maître d'oeuvre, réception de l'ouvrage
Angl. *client*

• **Maître des rôles :** Officier de justice chargé de préparer, sous la supervision du juge en chef, les différentes listes, appelées rôles, dans lesquelles sont énumérées les causes rendues à l'étape de l'instruction devant le tribunal.

Comp. rôle

Angl. *master of the rolls*

- **Maître d'oeuvre :** Dans un contrat d'entreprise, personne physique ou morale qui a la responsabilité de réaliser les travaux pour le compte du maître de l'ouvrage.

Rem. **1.** Ne pas confondre avec le maître de l'ouvrage. **2.** Cette expression est rarement utilisée en ce sens, en droit québécois. **3.** Selon la *Loi sur la santé et la sécurité du travail* (L.R.Q., c. S-2.1), le maître d'oeuvre est « le propriétaire ou la personne qui, sur un chantier de construction, a la responsabilité de l'exécution de l'ensemble des travaux ». Il s'agit donc de la personne qui, dans un chantier, assume la responsabilité et la surveillance de l'exécution de tous les travaux même si ceux-ci sont effectués par différents entrepreneurs spécialisés.

Comp. entrepreneur

Angl. *master of the work, principal contractor*

□ **2.** Propriétaire d'un bien. Ex. Les biens sans maître appartiennent à l'État.

Syn. propriétaire

Angl. *owner, proprietor*

□ **3.** Titre donné aux membres du Barreau et de la Chambre des notaires.

Rem. **1.** On utilise généralement son abréviation Me. Ex. Me Jeanne Côté, avocate. **2.** Ce terme n'a pas d'équivalent anglais. On écrit parfois, après le nom de l'avocat, le mot « *Esquire* » ou son abréviation « *Esq.* ».

Majeur, eure *adj. et n.*

□ **1.(adj.)** Qui a l'âge de la majorité légale. Ex. Une personne majeure.

Contr. mineur

Comp. majorité

Angl. *major*

□ **2.(adj.)** V. FORCE MAJEURE.

□ **3.(n.)** Personne qui a atteint l'âge de la majorité légale.

Rem. Au Québec, une personne devient majeure à l'âge de 18 ans.

Contr. mineur

Comp. incapable, interdit, majorité, régime de protection

Angl. *major, person of full age*

- **Majeur inapte :** V. MAJEUR PROTÉGÉ.

- **Majeur protégé :** Majeur qui a été placé sous l'un des régimes de protection prévus par la loi (curatelle, tutelle, conseiller au majeur) en raison d'une altération de ses facultés mentales ou de son inaptitude physique à exprimer sa volonté.

Syn. majeur inapte

Comp. conseiller au majeur, curateur, régime de protection, tuteur

Angl. *person of full age under protective supervision*

Majoritaire *adj.*

□ **1.** Se dit d'un mode de scrutin où le candidat qui obtient le plus de votes est proclamé élu.

Comp. soutien, vote

Angl. *majority*

□ **2.** Qui fait partie de la majorité dans un groupe ou une assemblée.

Angl. *majority*

□ **3.** Qui détient la majorité des actions dans une compagnie ou une société par actions.

Angl. *holding a majority (of shares)*

Majorité *n.f.*

□ **1.** Âge fixé par la loi à partir duquel une personne est apte à exercer seule ses droits civils et politiques.

Rem. Au Québec, l'âge de la majorité a été fixé à 18 ans. Dans certaines circonstances, une personne majeure peut cependant être soumise à un régime de protection pour l'exercice de ses droits.

Contr. minorité

Comp. majeur, majeur protégé, régime de protection

Angl. *majority*

□ **2.** Groupement de voix qui l'emporte par le nombre lors d'une élection ou du vote d'une décision.

Contr. minorité

Angl. *majority*

- **Majorité absolue :** Groupement de voix réunissant la moitié plus un des suffrages exprimés lors d'un vote.

Rem. Dans certains cas (ex. en droit du travail), elle signifie parfois la moitié plus un des membres qui ont le droit de voter.

Angl. *absolute majority, clear majority*

- **Majorité qualifiée :** Majorité supérieure à la majorité absolue qui est parfois exigée lors de certains votes (ex. majorité des deux tiers).

  Angl. *qualified majority*

- **Majorité relative :** Dans un vote où le choix se fait entre plus de deux candidats ou propositions, majorité obtenue par le candidat ou la proposition qui a obtenu le plus de suffrages sans, pour autant, atteindre la majorité absolue. Ex. Au Canada, les députés sont élus à la majorité relative.

  Syn. majorité simple

  Angl. *plurality*

- **Majorité simple :** V. MAJORITÉ RELATIVE.

☐ **3.** Dans un parlement, groupe parlementaire ou coalition qui détient le plus grand nombre de sièges.

Contr. opposition

Angl. *parliamentary majority*

Maladie mentale

☐ V. ALIÉNATION MENTALE.

Maladie professionnelle

☐ Maladie résultant de l'exercice de certaines activités par le salarié, dans le cadre de sa profession ou de son métier.

Rem. La *Loi sur les accidents du travail et les maladies professionnelles* (L.R.Q., c. A-3.001) la définit comme suit : « une maladie contractée par le fait ou à l'occasion du travail et qui est caractéristique de ce travail ou reliée directement aux risques particuliers de ce travail ».

Angl. *occupational disease, occupational illness*

Mala fides

☐ Expression latine signifiant « mauvaise foi ».

Syn. mauvaise foi

Malfaçon *n.f.*

☐ Défectuosité dans un ouvrage due au non-respect par l'ouvrier des règles de l'art ou des normes en vigueur.

Angl. *bad work, defect, substandard work*

Mal-fondé *n.m.*

☐ Non-conformité d'une demande, d'une prétention au droit qui lui est applicable.

Contr. bien-fondé

Angl. *ill-founded (demand, argument)*

Malice *n.f.*

☐ État d'esprit qui incite une personne à poser volontairement certains actes dans le but de nuire à quelqu'un, sans aucune justification ou excuse.

Comp. abus de droit

Angl. *malice*

Malus

☐ V. DOLUS MALUS.

Malversation *n.f.*

☐ Faute grave commise généralement par cupidité dans l'exercice d'une fonction ou d'un emploi ou dans l'exécution d'un mandat.

Comp. abus de confiance

Angl. *malfeasance*

M.A.N.

☐ Abrév. de Membre de l'Assemblée nationale, titre attribué aux députés siégeant à cette assemblée.

Comp. M.P.

Angl. *M.N.A.*

Man.

☐ Abrév. de Manitoba.

Man. Bar. N.

☐ Abrév. de *Manitoba Bar News*.

Mandamus *n.m.*

☐ Ordonnance d'un juge d'une cour supérieure enjoignant à un tribunal inférieur, à un organisme ou à une personne d'accomplir un devoir que la loi lui impose ou de poser un acte auquel la loi l'oblige. Ex. Un *mandamus* visant à forcer la tenue d'une élection, l'émission d'un permis, l'audition d'un grief.

Rem. **1.** Ce devoir ou cet acte ne doivent pas être de nature purement privée et ne doivent pas être laissés à la discrétion de la personne qui omet, néglige ou refuse d'agir. **2.** Même s'il a été remplacé, dans le *Code de procédure civile* actuel, par les mots « moyen de se pourvoir en cas de refus d'accomplir un devoir qui n'est pas de nature purement privée », le terme *mandamus* est toujours utilisé par les praticiens du droit. **3.** Ce recours était autrefois introduit au Québec par un bref de prérogative, comme dans les juridictions de *common law* ; il débute maintenant par une requête.

Comp. bref de prérogative, injonction mandatoire

Angl. *mandamus*

Mandant, ante *n.*

☐ Personne qui confère un mandat à une autre.

Contr. mandataire

Comp. commettant, mandat, représentant

Angl. *mandator*

Mandat *n.m.*

☐ **1.** Contrat par lequel une personne, le mandant, donne le pouvoir de la représenter dans l'accomplissement d'un acte juridique avec un tiers, à une autre personne, le mandataire qui, par le fait de son acceptation, s'oblige à l'exercer (*Code civil du Québec*, art. 2130).

Comp. mandant, mandataire, mandater, procuration

Angl. *mandate*

- **Mandat *ad litem* :** V. MANDAT DE REPRÉSENTATION EN JUSTICE.

- **Mandat conçu en termes généraux :** Mandat dans lequel les pouvoirs du mandataire ne sont pas expressément déterminés.

Rem. Le mandataire ne peut alors poser que des actes d'administration dans l'exécution de son mandat.

Contr. mandat exprès

Angl. *mandate given in general terms*

- **Mandat conventionnel :** Mandat qui naît de la convention des parties. Ex. Le mandat de l'avocat.

Contr. mandat judiciaire, mandat légal

Comp. procuration

Angl. *conventional mandate, power of attorney, procuration*

- **Mandat de représentation en justice :** Mandat par lequel une personne confère à une autre le pouvoir de la représenter devant le tribunal et d'accomplir en son nom tous les actes requis pour la défense de ses droits.

Rem. En règle générale, seules les personnes habilitées par la loi (ex. les avocats et les notaires) peuvent agir comme mandataires. En matière de recouvrement de petites créances, le mandat peut cependant être confié à un parent ou un allié ou, parfois, à un ami.

Syn. mandat *ad litem*

Comp. procuration

Angl. *retainer, retainer agreement*

- **Mandat domestique :** Expression désignant le pouvoir qu'a un époux d'engager son conjoint non séparé de corps auprès des créanciers pour les besoins courants de la famille.

Angl. *family expense mandate*

- **Mandat donné dans l'éventualité de l'inaptitude du mandat :** V. MANDAT DONNÉ EN PRÉVISION DE L'INAPTITUDE DU MANDANT.

- **Mandat donné en prévision de l'inaptitude du mandant :** Acte par lequel une personne majeure, dans l'éventualité de son inaptitude à prendre soin d'elle-même ou à administrer ses biens, confie à une autre le mandat d'accomplir tous les actes juridiques destinés à assurer la protection de sa personne, l'administration de son patrimoine et, en général, son bien-être moral et matériel.

Syn. mandat donné dans l'éventualité de l'inaptitude du mandat, mandat en cas d'inaptitude

Comp. inaptitude

Angl. *mandate for the eventuality of the mandator's inability, mandate given in anticipation of the mandator's incapacity*

- **Mandat (double) :** Situation juridique dans

laquelle une personne est, dans un contrat, mandataire des deux parties. Ex. Le courtier qui, lors de la vente d'un immeuble, représente à la fois le vendeur et l'acheteur.

Angl. *double mandate*

- **Mandat en cas d'inaptitude :** V. MANDAT DONNÉ EN PRÉVISION DE L'INAPTITUDE DU MANDANT.

- **Mandat exprès :**
1. Mandat dans lequel les pouvoirs du mandataire sont clairement déterminés.

Rem. Le mandataire peut alors poser, dans l'exécution de son mandat, des actes de disposition aussi bien que des actes d'administration.

Contr. mandat conçu en termes généraux

Angl. *express mandate*

2. Mandat formellement exprimé par écrit ou verbalement.

Contr. mandat tacite

Angl. *express mandate*

- **Mandat général :** Mandat qui englobe toutes les affaires du mandant.

Contr. mandat spécial

Comp. procuration générale

Angl. *general mandate*

- **Mandat judiciaire :** Mandat conféré par le tribunal. Ex. Le mandat du séquestre judiciaire.

Contr. mandat conventionnel, mandat légal

Angl. *judicial mandate*

- **Mandat légal :** Mandat conféré par la loi à un représentant légal. Ex. Le mandat du curateur.

Contr. mandat conventionnel, mandat judiciaire

Angl. *legal mandate*

- **Mandat spécial :** Mandat ayant trait à une affaire particulière du mandant.

Contr. mandat général

Comp. procuration spéciale

Angl. *special mandate*

- **Mandat tacite :** Mandat qui, à défaut d'être formellement exprimé, repose sur des circonstances qui rendent son existence vraisemblable. Ex. L'approbation par le géré des actes posés par le gérant, en matière de gestion d'affaires.

Contr. mandat exprès

Angl. *tacit mandate*

□ **2.** Document signé par un juge ou un officier de justice par lequel un agent de la paix ou une autre personne dûment autorisée reçoit l'ordre ou se voit confier le pouvoir de poser un acte prévu par la loi.

Angl. *warrant*

- **Mandat d'amener :** Ordre d'un juge enjoignant à un agent de la paix ou à un huissier d'arrêter une personne qui a fait défaut de comparaître comme témoin dans un procès et de voir à ce qu'elle soit incarcérée jusqu'à ce qu'elle ait rendu témoignage ou qu'elle soit libérée à la condition de fournir bonne et suffisante caution de rester à la disposition du tribunal.

Rem. En matière pénale, un mandat d'amener peut également être décerné lorsque le juge, s'il est convaincu que le témoignage peut être utile, craint que le témoin soit absent même s'il était régulièrement assigné ou que celui-ci cherche à se soustraire volontairement à la signification d'un acte d'accusation.

Comp. mandat d'arrestation

Angl. *warrant for arrest*

- **Mandat d'arrestation :** Ordre donné par un juge ou un officier de justice dûment autorisé enjoignant à un agent de la paix d'arrêter une personne accusée d'une infraction et de l'amener devant le tribunal pour qu'elle réponde de l'accusation portée contre elle.

Comp. mandat de dépôt, télémandat

Angl. *warrant for arrest*

- **Mandat de dépôt :** Ordre donné par un juge ou un officier de justice dûment autorisé enjoignant à un agent de la paix d'appréhender un prévenu et de le conduire à une prison pour qu'il y soit interné jusqu'à ce qu'il soit remis entre d'autres mains selon le cours régulier de la loi. Ex. Un mandat de dépôt contre un accusé qui a commis un acte criminel alors qu'il était déjà en liberté provisoire.

Comp. mandat d'arrestation, télémandat

Angl. *warrant for committal*

- **Mandat de perquisition :** Autorisation donnée par un juge de paix à un agent de la paix ou à une personne qu'il désigne d'effectuer une perquisition dans un endroit en vue d'y trouver des objets ayant servi ou pouvant servir à la commission d'une infraction ou qui constituent des éléments de preuve relativement à la perpétration d'une infraction.

Comp. télémandat
Angl. *search warrant*

- **Mandat en blanc :** Mandat qui n'indique pas le nom de la personne qui doit être arrêtée, laissant ainsi toute discrétion à l'agent de la paix à qui il est remis.

Rem. Il est interdit à un juge de paix de signer un mandat en blanc.
Angl. *warrant in blank*

Mandataire *n.*

□ Personne à qui est conféré un mandat.

Contr. mandant
Comp. mandat
Angl. *agent, mandatory*

Mandater *v.tr.*

□ Conférer un mandat (à quelqu'un).

Comp. mandat
Angl. *to mandate*

Mandatoire *adj.*

□ Se dit d'une injonction qui enjoint à une personne d'accomplir un acte ou une opération déterminés.

Rem. Ce terme, propre au droit québécois, constitue une traduction littérale du terme « mandatory » qu'utilise le droit anglo-saxon.
Comp. injonction
Angl. *mandatory*

Man. Gaz.

□ Abrév. de *Manitoba Gazette.*

Manifeste *adj.*

□ Qui est très apparent, que l'on peut déceler à la seule vue ou lecture d'un document, d'un dossier, d'un jugement.

Angl. *manifest*

- **Manifeste (erreur) :** V. ERREUR MANIFESTE.

Manifestement *adv.*

□ De façon manifeste.

Comp. manifeste
Angl. *manifestly*

Man. L.J.

□ Abrév. de *Manitoba Law Journal.*

Man. L.R.

□ Abrév. de *Manitoba Law Reports.*

Man. L.S.J.

□ Abrév. de *Manitoba Law School Journal.*

Manoeuvres *n.f.pl.*

□ Ensemble de moyens mis en oeuvre dans le but de tromper quelqu'un ou d'atteindre une fin illégalement.

Comp. dol, fraude
Angl. *fraudulent artifices*

- **Manoeuvres dolosives :** V. DOL.
- **Manoeuvres électorales frauduleuses :** V. CORRUPTION ÉLECTORALE.
- **Manoeuvres frauduleuses :** V. FRAUDE.

Manque à gagner

□ V. *LUCRUM CESSANS.*

Man. R.

□ Abrév. de *Manitoba Law Reports.*

Man. R. (2d)

□ Abrév. de *Manitoba Reports (Second Series).*

Man. R. Temp. Wood

□ Abrév. de *Manitoba Reports, Temp. Wood.*

Man. & Sask. Tax R.

□ Abrév. de *Manitoba & Saskatchewan Tax Reports.*

Manuel *n.m.*

□ V. DIRECTIVE.

Manu militari

☐ Locution latine signifiant « par la force armée » que l'on utilise parfois pour désigner l'exécution forcée d'un ordre ou d'un acte par la force publique. Ex. Une expulsion *manu militari.*

Comp. contrainte, exécution forcée

Maraudage *n.m.*

☐ Tentative de la part d'un syndicat de recruter de nouveaux membres parmi des salariés faisant déjà partie d'un autre syndicat.

Angl. *poaching, raiding*

• **Maraudage (période de) :** Période au cours de laquelle un ou plusieurs syndicats cherchent à devenir les représentants d'un groupe de salariés déjà syndiqués.

Rem. La loi permet le maraudage pendant des périodes qu'elle détermine.

Angl. *poaching, raid, raiding*

Marchand, ande *adj. et n.*

☐ **1.(adj.)** V. VALEUR MARCHANDE.

☐ **2.(n.)** V. FACTEUR.

Marché *n.m.*

☐ Convention portant sur la livraison de marchandises ou la fourniture de services.

Comp. devis, transaction

Angl. *contract*

• **Marché à forfait :** Contrat par lequel l'entrepreneur s'engage à exécuter un ouvrage déterminé pour un prix fixe.

Syn. ouvrage à forfait

Comp. entreprise (contrat d'), ouvrage par devis et marché, ouvrier

Angl. *contract at a fixed price*

• **Marché commun :** V. COMMUNAUTÉ ÉCONOMIQUE EUROPÉENNE.

• **Marché monopolistique :** V. MONOPOLE.

• **Marché public :** Marché conclu entre une administration publique et un entrepreneur privé en vue de la réalisation de travaux ou la fourniture de services, conformément à des règles fixées par une réglementation générale.

Angl. *public contract*

• **Marché sur devis :** V. OUVRAGE PAR DEVIS ET MARCHÉ.

Marchepied *n.m.*

☐ V. SERVITUDE DE MARCHEPIED.

Marc la livre (au)

☐ V. MARC LE DOLLAR (AU).

Marc le dollar (au)

☐ Se dit d'un partage ou d'une distribution qui se fait entre les intéressés en proportion de leurs créances et de leur intérêt dans une affaire.

Rem. **1.** En matière d'exécution des jugements, se dit du paiement des créanciers chirographaires en proportion du montant de leurs créances. **2.** On employait autrefois l'expression « au marc la livre ».

Syn. au marc la livre

Comp. distribution par contribution, prorata de (au)

Angl. *prorata*

Mari *n.m.*

☐ Homme uni à une femme par le mariage.

Comp. épouse, marital

Angl. *husband*

Mariage *n.m.*

☐ **1.** Union légale d'un homme et d'une femme.

Comp. concubinage, union libre

Angl. *marriage*

• **Mariage (acte de) :** Acte instrumentaire consigné dans les registres de l'état civil qui constate le mariage des époux.

Rem. Selon le *Code civil du Bas-Canada*, il y est fait mention notamment du jour de la célébration, des nom et domicile des époux, de leur majorité ou minorité, des noms des témoins et de leur lien de parenté et, le cas échéant, du nom et de l'adresse du notaire qui a reçu leur contrat de mariage. Il est signé par l'officier célébrant, les époux et les témoins.

Comp. actes de l'état civil, certificat, mariage (contrat de)

Angl. *act of marriage, marriage certificate*

• **Mariage (actes de) :** Selon le *Code civil du Québec*, actes de l'état civil dressés sans délai à partir des déclarations reçues par le directeur de l'état civil, relatifs aux mariages qui surviennent au Québec ou qui concernent une personne qui y est domiciliée.

Angl. *acts of marriage*

• **Mariage blanc :** V. MARIAGE SIMULÉ.

• **Mariage (certificat de) :** V. CERTIFICAT DE L'ÉTAT CIVIL.

• **Mariage consanguin :** Se dit d'un mariage entre proches parents.

Comp. consanguin

Angl. *consanguineous marriage, interbreeding marriage*

• **Mariage (contrat de) :** Contrat passé devant notaire avant la célébration du mariage, par lequel les futurs époux adoptent un régime matrimonial différent du régime légal dans lequel ils fixent le statut et la propriété de leurs biens pendant le mariage ainsi qu'à sa dissolution.

Syn. conventions matrimoniales

Comp. régime matrimonial

Angl. *marriage contract, marriage settlement*

• **Mariage (déclaration de) :** Déclaration écrite faite au directeur de l'état civil par celui qui célèbre un mariage dans laquelle il énonce les nom et domicile des époux, le lieu et la date de leur naissance et de leur mariage, ainsi que le nom de leur père et mère et des témoins. La déclaration énonce aussi les nom, domicile et qualité du célébrant et indique, s'il y a lieu, la société religieuse à laquelle il appartient.

Angl. *declaration of marriage*

• **Mariage fictif :** V. MARIAGE SIMULÉ.

• **Mariage putatif :** Mariage nul mais qui, en raison de la bonne foi de l'un des époux qui a cru par erreur à sa validité, produit certains effets à son égard ainsi qu'en faveur des enfants qui en sont issus.

Angl. *putative marriage*

• **Mariage simulé :** Mariage célébré sans que les conjoints aient l'intention de former une véritable union matrimoniale ou sans que l'un d'eux ait l'intention d'assumer les obligations du mariage.

Rem. Il vise généralement à faire bénéficier l'un des conjoints de certains effets du mariage (ex. changement de nom, de citoyenneté).

Syn. mariage blanc, mariage fictif

Angl. *simulated marriage*

□ **2.** Cérémonie par laquelle un homme et une femme s'unissent publiquement devant un célébrant compétent et en présence de deux témoins.

Rem. Au Québec, le mariage peut être célébré soit devant un ministre du culte (mariage religieux) soit devant un greffier de la Cour supérieure ou un de ses adjoints (mariage civil).

Syn. mariage (célébration du)

Angl. *marriage*

• **Mariage civil :** Mariage célébré publiquement devant un greffier de la Cour supérieure ou un de ses adjoints qu'il désigne et en présence de deux témoins.

Contr. mariage religieux

Angl. *civil marriage*

• **Mariage clandestin :** Mariage célébré sans la publicité requise par la loi.

Rem. Il peut être attaqué par les époux eux-mêmes ou par tous ceux qui y ont un intérêt.

Angl. *clandestine marriage*

• **Mariage religieux :** Mariage célébré publiquement devant un ministre du culte compétent et en présence de deux témoins.

Contr. mariage civil

Angl. *religious marriage*

□ **3.** État juridique des personnes mariées.

Angl. *marriage*

Marin, ine *adj.*

□ V. FOND MARIN.

Marital, ale, aux *adj.*

□ **1.** Qui appartient au mari. Ex. L'autorité maritale.

Rem. Le mari détenait autrefois une autorité maritale sur sa femme.

Comp. mari, maritalement, parental

Angl. *husband's, marital*

□ **2.** Qui a l'apparence d'un mariage. Ex. Une union maritale.

Comp. concubinage, matrimonial

Angl. *marital*

Maritalement *adv.*

□ Comme mari et femme, mais sans qu'il y ait mariage.

Comp. concubinage
Angl. *as husband and wife, maritally*

Marque de commerce

□ Signe particulier qu'une personne emploie en vue de distinguer les marchandises qu'elle fabrique, vend ou loue ou les services qu'elle rend, des marchandises ou des services de ses concurrents.

Rem. Son enregistrement dans le registre des marques de commerce, conformément à la loi, confère à son détenteur un droit d'utilisation exclusif.
Comp. brevet
Angl. *trade-mark, trade mark*

• **Marque de commerce déposée :** Marque de commerce qui est inscrite dans le registre des marques de commerce.

Angl. *registered trade-mark, registered trade mark*

• **Marque de commerce projetée :** Marque de commerce qu'une personne projette d'employer et qui n'est pas encore inscrite dans le registre des marques de commerce.

Angl. *proposed trade-mark, proposed trade mark*

Masse *n.f.*

□ **1.** Ensemble de personnes ayant des intérêts communs ou des droits de même nature. Ex. La masse des créanciers dans une faillite.

Angl. *general body of (creditors, etc.)*

□ **2.** Ensemble de biens, de créances ou de dettes groupés en vue de la liquidation d'une indivision ou d'une entreprise. Ex. La masse d'une succession.

Angl. *general mass, hotchpot, mass*

• **Masse communautaire :** V. MASSE COMMUNE.

• **Masse commune :** Sous un régime de communauté de biens, ensemble des biens appartenant indistinctement aux deux époux et qui sera partagé entre eux lors de la liquidation du régime.

Syn. masse communautaire, masse de biens communs
Comp. acquêts, biens communs, biens propres, biens réservés, communauté de biens, patrimoine familial, régime matrimonial
Angl. *mass of the community*

• **Masse de biens communs :** V. MASSE COMMUNE.

• **Masse (rapport à la) :** V. RAPPORT.

□ **3.** Terme utilisé parfois comme synonyme de total.

Angl. *total*

• **Masse salariale :** Ensemble des rémunérations versées par une entreprise à ses employés salariés, pendant une année.

Comp. salaire
Angl. *total payroll, wage bill*

Matériel, elle *adj.*

□ **1.** Qui concerne le fond du droit.

Comp. substantiel
Angl. *material*

• **Matériel (droit) :** V. DROIT SUBSTANTIEL.

• **Matérielle (compétence) :** V. COMPÉTENCE D'ATTRIBUTION.

□ **2.** Qui ne produit pas ou n'est pas destiné à produire un effet de droit. Ex. Un fait matériel.

Contr. juridique
Comp. fait
Angl. *material*

□ **3.** Pécuniaire, relatif à des biens. Ex. Un préjudice matériel.

Contr. moral
Comp. patrimonial, pécuniaire
Angl. *material*

□ **4.** Qui s'applique à un bien tangible, à un document.

Comp. faux matériel
Angl. *material*

□ **5.** Qui est accidentel, purement formel.

Comp. erreur matérielle
Angl. *clerical*

Maternel, elle *adj.*

☐ Qui a rapport à la mère, qui appartient à la mère. Ex. La filiation maternelle.

Contr. paternel
Comp. parental, ligne maternelle, mère
Angl. *maternal*

Maternité *n.f.*

☐ **1.** Lien qui unit la mère à son enfant. Ex. La recherche de maternité.

Contr. paternité
Comp. conception, parenté
Angl. *maternity*

☐ **2.** Fait de devenir mère, état de mère.

Contr. paternité
Comp. mère, père
Angl. *maternity*

• **Maternité (congé de) :** Période déterminée par la loi ou par la convention des parties pendant laquelle une salariée est autorisée à s'absenter de son travail, avant et après l'accouchement, tout en conservant ses droits acquis.

Rem. Ce congé, généralement non rémunéré, est dit prénatal (avant l'accouchement) et postnatal (après l'accouchement).
Angl. *leave for child birth, maternity leave*

Matière sommaire

☐ Termes utilisés autrefois pour désigner les recours qui, en raison de leur nature, étaient soumis à un régime procédural plus simple et expéditif que le régime normal. Ex. Étaient alors réputées matières sommaires et instruites comme telles les actions pour prêt d'argent, pour le recouvrement de pension alimentaire, en recouvrement de taxes municipales, etc.

Rem. Cette notion du *Code de procédure civile* de 1897 n'a pas été reprise dans le Code actuel.
Comp. procédure sommaire
Angl. *summary matter*

Matricide *adj. et n.*

☐ **1.(adj.)** Se dit d'une personne qui a tué sa mère.

Comp. fratricide, parricide
Angl. *matricidal*

☐ **2.(n.)** Crime de la personne qui a tué sa mère.

Comp. parricide
Angl. *matricide*

Matrimonial, ale, aux *adj.*

☐ Qui a rapport au mariage, notamment aux relations patrimoniales des époux.

Comp. conjugal, marital, parental, patrimonial
Angl. *matrimonial*

• **Matrimonial (régime) :** V. RÉGIME MATRIMONIAL.

Mauvaise foi

☐ **1.** Attitude d'une personne dont les agissements révèlent la conscience ou la volonté de nuire à autrui ou d'échapper à ses obligations.

Syn. *mala fides*
Contr. bonne foi
Comp. abus de droit, dol, fraude
Angl. *bad faith*

☐ **2.** Attitude d'une personne qui se prévaut d'une situation juridique à laquelle elle n'a pas droit. Ex. Le possesseur de mauvaise foi.

Syn. *mala fides*
Contr. bonne foi
Angl. *bad faith*

Maxime *n.f.*

☐ Proposition générale d'origine ancienne énonçant un principe de droit ou une règle de morale.

Comp. adage, brocard
Angl. *maxim*

M.C.

☐ Abrév. de *Master's Chambers.*

McGill L.J.

☐ Abrév. de *McGill Law Journal* / Revue de droit de McGill.

M.C.R.

☐ Abrév. de *Montreal Condensed Reports.*

Médecine légale

☐ Branche de la médecine qui a pour objet d'aider la justice, notamment dans la recherche des causes du décès de personnes qui ne sont pas décédées de mort naturelle.

Comp. médecin légiste
Angl. *forensic medicine*

Médecin légiste

☐ Médecin qui agit comme expert auprès des tribunaux, notamment en pratiquant des autopsies sur des personnes qui ne sont pas décédées de mort naturelle.

Comp. médecine légale
Angl. *forensic expert, forensic surgeon*

Médiateur, trice *n.*

☐ **1.** Personne impartiale qui a pour mission de trouver et de proposer des solutions à un conflit entre un employeur et ses employés, après l'échec de la procédure de conciliation, dans le but d'éviter une grève ou un lock-out ou d'y mettre fin.

Rem. Ses propositions ne lient pas les parties impliquées, à moins que celles-ci n'aient accepté à l'avance de s'y soumettre.
Comp. amiable compositeur, arbitre, conciliateur, médiation
Angl. *mediator*

☐ **2.** En matière familiale, personne chargée d'aider le couple, en instance de divorce ou de séparation de corps, à négocier et à s'entendre sur les mesures accessoires de leur rupture, notamment sur la garde des enfants, le droit de visite et de sortie et la pension alimentaire, au lieu de soumettre contradictoirement ces questions au tribunal.

Comp. médiation
Angl. *mediator*

☐ **3.** Terme employé dans certaines législations pour désigner le protecteur du citoyen ou ombudsman.

Comp. protecteur du citoyen
Angl. *public protector*

☐ **4.** Personnalité indépendante appelée à intervenir lors de conflits internationaux afin de tenter de réconcilier les belligérants et de leur proposer des solutions qui leur soient acceptables.

Angl. *mediator, peacemaker*

Médiation *n.f.*

☐ Mode de règlement d'un conflit qui consiste dans l'intervention d'un tiers impartial ayant pour mission de rapprocher les parties impliquées et de leur proposer des solutions qui leur soient acceptables.

Rem. On l'utilise généralement en matière familiale ainsi que dans le cas de conflits de travail et de différends internationaux.
Comp. arbitrage, conciliation, médiateur
Angl. *mediation*

Méfait *n.m.*

☐ **1.** Acte par lequel une personne, de façon délibérée, détruit ou détériore un bien ou en empêche une utilisation normale et légitime. Ex. La personne qui détruit un testament.

Rem. Le méfait qui cause un danger réel pour la vie des gens constitue un acte criminel. Dans les autres cas, il s'agit, selon le choix de l'accusation, d'un acte criminel ou d'une infraction sommaire.
Comp. acte criminel, infraction sommaire
Angl. *mischief*

☐ **2.** Acte par lequel une personne, de façon délibérée, détruit ou modifie des données, les dépouille de leur sens ou en empêche une utilisation normale et légitime. Ex. Une personne qui altère les informations contenues dans une banque de données.

Angl. *mischief*

- **Méfait public :** Acte par lequel une personne, avec l'intention de tromper, amène un agent de la paix à commencer ou à continuer une enquête en faisant une fausse déclaration qui accuse une autre personne d'avoir commis une infraction, en accomplissant un acte destiné à rendre une autre personne suspecte d'une infraction qu'elle n'a pas commise, en rapportant faussement qu'une infraction a été commise ou en annonçant faussement son propre décès ou celui d'une autre personne.

Rem. Il constitue, selon le choix de l'accusation, un acte criminel ou une infraction sommaire.
Comp. acte criminel, infraction sommaire
Angl. *public mischief*

Mélange *n.m.*

□ Réunion de plusieurs matières appartenant à des propriétaires différents et qui, par l'effet de leur interpénétration, forment un seul tout. Ex. Le mélange de ciment et de gravier en vue de former du béton.

Angl. *admixture*

Membre *n.m.*

□ **1.** Personne physique faisant partie d'un groupe pour le compte duquel une personne physique exerce ou entend exercer un recours collectif.

Comp. représentant, recours collectif
Angl. *member*

□ **2.** Personne faisant partie d'une association.

Comp. association, associé, société
Angl. *member*

Mémoire *n.m.*

□ **1.** Document produit par une partie devant une cour d'appel et contenant ses prétentions et ses conclusions.

Rem. Devant la Cour d'appel du Québec et la Cour suprême du Canada, le mémoire doit être divisé en cinq parties : les faits, les questions en litige et les moyens, l'argumentation, les conclusions et les autorités (jurisprudence et doctrine) citées par la partie.
Angl. *factum*

□ **2.** Exposé par une partie à un litige de ses prétentions et conclusions.

Comp. déclaration, requête
Angl. *factum, statement of case*

• **Mémoire conjoint :** Mémoire dans lequel des personnes qui sont en désaccord sur une question déterminée soumettent ensemble leur différend à un tribunal pour adjudication.

Comp. adjudication sur un point de droit
Angl. *joint factum*

□ **3.** Rapport préparé par un ministre à l'intention du Conseil des ministres, sur une question déterminée.

Rem. Il contient généralement un état de la situation, un exposé de l'impact des mesures qu'il envisage sur les relations intergouvernementales ou interministérielles, une évaluation du coût des modifications qu'il soumet ainsi que le texte de ses propositions. Il peut, le cas échéant, être accompagné d'un projet de loi.
Angl. *memorandum*

□ **4.** État détaillé des sommes dues par quelqu'un.

Angl. *bill*

• **Mémoire de frais :** Document contenant un état détaillé des dépens que la partie y ayant droit présente au tribunal afin qu'il soit approuvé par un officier compétent.

Comp. dépens, taxe
Angl. *bill of costs*

Menaces *n.f.pl.*

□ V. EXTORSION, VOIES DE FAIT.

Ménage *n.m.*

□ Groupe formé des époux et, le cas échéant, des enfants qui vivent ensemble dans la résidence familiale.

Rem. Peuvent également constituer un ménage deux personnes qui vivent maritalement sous un même toit.
Comp. charges du mariage, concubinage, famille, maritalement, résidence familiale, union libre
Angl. *household*

Ménager, ère *adj.*

□ Qui se rapporte au ménage.

Comp. charges du mariage
Angl. *domestic, household*

Mens rea

□ Expression latine signifiant « intention coupable » et qui désigne la conscience qu'a un individu de commettre un acte prohibé par la loi ou son insouciance à l'égard des conséquences d'un acte qu'il pose.

Rem. Cet état d'esprit constitue l'élément mental d'une infraction criminelle ; il s'infère notamment de la nature de l'acte, des circonstances générales entourant sa commission ou des présomptions établies par la loi. Ex. Le chasseur qui tue une personne en croyant viser un animal ne commet pas de meurtre, vu l'absence de *mens rea*.
Comp. *actus reus*, crime, infraction statutaire,

insouciance, intention générale, intention spécifique

Menues réparations

☐ V. LOCATIVES (RÉPARATIONS).

Mère *n.f.*

☐ Femme qui a mis au monde un ou plusieurs enfants.

Comp. maternité, père, veuve
Angl. *mother*

- **Mère adoptive :** Femme qui a adopté un ou plusieurs enfants.

  Comp. adoption
  Angl. *adoptive mother*

- **Mère célibataire :** Femme non mariée qui élève un ou plusieurs enfants.

  Syn. fille-mère
  Angl. *unmarried mother*

- **Mère naturelle :** Femme dont la maternité naturelle est certaine (sans être légalement établie) ou a été établie par jugement ou, encore, qui a reconnu volontairement un enfant qu'elle a eu hors mariage.

  Angl. *natural mother*

- **Mère veuve :** Dans certaines lois, mère dont le mari est décédé ou que son conjoint a abandonnée.

  Angl. *widowed mother*

Meridith Mem. Lect.

☐ Abrév. de *Meridith Memorial Lectures* / Conférences commémoratives Meredith.

Mérite *n.m.*

☐ Bien-fondé d'une demande en justice ou d'un recours.

Rem. On emploie souvent, mais à tort, l'expression « enquête au mérite » pour désigner l'instruction ou l'enquête devant le tribunal de première instance.
Comp. bien-fondé, enquête, instruction
Angl. *merit*

Mesure *n.f.*

☐ Décision du tribunal qui ne porte pas sur le fond du litige. Elle est généralement accessoire, conservatoire ou provisoire.

Angl. *measure*

- **Mesure accessoire :** Ordonnance du tribunal lors d'un jugement prononçant sur une demande en séparation de corps, en divorce ou en nullité de mariage, ou postérieurement à tel jugement, et portant notamment sur la garde des enfants et l'octroi d'une pension alimentaire.

  Comp. divorce, garde, nullité, pension alimentaire, séparation de corps
  Angl. *accessory measures*

- **Mesure conservatoire :** Décision du tribunal prise dans le but d'assurer la sauvegarde des droits d'une partie durant le procès.

  Comp. conservatoire
  Angl. *conservatory measure*

- **Mesure prise d'office :** Décision que le tribunal prend de sa propre initiative, en l'absence de demande de la part des parties au litige. Ex. La nomination d'office d'un procureur à un enfant afin d'assurer la sauvegarde des intérêts de celui-ci lors d'un procès en matière familiale.

  Angl. *ex officio measure*

- **Mesure provisionnelle :** Mesure de nature conservatoire par laquelle le tribunal met les biens du défendeur ou les biens faisant l'objet du litige sous contrôle de justice, pendant l'instance, ou ordonne au défendeur de faire ou de ne pas faire quelque chose jusqu'à ce que le jugement final soit prononcé.

  Rem. Le *Code de procédure civile* considère, comme mesures provisionnelles, la saisie avant jugement, le séquestre et l'injonction.
  Comp. injonction, saisie avant jugement, séquestre
  Angl. *provisional remedy*

- **Mesure provisoire :** Ordonnance du tribunal qui détermine temporairement la situation devant prévaloir durant un procès en matière familiale, notamment lors d'une instance en séparation de corps ou en divorce, et qui a trait à la pension alimentaire, la garde des enfants, l'occupation de la résidence familiale et les saisies conservatoires.

  Rem. Cette mesure demeure normalement en application jusqu'au jugement final.
  Angl. *provisional measure*

Mesures d'urgence (Loi sur les)

□ V. LOI MARTIALE.

Métier *n.m.*

□ Activité professionnelle qu'une personne exerce pour gagner sa vie.

Rem. Le *Code de procédure civile* utilise ce terme pour désigner une occupation de nature plutôt manuelle.

Comp. artisan, profession

Angl. *profession, trade*

Mettre en cause

□ Procéder à la mise en cause d'un tiers dans un procès.

Comp. mise en cause

Angl. *to implead*

Meublant *adj.*

□ V. MEUBLE(S) MEUBLANT(S).

Meuble *adj. et n.m.*

□ **1.(adj.)** Qui peut se transporter ou auquel la loi confère un caractère mobilier.

Syn. mobilier

Contr. immeuble

Angl. *movable, moveable*

□ **2.(n.)** Bien qui peut se transporter ou auquel la loi confère un caractère mobilier.

Rem. Selon l'art. 907 du *Code civil du Québec*, sont meubles tous les biens que la loi ne qualifie pas.

Syn. bien meuble, effet mobilier

Contr. immeuble

Angl. *movable, moveable*

- **Meuble corporel :** Meuble ayant le caractère d'un bien corporel.

Contr. meuble incorporel

Comp. bien corporel, meuble par nature

Angl. *corporeal movable, corporeal moveable*

- **Meuble incorporel :** Meuble ayant le caractère d'un bien incorporel.

Contr. meuble corporel

Comp. bien incorporel, meuble par détermination de la loi

Angl. *incorporeal movable, incorporeal moveable*

- **Meuble(s) meublant(s) :** Meubles d'usage courant qui servent à garnir et à orner un appartement, une maison.

Rem. Dans le *Code civil du Québec*, cette expression du *Code civil du Bas-Canada* a été remplacée par les mots « meuble » ou « meubles qui servent à l'usage du ménage ».

Angl. *furniture*

- **Meuble par anticipation :** Immeuble par nature qui est destiné à devenir meuble et que la loi considère comme tel dans les actes de dispositions dont il peut faire l'objet. Ex. Les fruits sur les arbres et les récoltes sur pied.

Angl. *moveable by anticipation*

- **Meuble par détermination de la loi :** Bien auquel la loi confère un caractère mobilier.

Rem. On considère comme tels les créances mobilières (ex. : l'argent comptant, les actions de compagnies, les droits d'auteur), les droits réels ayant pour objet un bien mobilier (ex. : l'usufruit de biens mobiliers) et les immeubles dont la loi autorise à certaines fins la mobilisation (ex. : les meubles par anticipation). Selon l'art. 906 du *Code civil du Québec*, sont réputés meubles corporels les ondes ou l'énergie maîtrisée par l'être humain et mises à son service, quel que soit le caractère mobilier ou immobilier de leur source.

Comp. meuble par anticipation, meuble par nature

Angl. *movable by determination of law, moveable by determination of law*

- **Meuble par nature :** Bien qui peut se transporter, soit qu'il se meuve lui-même, soit qu'il faille une force étrangère pour le déplacer.

Comp. meuble par détermination de la loi

Angl. *movable by nature, moveable by nature*

Meublé, ée *adj.*

□ V. MAISON MEUBLÉE.

Meurtre *n.m.*

□ Homicide coupable commis par une personne qui veut causer la mort de sa victime ou qui a l'intention de lui infliger des blessures corporelles qu'elle sait être de nature à entraîner la mort alors qu'il lui est indifférent que la mort s'ensuive ou non.

Rem. Est également qualifié de meurtre le fait

de tuer, par accident ou erreur, une autre personne que celle qui était visée et le fait de causer la mort de quelqu'un lorsque, dans la poursuite d'une fin illégale, une personne pose un geste qu'elle sait, ou devrait savoir, de nature à entraîner la mort, peu importe qu'elle ait voulu atteindre son but sans causer la mort ou des blessures corporelles. Enfin, il y a meurtre lorsqu'une personne tue quelqu'un pendant qu'elle commet ou tente de commettre certaines infractions énoncées spécifiquement au *Code criminel*.

Comp. homicide involontaire coupable, infanticide

Angl. *murder*

- **Meurtre au deuxième degré :** Meurtre qui, selon la loi, ne constitue pas un meurtre au premier degré.

Rem. La peine d'emprisonnement minimale est généralement moindre pour un meurtre au deuxième degré.

Comp. meurtre au premier degré

Angl. *second degree murder*

- **Meurtre au premier degré :** Meurtre commis avec préméditation et de propos délibéré.

Rem. Certains meurtres sont également considérés comme des meurtres au premier degré : le meurtre par contrat, celui d'un gardien de prison ou d'un agent de la paix dans l'exercice de ses fonctions et celui qui est concomitant de la commission ou de tentative de commission de certaines infractions (ex. : agression sexuelle, enlèvement). La peine d'emprisonnement minimale pour un meurtre au premier degré est de vingt-cinq ans.

Comp. meurtre au deuxième degré

Angl. *first degree murder, planned and deliberate murder*

- **Meurtre par imputation :** Meurtre commis dans certaines circonstances alors que son auteur n'a pas l'intention de causer la mort ou des lésions corporelles de nature à causer la mort. Ex. Le meurtre commis lors d'un vol à main armée.

Syn. meurtre par interprétation

Angl. *constructive murder*

- **Meurtre par interprétation :** V. MEURTRE PAR IMPUTATION.

Mineur, eure *adj. et n.*

□ **1.(adj.)** Qui n'a pas atteint l'âge de la majorité.

Contr. majeur

Comp. minorité

Angl. *minor*

□ **2.(n.)** Personne qui n'a pas atteint l'âge de la majorité.

Contr. majeur

Comp. minorité

Angl. *minor*

- **Mineur émancipé :** Mineur qui, par le mariage ou une décision de justice, n'est plus soumis à l'autorité parentale.

Rem. Le mineur émancipé par le mariage est assimilé au majeur quant à l'exercice de ses droits civils, aucun régime particulier ne régissant l'administration de sa personne et de ses biens. Quant au mineur émancipé par décision de justice, sa capacité d'exercer ses droits civils est élargie sans être complète ; on doit lui nommer un curateur (selon le *Code civil du Bas-Canada*) ou un tuteur (selon le *Code civil du Québec*). Ce dernier prévoit la pleine émancipation du mineur non marié, sur décision du tribunal.

Comp. autorité parentale

Angl. *emancipated minor*

Ministère *n.m.*

□ **1.** Division administrative du gouvernement présidée par un ministre qui en assume la gestion et la direction et qui est responsable de l'application d'un ensemble de lois. Il est soumis au contrôle du Conseil des ministres.

Rem. Il comprend le cabinet du ministre, formé de conseillers qui ne font pas nécessairement partie de la fonction publique, ainsi qu'une administration centrale sous la responsabilité du sous-ministre.

Comp. ministériel, ministre

Angl. *department, ministry*

□ **2.** Édifice abritant les services d'un ministère.

Angl. *seat of department, seat of ministry*

□ **3.** Terme employé parfois comme synonyme d'entremise. Ex. Faire quelque chose par ministère d'avocat.

Angl. *agency*

Ministère public

□ **1.** Termes que l'on utilise parfois pour désigner le poursuivant en matière pénale.

Angl. *crown*

□ **2.** Termes qui désignent parfois l'État, la Couronne ou les officiers publics. Ex. Les causes intéressant le ministère public.
Angl. *Crown, ministers, public officers, State*

Ministériel, elle *adj.*

□ **1.** Qui concerne un ministère. Ex. Un décret ministériel.
Comp. ministère
Angl. *ministerial*

□ **2.** Relatif au gouvernement. Ex. Une crise ministérielle.
Angl. *governmental*

□ **3.** Relatif au parti politique qui détient le pouvoir. Ex. Un député ministériel.
Angl. *majority*

Ministre *n.*

□ **1.** Membre du Conseil des ministres.
Comp. Conseil exécutif, secrétaire d'État
Angl. *minister*

• **Ministre délégué :** Ministre responsable d'un ou de plusieurs secteurs d'activités d'un ministère.
Angl. *minister for*

• **Ministre (premier) :** Chef du gouvernement. Il préside le Conseil des ministres.
Angl. *Prime minister*

• **Ministre sans portefeuille :** Ministre qui n'a pas la charge d'un ministère.
Angl. *minister without portfolio*

• **Ministres (cabinet des) :** V. CABINET DES MINISTRES.

□ **Ministres (Conseil des) :** V. CONSEIL DES MINISTRES.

□ 2. Personne qui est chargée d'une fonction dans une Église. Ex. Certains ministres du culte sont autorisés par la loi à célébrer des mariages.
Angl. *minister of religion*

Minoritaire *adj.*

□ **1.** Qui fait partie de la minorité dans un groupe ou une assemblée.
Comp. minorité
Angl. *minority*

□ **2.** Qui fait partie d'un groupe d'actionnaires opposés à ceux qui détiennent la majorité des actions dans une compagnie ou une société par actions. Ex. Les droits des actionnaires minoritaires sont protégés par la loi.
Angl. *minority*

Minorité *n.f.*

□ **1.** État d'une personne qui n'a pas encore atteint l'âge de la majorité légale.
Rem. L'âge de la majorité légale est fixé à 18 ans.
Contr. majorité
Comp. mineur
Angl. *infancy, minority*

• **Minorité pénale :** Exemption de la responsabilité pénale qui prévaut en faveur des enfants âgés de moins de douze ans. Ils ne peuvent faire l'objet d'une poursuite quelle que soit la gravité de l'infraction qu'ils ont commise.
Angl. *legal infancy*

□ **2.** Groupement de voix qui, lors d'une élection ou du vote d'une décision, est inférieur en nombre à celui qui l'emporte.
Contr. majorité
Angl. *minority*

• **Minorité de blocage :** Minorité qui empêche la prise d'une décision pour laquelle une majorité qualifiée est exigée.
Comp. majorité qualifiée
Angl. *obstructing minority*

• **Minorité parlementaire :** Ensemble des députés de l'opposition dans un parlement.
Angl. *parliamentary minority*

□ **3.** Collectivité culturelle, linguistique ou religieuse vivant sur le territoire d'un État et constituant un groupe organisé dont le nombre est inférieur à celui de la majorité des personnes qui y sont établies.
Angl. *minority*

Minute *n.f.*

□ **1.** Original d'un acte notarié.

Rem. La minute reste entre les mains du notaire et les intéressés ne peuvent en recevoir que des copies.
Comp. acte notarié
Angl. *minute*

□ **2.** Original d'un jugement signé par le juge qui l'a prononcé ou par un officier public dûment autorisé.
Rem. Il est conservé au greffe du tribunal où l'on peut en obtenir copie.
Angl. *judgment, minute*

Minutes (livre des)

□ V. REGISTRE DES PROCÈS-VERBAUX ET RÉSOLUTIONS.

Mise *n.f.*

□ Action de mettre ; résultat de cette action.
Angl. *putting, sitting*

• **Mise à pied :** Perte d'emploi temporaire pour des raisons économiques ou de réorganisation interne de l'entreprise.
Rem. L'employé conserve alors certains droits dans l'entreprise (ex. droit de rappel, ancienneté) et sa mise à pied sera qualifiée de licenciement s'il n'y a pas rappel au travail après un certain temps.
Syn. mise en disponibilité
Comp. congédiement, licenciement
Angl. *temporary lay off*

• **Mise à prix :** Fixation du prix de départ des enchères lors d'une vente publique (ex. vente en justice ou sous contrôle de justice, vente du bien d'autrui).
Comp. enchère
Angl. *opening bid*

• **Mise au rôle :** V. RÔLE.

• **Mise en accusation :** V. ACCUSATION (MISE EN).

• **Mise en cause :**
1. Procédure incidente par laquelle une partie engagée dans un procès civil y appelle un tiers dont la présence est nécessaire pour permettre une solution complète du litige ou contre qui elle prétend exercer un recours en garantie.
Syn. intervention forcée
Comp. action en garantie, garantie (appel en)
Angl. *forced intervention, impleading*

2. Dans un procès civil, fait pour le demandeur d'y appeler un tiers dont la présence est nécessaire pour permettre une solution complète du litige. Ex. Dans une action en annulation de la vente d'un immeuble, la mise en cause de l'officier de la publicité des droits.
Angl. *impleading*

• **Mise en délibéré :** V. DÉLIBÉRÉ.

• **Mise en demeure :** V. DEMEURE (MISE EN).

• **Mise en disponibilité :** Cessation temporaire de travail en raison d'un manque d'ouvrage, de la suppression d'un poste ou d'une incapacité personnelle de l'employé.
Rem. L'employé conserve alors certains droits dans l'entreprise, notamment un droit de rappel prioritaire si un nouvel emploi est créé ou si un poste devient vacant, à la condition qu'il possède les qualifications requises pour l'occuper.
Syn. mise à pied
Comp. licenciement
Angl. *lay off*

• **Mise en liberté :** V. LIBÉRATION.

• **Mise hors de cause :** Décision du tribunal de rendre étrangère à un litige une partie qui n'y est plus concernée, celle-ci pouvant cependant y demeurer dans le but d'assurer la conservation de ses droits. Ex. Lorsqu'un tiers a été appelé en garantie formelle, le garanti peut être mis hors de cause s'il le requiert.
Comp. garantie formelle
Angl. *relief from the contestation*

Mis en cause, mise en cause *n.*

□ Tiers qui fait l'objet d'une mise en cause dans un procès civil.
Comp. mise en cause
Angl. *impleaded party, third party*

Mission *n.f.*

□ **1.** Pouvoir que la loi accorde à une autorité judiciaire et que celle-ci est tenue d'exercer. Ex. Dans les instances en séparation de corps, il entre dans la mission du tribunal de conseiller les époux et de favoriser leur conciliation.
Angl. *role*

☐ **2.** Charge ou mandat confié à une personne par la loi ou par décision de justice. Ex. La mission d'un expert lors d'un procès.

Comp. mandat
Angl. *duty*

Mistrial

☐ Terme anglais qui désigne un procès criminel arrêté brusquement avant la fin en raison d'un vice fondamental qui le rend nul et invalide (ex. perte par le tribunal de sa compétence, formation irrégulière du jury, acte ou déclaration qui risque de priver un accusé d'un procès équitable).

Rem. On emploie souvent ce terme plutôt que celui de procès avorté.
Angl. *mistrial*

Mitigation de peine

☐ Mesure par laquelle le juge, à l'issue d'un procès criminel où un accusé a été déclaré coupable, lui impose une peine moins sévère que la peine normalement encourue en raison de facteurs reliés à sa personne ou à l'infraction qu'on lui reprochait. Ex. La mitigation de la peine imposée à une personne âgée.

Angl. *mitigation of punishment*

Mitoyen, enne *adj.*

☐ Qui sert de séparation entre deux fonds contigus et qui appartient en copropriété aux propriétaires de l'un et de l'autre. Ex. Un mur mitoyen.

Comp. commun, indivis, mitoyenneté, mur mitoyen
Angl. *common*

Mitoyenneté *n.f.*

☐ Copropriété d'un bien (mur, clôture, haie, fossé) qui sépare deux fonds contigus.

Comp. copropriété, mitoyen
Angl. *common ownership*

Mixte *adj.*

☐ V. ACTION MIXTE, CONDITION MIXTE.

M.L. Dig. & R.

☐ Abrév. de *Monthly Law Digest and Reporter.*

M.L.R. (Q.B.)

☐ Abrév. de *Montreal Law Reports (Queen's Bench).*

M.L.R. (S.C.)

☐ Abrév. de *Montreal Law Reports (Superior Court).*

M.M.C.

☐ Abrév. de *Martin's Mining Cases.*

M.N.A.

☐ Abrév. de *Member of the National Assembly.*

M.N.R.

☐ Abrév. de *Minister of National Revenue.*

Mobile *adj. et n.*

☐ **1.(adj.)** V. CLAUSE D'ÉCHELLE MOBILE.

☐ **2.(n.)** But poursuivi par une personne, raison qui l'a conduite à commettre une infraction.

Rem. En principe, le mobile n'affecte pas la culpabilité de l'individu, mais il peut aider à faire la preuve de son intention coupable (*mens rea*).
Comp. *mens rea*
Angl. *criminal motive*

Mobilier, ière *adj.*

☐ Qui se rapporte aux meubles, qui est de la nature d'un meuble. Ex. Une saisie-exécution mobilière, une valeur mobilière.

Syn. meuble
Contr. immobilier
Comp. valeur mobilière
Angl. *movable, moveable*

Mobilier *n.m.*

☐ Ensemble des meubles meublants. Ex. Le mobilier d'une maison.

Comp. meuble, meuble(s) meublant(s)
Angl. *furniture, movable property, moveable property*

Mobilisation *n.f.*

□ Fait de considérer fictivement un immeuble comme un meuble par l'effet de la loi ou d'un contrat ou de transformer un immeuble en meuble par un acte matériel.
Contr. immobilisation
Angl. *mobilization*

• **Mobilisation par anticipation :** Fait de considérer par avance comme meuble un immeuble qui doit éventuellement devenir meuble. Ex. La vente d'une récolte sur pied, de matériaux à extraire d'une mine.
Comp. mobiliser
Angl. *mobilization by anticipation*

Mobiliser *v.tr.*

□ Transformer par contrat un immeuble en meuble.
Comp. mobilisation
Angl. *to mobilize*

Modal, ale, aux *adj.*

□ Qui est affecté d'une modalité.
Contr. pur et simple
Comp. conditionnel, modalité, terme
Angl. *modal*

Modalité *n.f.*

□ Particularité qui affecte un acte, une obligation, un droit et qui peut en modifier les effets normaux. Ex. La condition suspensive ou le terme extinctif d'une obligation.
Comp. condition, modal, obligation, terme
Angl. *modality*

• **Modalité de paiement :** Forme particulière d'un paiement. Ex. Le paiement comptant, par chèque ou par carte de crédit.
Angl. *condition of payment*

Mode d'acquisition

□ V. ACQUISITION (MODE D').

Mode de scrutin

□ V. SCRUTIN.

Modificatif, ive *adj.*

□ Qui apporte un changement (à un acte) sans en altérer la nature.
Comp. modification, rectificatif
Angl. *modifying*

Modification *n.f.*

□ Changement que l'on apporte (à un acte) sans en altérer la nature.
Comp. amendement, modificatif, mutation, novation
Angl. *alteration, modification*

Mod. L. Rev.

□ Abrév. de *Modern Law Review.*

Modus operandi

□ Expression latine signifiant « mode d'opérer » et qualifiant la façon d'agir d'une personne.

Modus vivendi

□ Expression latine signifiant « mode de vie », « façon de vivre » et qualifiant un accommodement, un arrangement provisoire. Ex. Les parties à un contrat ont trouvé un *modus vivendi* malgré leur différend.

Moins prenant (en)

□ V. RAPPORT EN MOINS PRENANT.

Moins-value *n.f.*

□ Diminution de la valeur d'un bien au cours d'une période donnée, soit en raison de son abondance ou d'un contexte économique défavorable, soit à la suite de sa détérioration.
Contr. plus-value
Angl. *depreciation, drop in value, loss in value*

Monarchie *n.f.*

□ Régime politique dans lequel le chef de l'État est un monarque, un roi héréditaire.
Angl. *monarchy*

• **Monarchie absolue :** Monarchie dans laquelle le roi détient des pouvoirs réels et illimités.

Angl. *absolute monarchy*

- **Monarchie constitutionnelle :** Monarchie dans laquelle le roi détient des pouvoirs symboliques définis par une constitution. Ex. Le Canada vit sous un régime de monarchie constitutionnelle.

  Angl. *constitutional monarchy*

Monétaire *adj.*

☐ Relatif à la monnaie. Ex. La dévaluation monétaire.

Comp. monnaie contrefaite, pécuniaire
Angl. *monetary*

Monnaie contrefaite

☐ Fausse pièce ou fausse monnaie de papier qui ressemble ou qui est apparemment destinée à ressembler à une pièce ou à une monnaie de papier ayant cours légal.

Rem. Sa fabrication, sa possession et sa mise en circulation constituent des actes criminels.
Syn. fausse monnaie
Angl. *counterfeit money*

Monogamie *n.f.*

☐ **1.** Régime juridique en vertu duquel un homme ou une femme ne peut avoir plusieurs conjoints en même temps.

Contr. bigamie, polygamie
Angl. *monogamy*

☐ **2.** Situation d'un homme qui n'a qu'une seule épouse ou d'une femme qui n'a qu'un seul mari à la fois.

Contr. bigamie, polygamie
Angl. *monogamy*

Monoparental, ale, aux *adj.*

☐ Où il n'y a qu'un seul parent. Ex. Une famille monoparentale.

Comp. famille monoparentale, unilinéaire
Angl. *single-parent*

Monopole *n.m.*

☐ **1.** Forme de structure de marché par laquelle une seule entreprise ou un nombre restreint d'entreprises contrôlent la fabrication ou la distribution d'un produit ou encore la fourniture de services, supprimant ainsi toute concurrence.

Rem. Ce monopole de fait est interdit par la *Loi sur la concurrence* (L.R.C. 1985, c. C-34).
Syn. marché monopolistique
Contr. concurrence
Comp. cartel, *trust*
Angl. *monopoly*

☐ **2.** Régime juridique par lequel l'État confère à une seule personne ou entreprise ou à un nombre restreint de personnes ou entreprises le contrôle de la fabrication, de l'exploitation ou de la distribution d'un produit ou encore de la fourniture de services, supprimant ainsi toute concurrence. Ex. Le monopole d'une entreprise hydro-électrique sur un territoire donné, le monopole du détenteur d'un brevet.

Contr. concurrence
Comp. brevet, concentration, droit d'auteur, marque de commerce
Angl. *monopoly*

Moo. P.C.

☐ Abrév. de *Moore, Privy Council.*

Moo. P.C. (N.S.)

☐ Abrév. de *Moore, Privy Council (N.S.).*

Moral, ale, aux *adj.*

☐ **1.** Conforme aux bonnes moeurs.

Contr. immoral
Comp. légitime, licite
Angl. *moral*

☐ **2.** Qui ne relève pas du droit positif.

Contr. juridique
Comp. droit naturel
Angl. *moral*

☐ **3.** Qui est purement intellectuel, fictif. Ex. Une personne morale.

Contr. physique
Comp. personne morale
Angl. *artificial, ideal, legal*

☐ **4.** Qui ne fait pas partie d'un patrimoine. Ex. Un droit moral.

Syn. extrapatrimonial

Comp. droit moral
Angl. *extrapatrimonial, moral*

□ **5.** Qui n'est pas matériel. Ex. Un préjudice moral.
Contr. matériel
Comp. préjudice moral
Angl. *moral*

Moratoire *adj. et n.*

□ **1.(adj.)** Qui accorde un délai.
Angl. *moratory*

□ **2.(adj.)** Qui est relatif à un retard.
Comp. dommages-intérêts moratoires
Angl. *moratory*

□ **3.(n.)** Suspension provisoire de l'exécution d'une obligation. Ex. Obtenir de son créancier un moratoire d'un mois pour le paiement d'une dette.
Comp. concordat, remise
Angl. *moratorium*

Mort *n.f.*

□ Cessation de la vie, arrêt complet des fonctions vitales.
Rem. **1.** Selon une proposition de l'ancienne Commission de réforme du droit du Canada, on devrait considérer qu'une personne décède juridiquement au moment où elle subit une cessation irréversible de l'ensemble de ses fonctions cérébrales. **2.** La mort entraîne la fin de la personnalité civile.
Angl. *death, legal death*

• **Mort (à cause de) :** V. DONATION À CAUSE DE MORT.

• **Mort civile :** État juridique de la personne qui, autrefois, avait été condamnée à mort ou à l'emprisonnement à perpétuité ou, jusqu'à un certain point, de celle qui entrait en religion.
Rem. Cette personne ne pouvait faire des contrats, disposer de ses biens ou en acquérir par succession ou autrement, être tuteur, curateur, témoin ou juré, agir en justice, contracter ou maintenir un mariage qui produise des effets civils. Dans le cas du condamné, ses biens étaient confisqués au profit du Souverain. L'époux et les héritiers du mort civil pouvaient alors exercer leurs droits comme si celui-ci était décédé naturellement. La mort civile se terminait sans rétroactivité avec le pardon, la libération et la remise ou la commutation de la peine. Elle a été remplacée, en 1906, par la dégradation civique.
Comp. dégradation civique
Angl. *civil death*

• **Mort (peine de) :** V. EXÉCUTION CAPITALE, PEINE DE MORT.

• **Mort saisit le vif (le) :** Texte abrégé de la maxime « Le mort saisit le vif, son hoir (héritier) le plus proche habile à lui succéder ».
Comp. héritier

Mortis causa

□ Expression latine signifiant « à cause de mort ».
Comp. donation à cause de mort

Motif *n.m.*

□ **1.** Exposé des raisons, tant de fait que de droit, qui justifient la décision du juge.
Rem. Dans un jugement ou un arrêt, les motifs précèdent le dispositif.
Comp. argument, décision, dispositif, moyen, *obiter dictum*
Angl. *reason*

□ **2.** Raisons qui peuvent inciter un officier de justice ou un juge à prendre une décision. Ex. Un juge de paix peut décerner un mandat pour l'arrestation d'une personne s'il a des motifs raisonnables de croire que celle-ci refusera d'obtempérer à un ordre de comparaître.
Comp. mandat d'arrestation, mandat de perquisition
Angl. *reasonable grounds*

□ **3.** Plus généralement, raisons invoquées par une personne pour expliquer et justifier un comportement, une décision. Ex. Les motifs de congédiement d'un employé.
Comp. fait(s) justificatif(s)
Angl. *reasonable grounds*

Motion *n.f.*

□ **1.** Proposition présentée à une assemblée délibérante par un ou plusieurs de ses membres. Ex. Une motion d'ajournement.
Comp. proposition, résolution
Angl. *motion*

- **Motion de censure :** V. CENSURE (MOTION DE).

- **Motion de clôture :** V. CLÔTURE (MOTION DE).

□ **2.** Demande, le plus souvent orale, faite au tribunal pendant un procès criminel.

Comp. requête
Angl. *motion*

- **Motion de non lieu :** V. NON LIEU (MOTION DE).

- **Motion de verdict dirigé :** V. VERDICT IMPOSÉ.

□ **3.** Terme autrefois employé, dans le *Code de procédure civile*, pour désigner la requête présentée en cours d'instance.

Syn. requête
Angl. *motion*

Moyen *n.m.*

□ **1.** Raison de droit ou de fait qui sert de fondement, de soutien nécessaire aux prétentions d'une partie.

Angl. *ground*

- **Moyens de défense :** Raisons que le défendeur oppose au demandeur pour obtenir le rejet de la demande ou que l'accusé invoque pour obtenir le rejet de l'accusation portée contre lui.

Comp. défense
Angl. *defence, grounds of defence*

- **Moyens de droit :** Raisons d'ordre juridique que, dans un procès, une partie invoque à l'appui de ses prétentions ; fondement juridique de ses prétentions.

Comp. argument de droit, conclusion, question de droit
Angl. *grounds of law*

- **Moyens de fait :** Faits que, dans un procès, une partie allègue à l'appui de ses prétentions.

Comp. argument, question de fait
Angl. *grounds of fact*

- **Moyens de faux :** Raisons qu'invoque une partie pour obtenir qu'un acte authentique soit déclaré faux par le tribunal.

Angl. *grounds of improbation*

□ **2.** Raison de nature procédurale invoquée par une partie pour faire rejeter une demande ou pour en obtenir la suspension pendant un certain temps.

Syn. exception
Angl. *exception*

- **Moyen déclinatoire :** Moyen de procédure par lequel le défendeur, dans un procès civil, prétend que le tribunal saisi de la demande n'est pas compétent, soit parce qu'il ne peut se prononcer sur le fond du litige (incompétence d'attribution), soit parce que l'instance a été introduite dans un district judiciaire autre que celui où la demande eût dû être portée (incompétence territoriale).

Syn. exception déclinatoire
Comp. compétence d'attribution, compétence territoriale, déclinatoire, exception, incompétence
Angl. *declinatory exception*

- **Moyen de non-recevabilité :** Moyen de procédure par lequel le défendeur, dans un procès civil, requiert du tribunal le rejet de la demande pour le motif qu'elle serait irrecevable telle que présentée.

Rem. Le défendeur peut opposer l'irrecevabilité de la demande s'il y a litispendance ou chose jugée, si le demandeur n'a manifestement pas d'intérêt, si l'une ou l'autre des parties est incapable ou n'a pas qualité ou, enfin, si la demande n'est pas fondée en droit, supposé même que les faits allégués soient vrais.
Comp. chose jugée (autorité de la), capacité, exception, intérêt, litispendance
Angl. *exception to dismiss action*

- **Moyen dilatoire :** Moyen de procédure par lequel le défendeur, dans un procès civil, demande l'arrêt momentané de la poursuite pour le motif qu'il a droit à un délai avant de poser des actes ou pour exiger du demandeur l'accomplissement d'une obligation que lui impose la loi.

Rem. Il peut notamment présenter ce moyen lorsqu'il a droit d'exiger du demandeur qu'il opte entre les divers recours qu'il a réunis ou que les codemandeurs poursuivent séparément les actions qu'ils ont jointes, lorsqu'il a droit d'obtenir des précisions sur certaines allégations vagues et ambiguës de la demande ou la production de documents invoqués au soutien de la demande, ou, enfin, lorsqu'il désire mettre en cause un tiers.

Syn. exception dilatoire

Comp. appel en garantie, exception, jonction de parties, intervention forcée, mise en cause, production, réunion de causes d'actions

Angl. *dilatory exception*

- **Moyen(s) préliminaire(s) :** Nom donné, dans le *Code de procédure civile*, aux moyens déclinatoire, de non-recevabilité et dilatoire.

  Syn. exception(s) préliminaire(s)

  Comp. moyen déclinatoire, moyen de non-recevabilité, moyen dilatoire

  Angl. *preliminary exceptions*

☐ **3.** Ce qu'on utilise pour arriver à une fin.

Angl. *means*

- **Moyens de preuve :**

  1. Expression qui désigne les divers modes de preuve qu'un plaideur peut utiliser dans un procès pour appuyer ses prétentions.

  Comp. preuve

  Angl. *means of proof*

  2. Plus généralement, éléments qui peuvent servir à la preuve de faits ou d'actes juridiques.

  Comp. preuve

  Angl. *elements of proof, evidence*

- **Moyen subsidiaire :** Moyen qu'une partie à un procès invoque pour renforcer son moyen principal ou qu'elle propose au cas où celui-ci serait écarté.

  Angl. *subsidiary means*

M.P.

☐ Abrév. de Membre du Parlement, titre attribué aux députés siégeant à la Chambre des communes.

Comp. M.A.N.

Angl. *M.P.*

M.P.L.R.

☐ Abrév. de *Municipal and Planning Law Reports.*

M.P.R.

☐ Abrév. de *Maritime Provinces Reports.*

M.R.

☐ Abrév. de **1.** *Manitoba Reports* ; **2.** *Master of the Rolls.*

M.R.N.

☐ Abrév. de Ministre du Revenu national.

M.T.R.

☐ Abrév. de *Maritime Tax Reports.*

Multilatéral, ale, aux *adj.*

☐ V. ACTE MULTILATÉRAL, BILATÉRAL.

Multinational, ale, aux *adj.*

☐ V. ENTREPRISE MULTINATIONALE.

Mun.

☐ Abrév. de **1.** Municipal ; **2.** *Municipal* ; **3.** Municipalité ; **4.** *Municipality.*

Mun. Corp.

☐ Abrév. *Municipal Corporation.*

Mun. Ct.

☐ Abrév. de *Municipal Court.*

Municipal, ale, aux *adj.*

☐ V. COUR MUNICIPALE, DROIT MUNICIPAL, MUNICIPALITÉ.

Municipalisation *n.f.*

☐ Acte par lequel un bien ou un service est placé sous le contrôle et la juridiction d'une municipalité. Ex. La municipalisation d'une route provinciale.

Angl. *municipalization*

Municipalité *n.f.*

☐ **1.** Territoire érigé juridiquement pour fins d'administration locale ou régionale.

Rem. On nomme généralement « municipalités » celles qui sont régies par le *Code municipal* et « villes » celles qui le sont par la *Loi sur les cités et villes* et, dans certains cas, par des lois particulières.

Comp. communauté urbaine, État, gouvernement

Angl. *municipality*

□ **2.** Corps politique formé par les résidents et les contribuables de ce territoire.

Rem. Jusqu'à tout récemment, on employait dans ce sens les mots « corporation municipale ».

Comp. État, gouvernement

Angl. *municipality*

• **Municipalité de campagne :** Nom donné, jusqu'en 1988, à des municipalités rurales régies par le *Code municipal.*

Rem. Les municipalités de campagne se divisaient alors en municipalités de paroisse, municipalités de cantons, municipalités de cantons-unis et en municipalités (sans désignation particulière). Depuis la réforme de l'organisation municipale, en 1988, les municipalités rurales portent le nom de municipalités locales.

Comp. municipalité de comté, municipalité locale

Angl. *rural municipality*

• **Municipalité de canton :** V. MUNICIPALITÉ DE CAMPAGNE.

• **Municipalité de comté :** Municipalité régionale qui, jusqu'en 1988, regroupait les municipalités de campagne et de village situées dans un district électoral. Elle a été remplacée par la municipalité régionale de comté.

Comp. municipalité de campagne, municipalité de village, municipalité locale, municipalité régionale de comté

Angl. *county municipality*

• **Municipalité de paroisse :** V. MUNICIPALITÉ DE CAMPAGNE.

• **Municipalité de village :** Nom donné, jusqu'en 1988, à des municipalités rurales régies par le *Code municipal.*

Rem. Elles possédaient des pouvoirs plus étendus que la municipalité de campagne. Depuis la réforme de l'organisation municipale, en 1988, ces municipalités rurales portent le nom de municipalités locales.

Comp. municipalité de campagne, municipalité de comté, municipalité locale

Angl. *village municipality*

• **Municipalité locale :** Toute municipalité qui n'est pas une municipalité régionale de comté. Elle désigne indistinctement toute municipalité de cité, de ville, de village ou de campagne administrée par un conseil municipal.

Rem. Les municipalités locales sont régies soit par le *Code municipal,* soit par la *Loi sur les cités et villes* et, le cas échéant, par des lois particulières.

Comp. charte, municipalité régionale de comté

Angl. *local municipality*

• **Municipalité régionale de comté :** Municipalité créée par lettres-patentes du gouvernement et qui comprend, sur son territoire, un certain nombre de municipalités locales.

Rem. Elle est responsable de l'aménagement et de l'urbanisme dans le territoire qu'elle dessert. Le conseil d'une municipalité régionale de comté (appelée communément MRC) se compose du maire de chaque municipalité locale qui en fait partie et, le cas échéant, des autres représentants que les lettres patentes prévoient pour les municipalités locales les plus importantes. Elle est présidée par un préfet.

Comp. municipalité locale

Angl. *regional county municipality*

• **Municipalité rurale :** V. MUNICIPALITÉ DE CAMPAGNE, MUNICIPALITÉ DE VILLAGE.

• **Municipalité scolaire :** Territoire érigé en municipalité pour le fonctionnement des écoles sous le contrôle de commissaires ou de syndics ; ou, aux fins de la taxation d'une commission régionale, le territoire de l'ensemble des commissions scolaires qui en sont membres.

Comp. commission scolaire

Angl. *school municipality*

Mur mitoyen

□ Mur qui sert de séparation entre deux fonds contigus et qui appartient en copropriété indivise aux propriétaires de l'un et de l'autre.

Comp. mitoyen

Angl. *common wall, party wall*

Mutabilité *n.f.*

□ Qualité de ce qui peut être changé. Ex. La

mutabilité des régimes matrimoniaux.

Contr. immutabilité
Comp. révocabilité
Angl. *mutability*

Mutation *n.f.*

☐ **1.** Transfert de propriété d'un bien.

Comp. aliénation, échange, transmission
Angl. *transfer, conveyance*

- **Mutation (droits de) :** Taxe perçue par une municipalité à l'occasion du transfert de propriété d'un immeuble.

Rem. Dans le langage courant, on l'appelle « taxe de bienvenue ».
Angl. *transfer tax*

☐ **2.** Affectation d'un fonctionnaire ou d'un salarié à un autre poste ou à une autre fonction.

Rem. Elle a parfois un caractère disciplinaire.
Angl. *transfer*

Mutatis mutandis

☐ Expression latine signifiant « en changeant ce qui doit être changé » utilisée lorsqu'on veut appliquer une règle à un cas analogue, à la condition toutefois d'effectuer les adaptations qui s'imposent.

Mutualité *n.f.*

☐ V. SOCIÉTÉ MUTUELLE.

Mutuel, elle *adj.*

☐ Qui est réciproque, qui implique un échange d'actes ou de sentiments entre deux ou plusieurs personnes. Ex. Une responsabilité mutuelle.

Comp. connexe, synallagmatique
Angl. *mutual*

Mutuum *n.m.*

☐ V. PRÊT (SIMPLE).

M.V.R.

☐ Abrév. de *Motor Vehicle Reports.*

M.V.R. (2d)

☐ Abrév. de *Motor Vehicule Reports (Second Series).*

N

Naissance *n.f.*

- ☐ Instant qui marque la sortie de l'enfant du sein maternel. Elle est, pour l'enfant viable, la condition d'acquisition de la capacité juridique, avec effet rétroactif au jour de la conception. Ex. L'enfant conçu peut recevoir une donation si, par la suite, il naît viable.

  Contr. décès

  Comp. acte(s) de l'état civil

  Angl. *birth*

- • **Naissance (acte de) :** Acte instrumentaire consigné dans les registres de l'état civil qui constate la naissance d'un enfant.

  Rem. Selon le *Code civil du Bas-Canada*, on y énonce le jour et le lieu de la naissance de l'enfant, celui du baptême, s'il y a lieu, son sexe et les nom et prénom qui lui sont donnés ; on y énonce également les noms, prénoms et domicile des père et mère, ainsi que des parrains et marraines, s'il y en a.

  Comp. acte(s) de l'état civil, certificat, naissance (constat de), naissance (déclaration de)

  Angl. *act of birth, birth certificate*

- • **Naissance (actes de) :** Selon le *Code civil du Québec*, actes de l'état civil dressés sans délai à partir des constats et des déclarations reçus par le directeur de l'état civil, relatifs aux naissances qui surviennent au Québec ou qui concernent une personne qui y est domiciliée.

  Angl. *acts of birth*

- • **Naissance (constat de) :** Acte instrumentaire constatant la naissance d'un enfant.

  Rem. Il est préparé par l'accoucheur et énonce le lieu, la date et l'heure de la naissance, le sexe de l'enfant ainsi que le nom et le domicile de la mère.

  Comp. naissance (acte de)

  Angl. *attestation of birth*

- • **Naissance (déclaration de) :** Déclaration écrite faite au directeur de l'état civil, dans les trente jours de la naissance, par les père et mère de l'enfant ou par l'un d'eux dans laquelle ils énoncent le nom attribué à l'enfant, son sexe, les lieu, date et heure de la naissance, le nom et le domicile des père et mère et du témoin, de même que le lien de parenté du ou des déclarants avec l'enfant.

  Angl. *declaration of birth*

Nanti, ie *adj.*

- ☐ **1.** Qui fait l'objet d'un nantissement. Ex. Un bien nanti.

  Comp. nantissement

  Angl. *pledged*

- ☐ **2.** Bénéficiaire d'un nantissement. Ex. Un créancier nanti.

  Comp. gagiste, hypothécaire, privilégié

  Angl. *pledged*

Nantir *v.tr.*

- ☐ Donner en nantissement.

  Comp. nantissement

  Angl. *to pledge*

Nantissement *n.m.*

- ☐ **1.** Contrat réel de garantie par lequel un débiteur, ou un tiers pour lui, met un bien entre les mains du créancier, pour la sûreté de la dette qu'il contracte.

  Rem. On appelle « gage » le nantissement d'un meuble et « antichrèse » celui d'un immeuble.

  Comp. antichrèse, gage, hypothèque, nanti, nantir, privilège

  Angl. *pledge*

☐ **2.** Nom que l'on donne à certains gages sans dépossession.
Angl. *pledge*

• **Nantissement agricole et forestier :** Contrat par lequel une personne, qui tire des revenus d'une exploitation agricole ou forestière, affecte à la garantie de sa dette, tout en en conservant la garde, ses animaux de ferme et les produits de son exploitation, présents et à venir, sa machinerie et son outillage agricole ou forestier.
Comp. hypothèque mobilière
Angl. *pledge of agricultural and forest property*

• **Nantissement commercial :** Contrat par lequel une personne qui a qualité de commerçant affecte à la garantie de sa dette, tout en en conservant la garde, son outillage ou son matériel d'équipement professionnel.
Comp. hypothèque mobilière
Angl. *commercial pledge*

Nat. Banking L. Rev.

☐ Abrév. de *National Banking Law Review.*

Nat. Creditor/Debtor Rev.

☐ Abrév. de *National Creditor / Debtor Review.*

Nat. Insolvency Rev.

☐ Abrév. de *National Insolvency Review.*

Nationalité *n.f.*

☐ **1.** Lien juridique et politique qui rattache un individu à un État. La nationalité s'acquiert par la naissance ou par la naturalisation.
Comp. naissance, naturalisation
Angl. *nationality*

☐ **2.** Lien juridique de rattachement d'une personne morale à un État.
Angl. *nationality*

☐ **3.** Terme qui permet de qualifier la loi applicable relativement à certains biens. Ex. La nationalité d'un navire.
Angl. *nationality*

Nat. Labour Rev.

☐ Abrév. de *National Labour Review.*

Nat. Property Rev.

☐ Abrév. de *National Property Review.*

Naturalisation *n.f.*

☐ Acquisition par un individu de la nationalité d'un État autre que celle de son État d'origine. Elle emporte généralement l'abandon de la nationalité d'origine.
Comp. nationalité, naturalisé
Angl. *naturalization*

Naturalisé, ée *adj.*

☐ Qui a acquis la nationalité d'un État par naturalisation.
Comp. naturalisation
Angl. *naturalized*

Nature *n.f.*

☐ V. EXÉCUTION EN NATURE, IMMEUBLE PAR NATURE, MEUBLE PAR NATURE, OBLIGATION EN NATURE, PAIEMENT EN NATURE.

Naturel, elle *adj.*

☐ V. ACCESSION NATURELLE, DROIT NATUREL, ENFANT NATUREL, FAMILLE NATURELLE, FILIATION NATURELLE, FRUITS NATURELS, INTERRUPTION NATURELLE, OBLIGATION NATURELLE, SERVITUDE NATURELLE.

Navigabilité *n.f.*

☐ **1.** Caractère des cours d'eau qui peuvent servir à une navigation continue, en temps normal.
Comp. navigable
Angl. *navigability*

☐ **2.** État d'un navire en mesure de naviguer et, par extension, état d'un aéronef en mesure de voler.
Angl. *navigability*

Navigable *adj.*

☐ Se dit d'un cours d'eau ou d'un lac qui peut

servir à une navigation continue en temps normal et qui, de ce fait, fait partie du domaine public de l'État.

Rem. Pour qu'un cours d'eau soit navigable, il faut qu'on puisse y naviguer avec des bateaux susceptibles de transporter des marchandises et des passagers. Les rivières et les fleuves qui sont navigables et flottables font partie du domaine public de l'État.

Contr. non navigable

Comp. flottable, navigabilité

Angl. *navigable*

Navigation *n.f.*

□ Fait de se déplacer sur l'eau ou dans les airs ; activité qui en résulte.

Comp. eaux canadiennes

Angl. *navigation*

- **Navigation aérienne :** Fait de se déplacer dans les airs au moyen d'aéronefs.

Comp. aéronef

Angl. *aerial navigation, flying*

- **Navigation commerciale :** Navigation qui a trait au transport rémunéré de marchandises ou de personnes.

Contr. navigation de plaisance

Comp. cabotage

Angl. *commercial shipping*

- **Navigation côtière :** Navigation pratiquée par des bateaux de faible tonnage, le long des côtes d'un pays.

Comp. cabotage, eaux internes du Canada

Angl. *coastal navigation*

- **Navigation de plaisance :** Navigation pratiquée uniquement dans un but d'agrément ou de sport.

Contr. navigation commerciale

Angl. *boating, pleasure cruising, sailing*

- **Navigation fluviale :** Navigation qui se fait généralement sur des cours d'eau (fleuves ou rivières).

Contr. navigation maritime

Comp. eaux internes du Canada

Angl. *inland water transport, river navigation, waterways transport*

- **Navigation maritime :** Navigation qui se fait généralement dans les eaux maritimes (haute mer ou mer intérieure).

Contr. navigation fluviale

Comp. eaux canadiennes

Angl. *marine operations, ocean navigation, ocean transport*

Navire *n.m.*

□ Construction flottante qui sert ou peut servir, exclusivement ou partiellement, à la navigation maritime, qu'elle soit pourvue ou non d'un moyen propre de propulsion.

Rem. Cette définition, que donnent certaines lois fédérales, permet de couvrir notamment les habitations flottantes, les plateformes de forage et les hydravions.

Angl. *ship, vessel*

N.B.

□ Abrév. de **1.** *New Brunswick* ; **2.** *Nota bene* ; **3.** Nouveau-Brunswick.

N.B.C.

□ Abrév. de *National Building Code of Canada.*

N.B.EQ.

□ Abrév. de *New Brunswick Equity Reports.*

N.B.L.L.C.

□ Abrév. de *New Brunswick Labour Law Cases.*

N.B.R.

□ Abrév. de *New Brunswick Reports* / Recueil des arrêts du Nouveau-Brunswick.

N.B.R. (2d)

□ Abrév. de *New Brunswick Reports (Second Series).*

N.B. Roy. Gaz.

□ Abrév. de *The Royal Gazette (N.B.).*

N.E.

□ Abrév. de *North Eastern Reporter.*

N.É.

☐ Abrév. de Nouvelle-Écosse.

Né, ée *adj.*

☐ **1.** Venu au monde.
Comp. naissance, viable
Angl. *born*

☐ **2.** Se dit d'un intérêt qui existe réellement au moment où un recours en justice est exercé.
Syn. né et actuel
Contr. éventuel
Comp. intérêt
Angl. *actual*

Nécessaire *adj.*

☐ **1.** Se dit d'une condition, d'un moyen que la loi impose pour la validité d'un acte. Ex. Le consentement nécessaire du conjoint pour la vente de la résidence familiale.
Comp. impératif
Angl. *necessary, required*

☐ **2.** Indispensable, dont on ne peut se passer. Ex. L'interdiction de saisir, en exécution d'un jugement, les outils nécessaires à l'exercice par le débiteur de son métier ou de sa profession.
Comp. utile
Angl. *necessary*

☐ **3.** V. DÉPÔT NÉCESSAIRE, IMPENSES NÉCESSAIRES.

Nécessité *n.f.*

☐ V. DÉFENSE DE NÉCESSITÉ, ÉTAT DE NÉCESSITÉ.

Nécrophilie *n.f.*

☐ Perversion sexuelle qui consiste à obtenir l'orgasme au moyen de contacts physiques avec un cadavre.
Rem. Selon le *Code criminel*, constitue un acte criminel tout outrage, indécence ou indignité qu'un individu commet envers un cadavre humain ou des restes humains, inhumés ou non.
Angl. *necrophilism*

Né et actuel

☐ V. NÉ.

Négatif, ive *adj.*

☐ V. CONDITION NÉGATIVE.

Négatoire *adj.*

☐ V. ACTION NÉGATOIRE.

Négligence *n.f.*

☐ Faute non intentionnelle qui consiste, pour l'auteur d'un préjudice, à s'abstenir de prendre toutes les précautions normalement requises pour que l'activité à laquelle il se livre ne cause de dommage à autrui.
Comp. faute, responsabilité
Angl. *negligence*

• **Négligence criminelle :** Acte criminel par lequel une personne, en faisant quelque chose ou en omettant de faire ce qu'elle doit accomplir, montre une insouciance déréglée ou téméraire à l'égard de la vie ou de la sécurité d'une autre personne, lui causant ainsi la mort ou des lésions corporelles.
Angl. *criminal negligence*

• **Négligence grossière :** Expression calquée sur l'expression anglaise *gross negligence.*
Rem. On doit, en français, employer les mots « faute lourde ».
Comp. faute lourde
Angl. *gross negligence*

Négociabilité *n.f.*

☐ Qualité attachée à un titre (valeur mobilière ou obligation) qui en permet une transmission facile et rapide à un tiers, sans que la sécurité du titre n'en soit affectée.
Comp. négociable
Angl. *negotiability*

Négociable *adj.*

☐ Qui peut être transféré à un tiers.
Syn. cessible
Comp. négociabilité
Angl. *negotiable*

Négociateur, trice *n.*

☐ Personne mandatée par quelqu'un pour effectuer une négociation.

Comp. négociation
Angl. *negotiator*

Négociation *n.f.*

☐ Série de discussions et de démarches entreprises par des personnes en vue de parvenir à un accord, de conclure une affaire.

Comp. négociateur
Angl. *bargaining, negotiation*

• **Négociation collective :** Ensemble des discussions entre un employeur ou une association d'employeurs et un syndicat en vue d'en arriver à une entente sur les conditions de travail qui prendra la forme d'une convention collective.

Comp. convention collective
Angl. *collective bargaining, collective negotiation*

Negotiorum gestio

☐ V. GESTION D'AFFAIRES.

Negotiorum gestor

☐ V. GÉRANT.

Negotium

☐ Terme latin signifiant « occupation », que l'on utilise pour désigner, dans un acte juridique, l'opération qui témoigne de la manifestation de volonté destinée à produire des effets de droit.

Syn. acte juridique
Comp. *instrumentum*

Nemo auditur propriam turpitudinem allegans

☐ Maxime latine signifiant « personne n'est entendu en invoquant sa propre turpitude » selon laquelle une partie ne peut alléguer ses propres turpitudes pour justifier l'annulation d'un acte ou d'une convention qui la concerne.

Syn. nul ne peut invoquer sa propre turpitude

Nemo censetur ignorare legem

☐ Maxime latine signifiant « nul n'est censé ignorer la loi » selon laquelle il est interdit à quiconque d'invoquer son ignorance de la loi pour échapper à ses obligations ou justifier son comportement.

Syn. nul n'est censé ignorer la loi
Angl. *ignorance of the law is no excuse*

Nemo judex in propria causa

☐ V. NEMO JUDEX IN SUA CAUSA.

Nemo judex in sua causa

☐ Maxime latine signifiant « nul n'est juge dans sa propre cause » qui énonce une règle de justice naturelle selon laquelle un justiciable a le droit d'être traité avec impartialité et sans préjugé par la personne qui est appelée à prendre une décision à son égard.

Syn. *nemo judex in propria causa*

Nemo plus juris ad alium transferre potest quam ipse habet

☐ Maxime latine signifiant « nul ne peut transférer à autrui plus de droits qu'il n'en possède lui-même » que l'on applique notamment en matière d'aliénation de biens.

Neutralité *n.f.*

☐ **1.** Situation d'un État qui s'abstient de participer activement à une guerre ou d'aider l'un des belligérants.

Angl. *neutrality*

☐ **2.** Comportement du juge qui examine objectivement et sans préjugé les éléments de preuve soumis par les parties ou qui s'abstient de toute initiative qui contrevienne aux règles de la preuve.

Comp. impartialité
Angl. *neutrality*

Neveu *n.m.*

☐ Fils du frère ou de la soeur, du beau-frère ou de la belle-soeur.

Comp. nièce, oncle, tante
Angl. *nephew*

Nfld.

☐ Abrév. de *Newfoundland.*

Nfld. Gaz.

☐ Abrév. de *Newfoundland Gazette.*

Nfld. & P.E.I.R.

☐ Abrév. de *Newfoundland and Prince Edward Island Reports.*

Nfld. R.

☐ Abrév. de *Newfoundland Reports.*

Nfld. Sel. Cas.

☐ Abrév. de *Newfoundland Select Cases, Tucker.*

Nièce *n.f.*

☐ Fille du frère ou de la soeur, du beau-frère ou de la belle-soeur.
Comp. neveu, oncle, tante
Angl. *niece*

Nihil

☐ Terme latin signifiant « rien ».

• ***Nihil obstat* :** Locution latine signifiant « rien ne s'y oppose » qu'une autorité ecclésiastique, responsable de la censure, utilise pour indiquer qu'elle est favorable à la publication d'un ouvrage.
Comp. *imprimatur*

Nisi

☐ Terme latin signifiant « à moins que » que l'on utilise parfois dans certaines expressions pour indiquer qu'un acte ou une décision est valide à moins que la personne qui en est affectée ne puisse en justifier la révocation.
Comp. péremptoire

• ***Nisi (decree)* :** Expression autrefois employée dans le texte anglais de la *Loi sur le divorce* pour désigner le jugement conditionnel de divorce. Ce jugement devenait alors irrévocable, trois mois après avoir été prononcé, à moins qu'appel n'ait été interjeté ou qu'on n'ait pu prouver collusion ou réconciliation des parties.
Syn. jugement conditionnel (de divorce)

• ***Nisi* (règle) :** Expression autrefois employée pour désigner le mandat d'amener émis contre un témoin qui faisait défaut de comparaître après avoir été assigné régulièrement. On ordonnait que ce témoin soit détenu sous garde jusqu'à ce qu'il ait rendu témoignage, à moins qu'il ne puisse justifier son défaut.

Noce(s) *n.f.*

☐ **1.** Ensemble des réjouissances qui accompagnent un mariage.
Comp. mariage
Angl. *wedding*

☐ **2.** Synonyme de mariage dans certaines expressions. Ex. Des cadeaux de noces, des secondes noces.
Syn. mariage
Angl. *marriage*

Nolle prosequi

☐ Expression latine signifiant « renoncer à poursuivre » et désignant l'acte par lequel le procureur général, ou une personne qu'il mandate à cette fin, ordonne l'arrêt des procédures à l'égard d'un accusé avant que jugement ne soit rendu.
Angl. *nolle prosequi*

Nom *n.m.*

☐ Appellation par laquelle on désigne une personne physique ou morale ; il comprend, pour la personne physique, le nom de famille (ou nom patronymique) ainsi que le ou les prénoms permettant l'individualisation de la personne.
Rem. **1.** Dans certaines lois, il ne désigne que le nom de famille, notamment lorsque les mots « nom » et « prénom » y sont associés. **2.** L'art. 5 du *Code civil du Québec* prescrit que toute personne exerce ses droits civils sous le nom qui lui est attribué et qui est énoncé dans son acte de naissance. De plus, selon l'art. 50 du Code, le nom comprend le nom de famille et les prénoms.

Comp. dénomination sociale, prénom
Angl. *name*

- **Nom collectif (société en) :** V. SOCIÉTÉ EN NOM COLLECTIF.

- **Nom commercial :** Appellation sous laquelle une personne physique ou morale fait affaires et qui sert à identifier un fonds de commerce et à le distinguer d'un autre.

  Comp. dénomination sociale, nom d'une personne morale, société commerciale
  Angl. *business name*

- **Nom corporatif :** Expression employée notamment par la doctrine pour désigner le nom d'une personne morale.

  Rem. La *Loi sur les compagnies* (L.R.Q., c. C-38) emploie plutôt les termes « dénomination sociale ».
  Syn. dénomination sociale, nom d'une personne morale
  Angl. *corporate name*

- **Nom de famille :** Nom que l'enfant, à sa naissance, reçoit de ses père et mère.

  Rem. Selon le *Code civil du Québec*, on peut attribuer à l'enfant, au choix de ses parents, le nom de l'un d'eux ou un nom composé d'au plus deux parties provenant du nom de famille de ses père et mère. Ex. Le père et la mère, s'ils se nomment Grégoire et Riendeau peuvent donner à leur enfant, à leur choix, l'un des noms suivants : Grégoire, Riendeau, Grégoire-Riendeau ou Riendeau-Grégoire.
  Syn. nom patronymique
  Comp. prénom
  Angl. *family name, surname*

- **Nom d'une personne morale :** Appellation qui est donnée à une personne morale au moment de sa constitution. Il doit être conforme à la loi et inclure, lorsque celle-ci le requiert, une mention indiquant clairement la forme juridique qu'elle emprunte. Ex. La compagnie ABC Inc.

  Rem. Une personne morale peut exercer une activité ou s'identifier sous un nom autre que le sien en déposant un avis en ce sens auprès de l'inspecteur général des institutions financières.
  Comp. dénomination sociale
  Angl. *corporate name, name of a legal person*

- **Nom patronymique :** V. NOM DE FAMILLE.

Nomen

☐ Terme latin signifiant « nom ». Il constitue l'un des trois éléments de la possession d'état.

Comp. possession d'état

Nomination *n.f.*

☐ Opération par laquelle une personne investit une autre personne d'une fonction.

Contr. élection
Angl. *appointment, nomination*

Nommé, ée *adj.*

☐ V. CONTRAT NOMMÉ.

Non adimpleti contractus (exceptio)

☐ V. EXCEPTION D'INEXÉCUTION.

Non apparent, ente *adj.*

☐ V. SERVITUDE NON APPARENTE.

Non-assistance *n.f.*

☐ Refus ou omission de porter secours à une personne en danger.

Rem. Commet un acte criminel la personne ayant la garde d'un véhicule, d'un bateau ou d'un aéronef qui omet de porter secours à une personne qu'elle a blessée lors d'un accident ou qui avait alors besoin d'aide, dans le but d'échapper à toute responsabilité civile ou criminelle.
Angl. *failure to render assistance, failure to render help*

Non avenu, ue *adj.*

☐ Dans l'expression « nul et non avenu », mots qui expriment l'idée qu'un acte est irrémédiablement nul et qu'il doit alors être considéré comme inexistant.

Comp. nul
Angl. *(null and) void*

Non bis in idem

☐ Locution latine signifiant « pas deux fois sur la même chose » que l'on utilise pour affirmer qu'une personne ne doit pas être poursuivie deux fois pour la même infraction.

Comp. autrefois acquit, autrefois convict

Non-concurrence *n.f.*

☐ V. CLAUSE DE NON-CONCURRENCE.

Non consomptible *adj.*

☐ V. BIEN NON CONSOMPTIBLE.

Non-cumul du pétitoire et du possessoire

☐ Règle de procédure en vertu de laquelle le demandeur ne peut joindre dans une même instance des conclusions en pétitoire et en possessoire.

Rem. Cette règle, qui n'a pas de fondement juridique valable en droit québécois, a été supprimée du *Code de procédure civile* lors de l'entrée en vigueur du *Code civil du Québec*.

Comp. action pétitoire, action possessoire

Angl. *nonjoinder of petitory and possessory actions*

Non écrit, ite *adj.*

☐ V. DROIT COUTUMIER, DROIT NON ÉCRIT.

Non équivoque *adj.*

☐ V. POSSESSION NON ÉQUIVOQUE.

Non est inventus

☐ Locution latine signifiant « on n'a pas trouvé » que l'on utilise pour qualifier le procès-verbal de l'huissier lorsque celui-ci n'a pu trouver la personne qu'il devait arrêter ou à qui il devait signifier un acte de procédure.

Comp. signification

Non fongible *adj.*

☐ V. BIEN NON FONGIBLE.

Non intentionnel, elle *adj.*

☐ V. FAUTE NON INTENTIONNELLE.

Non-lieu (motion de) *n.m.*

☐ Dans un procès criminel tenu devant un juge seul, demande orale faite par un accusé, au terme de la preuve soumise par la poursuite, par laquelle il requiert le rejet de l'accusation pour le motif d'absence totale de preuve relativement à l'un des éléments essentiels de l'infraction.

Comp. ordonnance de non-lieu, verdict imposé

Angl. *motion for nonsuit*

Non navigable *adj.*

☐ V. NAVIGABLE.

Nonobstant *adv.*

☐ Malgré, en dépit de.

Angl. *notwithstanding*

• **Nonobstant (clause) :** Clause dérogatoire expresse qui permet à un parlement de soustraire une loi qu'il adopte à l'application de principes fondamentaux de la constitution d'un État. Ex. L'adoption par l'Assemblée nationale du Québec d'une loi où l'on précise que celle-ci s'applique indépendamment de certains articles de la *Charte canadienne des droits et libertés*.

Angl. *notwithstanding clause*

Non-représentation d'enfant

☐ V. ENLÈVEMENT.

Non-résident, ente *n.*

☐ **1.** Personne physique qui ne réside pas habituellement au Canada.

Contr. résident

Angl. *non-resident*

☐ **2.** Personne morale constituée à l'extérieur du Canada ou contrôlée directement ou indirectement par des personnes physiques ne résidant pas habituellement au Canada ou par des personnes morales qui n'y ont pas été constituées.

Angl. *non-resident*

Non-responsabilité *n.f.*

☐ V. CLAUSE DE NON-RESPONSABILITÉ.

Non responsable *adj.*

□ V. RESPONSABLE.

Non-rétroactivité *n.f.*

□ Principe en vertu duquel une nouvelle norme juridique (loi, règlement, décret) ne peut, à moins de disposition contraire, produire d'effets relativement à des situations existant avant sa promulgation.

Contr. rétroactivité
Comp. droit transitoire
Angl. *non-retroactivity*

Non-usage *n.m.*

□ Fait de ne pas exercer un droit. Ex. Le non-usage d'une servitude.

Contr. usage
Angl. *non-use*

Non viable *adj.*

□ Se dit d'un enfant né vivant mais physiologiquement incapable de survivre parce qu'il ne possède pas les organes essentiels à la vie.

Rem. Il peut s'agir d'un enfant atteint de graves malformations ou né trop avant terme.
Contr. viable
Angl. *non-viable*

Non viager, ère *adj.*

□ V. RENTE À TERME.

Normatif, ive *adj.*

□ Qui constitue une norme, qui énonce une norme.

Comp. norme
Angl. *normative*

Norme *n.f.*

□ **1.** Règle de conduite à caractère général et impersonnel à laquelle on doit se conformer. Ex. Une norme juridique.

Syn. règle
Comp. normatif
Angl. *norm*

□ **2.** Ensemble de règles que l'on doit respecter dans la fabrication de certains produits, l'exécution d'un travail ou l'application d'une politique.

Angl. *norm, standard*

• **Normes de sécurité :** Ensemble de règles techniques imposées par la loi dans le but d'assurer la sécurité physique des personnes, notamment sur les lieux de travail et dans les édifices publics.

Angl. *safety standards, security standards*

• **Normes du travail :** Ensemble de règles régissant les conditions de travail dans les entreprises.

Rem. Les normes minimales auxquelles les employeurs et les salariés doivent se soumettre sont déterminées par la *Loi sur les normes du travail* et par certaines lois particulières. D'autres normes, plus favorables ou complémentaires, peuvent être établies unilatéralement par l'employeur ou faire l'objet d'une négociation collective.
Angl. *labour standards*

Nota bene

□ Locution latine signifiant « notez bien » que l'on utilise dans un texte pour attirer l'attention du lecteur.

Syn. N.B.

Notaire *n.*

□ Officier public qui a notamment pour fonction de rédiger et de recevoir les actes et des contrats auxquels les parties doivent ou veulent attribuer le caractère d'authenticité qui s'attache aux actes de l'autorité publique et en assurer la date, de donner des avis juridiques et d'agir comme procureur devant les tribunaux en matières non contentieuses.

Comp. avocat, notarial, notariat, notarié, officier public, technicien juridique
Angl. *notary*

• **Notaire public :** Nom que pouvaient autrefois porter tous les notaires ou qu'ils peuvent encore utiliser pour les fins de déclarations sous serment destinées à servir en dehors du Québec.

Syn. N.P.
Angl. *notary public*

Notarial, ale, aux *adj.*

□ Relatif à la profession de notaire, aux activités du notaire. Ex. Les actes notariaux, les fonctions notariales.

Comp. notaire
Angl. *notarial*

Notariat *n.m.*

□ **1.** Profession de notaire. Ex. Les études de notariat.

Comp. notaire
Angl. *notariate*

□ **2.** Ensemble de la profession notariale. Ex. Le notariat latin.

Comp. barreau
Angl. *notariate*

Notarié, ée *adj.*

□ Se dit d'un acte reçu et attesté par un notaire. Ex. Un contrat notarié.

Comp. acte notarié, authentique, minute, notaire
Angl. *notarial*

Notification *n.f.*

□ **1.** Formalité par laquelle un acte judiciaire ou extrajudiciaire est porté à la connaissance d'un intéressé.

Rem. Elle peut se faire par la remise de l'original de l'acte à son destinataire, contre récépissé, par son envoi par courrier recommandé ou certifié ou, lorsque la loi n'exige pas que l'expéditeur se constitue une preuve de l'envoi, par courrier ordinaire ou par tout autre mode de communication.
Comp. avis public, notifier, signification
Angl. *notice, notification*

• **Notification notariée :** Notification effectuée par acte notarié.

Comp. huissier (exploit d')
Angl. *notice in notarial form*

□ **2.** Plus généralement, acte par lequel une décision est portée expressément et officiellement à la connaissance de quelqu'un. Ex. La notification d'un avis de congédiement à un salarié.

Angl. *notification, written notice*

Notifier *v.tr.*

□ Porter à la connaissance d'un intéressé, par voie de notification, un acte judiciaire ou extrajudiciaire.

Comp. notification, signifier
Angl. *to notify*

Notoire *adj.*

□ Se dit d'un fait, d'une situation qu'un très grand nombre de personnes connaît de façon sûre et certaine. Ex. L'insolvabilité notoire d'un débiteur.

Angl. *notorious*

Notoriété *n.f.*

□ V. ACTE DE NOTORIÉTÉ.

Nouveau ou nouvel, elle *adj.*

□ V. ACTION EN DÉNONCIATION DE NOUVEL OEUVRE.

Novation *n.f.*

□ Convention par laquelle une obligation est éteinte et est remplacée par une obligation nouvelle.

Rem. La novation s'opère lorsque le débiteur contracte envers son créancier une nouvelle dette qui est substituée à l'ancienne, laquelle est éteinte, ou lorsqu'un nouveau débiteur est substitué à l'ancien, lequel est déchargé par le créancier ou encore lorsque, par l'effet d'un nouveau contrat, un nouveau créancier est substitué à l'ancien envers lequel le débiteur est déchargé.
Comp. novatoire, nover
Angl. *novation*

Novatoire *adj.*

□ Qui est de la nature d'une novation, qui se rapporte à une novation.

Comp. novation
Angl. *novatory*

Nover *v.tr.*

□ Opérer une novation.

Comp. novation
Angl. *to novate*

N.P.

□ Abrév. de notaire public.

N.R.

□ Abrév. de *National Reporter.*

N.S.

□ Abrév. de *Nova Scotia.*

N.S. L. News

□ Abrév. de *Nova Scotia Law News.*

N.S.R.

□ Abrév. de *Nova Scotia Reports.*

N.S.R. (2d)

□ Abrév. de *Nova Scotia Reports (Second Series).*

N.S. Roy. Gaz.

□ Abrév. de *Royal Gazette (N.S.).*

Nudité *n.f.*

□ Infraction commise par une personne qui, sans excuse légitime, est nue dans un endroit public ou à la vue du public.

Rem. Selon le *Code criminel*, est considérée comme nue la personne qui est vêtue de façon à offenser la décence ou l'ordre public.

Angl. *nudity*

Nue-propriété *n.f.*

□ Expression qui désigne les droits du propriétaire d'un bien sur lequel une autre personne a un droit d'usufruit, d'usage ou d'habitation.

Comp. *abusus*, habitation, (droit d'), propriété, usage, usufruit

Angl. *bare ownership, naked ownership*

Nuisance publique

□ **1.** Trouble qui porte atteinte à la vie collective et qui est la source d'inconvénients importants ou de dommages pour le public. Ex. La pollution causée par une entreprise sur un territoire donné.

Angl. *public nuisance*

□ **2.** Acte criminel par lequel une personne, en posant un acte illégal ou en omettant d'accomplir une obligation légale, met en danger la vie, la sécurité, la santé, la propriété ou le confort du public ou nuit à l'exercice par le public d'un droit commun à tous les citoyens.

Rem. L'acte ou l'omission doivent affecter le public en général.

Angl. *common nuisance*

Nul, nulle *adj. et pron.*

□ **1.(adj.)** Entaché de nullité. Ex. Un testament nul, un contrat nul.

Comp. annulable, non avenu

Angl. *null*

□ **2.(adj.)** Déclaré nul. Ex. Un mariage nul.

Syn. annulé

Comp. caduc

Angl. *annulled*

□ **3.(pron.)** Aucun, pas une personne.

Angl. *nobody*

- **Nul ne peut être juge dans sa propre cause :** V. *NEMO JUDEX IN SUA CAUSA.*

- **Nul ne peut invoquer sa propre turpitude :** V. *NEMO AUDITUR PROPRIAM TURPITUDINEM ALLEGANS.*

- **Nul ne peut plaider sous le nom d'autrui, hormis le Souverain par des représentants autorisés :** Maxime signifiant qu'on ne peut ester en justice par personne interposée ou tenter d'obtenir une décision judiciaire pour le compte d'autrui (sauf le Souverain).

  Comp. procureur, représentation

  Angl. *A person cannot use the name of another to plead, except the state through authorized representatives*

- **Nul ne plaide par procureur :** Maxime signifiant que la personne qui agit en justice comme mandataire doit procéder au nom de son mandant dont le nom doit toujours figurer sur les actes de procédure.

  Angl. *A person cannot plead by proxy*

- **Nul n'est censé ignorer la loi :** V. *NEMO CENSETUR IGNORARE LEGEM.*

Nulla bona

☐ Locution latine signifiant « aucun bien ». Nom donné par les praticiens du droit au procès-verbal fait par l'huissier chargé de saisir les biens du débiteur dans lequel il rapporte qu'il n'a trouvé chez celui-ci aucun bien saisissable.

Syn. carence (procès-verbal de)
Comp. huissier, saisie-exécution

Nullité *n.f.*

☐ Sanction juridique qui consiste à priver de tout effet un acte juridique auquel il manque une condition de fond ou de forme essentielle à sa formation.

Rem. La nullité emporte la disparition rétroactive de l'acte.
Comp. annulation, rescision, résiliation, résolution
Angl. *nullity*

- **Nullité absolue :** Nullité qui sanctionne la violation d'une règle tendant à protéger l'intérêt général, l'ordre public ou les bonnes moeurs. Ex. Un contrat de mariage doit être notarié et porter minute, à peine de nullité absolue.

Rem. Elle peut être demandée par tout intéressé et le juge peut même la prononcer d'office. En principe, on ne peut confirmer un acte atteint de nullité absolue.
Contr. nullité relative
Comp. confirmation
Angl. *absolute nullity*

- **Nullité relative :** Nullité qui sanctionne la violation d'une règle tendant à protéger une des parties à l'acte. Ex. L'erreur et le dol sont causes de nullité relative d'un contrat.

Rem. Elle peut être demandée uniquement par la personne que la loi veut protéger et le juge ne peut la prononcer d'office. Elle peut être couverte par confirmation.
Syn. rescision
Contr. nullité absolue
Comp. confirmation
Angl. *relative nullity*

Nullum crimen, nulla poena, sine lege

☐ Maxime latine signifiant « aucun crime, aucune peine, sans loi » qui exprime un principe fondamental de droit pénal selon lequel on ne peut condamner une personne pour une infraction ou lui imposer une peine que si celles-ci sont expressément prévues par des textes de loi.

Comp. légalité (principe de la)
Angl. *no crime or penalty without law making it so*

Nu-propriétaire, nue-propriétaire *n.*

☐ Personne qui est titulaire de la nue-propriété d'un bien.

Comp. nue-propriété, usager, usufruitier
Angl. *bare owner, naked owner, proprietor*

Nuptial, ale, aux *adj.*

☐ Relatif aux noces, à la célébration du mariage. Ex. La cérémonie nuptiale.

Comp. matrimonial, noces
Angl. *nuptial, wedding*

N.W.

☐ Abrév. de *North Western Reporter.*

N.W.T.

☐ Abrév. de **1.** *Northwest Territories* ; **2.** *Northwest Territories Reports.*

N.W.T.R.

☐ Abrév. de *Northwest Territories Reports.*

O.A.C.

☐ Abrév. de *Ontario Appeal Cases*.

O.A.R.

☐ Abrév. de *Ontario Appeal Reports*.

Obiter dictum

☐ Locution latine signifiant « soit dit en passant » que l'on utilise pour qualifier l'opinion qu'un juge émet, dans son jugement, sans que celle-ci constitue un motif de sa décision.

Rem. Il peut s'agir d'une remarque ou d'une opinion qui ne porte pas directement sur la question à l'étude ou de la présentation d'un sujet qui ne fait pas l'objet de la décision qu'il est appelé à rendre et qu'il introduit en vue d'illustrer sa pensée, de la comparer avec d'autres ou d'en tirer un argument. En règle générale, les tribunaux ne se sentent pas liés par l'*obiter dictum* d'un jugement ou d'un arrêt.

Comp. dispositif, motif, opinion, *ratio decidendi*, *stare decisis*

Objet *n.m.*

☐ Ce sur quoi porte un droit, une obligation, un contrat, une demande en justice, un jugement.

Angl. *object*

• **Objet de la demande :** Dans un procès civil, bénéfice que la partie demanderesse recherche par les conclusions de sa demande.

Comp. conclusion

Angl. *object of the claim, object of the demand*

• **Objet de l'obligation :** Prestation à laquelle le débiteur est tenu envers le créancier et qui consiste à faire ou à ne pas faire quelque chose (*Code civil du Québec*, art. 1373).

Angl. *object of an obligation*

• **Objet du contrat :** Opération juridique envisagée par les parties au moment de sa conclusion, telle qu'elle ressort de l'ensemble des droits et obligations que le contrat fait naître (*Code civil du Québec*, art. 1412).

Angl. *object of a contract*

• **Objet du litige :** Dans un procès civil, bénéfice qu'une partie recherche par les conclusions de sa demande et que la partie adverse conteste.

Comp. conclusion, dispositif

Angl. *object of the dispute*

• **Objet du litige en appel :** Perte que l'appelant subira si le jugement dont il interjette appel est maintenu.

Angl. *object of the dispute in appeal*

Obligataire *adj. et n.*

☐ **1.(adj.)** Relatif aux obligations, sous forme d'obligation. Ex. Un emprunt obligataire, le marché obligataire.

Comp. action (de compagnie ou de société par actions), obligation

Angl. *bond*

☐ **2.(n.)** Personne qui est titulaire ou porteur d'une ou de plusieurs obligations.

Comp. actionnaire

Angl. *bond holder*

Obligation *n.f.*

☐ **1.** Au sens large, synonyme de devoir imposé en général par la loi. Ex. Les obligations de l'administrateur du bien d'autrui, les obligations réciproques des époux.

Angl. *obligation*

□ **2.** Lien de droit en vertu duquel une ou plusieurs personnes, le ou les débiteurs, peuvent être contraintes par une ou plusieurs autres, le ou les créanciers, de donner, de faire ou de ne pas faire quelque chose.

Comp. créance, dette, droit personnel, obliger
Angl. *obligation*

• **Obligation alimentaire :** Obligation légale pour une personne de subvenir aux besoins essentiels de la vie de son conjoint et de ses parents en ligne directe (ascendants et descendants).

Rem. Les aliments sont généralement payables sous forme de pension et le tribunal, lorsqu'il les accorde, doit tenir compte des besoins et facultés du créancier et du débiteur, des circonstances dans lesquelles ils se trouvent et, s'il y a lieu, du temps nécessaire au créancier pour acquérir une autonomie suffisante.
Comp. aliments, obligation d'entretien
Angl. *obligation of support*

• **Obligation alternative :** Obligation qui a pour objet deux ou plusieurs prestations principales et dont l'exécution d'une seule libère le débiteur pour le tout.

Contr. obligation conjonctive
Comp. obligation facultative
Angl. *alternative obligation*

• **Obligation à modalité complexe :** Obligation qui comporte plusieurs sujets (obligation conjointe, divisible, indivisible ou solidaire) ou plusieurs objets (obligation alternative ou facultative).

Contr. obligation pure et simple
Comp. obligation alternative, obligation à modalité simple, obligation complexe, obligation conjointe, obligation divisible, obligation facultative, obligation indivisible
Angl. *complex modalities*

• **Obligation à modalité simple :** Obligation qui est assortie soit d'une condition, soit d'un terme.

Contr. obligation pure et simple
Comp. obligation à modalité complexe, obligation à terme extinctif, obligation à terme suspensif, obligation conditionnelle.
Angl. *simple modalities*

• **Obligation à terme extinctif :** Obligation dont la durée est fixée par la loi ou par les parties et qui s'éteint par l'arrivée du terme (*Code civil du Québec*, art. 1517).

Contr. obligation pure et simple
Comp. obligation à terme suspensif, obligation conditionnelle, terme (à)
Angl. *obligation with an extinctive term*

• **Obligation à terme suspensif :** Obligation dont l'exigibilité seule est suspendue jusqu'à l'arrivée d'un événement futur et certain (*Code civil du Québec*, art. 1508).

Contr. obligation pure et simple
Comp. obligation à terme extinctif, obligation conditionnelle, terme (à)
Angl. *obligation with a suspensive term*

• **Obligation aux dettes :** Obligation à laquelle un codébiteur peut être tenu envers un créancier. Ex. L'obligation pour les légataires à titre universel de contribuer aux dettes de la succession.

Comp. contribution
Angl. *obligation for the debts*

• **Obligation civile :** Obligation dont le créancier peut exiger l'exécution forcée devant les tribunaux.

Contr. obligation naturelle
Angl. *civil obligation*

• **Obligation complexe :** Obligation affectée d'une modalité (condition, terme, pluralité de sujets, pluralité d'objets).

Contr. obligation pure et simple
Comp. obligation à modalité complexe, obligation à modalité simple
Angl. *complex obligation*

• **Obligation conditionnelle :** Obligation que l'on fait dépendre d'un événement futur et incertain, soit en suspendant sa naissance jusqu'à ce que l'événement arrive ou qu'il devienne certain qu'il n'arrivera pas, soit en subordonnant son extinction au fait que l'événement arrive ou n'arrive pas (*Code civil du Québec*, art. 1497).

Contr. obligation pure et simple
Comp. condition, obligation à terme extinctif, obligation à terme suspensif
Angl. *conditional obligation*

• **Obligation conjointe :**
1. Obligation comportant plusieurs débiteurs qui sont obligés à une même chose envers le créancier, mais de manière que chacun d'eux ne puisse être contraint à l'exécution de l'obligation que séparément et jusqu'à concurrence de sa part dans la dette (*Code civil du Québec*, art. 1518).

Contr. obligation *in solidum*, obligation solidaire
Comp. obligation divisible, obligation plurale
Angl. *joint obligation*

2. Obligation comportant plusieurs créanciers dont chacun ne peut exiger du débiteur commun que l'exécution de sa part dans la créance.

Contr. obligation solidaire
Comp. obligation divisible, obligation plurale
Angl. *joint obligation*

- **Obligation conjonctive :** Obligation en vertu de laquelle le débiteur est contraint de fournir plusieurs prestations pour pouvoir se libérer de son engagement.

Contr. obligation alternative, obligation facultative
Angl. *conjunctive obligation*

- **Obligation continue :** V. CONTINU, CONTRAT À EXÉCUTION SUCCESSIVE.

- **Obligation contractuelle :** Obligation ayant sa source dans un contrat.

Syn. contrat, obligation conventionnelle
Contr. obligation extracontractuelle
Angl. *contractual obligation*

- **Obligation conventionnelle :** V. OBLIGATION CONTRACTUELLE.

- **Obligation corrélative :** Obligation qui dépend de l'accomplissement d'une autre obligation.

Comp. corrélatif
Angl. *correlative obligation*

- **Obligation de conseil :** V. DEVOIR DE CONSEIL.

- **Obligation de diligence :** V. OBLIGATION DE MOYENS.

- **Obligation de donner :** Obligation ayant pour objet le transfert d'un bien. Ex. L'obligation du vendeur de remettre à l'acheteur le bien vendu.

Comp. obligation de faire, obligation de ne pas faire
Angl. *obligation to give*

- **Obligation de faire :** Obligation pour la satisfaction de laquelle le débiteur doit accomplir un acte positif. Ex. L'engagement de construire une maison.

Contr. obligation de ne pas faire
Comp. obligation de donner
Angl. *obligation to do*

- **Obligation de garantie :** V. GARANTIE.

- **Obligation délictuelle :** Obligation qui naît d'un délit, le débiteur étant alors tenu de compenser pour le préjudice causé par sa faute.

Comp. délit
Angl. *delictual obligation*

- **Obligation de moyens :** Obligation en vertu de laquelle le débiteur est tenu, non pas d'obtenir un résultat précis, mais uniquement de mettre en oeuvre tous les moyens pour y parvenir. Ex. Le médecin n'a, à l'égard de son patient, qu'une obligation de moyens ; il n'est pas tenu de le guérir.

Syn. obligation de diligence
Contr. obligation de résultat
Angl. *obligation of means*

- **Obligation de ne pas faire :** Obligation pour la satisfaction de laquelle le débiteur doit s'abstenir de poser un acte déterminé.

Contr. obligation de faire
Comp. obligation de donner
Angl. *obligation not to do*

- **Obligation de non-concurrence :** V. CLAUSE DE NON-CONCURRENCE.

- **Obligation d'entretien :** Obligation légale incombant aux parents de subvenir, compte tenu de leur niveau de vie, aux besoins de leurs enfants. Elle consiste principalement à leur procurer nourriture, vêtements et éducation et à leur prodiguer les soins requis par leur âge et leur état de santé.

Rem. Elle se distingue de l'obligation alimentaire en ce qu'elle n'est pas réciproque entre parents et enfants, qu'elle dépasse les strictes nécessités de la vie et qu'elle existe indépendamment de la fortune personnelle de l'enfant.
Comp. entretien, obligation alimentaire
Angl. *maintenance obligation*

- **Obligation de renseignement :** V. RENSEIGNEMENT (OBLIGATION DE).

- **Obligation de réserve :** V. RÉSERVE (OBLIGATION DE).

- **Obligation de résultat :** Obligation en vertu de laquelle le débiteur est tenu de parvenir à un résultat précis, sa responsabilité étant alors engagée sauf s'il justifie d'un cas fortuit. Ex. L'obligation pour un transporteur de livrer la marchandise à son destinataire.

  Syn. obligation déterminée
  Contr. obligation de moyens
  Angl. *obligation of result*

- **Obligation de sécurité :** V. SÉCURITÉ (OBLIGATION DE).

- **Obligation de somme d'argent :** V. OBLIGATION PÉCUNIAIRE.

- **Obligation déterminée :** V. OBLIGATION DE RÉSULTAT.

- **Obligation divisible :** Obligation qui, en raison de la nature de son objet ou de la convention des parties, est susceptible de division matérielle ou intellectuelle entre les créanciers ou les débiteurs.

  Contr. obligation indivisible
  Comp. obligation solidaire
  Angl. *divisible obligation*

- **Obligation en nature :** Obligation dont l'objet de la prestation est autre qu'une somme d'argent.

  Rem. Les obligations de faire, de ne pas faire et de donner constituent des obligations en nature.
  Contr. obligation pécuniaire
  Angl. *obligation in kind*

- **Obligation extracontractuelle :** Obligation qui naît d'une source autre que le contrat.

  Contr. obligation contractuelle
  Comp. obligation délictuelle, obligation légale, obligation quasi contractuelle, obligation quasi délictuelle
  Angl. *extracontractual obligation*

- **Obligation facultative :** Obligation qui a pour objet une seule prestation principale dont le débiteur peut néanmoins se libérer en exécutant une autre prestation équivalente. Ex. Le débiteur qui s'est engagé à remettre un objet précis à son créancier mais qui peut se libérer de son obligation en fournissant à la place une somme d'argent.

  Contr. obligation conjonctive
  Comp. obligation alternative
  Angl. *facultative obligation*

- **Obligation indivisible :** Obligation qui, en raison de la nature de son objet ou de la nature de la convention des parties, ne peut être divisée entre les créanciers ou les débiteurs, ni entre leurs héritiers.

  Rem. Chacun des débiteurs ou de ses héritiers peut alors être séparément contraint à l'exécution de l'obligation entière et chacun des créanciers ou de ses héritiers peut, inversement, exiger son exécution intégrale, encore que l'obligation ne soit pas solidaire.
  Contr. obligation divisible
  Comp. obligation solidaire
  Angl. *indivisible obligation*

- **Obligation *in solidum* :** Obligation de plusieurs personnes où chacun des codébiteurs est tenu de la totalité de la dette à l'égard du créancier.

  Rem. Sous le *Code civil du Bas-Canada*, elle correspond à une catégorie résiduaire utilisée lorsqu'on ne peut qualifier une obligation de solidaire. Le *Code civil du Québec* en réduit grandement la portée puisqu'il élargit le champ de la solidarité. L'art. 1480 du *Code civil du Québec* constitue un exemple de l'obligation *in solidum*.
  Syn. solidarité imparfaite
  Comp. obligation conjointe, obligation solidaire
  Angl. *obligation in solidum*

- **Obligation instantanée :** V. CONTRAT À EXÉCUTION INSTANTANÉE.

- **Obligation légale :**

  1. Dans un sens large, toute obligation qui ne résulte pas de la volonté des parties. Elle comprend toutes les obligations autres que contractuelles.
  Contr. obligation contractuelle
  Angl. *extracontractual obligation*
  2. Dans un sens étroit, obligation qui est imposée par la loi seule. Ex. L'obligation alimentaire.
  Angl. *legal obligation*

- **Obligation morale :** Obligation qui n'est pas sanctionnée par la loi et dont le pouvoir de contrainte ne relève que de la conscience ou de l'honneur. On ne peut en poursuivre l'exécution devant les tribunaux.

  Rem. L'exécution volontaire d'une obligation morale constitue une libéralité.
  Comp. obligation naturelle
  Angl. *moral obligation*

- **Obligation naturelle :** Obligation qui résulte d'un pouvoir moral ou de conscience et qui n'est pas, selon la loi, susceptible d'exécution forcée. Ex. Une dette de jeu.

  Rem. Cependant, le paiement volontaire d'une obligation naturelle vaut paiement et ne donne pas lieu à répétition.
  Contr. obligation civile
  Comp. obligation morale
  Angl. *natural obligation*

- **Obligation pécuniaire :** Obligation dont l'objet de la prestation est une somme d'argent.

  Syn. obligation de somme d'argent
  Contr. obligation en nature
  Angl. *monetary obligation, pecuniary obligation*

- **Obligation plurale :** Obligation comportant soit plusieurs objets, soit plusieurs créanciers ou plusieurs débiteurs.

  Comp. obligation alternative, obligation conjointe, obligation conjonctive, obligation *in solidum*, obligation solidaire.
  Angl. *plural obligation*

- **Obligation préjudicielle :**
  1. Au sens large, obligation de faire quelque chose avant que jugement ne soit rendu.
  Angl. *prejudicial obligation*
  2. En droit judiciaire, obligation qu'il incombe au demandeur d'exécuter avant qu'il n'intente son action.
  Rem. Le défendeur peut, par moyen dilatoire, demander l'arrêt de la poursuite lorsqu'il a droit d'exiger du demandeur l'exécution de quelque obligation préjudicielle. Ex. L'obligation de donner un préavis au débiteur avant de le poursuivre devant les tribunaux.
  Angl. *precedent obligation*

- **Obligation *propter rem* :** V. OBLIGATION RÉELLE.

- **Obligation pure et simple :** Obligation qui n'est affectée d'aucune modalité.

  Syn. obligation simple
  Contr. obligation complexe
  Angl. *simple obligation*

- **Obligation quasi contractuelle :** Obligation résultant d'un quasi-contrat.

  Comp. obligation contractuelle, quasi-contrat
  Angl. *quasi-contractual obligation*

- **Obligation quasi délictuelle :** Obligation résultant d'un quasi-délit.

  Comp. obligation délictuelle, quasi-délit
  Angl. *quasi-delictual obligation*

- **Obligation réciproque :** V. CONTRAT SYNALLAGMATIQUE.

- **Obligation réelle :** Obligation que la loi impose à une personne en raison de sa qualité de titulaire d'un droit réel. Ex. L'obligation du tiers acquéreur d'un immeuble hypothéqué, l'obligation du propriétaire d'un immeuble de contribuer à l'entretien d'un mur mitoyen.

  Syn. obligation *propter rem*
  Angl. *real obligation*

- **Obligation simple :** V. OBLIGATION PURE ET SIMPLE.

- **Obligation solidaire :**
  1. Obligation à laquelle sont tenus plusieurs débiteurs qui sont obligés à une même chose envers le créancier de manière que chacun puisse être séparément contraint pour la totalité de l'obligation et que l'exécution par un seul libère les autres envers le créancier (*Code civil du Québec*, art. 1523).
  Rem. Cette solidarité est dite passive.
  Comp. contribution, obligation conjointe, obligation *in solidum*
  Angl. *solidary obligation*
  2. Obligation comportant plusieurs créanciers et qui donne à chacun d'eux le droit d'exiger du débiteur qu'il exécute entièrement l'obligation ainsi que le droit d'en donner quittance pour le tout.
  Rem. Cette solidarité est dite active.
  Angl. *solidary obligation*

□ **3.** Valeur mobilière émise par une personne morale en reconnaissance d'une dette qui prévoit le paiement d'une somme déterminée au porteur et porte intérêt jusqu'à son échéance. Son remboursement est protégé par des garanties spécifiques qui grèvent les biens de la personne morale.

  Comp. bon, débenture, obligataire
  Angl. *bond, obligation*

- **Obligation d'épargne :** V. DÉBENTURE.

Obligatoire *adj.*

□ V. IMPÉRATIF.

Obliger *v.tr.*

☐ Soumettre une personne à une obligation, en vertu d'une loi ou d'une convention.

Comp. obligation
Angl. *to bind, to oblige*

Oblique *adj.*

☐ V. ACTION OBLIQUE.

Obscénité *n.f.*

☐ V. PUBLICATION OBSCÈNE.

Obstruction *n.f.*

☐ V. *FILIBUSTER(ING).*

O.C.

☐ Abrév. de *Order in Council.*

Occasionnel, elle *n.*

☐ **1.** Préposé engagé temporairement pour exécuter un travail spécifique, pour répondre à un surcroît de travail momentané ou pour remplacer une personne absente de son travail pour une période de temps déterminée. Ex. L'occasionnel qui remplace une employée bénéficiant d'un congé de maternité.

Rem. Dans certaines administrations publiques, des employés sont parfois engagés à titre d'occasionnels dans le seul but d'éviter un accroissement indu du nombre de fonctionnaires permanents.
Angl. *casual employee, temporary employee*

☐ **2.** Préposé dont les services sont prêtés par son commettant habituel à un autre commettant.

Comp. commettant
Angl. *temporary employee, temporary worker*

Occupant, ante *n.*

☐ Personne qui prend possession d'un local sans être titulaire d'un bail ou d'un engagement de location.

Comp. occupation
Angl. *occupant, occupier, squatter*

Occupation *n.f.*

☐ **1.** Mode d'acquisition de la propriété d'un bien qui n'appartient à personne ou qui a été abandonné lorsque celui qui le prend le fait avec l'intention de s'en rendre propriétaire.

Comp. bien vacant, occupant, propriété
Angl. *occupancy, occupation*

☐ **2.** Acte par lequel une personne prend possession d'un local sans être titulaire d'un bail ou d'un engagement de location.

Comp. occupant
Angl. *occupation, squatting*

Oeuvre (maître d')

☐ V. MAÎTRE D'OEUVRE.

Office *n.m.*

☐ **1.** Fonction à caractère public, permanente et stable, généralement indépendante du pouvoir politique et dont le titulaire est nommé par l'État. Ex. L'office du juge de la Cour supérieure.

Comp. charge, officier
Angl. *office, public office*

- **Office (commission d') :** V. D'OFFICE (COMMISSION).

- **Office (d') :** V. D'OFFICE.

☐ **2.** Organisme de l'administration publique, créé par voie législative, doté de la personnalité morale et jouissant d'une certaine autonomie dans l'exercice des fonctions qui lui sont dévolues. Ex. L'Office de la construction du Québec, l'Office du crédit agricole du Québec.

Angl. *agency, board, office*

- **Office des professions :** V. CODE DES PROFESSIONS.

Officier *n.m.*

☐ **1.** Personne qui occupe une charge publique.

Comp. charge publique, office
Angl. *officer*

- **Officier de cour :** V. OFFICIER DE JUSTICE.

- **Officier de justice :** Personne qui exerce une fonction publique se rattachant à l'administration de la justice. Ex. Un greffier, un shérif.
  Rem. Ces officiers sont nommés par arrêté du ministre de la Justice.
  Syn. officier de cour
  Comp. greffier, huissier, officier ministériel, protonotaire, shérif
  Angl. *officer of justice*

- **Officier de la publicité des droits :** Officier à qui est confiée la direction d'un bureau de la publicité des droits et qui a pour fonction de faire, dans les registres dont il a la garde, les inscriptions prescrites par la loi, de conserver les documents déposés dans son bureau et de délivrer à toute personne qui le requiert un état certifié des droits inscrits sur ces registres.
  Rem. Dans le *Code civil du Bas-Canada*, il porte le nom de régistrateur.
  Syn. régistrateur
  Comp. bureau de la publicité des droits, publicité des droits, registre
  Angl. *registrar*

- **Officier de l'état civil :** V. DIRECTEUR DE L'ÉTAT CIVIL, FONCTIONNAIRE DE L'ÉTAT CIVIL.

- **Officier ministériel :** Personne à qui l'État a conféré certaines fonctions se rattachant à l'administration de la justice. Ex. Le notaire est un officier ministériel chargé notamment de rédiger des actes authentiques.
  Comp. officier de justice
  Angl. *ministerial officer*

- **Officier public :** Personne à qui l'État a conféré une charge publique et qui a le pouvoir d'authentifier les actes qu'elle pose en cette qualité. Ex. Le notaire est un officier public.
  Comp. greffier, huissier, notaire, protonotaire, shérif
  Angl. *public officer*

□ **2.** Terme utilisé en droit judiciaire pour désigner soit l'huissier, soit le shérif, selon leur compétence respective, lorsqu'ils sont appelés à effectuer une opération.
  Rem. Le *Code de procédure civile* emploie généralement les termes « officier instrumentant » ou « officier saisissant ».
  Comp. huissier, shérif
  Angl. *officer*

- **Officier en loi :** Expression utilisée dans certaines lois du Québec pour désigner le ministre de la Justice du Québec.
  Angl. *the law officer*

□ **3.** Personne élue par les administrateurs d'une personne morale parmi ses membres, pour la représenter dans les actes, contrats et poursuites et pour en administrer les affaires courantes conformément aux pouvoirs qui lui sont conférés par la loi, par les statuts de la personne morale et par la nature des devoirs qui lui sont imposés. Le président, le vice-président, le secrétaire et le trésorier sont, en général, les officiers de la personne morale.
  Rem. Le terme « officier » qu'utilise le *Code civil du Bas-Canada* est remplacé, dans le *Code civil du Québec*, par le terme « dirigeant ».
  Syn. dirigeant
  Comp. administrateur, corporation
  Angl. *officer*

□ **4.** Personne détenant un poste de commande dans les Forces armées.
  Angl. *officer*

Offrant *n.f.*

□ **1.** Personne qui fait une offre en vue de conclure un contrat ou d'exécuter une obligation.
  Comp. consignataire, contractant, offre
  Angl. *offeror*

□ **2.** Personne qui fait une offre lors d'une vente aux enchères.
  Syn. enchérisseur
  Comp. offre, vente aux enchères
  Angl. *bidder*

Offre *n.f.*

□ **1.** Proposition formelle faite à une personne dans le but de l'inciter à conclure un contrat.
  Comp. acceptation, offrant, pollicitation
  Angl. *offer*

- **Offre de récompense :** V. PROMESSE DE RÉCOMPENSE.

□ **2.** Proposition formelle faite par un débiteur dans le but d'exécuter son obligation.
  Comp. offrant, paiement
  Angl. *offer, tender*

- **Offres réelles :** Acte par lequel le débiteur, lorsque le créancier refuse ou néglige de recevoir le paiement, met à la disposition de celui-ci le bien qui est dû, aux temps et lieu où le paiement doit être fait.

  Rem. Les offres réelles portant sur une somme d'argent peuvent être faites en monnaie ayant cours légal lors du paiement, au moyen d'un chèque certifié ou par la présentation d'un engagement irrévocable, inconditionnel et à durée indéterminée, pris par un établissement financier de verser la somme due. Si les offres ont pour objet une somme d'argent ou une valeur mobilière et qu'elles sont faites par déclaration judiciaire, elles doivent être complétées par la consignation de cette somme ou de cette valeur. Les offres réelles acceptées par le créancier ou déclarées par le tribunal équivalent, quant au débiteur, à un paiement fait au jour des offres ou de l'avis qui en tient lieu.

  Comp. consignation, garantie, valeur mobilière

  Angl. *tender*

O.G.

☐ Abrév. de *(Quebec) Official Gazette.*

O.Gaz.

☐ Abrév. de *Ontario Gazette.*

Olographe *adj.*

☐ Se dit d'un testament qui est entièrement écrit par le testateur et signé par lui, autrement que par un moyen technique (*Code civil du Québec*, art. 726).

Rem. Il n'est assujetti à aucune forme.

Comp. testament olographe

Angl. *holograph*

O.L.R.

☐ Abrév. de *Ontario Law Reports.*

O.L.R.B. Rep.

☐ Abrév. de *Ontario Labour Relations Board Reports.*

O.M.B.R.

☐ Abrév. de *Ontario Municipal Board Reports.*

Ombudsman *n.m.*

☐ V. PROTECTEUR DU CITOYEN.

Omission *n.f.*

☐ Comportement d'un individu qui consiste à s'abstenir ou négliger d'agir et qui constitue un manquement à un devoir légal pouvant entraîner sa responsabilité civile ou pénale.

Comp. abstention, commission, responsabilité

Angl. *omission*

- **Omission (faute par) :** V. FAUTE PAR OMISSION.

Omnibus

☐ Terme latin signifiant « pour tous », « pour toutes choses ».

- ***Omnibus* (clause) :** V. CLAUSE *OMNIBUS.*

- ***Omnibus* (loi) :** V. LOI *OMNIBUS.*

Onéreux, euse *adj.*

☐ V. ACTE À TITRE ONÉREUX.

Ont.

☐ Abrév. de Ontario.

Ont. Case Law Dig.

☐ Abrév. de *Ontario Case Law Digest.*

Ont. Div. Ct.

☐ Abrév. de *Supreme Court of Ontario, High Court of Justice (Divisional Court).*

Ont. Elec.

☐ Abrév. de *Ontario Election Cases.*

Ont. H.C.

☐ Abrév. de *Supreme Court of Ontario, High Court of Justice.*

Ont. Prov. Ct. (Civ. Div.)

☐ Abrév. de *Ontario Provincial Court, Civil Division.*

Ont. S.C.

☐ Abrév. de *Supreme Court of Ontario (in Bankruptcy).*

Ont. Tax. R.

☐ Abrév. de *Ontario Tax Reports.*

Ont. W.C.A.T.

☐ Abrév. de *Ontario Workers' Compensation Appeal Tribunal.*

Onus probandi

☐ Locution latine signifiant « le fardeau de ce qui doit être prouvé » ou, plus simplement, « le fardeau de la preuve ».
Angl. *burden of proof*

• ***Onus probandi incumbit actori :*** Maxime latine signifiant que le fardeau de la preuve incombe au demandeur (à celui qui allègue un fait matériel ou juridique).
Angl. *The burden of proof rests on the plaintiff*

Op.Cit.

☐ Abrév. de *Opere citato.*

Opere citato

☐ Locution latine signifiant « à l'ouvrage cité » que l'on utilise en note infrapaginale pour indiquer que l'ouvrage dont il est fait mention a fait précédemment l'objet d'une citation. Elle évite de reprendre au complet la citation.
Rem. On emploie le plus souvent son abréviation *op. cit.*
Comp. *loco citato*

Opinion *n.f.*

☐ **1.** Contenu de la décision d'un juge, qui comprend l'exposé de sa perception des faits, son argumentation et les conclusions auxquelles il est parvenu.
Syn. décision, jugement
Comp. attendu, considérant, dispositif, motif, *obiter dictum, ratio decidendi*
Angl. *decision, judgment, opinion*

• **Opinion dissidente :** Dans un tribunal collégial, opinion émise par un ou plusieurs juges qui s'avère contraire, en totalité ou en partie, à celle exprimée par la majorité des juges qui ont participé à la décision.
Comp. dissidence, juge dissident, tribunal collégial
Angl. *dissenting opinion*

☐ **2.** Avis d'un juriste qui, pour une situation précise, fait état du droit applicable.
Angl. *opinion*

Opposabilité *n.f.*

☐ Caractère d'un droit ou d'un moyen de défense qui peut être invoqué à l'encontre d'une personne, notamment d'un tiers.
Contr. inopposabilité
Comp. opposable, tierce opposition
Angl. *opposability*

• **Opposabilité d'un jugement étranger :** V. RECONNAISSANCE D'UN JUGEMENT ÉTRANGER.

Opposable *adj.*

☐ Qui peut être opposé, qui peut être invoqué à l'encontre d'une personne. Ex. Un jugement est opposable aux parties à l'instance et à leurs héritiers.
Contr. inopposable
Comp. opposabilité
Angl. *opposable*

Opposant, ante *adj. et n.*

☐ **1.(adj.)** Qui s'oppose à un acte, à un jugement, à une saisie-exécution.
Angl. *opposing*

☐ **2.(n.)** Personne qui s'oppose à un acte, à un jugement, à une saisie-exécution.
Comp. tiers-opposant
Angl. *opponent, opposing party*

☐ **3.(n.)** En politique, personne qui est membre de l'opposition.
Angl. *opponent*

Opposition *n.f.*

☐ **1.** Voie de recours visant à empêcher l'accomplissement d'un acte juridique, la prononciation d'une décision judiciaire ou son exécution en raison du non-respect des prescriptions de la loi.

Angl. *opposition*

- **Opposition à fin d'annuler :** Lorsqu'un ou plusieurs biens, meubles ou immeubles, ont été saisis et mis en vente en exécution d'un jugement, recours que peut former le saisi dans le but d'en faire annuler la saisie-exécution.

Rem. **1.** L'opposition peut être formée notamment pour cause d'irrégularité dans la saisie, d'insaisissabilité de l'ensemble des biens saisis ou d'extinction de la dette. **2.** L'opposition peut aussi être formée par un tiers qui a droit de revendiquer l'ensemble des biens saisis.

Comp. opposition à fin de distraire

Angl. *opposition to annul the seizure*

- **Opposition à fin de charge :** Recours exercé par le bénéficiaire d'un droit réel grevant un immeuble qui doit être vendu en justice, en exécution d'un jugement, lorsque l'avis de vente ne fait pas mention de l'existence de ce droit et que celui-ci risque d'être purgé par le décret.

Contr. opposition aux charges

Comp. saisie-exécution

Angl. *opposition to secure charges*

- **Opposition à fin de conserver :** Opposition formée par un créancier détenant un privilège ou une hypothèque sur un bien saisi en exécution d'un jugement, dans le but d'exercer ses droits sur le produit de la vente, lorsque la saisie-exécution a été pratiquée par un autre créancier du débiteur.

Rem. Depuis le 1er janvier 1994, ce recours est remplacé par la production, par ce créancier, de sa créance entre les mains de l'officier saisissant, au plus tard dix jours après la vente.

Angl. *opposition for payment*

- **Opposition à fin de distraire :** Lorsque plusieurs biens, meubles ou immeubles, ont été saisis et mis en vente en exécution d'un jugement, recours que peut former le saisi dans le but de soustraire à la saisie-exécution une partie des biens saisis.

Rem. **1.** Elle peut être formée notamment pour cause d'irrégularité dans la saisie et d'insaisissabilité des biens dont il demande la distraction. **2.** L'opposition peut aussi être formée par un tiers qui a droit de revendiquer un bien saisi.

Comp. opposition à fin d'annuler

Angl. *opposition to withdraw from the seizure*

- **Opposition au mariage :** Droit reconnu par la loi à toute personne intéressée de s'objecter à la célébration du mariage entre personnes inhabiles à le contracter.

Comp. mariage

Angl. *opposition to marriage*

- **Opposition aux charges :** Lorsqu'un immeuble est saisi et mis en vente, en exécution d'un jugement, recours que peut former tout intéressé en vue de faire radier une charge dont l'existence est mentionnée sans droit dans l'avis de vente.

Contr. opposition à fin de charge

Comp. saisie-exécution

Angl. *opposition to charges*

- **Opposition en sous-ordre :** V. SOUS-ORDRE.

☐ **2.** Voie de recours visant à faire rétracter un jugement.

Comp. tierce opposition

Angl. *opposition*

- **Opposition à jugement :** V. RÉTRACTATION DE JUGEMENT.

☐ **3.** Manifestation de volonté destinée à empêcher l'accomplissement d'un acte juridique ou d'en modifier les conditions.

Angl. *opposition*

- **Opposition à un chèque :** Interdiction de paiement que le signataire d'un chèque signifie à la banque sur laquelle celui-ci a été tiré.

Angl. *stop payment*

Option *n.f.*

☐ V. DROIT D'OPTION, LEVÉE D'OPTION.

O.R.

☐ Abrév. de *Ontario Reports.*

O.R. (2d)

☐ Abrév. de *Ontario Reports (Second series).*

Oral, ale, aux *adj.*

☐ V. VERBAL.

Ordonnance *n.f.*

☐ **1.** Décision d'un juge qui enjoint à une personne de poser un acte ou qui lui interdit de le faire. Ex. Une ordonnance d'injonction.

Rem. Celui qui y contrevient est alors passible d'une condamnation pour outrage au tribunal.
Comp. ordre, outrage au tribunal
Angl. *order, process*

• **Ordonnance de non-lieu :** Dans un procès criminel tenu devant un juge seul, décision que celui-ci rend, au terme de la preuve soumise par la poursuite, de rejeter l'accusation pour le motif d'absence totale de preuve relativement à l'un des éléments essentiels de l'infraction.

Comp. non-lieu (motion de)
Angl. *order of dismissal, order of nonsuit*

• **Ordonnance de probation :** V. PROBATION (ORDONNANCE DE).

☐ **2.** Disposition législative faisant office de loi sur les territoires canadiens. Ex. Les ordonnances des Territoires du Nord-Ouest.

Comp. arrêté
Angl. *ordinance*

Ordre *n.m.*

☐ **1.** Acte par lequel une personne en autorité manifeste sa volonté et enjoint à une autre personne de s'y soumettre. Par extension l'objet d'un ordre ou le document qui le concrétise.

Comp. ordonnance
Angl. *order*

☐ **2.** Classement hiérarchique, rang conféré à des personnes ou à des catégories de personnes détenant un titre de créance ou un droit sur un bien déterminé. Ex. L'ordre de collocation des créanciers d'un débiteur.

Angl. *order*

• **Ordre de collocation :** V. COLLOCATION (ORDRE DE).

• **Ordre de dévolution de la succession :** Rang prescrit par la loi suivant lequel les diverses catégories d'héritiers sont appelées à recueillir une succession *ab intestat.*

Syn. ordre de succession, ordre d'héritiers, ordre successoral
Comp. succession *ab intestat*
Angl. *canons of inheritance, order of devolution of succession*

• **Ordre de succession :** V. ORDRE DE DÉVOLUTION DE LA SUCCESSION.

• **Ordre d'héritiers :** V. ORDRE DE DÉVOLUTION DE LA SUCCESSION.

• **Ordre successoral :** V. ORDRE DE DÉVOLUTION DE LA SUCCESSION.

☐ **3.** Regroupement de personnes qui poursuivent des buts communs et qui sont régies par des règles de nature professionnelle, morale ou religieuse. Ex. Un ordre religieux.

Angl. *association, order*

• **Ordre professionnel :** V. CORPORATION PROFESSIONNELLE.

Ordre public

☐ **1.** Ensemble des règles de droit d'intérêt général qui sont impératives et auxquelles nul ne peut déroger par une convention particulière.

Comp. bonnes moeurs
Angl. *public order*

☐ **2.** Caractère impératif des règles juridiques auxquelles nul ne peut déroger par une convention particulière.

Rem. Lors d'un procès, il peut être soulevé en tout état de cause, tant par les parties que par le juge.
Angl. *public order*

Organisme *n.m.*

☐ Ensemble organisé de services remplissant une fonction déterminée.

Angl. *agency, body, organism*

• **Organisme d'un État étranger :** Toute entité juridique distincte qui constitue un organe de l'État étranger (*Loi sur l'immunité des États*, L.R.C. 1985, c. S-18, art. 2).

Angl. *agency of a foreign state*

- **Organisme public :** Organisme dont le gouvernement ou le ministre nomme la majorité des membres, dont la majorité des membres est composée de fonctionnaires et dont le capital-actions provient, pour plus de la moitié, de l'État.
  Angl. *public agency*

Original, aux *n.m.*

☐ Rédaction primitive d'un acte dressé en un ou plusieurs exemplaires et signé par les parties à l'acte ou par leur représentant.
Comp. copie, duplicata
Angl. *original*

O.S.

☐ Abrév. de *Old Series.*

O.S.C.B.

☐ Abrév. de *Ontario Securities Commission Bulletin.*

Osgoode Hall L.J.

☐ Abrév. de *Osgoode Hall Law Journal.*

Otage *n.*

☐ V. PRISE D'OTAGE.

Ottawa L.Rev.

☐ Abrév. de *Ottawa Law Review* / Revue de droit d'Ottawa.

Ouï-dire *n.m.*

☐ Déclaration faite par une personne entendue comme témoin, lors d'un procès, et qui, dans le but d'établir la véracité d'un fait, rapporte, non pas ce qu'elle connaît personnellement, mais ce qui a été déclaré extrajudiciairement par autrui.
Angl. *hearsay*

- **Ouï-dire (interdiction du) :** Règle de preuve qui interdit de prouver un fait par un témoin qui rapporte des événements, des informations ou des propos dont il n'a pas une connaissance personnelle. Ex. L'interdiction pour un témoin de raconter devant le tribunal le déroulement d'une querelle à laquelle il n'a pas assisté.
  Rem. Malgré l'absence d'exceptions à cette règle dans le *Code civil du Bas-Canada,* les tribunaux ont toujours accepté certaines déclarations par ouï-dire, en s'inspirant des règles de la *common law.* Afin de combler cette lacune, le *Code civil du Québec,* aux art. 2869 et suivants, codifie les règles sur les déclarations par ouï-dire acceptables, tout en déterminant les conditions de leur recevabilité et leur mode de preuve.
  Angl. *hearsay rule, prohibition of hearsay*

Outrage au tribunal

☐ Acte d'une personne qui contrevient à une ordonnance d'un juge ou qui agit de manière, soit à entraver le cours normal de l'administration de la justice, soit à porter atteinte à l'autorité ou à la dignité des tribunaux.
Comp. ordonnance
Angl. *contempt of court*

- **Outrage *ex facie* :** Se dit de l'outrage au tribunal commis hors la présence du juge. Ex. La poursuite d'une grève illégale malgré son interdiction formelle par une ordonnance d'injonction.
  Contr. outrage *in facie*
  Angl. *contempt ex facie*

- **Outrage *in facie* :** Se dit de l'outrage au tribunal commis en la présence du juge. Ex. Le refus de rendre témoignage lors de l'enquête.
  Contr. outrage *ex facie*
  Angl. *contempt in facie*

Ouverture *n.f.*

☐ 1. Commencement, début.
Angl. *opening*

- **Ouverture de la substitution :** Opération juridique qui se produit au moment où l'appelé reçoit les biens qui font l'objet de la substitution.
  Rem. À moins qu'une époque antérieure n'ait été fixée par le disposant, l'ouverture de la substitution a lieu au décès du grevé.
  Comp. substitution
  Angl. *opening of the substitution*

- **Ouverture d'une succession :** Opération juridique qui se produit au moment de la transmission des biens d'une personne décédée à ses héritiers.

  Comp. succession
  Angl. *opening of a succession*

- **Ouverture d'un recours (cas d') :** Situation précise dont la loi requiert l'existence pour qu'un recours puisse être exercé. Ex. Les cas d'ouverture à l'évocation.

  Angl. *cases where there is open way for an action*

- **Ouverture d'un recours (conditions d') :** Ensemble des conditions devant être nécessairement remplies pour qu'une demande en justice soit recevable. Ex. Les conditions d'ouverture du recours collectif.

  Angl. *conditions for admissibility of an action*

□ **2.** Tout espace vide, aménagé ou percé dans les murs ou le toit d'un immeuble.

Comp. vue
Angl. *hole, opening*

Ouvrage *n.m.*

□ Travail effectué par une personne, notamment dans le cadre d'un contrat d'entreprise.

Angl. *work*

- **Ouvrage à forfait :** V. FORFAIT.

- **Ouvrage (maître de l') :** V. MAÎTRE DE L'OUVRAGE.

- **Ouvrage par devis et marché :** Nom donné dans le *Code civil du Bas-Canada*, au contrat d'entreprise conclu sur la base d'un devis.

  Syn. contrat d'entreprise
  Angl. *work by estimate and contract*

Ouvrier, ière *n.*

□ **1.** Dans un sens général, personne qui exécute un travail manuel moyennant une rémunération.

Syn. travailleur
Angl. *worker, workman*

- **Ouvrier professionnel :** V. OUVRIER QUALIFIÉ.

- **Ouvrier qualifié :** Ouvrier qui, en raison d'une longue expérience de travail ou d'une formation avancée, est apte à exercer un métier. Ex. Le mécanicien et l'électricien sont des ouvriers qualifiés.

  Syn. ouvrier professionnel, travailleur qualifié
  Angl. *skilled worker*

- **Ouvrier spécialisé :** Ouvrier qui, après une courte période d'entraînement, est en mesure d'exécuter un travail particulier.

  Rem. Le travail n'exige pas la connaissance d'un métier.
  Syn. travailleur spécialisé
  Comp. ouvrier qualifié
  Angl. *semi-skilled worker*

□ **2.** Dans le contrat d'entreprise, spécialement le contrat de construction, terme qui désigne parfois l'artisan qui, en qualité d'entrepreneur ou de constructeur, exécute lui-même une partie de l'ouvrage. Ex. Le maçon qui prend à contrat le travail de maçonnerie.

Comp. contrat d'entreprise, marché à forfait
Angl. *workman*

- **Ouvrier (privilège) :** Privilège que la loi accorde, pour la garantie de leurs créances, à ceux qui ont participé à la construction ou à la rénovation d'un immeuble.

  Rem. L'art. 2724 du *Code civil du Québec* a transformé ce privilège en hypothèque légale.
  Comp. hypothèque légale, privilège
  Angl. *construction privilege, workman privilege*

O.W.N.

□ Abrév. de *Ontario Weekly Notes.*

O.W.R.

□ Abrév. de *Ontario Weekly Reporter.*

Oyant *n.m.*

□ V. COMPTE (OYANT).

P

P.

□ Abrév. de **1.** page ; **2.** *The Law Reports, Probate* ; **3.** *Pacific Reporter.*

Pacage *n.m.*

□ Action de faire paître du bétail.

Rem. Selon l'art. 547 du *Code civil du Bas-Canada*, le droit de pacage constitue une servitude discontinue.

Angl. *pasture*

Pacte *n.m.*

□ Terme employé pour désigner certains types de conventions entre des personnes ou des États.

Comp. contrat, convention

Angl. *agreement, contract*

• **Pacte commissoire :**
1. Stipulation par laquelle les parties à un contrat de vente conviennent que, si l'acheteur ne paie pas le prix fixé dans un délai convenu, le contrat sera résolu.

Rem. Il s'agit d'une clause résolutoire expresse.

Comp. clause résolutoire

Angl. *resolutive condition, resolutory clause of right*

2. Stipulation par laquelle les parties conviennent que le prêteur sur gage pourra disposer du gage si le débiteur fait défaut de payer à l'échéance.

Rem. Cette convention qu'autorisait l'art. 1971 du *Code civil du Bas-Canada* est interdite par l'art. 2747 du *Code civil du Québec.*

Comp. gage

Angl. *stipulation of resolution upon non-performance*

• **Pacte de préférence :** Convention par laquelle une personne s'engage à conclure un contrat avec une autre par préférence à des tiers.

Syn. droit de préférence

Angl. *first refusal agreement*

• **Pacte de *quota litis* :** Convention par laquelle une partie à un litige s'engage à payer à son avocat, à titre de rémunération, un pourcentage des sommes qui lui seront accordées par le jugement final.

Rem. Cette convention est permise depuis 1956.

Angl. *contingent fees agreement, quota litis agreement*

• **Pacte sur succession future :** V. INSTITUTION CONTRACTUELLE.

Paiement *n.m.*

□ **1.** Selon l'usage courant, versement d'une somme d'argent dans le but d'acquitter une obligation.

Syn. payement

Comp. payer

Angl. *payment*

□ **2.** Au sens juridique, exécution de toute prestation, quelle qu'elle soit, qui constitue l'objet d'une obligation et qui s'impose au débiteur.

Rem. L'art. 1553 du *Code civil du Québec* se lit comme suit : « Par paiement on entend non seulement le versement d'une somme d'argent pour acquitter une obligation, mais aussi l'exécution même de ce qui est l'objet de l'obligation ».

Syn. payement

Angl. *payment*

• **Paiement anticipé :** V. PAIEMENT PAR ANTICIPATION.

- **Paiement à terme :** Paiement qui devient exigible à une date postérieure à la naissance de l'obligation.
  Contr. paiement (au) comptant
  Comp. obligation à terme
  Angl. *payment with a term*

- **Paiement (au) comptant :** Paiement qui doit s'effectuer immédiatement, sans terme ni crédit.
  Contr. paiement à terme
  Comp. comptant (au)
  Angl. *cash payment*

- **Paiement avec subrogation :** V. SUBROGATION.

- **Paiement (cessation de) :** Se dit de l'état du débiteur dont l'actif ne suffit pas pour le paiement de ses dettes.
  Comp. cession de biens, faillite
  Angl. *suspension of payment*

- **Paiement de l'indu :** V. RÉCEPTION DE L'INDU.

- **Paiement différé :** V. DIFFÉRÉ.

- **Paiement en nature :** Paiement dont l'objet n'est pas une somme d'argent. Ex. Le paiement par l'exécution d'un travail.
  Comp. exécution en nature
  Angl. *payment in kind*

- **Paiement libératoire :** V. LIBÉRATOIRE.

- **Paiement par anticipation :** Paiement effectué avant l'échéance prévue.
  Syn. paiement anticipé
  Angl. *advance payment*

- **Paiement par compensation :** V. COMPENSATION.

- **Paiement par délégation :** V. DÉLÉGATION.

- **Paiement régulier :** Paiement d'une lettre de change, fait à l'échéance ou après l'échéance, à son détenteur de bonne foi et qui ignore que son titre sur la lettre est défectueux.
  Comp. détenteur régulier, lettre de change
  Angl. *payment in due course*

- **Paiement unique :** Paiement d'une dette qui se fait en une seule fois.
  Contr. paiement périodique
  Angl. *lump sum payment*

Pair (au)

- V. ACTION À VALEUR NOMINALE.

Paisible *adj.*

- V. POSSESSION PAISIBLE.

Paix (juge de)

- V. JUGE DE PAIX.

Palais de justice

- Édifice où siègent les tribunaux et où les citoyens peuvent recevoir certains services de nature juridique ou judiciaire.
  Comp. cour
  Angl. *Court House*

Papiers de famille

- V. PAPIERS DOMESTIQUES.

Papiers domestiques

- Tout écrit, même non signé, qu'une personne conserve sans y être tenue et qui porte sur des événements ou des opérations la concernant. Ex. Une facture, des notes dans un agenda.
  Rem. En matière civile, ils font preuve contre leur auteur lorsqu'ils énoncent un paiement reçu ou contiennent la mention qu'ils suppléent au défaut de titre en faveur de celui au profit duquel ils énoncent une obligation.
  Syn. papiers de famille
  Comp. registre domestique
  Angl. *domestic paper, family papers*

Papier tellière

- Format de papier que doivent utiliser les parties dans les actes de procédure écrite qu'elles produisent devant les tribunaux.
  Rem. Selon les règles de pratique, le format est de 21, 5 cm x 35, 5 cm (8 po. x 14 po.). En France, il est de 34 cm x 44 cm.
  Angl. *foolscap paper*

Parade *n.f.*

☐ V. IDENTIFICATION (PARADE D').

Parafe *n.m.*

☐ V. PARAPHE.

Parafer *v.tr.*

☐ V. PARAPHER.

Paraphe *n.m.*

☐ Signature abrégée formée généralement par les initiales du signataire et apposée par celui-ci sur un document en vue d'en attester la régularité du texte ou d'en approuver les renvois ou les ratures.
Syn. parafe
Comp. apostille, parapher
Angl. *initials, paraph*

Parapher *v.tr.*

☐ Signer ou marquer d'un paraphe.
Syn. parafer
Comp. paraphe
Angl. *to initial*

Parcelle *n.f.*

☐ Portion d'un terrain.
Angl. *parcel*

Par concurrence

☐ Locution utilisée parfois pour désigner le partage d'une somme d'argent entre plusieurs créanciers en proportion de leur créance.
Comp. prorata de (au)
Angl. *rateably*

Par contribution

☐ V. DISTRIBUTION PAR CONTRIBUTION.

Pardon *n.m.*

☐ Décision d'une autorité compétente qui prononce la radiation d'une condamnation ou d'une peine infligée antérieurement à une personne. Ex. Le pardon du chef de l'État à un criminel.
Syn. remise de peine
Comp. amnistie, casier judiciaire
Angl. *pardon*

Parens patriae

☐ Expression latine signifiant « père de la patrie » et qui qualifie le pouvoir inhérent de l'État et du tribunal de droit commun, à qui l'exercice de ce pouvoir est conféré, de veiller aux intérêts des personnes qui ne peuvent prendre soin d'elles-mêmes. Ex. La Cour supérieure du Québec peut agir à titre de *parens patriae* dans le but de protéger les intérêts d'une personne mineure lorsque celle-ci n'est pas en mesure de les défendre adéquatement.
Rem. Cette doctrine a son origine en Angleterre et cette expression s'appliquait d'abord au roi à qui l'on reconnaissait non seulement le pouvoir inhérent mais aussi l'obligation d'agir pour protéger les intérêts de ceux qui ne pouvaient le faire eux-mêmes.
Comp. tribunal de droit commun

Parent *adj. et n.*

☐ **1.(adj. ou n.)** Au sens large, personne qui a des liens de parenté avec une autre.
Rem. On utilise également le féminin « parente ».
Comp. allié, famille, parenté
Angl. *relative*

• **Parent adoptif :** Parent d'un enfant adopté.
Comp. adoption, parenté adoptive
Angl. *adoptive parent*

• **Parent au premier degré :** Parent en ligne directe. Ex. Le legs fait au notaire qui reçoit un testament ou à l'un de ses parents au premier degré est sans effet.
Syn. parent en ligne directe
Angl. *relative in the first degree*

• **Parent en ligne collatérale :** Personne qui descend du même auteur commun qu'une autre.
Comp. parenté collatérale
Angl. *relative in the collateral line*

• **Parent en ligne directe :** Personne qui descend d'une autre ou dont une autre descend directement.

Syn. parent au premier degré
Comp. parenté en ligne directe
Angl. *relative in the direct line*

□ **2.(n.)** Au sens étroit, le père et la mère.
Comp. mère, père
Angl. *parent*

Parental, ale, aux *adj.*

□ **1.** Qui se rapporte à la parenté.
Comp. parenté
Angl. *parental*

□ **2.** Qui appartient au père et à la mère, qui se rapporte au père et à la mère.
Comp. monoparental, parent
Angl. *parental*

• **Parentale (autorité) :** V. AUTORITÉ PARENTALE.

Parenté *n.f.*

□ Rapport entre des personnes qui est fondé sur les liens du sang ou de l'adoption.
Comp. adoption, degré, filiation, ligne, parent, parental, unilinéaire
Angl. *kinship, relationship*

• **Parenté adoptive :** Parenté établie par un jugement d'adoption, en dehors de tout lien biologique.
Contr. parenté par le sang
Comp. adoption, parent adoptif
Angl. *adoptive relationship*

• **Parenté civile :** En droit romain, parenté fondée sur des liens juridiques (agnation), par opposition à la parenté naturelle (cognation) qui reposait sur les liens du sang.
Rem. À l'origine, elle seule pouvait conférer le statut de membre de la famille ainsi que les prérogatives s'y rattachant, notamment le droit de succéder.
Comp. agnation, cognation
Angl. *civil relationship*

• **Parenté collatérale :** Parenté qui unit des personnes descendant d'un auteur commun.
Comp. parent en ligne collatérale
Angl. *relationship in the collateral line*

• **Parenté (degré de) :** Unité de mesure qui sert à déterminer la proximité relative de parenté entre deux ou plusieurs personnes.
Rem. Selon le *Code civil*, le degré de parenté est déterminé par le nombre de générations, chacune formant un degré.
Comp. génération, ligne, parenté
Angl. *degree of relationship*

• **Parenté en ligne directe :** Parenté qui unit deux personnes qui descendent l'une de l'autre.
Comp. parent en ligne directe
Angl. *relationship in the direct line*

• **Parenté légitime :** Parenté qui découlait autrefois de la filiation légitime, seul lien juridiquement reconnu. Elle liait entre elles les personnes issues d'un même mariage et celles-ci aux parents des deux époux.
Comp. filiation légitime
Angl. *legitimate relationship*

• **Parenté naturelle :** Parenté découlant de la filiation naturelle, c'est-à-dire de la filiation créée en dehors des liens du mariage.
Comp. filiation naturelle
Angl. *illegitimate relationship*

• **Parenté par alliance :** Parenté résultant du mariage, qui unit chacun des époux à la famille de son conjoint. Entre alliés les plus proches, elle crée des droits et des obligations comparables à ceux qui résultent de la parenté par le sang.
Angl. *affinity*

• **Parenté par le sang :** Parenté fondée sur les liens du sang, qui découle de la procréation. Elle unit les personnes qui descendent l'une de l'autre ou qui sont issues d'un auteur commun.
Contr. parenté adoptive
Angl. *consanguinity*

Parfait, aite *adj.*

□ V. DÉLÉGATION PARFAITE.

Pari *n.m.*

□ Contrat aléatoire par lequel deux ou plusieurs personnes en désaccord sur un fait donné s'engagent à payer une somme d'argent ou à fournir un bien à celle dont l'opinion sera reconnue fondée.
Rem. **1.** Ce fait est en général indépendant de

la volonté des parties. **2.** L'art. 197(1) du *Code criminel* le définit comme suit : « Pari placé sur une contingence ou un événement qui doit se produire au Canada ou à l'étranger et, notamment, un pari placé sur une éventualité relative à une course de chevaux, à un combat, à un match ou à un événement sportif qui doit avoir lieu au Canada ou à l'étranger. »

Comp. jeu

Angl. *bet*

- **Pari (contrat de jeu ou de) :** V. CONTRAT DE JEU ET DE PARI.

Par indivis

☐ V. INDIVIS.

Pari passu

☐ Locution latine signifiant « du même pas », « de la même façon » et qui qualifie l'égalité de traitement que la loi ou la convention confère aux personnes dont la situation juridique est identique ou similaire. S'emploie notamment dans le cas de créanciers qui sont appelés à partager une même somme d'argent, à parts égales, sans que certains ne soient préférés à d'autres.

Comp. priorité, prorata de (au)

Paritaire *adj.*

☐ Qui réunit un nombre égal de représentants de personnes dont les intérêts sont distincts. Ex. Une commission paritaire.

Angl. *joint*

- **Paritaire (comité) :** V. COMITÉ PARITAIRE.

Parité salariale

☐ Égalité des salaires ou des structures de salaire pour des emplois similaires dans deux ou plusieurs entreprises d'une même région ou d'un même pays.

Angl. *wage parity*

Parjure *n.m.*

☐ Déposition mensongère faite par un témoin sous serment avec l'intention de tromper le tribunal.

Syn. faux serment, faux témoignage

Angl. *false evidence, perjury*

Parlement *n.m.*

☐ Organe législatif de l'État.

Rem. Au Canada, le Parlement fédéral est composé du gouverneur général (qui représente la Reine), du Sénat et de la Chambre des communes ; depuis 1968, le Parlement québécois est composé du lieutenant-gouverneur (qui représente la Reine) et de l'Assemblée nationale.

Comp. Assemblée nationale, Chambre des communes, Conseil exécutif, gouverneur général, lieutenant-gouverneur, parlementaire, parlementarisme, Sénat

Angl. *Parliament*

Parlementaire *adj. et n.*

☐ **1.(adj.)** Relatif au Parlement, propre au Parlement. Ex. L'immunité parlementaire.

Comp. parlement

Angl. *parliamentary*

- **Parlementaire (langage) :** Langage conforme aux usages ou aux règles parlementaires que les députés et les sénateurs doivent utiliser sous peine de sanction.

Angl. *parliamentary language*

☐ **2.(n.)** Membre du Parlement.

Angl. *member of Parliament*

Parlementarisme *n.m.*

☐ Régime constitutionnel fondé sur l'existence d'un parlement.

Comp. parlement

Angl. *parliamentarism*

Paroisse *n.f.*

☐ Territoire érigé canoniquement en paroisse ou en quasi-paroisse pour les fins de la religion catholique romaine au bénéfice des fidèles de cette religion (*Loi sur les fabriques*, L.R.Q., c. F-1, art. 1*i*)).

Comp. desserte, paroissien

Angl. *parish*

Paroissien, enne *n.*

☐ Personne majeure de religion catholique romaine qui appartient à une paroisse ou à une desserte et qui n'est pas un clerc attaché au service de cette paroisse ou desserte. (*Loi sur les fabriques*, L.R.Q., c. F-1, art. 1*j*)).

Comp. desserte, paroisse

Angl. *parishioner*

Parole (droit de)

☐ V. DROIT DE PAROLE.

Paroles séditieuses

☐ Paroles qui expriment une intention séditieuse (*Code criminel*, art. 59).

Rem. Selon le Code criminel, il s'agit d'un acte criminel.

Comp. intention séditieuse, sédition

Angl. *seditious words*

Parricide *adj. et n.*

☐ **1.(adj.)** Se dit d'une personne qui a tué son père.

Comp. fratricide, matricide

Angl. *parricidal*

☐ **2.(n.)** Crime d'une personne qui a tué son père.

Comp. matricide

Angl. *parricide*

Part *n.f.*

☐ **1.** Dans un sens général, partie d'un tout.

Angl. *part, portion*

☐ **2.** Portion d'un patrimoine attribuée, lors d'un partage, à l'un des copartageants. Ex. La part de l'héritier.

Angl. *share*

☐ **3.** Quote-part d'un indivisaire dans la copropriété par indivision.

Comp. copropriété par indivision, indivisaire, indivision, quote-part

Angl. *share*

☐ **4.** Partie du capital d'une société ou d'une coopérative qui appartient à l'associé ou au coopérateur.

Comp. coopérative, société

Angl. *share*

• **Part privilégiée :** Dans une coopérative, part émise par le conseil d'administration qui se caractérise par l'octroi à son détenteur de privilèges ou de droits particuliers ou par l'imposition de restrictions. Elle fait partie du capital social de la coopérative. Ex. Le détenteur de parts privilégiées n'a pas le droit d'être convoqué à une assemblée générale, ni d'y assister.

Rem. Selon la *Loi sur les associations coopératives du Canada* (L.R.C. 1985, c. C-40, art. 3), constitue une part privilégiée toute part du capital social d'une association qui n'est pas une part sociale.

Contr. part sociale

Comp. association coopérative, capital social, coopérative

Angl. *preferred share*

• **Part sociale :**

1. Droit, représentant une portion du capital social, qu'un associé détient en échange de son apport dans la société.

Comp. apport, capital social, société

Angl. *capital share, common share, share*

2. Part nominative du capital social d'une coopérative qui confère à son détenteur le droit d'être convoqué à une assemblée générale, d'y assister et d'y voter et d'être éligible à une fonction au sein de la coopérative.

Rem. Selon la *Loi sur les associations coopératives du Canada* (L.R.C. 1985, c. C-40, art. 3), constitue une part sociale la part du capital social d'une association assortie d'aucun privilège, d'aucun droit, ni d'aucune condition, restriction, limitation ou interdiction.

Contr. part privilégiée

Comp. association coopérative, capital social, coopérative

Angl. *co-op share*

Part (suppression de)

☐ V. SUPPRESSION DE PART.

Partage *n.m.*

☐ Acte juridique par lequel les copropriétaires d'un bien ou d'un ensemble de biens mettent fin à l'indivision en attribuant à chaque copartageant un droit exclusif sur une portion réelle du bien ou des biens indivis.

Comp. action en partage, attribution préférentielle, copartage, indivision, licitation,

partagé, partageant
Angl. *partition*

- **Partage amiable :** Partage entre indivisaires où ceux-ci composent les lots à leur gré et décident, d'un commun accord, de leur attribution ou de leur tirage au sort.
  Contr. partage judiciaire
  Angl. *amicable partition*

- **Partage définitif :** Partage complet qui met fin à l'indivision.
  Contr. partage provisionnel
  Angl. *definitive partition, final partition*

- **Partage en justice :** Partage effectué par décision du tribunal lorsque les cohéritiers ne s'entendent pas sur le partage des biens indivis.
  Syn. partage judiciaire
  Contr. partage amiable
  Comp. partage volontaire en justice
  Angl. *judicial partition*

- **Partage judiciaire :** V. PARTAGE EN JUSTICE.

- **Partage mixte :** V. PARTAGE VOLONTAIRE EN JUSTICE.

- **Partage par souche :** V. SOUCHE (PARTAGE PAR).

- **Partage par tête :** V. TÊTE (PARTAGE PAR).

- **Partage partiel :** Partage qui porte sur une partie seulement des biens faisant l'objet d'une indivision.
  Angl. *partial partition*

- **Partage provisionnel :** Partage qui porte sur les fruits ou revenus d'une masse à partager ou sur une partie de cette masse, en attendant le partage définitif.
  Contr. partage définitif
  Angl. *provisional partition*

- **Partage rectificatif :** Partage qui vise à corriger le vice dont un partage définitif est affecté, évitant ainsi que celui-ci soit annulé.
  Rem. Le partage rectificatif est permis s'il peut se faire avec avantage pour les copartageants.
  Comp. partage définitif, partage supplémentaire
  Angl. *corrective partition*

- **Partage supplémentaire :** Partage entre les copartageants de biens qui avaient été omis lors du partage définitif de la masse.
  Rem. Par un partage supplémentaire, on peut éviter l'annulation du partage si cela peut se faire avec avantage pour les copartageants.
  Comp. partage définitif, partage rectificatif
  Angl. *supplementary partition*

- **Partage volontaire en justice :** Partage amiable pour lequel un contrôle de justice est requis lorsque l'un ou certains des copartageants n'ont pas le libre exercice de leurs droits ou sont absents.
  Rem. Contrairement au *Code civil du Bas-Canada*, le *Code civil du Québec* permet que le partage amiable ait lieu même en présence d'un mineur ou d'un majeur protégé à condition qu'ils soient représentés, l'autorisation du tribunal n'étant requise qu'en cas de partage définitif des immeubles.
  Syn. partage mixte
  Comp. partage amiable, partage en justice
  Angl. *mixed partition, voluntary partition under control of justice*

Partagé, ée *adj.*

- **1.** Divisé en plusieurs parts ou parties distinctes.
  Contr. indivis
  Comp. divis, partage
  Angl. *divided*

- **2.** Limité à une part ou à vue partie.
  Comp. responsabilité partagée
  Angl. *shared*

Partageable *adj.*

- Qui peut faire l'objet d'un partage.
  Comp. partage
  Angl. *divisible*

Partageant, ante *adj.*

- V. COPARTAGEANT.

Partiaire *adj.*

- V. COLON PARTIAIRE.

Participant, ante *n.*

☐ V. COPARTICIPANT.

Participation *n.f.*

☐ **1.** Fait de prendre part à une activité, à une opération et d'être associé à ses résultats.
Angl. *participation*

- **Participation (société en) :** V. SOCIÉTÉ EN PARTICIPATION.

☐ **2.** Action de prendre part à une entreprise. Ex. Une participation par les employés aux profits d'une entreprise.
Comp. coparticipation
Angl. *partnership*

Particulier, ière *adj.*

☐ V. AYANT CAUSE À TITRE PARTICULIER, LÉGATAIRE À TITRE PARTICULIER, LEGS À TITRE PARTICULIER, TRANSMISSION À TITRE PARTICULIER, USUFRUIT À TITRE PARTICULIER.

Partie *n.f.*

☐ **1.** Personne qui participe à un acte juridique, à un contrat. Ex. Les parties à un contrat notarié.
Contr. tiers
Comp. cocontractant, contractant, contrat
Angl. *party*

- **Partie de complaisance :** Se dit d'une personne qui appose sa signature sur un effet de commerce sans avoir reçu valeur, dans le seul but de prêter son nom et son crédit à une autre personne.
Comp. complaisance, effet de complaisance
Angl. *accommodation party*

☐ **2.** Personne engagée dans un procès. Ex. La partie demanderesse.
Comp. défendeur, demandeur, intervenant, intimé, requérant
Angl. *party*

- **Partie adverse :** Dans un procès, partie qui a des intérêts opposés à une autre partie. Ex. Un document entre les mains de la partie adverse.
Angl. *adverse party*

☐ **3.** Élément d'un tout. Ex. Les parties privatives d'un immeuble détenu en copropriété.
Angl. *part, portion*

- **Partie divise :** V. PARTIES PRIVATIVES.

- **Partie exclusive :** V. PARTIES PRIVATIVES.

- **Partie indivise :** V. PARTIES COMMUNES.

- **Parties communes :** Parties des bâtiments et des terrains qui sont la propriété de tous les copropriétaires et servent à leur usage commun (*Code civil du Québec*, art. 1043).
Syn. partie indivise
Contr. parties privatives
Comp. copropriété, parties mitoyennes
Angl. *common portions*

- **Parties mitoyennes :** Dans une copropriété divise, cloisons ou murs non compris dans le gros oeuvre du bâtiment et qui séparent une partie privative d'une partie commune ou d'une autre partie privative.
Comp. parties communes, parties privatives
Angl. *common portions*

- **Parties privatives :** Parties des bâtiments et des terrains qui sont la propriété d'un copropriétaire déterminé et dont il a l'usage exclusif (*Code civil du Québec*, art. 1042).
Syn. partie divise, partie exclusive
Contr. parties communes
Comp. copropriété, parties mitoyennes
Angl. *private portions*

Passage *n.m.*

☐ V. SERVITUDE DE PASSAGE.

Passager, ère *n.*

☐ Dans un contrat de transport, personne dont le transporteur s'oblige à effectuer le déplacement.
Contr. transporteur
Comp. transport
Angl. *passenger*

Passeport *n.m.*

☐ Document délivré par l'État qui, certifiant l'identité et la nationalité d'une personne, permet à son titulaire de se rendre librement à l'étranger.

Comp. visa
Angl. *passport*

Passible *adj.*

☐ **1.** Qui peut ou doit subir une peine. Ex. Être passible d'un emprisonnement.
Syn. punissable
Angl. *liable*

☐ **2.** Qui est assujetti à une obligation. Ex. Être passible d'impôt.
Angl. *liable*

Passif, ive *adj.*

☐ V. INDIVISIBILITÉ PASSIVE, SOLIDARITÉ ENTRE LES DÉBITEURS, SUJET DE DROIT.

Passif *n.m.*

☐ Ensemble des dettes et des charges qui grèvent un patrimoine.
Contr. actif
Angl. *debts, liabilities*

Passim

☐ Locution latine signifiant « ça et là », « en plusieurs endroits » que l'on utilise pour référer d'une façon générale à un ouvrage ou à un texte dans le but d'éviter d'avoir à y effectuer un trop grand nombre de renvois à des passages précis.
Comp. *loco citato*

Pat. App. Bd.

☐ Abrév. de *Patent Appeal Board.*

Pat. Commi.

☐ Abrév. de *Commissionner of Patents.*

Pat. Elec. Cas.

☐ Abrév. de *Patrick's Election Cases* ou *Patrick, Contested Elections.*

Patentes

☐ V. LETTRES PATENTES.

Pater familias

☐ Expression latine signifiant « père de famille » qui désignait autrefois le chef de la famille romaine. Il était le seul membre de la famille à qui la loi accordait une reconnaissance entière.

Paternel, elle *adj.*

☐ Qui est propre au père. Ex. L'autorité paternelle.
Contr. maternel
Comp. père
Angl. *paternal*

- **Paternelle (ligne) :** V. LIGNE PATERNELLE.

Paternité *n.f.*

☐ Lien juridique qui unit le père à son enfant.
Contr. maternité
Comp. parenté, père
Angl. *paternity*

- **Paternité (action en contestation de) :** V. ACTION EN CONTESTATION DE PATERNITÉ.

- **Paternité (action en déclaration de) :** V. ACTION EN DÉCLARATION DE PATERNITÉ.

Patrimoine *n.m.*

☐ Ensemble des biens et des obligations d'une personne qui sont appréciables en argent. Il forme un tout constitué de l'actif et du passif d'une personne.
Rem. Selon l'art. 2 du *Code civil du Québec*, toute personne est titulaire d'un patrimoine et celui-ci peut faire l'objet d'une division ou d'une affectation, mais dans la seule mesure prévue par la loi.
Comp. bien, obligation, patrimonial
Angl. *patrimony*

- **Patrimoine d'affectation :** Ensemble des biens qui sont affectés à une fin déterminée ou soumis à un régime particulier. Ex. Les biens affectés à une fondation ou à une fiducie constituent des patrimoines d'affectation.
Rem. Selon l'art. 3 du *Code civil du Québec*, le patrimoine d'une personne peut faire l'objet d'une affectation dans la mesure prévue par la loi. Dans le cas d'une fondation ou d'une fiducie, le patrimoine

affecté est autonome et distinct de celui de chacune des personnes impliquées.

Comp. fiducie, fondation, patrimoine fiduciaire, *trust*

Angl. *appropriated patrimony*

- **Patrimoine familial :** Régime légal applicable à la fin du mariage en vertu duquel chacun des époux se voit attribuer un droit de créance sur la moitié de la valeur nette des biens familiaux les plus importants : la résidence familiale, la résidence secondaire ou les droits qui confèrent l'usage de celles-ci, les meubles et les voitures affectés à l'usage de la famille et, généralement, les droits accumulés durant le mariage dans un régime de retraite lorsque la dissolution ne résulte par du décès.

Rem. Ce régime est imposé à tous les époux domiciliés au Québec au moment de leur mariage (et qui ne s'en sont pas exclus formellement pendant une période déterminée qui a suivi la sanction de la loi qui l'a créé), sans égard aux titres de propriété sur ces biens. Les époux peuvent y renoncer totalement ou partiellement, par une déclaration judiciaire ou un acte notarié, lorsque le droit au partage est ouvert.

Comp. famille, masse commune, prestation compensatoire, résidence familiale

Angl. *family patrimony*

- **Patrimoine fiduciaire :** Patrimoine formé des biens transférés en fiducie, qui constitue un patrimoine d'affectation autonome et distinct de celui du constituant, du fiduciaire ou du bénéficiaire et sur lequel aucun d'eux n'a de droit réel.

Rem. C'est le fiduciaire qui en a la maîtrise et qui l'administre de façon exclusive, conformément à l'acte constitutif.

Comp. acte constitutif, bénéficiaire, constituant, fiduciaire, fiducie, patrimoine d'affectation

Angl. *trust patrimony*

Patrimonial, ale, aux *adj.*

□ Qui fait partie d'un patrimoine, qui se rapporte à un patrimoine. Ex. Un droit patrimonial.

Contr. extrapatrimonial

Comp. patrimoine

Angl. *patrimonial*

Patronal, ale, aux *adj.*

□ Qui se rapporte ou qui est propre aux chefs d'entreprise. Ex. Une association patronale.

Angl. *employer's, employers'*

Patronat *n.m.*

□ Ensemble des chefs d'entreprise, qu'ils soient ou non regroupés au sein d'une ou de plusieurs associations.

Angl. *management*

Patronyme *n.m.*

□ Nom de famille.

Angl. *family name*

Patronymique (nom)

□ V. NOM DE FAMILLE.

Paulien, enne *adj.*

□ V. ACTION PAULIENNE, FRAUDE PAULIENNE.

Payable *adj.*

□ Qui doit être payé.

Comp. exigible, portable, quérable

Angl. *payable*

Payement *n.m.*

□ V. PAIEMENT.

Payer *v.tr.*

□ Effectuer un paiement.

Comp. paiement

Angl. *to pay*

P.C.

□ Abrév. de **1.** *Privy Council* ; **2.** *Privy Councillor.*

P.D.

□ Abrév. de *The Law Reports, Probate, Divorce and Admiralty Division.*

Pécuniaire *adj.*

- ☐ **1.** Qui consiste en une somme d'argent. Ex. Une aide pécuniaire.
  Angl. *financial, pecuniary*

- ☐ **2.** Dont la valeur s'apprécie en argent. Ex. Un intérêt pécuniaire.
  Angl. *material, pecuniary*

P.E.I.

- ☐ Abrév. de **1.** *Prince Edward Island* ; **2.** *Prince Edward Island Reports* ; **3.** *Haszard & Warbuton's Reports.*

P.E.I.A.

- ☐ Abrév. de *Prince Edward Island Acts.*

Peine *n.f.*

- ☐ Sanction édictée par la loi et appliquée par les juridictions pénales à titre de punition ou de réparation pour un acte portant atteinte à l'ordre social.
  Comp. pénalité, sentence
  Angl. *punishment*

- • **Peine capitale :** V. PEINE DE MORT.
  1. Peine de mort : Sentence autrefois prévue au Canada pour certains crimes graves suivant laquelle le condamné était pendu jusqu'à ce que mort s'ensuive. Ex. La trahison, le meurtre étaient passibles de la peine de mort.
  Rem. La peine de mort a été abolie en 1976.
  Syn. peine capitale
  Angl. *capital punishment, death penalty, death sentence*
  2. Peine (substitution de) : V. SUBSTITUTION DE PEINE.

- • **Peines concurrentes :** Se dit de la mesure par laquelle le juge, après avoir reconnu une personne coupable de plusieurs infractions criminelles et avoir prononcé une sentence d'emprisonnement pour chacune d'elles, ordonne que seule la peine la plus élevée soit exécutée.
  Syn. confusion de peines
  Contr. peines cumulatives
  Angl. *concurrent punishments, concurrent sentences*

- • **Peines consécutives :** V. PEINES CUMULATIVES.

- • **Peines cumulatives :** Se dit de la mesure par laquelle le juge, après avoir reconnu une personne coupable de plusieurs infractions criminelles, prononce une peine d'emprisonnement pour chacune d'elles et ordonne que les périodes d'emprisonnement soient purgées l'une après l'autre.
  Rem. En droit criminel canadien, les peines sont concurrentes à moins que le juge n'ordonne qu'elles seront cumulatives.
  Syn. peines consécutives
  Contr. peines concurrentes
  Angl. *cumulative punishments, cumulative sentences*

- • **P.E.I. Roy. Gaz.**

- ☐ Abrév. de *Royal Gazette (Prince Edward Island).*

Pénal, ale, aux *adj.*

- ☐ **1.** Relatif aux peines, à la punition des infractions.
  Comp. peine
  Angl. *penal*

- • **Pénal (droit) :** V. DROIT PÉNAL.

- • **Pénale (responsabilité) :** V. RESPONSABILITÉ PÉNALE.

- ☐ **2.** Qui a un caractère punitif.
  Angl. *penal*

- • **Pénale (clause) :** V. CLAUSE PÉNALE.

Pénaliste *n.*

- ☐ Juriste qui se spécialise dans l'étude ou la pratique du droit pénal.
  Comp. administrativiste, civiliste, commercialiste, criminaliste, fiscaliste, privatiste, publiciste
  Angl. *specialist in penal law*

Pénalité *n.f.*

- ☐ **1.** Sanction applicable à certaines infractions. Ex. Une pénalité imposée pour fraude fiscale.
  Comp. peine
  Angl. *penalty*

- ☐ **2.** Sanction civile, de nature punitive, imposée dans des contrats à la partie qui n'en respecte pas les conditions ou qui n'exécute pas ses obligations dans le délai dont les parties ont convenu. Ex. La pénalité imposée à l'entrepreneur pour chaque jour de retard lorsqu'il s'est engagé à terminer la construction d'un édifice à date fixe.

Comp. peine

Angl. *penalty*

Pendant, ante *adj.*

□ **1.** Se dit d'une affaire portée devant une juridiction mais n'ayant pas encore fait l'objet d'une décision. Ex. Une cause pendante.

Comp. cause en état, *pendente lite*

Angl. *pending, undecided*

□ **2.** Se dit d'une condition suspensive ou résolutoire qui n'est pas encore accomplie.

Comp. condition pendante, *pendente conditione*

Angl. *pending*

Pendente conditione

□ Locution latine signifiant « la condition étant pendante » qui désigne la période d'attente pendant laquelle une obligation est soumise à une condition suspensive ou résolutoire.

Comp. condition pendante

Pendente lite

□ Locution latine signifiant « le procès étant pendant » ou « pendant le procès ».

Pénitencier *n.m.*

□ Établissement administré par le Service correctionnel du Canada et destiné à la garde, au traitement ou à la formation des individus condamnés à une peine d'emprisonnement de deux ans ou plus.

Comp. emprisonnement, pénitentiaire, prison

Angl. *penitentiary*

Pénitentiaire *adj.*

□ Qui a rapport aux personnes détenues dans les prisons ou les pénitenciers ou au régime auquel elles sont soumises.

Comp. pénitencier, prison

Angl. *penitentiary*

Penitus extranei

□ Expression latine signifiant « complètement étrangers » qui désigne les tiers qui sont totalement étrangers à un contrat et qui ne peuvent bénéficier ni souffrir de ses effets.

Rem. Lorsqu'on l'applique à une seule personne, on emploie l'expression *penitus extraneus*

Penitus extraneus

□ V. *PENITUS EXTRANEI.*

Pension *n.f.*

□ Somme d'argent versée à une personne à intervalles réguliers. Ex. La pension d'invalidité, la pension de vieillesse, la pension de retraite.

Angl. *pension*

- **Pension alimentaire :** Pension versée en exécution de l'obligation alimentaire.

Rem. Selon l'art. 585 du *Code civil du Québec*, les époux de même que les parents en ligne directe se doivent des aliments.

Comp. aliments

Angl. *support*

- **Pension provisoire :** Pension accordée par le juge au créancier d'aliments pour la durée de l'instance en divorce ou en séparation de corps.

Angl. *provisional support*

- **Pensions alimentaires (percepteur des) :** Personne chargée par le ministre de la Justice de recouvrer, au nom du créancier alimentaire, les pensions alimentaires en souffrance. Ex. Le percepteur agit comme saisissant lors de la saisie-exécution des biens meubles du débiteur.

Angl. *collector of support*

Per capita

☐ Locution latine signifiant « par tête », « par personne ».

Rem. Certains emploient parfois l'expression au singulier, soit *per caput*, plutôt que son pluriel *per capita*.

Comp. *per stirpes*

Per caput

☐ V. *PER CAPITA*.

Percepteur des pensions alimentaires

☐ V. PENSIONS ALIMENTAIRES (PERCEPTEUR DES).

Per. C.S.

☐ Abrév. de Perrault, conseil supérieur.

Per cur.

☐ Abrév. de *per curiam*.

Per curiam

☐ Locution latine signifiant « par la Cour », « au nom de la Cour » que l'on utilise pour indiquer que la décision d'un tribunal collégial, le plus souvent l'arrêt d'une cour d'appel, est rendue collectivement sans que chacun des juges n'y exprime d'opinion particulière.

Rem. On emploie parfois cette locution lorsque la décision est rédigée par le juge en chef, en cette qualité.

Per diem

☐ Locution latine signifiant « par jour ». Se dit généralement d'une allocation ou d'une rémunération qui est versée pour une journée.

Père *n.m.*

☐ Homme qui a engendré un ou plusieurs enfants.

Comp. mère, veuf

Angl. *father*

- **Père adoptif :** Homme qui a adopté un ou plusieurs enfants.

  Comp. adoption

  Angl. *adoptive father*

- **Père de famille (bon) :** V. BON PÈRE DE FAMILLE.

- **Père de famille (destination du) :** V. DESTINATION DU PÈRE DE FAMILLE.

- **Père de famille (servitude par destination du) :** V. SERVITUDE PAR DESTINATION DU PROPRIÉTAIRE.

- **Père présumé :** Homme qui, en vertu d'une présomption de la loi, est considéré comme le père d'un enfant.

  Rem. Selon l'art. 525 du *Code civil du Québec*, l'enfant né pendant le mariage ou dans les trois cents jours après sa dissolution ou son annulation est présumé avoir pour père le mari de sa mère.

  Comp. mère, veuf

  Angl. *presumed father*

Péremption *n.f.*

☐ Anéantissement d'un acte ou perte d'un droit résultant d'une inaction ou du non-exercice du droit pendant une période de temps déterminée par la loi.

Comp. déchéance, forclusion, péremptoire, périmé, prescription

Angl. *peremption*

- **Péremption d'instance :** Extinction d'une instance prononcée par le tribunal à la demande de la partie adverse lorsque le demandeur a omis de produire un acte de procédure utile pendant un an.

  Comp. déchéance, forclusion, prescription

  Angl. *peremption of suit*

Péremptoire *adj.*

☐ **1.** Relatif à la péremption.

Comp. péremption

Angl. *peremptory*

☐ **2.** Décisif, indiscutable. Ex. Un argument péremptoire.

Comp. irréfragable

Angl. *peremptory*

Périmé, ée *adj.*

☐ **1.** Qui est atteint de péremption. Ex. Une

instance périmée.
Comp. péremption
Angl. *perempted*

☐ **2.** Dont le délai de validité est expiré. Ex. Un passeport périmé.
Comp. péremption
Angl. *expired*

Per incuriam

☐ Locution latine signifiant « par incurie », « par inadvertance » que l'on utilise pour indiquer que le rédacteur d'un texte juridique a commis une faute d'inattention ou une erreur matérielle. Ex. Un jugement rendu *per incuriam*, la clause d'un contrat rédigée *per incuriam*.

Permis *n.m.*

☐ **1.** Autorisation accordée à une personne par une autorité compétente d'accomplir un acte, d'exercer une activité. Ex. Un permis de construire.
Comp. habilitation, licence
Angl. *license, permit*

☐ **2.** Par extension, le document attestant l'autorisation accordée. Ex. Un permis de conduire.
Comp. certificat, licence, visa
Angl. *license, permit*

Permission *n.f.*

☐ V. AUTORISATION.

Per. P.

☐ Abrév. de Perrault, Prévosté.

Perpétration *n.f.*

☐ Accomplissement, commission. Ex. La perpétration d'un vol à main armée.
Comp. perpétrer
Angl. *perpetration*

Perpétrer *v.tr.*

☐ Accomplir, commettre. Ex. Perpétrer un acte criminel.
Comp. perpétration
Angl. *to perpetrate*

Perpétuel, elle *adj.*

☐ **1.** Pour la durée de la vie d'une personne, à vie. Ex. Une condamnation à une peine d'emprisonnement perpétuel.
Angl. *life*

• **Perpétuel (en) :** V. PERPÉTUELLEMENT.

☐ **2.** Qui dure ou est établi pour durer un temps illimité. Ex. La propriété est un droit perpétuel.
Comp. perpétuité
Angl. *perpetual*

• **Perpétuelle demeure (à) :** Se dit des meubles qui sont attachés ou incorporés à un immeuble par nature, notamment lorsqu'ils sont fixés à fer et à clous, sont scellés ou ne peuvent être enlevés sans être fracturés ou sans briser ou détériorer la partie du fonds à laquelle ils sont attachés.
Comp. immeuble par destination
Angl. *for a permanency*

☐ **3.** Qui est imprescriptible. Ex. Même en cas de non-usage, le droit de propriété est perpétuel.
Angl. *perpetual*

Perpétuellement *adv.*

☐ D'une manière perpétuelle.
Syn. perpétuel (en)
Angl. *in perpetuity, perpetually*

Perpétuité *n.f.*

☐ Caractère de ce qui est perpétuel.
Comp. perpétuel
Angl. *perpetuity*

Perquisition *n.f.*

☐ **1.** Intrusion dans un lieu dans le but d'y trouver un ou des objets précis.
Comp. fouille
Angl. *search*

☐ **2.** Recherche dans un endroit en vue d'y saisir une chose animée ou inanimée :
1° susceptible de faire la preuve de la perpétration d'une infraction ;
2° dont la possession constitue une infraction ;

3° qui a été obtenue, directement ou indirectement, par la perpétration d'une infraction (*Code de procédure pénale*, art. 95).
Angl. *search*

Per saltum

□ Locution latine signifiant « par saut ».
Rem. La *Loi sur la Cour suprême* du Canada permet, à certaines conditions, que l'appel d'une décision de première instance soit porté devant elle directement sans que l'on ait à passer par une cour d'appel intermédiaire. Il s'agit d'un appel *per saltum*. En droit successoral, on dit que la représentation ne peut avoir lieu *per saltum*, c'est-à-dire que, lorsqu'il a plusieurs degrés à franchir, le représentant ne peut prendre la place du représenté que s'il n'y a pas d'ascendants intermédiaires aptes à succéder.

Per se

□ Locution latine signifiant « en soi », « à lui seul » ou « à elle seule ».
Comp. *in se*

Persona designata

□ Expression latine signifiant « personne désignée » que l'on utilise pour préciser qu'une personne a été désignée par la loi, ou autrement, pour accomplir un acte précis ou exercer une fonction particulière.
Rem. Lorsqu'un juge siège comme *persona designata*, il agit en vertu des pouvoirs qui lui ont été conférés explicitement par la loi et non pas en sa seule qualité de juge.

Personnalité *n.f.*

□ Aptitude à être sujet de droit, c'est-à-dire titulaire de droits et débiteur d'obligations.
Rem. On emploie généralement l'expression personnalité juridique.
Syn. personnalité juridique
Angl. *juridical personality*

- **Personnalité (droits de la) :** V. DROITS DE LA PERSONNE.

- **Personnalité juridique :** Aptitude à être sujet de droit, c'est-à-dire titulaire de droits et débiteur d'obligations.
Rem. Selon l'art. 1 du *Code civil du Québec*, tout être humain possède la personnalité juridique
Angl. *juridical personality*

- **Personnalité morale :** Personnalité juridique de la personne morale.
Angl. *legal personality*

Personne n.f.

□ Être qui est titulaire de droits et est assujetti à des obligations.
Angl. *person*

- **Personne à charge :** Personne dont la subsistance et l'entretien sont assurés par une autre personne agissant spontanément ou en vertu d'une obligation légale.
Angl. *dependant person*

- **Personne civile :** V. PERSONNE MORALE.

- **Personne (droits de la) :** V. DROITS DE LA PERSONNE.

- **Personne économiquement défavorisée :** Personne qui n'a pas les moyens pécuniaires suffisants pour exercer un droit, obtenir un conseil juridique ou retenir les services d'un avocat ou d'un notaire sans se priver de moyens nécessaires de subsistance.
Rem. Seule la personne économiquement défavorisée est admissible à l'aide juridique.
Comp. aide juridique
Angl. *economically underprivileged person*

- **Personne fictive :** V. PERSONNE MORALE.

- **Personne handicapée :** Toute personne limitée dans l'accomplissement d'activités normales et qui, de façon significative et persistante, est atteinte d'une déficience physique ou mentale ou qui utilise régulièrement une orthèse, une prothèse ou tout autre moyen pour pallier son handicap (*Loi assurant l'exercice des droits des personnes handicapées*, L.R.Q., c. E-20.1, art. 1 *g*)).
Comp. handicap
Angl. *handicapped person*

- **Personne interposée :** V. INTERPOSITION DE PERSONNE.
Angl. *intermediary, interposed person*

- **Personne morale :** Entité légalement constituée, dotée d'une personnalité juridique indépendante de celle de ses membres et à qui la loi reconnaît des droits et des obligations.

Rem. Le *Code civil du Québec* utilise cette expression pour désigner les personnes autres que physiques alors que le *Code civil du Bas-Canada* employait plutôt le terme « corporation ».

Syn. corporation

Contr. personne physique

Comp. personne morale de droit privé, personne morale de droit public

Angl. *legal person*

- **Personne morale de droit privé :** Personne morale qui est régie par le droit privé, notamment par les lois applicables à leur espèce.

Syn. corporation civile, corporation privée

Contr. personne morale de droit public

Angl. *legal person established for a private interest*

- **Personne morale de droit public :** Corps politique (autre que l'État) qui est régi par le droit public et par sa loi constitutive et qui est soumis aux règles du droit privé dans ses rapports avec les autres personnes, à moins d'une dérogation expresse de la loi. Ex. Les municipalités, les commissions scolaires, les organismes publics et les sociétés d'État sont des personnes morales de droit public.

Rem. Le *Code civil du Québec* fait une distinction entre l'État et les personnes morales de droit public (art. 915 à 918, 2724, 2725 et 2731). À l'art. 1376, il fait une distinction entre l'État, ses organismes et les personnes morales de droit public.

Contr. personne morale de droit privé

Comp. corporation de la Couronne, corporation politique, corps politique, entreprise publique, État, organisme public

Angl. *legal person established in the public interest*

- **Personne physique :** Être humain.

Contr. personne morale

Angl. *natural person, physical person*

- **Personne prudente et diligente :** V. PERSONNE RAISONNABLE.

- **Personne raisonnable :**

1. Personne fictive qui sert de modèle objectif pour l'analyse de la conduite d'une personne afin de déterminer si elle a commis une faute qui pourrait engager sa responsabilité civile ou pénale.

Angl. *reasonable person*

2. Modèle auquel se réfère la loi lorsqu'il y a lieu d'analyser la conduite d'une personne. En matière contractuelle, personne qui se comporte avec bon sens et d'une manière réfléchie lorsqu'elle contracte avec une autre.

Rem. Selon l'art. 1436 du *Code civil du Québec*, est nulle la clause d'un contrat de consommation ou d'adhésion qui est illisible ou incompréhensible pour une personne raisonnable si le consommateur ou l'adhérent en souffre préjudice.

Syn. bon père de famille, diligence, personne prudente et diligente, prudence

Angl. *reasonable person*

3. Personne ayant la faculté de penser, de porter un jugement et d'agir conformément à des principes. Ex. On peut signifier un acte introductif d'instance au domicile du défendeur en laissant copie à une personne raisonnable qui y réside.

Angl. *reasonable person*

Personnel, elle *adj.*

□ V. ACTION PERSONNELLE, CAUTION PERSONNELLE, COMPARUTION PERSONNELLE, DROIT PERSONNEL, GARANTIE SIMPLE, SERVITUDE PERSONNELLE, STATUT PERSONNEL, SUBROGATION, SÛRETÉ PERSONNELLE.

Personnel *n.m.*

□ Ensemble des employés d'un service, d'une entreprise, d'une organisation.

Angl. *personnel*

Per stirpes

□ Locution latine signifiant « par souches ».

Comp. *per capita*, souche

Perte *n.f.*

□ Fait d'être privé d'un droit, d'un bien. Ex. La perte des bagages d'une personne.

Rem. Il y perte d'un bien lorsque celui-ci est détruit, égaré ou enlevé.

Angl. *loss*

- **Perte par avarie commune :** V. AVARIE COMMUNE (PERTE PAR).

- **Perte partielle :** Privation d'une partie de la propriété ou de l'usage d'un bien.

Contr. perte totale

Angl. *partial loss*

- **Perte totale :** Privation complète de la propriété ou de l'usage d'un bien.

Rem. En matière d'assurance maritime, la perte est totale et réelle lorsque l'assuré est irrémédiablement privé du bien assuré ou que celui-ci est détruit ou endommagé à un point tel qu'il perd son identité. La perte est totale et implicite lorsque le bien assuré est abandonné et qu'il l'a été parce que la perte totale réelle paraissait inévitable ou qu'elle ne pouvait être évitée qu'en engageant des frais excédant la valeur du bien assuré.

Contr. perte partielle

Angl. *total loss*

Pertinence *n.f.*

□ Caractère de ce qui est pertinent.

Comp. pertinent

Angl. *pertinency, relevancy*

Pertinent, ente *adj.*

□ Qui porte directement sur le fond de la cause ; qui tend à prouver le bien-fondé des faits ou des moyens invoqués par une partie et, conséquemment, à influer sur la décision à rendre.

Comp. pertinence

Angl. *pertinent, relevant*

Peters

□ Abrév. de *Peters' Reports (P.E.I.)*.

Petites créances

□ V. COUR DES PETITES CRÉANCES.

Pétition *n.f.*

□ Demande faite en justice.

Angl. *petition*

- **Pétition de droit :** Demande d'autorisation que devait autrefois adresser au Souverain la personne ayant un recours à exercer contre le gouvernement, que ce soit la revendication de biens meubles ou immeubles, la réclamation d'une somme d'argent en exécution d'un contrat ou en dommages-intérêts ou une demande fondée sur d'autres motifs.

Rem. La pétition de droit a été remplacée, dans le *Code de procédure civile* actuel, par les règles des art. 94 et suivants relatives aux recours contre l'État.

Angl. *petition of right*

- **Pétition d'hérédité :** Demande par un héritier dont le nom ne figure pas au partage d'une succession de faire reconnaître son titre.

Comp. action en pétition d'hérédité, hérédité

Angl. *petition of inheritance*

Pétitoire *adj. et n.m.*

□ V. ACTION PÉTITOIRE.

Petits-enfants *n.*

□ Descendants au deuxième degré, garçons ou filles, quel que soit leur âge.

Comp. enfant, ligne

Angl. *grandchildren*

P.G.

□ Abrév. de Procureur général.

Physique *adj.*

□ V. PERSONNE PHYSIQUE.

Pièce *n.f.*

□ Document, écrit, représentation figurative ou objet qu'une partie à un procès produit à l'appui de ses prétentions.

Comp. communication de pièces, document, écrit, élément matériel, production

Angl. *document, exhibit, voucher, writing*

- **Pièce à conviction :** Élément matériel de preuve que la poursuite, lors d'un procès criminel, présente au juge ou au jury.

Angl. *exhibit*

- **Pièce décisive :** Pièce qui est susceptible d'entraîner la conviction du juge.

Rem. Une partie peut demander la rétractation d'un jugement lorsque, depuis que celui-ci a été rendu, elle a découvert des pièces décisives dont la production en temps utile a été empêchée par une circonstance de force majeure ou le fait de la partie adverse.

Comp. rétractation de jugement

Angl. *decisive document*

- **Pièce justificative :** Pièce qui tend à prouver l'existence d'un droit, le bien-fondé d'une prétention ou l'exactitude d'une déclaration, d'une réclamation ou d'un compte.

  Angl. *relevant paper, supporting document, voucher*

Pignoratif, ive *adj.*

□ Qui a trait au gage. Ex. Un contrat pignoratif.

Comp. gage

Angl. *pignorative*

Piquetage *n.m.*

□ Manifestation tenue généralement par des syndiqués aux abords de leur lieu de travail à l'occasion d'un conflit avec l'employeur ou d'une grève, dans le but d'informer le public de leurs revendications, d'inciter d'autres employés à s'abstenir d'entrer dans l'établissement et, le cas échéant, d'entraver les activités de l'entreprise.

Rem. Le piquetage est légal mais il peut être restreint ou interdit par les tribunaux lorsqu'il a pour effet de bloquer tout accès à l'établissement ou lorsque les piqueteurs tentent d'intimider les personnes qui désirent y pénétrer.

Comp. grève, intimidation

Angl. *picketing*

Piquet de grève

□ V. PIQUETEUR.

Piqueteur, euse *n.*

□ Personne qui, généralement à la demande de son syndicat, fait du piquetage avec d'autres personnes.

Syn. piquet de grève

Comp. piquetage

Angl. *picket, picketer*

Piraterie *n.f.*

□ **1.** Acte criminel par lequel des personnes, par l'usage d'armes ou par violence ou intimidation, se rendent illégalement maîtres du navire où elles se trouvent ou attaquent d'autres navires, généralement en vue d'en effectuer le pillage.

Rem. **1.** L'art. 75 du *Code criminel* considère également comme actes de piraterie le fait de voler un navire canadien, d'en voler, endommager ou détruire la cargaison ou les installations ou, encore, de commettre ou tenter de commettre un acte de mutinerie. **2.** Le *Code civil du Québec* a remplacé, à l'art. 2507, le mot « piraterie » par l'expression « fait des écumeurs de mer ».

Angl. *piracy*

- **Piraterie aérienne :** Acte criminel par lequel une personne ou un groupe de personnes, par l'usage d'une arme ou par violence ou intimidation, capture ou détourne un avion.

  Angl. *hijacking, skyjacking*

□ **2.** Reproduction illégale d'une oeuvre protégée par un copyright.

Comp. copyright

Angl. *piracy*

□ **3.** Acte par lequel une personne ou un groupe de personnes tente d'attirer des travailleurs à l'emploi d'une entreprise en leur offrant une meilleure rémunération.

Angl. *piracy, raiding*

P.L.

□ Abrév. de Projet de loi.

Plaidant, ante *adj.*

□ Qui plaide.

Comp. plaider, plaidoirie

Angl. *pleading*

Plaider *v.tr. ou intr.*

□ **1.** Assurer la représentation d'une partie lors d'un procès. Ex. Plaider pour le défendeur.

Comp. représenter

Angl. *to plead*

□ **2.** Faire une plaidoirie, après la clôture de l'enquête. Ex. L'avocat a plaidé devant un jury pour obtenir l'acquittement de son client.

Comp. plaidant, plaidoirie

Angl. *to plead*

□ **3.** Soumettre un argument en justice. Ex. Plaider l'ignorance de la loi.

Angl. *to plead*

Plaideur, euse *n.*

☐ **1.** Terme que l'on utilise pour désigner une des parties à un procès.

Angl. *litigant, party*

☐ **2.** Personne, généralement un membre du Barreau, qui représente une des parties à un procès.

Angl. *attorney*

Plaidoirie *n.f.*

☐ Après la clôture de l'enquête, lors d'un procès, présentation orale par une partie, ou son procureur, d'une synthèse de ses prétentions en vue de convaincre le juge ou le jury de leur bien-fondé.

Comp. acte de procédure, plaidoyer
Angl. *address*

• **Plaidoirie écrite :** Expression employée parfois par des praticiens pour désigner l'ensemble des actes de procédure rédigés par les parties, lors d'un procès civil, dans lesquels elle exposent les faits qu'elles entendent prouver lors de l'enquête ainsi que les conclusions qu'elles recherchent.

Syn. procédure écrite
Angl. *written pleadings*

Plaidoyer *n.m.*

☐ **1.** Discours prononcé à l'audience par le procureur d'une partie.

Rem. On l'emploie parfois comme synonyme de plaidoirie.
Comp. acte de procédure, plaidoirie
Angl. *address*

☐ **2.** Déclaration par laquelle un accusé prend position à l'égard de l'accusation qui a été portée contre lui. Ex. Un plaidoyer de culpabilité, un plaidoyer de non-culpabilité.

Comp. défense
Angl. *plea*

☐ **3.** Terme parfois employé, en procédure civile, pour désigner la défense.

Angl. *defence*

Plaignant, ante *adj. et n.*

☐ **1.(adj.)** Qui dépose une plainte en justice. Ex. La partie plaignante.

Comp. plainte
Angl. *complainant*

☐ **2.(n.)** Personne qui dépose une plainte en justice.

Rem. L'art 2 du *Code criminel* définit ce terme comme suit : « la victime de l'infraction présumée ».
Comp. plainte
Angl. *complainant, plaintiff*

Plainte *n.f.*

☐ Acte par lequel une personne porte à la connaissance de la police, du procureur général ou d'une autre autorité compétente une infraction dont elle a été victime.

Comp. plaignant
Angl. *complaint*

Plan *n.m*

☐ **1.** Représentation graphique (d'une ville, d'un édifice, d'un appareil, etc.).

Angl. *plan*

☐ **2.** Selon le *Code civil du Bas-Canada*, document représentant distinctement les lots ou parties de lots de chaque cité, ville, village, paroisse, canton qui sont situés dans la circonscription d'un bureau d'enregistrement où il est disponible pour fins de consultation.

Comp. cadastre, livre de renvoi, registre foncier
Angl. *plan*

• **Plan cadastral :** Selon le *Code civil du Québec*, document qui contient la désignation de chaque immeuble immatriculé au Québec, indique ses mesures, sa contenance et ses limites et le représente graphiquement tout en le situant par rapport aux autres immeubles qui l'entourent. Il fait partie du registre foncier.

Comp. cadastre, immatriculation, livre de renvois, registre foncier
Angl. *cadastral plan*

Plea bargaining

☐ Lors d'un procès criminel, entente qui intervient au terme d'une négociation en vertu de laquelle la poursuite, en échange d'un plaidoyer de culpabilité de la part de l'accusé, accepte d'abandonner certains chefs d'accusation contre lui, de réduire la gravité de l'acte d'accusation ou de recommander au juge une peine moins sévère lors des représentations sur la sentence.

Rem. Cette expression anglaise est consacrée par la pratique.

Angl. *plea bargaining*

Plébiscite *n.m.*

☐ V. RÉFÉRENDUM.

Angl. *plebiscite*

Plein, e *adj.*

☐ Absolu, complet, entier.

Angl. *full*

- **Plein droit (de) :** V. DE PLEIN DROIT.

  Syn. *de plano, pleno jure*

- **Pleine administration :** V. ADMINISTRATION DU BIEN D'AUTRUI (PLEINE).

- **Pleine capacité :** Se dit d'une personne qui, sans aucune restriction, est apte à être titulaire d'un droit et à l'exercer.

  Comp. capacité

  Angl. *full capacity*

- **Pleine propriété :** Se dit du droit de propriété lorsqu'on l'oppose à la nue-propriété.

  Comp. nue-propriété

  Angl. *full ownership, right of ownership*

Plénier, ière *adj.*

☐ V. COMITÉ PLÉNIER.

Plénipotentiaire *adj.*

☐ Se dit d'un agent diplomatique à qui les pleins pouvoirs ont été conférés en vue d'une mission particulière.

Angl. *plenipotentiary*

Pleno jure

☐ Locution latine signifiant « de plein droit ».

Syn. *de plano*, de plein droit

Plumitif *n.m.*

☐ Registre tenu au greffe du tribunal qui contient notamment, pour chaque cause, le nom des parties, la nature et la date d'entrée des actes et des pièces de procédure, la date de chaque séance du tribunal ainsi qu'une note succincte relative à chacun des documents produits et des décisions rendues.

Comp. acte de procédure, greffe, tribunal

Angl. *minute-book of the court clerk, plumitif*

Plural, ale, aux *adj.*

☐ V. OBLIGATION PLURALE.

Plurilatéral, ale, aux *adj.*

☐ Se dit d'un acte qui émane de deux ou de plusieurs parties.

Syn. multilatéral

Contr. unilatéral

Comp. bilatéral

Angl. *multilateral, multipartite*

Plus-value *n.f.*

☐ Augmentation de la valeur d'un bien au cours d'une période donnée, soit en raison de sa rareté ou d'un contexte économique favorable, soit à la suite d'améliorations qui y ont été apportées.

Contr. moins-value

Angl. *additional value*

P.M.

☐ Abrév. de **1.** Premier ministre ; **2.** *Prime Minister.*

Poids des inconvénients

☐ V. ÉVALUATION COMPARATIVE DES INCONVÉNIENTS.

Point *n.m.*

☐ **1.** Dans un procès, question que soulève une partie dans ses actes de procédure ou dans sa plaidoirie. Ex. Un point de droit.

Comp. acte de procédure, moyen, plaidoirie
Angl. *point of law, question of law*

☐ **2.** Question que soulève le juge lors du procès ou dans son jugement. Ex. Un point de droit.

Angl. *point of law, question of law*

Point de rattachement

☐ V. RATTACHEMENT (FACTEUR DE).

Police *n.f.*

☐ **1.** Force publique qui a pour fonction d'assurer le respect des lois et le maintien de l'ordre public.

Angl. *police*

☐ **2.** Document qui constate l'existence d'un contrat.

Comp. contrat
Angl. *policy*

- **Police à découvert :** En matière d'assurance maritime, police qui ne contient aucune déclaration de valeur.

Contr. police évaluée
Angl. *open policy*

- **Police d'assurance :** Document qui constate l'existence du contrat d'assurance (*Code civil du Québec*, art. 2399).

Rem. Elle doit indiquer, outre le nom des parties au contrat et celui des personnes à qui les sommes assurées sont payables ou, si ces personnes sont indéterminées, le moyen de les identifier, l'objet et le montant de l'assurance, la nature des risques, le moment à partir duquel ils sont garantis et la durée de la garantie, ainsi que le montant ou le taux des primes et les dates auxquelles celles-ci viennent à échéance.
Comp. assurance, coassurance
Angl. *insurance policy, policy of insurance*

- **Police évaluée :** En matière d'assurance maritime, police qui déclare la valeur du bien assuré.

Contr. police à découvert
Angl. *valued policy*

Politique *adj. et n.*

☐ **1.(adj.)** V. DROITS POLITIQUES.

☐ **2.(n.)** V. DIRECTIVE.

Pollicitant, ante *n.*

☐ Personne qui offre de contracter.

Comp. offre, pollicitation
Angl. *offeror*

Pollicitation *n.f.*

☐ Offre de contracter qui n'a pas encore été acceptée.

Syn. offre
Comp. pollicitant
Angl. *tentative offer*

Polygamie *n.f.*

☐ Situation d'une personne qui est mariée ou qui vit maritalement avec plusieurs autres personnes. Ex. L'homme qui est uni à plusieurs femmes, la femme qui est unie à plusieurs hommes.

Rem. Selon l'art. 293 du *Code criminel*, la personne qui pratique la polygamie commet un acte criminel, que son union soit ou non le fruit d'un mariage dûment célébré.
Comp. bigamie, monogamie
Angl. *polygamy*

Port *n.m.*

☐ **1.** Action de porter, fait de porter. Ex. Le *Code criminel* interdit le port d'armes dans un dessein dangereux pour la paix publique.

Angl. *possession*

☐ **2.** Abri naturel ou artificiel aménagé pour recevoir les bateaux et leur permettre d'embarquer ou de débarquer des personnes ou des marchandises.

Comp. affrètement
Angl. *port*

Portable *adj.*

☐ Se dit d'une dette qui doit être acquittée au domicile du créancier ou dans un lieu désigné par une convention ou par une décision de justice.

Contr. querable
Comp. paiement
Angl. *payable at the address of payee, payable at the payee's address*

Portée *n.f.*

☐ Terme utilisé pour désigner le champ d'application ou les effets d'une loi, d'une convention, d'une décision de justice, etc. Ex. La portée d'un arrêt de la Cour d'appel.

Angl. *consequence, significance*

Portefeuille *n.m.*

☐ **1.** Fonction attribuée à un ministre. Ex. Le portefeuille de la Justice, un ministre sans portefeuille.

Comp. ministre
Angl. *portfolio*

☐ **2.** Ensemble des titres ou des valeurs mobilières que détient une personne ou une entreprise.

Comp. titre, valeur mobilière
Angl. *portfolio*

Porte-fort *n.m.inv.*

☐ Convention dans laquelle l'une des parties promet qu'un tiers s'engagera à exécuter l'obligation. Ex. Une clause de porte-fort dans un contrat.

Rem. La personne qui signe une promesse de porte-fort est tenue envers son cocontractant du préjudice que celui-ci subira si le tiers ne s'engage pas conformément à la promesse.
Syn. promesse de porte-fort, promesse du fait d'autrui
Comp. porter fort (se)
Angl. *porte-fort, promise for another*

Porter fort (se) *v.pron.*

☐ Promettre qu'un tiers s'engagera à exécuter une obligation.

Comp. porte-fort
Angl. *to promise for another*

Porteur *n.m.*

☐ Personne en possession d'une lettre de change ou d'un billet payable au porteur.

Comp. bénéficiaire, billet, lettre de change, preneur, tiré, tireur
Angl. *bearer*

- **Porteur (billet au) :** V. BILLET AU PORTEUR.

- **Porteur (titre au) :** V. TITRE AU PORTEUR.

Positif, ive *adj.*

☐ V. DROIT POSITIF.

Posséder *v.tr.*

☐ **1.** Avoir la possession d'un bien.

Comp. coposséder, possession
Angl. *to possess*

☐ **2.** Avoir la détention d'un bien.

Rem. Selon le *Code civil du Québec*, la personne qui a la simple détention d'un bien n'en a pas la possession juridique.
Comp. possession
Angl. *to detain, to hold, to possess*

Possesseur, eure *n.*

☐ Personne qui a la possession d'un bien.

Comp. détenteur, copossesseur, possession, propriétaire
Angl. *possessor*

Possession *n.f.*

☐ **1.** Exercice de fait, par soi-même ou par l'intermédiaire d'une autre personne qui détient le bien, d'un droit réel dont on se veut titulaire. Cette volonté est présumée. Si elle fait défaut, il y a détention (*Code civil du Québec*, art. 921).

Rem. L'art. 2192 du *Code civil du Bas-Canada* offrait la définition suivante : « La possession est la détention ou la jouissance d'une chose ou d'un droit que nous tenons ou que nous exerçons par nous-mêmes ou par un autre qui la tient ou qui l'exerce en notre nom. ». Le *Code civil du Québec* emploie donc ce terme pour désigner exclusivement la possession juridique, le terme « détention » étant alors employé dans le cas d'une possession qualifiée de précaire ou naturelle.
Contr. dépossession
Comp. copossession, détention, envoi en possession, posséder, possesseur, possessoire, propriété
Angl. *possession*

- **Possession actuelle :** Possession qui existe dans le présent. Ex. La promesse de vente accompagnée de délivrance et de possession actuelle équivaut à vente.
  Angl. *actual possession, detention*

- **Possession *animo domini* :** Expression employée parfois pour désigner la possession.
  Syn. possession, possession à titre de propriétaire
  Comp. *animo domini, animus domini*
  Angl. *possession animo domini*

- **Possession annale :** Possession qui existe depuis au moins un an et un jour.
  Comp. annal
  Angl. *possession lasting for one year*

- **Possession à titre de propriétaire :** Expression employée parfois pour désigner la possession.
  Syn. possession, possession *animo domini*
  Angl. *possession, possession as owner*

- **Possession clandestine :** Possession qui est cachée ou qui n'est pas déclarée à cause, généralement, de son caractère illicite.
  Contr. possession publique
  Comp. clandestinité
  Angl. *clandestine possession, secret possession*

- **Possession continue :** Possession qui revêt un caractère permanent grâce à des actes posés régulièrement et à intervalles suffisamment rapprochés. Ex. Pour produire des effets, la possession doit être continue.
  Contr. possession discontinue
  Angl. *continuous possession*

- **Possession *corpore alieno* :** Possession qui s'acquiert ou se conserve par l'intermédiaire d'autrui. Ex. Le locateur conserve la possession de l'immeuble loué, *corpore alieno*, par l'intermédiaire du locataire.
  Comp. *animus, corpus*, possession *solo animo*
  Angl. *possession corpore alieno*

- **Possession de bonne foi :** Possession de celui qui, au début de sa possession, est justifié de se croire titulaire du droit réel qu'il exerce.
  Rem. Selon l'art. 2919 du *Code civil du Québec*, le possesseur de bonne foi d'un meuble en acquiert la propriété par trois ans à compter de la dépossession du propriétaire.
  Contr. possession de mauvaise foi
  Angl. *possession in good faith*

- **Possession de mauvaise foi :** Possession de celui qui sait, au début de sa possession, qu'il n'est pas titulaire du droit réel qu'il exerce ou qui se voit dénoncer par une procédure civile une absence de titre ou un vice de sa possession.
  Contr. possession de bonne foi
  Angl. *possession in bad faith*

- **Possession discontinue :** Possession qui se manifeste par des actes posés par intermittence ou à des intervalles irréguliers par le possesseur. Ex. L'action possessoire n'est pas ouverte à celui dont la possession est discontinue.
  Contr. possession continue
  Angl. *discontinuous possession*

- **Possession équivoque :** Possession qui se manifeste par des actes ambigus ne témoignant pas nécessairement de l'intention du possesseur de se comporter comme le titulaire du droit qu'il exerce dans les faits.
  Contr. possession non équivoque
  Angl. *equivocal possession*

- **Possession immémoriale :** Possession dont le début remonte à une époque si ancienne qu'il ne reste aucun souvenir de son origine. Ex. Une servitude ne peut se fonder sur une possession, même immémoriale.
  Angl. *immemorial possession*

- **Possession non équivoque :** Possession qui se manifeste par des actes témoignant clairement de l'intention du possesseur de se comporter comme le titulaire du droit qu'il exerce.
  Contr. possession équivoque
  Angl. *unequivocal possession*

- **Possession paisible :** Possession qui commence et se poursuit sans utilisation de la force ou de menaces de la part du possesseur et sans que celui-ci ne soit troublé dans sa possession par des tiers.
  Contr. possession violente
  Angl. *peaceable possession*

- **Possession précaire :** Expression utilisée parfois pour désigner la simple détention d'un bien.
  Rem. Lorsque la possession est précaire, le

Code civil du Québec utilise le terme « détention », supprimant ainsi une ambiguïté que l'on pouvait observer dans *Code civil du Bas-Canada*.

Syn. détention
Angl. *detention, precarious possession*

• **Possession publique :** Possession qui n'est pas cachée et qui s'exerce sans aucune clandestinité.

Contr. possession clandestine
Angl. *public possession*

• **Possession *solo animo* :** Possession maintenue grâce à la persistance de l'élément intentionnel chez le possesseur, malgré l'absence de faits matériels qui en démontrent l'existence. Ex. La possession d'un immeuble par celui qui en a été dépouillé temporairement par un tiers est une possession *solo animo* .

Rem. Elle ne peut exister qu'en matière immobilière.
Comp. *animus, corpus*, possession *corpore alieno*
Angl. *possession animo solo*

• **Possession utile :** Possession qui réunit toutes les conditions requises par la loi pour produire des effets juridiques.

Rem. Selon l'art. 922 du *Code civil du Québec*, pour produire des effets, la possession doit être paisible, continue, publique et non équivoque.
Contr. possession viciée
Comp. possession continue, possession non équivoque, possession paisible, possession publique
Angl. *effective possession*

• **Possession (vice de la) :** Défaut résultant de l'absence d'une des conditions requises par la loi pour que la possession produise des effets juridiques. Ex. Pour que le possesseur puisse prescrire, sa possession ne doit être entachée d'aucun vice.

Comp. possession utile, possession viciée
Angl. *defect of possession*

• **Possession viciée :** Possession qui ne réunit pas toutes les conditions requises par la loi pour produire des effets juridiques.

Rem. Selon l'art. 922 du *Code civil du Québec*, pour produire des effets, la possession doit être paisible, continue, publique et non équivoque.
Syn. possession vicieuse
Contr. possession utile
Comp. possession clandestine, possession discontinue, possession équivoque, possession violente
Angl. *defective possession*

• **Possession vicieuse :** V. POSSESSION VICIÉE.

• **Possession violente :** Possession qui commence ou se poursuit au moyen de la force ou de menaces.

Contr. possession paisible
Angl. *violent possession*

□ **2.** Fait d'avoir une situation juridique donnée.

Angl. *possession*

• **Possession d'état :** Situation juridique d'une personne qui résulte d'un ensemble de faits susceptibles de créer l'apparence d'un état civil donné. Ex. En l'absence d'un acte de naissance, la filiation d'un enfant peut être établie par la preuve d'une possession constante d'état.

Rem. Le *Code civil du Québec* reconnaît la possession d'état d'époux et la possession d'état d'enfant. Selon la tradition, la réunion de trois éléments permet d'établir la possession d'état de la personne: le nom qu'elle porte (*nomem*), le comportement de la famille (*tractatus*) et la reconnaissance de cet état par les personnes étrangères à la famille (*fama*).
Comp. état civil
Angl. *possession of status*

• **Possession d'état d'enfant :** Situation juridique d'un enfant qui s'établit par une réunion suffisante de faits qui indiquent les rapports de filiation entre lui et les personnes dont on le dit issu.

Rem. Selon la tradition, la réunion de trois éléments permet d'établir la possession d'état de l'enfant : le nom qu'il porte (*nomen*), le comportement des membres de la famille (*tractatus*) et la reconnaissance de cet état par les personnes étrangères à la famille (*fama*).
Comp. état civil
Angl. *possession of status of a child*

• **Possession d'état d'époux :** Situation juridique d'une personne qui exerce les prérogatives que lui confère son statut d'époux, alors qu'il y a défaut de forme de l'acte de mariage.

Rem. Selon le *Code civil du Québec*, lorsqu'il

faut faire la preuve du mariage d'une personne, la possession d'état d'époux supplée aux défauts de forme de l'acte de mariage.

Comp. acte de mariage, état civil

Angl. *possession of status of a spouse*

Possessoire *adj. et n.*

☐ **1.(adj.)** Relatif à la possession.

Comp. action pétitoire, action possessoire, constitut possessoire

Angl. *possessory*

☐ **2.(n.)** Terme utilisé pour désigner l'action possessoire. Ex. On peut cumuler le possessoire et le pétitoire.

Syn. action possessoire

Comp. action pétitoire, pétitoire

Angl. *possessory action*

Possible *adj.*

☐ Qui peut se produire, qui peut se réaliser.

Contr. impossible

Angl. *possible*

Postdate *n.f.*

☐ Date sur un écrit qui est postérieure à la date réelle de sa signature.

Contr. antidate

Comp. postdaté

Angl. *post-date*

Postdaté, ée *adj.*

☐ Se dit d'un écrit qui porte une date postérieure à la date réelle de sa signature.

Contr. antidaté

Comp. chèque postdaté, postdate

Angl. *postdated*

Postérité *n.f.*

☐ **1.** Ensemble des descendants d'une personne décédée.

Contr. ascendant

Comp. collatéraux, descendant

Angl. *descendants*

☐ **2.** Les générations à venir.

Angl. *posterity*

Post mortem

☐ Locution latine signifiant « après la mort » qui qualifie les actes juridiques qui doivent avoir lieu ou dont l'exécution est reportée après la mort de leur auteur. Ex. Un testament est un acte *post mortem*.

Comp. mort

Post nuptias

☐ Expression latine signifiant « après les noces », « après la célébration du mariage ».

Potestatif, ive *adj.*

☐ Qui dépend de la volonté d'une des parties contractantes.

Comp. condition potestative, condition purement potestative, condition simplement potestative

Angl. *potestative*

Pour acquit

☐ V. ACQUIT (POUR).

Pourparlers *n.m.pl.*

☐ Discussions préalables à la conclusion d'une entente. Ex. Les pourparlers en vue de la signature d'un contrat.

Comp. avant-contrat, offre, pollicitation

Angl. *discussions, negotiations, talks*

Poursuite *n.f.*

☐ **1.** Action en justice engagée par une personne en vue de faire valoir son droit ou d'obtenir une sanction contre l'auteur d'une infraction. Ex. La poursuite du créancier contre son débiteur.

Comp. infraction, poursuivre

Angl. *action, lawsuit, prosecution*

☐ **2.** Nom donné parfois, en matière pénale, au représentant de l'État qui engage des procédures judiciaires contre l'auteur présumé d'une infraction.

Syn. poursuivant

Comp. Couronne, procureur général, substitut du procureur général

Angl. *prosecution*

- **Poursuite disciplinaire :** Recours exercé contre un membre d'une profession libérale réglementée, en cas de non-respect des rè-

gles de déontologie auxquelles il est soumis.
Angl. *disciplinary proceedings*

- **Poursuites sommaires :** V. COUR DES POURSUITES SOMMAIRES, DÉCLARATION DE CULPABILITÉ PAR PROCÉDURE SOMMAIRE.
Angl. *summary convictions*

Poursuivant, ante *n.*

□ Personne qui, en matière pénale, est habilitée à exercer des recours judiciaires contre un individu.
Syn. poursuite
Comp. procureur général, substitut du procureur général
Angl. *prosecutor*

Poursuivre *v.tr.*

□ Agir en justice contre quelqu'un. Ex. Poursuivre l'auteur d'un acte criminel, poursuivre en dommages-intérêts le responsable d'un accident.
Comp. ester (en justice), poursuite
Angl. *to prosecute, to sue*

Pourvoi *n.m.*

□ Voie de recours par laquelle une personne insatisfaite d'une décision judiciaire en demande la réformation à une juridiction supérieure. Ex. Un pourvoi devant la Cour suprême du Canada.
Syn. appel
Comp. jugement, juridiction, pourvoir (se)
Angl. *appeal*

Pourvoir (se) *v.pron.*

□ Former un pourvoi, interjeter appel.
Comp. appel, pourvoi
Angl. *to appeal*

Pouvoir *n.m.*

□ **1.** Prérogative conférée par la loi.
Angl. *power*

- **Pouvoir de réforme :** V. CONTRÔLE JUDICIAIRE.
Angl. *reforming power*

- **Pouvoir de surveillance et de contrôle :** V. CONTRÔLE JUDICIAIRE.
Angl. *superintending and reforming power*

- **Pouvoir (détournement de) :** V. DÉTOURNEMENT DE POUVOIR.

- **Pouvoir discrétionnaire :** Faculté accordée à une personne appelée à prendre une décision, dans les limites de sa compétence, de choisir parmi les décisions possibles celle qui lui paraît la plus appropriée suivant les circonstances. Ex. Le pouvoir discrétionnaire du juge.
Rem. Le pouvoir doit toujours être exercé dans le respect des principes de justice naturelle et conformément à la finalité de la loi sur laquelle repose la décision.
Contr. compétence liée
Angl. *discretionary power*

- **Pouvoir (excès de) :** Acte par lequel l'Administration publique ou un de ses représentants outrepasse les limites de sa compétence en refusant d'exercer les pouvoirs qui lui ont été conférés, en s'écartant du cadre fixé par la loi qui la régit, en abusant de sa discrétion ou en ne respectant pas les principes de justice naturelle.
Comp. abus d'autorité
Angl. *abuse of power*

- **Pouvoir lié :** V. COMPÉTENCE LIÉE.

□ **2.** Puissance politique ou juridique qui exerce certaines fonctions.
Angl. *power*

- **Pouvoir exécutif :**
1. Fonction consistant à assurer l'application et l'exécution des lois.
Angl. *executive power, executive powers*
2. Nom donné à l'organe chargé d'exercer la fonction exécutive.
Comp. cabinet, Conseil des ministres, Conseil exécutif, gouvernement
Angl. *executive power*

- **Pouvoir judiciaire :**
1. Fonction consistant à interpréter les lois et à en assurer l'application par des décisions ayant force obligatoire.
Comp. acte judiciaire, judiciaire
Angl. *judicial power*
2. Branche de l'État constituée des tribunaux à qui est confié l'exercice de la fonction judiciaire.
Comp. cour, tribunal
Angl. *judicial branch, judicial power, judiciary*

- **Pouvoir législatif :**
  1. Fonction consistant à adopter les lois après discussions.
  Comp. acte législatif, législatif
  Angl. *legislative power*
  2. Nom donné à l'organe qui exerce la fonction législative.
  Syn. législateur
  Comp. Assemblée nationale, Parlement
  Angl. *legislative power*

- **Pouvoir quasi judiciaire :** Faculté d'exercer certaines fonctions analogues à celles des cours de justice.
  Comp. acte quasi judiciaire
  Angl. *quasi judicial power*

- **Pouvoir réglementaire :** Pouvoir que le législateur délègue à l'Administration d'adopter des règlements visant à assurer ou à organiser l'application des lois conformément aux objectifs qu'il recherche.
  Comp. pouvoir exécutif, pouvoir législatif, règlement
  Angl. *power to make regulations*

Pp.

□ Abrév. de pages.

P.P.S.A.C.

□ Abrév. de *Personal Property Security Act Cases.*

P.R.

□ Abrév. de **1.** *Ontario Practice Reporter* ; **2.** *Pacific Reporter* ; **3.** *Parliamentary Reporter* ; **4.** *Practice Reports (Ont.)* ; **5.** *Probate Reports.*

Praecipe

□ Terme latin signifiant « reçois » et désignant un acte de procédure par lequel une personne désirant exercer un recours en matière civile demandait autrefois l'émission d'un bref ou d'une ordonnance d'assignation.
Syn. *fiat, proecipe*

Praeter legem

□ Locution latine signifiant « au-delà de la loi » que l'on utilise généralement pour désigner une coutume ou un usage qui s'établit dans le silence de la loi.
Contr. *contra legem, secundum legem*

Praticien, enne *n.*

□ Personne qui exerce sa profession ou son art et qui possède une certaine expérience dans l'application de ses connaissances.
Comp. pratique
Angl. *practitioner*

Pratique *n.f.*

□ **1.** Exercice d'une profession ou d'un art. Ex. La pratique du droit par un notaire.
Comp. praticien
Angl. *practice*

□ **2.** Mise en application de certaines règles.
Angl. *practice*

- **Pratique (règles de) :** V. RÈGLES DE PRATIQUE.

□ **3.** Usages établis au sein d'une profession ou d'une institution. Ex. La pratique judiciaire.
Angl. *practice*

P.R.B.

□ Abrév. de *Pension Review Board.*

Préalable *adj.*

□ V. INTERROGATOIRE PRÉALABLE, QUESTION PRÉALABLE.

Préambule *n.m.*

□ Partie préliminaire d'un texte de loi dans laquelle le législateur expose les motifs, l'objet et la portée de la loi.
Comp. annexe, dispositif
Angl. *preamble*

Préavis *n.m.*

□ **1.** Avertissement par lequel une personne

porte à la connaissance d'une autre son intention de poser un acte ou d'exercer un recours. Ex. Le préavis de résiliation d'un contrat d'assurance, le préavis d'exercice d'un droit hypothécaire.

Rem. Contrairement au *Code civil du Bas-Canada*, le *Code civil du Québec* distingue le préavis de l'avis.
Comp. avis, délai-congé
Angl. *notice, prior notice*

- **Préavis de grève :** V. GRÈVE (PRÉAVIS DE).

- **Préavis de licenciement :** V. LICENCIEMENT (PRÉAVIS DE).

□ **2.** Acte instrumentaire par lequel le préavis est transmis. Ex. L'art. 2758 *Code civil du Québec* détermine le contenu obligatoire du préavis d'exercice du recours hypothécaire.

Précaire *adj.*

□ **1.** Se dit de la détention d'un bien par une personne qui, ne pouvant en obtenir la possession ou la propriété, est tenue de le restituer. Ex. Le dépositaire est un détenteur précaire.

Comp. détention précaire, interversion (de titre), précarité
Angl. *precarious*

□ **2.** Dont la durée n'est pas assurée. Ex. Une convention de jouissance précaire d'un bien, un emploi précaire.

Comp. précarité
Angl. *precarious*

Précairement *adv.*

□ À titre précaire.

Comp. précaire, précarité
Angl. *precariously*

Précarité *n.f.*

□ **1.** Fait pour une personne de détenir un bien avec l'obligation de le rendre éventuellement à son propriétaire selon les termes de la loi ou du contrat liant les parties.

Comp. détention précaire, interversion (de titre), précaire, précairement
Angl. *precarious holding*

□ **2.** Caractère d'une situation qui est incertaine, dont la durée n'est pas assurée. Ex. La précarité d'un emploi.

Comp. précaire, précairement
Angl. *precariousness*

Précédent *n.m.*

□ Décision judiciaire antérieure qui est reconnue comme une autorité et a pour effet de lier les tribunaux de même niveau ou d'un niveau inférieur lorsqu'une question portant sur des faits ou des questions de droit similaires y est soulevée, les principes dégagés de cette décision constituant alors une source de droit.

Comp. arrêt de principe, *stare decisis*
Angl. *precedent*

Préciput *n.m.*

□ **1.** Avantage conféré autrefois par contrat de mariage à la femme survivante en vertu duquel elle avait le droit, lors de la dissolution de la communauté, de prélever sur la masse commune, avant tout partage, une somme d'argent ou certains biens meubles.

Rem. Ce préciput, dit conventionnel, a été supprimé par la réforme de 1980.
Contr. avancement d'hoirie
Comp. mariage (contrat de)
Angl. *conventional preciput, preciput*

□ **2.** Par extension, le bien faisant l'objet d'un préciput.

Angl. *preciput*

Préciputaire *adj.*

□ Relatif au préciput, fait par préciput. Ex. Un avantage préciputaire.

Comp. préciput
Angl. *relating to a preciput*

Prédial, ale, aux *adj.*

□ V. SERVITUDE RÉELLE.

Préempter *v.tr.*

□ Exercer un droit de préemption.

Comp. droit de préemption
Angl. *to preempt, to pre-empt*

Préempteur, euse *n.*

☐ Personne qui exerce un droit de préemption.

Comp. droit de préemption
Angl. *preemptor, pre-emptor*

Préemption *n.f.*

☐ V. DROIT DE PRÉEMPTION.

Angl. *preemption, pre-emption*

Préférence *n.f.*

☐ **1.** Dans un sens général, avantage consenti à une personne plutôt qu'à une autre. Ex. Le conjoint survivant peut, par préférence à tout autre héritier, exiger que l'on place dans son lot la résidence familiale.

Contr. concours, distribution par contribution
Angl. *preference*

• **Préférence (pacte de) :** V. PACTE DE PRÉFÉRENCE.

☐ **2.** Avantage que la loi ou la convention des parties accorde à un créancier d'être payé avant tous les autres. Ex. Lorsqu'un bien est vendu en justice et qu'il y a concours entre les créanciers, la distribution du prix se fait en proportion de leur créance, à moins qu'il n'y ait entre eux des causes légitimes de préférence.

Angl. *preference*

• **Préférence (causes légitimes de) :** Expression du *Code civil* qui désigne les priorités et les hypothèques.

Comp. hypothèque, priorité, privilège, sûreté
Angl. *legal causes of preference*

• **Préférence (droit de) :** V. DROIT DE PRÉFÉRENCE.

Préférentiel, elle *adj.*

☐ V. ATTRIBUTION PRÉFÉRENTIELLE, DROIT DE PRÉFÉRENCE.

Préfet *n.m.*

☐ Chef du conseil d'une municipalité régionale de comté.

Comp. municipalité régionale de comté
Angl. *warden*

• **Préfet suppléant :** Membre du conseil d'une municipalité régionale de comté qui remplit les fonctions de préfet en l'absence de ce dernier ou pendant que la charge est vacante.

Angl. *deputy warden*

Préfix, ixe *adj.*

☐ V. DÉLAI PRÉFIX.

Préjudice *n.m.*

☐ **1.** Dans un sens général, atteinte portée aux droits ou aux intérêts de quelqu'un. Ex. L'administrateur du bien d'autrui est tenu de réparer le préjudice causé par sa démission si elle est donnée sans motif sérieux.

Angl. *prejudice*

☐ **2.** Dommage corporel, matériel ou moral subi par une personne par le fait d'un tiers et pour lequel elle peut éventuellement avoir le droit d'obtenir réparation.

Rem. De façon générale, on utilise indifféremment les mots « préjudice » et « dommage » puisqu'ils recouvrent une même réalité. Cependant, le *Code civil du Québec* emploie plutôt le terme « préjudice » lorsqu'il fait référence à une personne et le terme « dommage » lorsqu'il réfère à un bien.
Syn. dommage
Comp. dommages-intérêts, préjudiciable, responsabilité
Angl. *damage, injury*

• **Préjudice actuel :** Préjudice qui est déjà réalisé au moment où la demande en réparation est formée ou au jour où le tribunal est appelé à l'apprécier.

Syn. dommage actuel, préjudice présent
Contr. préjudice futur
Angl. *present damage, present injury*

• **Préjudice certain :** Préjudice actuel ou préjudice futur dont la réalisation se produira selon toute probabilité et qui, conséquemment, est susceptible d'être réparé par les tribunaux.

Syn. dommage certain
Contr. préjudice éventuel
Comp. préjudice futur
Angl. *certain damage, certain injury*

• **Préjudice continu :** Préjudice qui, au lieu de

se manifester en une seule et même fois, se perpétue par suite de l'étalement dans le temps de la faute de celui qui le cause. Ex. Le préjudice continu du pollueur.

Syn. dommage continu
Comp. préjudice graduel
Angl. *continuous damage, continuous injury*

- **Préjudice corporel :** Préjudice qui porte atteinte à l'intégrité physique d'une personne.

Rem. Il peut comprendre le préjudice physique et le préjudice psychologique ou mental.
Comp. préjudice matériel, préjudice moral
Angl. *bodily injury, personal injury*

- **Préjudice direct :** Préjudice qui, à raison du lien de causalité suffisamment étroit qui l'unit au fait dommageable, est susceptible d'indemnisation par les tribunaux.

Syn. dommage direct
Contr. préjudice indirect
Angl. *direct damage, direct injury*

- **Préjudice éventuel :** Préjudice futur ou hypothétique dont la réalisation est improbable et qui, conséquemment, n'est pas susceptible d'être réparé par les tribunaux.

Syn. dommage éventuel
Contr. préjudice certain
Comp. préjudice futur
Angl. *possible damage, possible injury*

- **Préjudice extrapatrimonial :** V. PRÉJUDICE MORAL.

Angl. *extrapatrimonial injury*

- **Préjudice futur :** Préjudice qui n'est pas encore réalisé au moment où la demande en réparation est formée ou au jour où le tribunal est appelé à l'apprécier.

Rem. Un préjudice futur est susceptible d'indemnisation par les tribunaux s'il est certain et évaluable ; par contre, il ne peut l'être s'il n'est qu'éventuel.
Syn. dommage futur
Comp. préjudice certain, préjudice éventuel
Angl. *future damage, future injury*

- **Préjudice graduel :** Préjudice qui se manifeste progressivement.

Rem. Le délai de prescription de l'action en responsabilité court alors à compter du jour où le préjudice se manifeste pour la première fois.
Syn. préjudice progressif
Angl. *progressive damage, progressive injury*

- **Préjudice grave :** Préjudice susceptible de conséquences sérieuses pour une personne.

Rem. Le *Code civil du Québec* utilise le terme « grave » lorsqu'il réfère à la santé d'une personne.
Comp. préjudice sérieux
Angl. *serious injury*

- **Préjudice indirect :** Préjudice qui, à raison de son lien de causalité trop lointain avec le fait dommageable, n'est pas susceptible d'indemnisation par les tribunaux.

Syn. dommage indirect
Contr. préjudice direct
Angl. *indirect damage, indirect injury*

- **Préjudice irréparable :** Préjudice qui n'est pas susceptible d'être compensé par des dommages-intérêts ou qui peut difficilement l'être.

Rem. La preuve d'un préjudice sérieux ou irréparable constitue l'une des conditions requises pour l'obtention d'une injonction interlocutoire.
Comp. dommages-intérêts, préjudice sérieux
Angl. *irreparable injury*

- **Préjudice matériel :** Préjudice qui porte atteinte au patrimoine d'une personne.

Syn. dommage matériel, préjudice patrimonial
Angl. *material damage, material injury*

- **Préjudice moral :** Préjudice qui résulte d'une atteinte à certains droits fondamentaux d'une personne (ex. droit au respect de la réputation et de la vie privée) ou qui porte atteinte à la qualité de sa vie (ex. préjudice esthétique, traumatismes psychologiques, souffrances et douleurs morales).

Syn. préjudice extrapatrimonial
Angl. *moral injury*

- **Préjudice patrimonial :** V. PRÉJUDICE MATÉRIEL.

Angl. *patrimonial damage, patrimonial injury*

- **Préjudice présent :** V. PRÉJUDICE ACTUEL.

- **Préjudice progressif :** V. PRÉJUDICE GRADUEL.

- **Préjudice (sans) :**

1. Expression signifiant « sans renoncer pour autant à ses droits », « sous réserve de modifier ultérieurement ses prétentions ». On la retrouve généralement écrite sur un document lorsqu'une personne désire aviser celle à qui elle le transmet qu'elle ne veut pas être liée définitivement par son contenu.

Angl. *without prejudice*

2. Expression utilisée parfois pour indiquer que les droits d'une personne sont protégés en certaines circonstances. Ex. Le contrat conclu en violation d'une promesse de contracter est opposable au bénéficiaire de la promesse sans préjudice, toutefois, des recours en dommages-intérêts que celui-ci peut exercer contre le promettant et contre la personne qui, de mauvaise foi, a conclu le contrat avec ce dernier.

Angl. *without affecting*

- **Préjudice sérieux :**

1. Préjudice suffisamment important pour que la personne qui en est victime, ou une autre pour elle, soit autorisée à poser un acte ou à exercer un recours en vue d'en réduire ou d'en supprimer les effets. Ex. Le locataire peut demander la résiliation du bail lorsque l'inexécution par le locateur de ses obligations lui cause un préjudice sérieux. Lorsque le vendeur ne peut délivrer la contenance ou la quantité indiquée au contrat, l'acheteur peut demander la résolution de la vente si la différence lui cause un préjudice sérieux.

Angl. *serious injury*

2. Préjudice grave, qui met en péril ou dont l'effet risque de mettre en péril les droits ou la santé d'un individu. Ex. Le tribunal saisi d'une demande d'ouverture d'un régime de protection pour un majeur peut, en cours d'instance, ordonner que celui-ci soit immédiatement placé sous garde si elle est nécessaire pour lui éviter un préjudice sérieux.

Angl. *serious harm, serious injury, serious prejudice*

- **Préjudice sérieux et irréparable :** V. PRÉJUDICE SÉRIEUX, PRÉJUDICE IRRÉPARABLE.

Rem. Cette expression apparaît à tort à l'article 1080 du *Code civil du Québec* puisqu'un préjudice est soit sérieux soit irréparable.

Angl. *serious and irreparable prejudice*

☐ **3.** Perte que subit une personne. Ex. Le préjudice subi par l'assuré peut être soit une avarie, soit la perte totale des biens assurés.

Rem. C'est en matière d'assurance que le *Code civil du Québec* donne ce sens au terme « préjudice ».

Syn. préjudice

Angl. *loss*

Préjudiciable *adj.*

☐ Qui cause ou peut causer préjudice.

Syn. dommageable

Comp. préjudice

Angl. *prejudicial*

Préjudiciel, elle *adj.*

☐ **1.** Qui précède ou doit précéder le jugement.

Angl. *prejudicial*

☐ **2.** En droit judiciaire, qui doit être exécuté avant l'introduction de l'action.

Comp. obligation préjudicielle

Angl. *precedent*

Prélèvement *n.m.*

☐ **1.** Dans un sens général, somme d'argent soustraite d'une somme totale.

Angl. *deduction*

☐ **2.** Opération par laquelle une personne retire d'une masse à partager, avant toute répartition, un bien en nature ou une somme d'argent. Ex. Les prélèvement faits par des cohéritiers sur la masse de la succession lorsque l'un d'entre eux a reçu du défunt, par testament, un bien à charge expresse de rapport.

Comp. préciput, rapport, récompense

Angl. *pre-taking*

☐ **3.** Opération par laquelle on retire une portion d'une masse, d'un tout. Ex. Un prélèvement d'organe, un prélèvement d'échantillon.

Angl. *removal, specimen taking*

Préliminaire *adj.*

☐ Qui précède ou prépare un acte ou une étape à venir.

Comp. préambule

Angl. *preliminary*

- **Préliminaire (enquête) :** V. ENQUÊTE PRÉLIMINAIRE.
- **Préliminaire (exception) :** V. MOYEN(S) PRÉLIMINAIRE(S).
- **Préliminaire (moyen) :** V. MOYEN(S) PRÉLIMINAIRE(S).

Préméditation *n.f.*

☐ Préparation intentionnelle et réfléchie d'un acte criminel. Ex. Selon l'art. 231 du *Code criminel*, le meurtre au premier degré est celui qui est commis avec préméditation et de propos délibéré.

Rem. L'acte criminel commis avec préméditation est passible de la sanction la plus sévère.

Angl. *planning, premeditation*

Prendre acte

☐ Lors d'un procès, affirmer que l'on a constaté un fait ou une déclaration de la partie adverse et que l'on a l'intention de s'en prévaloir ultérieurement. Ex. Prendre acte d'un aveu fait par la partie adverse dans un acte de procédure.

Comp. donner acte

Angl. *to acknowledge*

Preneur, euse *n.*

☐ **1.** Dans un sens général, personne disposée à acheter. Ex. Trouver preneur pour des biens mis en vente.

Angl. *buyer*

☐ **2.** Dans un bail à rente, personne à qui est transférée la propriété de l'immeuble et qui s'oblige à payer la rente.

Contr. bailleur

Comp. bail à rente

Angl. *lessee*

☐ **3.** Personne qui contracte une assurance pour son compte ou au profit d'un tiers. Ex. Le preneur s'engage auprès de l'assureur au paiement des primes.

Contr. assureur

Comp. assurance

Angl. *client, policyholder*

☐ **4.** Nom donné, dans le *Code civil du Bas-Canada*, à l'emphytéote.

Syn. emphytéote

Contr. bailleur

Comp. emphytéose

Angl. *lessee*

☐ **5.** Nom donné dans la *Loi sur les lettres de change* (L.R.C. 1985, c. B-4), au bénéficiaire d'une lettre de change.

Comp. bénéficiaire, lettre de change, porteur, tiré, tireur

Angl. *payee*

Prénom *n.m.*

☐ Nom particulier qui précède le nom de famille (ou nom patronymique) et qui sert à distinguer les personnes d'une même famille.

Comp. nom

Angl. *given name*

Préparatoire *adj.*

☐ V. CONFÉRENCE PRÉPARATOIRE.

Prépondérance de la preuve

☐ V. PREUVE (RÈGLE DE LA PRÉPONDÉRANCE DE LA).

Prépondérant, ante *adj.*

☐ V. VOTE PRÉPONDÉRANT.

Préposé, ée *n.*

☐ Personne qui agit sous la direction d'une autre, appelée commettant.

Rem. Il existe un lien de subordination entre le commettant et le préposé.

Contr. commettant

Comp. agent, préposition (lien de), responsabilité

Angl. *agent, servant*

• **Préposé occasionnel :** V. OCCASIONNEL.

Préposition (lien de)

☐ Lien qui unit le préposé au commettant.

Comp. commettant, préposé

Angl. *master and servant relationship, relation of master and servant*

Prérogative *n.f.*

☐ **1.** Avantage, privilège relié à une fonction, à l'exercice d'un droit.

Comp. privilège

Angl. *prerogative*

☐ **2.** Privilège que se réservait autrefois le roi (ou la reine) d'exercer certains pouvoirs particuliers ou de se soustraire aux obligations prescrites par la loi. Ces privilèges appartiennent maintenant à l'État et aux organes qui en dépendent, dans les limites prévues par le législateur. Ex. La prérogative de l'insaisissabilité des biens de l'État.

Syn. prérogative royale
Comp. privilège
Angl. *prerogative*

• **Prérogative (bref de) :** V. BREF DE PRÉROGATIVE.

• **Prérogative royale :** V. PRÉROGATIVE.

Prescriptibilité *n.f.*

☐ Caractère de ce qui est prescriptible.

Contr. imprescriptibilité
Comp. prescriptible, prescription
Angl. *prescriptibility*

Prescriptible *adj.*

☐ Qui peut être objet de la prescription. Ex. Se dit généralement d'un droit qui peut s'éteindre par le seul écoulement du temps.

Contr. imprescriptible
Comp. prescriptibilité, prescription
Angl. *prescriptible*

Prescription *n.f.*

☐ **1.** Moyen d'acquérir ou de se libérer par l'écoulement du temps et aux conditions déterminées par la loi (*Code civil du Québec*, art. 2875).

Comp. interruption de la prescription, prescrire, prescrit, renonciation à la prescription, suspension de la prescription
Angl. *prescription*

• **Prescription acquise :** Prescription qui est réalisée par suite de l'écoulement du temps déterminé par la loi.

Angl. *acquired prescription, prescription acquired*

• **Prescription acquisitive :** Moyen d'acquérir le droit de propriété ou l'un de ses démembrements, par l'effet de la possession (*Code civil du Québec*, art. 2910).

Syn. usucapion
Angl. *acquisitive prescription*

• **Prescription extinctive :** Moyen d'éteindre un droit par non-usage ou d'opposer une fin de non-recevoir à une action (*Code civil du Québec*, art. 2921).

Syn. prescription libératoire
Angl. *extinctive prescription*

• **Prescription (interruption de la) :** V. INTERRUPTION DE LA PRESCRIPTION.

• **Prescription libératoire :** V. PRESCRIPTION EXTINCTIVE.

• **Prescription (renonciation à la) :** V. RENONCIATION À LA PRESCRIPTION.

• **Prescription (suspension de la) :** V. SUSPENSION DE LA PRESCRIPTION.

☐ **2.** En matière pénale, mode d'extinction de certains recours lorsque ceux-ci n'ont pas été exercés dans le délai déterminé par la loi. Ex. La prescription pour les procédures à l'égard d'infractions punissables sur déclaration de culpabilité par procédure sommaire est de six mois.

Angl. *limitation*

Prescrire *v.tr.*

☐ **1.** Acquérir ou se libérer par prescription.

Comp. prescription
Angl. *to prescribe*

☐ **2.** Ordonner, enjoindre, indiquer de façon précise.

Angl. *to direct, to order, to prescribe*

Prescrit, ite *adj.*

☐ **1.** Acquis ou éteint par prescription.

Comp. prescription
Angl. *prescribed*

☐ **2.** Ordonné, indiqué de façon précise.

Angl. *directed, ordered, prescribed*

Présent, ente *adj.*

☐ V. BIEN(S) PRÉSENT(S), BIEN(S) PRÉSENT(S) ET À VENIR, PRÉJUDICE ACTUEL.

Présentation *n.f.*

☐ **1.** Action de faire connaître ou de remettre

à quelqu'un un écrit ou un document en vue d'un examen ou d'une décision. Ex. La présentation d'une requête.

Angl. *presentation*

- **Présentation (avis de) :** V. AVIS DE PRÉSENTATION.

□ **2.** Remise d'un écrit ou d'un document entre les mains du juge ou d'un officier de justice afin qu'il l'examine ou en prenne une connaissance judiciaire. Ex. La présentation d'un élément matériel de preuve.

Syn. production
Angl. *production*

□ **3.** Action de mettre un écrit ou un document entre les mains d'une personne exerçant des fonctions officielles afin qu'elle en assure la garde ou la conservation. Ex. La présentation d'un certificat à un officier de justice.

Angl. *filing*

□ **4.** Acte par lequel le détenteur d'une lettre de change ou son mandataire présente la lettre au tiré (généralement une institution financière) et lui demande s'il accepte ou s'il a l'intention de se conformer à l'ordre qui y est donné.

Comp. lettre de change, tiré, tireur
Angl. *presentment*

- **Présentation à l'acceptation :** Démarche par laquelle le détenteur d'une lettre de change ou son mandataire demande au tiré de déclarer par écrit s'il accepte de se soumettre à l'ordre du tireur et de payer lorsque la lettre viendra à échéance.

Comp. lettre de change, tiré, tireur
Angl. *presentment for acceptance*

- **Présentation au paiement :** Démarche par laquelle le détenteur d'un effet de commerce ou une personne qu'il a dûment autorisée montre l'effet au tiré ou à son mandataire, lors de l'échéance, afin d'en réclamer le paiement.

Comp. effet de commerce, tiré, tireur
Angl. *presentment for payment*

□ **5.** Étape du processus législatif consistant, pour le ministre ou le député responsable d'un projet de loi, à le déposer devant l'Assemblée nationale du Québec.

Rem. Au Parlement fédéral, on utilise plutôt l'expression « première lecture ».
Comp. lecture, projet de loi
Angl. *presentation*

Président du tribunal

□ Expression utilisée dans le *Code de procédure civile* pour désigner le juge qui préside une séance du tribunal.

Syn. tribunal
Angl. *Court, presiding judge*

Présomptif, ive *adj.*

□ V. HÉRITIER PRÉSOMPTIF.

Présomption *n.f.*

□ **1.** Conséquence que la loi ou le tribunal tire d'un fait connu à un fait inconnu. (*Code civil du Québec*, art. 2846). Ex. L'enfant né pendant le mariage a pour père, selon une présomption de la loi, le mari de sa mère.

Angl. *presumption*

□ **2.** Raisonnement juridique en vertu duquel, de la preuve d'un fait certain, on induit l'existence d'un autre fait que l'on veut prouver.

Angl. *presumption*

- **Présomption absolue :** Présomption légale qui concerne des faits réputés et qui ne peut être combattue par aucune preuve contraire. Ex. L'autorité de la chose jugée est une présomption absolue.

Syn. présomption irréfragable, présomption *juris et de jure*
Contr. présomption relative
Comp. présumé, réputé
Angl. *absolute presumption*

- **Présomption de culpabilité :** Présomption qui consiste à considérer qu'une personne est coupable de l'infraction qu'on lui reproche, à moins qu'elle ne fasse la preuve de son innocence.

Contr. présomption d'innocence
Comp. culpabilité
Angl. *presumption of guilt*

- **Présomption de fait :** Toute présomption, autre qu'une présomption légale, qui permet au juge de conclure à l'existence du fait contesté.

Rem. Selon l'art. 2849 du *Code civil du Qué-*

bec, les présomptions de fait « sont laissées à l'appréciation du tribunal qui ne doit prendre en considération que celles qui sont graves, précises et concordantes ».

Contr. présomption légale

Angl. *presumption of fact*

- **Présomption d'innocence :** Garantie juridique reconnue par l'art. 11*d*) de la *Charte canadienne des droits et libertés* en vertu de laquelle tout inculpé est présumé innocent tant qu'il n'est pas déclaré coupable, conformément à la loi, par un tribunal indépendant et impartial à l'issue d'un procès public et équitable.

  Contr. présomption de culpabilité

  Comp. culpabilité, innocence

  Angl. *presumption of innocence*

- **Présomption irréfragable :** V. PRÉSOMPTION ABSOLUE.

- **Présomption *juris et de jure* :** V. PRÉSOMPTION ABSOLUE.

- **Présomption *juris tantum* :** V. PRÉSOMPTION SIMPLE.

- **Présomption légale :** Présomption qui est spécialement attachée par la loi à certains faits.

  Rem. Elle dispense de toute autre preuve la personne en faveur de qui elle existe.

  Comp. présomption absolue, présomption simple

  Angl. *legal presumption, presumption of law*

- **Présomption réfragable :** V. PRÉSOMPTION SIMPLE.

- **Présomption relative :** V. PRÉSOMPTION SIMPLE.

- **Présomption simple :** Présomption légale qui concerne des faits présumés et qui peut être combattue par une preuve contraire. Ex. La présomption de responsabilité du gardien d'une chose est simple.

  Syn. présomption *juris tantum*, présomption réfragable, présomption relative

  Contr. présomption absolue

  Comp. présumé, réputé

  Angl. *rebuttable presumption, simple presumption*

Prestataire de services

□ V. SERVICES (PRESTATAIRE DE).

Prestation *n.f.*

□ **1.** Objet de l'obligation qui consiste, pour le débiteur, à faire ou à ne pas faire quelque chose.

Rem. Selon le *Code civil du Québec*, l'obligation de faire inclut celle de donner.

Angl. *prestation*

- **Prestation compensatoire :** Prestation versée à la fin du mariage, par l'un des époux (ou sa succession) à l'autre, lorsqu'il est nécessaire de rétablir l'équilibre entre leurs patrimoines parce que l'un d'eux, à son propre détriment, a fait une contribution économique qui a enrichi l'autre de façon excessive. Cette prestation peut aussi être due pendant le mariage lorsque l'un des époux sort de son patrimoine une entreprise à laquelle l'autre a collaboré.

  Rem. À défaut d'accord entre les parties sur son montant, cette prestation est fixée de façon discrétionnaire par le tribunal. Elle est accordée lorsqu'il y a preuve d'un apport quantifiable par l'un, d'un enrichissement par l'autre et d'un lien de causalité direct entre les deux.

  Comp. enrichissement injustifié, patrimoine familial, résidence familiale

  Angl. *compensatory allowance*

□ **2.** Allocation en espèces que l'État verse à des individus, généralement pour les aider à subvenir à leurs besoins. Ex. Les prestations d'assurance-chômage, les prestations d'aide sociale.

Angl. *allowance, benefit*

□ **3.** Action de prêter (serment). Ex. La prestation de serment par un témoin.

Comp. assermentation, serment.

Angl. *taking (an oath), taking of (a oath)*

Présumé, ée *adj.*

□ Se dit d'un fait auquel une présomption légale simple est attachée, celle-ci pouvant être repoussée par une preuve contraire.

Contr. réputé

Comp. présomption

Angl. *presumed*

Prêt *n.m.*

☐ Contrat par lequel une personne, le prêteur, met un bien à la disposition d'une autre, l'emprunteur, pour qu'elle en use pendant un certain temps, à charge de restitution en nature ou par équivalent.

Comp. emprunteur, prêter, prêteur
Angl. *loan*

- **Prêt à fonds perdu :** Prêt qui dissimule généralement une rente et qui est, selon la loi, présumé constituer une rente viagère au profit du prêteur et pour la durée de sa vie.

  Comp. rente
  Angl. *non-returnable loan*

- **Prêt à intérêts :** Prêt d'une somme d'argent qui comporte le paiement d'intérêts par l'emprunteur.

  Rem. L'art. 2330 du *Code civil du Québec* prescrit que le prêt d'une somme d'argent porte intérêt à compter de la remise de la somme à l'emprunteur.
  Angl. *loan upon interests*

- **Prêt à la grosse :** Contrat de prêt concernant un navire ou sa cargaison, ou une partie de celle-ci, qui se caractérise par le fait que, même si le propriétaire du navire hypothèque les biens visés au contrat en garantie du prêt et s'engage à rembourser avec intérêt la somme empruntée, il est toutefois libéré de son obligation envers le prêteur en cas de perte du navire ou de sa cargaison par cas fortuit ou force majeure.

  Angl. *bottomry, respondentia*

- **Prêt à usage :** Contrat à titre gratuit par lequel une personne, le prêteur, remet un bien à une autre personne, l'emprunteur, pour qu'il en use, à la charge de le lui rendre après un certain temps (*Code civil du Québec*, art. 2313).

  Syn. commodat
  Angl. *commodatum, loan for use*

- **Prêt de consommation :** V. PRÊT (SIMPLE).

  Angl. *loan for consumption*

- **Prêt hypothécaire :** Prêt garanti par une hypothèque.

  Comp. hypothèque
  Angl. *hypothecary loan*

- **Prêt (simple) :** Contrat par lequel le prêteur remet une certaine quantité d'argent ou d'autres biens qui se consomment par l'usage à l'emprunteur, qui s'oblige à lui en rendre autant, de même espèce et qualité, après un certain temps (*Code civil du Québec*, art. 2314).

  Rem. Dans le *Code civil du Bas-Canada*, il portait le nom de prêt de consommation.
  Syn. *mutuum*, prêt de consommation
  Angl. *simple loan*

- **Prêt usuraire :** Prêt dont le taux d'intérêt est excessif.

  Comp. usuraire
  Angl. *usurious loan*

Prête-nom, prête-noms *n.*

☐ **1.** Personne qui, agissant comme mandataire d'une autre, intervient dans un contrat comme si elle agissait pour son propre compte, sans révéler à son cocontractant sa véritable qualité.

Rem. On emploie à l'occasion la traduction littérale de l'anglais « homme de paille ».
Comp. mandant, mandataire
Angl. prête-nom, *straw man, straw party*

☐ **2.** Par extension, le contrat de prête-nom.

Angl. *contract of* prête-nom, *secret mandate*

Prétention *n.f.*

☐ **1.** Fait pour une personne de revendiquer quelque chose en vertu d'un droit dont elle est ou dont elle se croit titulaire ou d'un privilège qu'elle réclame.

Rem. Lors d'un procès, elle peut prendre la forme d'une demande principale, d'une demande reconventionnelle ou d'une intervention ; l'ensemble des prétentions des parties détermine alors l'objet du litige.
Comp. acte de procédure, objet du litige
Angl. *claim*

☐ **2.** Affirmation qu'une partie à l'instance énonce dans un acte de procédure pour appuyer sa revendication ou sa contestation de celle de la partie adverse.

Rem. Selon l'art. 2803 du *Code civil du Québec*, celui qui prétend qu'un droit est nul, a été modifié ou est éteint doit prouver les faits sur lesquels sa prétention est fondée.
Comp. acte de procédure, allégation, conclusion
Angl. *allegation*

Prêter *v.tr.*

□ Consentir un prêt.

Comp. prêt
Angl. *to lend, to loan*

Prêteur, euse *adj. et n.*

□ Personne qui consent un prêt.

Contr. emprunteur
Comp. prêt
Angl. *lender*

Pretium doloris

□ Expression latine signifiant « prix de la douleur » que l'on emploie pour désigner les dommages-intérêts accordés par le tribunal à la victime en réparation des souffrances qu'elle a endurées.

Comp. *solatium doloris*

Prétoire *n.m.*

□ Terme utilisé parfois pour désigner une salle d'audience d'un tribunal.

Angl. *courtroom*

Prétorien, ienne *adj.*

□ Se dit du droit élaboré par le juge, notamment en cas de silence de la loi.

Comp. jurisprudentiel
Angl. *praetorian*

Preuve *n.f.*

□ **1.** Démonstration, à l'aide des moyens autorisés par la loi, de l'existence d'un fait ou d'un acte juridique.

Comp. acte, fait, force probante, probatoire
Angl. *evidence*

□ **2.** Dans un sens plus restreint, moyen employé pour faire cette démonstration. Ex. La preuve testimoniale.

Comp. moyens de preuve
Angl. *proof*

- **Preuve (admissibilité d'une) :** Caractère d'une preuve qui, étant permise par la loi, doit être prise en considération par le juge.

Angl. *admissibility of evidence*

- **Preuve admissible :** Preuve qui, en vertu de la loi, est permise et que le juge à qui elle est présentée est tenu de prendre en considération.

Angl. *admissible evidence*

- **Preuve circonstancielle :** Preuve indirecte fondée sur des indices et non sur des faits directement observés.

Rem. Cette preuve, qui repose sur des présomptions, est permise lorsque l'observation directe des faits à la base du litige n'est pas accessible.
Comp. circonstances, présomption
Angl. *circumstantial evidence*

- **Preuve contraire :** Preuve visant à détruire l'effet d'une présomption légale relative.

Rem. Une présomption absolue ne peut être réfutée par une preuve contraire.
Comp. présomption légale
Angl. *other proof*

- **Preuve *de bene esse* :** V. *DE BENE ESSE* (PREUVE).

- **Preuve de mauvaise réputation :** V. PREUVE DE MORALITÉ.

- **Preuve de moralité :** En matière criminelle, preuve qui a pour but de remettre en question la réputation de l'accusé en faisant état d'actes qu'il a posés dans le passé et des condamnations antérieures dont il a fait l'objet même si ces faits ne sont pas directement reliés à l'accusation qui a été portée contre lui.

Rem. Pour que cette preuve soit admise, il faut que l'accusé ait tenté de mettre en preuve son honorabilité et sa bonne conduite.
Syn. preuve de mauvaise réputation
Angl. *evidence of character*

- **Preuve d'identification :** V. IDENTIFICATION (PREUVE D').

- **Preuve (fardeau de la) :** V. FARDEAU DE LA PREUVE.

- **Preuve hors de tout doute raisonnable :** V. DOUTE RAISONNABLE (HORS DE TOUT).

- **Preuve littérale :** Preuve administrée par la production d'un écrit.

Syn. preuve par écrit

Comp. écrit
Angl. *proof by a writing*

- **Preuve par affidavits détaillés :** Lors d'un procès civil, preuve de l'existence de certains faits par le moyen de déclarations écrites et assermentées des personnes qui en ont été les témoins.

Rem. Ce moyen de preuve est autorisée par le *Code de procédure civile* lors de l'exercice de certains recours (injonction interlocutoire, recours extraordinaires, causes par défaut). Il remplace les témoignages oraux devant le tribunal.
Comp. affidavit, témoignage
Angl. *proof by detailed affidavits*

- **Preuve par écrit :** V. PREUVE LITTÉRALE.

- **Preuve (par écrit) (commencement de) :** V. COMMENCEMENT DE PREUVE (PAR ÉCRIT).

- **Preuve préconstituée :**

1. En matière criminelle, preuve qu'un accusé veut apporter d'une déclaration qu'il aurait faite avant ou après avoir commis l'infraction qu'on lui reproche en se servant de son propre témoignage ou de celui d'un tiers à qui il aurait fait cette déclaration.
Rem. Cette preuve, qui vise à renforcer sa version des faits, est en principe inadmissible.
Angl. *self serving declaration*
2. En matière civile, preuve qu'une personne s'est procurée avant la naissance du litige et dont elle se sert pour appuyer ses prétentions lors du procès. Ex. La preuve préconstituée d'un contrat par un écrit qui en constate la teneur.
Angl. *preconstituted proof*

- **Preuve (règle de la meilleure) :** Règle générale de preuve selon laquelle on doit, devant les tribunaux civils, accorder la préséance à la preuve écrite lorsqu'elle existe ou est présumée exister et y produire l'original de tout écrit (ou une copie qui en tient légalement lieu), à moins que cette production ne soit impossible.

Angl. *best evidence rule*

- **Preuve (règle de la prépondérance de la) :** Règle selon laquelle, dans les procès civils, est suffisante pour emporter la conviction du juge la preuve qui rend l'existence d'un fait ou d'un droit plus probable que son inexistence.

Rem. On emploie parfois, à tort, l'expression « balance des probabilités ».
Syn. probabilités (règle de la prépondérance des)
Comp. doute raisonnable
Angl. *balance of probabilities rule, preponderance of evidence rule*

- **Preuve testimoniale :**

1. Preuve reposant sur des témoignages.
Comp. témoignage
Angl. *evidence by testimony*
2. Preuve faite par le témoignage d'une personne.
Comp. témoignage
Angl. *proof by testimony*

Préventif, ive *adj.*

- ☐ Qui tend à empêcher la commission d'un acte, à éviter une contravention à la loi.

Angl. *preventive*

- **Préventive (détention) :** V. DÉTENTION PRÉVENTIVE.

Prévenu, ue *n.*

- ☐ **1.** Personne à laquelle un agent de la paix a délivré une citation à comparaître pour une infraction ou un acte criminel qu'elle aurait commis, en contrevenant au *Code criminel*.

Angl. *accused*

- ☐ **2.** Personne qui a été arrêtée pour une infraction criminelle qu'elle aurait commise.

Syn. accusé
Angl. *accused*

Prévisibilité *n.f.*

- ☐ Caractère de ce qui est prévisible.

Contr. imprévisibilité
Comp. prévisible
Angl. *foreseeability, predictability*

Prévisible *adj.*

- ☐ Se dit d'une situation ou d'un dommage qu'une personne raisonnable peut prévoir ou devrait normalement prévoir.

Contr. imprévisible
Comp. prévisibilité
Angl. *foreseeable, predictable*

Prévu, ue *adj.*

☐ Qui a été imaginé, envisagé.
Contr. imprévu
Angl. *expected, foreseen*

Price

☐ Abrév. de *Price's Mining Commissioners's Cases (Ont.).*

Prima facie

☐ Locution latine signifiant « à sa face même », « à première vue » que l'on emploie pour qualifier une preuve considérée comme suffisante pour établir un fait jusqu'à preuve contraire. Ex. Le certificat de naissance fait preuve *prima facie* de son contenu.
Comp. apparence de droit

Primaire *adj.*

☐ V. RÉGIME PRIMAIRE.

Primauté du droit

☐ Principe fondamental de droit britannique en vertu duquel tous les individus sont égaux devant la loi qui constitue l'autorité suprême.
Rem. En vertu de ce principe, non seulement les citoyens doivent obéir à la loi, mais l'Administration doit agir à l'intérieur de sa compétence sans quoi elle doit répondre de ses actes devant les tribunaux.
Syn. suprématie de la règle de droit
Comp. contrôle judiciaire, légalité (principe de la)
Angl. *rule of law*

Prime *n.f.*

☐ **1.** Somme que l'assuré doit verser périodiquement à l'assureur en contrepartie du risque que celui-ci prend en charge.
Comp. assurance, assuré, assureur, risque
Angl. *premium*

☐ **2.** Somme allouée par l'État ou un organisme public en vue d'encourager certaines activités économiques. Ex. Une prime à l'exportation.
Angl. *subsidy*

☐ **3.** Supplément de rémunération donné à un salarié. Ex. Une prime de rendement.
Angl. *bonus*

Primogéniture *n.f.*

☐ Antériorité de naissance entre frères et soeurs.
Comp. aînesse (droit d')
Angl. *primogeniture*

Principal, ale, aux *adj.*

☐ **1.** Le plus important, le premier.
Contr. accessoire
Angl. *principal*

• **Principale (demande) :** V. DEMANDE PRINCIPALE.

• **Principale (erreur sur la considération) :** V. ERREUR SUR LA CONSIDÉRATION PRINCIPALE (DU CONTRAT).

• **Principale (résidence) :** RÉSIDENCE PRINCIPALE.

☐ **2.** En matière d'accession mobilière, partie du bien à laquelle l'autre n'a été unie que pour fins d'usage, d'ornement ou de complément.
Comp. accession mobilière
Angl. *principal*

Principal *n.*

☐ **1.** Élément le plus important d'un tout.
Comp. *accessorium sequitur principale*
Angl. *principal*

☐ **2.** Le capital d'une dette, par opposition aux intérêts.
Syn. capital
Comp. intérêt
Angl. *capital, capital sum, principal*

☐ **3.** Se dit parfois de l'objet du litige tel qu'il a été déterminé par les prétentions respectives des parties.
Comp. conclusion accessoire
Angl. *principal*

☐ **4.** Personne qui retient les services d'un agent pour agir à sa place ou le représenter.
Comp. agent
Angl. *principal*

□ **5.** En droit criminel, personne qui a commis l'infraction ou qui a joué le rôle le plus important lors de la commission de l'infraction.

Contr. complice
Angl. *principal*

Principe *n.m.*

□ Règle juridique à caractère général qui sert de fondement à des textes, le plus souvent de nature législative, auxquels les citoyens doivent se conformer. Ex. Le principe de l'autonomie de la volonté.

Comp. adage, maxime, norme, règle
Angl. *principle*

- **Principe (arrêt de) :** V. ARRÊT DE PRINCIPE.

- **Principe de l'autonomie de la volonté :** V. AUTONOMIE DE LA VOLONTÉ (PRINCIPE DE L').

Prioritaire *adj.*

□ Qui bénéficie d'une priorité, qui a la priorité.

Syn. privilégié
Contr. chirographaire
Comp. créancier prioritaire, priorité
Angl. *prior*

Priorité *n.f.*

□ **1.** Droit que la loi confère à un créancier d'être préféré à d'autres créanciers, même hypothécaires, suivant la cause de sa créance.

Rem. Certains des privilèges du *Code civil du Bas-Canada* constituent, dans le *Code civil du Québec*, soit des priorités, soit des hypothèques légales.
Syn. créance prioritaire, privilège
Comp. créancier prioritaire, hypothèque, prioritaire
Angl. *priority*

- **Priorité immobilière :** Priorité portant sur un ou plusieurs immeubles ou sur tous les immeubles du débiteur.

  Comp. priorité mobilière, privilège immobilier
  Angl. *immovable priority*

- **Priorité mobilière :** Priorité portant sur un ou plusieurs meubles ou sur tous les meubles du débiteur.

  Comp. priorité immobilière, privilège mobilier
  Angl. *movable priority*

□ **2.** Plus généralement, qualité de ce qui passe en premier dans le temps ou en ordre de rang.

Angl. *priority*

Prise de possession (à des fins d'administration)

□ Recours hypothécaire par lequel le créancier qui détient une hypothèque sur les biens d'une entreprise prend temporairement possession des biens hypothéqués et les administre ou en délègue l'administration à un tiers.

Comp. possession, recours hypothécaire
Angl. *taking possession (for purpose of administration)*

Prise d'otage

□ Acte criminel qui consiste à détenir de force une personne et à menacer de la tuer, de la blesser ou de continuer sa détention dans l'intention d'amener une autre personne, un groupe de personnes ou l'État à poser des actes ou à s'abstenir d'agir et d'en faire une condition de la libération de l'otage.

Angl. *hostage taking*

Prise en paiement

□ Recours hypothécaire par lequel le créancier hypothécaire, après avoir sans succès mis son débiteur en demeure de remédier à son défaut d'exécuter ses obligations, prend en paiement le bien hypothéqué.

Rem. La prise en paiement, qui éteint l'obligation, rend le créancier propriétaire du bien à compter de l'inscription de son préavis d'exercice de son droit hypothécaire.
Syn. dation en paiement
Comp. clause de dation en paiement
Angl. *taking in payment*

Prison *n.f.*

□ Établissement administré par une province et destiné à accueillir les individus condamnés à une peine d'emprisonnement inférieure à deux ans.

Comp. emprisonnement, prisonnier, pénitencier
Angl. *prison*

Prisonnier, ière *n.*

□ Personne détenue dans une prison ou un pénitencier.
Angl. *prisoner*

• **Prisonnier de guerre :** Militaire capturé et retenu par les forces armées d'un pays en guerre avec celui pour lequel il se bat, ses conditions de détention étant régies par des accords internationaux.
Angl. *prisoner of war*

Privatif, ive *adj.*

□ **1.** Dont une personne a la propriété exclusive. Ex. Chaque copropriétaire peut jouir librement de sa partie privative.
Syn. exclusif
Angl. *exclusive, private*

□ **2.** Qui soustrait à l'application d'une règle, qui accorde la jouissance exclusive d'un droit.
Angl. *exclusive, privative*

• **Privative (clause) :** V. CLAUSE PRIVATIVE.

□ **3.** Qui enlève la jouissance d'un droit, qui entraîne la perte d'un droit. Ex. Une sentence d'emprisonnement est privative de liberté.
Angl. *privative, which deprives of*

Privatiste *n.*

□ Personne qui se spécialise dans l'étude ou la pratique du droit privé.
Comp. administrativiste, civiliste, commercialiste, criminaliste, fiscaliste, pénaliste, publiciste
Angl. *specialist in private law*

Privée, ée *adj.*

□ **1.** Qui concerne ou régit les rapports entre les individus.
Contr. public
Comp. droit international privé, droit privé
Angl. *private*

□ **2.** Personnel, intime.
Contr. public
Comp. atteinte à la vie privée
Angl. *private*

□ **3.** Où le public ne peut entrer, n'est pas admis. Ex. Un chemin privé, une propriété privée, une audience privée.
Contr. public
Angl. *private*

Privilège *n.m.*

□ Droit que la loi confère à un créancier d'être préféré à d'autres créanciers, même hypothécaires, suivant la cause de sa créance.
Rem. Certains des privilèges du *Code civil du Bas-Canada* constituent, dans le *Code civil du Québec*, soit des priorités, soit des hypothèques légales.
Syn. créance privilégiée, priorité
Comp. créancier privilégié, hypothèque, privilégié
Angl. *privilege*

• **Privilège immobilier :** Privilège portant sur un ou plusieurs immeubles ou sur tous les immeubles du débiteur.
Comp. priorité immobilière, privilège mobilier
Angl. *immoveable privilege*

• **Privilège mobilier :** Privilège portant sur un ou plusieurs meubles ou sur tous les meubles du débiteur.
Comp. priorité mobilière, privilège immobilier
Angl. *moveable privilege*

• **Privilège ouvrier :** V. OUVRIER (PRIVILÈGE).

Privilégié, ée *adj.*

□ **1.** Qui bénéficie d'un privilège.
Syn. prioritaire
Contr. chirographaire
Comp. créancier privilégié, privilège
Angl. *privileged*

□ **2.** Qui bénéficie d'une situation plus avantageuse.
Comp. collatéraux privilégiés
Angl. *privileged*

Prix *n.m.*

□ Valeur d'un bien exprimée en argent.
Angl. *price*

• **Prix commercialement raisonnable :** Prix qu'il est possible d'obtenir sur le marché au moment où une vente est faite par une autre personne que le propriétaire du bien.

Rem. Cette expression est utilisée en matière de recours hypothécaire, lorsque la vente du bien hypothéqué est effectuée par le créancier.
Comp. recours hypothécaire
Angl. *commercially reasonable price*

- **Prix de vente :** Somme d'argent que doit payer l'acheteur au vendeur.
Angl. *sale price*

Probabilités (règle de la prépondérance des)

☐ V. PREUVE (RÈGLE DE LA PRÉPONDÉRANCE DE LA).

Probable *adj.*

☐ **1.** Relativement à un événement futur, qu'il est raisonnable de prévoir, de présumer.
Comp. présumé
Angl. *likely, probable*

☐ **2.** Relativement à un événement passé ou futur, qui est plausible au point que l'on peut présumer son existence.
Comp. présumé
Angl. *likely, probable*

Probante, ante *adj.*

☐ Qui constitue une preuve, qui est concluant.
Comp. preuve
Angl. *convincing, probative, probatory*

Probation (ordonnance de)

☐ Mesure imposée par le tribunal à une personne déclarée coupable d'une infraction, en remplacement de la sentence normalement prévue ou en complément de celle qu'il prononce.

Rem. Selon l'art. 737 du *Code criminel*, une ordonnance de probation impose généralement à l'accusé l'obligation de ne pas troubler l'ordre public, d'avoir une bonne conduite, de comparaître devant le tribunal lorsqu'il en est requis ou de respecter certaines conditions (ex. s'abstenir de consommer de l'alcool, subvenir aux besoins de son conjoint, réparer le dommage causé à la victime lors de la commission de l'infraction).
Comp. absolution, libération, liberté
Angl. *probation*

Probatoire *adj.*

☐ Qui vise à prouver, qui tend à prouver.
Comp. preuve
Angl. *probative*

- **Probatoire (formalité) :** V. FORMALITÉ PROBATOIRE.

Prob. Ct.

☐ Abrév. de *Probate Court.*

Procédural, ale, aux *adj.*

☐ Qui se rapporte à la procédure.
Contr. substantiel
Comp. procédure
Angl. *procedural*

Procédure *n.f.*

☐ **1.** Ensemble des règles à suivre et des formalités à accomplir pour faire apparaître le droit et en assurer la sanction.
Comp. procédural, procédurier
Angl. *procedure*

- **Procédure administrative :** Ensemble de règles applicables à certains tribunaux administratifs et régissant leur compétence, le déroulement des affaires ou des litiges dont ils sont saisis ainsi que l'appel et l'exécution de leurs décisions.
Comp. administratif, droit administratif
Angl. *administrative procedure*

- **Procédure civile :** Ensemble des règles qui, en matière civile, régissent l'organisation et la compétence des tribunaux, le déroulement des procès, l'appel et l'exécution volontaire ou forcée des jugements.
Rem. Elle est régie principalement par le *Code de procédure civile* et par la *Loi sur les tribunaux judiciaires* (L.R.Q., c. T-16).
Comp. *Code de procédure civile*, droit judiciaire
Angl. *civil procedure*

- **Procédure criminelle :** Ensemble des règles qui, en matière criminelle, régissent l'organisation et la compétence des tribunaux, le déroulement des procès, l'appel des décisions et l'exécution des sanctions.
Rem. Elle est régie principalement par le *Code criminel.*

Comp. *Code criminel*, droit criminel, procédure pénale
Angl. *criminal procedure*

- **Procédure écrite :** Dans un procès civil, ensemble des actes de procédure produits par les parties avant l'enquête.
  Comp. acte de procédure, enquête
  Angl. *written proceedings*

- **Procédure pénale :** Ensemble des règles applicables à l'égard des poursuites visant la sanction pénale des infractions aux lois et aux règlements du Québec.
  Rem. Elle est régie par le *Code de procédure pénale* (L.R.Q., c. C-25.1).
  Comp. procédure criminelle
  Angl. *penal procedure*

□ **2.** Ensemble des règles applicables à certains types de procès. Ex. La procédure ordinaire en première instance, la procédure de divorce.
Angl. *procedure*

- **Procédure non contentieuse :** V. GRACIEUSE (PROCÉDURE).

- **Procédure sommaire :** Régime procédural simplifié et expéditif auquel étaient autrefois soumis les recours désignés, dans le *Code de procédure civile*, comme étant des matières sommaires.
  Rem. Ce régime a pris fin lors de l'entrée en vigueur du code actuel.
  Comp. matière sommaire
  Angl. *summary proceeding*

- **Procédure(s) spéciale(s) :** Nom donné, dans le *Code de procédure civile*, à certains recours dont le déroulement, en première instance, obéit à des règles particulières qui diffèrent, du moins en partie, de celles d'un procès ordinaire.
  Rem. Ce sont les mesures provisionnelles, certains recours relatifs aux personnes et aux biens, les recours extraordinaires ainsi que l'*habeas corpus* en matière civile.
  Comp. *habeas corpus* (bref d'), mesure provisionnelle, recours extraordinaire
  Angl. *special proceedings*

□ **3.** Plus généralement, ensemble des règles à suivre et des formalités à accomplir dans une situation déterminée.
Angl. *procedure*

- **Procédure parlementaire :** Ensemble des règles relatives à la conduite des travaux parlementaires.
  Angl. *parliamentary procedure*

Procédurier, ière *adj. et n.*

□ **1.(adj.)** Se dit d'une personne qui est portée à soulever des débats de procédures, qui cherche à retarder l'issue d'un procès en utilisant tous les moyens de procédure dont elle dispose.
Syn. processif
Angl. *pettifogging*

□ **2.(n.) 1.** Personne qui est portée à soulever des débats de procédure, qui cherche à retarder l'issue d'un procès en utilisant tous les moyens de procédure dont elle dispose.
Syn. processif
Angl. *pettifogger*

□ **3.(n.)** Spécialiste de la procédure.
Angl. *specialist in procedure law*

Procès *n.m.*

□ **1.** Litige soumis à une juridiction de première instance. Ex. Un procès criminel.
Angl. *trial*

□ **2.** Terme employé pour désigner, lors d'un procès civil, la phase de l'instruction.
Syn. enquête, instruction
Angl. *trial*

- **Procès avorté :** V. *MISTRIAL*.

- **Procès *de novo* :** V. *DE NOVO* (PROCÈS).

- **Procès par jury :** Procès criminel au cours duquel les questions de fait sont laissées à l'appréciation de citoyens ordinaires dûment choisis et assermentés et qui sont appelés à rendre collectivement un verdict, le juge ayant la responsabilité de trancher les questions de droit.
  Rem. Au Québec, le procès par jury, en matière civile, a été aboli en 1976.
  Comp. juré, jury
  Angl. *trial by jury*

Processif, ive *adj. et n.*

□ V. PROCÉDURIER.

Procès-verbal, procès-verbaux *n.m.*

□ **1.** Écrit dressé par un officier public dans lequel il décrit les actes qu'il a accomplis ou les faits qu'il a constatés dans l'exécution de ses fonctions. Ex. Le procès-verbal de signification d'un huissier.

Angl. *certificate, minutes, return*

- **Procès-verbal de carence :** V. CARENCE (PROCÈS-VERBAL DE).

- **Procès-verbal de *nulla bona* :** V. CARENCE (PROCÈS-VERBAL DE), *NULLA BONA*.

- **Procès-verbal de porte close :** Procès-verbal dressé par un officier de justice lorsque les biens à saisir se trouvent dans un endroit ou un meuble fermés à clé et qu'il ne peut ouvrir.

  Angl. *minute of locked doors or object, return of locked doors or object*

- **Procès-verbal de récolement :** V. RÉCOLEMENT.

- **Procès-verbal de saisie :** Procès-verbal dressé par un officier de justice après qu'il ait procédé à une saisie de biens meubles ou immeubles.

  Angl. *minutes of seizure*

- **Procès-verbal de signification :** Procès-verbal dressé par un officier de justice après qu'il ait procédé à la signification d'un acte de procédure.

  Angl. *certificate of service*

- **Procès-verbal de vente :** Procès-verbal dressé par un officier de justice après qu'il ait procédé à la vente des biens saisis.

  Angl. *minutes of sale*

□ **2.** Compte-rendu d'une assemblée. Ex. Le procès-verbal de la réunion d'un conseil d'administration.

Angl. *minutes*

□ **3.** Compte-rendu d'une audition. Ex. Le procès-verbal d'audience.

Angl. *minute*

Proclamation *n.f.*

□ Acte officiel par lequel le gouverneur général ou le lieutenant-gouverneur fait connaître la date d'entrée en vigueur d'une loi ou d'un règlement, lui conférant alors une force exécutoire.

Rem. **1.** Il y a proclamation lorsque la loi ou le règlement n'entre pas en vigueur le jour de sa sanction ou de son adoption. **2.** Depuis quelques années, on utilise généralement le décret gouvernemental plutôt que la proclamation pour faire connaître la date d'une entrée en vigueur.

Comp. décret, promulgation, sanction, vigueur (en)

Angl. *proclamation*

Procuration *n.f.*

□ **1.** Pouvoir de représentation donné par le mandat.

Comp. mandat

Angl. *power of attorney*

- **Procuration générale :** Procuration ayant trait à toutes les affaires du mandant.

  Comp. mandat général

  Angl. *general authorization, general power, general power of attorney, general procuration*

- **Procuration spéciale :** Procuration ayant trait à une affaire particulière du mandant.

  Comp. mandat spécial

  Angl. *special authorization, special power, special power of attorney, special procuration*

□ **2.** Écrit qui constate le pouvoir de représentation donné par le mandant.

Comp. mandat

Angl. *power of attorney, procuration*

Procureur, eure *n.*

□ Personne qui a reçu le pouvoir de représenter quelqu'un et d'agir à sa place. Ex. L'avocate est la procureure de son client.

Angl. *attorney*

- **Procureur de la Couronne :** V. SUBSTITUT DU PROCUREUR GÉNÉRAL.

- **Procureur général :** Ministre chargé d'agir devant les tribunaux au nom du gouvernement.

  Rem. La Loi fédérale et la Loi québécoise sur le ministère de la Justice prévoient que le ministre de la Justice agit d'office comme procureur général.

Comp. État, gouvernement, ministre, solliciteur général, substitut du procureur général

Angl. *Attorney General*

Prodigalité *n.f.*

□ Tendance à faire des dépenses déraisonnables qui entraîne, chez une personne majeure, la dilapidation de ses biens.

Rem. Elle donnait autrefois ouverture à l'interdiction du prodigue et à la nomination d'un curateur. Le *Code civil du Québec* permet l'ouverture de divers régimes de protection pour les personnes majeures dont les mieux adaptés seraient, pour le prodigue, la tutelle ou la nomination d'un conseiller.

Comp. curatelle, prodigue, tutelle

Angl. *prodigality*

Prodigue *adj. et n.*

□ Personne qui fait des dépenses déraisonnables entraînant ainsi la dilapidation de ses biens.

Rem. Les prodigues peuvent bénéficier d'un régime de protection qui se traduit, selon les circonstances, par la nomination d'un tuteur ou d'une conseiller.

Comp. conseiller au prodigue, prodigalité, tuteur au prodigue

Angl. *prodigal*

Production *n.f.*

□ Acte par lequel un témoin ou une partie à l'instance présente devant le tribunal ou verse au dossier un écrit ou un élément matériel en vue de son utilisation en preuve.

Comp. communication de pièces, exhibition d'objets, produire

Angl. *production*

Produire *v.tr.*

□ **1.** Présenter devant le tribunal ou verser au dossier. Ex. Produire un rapport d'expert.

Comp. production

Angl. *to produce*

□ **2.** Engendrer, entraîner, provoquer.

Angl. *to give, to have, to produce, to take*

Produire (se) *v.pron.*

□ Arriver, survenir. Ex. Un fait dommageable s'est produit au Québec.

Angl. *to arise*

Proecipe

□ V. *PRAECIPE.*

Profession *n.f.*

□ **1.** Dans un sens général, toute occupation dont une personne tire les ressources nécessaires à sa subsistance.

Comp. professionnel

Angl. *occupation*

□ **2.** Occupation déterminée exigeant des connaissances et une compétence particulières de la part de celui qui l'exerce. Ex. Les professions libérales.

Comp. *Code des professions*, professionnel

Angl. *profession*

Professionnel, elle *adj. et n.*

□ **1.(adj.)** Relatif à l'exercice d'une profession. Ex. Une faute professionnelle.

Comp. corporation professionnelle, faute professionnelle, profession

Angl. *professional*

□ **2.(adj.)** Qui tire d'une occupation précise les ressources nécessaires à sa subsistance. Ex. Un vendeur professionnel.

Angl. *professional*

□ **3.(n.)** Personne qui exerce une profession particulière, qui est membre d'une corporation professionnelle. Ex. Un professionnel du droit.

Comp. corporation professionnelle, profession

Angl. *professional*

Pro forma

□ Locution latine signifiant « pour la forme ».

Rem. On l'utilise notamment pour indiquer qu'un acte est posé par une personne dans le seul but de se conformer à une règle de procédure. Ex. Lorsque la loi impose à un juge de fixer une date pour la tenue d'une enquête préliminaire et que celui-ci n'est pas en mesure de connaître le jour où celle-ci pourra effectivement avoir lieu, il peut alors fixer une date *pro forma* et déterminer alors le jour où l'enquête sera véritablement tenue.

Progressif, ive *adj.*

☐ V. PRÉJUDICE GRADUEL.

Prohibé, ée *adj.*

☐ Défendu, interdit par la loi.

Comp. illégal, illicite

Angl. *prohibited*

Prohibitif, ive *adj.*

☐ V. INJONCTION PROHIBITIVE.

Prohibition *n.f.*

☐ Interdiction légale.

Angl. *prohibition*

• **Prohibition (bref de) :** Ordre d'une cour supérieure enjoignant à un tribunal inférieur de lui transmettre le dossier d'une affaire dont il est saisi afin qu'elle puisse vérifier la légalité de la saisine de ce tribunal avant qu'il ne rende une décision.

Rem. **1.** Il y a lieu à prohibition lorsque le tribunal inférieur agit sans avoir compétence ou excède celle qu'il possède. **2.** Au Québec, le recours en évocation englobe les recours en *certiorari* et en prohibition.

Comp. *certiorari* (bref de), évocation

Angl. *writ of prohibition*

Projet *n.m.*

☐ Texte préparé par une personne ou par une autorité et soumis à une autre personne pour acceptation ou à une autorité afin que celle-ci l'adopte, l'homologue ou le sanctionne.

Angl. *draft*

• **Projet d'accord :** Convention préparée et signée par les conjoints en instance de divorce ou de séparation de corps par laquelle ils règlent toutes les conséquences de leur rupture, notamment la garde des enfants, le partage du patrimoine familial et la pension alimentaire.

Rem. Le projet d'accord doit être soumis à l'approbation du tribunal qui s'assure alors de la validité des consentements des conjoints et vérifie si leurs intérêts respectifs ainsi que ceux de leurs enfants sont suffisamment préservés.

Comp. divorce, séparation de corps

Angl. *draft agreement*

• **Projet de loi :** Texte de loi présenté par un ministre ou un député pour adoption par le Parlement ou l'Assemblée nationale.

Rem. **1.** Seul un ministre peut présenter un projet de loi comportant des incidences financières. **2.** Un projet de loi fédéral suit les étapes suivantes : **A).** À la Chambre des communes : première lecture (dépôt du projet), deuxième lecture (débat sur le principe), étude par une commission parlementaire, troisième lecture (adoption de l'ensemble du projet avec amendements, s'il y a lieu). **B)** Au Sénat : même processus que devant la Chambre des communes. **C)** Sanction par le gouverneur général. **D)** Publication. **3.** Un projet de loi du Québec suit le cheminement suivant : présentation (dépôt du projet), audiences publiques en commission parlementaire (si jugé utile), adoption du principe, étude en commission parlementaire, adoption du projet avec amendements, s'il y a lieu, sanction par le lieutenant-gouverneur, publication.

Comp. commission parlementaire, lecture, sanction

Angl. *bill*

• **Projet de loi (avant-) :** Texte provisoire d'un projet de loi qui est soumis généralement à une consultation publique avant d'être présenté officiellement au Parlement ou à l'Assemblée nationale.

Rem. Il constitue souvent une étape entre le livre blanc et le projet de loi.

Comp. livre blanc, livre vert, projet de loi

Angl. *draft bill*

• **Projet de loi d'initiative parlementaire :** Projet de loi habituellement d'intérêt public parrainé par un député qui n'est pas ministre.

Angl. *bill presented by a member of Parliament (or of National Assembly)*

• **Projet de loi d'intérêt privé :** Projet de loi concernant des intérêts particuliers ou locaux. Ex. Un projet de loi présenté par une municipalité ou par un citoyen.

Rem. C'est normalement un député qui en fait la présentation devant l'Assemblée natio-

nale ou la Chambre des communes.
Contr. projet de loi public
Angl. *private bill*

- **Projet de loi d'intérêt public :** V. PROJET DE LOI PUBLIC.

- **Projet de loi public :** Projet de loi d'intérêt général.
  Syn. projet de loi d'intérêt public
  Contr. projet de loi d'intérêt privé
  Angl. *public bill*

Prolongation *n.f.*

□ Action d'accroître la durée, d'accorder un délai supplémentaire.
Syn. prorogation
Comp. prolonger, reconduction
Angl. *extension*

Prolonger *v.tr.*

□ Accroître la durée, accorder un délai supplémentaire.
Syn. proroger
Comp. prolongation
Angl. *to extend*

Promesse *n.f.*

□ **1.** Engagement d'accomplir un acte.
Angl. *offer, promise*

- **Promesse de récompense :** Offre de verser une prime en argent ou en nature à une personne qui accomplira un acte déterminé.
  Rem. Le *Code civil du Québec* utilise plutôt l'expression « offre de récompense ».
  Syn. offre de récompense
  Angl. *offer of reward, promise of reward*

□ **2.** Engagement de conclure un contrat. Ex. Une promesse d'achat, de vente.
Rem. **1.** Cet engagement peut être unilatéral ou synallagmatique. **2.** Selon l'art. 1396 du *Code civil du Québec*, l'offre de contracter, faite à une personne déterminée, constitue une promesse de conclure le contrat envisagé dès que le destinataire manifeste clairement à l'offrant son intention de prendre l'offre en considération et d'y répondre dans un délai raisonnable ou dans celui dont elle est assortie ; la promesse, à elle seule, n'équivaut pas cependant au contrat envisagé.
Comp. contrat synallagmatique, contrat unilatéral, levée d'option, pacte de préférence, promettant
Angl. *promise*

- **Promesse de porte-fort :** V. PORTE-FORT.

- **Promesse d'offre préalable :** V. PACTE DE PRÉFÉRENCE.

- **Promesse du fait d'autrui :** V. PORTE-FORT.

Promettant, ante *n.*

□ **1.** Auteur d'une promesse. Ex. Un promettant-acheteur, un promettant-vendeur.
Comp. promesse
Angl. *promisor*

□ **2.** Dans une stipulation pour autrui, personne qui s'engage auprès du stipulant à exécuter une prestation au profit du tiers bénéficiaire.
Comp. bénéficiaire, stipulant, stipulation pour autrui, tiers bénéficiaire
Angl. *promisor*

Promissoire *adj.*

□ V. BILLET À ORDRE.

Promulgation *n.f.*

□ Acte par lequel le gouverneur général ou le lieutenant-gouverneur constate et atteste officiellement qu'une loi a été adoptée régulièrement par le Parlement ou l'Assemblée nationale.
Rem. **1.** On utilise plutôt le terme « sanction » dans les actes législatifs. **2.** La promulgation ne donne une force exécutoire à la loi que si celle-ci doit entrer en vigueur le jour de sa sanction.
Syn. sanction
Contr. abrogation
Comp. décret, proclamation, promulguer vigueur (en)
Angl. *promulgation*

Promulguer *v.tr.*

□ Constater et attester officiellement l'adoption régulière d'une loi.
Contr. abroger
Comp. promulgation
Angl. *to promulgate*

Prononcé, ée *adj.*

☐ **1.** Se dit d'un jugement rendu à l'audience.
Comp. prononciation
Angl. *rendered*

☐ **2.** Déclaré, décidé, rendu par le juge. Ex. Le jugement, dans cette cause, a été prononcé par le juge untel.
Angl. *rendered*

Prononcé *n.m.*

☐ Terme employé parfois pour désigner la prononciation d'un jugement à l'audience.
Comp. prononciation
Angl. *pronouncement, rendition*

Prononcer *v.tr. ou intr.*

☐ **1.** Pour un juge, faire connaître sa décision. Ex. Prononcer une condamnation.
Comp. prononciation
Angl. *to render*

☐ **2.** Rendre un jugement, prendre une décision. Ex. Le juge a prononcé, au terme de l'enquête.
Syn. prononcer (se)
Angl. *to come to a decision, to rule*

Prononcer (se) *v.pron.*

☐ V. PRONONCER.

Prononciation *n.f.*

☐ Action pour le juge de rendre un jugement oral ou de lire, dans la salle d'audience, le jugement écrit qu'il a rédigé.
Rem. Selon le *Code de procédure civile*, les jugements sont rendus par la prononciation qui en est faite à l'audience ou par le dépôt de la minute au greffe.
Comp. audience, délibération, jugement, minute, prononcé, prononcer
Angl. *pronouncement, rendition*

Prop. Comp. Bd.

☐ Abrév. de *Property Compensation Board*.

Proposer *v.tr.*

☐ Soumettre au juge pour adjudication. Ex. Le *Code de procédure civile* exige que certains moyens préliminaires soient proposés ensemble au juge.
Angl. *to propose*

Proposition *n.f.*

☐ **1.** Acte par lequel le preneur sollicite de l'assureur la conclusion d'un contrat d'assurance.
Comp. assurance, assureur, preneur
Angl. *application*

☐ **2.** Plus généralement, action de soumettre quelque chose à quelqu'un.
Angl. *proposition*

• **Proposition concordataire :** Proposition écrite faite par une personne insolvable ou un failli à ses créanciers en vue d'obtenir un délai de paiement ou une remise partielle de ses dettes.
Comp. atermoiement, concordat
Angl. *proposal*

☐ **3.** Texte soumis à une assemblée pour discussion et prise de décision.
Comp. résolution
Angl. *proposal*

Propre *adj.*

☐ V. BIEN(S) PROPRE(S).

Propriétaire *n.*

☐ Titulaire d'un droit de propriété.
Comp. copropriétaire, propriété
Angl. *owner*

• **Propriétaire superficiaire :** V. SUPERFICIAIRE.
Angl. *superficiary*

Propriété *n.f.*

☐ Droit d'user, de jouir et de disposer librement et complètement d'un bien, sous réserve des limites et des conditions d'exercice fixées par la loi (*Code civil du Québec*, art. 947).
Comp. copropriété, démembrement, habitation (droit d'), nue propriété, occupation, usage, usufruit
Angl. *ownership*

- **Propriété divise :** V. COPROPRIÉTÉ DIVISE, DIVIS.
  Angl. *divided ownership*

- **Propriété indivise :** V. COPROPRIÉTÉ PAR INDIVISION, INDIVIS.
  Angl. *co-ownership*

- **Propriété industrielle :** Droit exclusif pour une personne physique ou morale d'exploiter une création industrielle, une invention ou une marque de commerce et de prendre les mesures nécessaires pour en faire interdire toute tentative de reproduction ou d'exploitation par un tiers.
  Comp. brevet d'invention, droit d'auteur, marque de commerce, propriété intellectuelle
  Angl. *patent-right*

- **Propriété intellectuelle :** Expression générique qui englobe la propriété artistique, littéraire et industrielle.
  Comp. brevet d'invention, droit d'auteur, marque de commerce, propriété industrielle
  Angl. *intellectual property*

- **Propriété superficiaire :** Propriété des constructions, ouvrages ou plantations situés sur un terrain dont le sol appartient à une autre personne, appelée tréfoncier.
  Syn. droit de superficie
  Comp. superficiaire, tréfoncier
  Angl. *superficiary ownership, superficies*

Proprio motu

☐ Locution latine signifiant « de son propre mouvement », et qui désigne un acte posé par une personne de sa propre initiative, sans qu'une demande ait été faite.
Syn. d'office, *ex proprio motu*

Propter rem

☐ V. OBLIGATION RÉELLE.

Prorata de (au)

☐ Locution signifiant « en proportion de », « proportionnellement à » que l'on utilise généralement lors d'une distribution entre créanciers lorsque le montant à distribuer est inférieur à celui du total de leurs créances, la répartition s'effectuant alors en proportion du montant de leurs créances respectives.
Rem. On l'emploie également lors de la liquidation d'une société lorsque l'apport de chacun des associés n'est pas de valeur égale.
Comp. marc le dollar (au)
Angl. *pro rata, pro-rata*

Prorogatif, ive *adj.*

☐ Qui proroge, qui a pour effet de proroger.
Comp. attributif, prorogation
Angl. *deferring, extending*

Prorogation *n.f.*

☐ **1.** Prolongation d'un délai à une date postérieure à celle qui avait été convenue dans un contrat ou prescrite par un texte de loi.
Syn. prolongation
Comp. prorogatif, proroger, reconduction
Angl. *extension, prorogation*

☐ **2.** Acte du pouvoir exécutif qui a pour effet de mettre fin à une session parlementaire.
Rem. La prorogation entraîne l'abandon des projets de loi à l'étude et met un terme aux activités de l'Assemblée nationale (ou de la Chambre des communes) et de ses comités.
Comp. clôture
Angl. *prorogation*

Proroger *v.tr.*

☐ **1.** Prolonger un délai, accorder un délai supplémentaire.
Comp. prorogation
Angl. *to extend*

☐ **2.** Mettre fin à une session parlementaire.
Comp. prorogation
Angl. *to prorogue*

Pro socio

☐ V. ACTION *PRO SOCIO*.

Prospectus *n.m.*

☐ Document qu'une entreprise ou son représentant doit soumettre à la Commission des valeurs mobilières pour approbation lorsqu'elle entend procéder à une émission publique de ses titres.

Rem. Il contient notamment des informations sur les opérations commerciales de l'entreprise qui permettent de renseigner le futur investisseur sur les risques découlant de son placement.

Comp. valeur mobilière

Angl. *prospectus*

Prostitution *n.f.*

□ Action de consentir à des relations sexuelles moyennant rémunération.

Comp. entremetteur

Angl. *prostitution*

Protecteur du citoyen

□ Personne indépendante du pouvoir politique, nommée par l'Assemblée nationale du Québec, qui est chargée d'étudier les plaintes déposées par les citoyens contre l'Administration publique québécoise, d'intervenir, si nécessaire, auprès de celle-ci pour trouver des solutions aux problèmes soulevés et de lui faire, le cas échéant, certaines recommandations.

Rem. Cette fonction a été créée en Suède où le protecteur du citoyen se nomme « ombudsman ».

Syn. ombudsman

Comp. médiateur

Angl. *public protector*

Protection *n.f.*

□ Action de mettre quelqu'un ou quelque chose à l'abri d'un danger ou d'un risque ou de garantir sa sécurité ou son intégrité.

Angl. *protection*

• **Protection de la jeunesse :** Ensemble de mesures légales visant à assurer le respect des droits de l'enfant dont la sécurité ou le développement est ou peut être considéré comme compromis.

Rem. Le *Code civil du Québec*, aux art. 32 à 34, ainsi que la *Loi sur la protection de la jeunesse* (L.R.Q., c. P.-34.1) énoncent certains principes à cet égard. De plus, celle-ci détermine le cadre d'application ainsi que les mesures d'intervention sociale et judiciaire requises pour assurer le respect de ces droits.

Angl. *youth protection*

• **Protection de la vie privée :** Ensemble de mesures légales visant à assurer le respect de la vie privée des citoyens.

Rem. L'art. 5 de la *Charte des droits et libertés de la personne* du Québec ainsi que les art. 36 à 41 du *Code civil du Québec* énoncent des principes à cet égard. De plus, la *Loi sur la protection des renseignements personnels dans le secteur privé* (L.Q. 1993, c.17) établit des règles particulières à l'égard des renseignements personnels sur autrui qu'une personne recueille, détient, utilise ou communique à des tiers à l'occasion de l'exploitation d'une entreprise.

Comp. atteinte à la vie privée

Angl. *protection of privacy*

• **Protection du consommateur :** Ensemble de mesures légales visant à sauvegarder les intérêts du justiciable, en sa qualité de consommateur, dans ses relations avec les fournisseurs de biens et de services.

Comp. contrat de consommation, droit de la consommation

Angl. *consumer protection*

Protectionnisme *n.m.*

□ Politique économique qui vise à protéger la production nationale par l'interdiction ou la réduction de l'importation de marchandises étrangères ou par son assujettissement à des droits de douane élevés.

Contr. libre-échange

Angl. *protectionism*

Protester *v.tr.*

□ Faire dresser un protêt à la suite de la non-acceptation ou du non-paiement d'un lettre de change.

Comp. protêt

Angl. *to protest*

Protêt *n.m.*

□ Acte solennel dressé par un notaire ou, à son défaut, par un juge de paix, à la requête du détenteur d'une lettre de change pour attester un refus d'acceptation ou de paiement.

Comp. lettre de change, protester

Angl. *protest*

Protocole de retour au travail

□ Entente intervenue entre les parties relativement au moment et aux conditions de la reprise des activités, à la suite d'une grève ou d'un lock-out.

Comp. grève, lock-out

Angl. *back-to-work agreement, back to work agreement*

Protonotaire *n.*

□ **1.** Au Québec, officier de justice responsable d'un greffe de la Cour supérieure.

Rem. **1.** Il exerce de nombreuses fonctions administratives qui varient selon le district judiciaire auquel il est rattaché. Il est également investi de certains pouvoirs d'adjudication, soit en sa qualité de protonotaire, soit comme substitut du juge. Ex. Le protonotaire peut rendre jugement dans les actions sur compte qui n'ont pas été contestées. **2.** Ce titre a été réservé au greffier de la Cour supérieure dès la création de ce tribunal, en 1849. Depuis le 1er janvier 1994, il porte le nom de greffier comme tous les autres responsables d'un greffe.

Syn. greffier

Comp. officier de justice, officier public

Angl. *prothonotary*

• **Protonotaire adjoint :** Officier de justice qui travaille sous la responsabilité du protonotaire et qui peut, lorsqu'il est nommé à cette fin, exercer les pouvoirs conférés à ce dernier concurremment avec le juge.

Rem. Depuis le 1er janvier 1994, il porte le nom de greffier adjoint.

Syn. greffier adjoint

Angl. *deputy prothonotary*

• **Protonotaire spécial :** Officier de justice qui détient certains pouvoirs d'adjudication.

Rem. **1.** Il peut notamment prononcer sur les demandes incidentes ainsi que sur certaines demandes principales lorsque la partie défenderesse n'a pas produit de contestation. **2.** Depuis le 1er janvier 1994, il porte le nom de greffier spécial.

Syn. greffier spécial

Angl. *special prothonotary*

Prov. Ct.

□ Abrév. de *Provincial Court.*

Prov. Ct. Civ. Div.

□ Abrév. de *Provincial Court Civil Division.*

Prov. Ct. Crim. Div.

□ Abrév. de *Provincial Court Criminal Division.*

Prov. Ct. Fam. Div.

□ Abrév. de *Provincial Court Family Division.*

Provision *n.f.*

□ **1.** Somme allouée au demandeur par le juge du procès en attendant le jugement final qui décidera de l'ensemble de la réclamation.

Angl. *provision*

• **Provision *ad litem* :** V. PROVISION POUR FRAIS.

• **Provision pour frais :** Somme allouée à une partie par le juge du procès afin de lui permettre de faire face aux frais du procès. Ex. La provision pour frais accordée à la femme lors d'une action en séparation de corps.

Syn. provision *ad litem*

Angl. *provisional sum to cover the costs, provision for costs*

□ **2.** Somme destinée à couvrir une dépense à venir.

Angl. *provision, reserve*

• **Provision (chèque sans) :** V. CHÈQUE SANS PROVISION.

Provisionnel, elle *adj.*

□ V. ACOMPTE PROVISIONNEL, MESURE PROVISIONNELLE, PARTAGE PROVISIONNEL.

Provisoire *adj.*

□ V. EXÉCUTION PROVISOIRE, INJONCTION INTERLOCUTOIRE SANS AVIS, MESURES PROVISOIRES.

Prov. Judges J.

□ Abrév. de *Provincial Judges Journal* / Journal des juges provinciaux.

Provocation *n.f.*

☐ Actes ou insultes de la victime suffisants pour amener une personne normale à perdre la maîtrise d'elle-même et à agir impulsivement.

Rem. Elle peut constituer un facteur atténuant qui permet de faire réduire une accusation.

Angl. *provocation*

- **Provocation (défense de) :** V. DÉFENSE DE PROVOCATION.

- **Provocation policière :** Moyen de défense par lequel un accusé prétend qu'il a été incité par un membre du corps policier à commettre l'infraction qu'on lui reproche et que, conséquemment, il n'a pu se former une intention criminelle indépendante.

Comp. défense de provocation

Angl. *entrapment*

Provocatoire *adj.*

☐ V. ACTION PROVOCATOIRE.

Proxénète *n.*

☐ Personne qui se livre au proxénétisme.

Syn. entremetteur

Comp. proxénétisme

Angl. *panderer, pimp, procurer*

Proxénétisme *n.m.*

☐ Acte criminel qui consiste à induire ou à solliciter une personne à avoir des rapports sexuels illicites avec une autre personne ou à vivre entièrement ou partiellement des produits de la prostitution d'une autre personne.

Comp. proxénète

Angl. *pandering, procuring*

Prudence *n.f.*

☐ Qualité de la personne qui, réfléchissant à la portée et aux conséquences de ses actes, prend les mesures nécessaires pour éviter qu'ils ne constituent une source de dommage pour autrui.

Rem. Le *Code civil du Québec* utilise ensemble, à plusieurs reprises, les mots « prudence et diligence » dans le but de forcer les personnes qui posent des actes dans l'intérêt d'autrui de le faire conformément à la norme de conduite objective et abstraite de la personne avisée, placée en semblables circonstances.

Contr. négligence

Comp. bon père de famille, diligence, honnêteté, loyauté, personne raisonnable

Angl. *prudence*

P.S.A.B.

☐ Abrév. de *Public Service Adjudication Board.*

P.S.C.A.B.

☐ Abrév. de *Public Service Commission Appeal Board.*

P.S.L.R. Adjud.

☐ Abrév. de *Public Service Labour Relations Act Adjudicator.*

P.S.L.R.B.

☐ Abrév. de *Public Service Labour Relations Board.*

P.S.S.R.B.

☐ Abrév. de *Public Service Staff Relations Board.*

Public, ique *adj.*

☐ **1.** Qui est lié à l'intérêt supérieur de la collectivité, de l'ensemble des citoyens.

Contr. privé

Comp. publicité

Angl. *public*

- **Public (intérêt) :** V. INTÉRÊT PUBLIC.

- **Public (ordre) :** V. ORDRE PUBLIC.

- **Publique (sécurité) :** V. SÉCURITÉ PUBLIQUE.

☐ **2.** Qui agit dans l'intérêt ou au nom de la collectivité.

Angl. *public*

- **Public (action d'intérêt) :** V. ACTION D'INTÉRÊT PUBLIC.

- **Public (bureau) :** V. BUREAU PUBLIC.

- **Public (corps) :** V. CORPS PUBLIC.

□ **3.** Qui concerne des droits fondamentaux
Angl. *public*

- **Publiques (libertés) :** V. LIBERTÉS PUBLIQUES.

□ **4.** Qui concerne l'État et son organisation ou les relations entre les États.
Angl. *public*

- **Public (domaine) :** V. DOMAINE PUBLIC.

- **Public (droit) :** V. DROIT PUBLIC.

- **Public (droit international) :** V. DROIT INTERNATIONAL PUBLIC.

- **Public (ministère) :** V. MINISTÈRE PUBLIC.

- **Public (personne morale de droit) :** V. PERSONNE MORALE DE DROIT PUBLIC.

- **Public (service) :** V. SERVICE PUBLIC.

- **Publique (corporation) :** V. CORPORATION PUBLIQUE.

- **Publique (fonction) :** V. FONCTION PUBLIQUE.

□ **5.** Qui concerne les relations de l'État avec les citoyens.
Angl. *public*

- **Public (marché) :** V. MARCHÉ PUBLIC.

□ **6.** Qui exerce une fonction officielle dans la société.
Angl. *public*

- **Public (officier) :** V. OFFICIER PUBLIC.

□ **7.** Qui est connu de tous.
Angl. *public*

- **Publique (possession) :** V. POSSESSION PUBLIQUE.

□ **8.** Où la population en général est admise. Ex. Un lieu public, une audience publique.
Contr. privé
Comp. huis clos, publicité
Angl. *public*

□ **9.** Qui s'adresse à la population en général.
Angl. *public*

- **Public (avis) :** V. AVIS PUBLIC.

Public *n.m.*

□ **1.** Ensemble des personnes qui forment une collectivité.
Angl. *public*

□ **2.** Ensemble des personnes qui assistent à une réunion, à une assemblée, à une audition.
Comp. assemblée, audience
Angl. *public*

Publication *n.f.*

□ **1.** Action de rendre public un ouvrage, de le diffuser.
Angl. *publication*

□ **2.** Ouvrage publié.
Angl. *publication*

- **Publication obscène :** Publication dont une caractéristique dominante est l'exploitation indue du sexe ou, encore, du sexe et d'autres sujets tels que le crime, l'horreur, la cruauté et la violence.
Angl. *obscene publication*

□ **3.** Action de porter des documents à la connaissance du public, par leur insertion dans un journal officiel.
Rem. Au Québec, les lois et les décrets ainsi que certains documents et avis doivent être publiés dans la *Gazette officielle du Québec*. À Ottawa, ils le sont dans la *Gazette officielle du Canada*.
Angl. *publication*

□ **4.** Action de porter des documents à la connaissance du public afin d'assurer leur entrée en vigueur. Ex. Les règlements municipaux entrent en vigueur le jour de leur publication.
Angl. *publication*

□ **5.** Accomplissement d'une formalité légale visant à informer les tiers d'un événement à venir en vue de leur permettre de s'y opposer s'ils ont des motifs valables de le faire.
Angl. *publication*

• **Publication de mariage :** Publication par voie d'affiche apposée au lieu où le mariage doit être célébré dans laquelle sont énoncés les nom et domicile de chacun des époux ainsi que la date et le lieu de leur naissance.

Syn. publication des bans

Angl. *publication of banns, publication of mariage*

• **Publication des bans :** V. PUBLICATION DE MARIAGE.

Publiciste *n.*

☐ Juriste qui se spécialise dans l'étude ou la pratique du droit public.

Comp. administrativiste, civiliste, commercialiste, criminaliste, fiscaliste, pénaliste, privatiste

Angl. *specialist in public law*

Publicité *n.f.*

☐ **1.** Caractère de ce qui est public. Ex. La publicité des audiences, des débats parlementaires.

Contr. huis clos

Comp. public

Angl. *publicity*

☐ **2.** Caractère de ce qui est mis à la disposition du public pour fins d'information et de consultation.

Angl. *publicity*

• **Publicité des droits :** Ensemble de règles visant à informer les tiers de l'existence de certains droits affectant des meubles ou des immeubles et, conséquemment, de leur rendre opposables ceux qui ont été publiés conformément aux prescriptions de la loi.

Rem. Selon l'art. 2934 du *Code civil du Québec*, la publicité des droits résulte de l'inscription qui en est faite sur le registre des droits personnels et réels mobiliers ou sur le registre foncier, à moins que la loi ne permette expressément un autre mode.

Comp. bureau de la publicité des droits, enregistrement, formalité de publicité, hypothèque, priorité, public, registre des droits personnels et réels mobiliers, registre foncier

Angl. *publication of rights*

• **Publicité des registres :** Ensemble des moyens permettant au public d'avoir accès à des informations contenues dans certains registres et, s'il y a lieu, de s'en faire délivrer des copies ou des extraits. Ex. La publicité des registres de l'état civil.

Comp. copie, extrait, registre

Angl. *access to the registers, publication of the registers*

• **Publicité foncière :** Ensemble des règles visant à informer les tiers de l'existence de certains droits affectant des immeubles et, conséquemment, de leur rendre opposables ceux qui ont été publiés conformément aux prescriptions de la loi.

Comp. bureau de la publicité des droits, enregistrement, hypothèque, priorité, registre foncier

Angl. *publication by registration in the land register, publication of rights affecting immoveables*

P.U. (C.) Bd.

☐ Abrév. de *Public Utilities (Commissioners') Board.*

Puîné, ée *adj.*

☐ Qui est né après une autre personne. Ex. Un frère puîné.

Angl. *puisne, younger, youngest*

• **Puîné (juge) :** V. JUGE PUÎNÉ.

Puissance *n.f.*

☐ Ensemble de pouvoirs permettant à son titulaire d'exercer une certaine domination sur une autre personne.

Angl. *authority*

• **Puissance maritale :** V. AUTORITÉ MARITALE.

• **Puissance parentale :** V. AUTORITÉ PARENTALE.

• **Puissance paternelle :** V. AUTORITÉ PATERNELLE.

Punissable *adj.*

☐ **1.** Qui mérite une punition.

Comp. punition

Angl. *punishable*

☐ **2.** Passible d'une sanction, d'une peine.

Rem. Le *Code criminel* utilise plutôt le terme « passible ».

Syn. passible

Angl. *liable*

Punitif, ive *adj.*

☐ Qui a pour but de punir, qui constitue une punition.

Comp. punition

Angl. *punitive*

• **Punitifs (dommages-intérêts) :** V. DOMMAGES-INTÉRÊTS PUNITIFS.

Punition *n.f.*

☐ 1. Action d'infliger une peine, une sanction à quelqu'un.

Comp. punissable, punitif

Angl. *punishment*

☐ **2.** La peine, la sanction infligée.

Angl. *punishment*

Pupillaire *adj.*

☐ Qui est relatif ou qui appartient au pupille.

Comp. pupille

Angl. *pupillary*

Pupille *n.*

☐ Personne mineure sous l'autorité d'un tuteur.

Comp. mineur, tuteur

Angl. *pupil*

Pur, pure *adj.*

☐ V. ACTE D'ADMINISTRATION JUDICIAIRE, ACTE DE PURE FACULTÉ.

Angl. *pure, simple*

Pur et simple

☐ **1.** Sans modalité.

Angl. *pure and simple, unconditional*

• **Pure et simple (obligation) :** V. OBLIGATION PURE ET SIMPLE.

☐ **2.** Sans réserve, sans restriction.

Angl. *pure and simple, unconditional*

• **Pure et simple (acceptation) :** V. ACCEPTATION PURE ET SIMPLE.

Purge *n.f.*

☐ Bénéfice légal accordé à l'acquéreur ou à l'adjudicataire d'un bien hypothéqué qui lui permet de recevoir le bien affranchi de la charge dont il était grevé. Ex. Lors d'une vente sous contrôle de justice par le créancier hypothécaire, il y a purge de l'hypothèque affectant le bien vendu.

Comp. hypothèque, purger, vente judiciaire, vente sous contrôle de justice

Angl. *freeing*

Purger *v.tr.*

☐ **1.** Libérer un bien des charges qui l'affectent. Ex. Purger l'hypothèque sur un immeuble.

Comp. purge

Angl. *to free*

☐ **2.** Pour une personne condamnée à l'emprisonnement, subir sa peine.

Angl. *to serve (a sentence)*

Putatif, ive *adj.*

☐ V. MARIAGE PUTATIF.

Pyke

☐ Abrév. de *Pyke's Reports, King's Bench.*

Q.

□ Abrév. de Québec.

Q.A.C.

□ Abrév. de *Quebec Appeal Cases* / Causes du Québec en appel.

Q.B.

□ Abrév. de **1.** *Queen's Bench* ; **2.** *Court of Queen's Bench* ; **3.** *Supreme Court, Queen's Bench Division* ; **4.** *The Law Reports, Queen's Bench.*

Q.B.D.

□ Abrév. de **1.** *Queen's Bench Division* ; **2.** *The Law Reports, Queen's Bench Division.*

Q.C.

□ Abrév. de *Queen's Counsel.*

Q.L.R.

□ Abrév. de *Quebec Law Reports* / Rapports judiciaires du Québec.

Q.R.& O.

□ Abrév. de *Queen's Regulations and Orders.*

Q.R.R.

□ Abrév. de *Quebec Revised Regulations.*

Q.S.R.

□ Abrév. de *Quebec Statutory Regulations.*

Q./T.

□ Abrév. de Québec / Travail.

Qualification *n.f.*

□ Détermination de la nature juridique d'un fait, d'un acte ou d'un rapport de droit en vue de préciser le régime juridique qui lui est applicable. Ex. L'opération par laquelle on qualifie une convention comme étant un contrat de vente.

Comp. qualifier
Angl. *characterization*

• **Qualification (conflit de) :** En droit international privé, conflit entre deux juridictions relativement à la loi applicable résultant d'une qualification différente qu'elles font d'un fait, d'un acte ou d'un rapport de droit.

Angl. *conflict of characterization*

Qualifié, ée *adj.*

□ V. AVEU QUALIFIÉ, OUVRIER QUALIFIÉ, VOL QUALIFIÉ.

Qualifier *v.tr.*

□ Donner une qualification (à un fait, un acte, un rapport de droit).

Comp. qualification
Angl. *to characterize*

Qualité *n.f.*

□ **1.** Titre sous lequel une personne est désignée dans un acte juridique ou exerce une

activité juridique. Ex. Agir en qualité de demandeur dans un procès civil, avoir qualité d'associé dans une société en commandite.
Angl. *quality*

- **2.** Pouvoir en vertu duquel une personne exerce un recours en justice. Ex. Le tuteur a qualité pour représenter son pupille lors d'un procès.
Comp. capacité, intérêt
Angl. *capacity*

- **3.** Aptitude particulière d'une personne à poser certains actes. Ex. Un contrat attribué à une personne à cause de ses qualités personnelles.
Angl. *qualification, quality*

- **4.** Condition sociale ou juridique d'une personne. Ex. La qualité de célibataire, de mineur.
Angl. *capacity*

- **5.** Degré plus ou moins élevé d'une échelle de valeur qui permet de comparer des choses du même genre. Ex. La qualité de certains produits.
Angl. *quality*

Quanti minoris

- V. ACTION *QUANTI MINORIS*.

Quantum *n.m.*

- Quantité déterminée. Se dit notamment du montant que le juge attribue, dans une action en responsabilité, en compensation du préjudice qu'une personne a subi. Ex. Le quantum des dommages-intérêts.
Comp. dommages-intérêts
Angl. *quantum*

• ***Quantum meruit*** : Locution latine signifiant « autant qu'il le mérite » et désignant une rémunération qui est fixée, en l'absence de convention expresse, sur la base de la valeur des services rendus. Ex. La détermination par le tribunal, sur la base du *quantum meruit*, des honoraires extrajudiciaires d'un avocat.

Quarantaine *n.f.*

- Isolement d'une durée variable qu'un État impose à des personnes, à des animaux ou à des produits en raison des risques qu'ils présentent pour la santé des personnes qui y résident.
Rem. Autrefois, la quarantaine durait quarante jours pour éviter tout risque de contagion ; d'où son nom.
Angl. *quarantine*

Quasi *adv.*

- Presque, à peu près, en quelque sorte.
Angl. *almost, nearly, quasi*

Quasi contractuel, elle *adj.*

- Qui résulte d'un quasi-contrat, qui se rapporte à un quasi-contrat.
Comp. extracontractuel
Angl. *quasi-contractual, quasi contractual*

Quasi-contrat *n.m.*

- Acte licite et volontaire posé par une personne qui, sans qu'il y ait eu convention, oblige une autre personne envers elle ou envers un tiers. Ex. Il y a quasi-contrat lorsqu'une personne effectue une réparation urgente et utile à l'immeuble de son voisin absent.
Rem. Le *Code civil du Québec* a abandonné la classification traditionnelle des sources de l'obligation en contrats, quasi-contrats, délits et quasi-délits et loi seule. Ainsi, l'art. 1372 prescrit que « L'obligation naît du contrat et de tout acte ou fait auquel la loi attache d'autorité les effets d'une obligation ».
Comp. contrat, gestion d'affaires, obligation quasi contractuelle
Angl. *quasi-contract, quasi contract*

Quasi délictuel, elle *adj.*

- Qui résulte d'un quasi-délit, qui se rapporte à un quasi-délit.
Comp. délictuel
Angl. *quasi-delictual, quasi delictual*

Quasi-délit *n.m.*

- Acte illicite, commis sans intention de nuire, qui oblige son auteur à réparer le préjudice qu'il a causé.
Rem. Le *Code civil du Québec* a abandonné la classification traditionnelle des sources

de l'obligation en contrats, quasi-contrats, délits et quasi-délits et loi seule. Ainsi, l'art. 1372 prescrit que « L'obligation naît du contrat et de tout acte ou fait auquel la loi attache d'autorité les effets d'une obligation. »

Comp. délit, obligation quasi délictuelle

Angl. *quasi-delict, quasi delict, quasi-offence*

Quasi judiciaire *adj.*

□ V. ACTE QUASI JUDICIAIRE, POUVOIR QUASI JUDICIAIRE, TRIBUNAL ADMINISTRATIF.

Quasi-usufruit *n.m.*

□ Droit équivalant à l'usufruit, qui porte sur des biens consomptibles dont l'usufruitier peut disposer à charge d'en rendre de semblables en pareille quantité et qualité à la fin de l'usufruit.

Comp. usufruit

Angl. *quasi-usufruct*

Qué. C.A.

□ Abrév. de **1.** Québec, Cour d'appel ; **2.** *Quebec Official Reports (Court of Appeal).*

Queen's Intra. L.J.

□ Abrév. de *Queen's Intramural Law Journal.*

Queen's L.J.

□ Abrév. de *Queen's Law Journal.*

Que. K.B.

□ Abrév. de *Quebec Official Reports, King's Bench.*

Que. Lab. Ct.

□ Abrév. de *Quebec Labour Court.*

Que. L.R.B.

□ Abrév. de *Quebec Labour Relations Board.*

Que. P.R.

□ Abrév. de *Quebec Practice Reports* / Rapports de pratique de Québec.

Que. Q.B.

□ Abrév. de **1.** *Quebec Court of Queen's Bench Reports* ; **2.** *Quebec Official Reports, Queen's Bench* ; **3.** *Quebec, Queen's Bench.*

Quérable *adj.*

□ Se dit d'une créance dont le créancier doit aller réclamer l'exécution au domicile du débiteur.

Contr. portable

Angl. *seekable*

Que. S.C.

□ Abrév. de **1.** *Quebec Official Reports, Superior Court* ; **2.** *Quebec Superior Court.*

Question *n.f.*

□ **1.** Interrogation adressée à une personne, à une assemblée.

Angl. *point, question*

- **Question de confiance :** Dans un régime parlementaire, procédure par laquelle le gouvernement demande aux députés d'appuyer, par un vote majoritaire, une politique qu'il préconise ou un projet de loi qu'il considère fondamental.

  Rem. Le refus par les députés d'accorder leur confiance entraîne alors la démission du gouvernement et le déclenchement d'élections.

  Comp. censure (motion de), vote de non-confiance

  Angl. *question of confidence*

- **Question de privilège :** Intervention d'un membre d'une assemblée délibérante visant à exiger le respect de ses droits ou une sanction à l'égard d'une personne qui aurait porté atteinte à son honneur ou, encore, à se plaindre des conditions dans lesquelles se déroulent les discussions.

  Angl. *point of privilege*

- **Question écrite :** Question qu'un parlementaire adresse par écrit à un ministre qui y répond sous la même forme.

  Rem. On employait autrefois le mot « interpellation » pour désigner la question écrite déposée à l'Assemblée nationale.

  Comp. question orale

  Angl. *written question*

- **Question incriminante :** V. DÉCLARATION INCRIMINANTE.

- **Question orale :** Question qu'un parlementaire, lors d'une période prévue à cette fin, adresse verbalement à un ministre qui y répond sous la même forme.

  Comp. question écrite

  Angl. *oral question*

- **Question préalable :** Proposition par laquelle un membre d'une assemblée délibérante demande à celle-ci de décider par un vote si elle accepte de clore le débat et d'appeler immédiatement le vote sur la question à l'étude.

  Rem. Son rejet permet la poursuite de la discussion.

  Angl. *previous question*

- **Question suggestive :** Question posée, lors d'un interrogatoire, de manière à suggérer au témoin la réponse à fournir. Confronté à ce type de question, le témoin peut alors y répondre uniquement par un oui ou par un non. Ex. N'est-il pas vrai que... ?

  Rem. En règle générale, lorsqu'une partie produit un témoin lors d'un procès civil, elle ne peut lui poser des questions suggestives sauf s'il s'agit de la partie adverse ou d'une personne ayant des intérêts opposés à la partie qui l'interroge.

  Comp. interrogatoire

  Angl. *leading question, suggestive interrogation*

□ **2.** Problème, sujet qui est soumis au juge pour examen et décision.

  Angl. *question*

- **Question académique :** Demande en justice qui soulève une question hypothétique ou abstraite ou dont les conclusions n'ont pas de portée immédiate ou concrète.

  Rem. Puisqu'elle s'apparente à une simple consultation, elle ne peut faire l'objet d'un jugement, les juges n'ayant pas pour mission de donner des avis juridiques. Cependant, les tribunaux acceptent exceptionnellement de se prononcer sur une demande qui est devenue académique en cours d'instance, lorsqu'il s'agit d'une question de droit importante et d'intérêt public et national.

  Syn. question théorique

  Comp. acte judiciaire, jugement

  Angl. *academic question*

- **Question de droit :** Question relative à la qualification juridique d'un fait ou à l'interprétation de la règle de droit qui lui est applicable.

  Comp. droit, question de fait

  Angl. *issue of law, question of law*

- **Question de fait :** Question relative à la constatation d'un fait. Ex. Question portant sur les circonstances entourant la signature d'un contrat.

  Comp. fait, question de droit

  Angl. *issue of fact, matter of fact, question of fact*

- **Question incidente :** V. QUESTION PRÉJUDICIELLE.

- **Question préjudicielle :** Demande incidente que le juge est appelé à trancher avant qu'il se prononce sur la demande principale. Ex. La requête pour précisions sur un acte de procédure constitue une question préjudicielle.

  Syn. question incidente

  Angl. *preliminary question*

- **Question théorique :** V. QUESTION ACADÉMIQUE.

Questions seigneuriales

□ Abrév. de Décisions des tribunaux du Bas-Canada, questions seigneuriales / *Lower Canada Reports, Seignorial Questions.*

Que. T.R.

□ Abrév. de *Quebec Tax Reports.*

Qui tam

□ V. ACTION *QUI TAM.*

Quittance *n.f.*

□ Écrit par lequel un créancier reconnaît qu'il a reçu entier paiement de sa créance. Ex. Donner quittance à son débiteur.

  Comp. décharge, quitte

  Angl. *acquittance, discharge*

Quitte *adj.*

- Libéré ou exonéré d'une obligation juridique. Ex. Être quitte de toute dette.

  Comp. quittance

  Angl. *clear, discharged, free, quit*

Quorum *n.m.*

- Nombre de personnes qui doivent être présentes pour qu'une assemblée puisse valablement délibérer et prendre des décisions.

  Comp. délibération, vote

  Angl. *quorum*

Quota litis (pacte de)

- V. PACTE DE *QUOTA LITIS*.

Quote-part *n.f.*

- Fraction ou pourcentage représentant la part ou le droit d'une personne dans une masse ou un bien indivis. Ex. La quote-part d'un légataire à titre universel dans une succession.

  Comp. copropriété, quotité, titre universel (à)

  Angl. *aliquot share, share*

Quotité *n.f.*

- Quantité, montant.

  Comp. quote-part

  Angl. *amount, quantity*

Quo warranto *n.m.*

- Recours exercé contre une personne qui occupe sans droit une charge publique ou une fonction de direction dans une personne morale de droit public ou de droit privé ou dans une association, dans le but d'obtenir qu'elle en soit dépossédée et que cette charge ou cette fonction soit attribuée à un tiers qui y a droit, si les faits présentés en font la preuve.

  Rem. **1.** Ce recours était autrefois introduit au Québec par un bref de prérogative, comme dans les juridictions de *common law*. Il débute maintenant par une requête. **2.** Même s'il a été remplacé, dans le *Code de procédure civile* actuel, par les mots « moyen de se pourvoir en cas d'usurpation de charges ou de franchise », les mots « *quo warranto* » sont toujours utilisés par les praticiens du droit.

  Comp. bref de prérogative

  Angl. *quo warranto*

R

R.

☐ Abrév. de **1.** Règlement ; **2.** Reine ou Roi ; **3.** *Regina* ; **4.** *Rex.*

Rabat *n.m.*

☐ Pièce de dentelle ou de tissu blanc qui se porte au cou, par-dessus la toge du juge ou de l'avocat.

Comp. toge
Angl. *bands*

R.A.C.

☐ Abrév. de *Ramsay's Appeal Cases (Que.).*

Rachat *n.m.*

☐ **1.** Achat par le vendeur d'un bien qu'il a déjà vendu.

Comp. achat, vente
Angl. *redemption*

• **Rachat (valeur de) :** Somme d'argent que l'assureur doit verser à l'assuré lors de la résiliation d'un contrat d'assurance-vie.

Rem. Doivent être indiqués sur la police d'assurance la méthode et le tableau devant servir à établir la valeur de rachat et les droits à la valeur de rachat.
Comp. assurance-vie
Angl. *surrender value*

• **Rachat (vente avec faculté de) :** V. VENTE AVEC FACULTÉ DE RACHAT.

☐ **2.** Opération par laquelle le débiteur d'une obligation à exécution successive s'en libère par le paiement d'une indemnité. Ex. Le rachat d'une servitude.

Angl. *redemption*

• **Rachat de rente :** V. RENTE (RACHAT DE).

☐ **3.** Achat par les membres d'une société de la part de celui qui perd sa qualité d'associé.

Comp. associé, société
Angl. *redemption*

☐ **4.** Opération par laquelle une compagnie ou société par actions achète ses propres actions.

Angl. *management buy-out, redemption*

Rachetable *adj.*

☐ Susceptible de rachat.

Comp. rachat
Angl. *callable*

Radiation *n.f.*

☐ **1.** Selon le *Code civil du Québec*, suppression d'une inscription au registre foncier ou au registre des droits personnels et réels mobiliers qui résulte d'une inscription opérée à cette fin par l'officier de la publicité des droits dans le registre approprié.

Rem. La radiation peut être volontaire ou, à défaut, judiciaire ; elle peut aussi être légale.
Contr. inscription
Comp. officier de la publicité des droits, radier, registre
Angl. *cancellation*

• **Radiation d'office :** Radiation d'une inscription au registre foncier ou au registre des droits personnels et réels mobiliers qui s'opère par le seul effet de la loi, sans qu'elle n'ait été demandée.

Contr. inscription
Comp. enregistrement, registre
Angl. *cancellation as of right*

- **Radiation judiciaire :** Radiation de l'inscription d'un droit au registre foncier ou au registre des droits personnels et réels mobiliers qui résulte d'une décision du tribunal.

  Contr. inscription
  Comp. enregistrement, registre
  Angl. *judicial cancellation, judicial cancelling*

- **Radiation légale :** Radiation de l'inscription d'un droit au registre foncier ou au registre des droits personnels et réels mobiliers qui résulte de la loi seule.

  Contr. inscription
  Comp. enregistrement, registre
  Angl. *legal cancellation, legal cancelling*

- **Radiation volontaire :** Radiation de l'inscription d'un droit au registre foncier ou au registre des droits personnels et réels mobiliers qui résulte du consentement du titulaire ou du bénéficiaire de ce droit.

  Contr. inscription
  Comp. registre
  Angl. *voluntary cancellation, voluntary cancelling*

□ **2.** Selon le *Code civil du Bas-Canada*, suppression par le registrateur de l'enregistrement d'un droit réel affectant un immeuble.

Contr. enregistrement
Comp. régistrateur
Angl. *cancellation, cancelling*

□ **3.** Plus généralement, action de supprimer une mention dans un registre, dans une liste.

Angl. *cancellation, radiation*

- **Radiation du rôle :** Sanction imposée à une partie, généralement la partie demanderesse, en raison de son manque de diligence, et qui a pour effet d'entraîner le retrait de la cause du rôle où elle était inscrite, la forçant ainsi à la réinscrire pour qu'elle soit à nouveau mise au rôle.

  Angl. *striking from the roll*

□ **4.** Sanction disciplinaire imposée à un membre d'une corporation professionnelle en vertu de laquelle celui-ci se voit retirer, temporairement ou définitivement, le droit d'exercer sa profession en raison de manquements aux règles de déontologie régissant sa profession. Ex. La radiation d'un avocat du tableau de l'Ordre.

Comp. tableau
Angl. *disbarment* (Barreau), *striking off (the roll)*

Radier *v.tr.*

□ Effectuer une radiation.

Comp. radiation
Angl. *to cancel, to radiate, to strike*

Raison *n.f.*

□ **1.** Aptitude à comprendre la portée de ses actes, faculté de discernement. Ex. Être doué de raison.

Angl. *reason*

- **Raison (âge de) :** Âge à partir duquel un enfant est censé comprendre la portée de ses actes et a acquis la faculté de discernement.

  Rem. Sans qu'il soit déterminé par la loi, les tribunaux le fixent habituellement vers l'âge de sept ans.
  Angl. *age of reason*

□ **2.** Cause, motif d'un acte, d'une décision, d'un comportement. Ex. Avoir de bonnes raisons de croire qu'une personne agit pour le compte d'autrui.

Comp. cause, motif
Angl. *ground, reason*

Raison sociale

□ **1.** Nom sous lequel une société commerciale constituée en vertu du *Code civil du Bas-Canada* exerce ses activités.

Rem. Le *Code civil du Québec* a remplacé les mots « raison sociale » par le terme « nom ».
Comp. dénomination sociale
Angl. *firm name*

□ **2.** Nom, autre que le sien, qu'utilise un commerçant faisant affaires seul.

Rem. Cette expression du *Code civil du Bas-Canada* n'a pas été reprise dans le *Code civil du Québec*.
Comp. dénomination sociale
Angl. *firm name*

□ **3.** Plus généralement, expression utilisée pour désigner le nom sous lequel une entreprise exerce ses activités.

Angl. *corporate name, firm name*

Raisonnable *adj.*

- ☐ V. DÉLAI RAISONNABLE, PERSONNE RAISONNABLE.

R.A.L.

- ☐ Abrév. de Règlements d'application des lois, 1972.

Rameau *n.m.*

- ☐ Famille issue d'une même branche.

Rem. Selon le droit successoral, une souche peut se diviser en plusieurs branches et chaque branche en plusieurs rameaux. Ainsi, les enfants de chacun des descendants d'un même auteur, la souche, constituent des rameaux d'une même branche.
Comp. branche, souche
Angl. (*subdivision of a*) *branch*

Ram. & Mor.

- ☐ Abrév. de *Ramsay & Morin, The Law Reporter* / Journal de jurisprudence.

Rançon *n.f.*

- ☐ Somme d'argent exigée pour la libération d'une personne gardée en captivité, le plus souvent à la suite d'une prise d'otage.

Comp. prise d'otage
Angl. *ransom*

Rang *n.m.*

- ☐ Place qu'occupe une personne ou un droit dans un classement, selon un ordre déterminé. Ex. Le rang des priorités et des hypothèques.

Rem. En matière de publicité des droits, ceux-ci prennent rang suivant la date, l'heure et la minute inscrites sur le bordereau de présentation, à moins que la loi n'en dispose autrement.
Angl. *rank*

Rapport *n.m.*

- ☐ **1.** Opération préalable au partage d'une succession par laquelle l'un des cohéritiers restitue, dans la masse des biens à partager, une somme d'argent ou un bien que le défunt lui avait donné ou légué.

Rem. Le *Code civil du Bas-Canada* précisait que le rapport se faisait en nature ou en moins prenant. Le *Code civil du Québec* privilégie ce second mode.
Comp. donation, héritier, legs, rapportable, rapporter, succession
Angl. *return*

- • **Rapport des dettes :** Rapport que l'héritier venant au partage doit faire à la masse successorale des dettes, échues et non échues, qu'il a envers le défunt ou des sommes dont il est débiteur envers ses copartageants du fait de l'indivision.

Comp. indivision
Angl. *return of debts*

- • **Rapport en moins prenant :** Rapport qui s'effectue par un prélèvement que font sur la masse à partager, avant la composition des lots, chacun des cohéritiers à qui le rapport est dû, d'un bien dont la valeur est égale au montant du bien que devrait rapporter celui à qui incombe cette obligation ou par l'imputation au lot de celui-ci de la valeur en numéraire du bien reçu.

Syn. rapport en valeur
Contr. rapport en nature
Comp. avancement d'hoirie
Angl. *return by taking less*

- • **Rapport en nature :** Rapport qu'exécute l'héritier par la remise effective, dans la masse à partager, du bien qu'il a reçu du défunt par donation ou testament.

Contr. rapport en moins prenant
Comp. avancement d'hoirie
Angl. *return in kind*

- • **Rapport en valeur :** V. RAPPORT EN MOINS PRENANT.

- ☐ **2.** Document qui rend compte d'une activité ou qui contient des informations sur un sujet déterminé.

Comp. rapporter
Angl. *report*

- • **Rapport annuel :** Document détaillé, préparé annuellement et faisant état des activités et de la situation financière d'une entreprise pour l'année écoulée.

Rem. Dans le cas des personnes morales, spécialement les compagnies ou sociétés par actions, il contient notamment un bilan, un relevé général des recettes et dépenses, le rapport du vérificateur ainsi que toutes autres informations exigées par la loi.

Syn. déclaration annuelle
Comp. compagnie, société par actions
Angl. *annual report*

- **Rapport d'actualisation :** Rapport que prépare un notaire lorsque le dépôt d'un plan cadastral donne lieu à l'établissement d'une fiche immobilière et sur lequel l'officier de la publicité des droits se fonde pour effectuer le report des droits qui concernent le lot nouveau.

Rem. Ce rapport fait état des droits publiés qui concernent l'immeuble et il vise à assurer l'exactitude du registre foncier, à l'épurer des droits éteints, douteux ou incertains et à permettre par la suite une actualisation rapide de la fiche immobilière.
Comp. cadastre, fiche immobilière, immatriculation des immeubles, plan cadastral
Angl. *updating report*

- **Rapport d'expert :** Rapport dans lequel un expert rend compte de sa mission au tribunal qui l'a désigné et l'informe de ses constatations et de ses conclusions.

Syn. rapport d'expertise
Comp. expert, expertise, témoin expert
Angl. *expert's report*

- **Rapport d'expertise :** V. RAPPORT D'EXPERT.

- **Rapport prédécisionnel :** Document que l'on transmet au juge avant qu'il n'émette une ordonnance ou prenne une décision à l'égard d'un jeune contrevenant déclaré coupable d'une infraction, afin de l'aider à se prononcer de façon éclairée.

Rem. Ce rapport préparé par un spécialiste porte sur les antécédents et la situation actuelle de l'adolescent et de sa famille.
Comp. jeune contrevenant, ordonnance, sentence
Angl. *pre-disposition report*

- **Rapport présententiel :** Lors d'un procès criminel, document transmis au juge avant qu'il n'impose une sentence à un accusé déclaré coupable, dans le but de l'aider à prendre une décision éclairée.

Rem. Préparé par un spécialiste, ce rapport dresse un portrait complet de l'accusé et il contient notamment des renseignements sur son passé, son éducation, sa situation familiale, ses emplois antérieurs, son caractère, sa santé physique et mentale, son potentiel et sa motivation.
Comp. sentence
Angl. *pre-sentence report*

□ **3.** Relation juridique ou factuelle entre deux ou plusieurs personnes. Ex. Les rapports entre les héritiers véritables et les héritiers apparents, les rapports contractuels entre la personne morale et ses membres.

Angl. *relation, relationship*

□ **4.** Opération par laquelle une partie à un procès ou un officier de justice remet entre les mains du juge ou au greffe du tribunal un acte de procédure, une somme d'argent ou un bien. Ex. Le rapport par l'huissier au greffe du tribunal de ses procès-verbaux de saisie et de vente, le rapport du bref d'assignation et de la déclaration par le demandeur.

Comp. congé-défaut
Angl. *filing, return*

Rapportable *adj.*

□ **1.** Qui est sujet à rapport. Ex. Une donation rapportable à la succession.

Comp. rapport
Angl. *returnable*

□ **2.** Qui est susceptible d'être rapporté. Ex. Une décision rapportable dans un recueil de jurisprudence.

Comp. rapport
Angl. *reportable*

Rapporter *v.tr.*

□ **1.** Faire rapport. Ex. Rapporter à la masse d'une succession des biens qui doivent y revenir.

Comp. rapport
Angl. *to return*

□ **2.** Présenter un rapport. Ex. Rapporter les travaux d'une commission.

Comp. rapport
Angl. *to report*

- **Rapporter à la justice (s'en) :** Pour une partie à un procès, s'en remettre à la décision du juge relativement aux prétentions de la partie adverse, sans soumettre ses propres prétentions.

Rem. Selon l'art. 175 du *Code de procédure*

civile, la déclaration, par une partie, qu'elle s'en rapporte à la justice n'équivaut pas à une contestation de la demande ni à un acquiescement aux prétentions de la partie adverse.

Angl. *to submit to justice*

Rapporteur, eure *n.*

□ Personne chargée de présenter devant une assemblée le rapport d'une commission sur un texte que celle-ci avait été chargée d'examiner ou la synthèse de textes rédigés par plusieurs auteurs sur un thème donné.

Comp. rapport

Angl. *reporter*

Rapt *n.m.*

□ V. ENLÈVEMENT.

Ratification *n.f.*

□ **1.** Acte juridique unilatéral par lequel une personne approuve une opération effectuée dans son intérêt par un tiers qui a agi sans mandat ou qui a excédé les limites de celui qui lui avait été confié. Ex. La ratification par le mandant de l'obligation contractée par son mandataire ayant excédé les limites de son mandat.

Rem. La ratification peut être expresse ou tacite.

Comp. gestion d'affaires, porte-fort, ratifier

Angl. *ratification*

□ **2.** Synonyme de confirmation.

Rem. Contrairement au *Code civil du Bas-Canada*, le *Code civil du Québec* utilise uniquement, dans le cas d'un contrat annulable, le terme confirmation.

Syn. confirmation

Comp. acte de confirmation, ratifier

Angl. *ratification*

□ **3.** Acte par lequel l'autorité compétente approuve officiellement un engagement pris par son représentant. Ex. La ratification par le syndicat des ententes prises à la table de négociation par ses représentants syndicaux.

Angl. *approval, ratification*

□ **4.** Acte juridique par lequel les organes internes compétents d'un État donnent leur consentement définitif à une convention négociée et signée en son nom.

Comp. convention, traité

Angl. *ratification*

□ **5.** Acte juridique par lequel un État intègre à sa législation nationale les dispositions d'une convention internationale. Ex. La ratification par le Canada de la convention de New-York sur la reconnaissance et l'exécution des sentences arbitrales étrangères.

Comp. convention, traité

Angl. *ratification*

Ratifier *v.tr.*

□ **1.** Approuver, entériner, procéder à une ratification.

Comp. ratification

Angl. *to approve, to ratify*

□ **2.** Synonyme de confirmer.

Comp. confirmation

Angl. *to confirm, to ratify*

Ratio *n.f.*

□ En matière commerciale, rapport mathématique établi entre deux données en vue de mesurer notamment la rentabilité, le potentiel ou la productivité d'une entreprise.

Angl. *ratio*

Ratio decidendi

□ Expression latine qui signifie « la raison de la décision » et qui désigne les motifs d'un jugement ou d'un arrêt qui en constituent le fondement, la raison essentielle.

Contr. *obiter dictum*

Comp. dispositif, motif, opinion, *stare decisis*

Ratione

□ Terme latin signifiant « en raison de » utilisé généralement pour qualifier les critères qui déterminent la compétence d'attribution ou territoriale des tribunaux.

Rem. On l'utilise notamment dans les expressions suivantes : compétence *ratione loci*, compétence *ratione materiae*, compétence *ratione personae*, compétence *ratione personae vel loci*.

Comp. compétence d'attribution, compétence *ratione loci*, compétence *ratione personae*, compétence territoriale

Rattachement *n.m.*

☐ En droit international privé, constatation du lien qui existe entre une situation juridique particulière et les systèmes juridiques de deux ou de plusieurs États et soumission de cette situation au système de l'État avec lequel le lien semble prépondérant.

Comp. localisation, règle de conflit
Angl. *connection*

- **Rattachement (facteur de) :** En droit international privé, élément de fait ou de droit dont doit tenir compte, en cas de conflit de lois, le juge appelé à déterminer le rattachement d'une situation juridique particulière au système juridique de l'État avec lequel le lien semble prépondérant. Ex. La nationalité et le domicile constituent des facteurs de rattachement concernant les parties au litige.

  Syn. rattachement (point de)
  Angl. *connecting factor, point of connection*

- **Rattachement (point de) :** V. RATTACHEMENT (FACTEUR DE).

R. Can. Crim.

☐ Abrév. de Revue canadienne de criminologie / *Canadian Journal of Criminology.*

R.C. de l'É.

☐ Abrév. de Recueils de jurisprudence de la Cour de l'Échiquier.

R.C.L.J.

☐ Abrév. de Revue critique de législation et de jurisprudence du Canada.

R.C.P.I.

☐ Abrév. de Revue canadienne de propriété intellectuelle.

R.C.S.

☐ Abrév. de **1.** Rapports judiciaires du Canada, Cour suprême du Canada ; **2.** Recueils des arrêts de la Cour suprême du Canada.

R.C.T.

☐ Abrév. de Rapports de la Commission du tarif / *Tariff Board Reports.*

R.D.

☐ Abrév. de Répertoire de droit.

R. de D.

☐ Abrév. de Revue de droit.

R. de Droit Comp.

☐ Abrév. de Revue de droit comparé.

R. de J.

☐ Abrév. de Revue de jurisprudence.

R. de Jur.

☐ Abrév. de Revue de jurisprudence.

R. de L.

☐ Abrév. de Revue de législation et de jurisprudence.

R.D.F.

☐ Abrév. de Recueil de droit de la famille.

R.D.F.Q.

☐ Abrév. de Recueil de droit fiscal québécois.

R.D.I.

☐ Abrév. de Recueil de droit immobilier.

R.D.J.

☐ Abrév. de Revue de droit judiciaire.

R.D. McGill

☐ Abrév. de Revue de droit de McGill / *McGill Law Journal.*

R.D.P.

☐ Abrév. de Revue de droit pénal.

R.D.P.S.

□ Abrév. de Revue de planification successorale.

R.D.T.

□ Abrév. de Revue de droit du travail.

R. du B.

□ Abrév. de La Revue du Barreau.

R. du B. Can.

□ Abrév. de La Revue du Barreau canadien / *The Canadian Bar Review.*

R. du D.

□ Abrév. de Revue du droit.

R. du N.

□ Abrév. de La Revue du Notariat.

R.D.U.N.-B.

□ Abrév. de Revue de droit de l'Université du Nouveau-Brunswick / *University of New-Brunswick Law Review.*

R.D.U.S.

□ Abrév. de Revue de droit, Université de Sherbrooke.

Réalisation *n.f.*

□ **1.** Survenance d'un événement.
Angl. *realization*

• **Réalisation (clause de) :** Convention par laquelle les époux, soumis au régime légal de la communauté de meubles et acquêts, excluent de la communauté, pour le tout ou pour partie, les biens meubles qui auraient dû y tomber.
Comp. communauté de meubles et acquêts
Angl. *clause of realization*

• **Réalisation de la condition :** Accomplissement de la condition prévue dans un contrat.
Angl. *fulfilment of the condition, realization of the condition*

• **Réalisation du risque :** Survenance de l'événement pour lequel une personne a conclu un contrat d'assurance.
Angl. *occurrence of the event*

□ **2.** Vente d'un bien. Ex. La réalisation des biens de la succession pour le paiement de ses dettes.
Syn. aliénation
Angl. *alienation, realization*

Réassurance *n.f.*

□ Contrat par lequel un assureur transfère à un ou à plusieurs autres assureurs ou à une entreprise spécialisée en réassurance, en tout ou en partie, les risques qu'il supporte à l'égard de son assuré sans, pour autant, modifier sa responsabilité envers ce dernier.
Comp. coassurance
Angl. *reinsurance*

Rec. Ann. Windsor Accès Justice

□ Abrév. de Recueil annuel de Windsor d'accès à la justice / *Windsor Yearbook of Access to Justice.*

Recel *n.m.*

□ **1.** En matière civile, acte par lequel un successible ou un conjoint cache certains biens de la succession ou certains acquêts en vue de les soustraire à un éventuel partage.
Rem. Le recel expose son auteur à certaines sanctions quant à ses droits dans la succession ou sur les acquêts. Ainsi, selon le *Code civil du Bas-Canada,* le successible qui a, de mauvaise foi, recelé un bien de la succession est réputé l'avoir acceptée ; par contre, selon le *Code civil du Québec,* il est réputé y avoir renoncé. Quant à l'époux, il est alors privé de sa part dans les acquêts.
Comp. divertissement, receler, receleur
Angl. *concealment*

□ **2.** En matière civile, acte par lequel une personne, généralement un successible, cache un testament.
Angl. *concealment*

□ **3.** En matière pénale, infraction consistant à conserver des objets volés par une autre personne.

Comp. receler, receleur

Angl. *receiving of stolen goods, possession of stolen goods*

□ **4.** En matière pénale, aide apportée à un criminel en vue de le soustraire à la justice, notamment en lui fournissant un lieu pour se cacher.

Angl. *harbouring of a criminal*

Receler *v.tr.*

□ **1.** Cacher, de mauvaise foi, des biens. Ex. Receler des acquêts.

Comp. divertissement, recel

Angl. *to conceal*

□ **2.** Dissimuler une personne ou un bien.

Comp. recel

Angl. *to conceal, to harbour*

Receleur, euse *n.*

□ Personne qui se rend coupable d'un recel.

Comp. recel

Angl. *receiver of stolen goods*

Recensement *n.m.*

□ Opération effectuée sous contrôle gouvernemental et visant à dénombrer la population d'un pays et à recueillir à son sujet certaines données permettant de dresser des statistiques globales ou par catégories.

Angl. *census*

Récépissé *n.m.*

□ Écrit par lequel une personne reconnaît avoir reçu un document ou un objet. Ex. Le récépissé de celui qui reçoit livraison de marchandises.

Comp. reçu

Angl. *receipt*

Réception *n.f.*

□ **1.** Action ou fait de recevoir un objet, un document, une communication. Ex. La réception d'un avis.

Angl. *receipt, reception*

• **Réception de caution :** Procédure suivant laquelle la partie qui a été condamnée par jugement à fournir une caution présente celle-ci à la partie adverse afin qu'elle déclare si elle l'accepte ou la conteste.

Comp. caution, cautionnement

Angl. *putting in security*

• **Réception de l'indu :** Fait de réclamer ce qui a été payé sans être dû.

Rem. Le *Code civil du Québec* préfère cette expression à celles de paiement de l'indu, répétition de l'indu et restitution de l'indu, bien qu'elles aient toutes la même signification.

Syn. répétition de l'indu

Comp. action en répétition de l'indu, paiement de l'indu

Angl. *reception of a thing not due*

□ **2.** Acte juridique par lequel l'acquéreur accepte un bien lors de sa livraison par le transporteur.

Comp. acceptation, délivrance, enlèvement

Angl. *acceptance, reception*

• **Réception de l'ouvrage :** Dans un contrat d'entreprise, acte unilatéral par lequel le client, à la fin des travaux, déclare accepter l'ouvrage.

Rem. La fin des travaux a lieu lorsque l'ouvrage est exécuté et en état de servir conformément à l'usage auquel on le destine.

Comp. client, maître de l'ouvrage

Angl. *acceptance of the work, reception of the work*

• **Réception (théorie de la) :** Dans les contrats à distance ou entre absents, théorie juridique suivant laquelle un contrat se forme au moment où le pollicitant prend connaissance de l'acceptation par le bénéficiaire de son offre contractuelle.

Syn. information (théorie de l')

Contr. expédition (théorie de l')

Angl. *theory of reception*

Recevabilité *n.f.*

□ **1.** Caractère d'une demande en justice qui remplit les conditions requises par la loi pour son examen au fond par la juridiction saisie.

Contr. irrecevabilité

Comp. moyen de non-recevabilité, recevable

Angl. *admissibility*

□ **2.** Caractère d'un élément ou d'un moyen de preuve qui remplit les conditions requises par la loi pour son admissibilité lors d'un procès.

Comp. recevable, témoignage

Angl. *admissibility*

Recevable *adj.*

☐ **1.** Se dit d'une demande en justice qui remplit les conditions requises par la loi pour son examen au fond par la juridiction saisie.

Contr. irrecevable

Comp. recevabilité, régulier

Angl. *admissible*

☐ **2.** Se dit d'un élément ou d'un moyen de preuve qui remplit les conditions requises par la loi pour son admissibilité lors d'un procès.

Contr. irrecevable

Comp. recevabilité

Angl. *admissible*

Receveur général *n.m.*

☐ Fonctionnaire fédéral qui, en qualité de responsable des fonds publics du Canada, effectue les paiements et reçoit les impôts et taxes au nom de l'État et qui tient les comptes publics retraçant les dépenses et les recettes ainsi que les opérations financières du gouvernement en vue de faire une présentation sincère de la situation financière du Canada.

Rem. Constituent notamment les fonds publics, les recettes de l'État, les emprunts effectués par le Canada ainsi que les sommes d'argent prélevées pour le compte du Canada.

Comp. contrôleur des finances

Angl. *receiver general*

Recherche de filiation (action en)

☐ V. ACTION EN RÉCLAMATION D'ÉTAT.

Récidive *n.f.*

☐ Fait, pour une personne ayant encouru une condamnation pénale, de commettre à nouveau une infraction de même nature.

Rem. La récidive rend la personne passible d'une peine plus sévère.

Comp. antécédents judiciaires, casier judiciaire, récidiver, récidiviste

Angl. *subsequent offence*

Récidiver *v.intr.*

☐ Commettre une nouvelle infraction.

Comp. récidive

Angl. *to commit a subsequent offence, to reoffend*

Récidiviste *n.*

☐ Personne qui, ayant déjà encouru une condamnation pénale, commet à nouveau une infraction de même nature.

Comp. criminalisé, récidive

Angl. *recidivist*

Réciprocité *n.f.*

☐ Caractère de ce qui est réciproque.

Comp. réciproque, réciproquement

Angl. *reciprocity*

Réciproque *adj.*

☐ Se dit des obligations auxquelles sont tenues deux personnes l'une envers l'autre, chacune étant à la fois créancière et débitrice de l'autre. Ex. Les obligations réciproques du vendeur et de l'acheteur dans un contrat de vente.

Comp. contrat synallagmatique, réciprocité

Angl. *mutual, reciprocal*

Réciproquement *adv.*

☐ De manière réciproque.

Comp. réciprocité, réciproque

Angl. *conversely, mutually, on one another, reciprocally, vice versa*

Réclamant, ante *n.*

☐ Personne qui présente une réclamation en justice.

Comp. demandeur, réclamation, requérant

Angl. *claimant*

Réclamation *n.f.*

- ☐ Acte par lequel une personne s'adresse à une autorité en vue de faire reconnaître l'existence d'un droit dont elle se prétend titulaire.

  Comp. demande, réclamant, réclamer
  Angl. *claim, demand*

- • **Réclamation d'état :** V. ACTION EN RÉCLAMATION D'ÉTAT.

Réclamer *v.tr.*

- ☐ Effectuer une réclamation en justice, exiger la reconnaissance d'un droit.

  Comp. réclamation
  Angl. *to claim*

Reclassement *n.m.*

- ☐ Réaffectation d'un travailleur à un nouveau poste en raison de son inaptitude à exercer son activité antérieure, de la suppression de son emploi ou de changements technologiques majeurs ayant profondément modifié l'exercice de son activité habituelle.

  Angl. *reclassification*

Recognitif (ou récognitif), ive *adj.*

- ☐ V. ACTE RÉCOGNITIF.

Récolement *n.m.*

- ☐ Vérification faite par l'huissier, avant de procéder à la vente en justice de biens meubles, en vue de s'assurer que tous les biens saisis se retrouvent présents lors de la mise aux enchères.

  Comp. récoler, saisie-exécution
  Angl. *verification*

Récoler *v.tr.*

- ☐ Effectuer un récolement.

  Comp. récolement
  Angl. *to verify*

Recommandataire *n.*

- ☐ Personne dont le nom est indiqué dans la lettre de change par le tireur ou l'endosseur et à qui le détenteur peut s'adresser au besoin, en cas de refus d'acceptation ou de paiement par le tiré.

  Comp. endosseur, tiré, tireur
  Angl. *referee in case of need*

Recommandé, ée *adj.*

- ☐ V. COURRIER RECOMMANDÉ.

Récompense *n.f.*

- ☐ **1.** Indemnité due, lors de la dissolution de la société d'acquêts ou de la communauté de biens, par un époux à la masse commune des biens ou par celle-ci aux biens propres d'un des époux. Elle est égale à l'enrichissement dont une masse de biens a bénéficié au détriment de l'autre.

  Comp. acquêt(s), bien(s) commun(s), bien(s) propre(s), rapport, soulte
  Angl. *compensation*

- ☐ **2.** Somme d'argent ou bien qu'une personne donne à une autre pour un service rendu ou pour un acte posé. Ex. Une offre de récompense par une personne qui a perdu un objet.

  Angl. *reward*

Réconciliation *n.f.*

- ☐ Reprise volontaire et effective de la vie commune par les époux sur la base du renouement des sentiments d'amitié, de confiance et de respect mutuel ou dans l'intérêt des enfants.

  Rem. La réconciliation constitue une fin de non-recevoir à l'action en divorce ou en séparation de corps si la reprise de la cohabitation dure plus de quatre-vingt-dix jours.
  Comp. divorce, séparation de corps
  Angl. *reconciliation*

Reconduction *n.f.*

- ☐ Renouvellement aux conditions originaires d'un contrat à durée déterminée, par suite de l'accord explicite ou tacite des parties. Ex. La reconduction d'un contrat de travail, d'un bail.

  Comp. bail, travail (contrat de)
  Angl. *renewal*

- **Reconduction (tacite) :** V. TACITE RECONDUCTION.

Reconnaissance *n.f.*

□ **1.** Acte par lequel une personne déclare tenir pour établie une situation de fait ou de droit préexistante qui la concerne. Ex. L'aveu est la reconnaissance d'un fait.
Angl. *acknowledgement*

- **Reconnaissance de dette :** Acte par lequel une personne reconnaît unilatéralement être débitrice d'une autre.
Comp. dette
Angl. *acknowledgement of debt*

□ **2.** Acte par lequel une personne ou un État admet l'existence d'une situation de fait ou de droit et en accepte les conséquences juridiques.
Comp. reconnu
Angl. *recognition*

- **Reconnaissance d'un jugement étranger :** Admission par un État de l'effet exécutoire, sur son territoire, d'un jugement prononcé à l'étranger.
Syn. opposabilité d'un jugement étranger
Comp. exemplification
Angl. *recognition of a foreign judgment*

- **Reconnaissance volontaire de maternité :** Déclaration faite volontairement par une femme qu'elle est la mère d'un enfant.
Angl. *acknowledgement of maternity*

- **Reconnaissance volontaire de paternité :** Déclaration faite volontairement par un homme qu'il est le père d'un enfant.
Angl. *acknowledgement of paternity*

Reconnu, ue *adj.*

□ Se dit d'un enfant qui bénéficie d'une reconnaissance volontaire de maternité ou de paternité.
Comp. reconnaissance
Angl. *acknowledged*

Reconvention *n.f.*

□ Demande formée par un défendeur contre le demandeur, dans le même dossier.
Comp. demande reconventionnelle
Angl. *counterclaim, set-off*

Reconventionnel, elle *adj.*

□ V. DEMANDE RECONVENTIONNELLE.

Recorder *n.m.*

□ V. COUR DU RECORDER.
Angl. *recorder*

Recors *n.m.*

□ Nom donné à la personne qui accompagne l'huissier et lui sert de témoin lors de certaines opérations d'exécution.
Comp. huissier
Angl. *bailiff's assistant*

Recours *n.m.*

□ **1.** Voie de droit qui permet à une personne de faire reconnaître et respecter un droit dont elle se prétend titulaire ou de défendre ses intérêts. Ex. Le recours en dommages-intérêts contre l'auteur d'un dommage, le recours du locataire contre le locateur.
Comp. action, droit
Angl. *remedy*

□ **2.** Moyen de procédure par lequel une personne demande en justice le respect d'un droit dont elle se prétend titulaire. Ex. Le recours en désaveu de paternité.
Syn. action
Angl. *action, recourse*

- **Recours en contribution :** V. ACTION RÉCURSOIRE.

□ **3.** Moyen de procédure qui permet à une personne de se pourvoir contre une décision.
Angl. *recourse*

□ **4.** Nom spécifique donné à certaines actions en justice de nature particulière.
Angl. *action, recourse*

- **Recours collectif :** Moyen de procédure qui permet à une personne de faire valoir devant les tribunaux non seulement ses droits, mais également ceux d'un groupe d'individus, sans avoir reçu de leur part mandat de les représenter, lorsque leurs revendications se ressemblent suffisamment pour justifier leur regroupement dans une même instance.

Syn. action collective

Angl. *class action*

- **Recours extraordinaire :** Nom donné dans le *Code de procédure civile* à certaines actions de contrôle judiciaire qui sont soumises à un régime de procédure particulier.

  Rem. Ce sont les moyens de se pourvoir en cas d'usurpation de fonctions (le *quo warranto*), en cas de refus d'accomplir un devoir qui n'est pas de nature purement privée (le *mandamus*) et contre les procédures et jugements des tribunaux soumis au pouvoir de surveillance et de contrôle de la Cour supérieure (l'évocation ou révision judiciaire).

  Comp. bref de prérogative, *certiorari* (bref de), évocation, *mandamus*, prohibition, *quo warranto*, révision judiciaire

  Angl. *extraordinary recourse*

- **Recours hypothécaires :** Nom donné aux recours que peut exercer le créancier, dont la créance est liquide et exigible, pour faire valoir ses droits hypothécaires à l'encontre de son débiteur en défaut.

  Rem. Selon le *Code civil du Québec*, il peut, pour faire valoir et réaliser sa sûreté, prendre possession du bien grevé pour l'administrer, le prendre en paiement de sa créance, le faire vendre sous contrôle de justice ou le vendre lui-même.

  Comp. hypothèque, sûreté

  Angl. *exercise of hypothecary rights*

Recouvrable *adj.*

□ Qui peut faire l'objet d'un recouvrement.

Contr. irrécouvrable

Comp. recouvrement, recouvrer

Angl. *recoverable*

Recouvrement *n.m.*

□ Action de rentrer en possession d'un bien ou d'une somme d'argent qui est due. Ex. Le recouvrement d'une créance.

Comp. recouvrer, répétition

Angl. *collection, recovery*

- **Recouvrement collectif :** Dans le cas d'un recours collectif, forme de condamnation par laquelle le juge ordonne au défendeur de verser le montant total des réclamations des membres, lorsque la preuve permet de l'établir d'une façon suffisamment précise, même si l'identité de chacun des membres ou le montant exact de leur réclamation n'est pas encore établi.

  Comp. recours collectif, reliquat

  Angl. *collective recovery*

Recouvrer *v.tr.*

□ Rentrer en possession d'un bien ou d'une somme d'argent qui est due.

Comp. recouvrement, répétition

Angl. *to collect, to recover*

Rectificatif, ive *adj.*

□ Qui a pour objet d'apporter une rectification.

Comp. rectification

Angl. *corrected, rectified*

Rectificatif *n.m.*

□ Texte qui a pour objet de corriger un écrit contenant des renseignements inexacts, incomplets ou équivoques.

Comp. rectification

Angl. *correction, rectification*

Rectification *n.f.*

□ Action de corriger un écrit contenant des renseignements inexacts, incomplets ou équivoques.

Comp. erreur matérielle, rectificatif, rectifier

Angl. *correction, rectification*

- **Rectification de jugement :** Acte par lequel un juge ou un tribunal collégial corrige, pour cause d'erreur d'écriture ou de calcul, un jugement qu'il a rendu.

  Angl. *correction of judgment*

Rectifier *v.tr.*

□ Apporter une rectification.

Comp. rectification

Angl. *to correct, to rectify*

Reçu *n.m.*

□ Écrit dans lequel une personne reconnaît avoir reçu une somme d'argent ou un bien mobilier. Ex. Un reçu attestant un paiement,

le dépôt d'un objet.
Comp. quittance, récépissé
Angl. *receipt*

Recueil *n.m.*

☐ Ouvrage contenant un certain nombre de textes ou de documents.
Comp. répertoire
Angl. *digest*

- **Recueil de jurisprudence :** Ouvrage qui regroupe un ensemble de décisions prononcées par un ou plusieurs tribunaux.
Comp. recueil de lois
Angl. *digest, law reports, reports*

- **Recueils de lois :** Ouvrage qui regroupe des textes législatifs dans leur intégralité.
Rem. Ils sont de deux types : les recueils annuels qui réunissent les lois entrées en vigueur au cours d'une année et les refontes ou révisions qui constituent une consolidation des recueils annuels pour une période donnée.
Comp. refonte, répertoire, révision
Angl. *statute book*

Récursoire *adj.*

☐ V. ACTION RÉCURSOIRE.

Récusation *n.f.*

☐ **1.** Refus d'accepter une personne comme juge, arbitre ou expert.
Rem. On peut obtenir la récusation d'un juge, d'un arbitre ou d'un expert s'il est parent de l'une des parties ou si l'on peut douter de quelque manière de son impartialité.
Angl. *recusation*

☐ **2.** Lors d'un procès par jury, action d'écarter un candidat juré.
Angl. *challenge*

R.E.D.

☐ Abrév. de **1.** *Ritchie's Equity Decisions, by Russell (N.S.)* ; **2.** *Ritchie's Equity Reports, by Russell (N.S.)* ; **3.** *Russell's Equity Decisions (N.S.).*

Reddition de compte

☐ V. ACTION EN REDDITION DE COMPTE, COMPTE (REDDITION DE).

Redevance *n.f.*

☐ **1.** Dans un contrat constitutif de rente, somme d'argent payable à échéances déterminées au crédirentier par le débirentier.
Comp. crédirentier, débirentier, rente
Angl. *payment*

☐ **2.** Somme d'argent que doit verser l'utilisateur d'un brevet à son inventeur et qui est établie en fonction du nombre d'objets fabriqués.
Syn. royauté(s)
Comp. auteur (droit d'), brevet
Angl. *royalties, royalty*

☐ **3.** Somme d'argent déterminée ou taxe que doit verser une entreprise à l'État pour l'exploitation de ressources naturelles situées dans le domaine public. Ex. La redevance versée pour l'exploitation d'une concession minière.
Syn. royauté(s)
Comp. taxe
Angl. *dues, royalties, royalty*

Rédhibition *n.f.*

☐ Résolution d'une vente atteinte d'un vice caché.
Comp. action rédhibitoire, vice caché
Angl. *redhibition*

Rédhibitoire *adj.*

☐ V. ACTION RÉDHIBITOIRE, VICE CACHÉ.

Redressement *n.m.*

☐ Action de corriger, de rendre conforme à la réalité. Ex. Le redressement d'un compte.
Angl. *adjustment, correction, rectification*

Réel, elle *adj.*

☐ **1.** Qui a pour objet un bien ou un droit sur un bien.
Contr. personnel
Comp. action réelle, droit réel, obligation réelle
Angl. *real*

☐ **2.** Relatif à un bien, à la condition d'un bien.
Contr. personnel
Comp. caution réelle, servitude réelle, statut réel, sûreté réelle

Angl. *real*

☐ **3.** Qui dépend de la remise d'un bien, qui repose sur la présentation d'un bien.
Comp. contrat réel, offres réelles, tradition réelle
Angl. *real*

☐ **4.** Qui existe effectivement, dont l'existence est certaine.
Contr. fictif
Comp. volonté interne
Angl. *real*

Réélection *n.f.*

☐ Fait pour une personne d'être élue de nouveau à la fonction qu'elle occupait déjà par l'effet d'une élection précédente.
Comp. élection
Angl. *re-election*

Rééligibilité *n.f.*

☐ Aptitude légale à être réélu.
Comp. éligibilité, réélection, rééligible
Angl. *re-eligibility*

Rééligible *adj.*

☐ Qui est légalement apte à être réélu.
Comp. éligible, réélection
Angl. *re-eligible*

Ref.

☐ Abrév. de *Reference*.

Référé *n.m.*

☐ Moyen de procédure par lequel le débiteur poursuivi devant la Chambre civile de la Cour du Québec demande que l'instance soit continuée devant la Division des petites créances de ce tribunal pour qu'elle soit entendue conformément aux règles qui y sont applicables.
Comp. Cour des petites créances
Angl. *reference*

Référendaire *adj.*

☐ Qui se rapporte à un référendum. Ex. La campagne référendaire.
Comp. référendum
Angl. *referendary*

Référendum *n.m.*

☐ Processus de consultation directe en vertu duquel la population est appelée à exprimer son opinion sur un projet de loi ou sur une question que lui soumet le gouvernement.
Rem. Au Québec, le gouvernement a adopté, en 1978, une loi référendaire, la *Loi sur la consultation populaire* (L.R.Q., c. C-14.1) qui régit le processus de consultation.
Syn. plébiscite
Comp. élection, référendaire
Angl. *referendum*

Référer à (en) *v.tr.ind.*

☐ Faire rapport à, soumettre à une autorité supérieure. Ex. En référer à un supérieur.
Comp. déférer
Angl. *to refer, to submit*

Référer à (se) *v.pronom.*

☐ Recourir à, s'appuyer sur. Ex. Se référer à la doctrine, à la jurisprudence.
Angl. *to refer*

Refonte *n.f.*

☐ Opération ayant pour but de mettre à jour l'ensemble des lois du Québec.
Rem. **1.** Cette refonte, qui est permanente, est réalisée par le ministre de la Justice qui peut, tout en respectant l'intention du législateur, effectuer des changements de phraséologie en vue d'uniformiser les termes utilisés dans les lois et de corriger les erreurs de transcription et de typographie. **2.** La refonte permanente des lois du Québec a débuté en 1977. **3.** Cette opération porte, au fédéral, le nom de révision.
Syn. révision
Angl. *consolidation*

Réformation *n.f.*

☐ Modification d'une décision par une autorité supérieure. Ex. La réformation d'un jugement.
Comp. confirmation, infirmation
Angl. *reformation*

Réforme (pouvoir de)

☐ V. CONTRÔLE JUDICIAIRE.

Réfragable *adj.*

☐ Qu'on peut contredire par une preuve contraire. Se dit de certaines présomptions légales qui peuvent être combattues par une preuve contraire.

Contr. irréfragable, *juris et de jure*
Comp. présomption
Angl. *inconclusive, refutable*

Réfugié, ée *n.*

☐ Personne qui, ne pouvant bénéficier de la protection des autorités en place, a dû fuir son pays d'origine ou le pays où elle résidait afin d'échapper à des persécutions ou à des risques de persécution fondés notamment sur des motifs d'ordre racial, politique ou religieux.

Angl. *refugee*

Refus *n.m.*

☐ **1.** Fait pour une personne de ne pas accepter une proposition ou une demande qui lui est faite. Ex. Le refus d'une offre.

Contr. acceptation
Angl. *refusal*

☐ **2.** Fait pour une personne de se soustraire à l'exécution d'une obligation. Ex. Le refus de témoigner.

Contr. acceptation
Angl. *refusal*

• **Refus de pourvoir :** Défaut d'une personne d'exécuter son obligation légale de fournir à une autre personne les choses nécessaires à la vie, telles que la nourriture, le logement, les vêtements, le chauffage et les soins médicaux.

Rem. Selon le *Code criminel*, il constitue une infraction contre la personne.
Comp. obligation alimentaire
Angl. *non-support*

Reg.

☐ Abrév. de **1.** *Registrar* ; **2.** *Regulation.*

Régie *n.f.*

☐ Organisme gouvernemental décentralisé ayant pour fonction de voir au développement et à la gestion d'un secteur de la vie économique et sociale et possédant, à cette fin, des pouvoirs de réglementation et d'adjudication qui lui permettent d'édicter des normes ou conditions d'exercice d'une activité donnée et de veiller au respect de celles-ci.

Comp. commission, régisseur
Angl. *board, commission*

Régime *n.m.*

☐ **1.** Ensemble de règles formant un tout organisé et cohérent.

Comp. système
Angl. *regime*

• **Régime communautaire :** V. COMMUNAUTÉ CONVENTIONNELLE, COMMUNAUTÉ LÉGALE.

Syn. régime matrimonial communautaire
Angl. *community regime*

• **Régime conventionnel :** Régime matrimonial choisi explicitement par les époux dans leur contrat de mariage.

Syn. régime matrimonial conventionnel
Contr. régime légal
Comp. contrat de mariage, régime primaire
Angl. *conventional regime*

• **Régime de la société d'acquêts :** V. SOCIÉTÉ D'ACQUÊTS.

Angl. *regime of partnership of acquests*

• **Régime de protection du majeur :** Ensemble de règles visant à organiser l'administration du patrimoine et à assurer l'exercice des droits de personnes majeures qui n'ont pas la pleine capacité et qui, conséquemment, ont besoin d'une protection de la loi qui varie selon leur degré d'inaptitude.

Rem. Depuis 1990, le régime de protection du majeur a remplacé, dans les lois du Québec, les règles relatives à l'interdiction.
Comp. conseiller, curatelle, interdiction, tutelle
Angl. *protective supervision of persons of full age*

• **Régime de séparation conventionnelle de biens :** V. SÉPARATION DE BIENS.

Angl. *regime of conventional separation as to property*

- **Régime foncier :** Ensemble des règles relatives aux immeubles, plus particulièrement celles qui portent sur la publicité foncière.

  Comp. foncier, immeuble, publicité des droits

  Angl. *system of rules governing land ownership*

- **Régime légal :** Régime matrimonial applicable par le seul effet de la loi aux époux qui se marient sans contrat de mariage.

  Rem. Jusqu'au 19 juillet 1970, le régime légal, au Québec, était celui de la communauté des meubles et acquêts. Il a alors été remplacé par la société d'acquêts.

  Syn. régime matrimonial de droit commun, régime matrimonial légal

  Contr. régime conventionnel

  Comp. régime primaire

  Angl. *legal regime*

- **Régime légal de la communauté de biens :** V. COMMUNAUTÉ LÉGALE.

  Angl. *regime of legal community*

- **Régime matrimonial :** Ensemble des règles qui gouvernent les rapports pécuniaires des époux entre eux et avec les tiers, au cours de leur mariage ainsi qu'à sa dissolution. Il prend effet le jour de la célébration du mariage et les époux peuvent, sous certaines conditions, le modifier par la suite.

  Comp. communauté de biens, contrat de mariage, séparation de biens, société d'acquêts

  Angl. *matrimonial regime*

- **Régime matrimonial communautaire :** V. COMMUNAUTÉ CONVENTIONNELLE, COMMUNAUTÉ LÉGALE.

  Angl. *community matrimonial regime*

- **Régime matrimonial conventionnel :** V. RÉGIME CONVENTIONNEL.

- **Régime matrimonial de droit commun :** V. RÉGIME LÉGAL.

- **Régime matrimonial légal :** V. RÉGIME LÉGAL.

- **Régime primaire :** Régime à caractère impératif mis en place par le législateur et applicable à tous les époux, quel que soit le régime matrimonial qui régit leurs rapports. Il cherche à organiser la vie familiale sur la base de rapports égalitaires entre les époux et à établir un équilibre entre leurs intérêts pécuniaires et ceux de la famille afin d'assurer à celle-ci une sécurité matérielle. Il contient notamment des dispositions relatives à la constitution d'un patrimoine familial, à la contribution commune des époux aux charges du mariage, à leur responsabilité solidaire à l'égard des dettes contractées pour les besoins de la famille et à la protection de la résidence familiale.

  Syn. statut patrimonial de base

  Comp. patrimoine familial, prestation compensatoire, régime conventionnel, régime légal, résidence familiale

  Angl. *primary regime*

- **Régime sans communauté :** Régime matrimonial conventionnel en vertu duquel chaque époux conserve la propriété de ses biens, le mari se voyant toutefois confier le droit d'administrer les biens propres de sa femme et d'en percevoir tous les revenus.

  Rem. Ce régime n'a plus cours, au Québec, depuis 1964.

  Syn. exclusion de communauté

  Comp. communauté de biens, séparation de biens, société d'acquêts

  Angl. *regime without community*

□ **2.** Ensemble de règles relatives à l'organisation politique, économique et sociale d'un État. Ex. Le régime parlementaire au Canada.

Angl. *regime*

□ **3.** Règles particulières auxquelles des biens ou des personnes sont soumis. Ex. Le régime d'administration des biens d'autrui, un régime d'indemnisation.

Angl. *form, mode, rule*

□ **4.** Ensemble de mesures de protection étatiques ou privées dont bénéficient certains individus ou certaines catégories d'individus. Ex. Les régimes de retraite.

Angl. *plan*

Régir *v.tr.*

□ Pour une règle de droit, déterminer le régime juridique ou la norme applicable. Ex. Le droit public régit les rapports entre l'État et les citoyens.

Comp. *locus regit actum*

Angl. *to govern*

Régisseur, euse *n.*

□ Personne qui administre une régie ou qui détient des pouvoirs d'adjudication dans une régie. Ex. Un régisseur à la Régie du logement.

Comp. régie
Angl. *commissioner*

Registraire *n.*

□ **1.** Officier public ayant pour fonction de tenir des registres. Ex. Le registraire des marques de commerce, des titres.

Comp. régistrateur, registre
Angl. *registrar*

• **Registraire général du Canada :** Fonctionnaire fédéral ayant pour fonction d'enregistrer les proclamations, commissions, lettres patentes, brefs et autres documents délivrés sous le grand sceau ainsi que tous autres documents soumis à l'enregistrement en vertu de lois fédérales.

Angl. *registrar general of Canada*

□ **2.** En matière de faillite, officier de justice qui, en plus d'exercer certaines fonctions administratives, possède notamment le pouvoir d'entendre des pétitions de faillite, d'interroger les faillis et toutes autres personnes détenant des informations relativement à la faillite, d'entendre et de décider les affaires lorsqu'il y a urgence ou absence de contestation et de rendre des ordonnances dans les limites prévues par la loi.

Comp. faillite
Angl. *registrar*

□ **3.** Officier de justice responsable du greffe de la Cour suprême du Canada et qui exerce la juridiction d'un juge en chambre de ce tribunal selon les pouvoirs qui lui sont conférés par la loi.

Rem. Il dirige le personnel et il est responsable de la bibliothèque et des publications des décisions de la Cour suprême.
Comp. greffier, protonotaire
Angl. *registrar*

Régistrateur *n.m.*

□ Officier public à qui est confiée la direction d'un bureau d'enregistrement et qui a pour fonction d'enregistrer les transactions se rapportant à la propriété immobilière, de recevoir et de conserver des informations à leur sujet et de les rendre publiques sur demande, et d'enregistrer tous autres types de transactions qui lui sont présentées pour enregistrement suivant les prescriptions de la loi.

Rem. Dans le *Code civil du Québec*, il porte le nom d'officier de la publicité des droits.
Syn. officier de la publicité des droits
Comp. bureau d'enregistrement, enregistrement, registre
Angl. *registrar*

Registre *n.m.*

□ Livre ou cahier qui contient des renseignements dont on veut conserver le souvenir. Ex. Les registres d'une personne morale, d'une société, des tribunaux.

Comp. archives, minute, procès-verbal
Angl. *record, register*

• **Registre de l'état civil :** Selon le *Code civil du Québec*, ensemble des actes de l'état civil et des actes juridiques qui le modifient.

Rem. Contrairement à la situation prévalant sous le *Code civil du Bas-Canada*, le registre est unique pour l'ensemble du Québec.
Comp. directeur de l'état civil, registres de l'état civil
Angl. *register of civil status*

• **Registre(s) de l'état civil :** Selon le *Code civil du Bas-Canada*, livres tenus d'après la loi par des officiers publics aux fins de constater les naissances, les mariages et les sépultures et dans lesquels les actes de l'état civil sont inscrits.

Rem. Ils sont rédigés par les fonctionnaires de l'état civil, devant des témoins et sur la foi des déclarations de personnes qui connaissent les faits que doit constater l'acte.
Comp. acte(s) de l'état civil, registre de l'état civil
Angl. *registers of civil status*

• **Registre des droits personnels et réels mobiliers :** Registre central dans lequel sont inscrits les droits personnels et les droits réels mobiliers sujets à la publicité des droits. Ex. L'hypothèque mobilière, la renonciation par un époux à ses droits dans le patrimoine familial et la dénonciation par l'État de sa créance prioritaire doivent être inscrites dans ce registre.

Rem. **1.** Il remplace le registre des cessions de biens en stock, le registre des nantissements agricoles ou forestiers, le registre des nantissements commerciaux ainsi que l'index des noms des droits personnels. **2.** Il n'existe qu'un seul registre pour le Québec.

Comp. hypothèque mobilière, publicité des droits, registre foncier

Angl. *register of personal and movable real rights*

- **Registre des procès-verbaux et résolutions :** Registre dans lequel sont classés, par ordre chronologique, les procès-verbaux des assemblées d'une personne morale et les résolutions qui y sont adoptées.

Rem. **1.** C'est dans ce registre que sont rapportées toutes les décisions et autorisations concernant l'administration et les opérations de la personne morale. **2.** Dans le langage courant, on utilise le plus souvent l'anglicisme « livre des minutes ».

Comp. procès-verbal

Angl. *minutes book*

- **Registre domestique :** Ensemble de papiers domestiques conservés de façon systématique, selon une méthode déterminée.

Comp. papiers domestiques

Angl. *domestic register*

- **Registre foncier :** Ensemble des livres fonciers d'un territoire déterminé qui relève d'un bureau de la publicité des droits.

Rem. **1.** Selon l'art. 2972 du *Code civil du Québec*, le registre foncier d'un bureau de la publicité des droits est constitué d'autant de livres fonciers qu'il y a de cadastres dans le ressort du bureau. **2.** Le registre foncier, qui constitue l'instrument de base de la publicité des droits réels immobiliers, remplace l'index des immeubles, l'index des noms et le registre minier du *Code civil du Bas-Canada*.

Comp. bureau de la publicité des droits, index des immeubles, livre foncier, localisation (certificat de), plan cadastral, publicité des droits, rapport d'actualisation, registre des droits personnels et réels mobiliers, report

Angl. *land register*

Règle *n.f.*

□ **1.** Principe à caractère général et impersonnel qui détermine la ligne de conduite, le modèle à suivre dans un cas déterminé.

Syn. norme

Comp. principe

Angl. *principle, rule*

- **Règle de conflit :** En droit international privé, règle qui détermine le tribunal compétent ou le système juridique devant régir un conflit lorsque celui-ci présente des liens avec plusieurs systèmes juridiques.

Comp. localisation, rattachement

Angl. *conflict rule, rule of conflict*

- **Règle d'interprétation :** V. DIRECTIVE.

- **Règle *ejusdem generis* :** V. *EJUSDEM GENERIS* (RÈGLE).

□ **2.** Nom donné aux dispositions particulières adoptées par la majorité des juges d'un tribunal, en vertu des pouvoirs qui leur sont attribués par la loi, et qui visent à réglementer la procédure à suivre devant ce tribunal. Ex. Les règles de la Cour suprême du Canada.

Comp. règlement

Angl. *rules*

- **Règles de pratique :** Nom donné, au Québec, aux règles de procédure adoptées par la majorité des juges d'un tribunal, en vertu des pouvoirs qui leur sont attribués par la loi, et qui visent à assurer, en les complétant, la bonne exécution des dispositions du *Code de procédure civile*. Ex. Les règles de pratique de la Cour supérieure.

Angl. *rules of practice*

□ **3.** Plus particulièrement, disposition législative ou réglementaire.

Angl. *provision*

Règlement *n.m.*

□ **1.** Acte normatif, de caractère général et impersonnel, édicté par le pouvoir exécutif en vertu d'une loi habilitante et qui, lorsqu'il est en vigueur, a force exécutoire. Ex. Un règlement du gouvernement, d'une municipalité.

Comp. acte administratif, acte législatif, arrêté, décret, loi, réglementaire, résolution

Angl. *regulation*

□ **2.** Ensemble de règles qui gouvernent l'organisation et le fonctionnement d'une personne morale, d'un gouvernement. Ex. Les règlements d'une compagnie, d'une copropriété.

Comp. résolution
Angl. *by-law*

- **Règlement de l'immeuble :** Document compris dans la déclaration de copropriété d'un immeuble qui contient les règles relatives à la jouissance, à l'usage et à l'entretien des parties privatives et communes, ainsi que celles relatives au fonctionnement et à l'administration de la copropriété. Il porte également sur la procédure de cotisation et de recouvrement des contributions aux charges communes.

Comp. acte constitutif de copropriété, déclaration de copropriété, état descriptif des fractions
Angl. *by-laws of an immovable*

☐ **3.** Opération de paiement ou de liquidation. Ex. Le règlement d'une dette, le règlement des récompenses lors de la dissolution d'un régime matrimonial.

Syn. paiement
Comp. liquidation
Angl. *payment, settlement*

- **Règlement hors cour :** Nom donné à une transaction qui termine un procès en cours.

Comp. transaction
Angl. *out-of-court settlement, transaction*

Réglementaire *adj.*

☐ **1.** Qui est de la nature d'un règlement. Ex. Un texte réglementaire.

Comp. règlement
Angl. *statutory*

☐ **2.** Qui est conforme au règlement, à la règle. Ex. Une formule réglementaire.

Comp. règle, règlement
Angl. *legal, regular*

☐ **3.** Qui est relatif à un règlement. Ex. Le pouvoir réglementaire.

Comp. règlement
Angl. *relating to regulations*

Réglementation *n.f.*

☐ **1.** Action de réglementer.

Comp. règle, règlement, réglementer
Angl. *regulating, regulation*

☐ **2.** Ensemble des règles, des règlements sur une matière donnée. Ex. La réglementation sur l'affichage dans les lieux publics.

Comp. règle, règlement, réglementer
Angl. *regulations*

Réglementer *v.tr.*

☐ **1.** Assujettir à un règlement, à des règles. Ex. Réglementer le transport routier.

Comp. règlement, réglementation
Angl. *to control, to regulate*

☐ **2.** Établir des règlements. Ex. Le pouvoir général du gouvernement de réglementer.

Comp. règlement, réglementation
Angl. *to control, to regulate*

Règne *n.m.*

☐ **1.** Exercice du pouvoir par un souverain.

Angl. *reign*

☐ **2.** Période de temps pendant laquelle un souverain exerce son pouvoir.

Angl. *reign*

Régularisation *n.f.*

☐ V. ACTE DE RÉGULARISATION.

Régularité *n.f.*

☐ Conformité à une règle de fond ou de forme. Ex. La régularité d'une convention, d'un testament.

Contr. irrégularité
Comp. légalité, licéité, validité
Angl: *regularity*

Régulier, ière *adj.*

☐ **1.** Conforme à la règle, à la norme.

Contr. irrégulier
Comp. régularité
Angl. *legal, regular*

☐ **2.** Valablement formé ou accompli.

Contr. irrégulier
Comp. recevable, régularité, valide
Angl. *legal, regular*

Réhabilitation *n.f.*

☐ **1.** Rétablissement dans ses droits d'une personne qui en avait été privée par suite d'une condamnation.
Comp. pardon
Angl. *recovery of civil rights, rehabilitation*

☐ **2.** Réinsertion sociale.
Angl. *rehabilitation*

Réinstallation *n.f.*

☐ Rétablissement dans ses fonctions antérieures, à l'initiative de l'employeur, d'un salarié congédié ou suspendu.
Comp. congédiement, réintégration
Angl. *reinstatement*

Réintégrande *n.f.*

☐ V. ACTION EN RÉINTÉGRANDE.

Réintégration *n.f.*

☐ Rétablissement dans ses fonctions d'un salarié congédié, déplacé ou suspendu pour des motifs insuffisants ou non fondés.
Comp. congédiement, réinstallation
Angl. *reinstatement*

Rejet *n.m.*

☐ Fait pour un juge d'écarter une prétention, de ne pas accueillir une demande. Ex. Le rejet d'une requête.
Comp. débouté, rejeter, renvoi
Angl. *dismissal, rejection*

Rejeter *v.tr.*

☐ Pour un juge, écarter une prétention, ne pas accueillir une demande. Ex. Rejeter une action.
Comp. débouter, rejet
Angl. *to dismiss, to overrule, to reject*

Relais *n.m.*

☐ V. LAIS (ET RELAIS) DE LA MER.

Relatif, ive *adj.*

☐ **1.** Qui concerne, qui se rapporte à. Ex. Les règles relatives à l'adoption.
Angl. *connected with, related to*

☐ **2.** Se dit d'un droit qui appartient ou est opposable à certaines personnes seulement. Ex. L'autorité relative de la chose jugée.
Contr. absolu
Comp. opposable, relativité
Angl. *relative*

- **Relative (nullité) :** V. NULLITÉ RELATIVE.

☐ **3.** Qui est considéré par rapport à une autre chose.
Contr. absolu
Comp. compétence territoriale, incompétence territoriale
Angl. *relative*

- **Relative (majorité) :** V. MAJORITÉ RELATIVE.

Relation(s) *n.f.*

☐ Lien de droit ou de fait existant entre deux ou plusieurs personnes. Ex. Des relations d'affaires.
Angl. *relation, relationship*

- **Relations de travail :** Rapport juridique entre un employeur et un salarié, généralement dans le cadre d'un contrat de travail.
Comp. contrat de travail
Angl. *work relations, work relationship*

- **Relations diplomatiques :** Relations que les États entretiennent entre eux par l'intermédiaire de leurs agents diplomatiques respectifs.
Comp. accréditation, rupture
Angl. *diplomatic relations*

Relativité *n.f.*

☐ Caractère de ce qui est relatif.
Comp. relatif
Angl. *relativity*

- **Relativité des conventions (principe de la) :** Principe en vertu duquel le contrat n'a d'effet qu'entre les parties contractantes et non à l'égard des tiers, excepté dans les cas prévus par la loi.
Comp. inopposabilité, porte-fort, stipulation pour autrui
Angl. *(principle of the) relativity of contract, privity of contract*

Rel. Ind.

☐ Abrév. de Relations industrielles / *Industrial Relations.*

Reliquat *n.m.*

☐ **1.** Solde qui reste dû après la clôture d'un compte.

Comp. compte (reddition de)
Angl. *balance*

☐ **2.** Somme d'argent qui n'a pas été distribuée après un partage.

Comp. partage
Angl. *residue*

☐ **3.** Dans le cas d'un recours collectif, sommes d'argent qui n'ont pas été réclamées ou distribuées lors de l'exécution du jugement ayant ordonné le recouvrement collectif.

Comp. recours collectif, recouvrement collectif
Angl. *balance*

Remanet

☐ Terme latin signifiant « il reste » que l'on utilise parfois pour désigner la partie du rôle d'audition qui n'a pas été épuisée pendant une session du tribunal et qui doit alors être reportée à la session suivante.

Comp. rôle, session

Remboursable *adj.*

☐ Qui peut ou doit être remboursé.

Comp. remboursement
Angl. *refundable, repayable*

Remboursement *n.m.*

☐ **1.** Remise à une personne, en exécution d'une obligation légale ou conventionnelle, d'une somme d'argent qu'elle avait déboursée. Ex. Le remboursement d'une dette, des impenses.

Comp. paiement, réception de l'indu, réméré
Angl. *reimbursement*

☐ **2.** Restitution à une personne d'une somme d'argent qu'elle avait déboursée. Ex. Le remboursement d'un dépôt.

Angl. *repayment*

Réméré *n.m.*

☐ V. VENTE À RÉMÉRÉ.

Remise *n.f.*

☐ **1.** Acte par lequel le créancier libère son débiteur de son obligation.

Rem. Elle peut être totale ou partielle, expresse ou tacite, à titre onéreux ou à titre gratuit.
Syn. remise de dette
Comp. décharge
Angl. *release*

• **Remise de dette :** Acte conventionnel par lequel le créancier libère totalement ou partiellement le débiteur de sa dette.

Syn. remise
Comp. renonciation
Angl. *release of debt*

• **Remise de peine :** V. PARDON.

☐ **2.** Action de mettre un bien entre les mains de quelqu'un, généralement en exécution d'un contrat.

Comp. délivrance, livraison, tradition
Angl. *delivery, handing over, remittance*

☐ **3.** Action de retourner un bien à quelqu'un. Ex. La remise du titre original au débiteur qui a payé sa dette.

Angl. *giving back, return, turning over*

☐ **4.** Action de replacer une chose dans son état antérieur ou de remettre les parties à un contrat ou à un procès dans l'état où elles se trouvaient avant l'annulation d'un acte ou d'une convention. Ex. La remise en état d'un logement par le locataire à la fin du bail, la remise en état des parties après l'annulation d'un contrat.

Angl. *restoration*

☐ **5.** Renvoi à une date ultérieure.

Angl. *postponement*

• **Remise de cause :** Renvoi de l'audition d'une cause à une date ultérieure.

Angl. *postponement*

Remplacement (valeur de)

□ V. VALEUR À NEUF (CLAUSE DE).

Remploi *n.m.*

□ **1.** Achat d'un bien avec des fonds provenant de la vente d'un autre bien.

Rem. Certains utilisent le terme « emploi » lorsque l'achat du bien se fait avec des fonds disponibles ne provenant pas de la vente d'un autre bien.

Angl. *reinvestment*

□ **2.** Fait pour un époux, marié sous le régime de la communauté de meubles et acquêts, d'acquérir un bien et de déclarer, au moment de l'acquisition, que celle-ci s'effectue par l'utilisation de fonds provenant de la vente d'un de ses biens propres ; le bien ainsi acquis étant considéré par la loi comme un bien propre.

Comp. communauté de meubles et acquêts, propre

Angl. *reinvestment*

Rémunération *n.f.*

□ Rétribution versée en espèces ou en nature à une personne en contrepartie d'un travail qu'elle a accompli ou d'un service qu'elle a rendu.

Comp. commission, gages, honoraires, salaire, traitement

Angl. *pay, remuneration*

Rendant compte *n.m.*

□ V. COMPTE (RENDANT).

Rendre compte

□ V. COMPTE (RENDRE).

Rendu, ue *adj.*

□ Se dit d'un jugement qui a été prononcé.

Comp. prononcer

Angl. *rendered*

Renommée *n.f.*

□ V. COMMUNE RENOMMÉE.

Renonçant, ante *n.*

□ Personne qui renonce ou qui a renoncé à un bien, à un droit.

Syn. renonciateur

Contr. acceptant, renonciataire

Comp. renonciation

Angl. *party renouncing*

Renoncer *v.tr.ind.*

□ Effectuer une renonciation.

Comp. renonciation

Angl. *to renounce*

Renonciataire *n.*

□ Personne qui bénéficie d'une renonciation à un bien, à un droit.

Contr. renonçant

Angl. *releasee*

Renonciateur, trice*n.*

□ V. RENONÇANT.

Renonciation *n.f.*

□ Acte par lequel une personne abandonne volontairement un droit dont elle est titulaire. Ex. La renonciation au partage des acquêts, au bénéfice de l'accession.

Rem. Elle peut être expresse ou tacite.

Contr. acceptation

Comp. abandon, abdication, remise

Angl. *renunciation, waiver*

• **Renonciation à la prescription :** Renonciation au droit d'invoquer la prescription acquise ou au bénéfice du temps écoulé pour celle qui est commencée.

Rem. Elle peut être expresse ou tacite.

Angl. *renunciation of prescription*

• **Renonciation aux acquêts :** Acte par lequel, lors de la dissolution du régime matrimonial, l'un des époux renonce, par acte notarié en minute ou par une déclaration judiciaire, à la part à laquelle il aurait eu droit dans les acquêts de son conjoint.

Comp. acquêt(s), régime matrimonial

Angl. *renunciation to (other spouse's) acquests*

Renouvellement *n.m.*

□ Remise en vigueur d'un contrat, à son expiration, généralement pour une même durée et aux mêmes conditions, sous réserve de modifications aux clauses monétaires. Ex. Le renouvellement d'un prêt.

Comp. reconduction
Angl. *renewal*

Renseignement *n.m.*

□ Information communiquée à une personne.

Angl. *information*

- **Renseignement (obligation de) :** Obligation pour une personne de fournir à une autre des informations particulières afin de lui permettre de prendre une décision ou de poser un acte de façon éclairée. Ex. L'obligation de renseignement du médecin à l'endroit de son patient concernant un traitement éventuel, ou du vendeur d'un appareil dont le fonctionnement est complexe à l'égard de l'acheteur ou de l'utilisateur éventuel.

Rem. Dans certains cas, cette obligation se poursuit en cours d'exécution d'un contrat.
Comp. consentement éclairé
Angl. *obligation to inform*

Rente *n.f.*

□ **1.** Redevance qu'une personne, le débirentier, s'engage à verser périodiquement et pendant un certain temps à une autre personne, le crédirentier.

Comp. arrérages, bail à rente, crédirentier, débirentier, prêt à fonds perdu, redevance
Angl. *annuity, rent*

- **Rente à terme :** Rente constituée pour un temps déterminé.

Rem. Cette notion du *Code civil du Bas-Canada* n'a pas été reprise dans le *Code civil du Québec.*
Syn. rente non viagère
Contr. rente perpétuelle, rente viagère
Angl. *fixed-term annuity, rent for a term*

- **Rente constituée :** Rente créée par la loi, au Québec, en remplacement des droits seigneuriaux.

Comp. commutation
Angl. *constituted rent*

- **Rente (contrat constitutif de) :** Contrat par lequel une personne, le débirentier, gratuitement ou moyennant l'aliénation à son profit d'un capital, s'oblige à servir périodiquement et pendant un certain temps des redevances à une autre personne, le crédirentier (*Code civil du Québec*, art. 2367).

Syn. contrat de rente
Comp. crédirentier, débirentier
Angl. *contract for the constitution of an annuity*

- **Rente emphytéotique :** Redevance annuelle que doit payer l'emphytéote.

Rem. Cette expression du *Code civil du Bas-Canada* n'a pas été reprise dans le *Code civil du Québec.*
Angl. *emphyteutic rent*

- **Rente en perpétuel :** V. RENTE PERPÉTUELLE.

- **Rente en viager :** V. RENTE VIAGÈRE.

- **Rente foncière :** Dans un bail à rente, rente que le preneur s'oblige à payer au bailleur de l'immeuble.

Comp. bail à rente
Angl. *ground rent*

- **Rente non viagère :** V. RENTE À TERME.

- **Rente perpétuelle :** Rente que le débirentier doit verser pendant un temps illimité.

Rem. Cette forme de rente, dont le capital était essentiellement remboursable, n'a pas été reproduite dans le *Code civil du Québec.*
Syn. rente en perpétuel
Angl. *perpetual annuity, perpetual rent, rent in perpetuity*

- **Rente (rachat de) :** Acte juridique par lequel le débirentier se libère du service de la rente en remboursant la valeur de la rente en capital et en renonçant à la répétition des redevances payées.

Rem. Selon l'art. 2383 du *Code civil du Québec*, le débirentier ne peut effectuer unilatéralement le rachat de la rente.
Angl. *redemption of annuity, redemption of rent*

- **Rente viagère :** Rente dont la durée est limitée au temps de la vie d'une ou de plusieurs personnes.

Syn. rente en viager

Angl. *life annuity, life-rent*

☐ **2.** Revenu périodique versé, en vertu d'un régime, à un salarié qui a pris sa retraite ou, en cas de décès de celui-ci après sa retraite, à un tiers qui y a droit.

Angl. *pension*

Renvoi *n.m.*

☐ **1.** Décision par laquelle une affaire est déférée à la juridiction compétente par le tribunal qui en a été initialement saisi. Ex. Le renvoi d'une cause de la Cour du Québec à la Cour supérieure.

Comp. rejet

Angl. *reference*

- **Renvoi à procès :** Décision du juge (de paix) d'envoyer un prévenu subir son procès, prise à la suite de la tenue d'une enquête préliminaire qui lui a permis de conclure à l'existence d'une preuve suffisante relativement à l'infraction dont celui-ci est accusé.

  Syn. citation à procès

  Comp. enquête préliminaire, juge de paix, jury, prévenu

  Angl. *order to stand trial*

- **Renvoi d'une affaire :** Ordre du tribunal de tenir un procès criminel dans une circonscription territoriale d'une province autre que celle où l'infraction devrait normalement être jugée lorsque, à son avis, les fins de la justice seront ainsi mieux servies. Ex. Renvoi d'un procès dans une autre ville en raison de l'existence de préjugés à l'égard de l'accusé.

  Rem. On emploie souvent, à tort, l'expression « changement de venue » qui est une traduction littérale de « *change of venue* ».

  Angl. *change of venue*

☐ **2.** Décision du tribunal de confier à une personne l'examen d'une question pendant le procès. Ex. Le renvoi par le juge à un expert-comptable d'une question se rapportant au partage d'un patrimoine.

Comp. expertise

Angl. *reference*

☐ **3.** Demande d'opinion sur une question de droit ou de fait soumise par un gouvernement provincial au tribunal de dernier ressort de la province ou par le gouvernement fédéral à la Cour suprême du Canada.

Rem. Les gouvernements ont généralement recours à la procédure de renvoi afin d'obtenir un avis juridique sur des questions constitutionnelles. Ex. Le renvoi sur le droit de veto du Québec.

Angl. *advisory opinion, reference*

☐ **4.** Technique de rédaction législative en vertu de laquelle un texte de loi fait expressément référence à un autre texte de loi. Ex. Sous réserve de l'article 20 de telle loi, ...

Rem. Le renvoi a généralement pour objet de marquer une relation entre deux textes, de préciser le sens d'un terme, d'indiquer le droit applicable ou d'éviter la rédaction de certaines dispositions qui seraient identiques à des dispositions existantes.

Angl. *reference*

☐ **5.** Acte par lequel un employeur met fin au contrat de travail d'un employé.

Comp. congédiement, licenciement

Angl. *discharge, dismissal*

Réouverture d'enquête

☐ Réouverture de l'instruction d'un procès civil, à la demande d'une partie ou à l'initiative du juge qui délibère, afin qu'une preuve complémentaire ou que des éclaircissements nécessaires soient apportés par les parties ou l'une d'elles.

Comp. enquête, instruction

Angl. *reopening of the hearing*

Réparable *adj.*

☐ **1.** Relativement à un préjudice, qui peut être juridiquement réparé.

Comp. réparation

Angl. *that can be compensated*

☐ **2.** Relativement à un bien, qu'on peut réparer.

Comp. réparation

Angl. *repairable*

Réparation *n.f.*

☐ **1.** Compensation pour un préjudice causé par la personne qui en est responsable.

Syn. indemnisation

Comp. dommage, dommages-intérêts, préjudice, réparable, réparer, responsabilité

Angl. *redress, reparation*

- **Réparation en nature :** Réparation qui s'opère par la remise des choses dans l'état où elles se trouvaient avant que ne survienne le dommage.

  Syn. *restitutio in integrum*
  Contr. réparation par équivalent
  Comp. exécution en nature
  Angl. *reparation in kind*

- **Réparation (obligation de) :** Obligation de réparer le préjudice causé à une personne.

  Comp. responsabilité
  Angl. *obligation to reparation*

- **Réparation par équivalent :** Réparation au moyen d'un avantage qui équivaut à la perte que la victime a subie.

  Rem. En règle générale, elle se traduit par le paiement d'une somme d'argent.
  Contr. réparation en nature
  Comp. dommages-intérêts, exécution par équivalent
  Angl. *compensation, reparation by equivalence*

□ **2.** Travaux effectués en vue de remettre un bien en bon état ou d'assurer son entretien.

  Angl. *repair*

- **Réparations d'entretien :**

  1. En matière d'usufruit ou d'usage, réparations qui ont un caractère de périodicité et qui sont à la charge de l'usufruitier ou de l'usager.

  Contr. réparations majeures
  Angl. *maintenance repairs*

  2. En matière de louage, réparations qui découlent de l'usage normal d'un bien et qui sont à la charge du locataire.

  Syn. réparations d'entretien (menues), réparations locatives
  Contr. réparations majeures
  Angl. *maintenance repairs*

- **Réparations d'entretien (menues) :** V. RÉPARATIONS D'ENTRETIEN.

  Angl. *lesser maintenance repairs*

- **Réparations (grosses) :** V. RÉPARATIONS MAJEURES.

- **Réparations locatives :** V. RÉPARATIONS D'ENTRETIEN.

- **Réparations majeures :**

  1. En matière d'usufruit ou d'usage, réparations importantes qui n'ont pas un caractère de périodicité et qui sont à la charge du nu-propriétaire.

  Rem. Selon l'art. 1152 du *Code civil du Québec*, « les réparations majeures sont celles qui portent sur une partie importante du bien et nécessitent une dépense exceptionnelle, comme celles relatives aux poutres et aux murs portants, au remplacement des couvertures, aux murs de soutènement, aux systèmes de chauffage, d'électricité ou de plomberie ou aux systèmes électroniques et, à l'égard d'un meuble, aux pièces motrices ou à l'enveloppe du bien ».
  Syn. grosses réparations
  Contr. réparations d'entretien
  Angl. *major repairs*

  2. En matière de louage, réparations qui résultent du vieillissement normal du bien loué ou d'une force majeure et qui sont à la charge du locateur. Ex. La réparation d'un plancher défoncé, le remplacement du cadre d'une fenêtre.

  Syn. grosses réparations
  Contr. réparations d'entretien
  Angl. *major repairs*

Réparer *v.tr.*

□ **1.** Effectuer la réparation d'un préjudice.

  Comp. indemniser, réparation
  Angl. *to indemnify, to repair*

□ **2.** Effectuer la réparation d'un bien.

  Comp. réparation
  Angl. *to repair*

Répartition *n.f.*

□ **1.** Opération consistant à partager des biens entre plusieurs personnes. Ex. La répartition des vêtements par le liquidateur de la succession.

  Comp. partage
  Angl. *distribution*

- **Répartition par contribution :** Répartition, entre celui qui a payé la totalité d'une dette solidaire et ses codébiteurs solvables, de la part de celui qui se trouve insolvable.

  Comp. codébiteur, solidarité
  Angl. *division by contribution*

□ **2.** Opération consistant à déterminer, entre deux ou plusieurs personnes, l'étendue de leurs droits et de leurs obligations réciproques. Ex. La répartition des charges communes entre les copropriétaires.

Comp. partage
Angl. *apportionment*

Répertoire *n.m.*

□ Recueil qui présente un inventaire méthodique de documents de même source ou de même nature ou portant sur une matière déterminée. Ex. Un répertoire de jurisprudence.
Rem. Cet inventaire est généralement alphabétique, analytique ou chronologique.
Comp. recueil
Angl. *index, list*

Répéter *v.tr.*

□ Réclamer un remboursement.
Comp. recouvrer, répétition
Angl. *to recover*

Répétition *n.f.*

□ Action de réclamer un remboursement. Ex. La répétition d'une dette de jeu.
Comp. recouvrement, répéter
Angl. *recovery*

• **Répétition de l'indu :** V. ACTION EN RÉPÉTITION DE L'INDU, RÉCEPTION DE L'INDU.

Réplique *n.f.*

□ Dans le déroulement de la procédure écrite en matière civile, acte de procédure par lequel le défendeur expose ses moyens de fait et de droit à l'encontre de la réponse.
Comp. défense, duplique, réponse, triplique
Angl. *reply*

Répondre *v.tr. dir. et indir.*

□ **1.** Produire une réponse.
Comp. réponse
Angl. *to answer*

□ **2.** Plus généralement, donner une réponse à une question, à une demande, etc.
Comp. réponse
Angl. *to answer*

□ **3.** Se porter garant, s'engager en faveur de quelqu'un. Ex. Répondre d'une personne.
Comp. garantie
Angl. *to answer for, to guarantee*

□ **4.** Être responsable. Ex. Répondre d'un dommage que l'on a causé.
Comp. responsabilité
Angl. *to be liable*

Réponse *n.f.*

□ Dans le déroulement de la procédure écrite, en matière civile, acte de procédure par lequel le demandeur expose ses moyens de fait et de droit à l'encontre de la défense.
Comp. défense, duplique, réplique, triplique
Angl. *answer*

Report *n.m.*

□ Opération par laquelle l'officier de la publicité des droits, suivant le rapport d'actualisation préparé par le notaire ou à la suite d'un jugement qui détermine les droits sur un immeuble, inscrit sur la fiche immobilière les droits qui subsistent sur l'immeuble.
Comp. cadastre, fiche immobilière, immatriculation des immeubles, plan cadastral, rapport d'actualisation
Angl. *carry-over*

Représentant, ante *n.*

□ **1.** Personne qui accomplit un acte au nom, à la place et pour le compte d'une autre personne, le représenté, en vertu d'un pouvoir qui lui a été conféré par la loi, par une décision du tribunal ou par une convention.
Contr. représenté
Comp. mandant, représentation
Angl. *person who represents, representative*

• **Représentant légal :** Représentant qui tient son pouvoir de la loi. Ex. Le tuteur est le représentant légal du mineur.
Angl. *legal representative*

• **Représentant syndical :** Personne à l'emploi d'un syndicat ou d'une organisation syndicale et qui agit comme mandataire de ces organisations dans une région donnée ou auprès de certaines catégories de travailleurs.
Angl. *union representative*

□ **2.** Dans un recours collectif, personne désignée par le tribunal pour agir en justice pour le compte de tous les membres du groupe décrit dans son jugement d'autorisation.

Comp. recours collectif
Angl. *representative*

☐ **3.** Terme utilisé parfois pour désigner l'héritier qui est appelé à recueillir une succession par représentation d'un ascendant indigne, prédécédé ou décédé au même instant que le défunt.

Contr. représenté
Comp. ascendant, représentation
Angl. *representative*

Représentatif, ive *adj.*

☐ Se dit d'un organe qui exprime l'opinion de l'ensemble de la population ou d'un groupe de personnes déterminé. Ex. Le Barreau est représentatif de ses membres.

Comp. représentation
Angl. *representative*

Représentation *n.f.*

☐ **1.** Fait pour une personne, le représentant, d'accomplir un acte au nom, à la place et pour le compte d'une autre personne, le représenté.

Rem. **1.** La représentation a pour effet de rendre le représenté créancier ou débiteur, selon le cas, du tiers avec qui le représentant est entré en relation. **2.** La représentation peut être conventionnelle, judiciaire ou légale.
Comp. mandat, représentant, représentativité, représenté, représenter
Angl. *representation*

• **Représentation forcée :** Représentation dans laquelle le représentant tient son pouvoir sans que la volonté du représenté n'intervienne. Ex. La représentation judiciaire ou légale.

Contr. représentation volontaire
Angl. *forced representation*

• **Représentation par procureur :**
1. Fait pour un procureur de représenter une partie devant les tribunaux, à la demande de celle-ci, et d'accomplir pour elle tous les actes nécessaires pour assurer la défense de ses intérêts. Ex. La représentation par avocat d'un demandeur.

Comp. avocat, notaire, procureur
Angl. *representation by attorney*

2. Obligation imposée par la loi à certaines personnes d'être représentées par un procureur devant les tribunaux afin que celui-ci assure la défense de leurs intérêts ou des tiers pour qui ces personnes agissent. Ex. Une personne morale doit être représentée par procureur lors d'un procès auquel elle est partie.

Comp. avocat, notaire, procureur
Angl. *representation by attorney*

• **Représentation volontaire :** Représentation dans laquelle le représentant tient son pouvoir de la seule volonté du représenté. Ex. La représentation conventionnelle.

Contr. représentation forcée
Angl. *voluntary representation*

☐ **2.** Faveur accordée par la loi, en vertu de laquelle un parent est appelé à recueillir une succession qu'aurait recueillie son ascendant, parent moins éloigné du défunt, qui, étant indigne, prédécédé ou décédé au même instant que lui, ne peut la recueillir lui-même *Code civil du Québec*, art. 660).

Rem. L'art. 619 du *Code civil du Bas-Canada* la définit comme suit : « Fiction de la loi, dont l'effet est de faire entrer les représentants dans la place, dans le degré et dans les droits du représenté ».
Syn. représentation successorale
Comp. ascendant, descendant, représentant, représenté
Angl. *representation, representation of heirs*

• **Représentation successorale :** V. REPRÉSENTATION.

☐ **3.** Fait de présenter la réalité par différents moyens, tels l'image, le son, l'odeur. Ex. On peut présenter un élément matériel de preuve, devant le tribunal, par la représentation sensorielle d'un objet.

Comp. preuve
Angl. *impression*

Représentativité *n.f.*

☐ Caractère d'une personne ou d'une organisation qui a qualité pour agir au nom, à la place et pour le compte d'autrui.

Comp. représentation
Angl. *representativeness*

Représenté, ée *adj. et n.*

☐ **1.** Personne au nom, à la place et pour le compte de laquelle une autre personne, le représentant, accomplit un acte.

Contr. représentant
Comp. mandataire, représentation
Angl. *person represented*

□ **2.** Terme utilisé parfois pour désigner l'ascendant à la place duquel l'héritier est appelé à recueillir une succession.

Contr. représentant
Comp. ascendant, représentation
Angl. *ascendant represented*

Représenter *v.tr.*

□ **1.** Accomplir un acte au nom, à la place et pour le compte d'une autre personne.

Comp. représentation
Angl. *to represent*

□ **2.** Recueillir une succession par représentation d'un ascendant indigne, prédécédé ou décédé au même instant que le défunt

Comp. ascendant, représentant, représentation, représenté
Angl. *to represent*

Réprimande *n.f.*

□ Sanction disciplinaire d'ordre moral imposée à une personne qui a enfreint un code d'éthique ou qui a commis une faute d'ordre disciplinaire. Ex. La réprimande adressée à un juge.

Angl. *reprimand*

Reprise *n.f.*

□ **1.** Action de recouvrer l'usage ou le contrôle matériel d'un bien.

Angl. *repossession, taking back*

• **Reprise de logement :** Fait pour un locateur de bonne foi de reprendre un logement dont il est propriétaire pour l'habiter lui-même ou pour y loger des parents ou des alliés, conformément aux prescriptions de la loi.

Syn. reprise de possession
Comp. reprise (droit de)
Angl. *repossession of a dwelling*

• **Reprise de possession :** V. REPRISE DE LOGEMENT.

• **Reprise (droit de) :** Droit conféré par la loi au locateur de bonne foi de reprendre un logement dont il est propriétaire pour l'habiter lui-même ou y loger ses ascendants ou descendants au premier degré, ou tout autre parent ou allié dont il est le principal soutien.

Rem. Selon le *Code civil du Québec*, il peut également exercer ce droit pour y loger son conjoint dont il est séparé ou divorcé, mais pour lequel il demeure le principal soutien.
Comp. éviction
Angl. *right of repossession*

□ **2.** Action de faire de nouveau ou de continuer après une interruption. Ex. La reprise de la vie commune par les époux.

Angl. *resumption*

• **Reprise d'instance :** Remise en marche d'une instance qui avait été interrompue par le décès ou le changement d'état d'une partie ou par l'acquisition par un tiers du droit en litige.

Rem. Celui qui succède aux droits et obligations de la partie ou qui acquiert, à tout autre titre, droit et qualité pour la représenter peut reprendre l'instance volontairement ou y être forcé.
Comp. instance
Angl. *continuance of suit*

Reprocher *v.tr.*

□ Relativement à un témoin, le récuser. Ex. Une partie qui a produit un témoin ne peut ensuite le reprocher.

Comp. témoignage, témoin
Angl. *to impeach*

Répudiation *n.f.*

□ Acte par lequel une personne renonce volontairement à un droit résultant d'une libéralité.

Comp. répudier
Angl. *renunciation, repudiation*

Répudier *v.tr.*

□ Renoncer volontairement à un droit.

Comp. répudiation
Angl. *to renounce, to repudiate*

Réputation *n.f.*

□ Estime dont jouit une personne dans la société.

Angl. *reputation*

Réputé, ée *adj.*

☐ Se dit d'un fait auquel une présomption légale absolue est attachée, celle-ci ne pouvant être repoussée par une preuve contraire.

Contr. présumé
Comp. présomption
Angl. *deemed*

Requérant, ante *adj. et n.*

☐ Personne qui forme une demande par requête.

Contr. intimé
Comp. demandeur, requête
Angl. *applicant, petitioner*

Requête *n.f.*

☐ **1.** Acte de procédure par lequel une personne introduit un recours en justice ou forme une demande en cours d'instance. Ex. Une requête pour jugement déclaratoire, une requête pour précisions.

Rem. En matière civile, les actions sont introduites par bref et déclaration, par déclaration ou par requête.
Comp. bref, déclaration, requérant
Angl. *motion*

- **Requête civile :** V. RÉTRACTATION DE JUGEMENT.

- **Requête conjointe :** Requête unique introduite d'un commun accord par les parties, en matière familiale, dans laquelle elles exposent l'objet de leur demande, les moyens sur lesquels elle est fondée ainsi que leurs conclusions communes et respectives.

Comp. déclaration conjointe, projet d'accord
Angl. *joint motion*

- **Requête en révision :** V. RÉTRACTATION DE JUGEMENT.

☐ **2.** Demande faite oralement à un juge.

Angl. *motion*

Requis, ise *adj.*

☐ Qui est exigé comme nécessaire, dont on exige l'application.

Comp. impératif
Angl. *required*

Réquisition *n.f.*

☐ Terme utilisé parfois comme synonyme de demande.

Syn. demande
Angl. *requisition*

- **Réquisition d'inscription :** Demande d'inscription d'un droit sur le registre foncier ou sur le registre des droits personnels et réels mobiliers.

Rem. Sauf exception, elle prend la forme d'un avis fait sur un formulaire fourni par le bureau de la publicité des droits.
Comp. immatriculation, publicité, registre
Angl. *application for registration*

- **Réquisition écrite :** Dans une instance civile, acte de procédure écrite par lequel une personne demande à un officier de justice d'émettre un bref. Ex. Le bref de saisie avant jugement est émis par le greffier sur réquisition écrite du saisissant.

Comp. bref
Angl. *written requisition*

Res

☐ Terme latin signifiant « chose ».

- ***Res communis* :** Expression latine signifiant « chose commune » et qui désigne un bien qui n'appartient à personne et dont l'usage est commun à tous. Ex. L'air, la lumière.

- ***Res derelicta* :** Expression latine signifiant « chose abandonnée » et qui désigne un bien qui n'appartient plus à personne par suite de son abandon par son propriétaire.

Comp. bien vacant

- ***Res gestae* :** Expression latine signifiant « les choses faites ». Elle qualifie les actes, les déclarations ou les incidents qui constituent, expliquent ou accompagnent un événement faisant l'objet d'un litige ou d'une accusation.

Rem. Il s'agit notamment des déclarations spontanées qui accompagnent ou suivent immédiatement le fait en litige, des déclarations extrajudiciaires qui font partie du litige (ex. une déclaration diffamatoire) ou des déclarations relatives à l'état physique ou mental d'une personne.
Comp. ouï-dire

- ***Res ipsa loquitur* :** Expression latine signifiant « la chose parle par elle-même » que l'on utilise pour qualifier un événement dont la cause semble évidente, compte tenu des circonstances où il s'est produit.

- ***Res judicata* :** Expression latine signifiant « chose jugée ».
  Syn. chose jugée

- ***Res judicata pro veritate habetur* :** Maxime latine signifiant « la chose jugée est tenue pour vérité ».

- ***Res nullius* :** Expression latine signifiant « chose de personne » et qui désigne un bien qui n'appartient à personne mais qui peut faire l'objet d'une appropriation. Ex. Un animal sauvage.
  Syn. bien vacant

Rescindable *adj.*

☐ Qui peut être rescindé.
Comp. annulable, résiliable, résoluble
Angl. *rescindable*

Rescindant *n.m.*

☐ Ensemble des motifs invoqués par la partie en défaut de comparaître ou de plaider en vue d'obtenir la rétractation du jugement prononcé contre elle.
Comp. rescisoire, rétractation
Angl. *grounds for revocation (of judgment), grounds in support of the revocation (of judgment)*

Rescinder *v.tr.*

☐ Annuler pour cause de lésion.
Comp. annuler, rescision, résilier
Angl. *to annul, to cancel, to rescind*

Rescision *n.f.*

☐ **1.** Annulation d'un acte pour cause de lésion.
Rem. Ce terme apparaissait dans le *Code civil du Bas-Canada*. Le *Code civil du Québec* utilise plutôt le terme « nullité ».
Syn. restitution
Comp. annulation, nullité, résiliation, résolution
Angl. *rescission, restitution*

☐ **2.** Plus généralement, annulation pour cause de nullité relative.
Rem. Ce terme apparaissait dans le *Code civil du Bas-Canada*. Le *Code civil du Québec* utilise plutôt le terme « nullité ».
Comp. annulation, nullité, résiliation, résolution
Angl. *annulment, rescission*

Rescisoire *n.m.*

☐ Moyens de défense à l'action que doit produire la partie en défaut de comparaître ou de plaider en même temps que sa requête en rétractation du jugement prononcé contre elle.
Comp. rescindant, rétractation
Angl. *grounds in support of the defence*

Réserve *n.f.*

☐ **1.** Restriction qu'une partie insère dans un acte, manifestant ainsi son intention de se soustraire à l'exécution de son obligation ou d'en limiter l'étendue, selon des circonstances ou selon les conditions qu'elle précise. Ex. La donation sous réserve d'usufruit.
Angl. *reservation*

☐ **2.** Restriction imposée par la loi à l'exercice du droit de propriété.
Angl. *reservation*

- **Réserve des trois chaînes :** Droit de propriété sur une bande de terrain d'une profondeur de cent quatre-vingt-dix-huit pieds (environ soixante mètres) que l'État du Québec conservait autrefois lors de la vente ou la concession de terrains publics bordant une rivière ou un lac.
  Comp. chaîne
  Angl. *reserve of three chains*

- **Réserve pour fins publiques :** Acte administratif qui confère un caractère d'intérêt public à un immeuble et qui emporte une restriction temporaire à l'exercice du droit de propriété.
  Rem. Elle est généralement imposée par une personne ou par un organisme détenant un pouvoir d'expropriation et elle constitue le plus souvent une étape préalable à l'expropriation de l'immeuble. Elle interdit toute construction, amélioration ou addition sur l'immeuble qui en est l'objet. Elle peut également prendre la forme d'une servitude.

Comp. expropriation
Angl. *reserve for public purposes*

□ **3.** Portion de territoire appartenant à l'État sur lequel vit un groupe d'Indiens et qui est soumis à des règles juridiques particulières.

Rem. L'art. 2 de la *Loi sur les Indiens* (L.R.C. 1985, c. I-5) la définit comme suit : « Parcelle de terrain dont Sa Majesté est propriétaire et qu'elle a mise de côté à l'usage et au profit d'une bande ».
Angl. *reservation, reserve*

□ **4.** Portion de territoire appartenant à l'État où la chasse et la pêche sont interdites ou réglementées ou qui est utilisée uniquement comme parc public ou aire de récréation. Ex. La réserve faunique des Laurentides.

Angl. *reservation, reserve*

□ **5.** Attitude qui consiste à faire preuve de prudence dans ses agissements et de retenue dans ses propos.

Angl. *reserve*

• **Réserve (obligation de) :** Devoir que la société impose aux juges de s'abstenir de toute déclaration ou de tout geste qui serait incompatible avec la dignité et l'impartialité de leur fonction et qui leur ferait perdre la confiance des justiciables.

Rem. Même si elle ne repose sur aucun texte juridique, cette obligation implique que les juges doivent s'abstenir de toute intervention de nature politique ou de toute critique de l'action gouvernementale sauf si celle-ci porte atteinte au prestige de la magistrature ; elle leur interdit également de publier tout écrit qui prête à controverse et de commenter publiquement les décisions des autres juges sauf dans les jugements qu'ils sont appelés à rendre.
Comp. retenue judiciaire
Angl. *judicial self-restraint*

□ **6.** Attribution exclusive d'un bien, d'un droit. Ex. La réserve héréditaire, en droit successoral français.

Angl. *reservation, reserve*

□ **7.** Action de reporter une décision à une date ultérieure. Ex. La réserve dans un jugement relativement au droit du demandeur de réclamer ultérieurement des dommages-intérêts additionnels.

Comp. réserver
Angl. *reservation*

□ **8.** Dans l'expression « sous réserve de », sans qu'il ne soit porté atteinte à, sans restriction à. Ex. Sous réserve des droits des tiers.

Angl. *subject to*

Réservé, ée *adj.*

□ V. BIEN(S) RÉSERVÉ(S).

Réserver *v.tr.*

□ Reporter à une date ultérieure une décision, l'exercice d'un droit.

Comp. réserve (□ 7).
Angl. *to defer*

Résidence *n.f.*

□ Lien où une personne demeure de façon habituelle.

Rem. Selon l'art. 77 du *Code civil du Québec*, en cas de pluralité de résidences, on considère, pour l'établissement du domicile, celle qui a le caractère principal.
Comp. domicile
Angl. *residence*

• **Résidence commune :** Lieu où demeurent de façon habituelle des conjoints dont les domiciles sont situés dans des États différents.

Comp. domicile
Angl. *common residence*

• **Résidence familiale :** Résidence où les membres de la famille habitent de façon habituelle.

Rem. **1.** Selon l'art. 395 du *Code civil du Québec*, en l'absence de choix exprès, la résidence familiale est présumée être celle où les membres de la famille habitent lorsqu'ils exercent leurs principales activités. **2.** Elle est généralement choisie par les époux d'un commun accord et elle fait partie du patrimoine familial. Elle bénéficie de mesures de protection relativement aux meubles qui la garnissent ; de plus, l'enregistrement d'une déclaration de résidence familiale a pour effet de limiter le droit de l'époux propriétaire d'en disposer librement.
Syn. domicile conjugal, maison familiale
Comp. déclaration de résidence familiale, domicile, patrimoine familial, prestation compensatoire
Angl. *family residence*

- **Résidence principale :** En cas de pluralité de résidences, lieu où une personne habite de façon habituelle. Ex. Le débiteur peut soustraire à la saisie les meubles qui garnissent sa résidence principale.
  Contr. résidence secondaire
  Comp. domicile
  Angl. *main residence*

- **Résidence secondaire :** En cas de pluralité de résidences, lieu où une personne habite de façon occasionnelle.
  Contr. résidence principale
  Comp. domicile
  Angl. *second residence*

Résident, ente *n.*

□ **1.** Personne qui demeure ordinairement dans un pays ou que la loi autorise à être présente ou à rester dans un pays.
Contr. non-résident
Angl. *resident*

□ **2.** Personne morale dont le siège (social) est situé dans un pays ou qui exploite dans ce pays une entreprise de façon régulière.
Contr. non-résident
Angl. *resident*

Residuo (legs de)

□ V. LEGS *DE RESIDUO.*

Résiliable *adj.*

□ Qui peut être résilié, qui est susceptible de résiliation.
Comp. annulable, rescindable, résoluble
Angl. *cancellable*

Résiliation *n.f.*

□ **1.** Résolution sans effet rétroactif d'un contrat.
Rem. **1.** Elle peut être unilatérale ou conventionnelle. De plus, elle peut résulter de la loi ou d'une décision d'un tribunal. **2.** En matière d'assurance, le terme anglais que l'on utilise est *cancellation.*
Comp. annulation, nullité, rescision, résilier, résolution
Angl. *cancellation, resiliation*

- **Résiliation amiable :** Résiliation qui résulte d'une entente entre les parties au contrat.
  Angl. *resiliation by agreement*

□ **2.** Résolution d'un contrat à exécution successive. Ex. La résiliation d'un bail, d'un contrat de travail.
Rem. Il s'agit de la résolution d'un contrat dont il est impossible d'anéantir rétroactivement les effets, celui-ci étant alors résolu pour l'avenir seulement.
Comp. annulation, nullité, rescision, résolution
Angl. *resiliation*

Résilier *v.tr.*

□ **1.** Effectuer la résiliation.
Comp. annuler, rescinder, résiliation
Angl. *to cancel, to resiliate*

□ **2.** Prononcer la résiliation.
Comp. annuler, rescinder, résiliation
Angl. *to resiliate*

Résoluble *adj.*

□ Qui peut être résolu, qui est susceptible de résolution.
Comp. annulable, rescindable, résiliable
Angl. *annullable, cancellable*

Résolution *n.f.*

□ **1.** Anéantissement en principe rétroactif d'un contrat synallagmatique qui s'opère par suite du défaut par une partie, ou de l'impossibilité pour elle, d'exécuter ses obligations.
Comp. annulation, nullité, rescision, résiliation, résoluble, résoudre
Angl. *resolution*

- **Résolution de plein droit :** Résolution qui résulte de la simple inexécution d'une obligation.
  Contr. résolution judiciaire
  Angl. *resolution as of right, resolution of right*

- **Résolution judiciaire :** Résolution prononcée par un tribunal.
  Contr. résolution de plein droit
  Angl. *judicial resolution*

□ **2.** Décision prise par une assemblée. Ex. Une résolution d'un conseil d'administration.

Comp. proposition
Angl. *resolution*

☐ **3.** Décision prise par un conseil municipal lorsqu'il exerce des pouvoirs de nature purement administrative.
Comp. règlement
Angl. *resolution*

Résolutoire *adj.*

☐ V. ACTION RÉSOLUTOIRE, CLAUSE RÉSOLUTOIRE, CONDITION RÉSOLUTOIRE.

Résoudre *v.tr.*

☐ **1.** Effectuer la résolution.
Comp. annuler, rescinder, résilier
Angl. *to resolve*

☐ **2.** Prononcer la résolution.
Comp. annuler, rescinder, résilier
Angl. *to resolve*

Respect *n.m.*

☐ **1.** Comportement qui consiste à ne pas porter atteinte aux droits fondamentaux d'une personne. Ex. Le respect de la réputation d'une personne.
Comp. respecter
Angl. *respect*

• **Respect de la vie privée :** Comportement qui consiste à ne pas porter atteinte à la vie privée d'une personne.
Contr. atteinte à la vie privée
Angl. *respect of privacy*

☐ **2.** Fait d'obéir, de se conformer à une règle, à une convention. Ex. Le respect d'un contrat, de la loi.
Comp. respecter
Angl. *respect*

☐ **3.** Manifestation à l'égard d'une personne d'une considération particulière en raison de la valeur qu'on lui reconnaît ou des liens privilégiés que l'on a avec elle. Ex. L'enfant doit respect à ses parents.
Comp. respecter
Angl. *respect*

Respecter *v.tr.*

☐ **1.** Ne pas porter atteinte à.
Comp. respect
Angl. *to respect*

☐ **2.** Obéir à, se conformer à.
Comp. respect
Angl. *to obey, to respect*

☐ **3.** Manifester à l'égard d'une personne une considération particulière en raison de la valeur qu'on lui reconnaît ou des liens privilégiés que l'on a avec elle.
Comp. respect
Angl. *to have respect for, to respect*

Responsabilité *n.f.*

☐ **1.** Obligation pour une personne de répondre de ses actes ou de réparer le préjudice qu'elle a causé à autrui par sa faute, par le fait ou la faute d'une autre personne ou par le fait d'un bien qu'elle a sous sa garde.
Comp. décharge, obligation, responsabilité civile, responsabilité pénale, responsable
Angl. *liability*

• **Responsabilité civile :** Obligation pour une personne de réparer le préjudice qu'elle a causé à autrui par sa faute, par le fait ou la faute d'une autre personne ou par le fait d'un bien qu'elle a sous sa garde.
Comp. responsabilité pénale
Angl. *civil liability*

• **Responsabilité (clause limitative de) :** V. CLAUSE LIMITATIVE DE RESPONSABILITÉ.

• **Responsabilité collective :** Responsabilité attribuée à un groupe de personnes lorsqu'elles ont participé à un fait collectif fautif qui a causé un préjudice à autrui.
Rem. Selon l'art. 1480 du *Code civil du Québec*, lorsque plusieurs personnes ont participé à un fait collectif fautif qui entraîne un préjudice à autrui, sans qu'il soit possible de déterminer laquelle l'a effectivement causé, elles sont tenues solidairement à la réparation du préjudice.
Comp. solidarité
Angl. *collective liability*

• **Responsabilité conjointe :** V. CONJOINT.
Angl. *joint liability*

- **Responsabilité contractuelle :** Obligation pour une partie à un contrat de réparer le préjudice causé à son cocontractant en raison de son défaut d'honorer les engagements qu'elle y a contractés.

  Contr. responsabilité délictuelle, responsabilité extracontractuelle, responsabilité quasi délictuelle

  Comp. contrat, obligation contractuelle, responsabilité quasi contractuelle

  Angl. *contractual liability*

- **Responsabilité délictuelle :** Obligation pour une personne de réparer le préjudice qu'elle a causé à autrui en commettant un délit.

  Syn. responsabilité légale

  Contr. responsabilité contractuelle

  Comp. responsabilité extracontractuelle, responsabilité quasi délictuelle

  Angl. *delictual liability*

- **Responsabilité du fait d'autrui :** Obligation pour une personne de réparer le préjudice causé à autrui par une personne dont elle a la surveillance ou le contrôle. Ex. La responsabilité des parents pour les actes dommageables posés par leur enfant mineur.

  Angl. *liability for damage caused by another, liability for injury caused by another*

- **Responsabilité du fait des animaux :** Obligation pour une personne de réparer le préjudice causé par un animal dont elle a la garde ou dont elle est propriétaire.

  Angl. *liability for damage caused by animals, liability for injury caused by animals*

- **Responsabilité du fait des bâtiments :** Responsabilité du propriétaire d'un bâtiment en raison du dommage causé par la ruine de celui-ci lorsqu'elle résulte d'un vice de construction ou d'un défaut d'entretien.

  Angl. *liability for damage caused by buildings, liability for injury caused by immovables*

- **Responsabilité du fait des choses :** Obligation pour une personne de réparer le préjudice causé à autrui par le fait autonome de la chose dont elle a la garde ou dont elle est propriétaire.

  Syn. responsabilité du fait des choses inanimées

  Angl. *liability for damage caused by inanimate things, liability for injury caused by inanimate things*

- **Responsabilité du fait des choses inanimées :** V. RESPONSABILITÉ DU FAIT DES CHOSES.

- **Responsabilité du fait personnel :** Responsabilité fondée sur la faute de l'auteur du fait dommageable.

  Angl. *personal liability*

- **Responsabilité extracontractuelle :** Obligation pour une personne de réparer le préjudice causé à autrui indépendamment de toute relation contractuelle entre elle et sa victime.

  Syn. responsabilité légale

  Contr. responsabilité contractuelle

  Comp. responsabilité délictuelle, responsabilité quasi contractuelle, responsabilité quasi délictuelle

  Angl. *extracontractual liability*

- **Responsabilité légale :** V. RESPONSABILITÉ DÉLICTUELLE, RESPONSABILITÉ EXTRACONTRACTUELLE.

- **Responsabilité objective :** V. RESPONSABILITÉ SANS FAUTE.

  Angl. *strict liability*

- **Responsabilité partagée :** V. PARTAGÉ.

- **Responsabilité pénale :** Obligation pour une personne de répondre de ses actes lorsque son comportement viole les règles établies par l'État pour assurer l'ordre et la paix dans la société et, le cas échéant, d'en subir la sanction selon les prescriptions de la loi.

  Comp. responsabilité civile

  Angl. *penal liability*

- **Responsabilité quasi contractuelle :** Obligation pour une personne de réparer le préjudice découlant de la violation d'une obligation quasi contractuelle.

  Comp. responsabilité contractuelle

  Angl. *quasi-contractual liability*

- **Responsabilité quasi délictuelle :** Obligation pour une personne de réparer le préjudice qu'elle a causé à autrui en commettant un quasi-délit.

  Angl. *quasi-delictual liability*

- **Responsabilité sans faute :** Obligation pour une personne de réparer le préjudice qu'elle a causé à autrui, sans qu'elle n'ait commis de faute, la victime ayant droit à réparation du seul fait qu'elle a subi tel préjudice.

Syn. responsabilité objective
Comp. responsabilité stricte, risque
Angl. *no-fault liability, strict liability*

- **Responsabilité solidaire :** V. SOLIDAIRE.

- **Responsabilité stricte :** En droit pénal, se dit de la responsabilité d'un individu qui a commis une infraction lorsque sa culpabilité peut être établie sans qu'il soit nécessaire de prouver une intention coupable de sa part.

Comp. *mens rea*, responsabilité sans faute
Angl. *strict liability*

□ **2.** Obligation de remplir un devoir, un engagement. Ex. La responsabilité du tuteur relativement à l'administration des biens du mineur, la responsabilité du conseil de tutelle d'assurer la conservation de ses archives.

Comp. imputabilité, obligation, responsable
Angl. *responsibility*

- **Responsabilité morale :** Responsabilité d'une personne qui sanctionne, en conscience seulement, une conduite contraire à l'éthique.

Angl. *moral responsibility*

Responsable *adj. et n.*

□ **1.** Qui encourt une responsabilité. Ex. L'administrateur qui excède ses pouvoirs est responsable envers les tiers avec qui il contracte ; le mandataire est responsable lorsqu'il se substitue à une personne notoirement inapte.

Comp. auteur, responsabilité
Angl. *answerable, entrusted with, liable, responsible*

□ **2.** Dont la responsabilité a été reconnue par le tribunal. Ex. L'accusé a été déclaré responsable de l'acte criminel dont on l'accusait.

Comp. coupable, responsabilité
Angl. *responsible*

□ **3.** Qui a la charge de, qui a l'obligation de remplir un devoir, un engagement. Ex. Le ministre responsable du cadastre.

Comp. imputable
Angl. *responsible*

Ressort *n.m.*

□ Étendue de la compétence d'une juridiction, soit du point de vue de sa situation géographique, soit de celui de la nature ou du montant des demandes dont elle peut être saisie.

Rem. Une juridiction est dite « de premier ressort » lorsqu'elle est la première saisie d'une affaire et « de dernier ressort » lorsque l'appel de ses décisions est interdit ou impossible.
Comp. compétence, juridiction
Angl. *jurisdiction*

Restituable *adj.*

□ **1.** Que l'on doit restituer.

Comp. restitution
Angl. *returnable*

□ **2.** Qui est en droit d'exiger la restitution, l'annulation. Ex. Le mineur n'est pas restituable pour cause de lésion lorsqu'elle résulte d'un événement imprévu.

Comp. rescission, restitution
Angl. *relievable*

Restitué (être)

□ V. RESTITUER (SE FAIRE).

Restituer *v.tr.*

□ **1.** Effectuer la restitution.

Comp. restitution
Angl. *to restore, to return*

□ **2.(se faire)** Expression qu'utilise le *Code civil du Bas-Canada* pour indiquer qu'une personne peut obtenir d'être libérée de ses obligations pour cause de lésion.

Syn. restitué (être)
Angl. *to be relieved*

Restitutio in integrum

□ **1.** Expression latine signifiant « restriction intégrale » qui désigne, lorsqu'il y a annulation d'un contrat, la remise des parties dans l'état où elles se trouvaient avant que celui-ci ne soit conclu.

Angl. *restitution, restoration*

□ **2.** Expression latine signifiant « restitution

intégrale » qui désigne, en matière de responsabilité, la remise de la victime dans l'état où elle serait si l'acte dommageable n'avait pas été commis.

Syn. réparation en nature
Angl. *full compensation, full reparation*

Restitution *n.f.*

☐ **1.** Fait de rendre à une personne ce qui lui appartient ou ce dont elle a été injustement ou involontairement privée. Ex. La restitution d'un bien par le dépositaire, par le séquestre.

Comp. restituable, restituer
Angl. *restitution, restoration*

• **Restitution de l'indu :** V. RÉCEPTION DE L'INDU.

• **Restitution des prestations :** Expression qui désigne l'obligation imposée par la loi à une personne de rendre à une autre des biens qu'elle a reçus sans droit, par erreur ou en vertu d'un acte juridique qui est subséquemment anéanti de façon rétroactive, ou de les rendre lorsqu'il lui est impossible d'exécuter son obligation en raison d'une force majeure.

Angl. *restitution of prestations*

☐ **2.** Remise d'un bien à son propriétaire. Ex. La restitution de la prime par l'assureur en cas d'annulation de la police avant le commencement du risque.

Angl. *return*

☐ **3.** Mesure visant à rétablir une situation antérieure. Ex. L'ordonnance de déplacement fait obstacle à toute restitution de l'enfant à ses parents.

Angl. *return*

☐ **4.** Terme utilisé dans le *Code civil du Bas-Canada* pour désigner la rescision d'un acte pour cause de lésion du mineur. Ex. L'action en restitution des mineurs pour lésion se prescrit par dix ans.

Syn. rescision
Angl. *rescision, restitution*

Restrictif, ive *adj.*

☐ V. INTERPRÉTATION STRICTE, DROIT STRICT (EN).

Résultat *n.m.*

☐ V. OBLIGATION DE RÉSULTAT.

Retenir *v.tr.*

☐ **1.** Exercer un droit de rétention.

Comp. rétention
Angl. *to retain*

☐ **2.** Conserver la possession d'un bien donné, ne pas s'en dessaisir.

Angl. *to retain*

Rétenteur, trice *n.*

☐ Titulaire d'un droit de rétention.

Comp. rétention
Angl. *retainer*

Rétention *n.f.*

☐ Fait de retenir un bien qui appartient à autrui.

Comp. retenir, rétenteur
Angl. *retention*

• **Rétention (droit de) :** V. DROIT DE RÉTENTION.

Retenue judiciaire

☐ **1.** Discipline que s'imposent les juges de décider des affaires dont ils sont saisis sans tenir compte de leurs vues personnelles ou d'idées qui seraient incompatibles avec le droit existant.

Comp. réserve (obligation de)
Angl. *judicial self-restraint*

☐ **2.** Politique de non-intervention des tribunaux supérieurs relativement aux décisions des tribunaux ou organismes administratifs rendues dans leur domaine d'expertise ou leur champ de compétence.

Rem. La retenue judiciaire empêche les tribunaux supérieurs de substituer leurs propres opinions à celles que rendent des organismes ou tribunaux spécialisés lorsqu'ils agissent conformément à la loi.
Comp. activisme judiciaire, contrôle judiciaire, courtoisie judiciaire, pouvoir de réforme
Angl. *curial deference, policy of non-intervention*

Réticence *n.f.*

☐ Omission volontaire par une personne de dévoiler à une autre un fait important que celle-ci devrait connaître. Ex. Les réticences du preneur peuvent entraîner la nullité d'un contrat d'assurance.

Angl. *concealment*

• **Réticence dolosive :** Réticence qui provoque un dol.

Rem. Selon l'art. 1401 du *Code civil du Québec*, le dol peut résulter d'un silence ou d'une réticence.

Syn. réticence frauduleuse

Angl. *fraudulent concealment*

• **Réticence frauduleuse :** V. RÉTICENCE DOLOSIVE.

Retirement *n.m.*

☐ V. ENLÈVEMENT.

Retour *n.m.*

☐ Fait de revenir dans le patrimoine d'une personne.

Comp. donation, succession

Angl. *taking back*

• **Retour (droit de) :**

1.(conventionnel) Condition résolutoire contenue dans une donation ou dans un acte ultérieur et qui a pour effet de faire revenir les biens donnés dans le patrimoine du donateur ou dans celui d'un tiers advenant le prédécès du donataire ou du donataire et de ses descendants.

Syn. clause de retour conventionnel

Angl. *right to take back*

2.(légal) Droit conféré par la loi aux ascendants de reprendre les biens qu'ils ont donnés à leurs descendants qui sont décédés sans époux successible ni postérité.

Rem. Cette règle du *Code civil du Bas-Canada* n'a pas été reprise dans le *Code civil du Québec*.

Syn. succession anomale, retour successoral

Angl. *right to take back*

• **Retour successoral :** V. ,RETOUR LÉGAL (DROIT DE).

Rétractable *adj.*

☐ Qui peut être rétracté. Ex. Un jugement rétractable.

Comp. rétractation

Angl. *revocable*

Rétractation *n.f.*

☐ Fait de détruire les effets juridiques d'un acte, d'un jugement.

Comp. rétractable, rétracter, tierce opposition

Angl. *revocation*

• **Rétractation de jugement :**

1. Voie de recours permettant à la partie condamnée par défaut de comparaître ou de plaider de se pourvoir à l'encontre du jugement rendu contre elle lorsqu'elle a une bonne défense à faire valoir et qu'elle a été empêchée de la présenter, par surprise, par fraude ou par une autre cause que le juge considère suffisante.

Rem. Ce recours du *Code de procédure civile* actuel regroupe deux recours du Code précédent : l'opposition à jugement et la requête en révision.

Syn. opposition à jugement, requête en révision

Angl. *revocation of judgment*

2. Voie de recours ouverte à une partie lorsque, en l'absence de tout autre recours utile, elle soumet notamment qu'il y a eu irrégularité dans le déroulement du procès ou dans le jugement ou que, depuis le jugement, elle a découvert des pièces décisives ou une preuve essentielle qu'il lui était impossible de présenter en temps utile.

Rem. Ce recours du *Code de procédure civile* actuel se nommait, sous le Code précédent, requête civile.

Syn. requête civile

Comp. *infra petita, ultra petita*

Angl. *revocation of judgment*

• **Rétractation de jugement à la demande d'un tiers :** V. TIERCE OPPOSITION.

Rétracter *v.tr.*

☐ **1.** Effectuer une rétractation.

Comp. rétractation

Angl. *to revoke*

☐ **2.** Prononcer la rétractation.

Comp. rétractation

Angl. *to revoke*

Retrait *n.m.*

☐ **1.** Acte par lequel une personne, appelée le retrayant, se substitue, dans le cas où la loi l'y autorise, à l'acquéreur d'un bien ou d'un droit, appelé le retrayé, à charge de lui rembourser les sommes qu'il a engagées pour en faire l'acquisition. Ex. Le retrait par un héritier d'un tiers qui aurait acquis d'un autre héritier un droit dans la succession.

Comp. retrayant, retrayé
Angl. *redemption*

• **Retrait (droit de) :** V. DROIT DE RETRAIT.

☐ **2.** Privation d'un droit par décision d'un tribunal. Ex. Le retrait de l'autorité parentale.

Angl. *withdrawal*

☐ **3.** Action de retirer ou de se retirer. Ex. Le retrait d'une offre, le droit de retrait d'un associé.

Angl. *withdrawal*

Retranscription (des notes sténographiques)

☐ V. TRADUCTION (DES NOTES STÉNOGRAPHIQUES).

Retraxit *n.m.*

☐ Terme latin signifiant « il a retranché » que l'on utilise parfois pour désigner la déclaration par laquelle le demandeur se désiste partiellement de sa demande en abandonnant une partie de ses conclusions ou en réduisant le montant de sa réclamation.

Comp. désistement
Angl. *retraxit*

Retrayant, ante *adj. et n.*

☐ Personne qui exerce un droit de retrait.

Contr. retrayé
Comp. retrait
Angl. *redeemer*

Retrayé, ée *adj. et n.*

☐ Personne contre laquelle le droit de retrait est exercé.

Contr. retrayant
Comp. retrait
Angl. *person forced to redemption*

Rétroactif, ive *adj.*

☐ Se dit d'un acte ou d'une loi qui a un caractère de rétroactivité.

Comp. déclaratif, rétroactivité
Angl. *retroactive*

• **Rétroactif (effet) :** Se dit d'un acte ou d'une loi qui produit des effets juridiques antérieurs à la date de sa signature ou de sa promulgation.

Comp. rétroactivité
Angl. *retroactive effect*

Rétroactivité *n.f.*

☐ Caractère d'un acte juridique ou d'une situation juridique qui produit des effets dans le passé. Ex. La rétroactivité d'une loi.

Comp. rétroactif, rétroagir
Angl. *retroactivity*

Rétroagir *v.intr.*

☐ Avoir un effet rétroactif.

Comp. rétroactif (effet)
Angl. *to retroact*

Rétrocession *n.f.*

☐ Acte par lequel l'acquéreur d'un droit ou d'un bien le transmet en retour à celui de qui il l'avait acquis. Ex. La rétrocession d'un immeuble par l'acheteur à son vendeur.

Comp. cession, réméré
Angl. *reconveyance, retransfer, retrocession*

Réunion *n.f.*

☐ Fait de mettre ensemble, de joindre des choses séparées.

Angl. *joinder*

• **Réunion d'actions :** Jonction de deux ou plusieurs actions portées et inscrites devant le même tribunal en vue d'une audition commune.

Rem. Pour qu'elle soit autorisée, il faut que les questions soulevées soient en substance les mêmes ou que les matières en litige puissent être convenablement réunies en une seule.
Syn. jonction d'actions

Comp. action, réunion de causes d'action
Angl. *joinder of actions*

- **Réunion de causes d'action :** Jonction dans une même demande en justice de plusieurs causes d'action.
  Rem. Elle est permise à la condition que les recours exercés ne soient pas incompatibles ni contradictoires, qu'ils tendent à des condamnations de même nature, que leur réunion ne soit pas expressément défendue et qu'ils soient sujets au même mode d'enquête.
  Comp. cause d'action, jonction de parties, réunion d'actions
  Angl. *joinder of causes of action*

Rev. Can. Crim.

□ Abrév. de Revue canadienne de criminologie / *Canadian Journal of Criminology.*

Rev. Can. D.A.

□ Abrév. de Revue canadienne du droit d'auteur.

Rev. Can. D. Comm.

□ Abrév. de Revue canadienne du droit de commerce / *Canadian Business Law Journal.*

Rev. Can. D. Communautaire

□ Abrév. de Revue canadienne de droit communautaire / *Canadian Community Law Journal.*

Rev. Can. D. Fam.

□ Abrév. de Revue canadienne de droit familial / *Canadian Journal of Family Law.*

Rev. Can. Dr. Com.

□ Abrév. de Revue canadienne de droit communautaire / *Canadian Community Law Journal.*

Rev. Can. D. & Société

□ Abrév. de Revue canadienne de droit et société / *Canadian Journal of Law and Society.*

Rev. Can. Sc. Pol.

□ Abrév. de Revue canadienne de science politique / *Canadian Journal of Political Science.*

Rev. Crit.

□ Abrév. de la Revue critique.

Rev. D. Ottawa

□ Abrév. de Revue de droit d'Ottawa / *Ottawa Law Review.*

Revendication *n.f.*

□ Action de réclamer la propriété d'un bien ou la reconnaissance d'un droit.
Comp. revendiquer
Angl. *revendication*

- **Revendication (action en) :** Action par laquelle une personne demande au tribunal de reconnaître son droit de propriété sur un bien et, généralement, d'ordonner à celui qui le détient de le lui rendre.
  Angl. *action in revendication*

- **Revendication (saisie-) :** V. SAISIE-REVENDICATION.

Revendiquer *v.tr.*

□ **1.** Réclamer un bien dont on se prétend propriétaire ou un droit dont on se prétend titulaire.
Comp. revendication
Angl. *to revendicate*

□ **2.** Réclamer d'un tiers détenteur la remise d'un bien sur lequel on prétend avoir des droits. Ex. Le liquidateur d'une succession peut revendiquer contre les héritiers les biens qui appartiennent à la succession.
Angl. *to claim, to revendicate*

Revente *n.f.*

☐ **1.** Vente à un tiers par l'acheteur d'un bien.
Angl. *resale*

☐ **2.** Remise en vente d'un bien, après folle enchère.
Comp. vente à la folle enchère
Angl. *resale*

Révérenciel, ielle *adj.*

☐ V. CRAINTE RÉVÉRENTIELLE.

Révérentiel, ielle *adj.*

☐ V. CRAINTE RÉVÉRENTIELLE.

Rev. Études Can.

☐ Abrév. de Revue d'études canadiennes / *Journal of Canadian Studies.*

Rev. Fiscale Can.

☐ Abrév. de Revue fiscale canadienne / *Canadian Tax Journal.*

Rev. int. droit comp.

☐ Abrév. de Revue internationale de droit comparé.

Revirement *n.m.*

☐ V. JURISPRUDENCE (REVIREMENT DE).

Réviser *v.tr.*

☐ Effectuer une révision.
Comp. révision
Angl. *to revise*

Révision *n.f.*

☐ **1.** Modification d'un texte juridique ou d'une situation juridique en vue de l'adapter à des circonstances particulières ou à un contexte social nouveau. Ex. La révision d'un contrat, d'une loi, d'un régime de protection.
Comp. réviser
Angl. *review, revision*

☐ **2.** Réexamen d'une décision rendue par une personne, un organisme ou un tribunal. Ex. La révision d'un jugement étranger, d'une décision du conseil de tutelle.
Comp. réviser
Angl. *review*

• **Révision administrative :** En droit administratif, voie de recours prévue par la loi en vertu de laquelle un organisme ou un tribunal administratif se voit conférer le pouvoir de confirmer, de modifier ou d'annuler une décision prise par un agent de l'Administration publique.
Comp. révision judiciaire
Angl. *administrative review*

• **Révision judiciaire :** Contrôle de la légalité d'une décision d'un tribunal administratif ou d'un tribunal civil inférieur qu'exerce, chacun dans son champ de compétence, le tribunal de droit commun d'une province ou la Cour fédérale.
Rem. **1.** La décision attaquée peut être cassée ou annulée, notamment lorsque le tribunal n'a pas respecté les règles de la justice naturelle ou a commis une erreur juridictionnelle ou une erreur manifestement déraisonnable dans l'exercice de sa compétence. **2.** Au Québec, on donne généralement le nom de requête en évocation au moyen de procédure utilisé pour demander la révision judiciaire. On aurait intérêt à lui donner le nom de requête en révision judiciaire afin de le distinguer de la requête traditionnelle en évocation.
Contr. appel
Comp. *certiorari* (bref de), contrôle judiciaire, évocation, prohibition, révision administrative
Angl. *judicial review*

• **Révision pour cause :** En droit administratif, voie de recours prévue par la loi en vertu de laquelle un organisme ou un tribunal administratif est habilité à réviser sa propre décision, généralement pour cause d'erreurs d'écriture ou de forme ou pour des motifs similaires à ceux qui donnent ouverture à la rétractation de jugement en matière civile.
Angl. *review*

☐ **3.** Opération périodique ayant pour but de mettre à jour l'ensemble des lois fédérales.
Rem. **1.** Elle est réalisée par une commission formée par le ministre de la Justice du

Canada dont la mission principale consiste à exclure les lois ou parties de lois périmées, abrogées ou suspendues ou ayant rempli leur objet, à apporter à la forme des lois les changements nécessaires à l'uniformité de l'ensemble, sans en modifier le fond, et à corriger les erreurs de présentation, de grammaire ou de typographie qui s'y trouvent. **2.** La dernière révision date de 1985. **3.** Cette opération porte, au Québec, le nom de refonte.

Syn. refonte
Angl. *revision*

Rev. Jur. Femme & D.

☐ Abrév. de Revue juridique « La Femme et le droit » / *Canadian Journal of Women and Law.*

Rev. Lois & Pol. Sociales

☐ Abrév. de Revue des lois et des politiques sociales / *Journal of Law and Social Policy.*

Révocabilité *n.f.*

☐ Caractère de ce qui est révocable.

Comp. révocable
Contr. irrévocabilité
Angl. *revocability*

Révocable *adj.*

☐ Qui peut être révoqué, qui est susceptible de révocation.

Contr. irrévocable
Comp. révocabilité, révocation
Angl. *revocable*

Révocation *n.f.*

☐ **1.** Acte unilatéral par lequel une personne met à néant un acte antérieur dont elle est l'auteur. Ex. La révocation d'un testament, d'une offre, d'une stipulation pour autrui, d'une donation, de la désignation du bénéficiaire dans un contrat d'assurance.

Comp. annulation, rescision, résiliation, résolution, révoquer
Angl. *revocation*

☐ **2.** Acte par lequel une personne met fin unilatéralement à une mission qu'elle avait confiée à une autre. Ex. La révocation d'un mandat.

Rem. L'art. 2179 du *Code civil du Québec* utilise l'expression « révocation unilatérale », ce qui semble un pléonasme.
Comp. annulation, rescision, résiliation, résolution, révoquer
Angl. *revocation*

Révocatoire *adj.*

☐ V. ACTION EN INOPPOSABILITÉ, ACTION PAULIENNE.

Angl. *revocatory*

Révoquer *v.tr.*

☐ Mettre à néant, revenir sur une décision.

Comp. annuler, révocation
Angl. *to revoke*

Rev. trim. dr. civ.

☐ Abrév. de Revue trimestrielle de droit civil.

R.F.L.

☐ Abrév. de *Reports of Family Law.*

R.F.L. (2d)

☐ Abrév. de *Reports of Family Law (Second Series).*

R.F.L. (3d)

☐ Abrév. de *Reports of Family Law (Third Series).*

R.F.L. Rep.

☐ Abrév. de *Reports of Family Law, Reprint Series.*

R.G.A.T.

☐ Abrév. de Revue générale des assurances terrestres.

R.G.D.

☐ Abrév. de Revue générale de droit (section de droit civil, Faculté de droit, Université d'Ottawa).

R.I.

☐ Abrév. de Revue des relations industrielles.

Risque *n.m.*

☐ **1.** Événement éventuel, prévisible mais incertain quant à sa survenance ou à la date de sa survenance, dont la réalisation ne dépend pas uniquement de la volonté de l'assuré et qui est susceptible de lui causer un préjudice ou un dommage.

Comp. assurance, couverture, garantie, responsabilité sans faute
Angl. *risk*

☐ **2.** En matière d'assurance, personne ou bien assuré. Ex. L'exclusion d'un risque dans une police d'assurance.

Angl. *risk*

☐ **3.** En matière d'assurance maritime, synonyme de perte.

Angl. *loss*

☐ **4.** Plus généralement, danger éventuel plus ou moins prévisible. Ex. Un risque de perte, un risque pour la santé.

Angl. *peril, risk*

Rive *n.f.*

☐ Bande de terre qui borde un cours d'eau.

Comp. riverain
Angl. *bank, shore*

Riverain, aine *adj. et n.*

☐ Personne dont la propriété longe un cours d'eau.

Comp. rive
Angl. *lakeside resident, riverside resident*

R.J.E.L.

☐ Abrév. de La Revue juridique des étudiants de l'Université Laval.

R.J.E.U.L.

☐ Abrév. de La Revue juridique des étudiants et étudiantes de l'Université Laval.

R.J.F.D.

☐ Abrév. de Revue juridique « La Femme et le droit » / *Canadian Journal of Women and the Law.*

R.J.P.Q.

☐ Abrév. de Recueil de jurisprudence pénale du Québec.

R.J.Q.

☐ Abrév. de **1.** Rapports judiciaires du Québec ; **2.** Recueil de jurisprudence du Québec.

R.J.R.

☐ Abrév. de (*Mathieu's*) *Quebec Revised Reports.*

R.J.R.Q.

☐ Abrév. de Rapports judiciaires révisés de la province de Québec (Mathieu).

R.J.R.S.P.

☐ Abrév. de Recueil de jurisprudence de la Régie des services publics.

R.J.T.

☐ Abrév. de Revue juridique Thémis.

R.J.T.E.

☐ Abrév. de Recueil de jurisprudence du Tribunal de l'expropriation.

R.L.

☐ Abrév. de La Revue légale.

R.L.N.S.

☐ Abrév. de **1.** La Revue légale, Nouvelle Série ; **2.** La Revue légale, *New Series.*

R.L.O.S.

☐ Abrév. de La Revue légale, *Old Series.*

R.N.-B.

☐ Abrév. de Recueil des arrêts du Nouveau-Brunswick.

Rob. & Jos. Dig.

☐ Abrév. de *Robinson & Joseph's Digest.*

Rogatoire *adj.*

☐ V. COMMISSION ROGATOIRE.

Rôle *n.m.*

☐ **1.** Registre.
Angl. *roll*

• **Rôle de la valeur locative :** Registre dans lequel est inscrite la valeur locative de chaque place d'affaires ou local d'une municipalité.
Comp. rôle de perception, rôle d'évaluation
Angl. *roll of rental values*

• **Rôle de perception :** Registre d'une municipalité dans lequel sont mentionnés les noms des contribuables inscrits au rôle d'évaluation, la valeur de leurs biens imposables, le montant des taxes foncières à payer ainsi que celui de tous les arrérages de taxes.
Comp. rôle de la valeur locative, rôle d'évaluation
Angl. *collection roll*

• **Rôle d'évaluation :** Registre dans lequel est inscrite l'évaluation des immeubles imposables d'une municipalité et qui sert de base à la détermination des taxes foncières que doivent acquitter leurs propriétaires ou les personnes qui y sont assujetties.
Comp. rôle de la valeur locative, rôle de perception
Angl. *real estate assessment roll*

☐ **2.** Liste des causes en attente d'audition devant un tribunal.
Angl. *roll*

• **Rôle d'audience :** Liste des causes dont la date d'audition par le tribunal a été fixée par un officier de justice.
Comp. maître des rôles, rôle général, rôle spécial
Angl. *roll for hearing*

• **Rôle général :** Registre dans lequel sont inscrites, par ordre chronologique, les causes ordinaires rendues à l'étape de l'instruction devant le tribunal.
Contr. rôle d'audience, rôle spécial
Comp. enquête, instruction
Angl. *general roll*

• **Rôle (mise au) :** Opération par laquelle une action, après son inscription pour enquête et audition, est portée au rôle approprié.
Comp. rôle général, rôle spécial
Angl. *entering on the roll, setting on the roll*

• **Rôle spécial :** Registre dans lequel sont inscrites des causes de nature particulière ou à caractère d'urgence qui sont rendues à l'étape de l'instruction devant le tribunal.
Contr. rôle d'audience, rôle général
Comp. enquête, instruction
Angl. *special roll*

Royauté(s)

☐ V. REDEVANCE.

R.P.

☐ Abrév. de Rapports de pratique de Québec / *Quebec Practice Reports.*

R.P.C.

☐ Abrév. de *Reports of Patent Cases.*

R.P.F.S.

☐ Abrév. de Revue de planification fiscale et successorale.

R.P. Qué.

☐ Abrév. de Rapports de pratique de Québec.

R.P.R.

☐ Abrév. de *Real Property Reports.*

R.P.R. (2d)

☐ Abrév. de *Real Property Reports, Second Series.*

R.P.T.A.

□ Abrév. de Recueil en matière de protection du territoire agricole.

R.Q.D.I.

□ Abrév. de Revue québécoise de droit international.

R.R.

□ Abrév. de *Revised Reports*.

R.R.A.

□ Abrév. de Recueil en responsabilité et assurance.

R.R.O.

□ Abrév. de *Revised Regulation of Ontario*.

R.R.Q.

□ Abrév. de Règlements refondus du Québec.

R.S.

□ Abrév. de *Revised Statutes*.

R.S.A.

□ Abrév. de *Revised Statutes of Alberta*.

R.S.B.C.

□ Abrév. de *Revised Statutes of British Columbia*.

R.S.C.

□ Abrév. de **1.** *Revised Statutes of Canada* ; **2.** *Rules of the Supreme Court*.

R.S.M.

□ Abrév. de *Revised Statutes of Manitoba*.

R.S.N.B.

□ Abrév. de *Revised Statutes of New Brunswick*.

R.S.Nfld.

□ Abrév. de *Revised Statutes of Newfoundland*.

R.S.N.S.

□ Abrév. de *Revised Statutes of Nova Scotia*.

R.S.O.

□ Abrév. de *Revised Statutes of Ontario*.

R.S.P.E.I.

□ Abrév. de *Revised Statutes of Prince Edward Island*.

R.S.Q.

□ Abrév. de *Revised Statutes of Quebec*.

R.S.S.

□ Abrév. de *Revised Statutes of Saskachewan*.

R.T.P. Comm.

□ Abrév. de *Restrictive Trade Practices Commission*.

Ruine *n.f.*

□ Désagrégation totale ou partielle des matériaux qui composent un immeuble. Ex. Le propriétaire est tenu de réparer le préjudice causé par la ruine, même partielle, de son immeuble, lorsqu'elle résulte d'un défaut d'entretien ou d'un vice de construction.
Angl. *ruin*

Rupture *n.f.*

□ **1.** Dissolution d'un lien de droit par l'effet de la loi ou d'une décision judiciaire. Ex. La rupture du lien conjugal par un jugement de divorce.
Angl. *dissolution*

□ **2.** Interruption brusque ; résultat de cette interruption. Ex. La rupture des relations diplomatiques entre deux États.
Angl. *breach, breaking off, rupture*

Rural, ale, aux *adj.*

- ☐ Qui est de la campagne, qui se situe hors des villes.

  Contr. urbain

  Angl. *rural*

- • **Rural (chemin) :** V. CHEMIN RURAL.

Rus.

- ☐ Abrév. de *Russell's Election Cases (N.S.).*

S

S.

☐ Abrév. de **1.** Recueil Sirey ; **2.** *Section.*

S.A.

☐ Abrév. de **1.** Société Anonyme ; **2.** *Statutes of Alberta.*

Sacramentel, elle *adj.*

☐ Se dit de termes ou d'expressions qui doivent être obligatoirement utilisés pour la validité d'un acte. Ex. Une formule sacramentelle.

Angl. *essential*

S.A.G.

☐ Abrév. de Sentences arbitrales de griefs.

Saisi, ie *adj. et n.*

☐ **1.(adj.)** Qui fait l'objet d'une saisie, dont les biens sont saisis. Ex. Le débiteur saisi.

Contr. saisissant
Comp. débiteur saisi, saisie, tiers-saisi
Angl. *under seizure*

• **Saisi (tiers-) :** V. TIERS-SAISI.

☐ **2.(adj.)** En matière successorale, qui a la saisine. Ex. Un héritier saisi.

Comp. saisine
Angl. *seized*

☐ **3.(adj.)** Se dit de la saisine du juge pendant un procès. Ex. Le juge saisi du litige.

Comp. saisine
Angl. *seized*

☐ **4.(n.)** Personne dont les biens sont saisis.

Contr. saisissant
Comp. saisie
Angl. *debtor, judgment debtor*

Saisie *n.f.*

☐ Mesure de nature conservatoire ou voie d'exécution par laquelle un créancier met sous le contrôle de la justice des biens appartenant à son débiteur dans le but d'assurer la conservation de ses droits ou d'obtenir l'exécution efficace d'un jugement.

Comp. créancier, débiteur, saisi, saisir, saisissant
Angl. *seizure*

• **Saisie-arrêt :** Saisie pratiquée entre les mains d'un tiers, généralement par un créancier en possession d'un jugement exécutoire, de biens meubles ou de sommes d'argent appartenant à son débiteur.

Rem. Cette saisie peut être également faite avant jugement.
Syn. saisie en main tierce
Comp. arrêt en main tierce, saisie avant jugement, saisie-exécution, saisir-arrêter, tiers-saisi
Angl. *seizure by garnishment*

• **Saisie avant jugement :** Saisie de nature conservatoire pratiquée par le demandeur, en début ou en cours d'instance, dans le but de mettre les biens de son débiteur sous le contrôle de la justice et d'assurer éventuellement le remboursement de sa créance si le jugement final lui est favorable.

Rem. **1.** Selon l'art. 733 du *Code de procédure civile*, le demandeur peut, avec l'autorisation d'un juge, faire saisir avant jugement les biens du défendeur, lorsqu'il est à craindre que, sans cette mesure, le recouvrement de sa créance ne soit en péril. L'art. 734 du Code permet au demandeur de faire saisir, sans autorisation, les biens de son débiteur qu'il a droit de revendiquer ou sur lesquels il détient un privilège (ou créance prioritaire) ou un droit de revendication. **2.** Le *Code de procédure civile* de 1897 prévoyait à cet égard l'exercice de plusieurs recours différents : arrêt simple, arrêt en mains tierce, saisie-revendication, saisie-gagerie et saisie conservatoire.

Comp. arrêt simple, arrêt en mains tierces, bref de saisie avant jugement, saisie-revendication, saisie-gagerie, saisie conservatoire, tiers-saisi

Angl. *seizure before judgement*

- **Saisie-brandon :** Mode d'exécution des jugements par lequel un créancier fait mettre sous la main de la justice des fruits et des récoltes sur pied appartenant à son débiteur afin qu'ils soient conservés jusqu'à leur maturité où ils seront alors vendus aux enchères et que le produit de la vente serve à acquitter entièrement ou partiellement le montant de sa créance.

  Angl. *seizure of growing crops*

- **Saisie conservatoire :** Saisie pratiquée par un créancier, en début ou en cours d'instance, visant à mettre sous contrôle de la justice, jusqu'au jugement final qui prononcera sur le bien-fondé de sa demande, un bien meuble sur le prix duquel il est fondé à être colloqué par préférence et dont on use de manière à mettre en péril la réalisation de son privilège ou le bien meuble qu'une disposition de la loi lui permet de faire saisir pour assurer l'exercice de ses droits sur celui-ci.

  Rem. Ce recours du *Code de procédure civile* de 1897 a été remplacé par la saisie avant jugement sans autorisation du Code actuel.

  Comp. saisie avant jugement

  Angl. *conservatory attachment*

- **Saisie en main tierce :** V. SAISIE-ARRÊT.

- **Saisie-exécution :**

  1. Saisie pratiquée par un créancier en possession d'un jugement exécutoire sur les biens, meubles ou immeubles, de son débiteur dans le but de les faire vendre aux enchères et d'appliquer au paiement de sa créance le produit de leur vente.

  Comp. dépôt volontaire (des traitements, salaires ou gages), saisie avant jugement, tiers-saisi

  Angl. *seizure in execution*

  2. Saisie par un créancier en possession d'un jugement exécutoire du salaire ou du traitement de son débiteur dans le but d'appliquer au paiement de sa créance la portion saisissable des sommes que lui verse son employeur.

  Comp. saisie-arrêt

  Angl. *seizure in execution*

- **Saisie-exécution immobilière :** Saisie pratiquée sur un ou des immeubles en exécution d'un jugement.

  Syn. saisie immobilière

  Comp. saisie-exécution, saisie-exécution mobilière

  Angl. *seizure of immoveables in execution*

- **Saisie-exécution mobilière :** Saisie pratiquée sur un ou plusieurs meubles en exécution d'un jugement.

  Syn. saisie mobilière

  Comp. saisie-exécution, saisie-exécution immobilière

  Angl. *seizure of moveable property in execution*

- **Saisie-gagerie :** Saisie de nature conservatoire pratiquée par le locateur, en début ou en cours d'instance, afin de mettre sous contrôle de la justice les biens meubles de son locataire sur lesquels il détient un privilège et d'assurer éventuellement le remboursement de sa créance si le jugement final lui est favorable.

  Rem. Ce recours du *Code de procédure civile* de 1897 a été remplacé par la saisie avant jugement sans autorisation du Code actuel. Depuis le 1er janvier 1994, ce recours n'est plus permis, vu la suppression de ce privilège dans le *Code civil du Québec*.

  Comp. locateur, privilège

  Angl. *attachment for rent*

- **Saisie-gagerie par droit de suite :** Saisie-gagerie pratiquée par le demandeur après que les biens meubles sujets à son privilège ont été transportés hors des lieux loués, sans son consentement.

  Comp. saisie-gagerie

  Angl. *attachment for rent in recaption*

- **Saisie immobilière :** V. SAISIE-EXÉCUTION IMMOBILIÈRE.

- **Saisie mobilière :** V. SAISIE-EXÉCUTION MOBILIÈRE.

- **Saisie-revendication :** Saisie de nature conservatoire pratiquée par le demandeur, en début ou en cours d'instance, dans le but de mettre sous contrôle de la justice un bien meuble qu'il a le droit de revendiquer, jusqu'à ce qu'un jugement final prononce sur le bien-fondé de sa revendication.
  - Rem. Ce recours du *Code de procédure civile* de 1897 a été remplacé par la saisie avant jugement sans autorisation du Code actuel. Le droit de saisir-revendiquer pouvait être exercé par le propriétaire, le gagiste, le dépositaire, l'usufruitier, le grevé de substitution et le substitué.
  - Comp. saisie avant jugement
  - Angl. *seizure in revendication, attachment in revendication*

Saisine *n.f.*

□ **1.** En matière successorale, prérogative reconnue par la loi à un héritier d'être mis en possession du patrimoine du défunt et d'en exercer les droits, sans formalité, dès l'ouverture de la succession.
  - Rem. Selon le *Code civil du Québec*, c'est le liquidateur de la succession qui exerce la saisine des héritiers et des légataires particuliers, à compter de l'ouverture de la succession et pendant le temps nécessaire à la liquidation.
  - Comp. héritier, légataire, liquidateur de la succession, succession
  - Angl. *seisin*

- **Saisine de l'État :** Prérogative reconnue par la loi à l'État de recueillir, de plein droit, les biens d'une succession lorsque le défunt ne laisse ni conjoint ni parents au degré successible ou que tous les successibles ont renoncé à la succession ou qu'aucun successible n'est connu ou ne la réclame.
  - Rem. Selon le *Code civil du Québec*, la saisine de l'État est alors exercée par le curateur public.
  - Angl. *seisin which falls to the State*

□ **2.** Prérogative reconnue par la loi à un liquidateur d'être mis en possession des biens d'une personne morale ou d'une société et d'en exercer les droits, sans formalité, dès le moment ou celle-ci est mise en liquidation.
  - Comp. liquidateur, personne morale, société
  - Angl. *seisin*

□ **3.** Formalité par laquelle un plaideur porte une demande à la connaissance d'un tribunal afin que celui-ci se prononce sur le bien-fondé de ses prétentions.
  - Rem. Cette saisine prend effet à compter de la signification à la partie défenderesse ou intimée de la procédure introductive d'instance ou, dans le cas d'un appel, à compter de l'inscription.
  - Comp. compétence, saisir, tribunal
  - Angl. *seisin*

Saisir *v.tr.*

□ **1.** Mettre des biens sous le contrôle de la justice. Ex. Saisir des meubles en exécution d'un jugement.
  - Comp. saisie
  - Angl. *to seize*

□ **2.** Porter une affaire devant un tribunal, soumettre un litige à un juge pour qu'il le tranche.
  - Comp. saisine
  - Angl. *to refer, to submit*

Saisir-arrêter *v.tr.*

□ Pratiquer une saisie-arrêt.
  - Comp. saisie-arrêt
  - Angl. *to seize by garnishment*

Saisissabilité *n.f.*

□ Caractère d'un bien qui peut faire l'objet d'une saisie.
  - Comp. saisie, saisissable
  - Angl. *seizability*

Saisissable *adj.*

□ Qui peut faire l'objet d'une saisie.
  - Contr. insaisissable
  - Comp. saisie, saisissabilité
  - Angl. *attachable, distrainable, seizable*

Saisissant, ante *adj. et n.*

□ **1.(adj.)** Qui pratique une saisie. Ex. Le créancier saisissant.
  - Contr. saisi
  - Comp. officier, saisie, tiers-saisi
  - Angl. *seizing*

□ **2.(n.)** Personne qui pratique une saisie.
  - Contr. saisi
  - Comp. officier, saisie, tiers-saisi
  - Angl. *seizing creditor, seizing officer*

Salaire *n.m.*

□ Rémunération convenue d'avance qu'un employeur verse à un employé en vertu d'un contrat de travail.

Comp. gages, salarial, salarié, traitement
Angl. *salary*

• **Salaire minimum :** Taux de salaire, déterminé légalement ou conventionnellement, au-dessous duquel un employeur ne peut rémunérer ses employés.

Angl. *minimum wage*

Salarial, ale, aux *adj.*

□ **1.** Qui est relatif à un salaire ou à des salaires en général. Ex. La politique salariale d'un gouvernement.

Comp. salaire
Angl. *monetary*

□ **2.** Qui est assumé par le salarié, qui est prélevé sur un salaire. Ex. Une retenue salariale au bénéfice du gouvernement.

Comp. salaire
Angl. *(from) a salary, (from) the wages*

Salarié, ée *adj. et n.*

□ **1.(adj.)** Qui reçoit un salaire. Ex. Un travailleur salarié.

Comp. salaire
Angl. *salaried*

□ **2.(adj.)** Qui donne lieu au versement d'un salaire. Ex. Un poste salarié.

Comp. salaire
Angl. *paid*

□ **3.(n.)** Personne qui, dans un contrat de travail, s'oblige à effectuer un travail sous la direction ou le contrôle d'une autre personne, l'employeur.

Contr. employeur
Comp. salaire, travail (contrat de)
Angl. *employee, worker*

Salle d'audience

□ Local où siège un tribunal.

Rem. Sauf lorsque le huis clos est prononcé, le public est admis dans les salles d'audience.
Comp. huis clos
Angl. *court room*

Sa majesté

□ Titre donné aux souverains. Ex. Sa majesté la Reine.

Comp. Couronne
Angl. *His (Her) Majesty*

Samaritain, aine *n.*

□ V. DÉFENSE DU BON SAMARITAIN.

Sanction *n.f.*

□ **1.** Acte par lequel le chef de l'État ou son représentant donne son approbation à un texte législatif dûment adopté afin de le rendre exécutoire.

Rem. **1.** Au Québec, la sanction est donnée par le lieutenant-gouverneur après son adoption par l'Assemblée nationale ; les lois fédérales sont sanctionnées par le gouverneur général après leur adoption par la Chambre des communes et le Sénat. **2.** La sanction ne donne une force exécutoire à la loi que si celle-ci doit entrer en vigueur le jour où elle est sanctionnée.
Syn. sanction royale
Contr. abrogation
Comp. décret, proclamation, promulgation, sanctionner, vigueur (en)
Angl. *assent, royal assent*

• **Sanction royale :** Expression utilisée pour désigner la sanction donnée par le gouverneur général aux lois adoptées par le Parlement fédéral.

Syn. sanction
Angl. *royal assent*

□ **2.** Punition imposée par la loi à l'auteur d'une infraction. Ex. La sanction infligée à l'auteur d'un meurtre avec préméditation est un emprisonnement minimum de vingt-cinq ans.

Comp. condamnation
Angl. *punishment, punitive sanction*

□ **3.** Plus généralement, toute mesure prévue par le législateur pour assurer l'exécution d'une loi. Ex. La sanction imposée à la personne qui cause un préjudice à autrui est la condamnation à des dommages-intérêts.

Angl. *penalty*

Sanctionner *v.tr.*

☐ **1.** Donner son adhésion à un texte législatif afin de le rendre exécutoire. Ex. Sanctionner une loi.

Comp. sanction
Angl. *to give (royal) assent, to sanction*

☐ **2.** Imposer une punition, infliger une peine. Ex. Sanctionner l'auteur d'un crime.

Comp. sanction
Angl. *to punish*

☐ **3.** Plus généralement, imposer une sanction pour non-respect d'une loi, d'une convention. Ex. Sanctionner le défaut de respecter un contrat.

Angl. *to sanction*

Sask.

☐ Abrév. de Saskatchewan.

Sask. Bar. Rev.

☐ Abrév. de *Saskatchewan Bar Review.*

Sask. Gaz.

☐ Abrév. de *The Saskatchewan Gazette.*

Sask. L. R.

☐ Abrév. de *Saskatchewan Law Reports.*

Sask. L. Rev.

☐ Abrév. de *Saskatchewan Law Review.*

Sask. R.

☐ Abrév. de **1.** *Saskatchewan Reporter* ; **2.** *Saskatchewan Reports.*

Satisfaction *n.f.*

☐ Action d'accorder à quelqu'un ce qu'il demande. Ex. Donner satisfaction à un créancier.

Angl. *satisfaction*

Satisfaire *v.tr.ind.*

☐ S'acquitter (d'une obligation), acquiescer à une demande en justice. Ex. Satisfaire à la réclamation du créancier.

Angl. *to comply with, to fulfil one's obligations*

Sauvegarde *n.f.*

☐ Protection des droits ou des intérêts d'une personne accordée par une autorité ou garantie par une institution.

Angl. *protection, safeguard*

Savoir-faire *n.m.*

☐ Ensemble des connaissances techniques, inconnues du public en général, qu'une entreprise a développées et expérimentées dans le but de produire de la façon la plus rentable possible et d'obtenir un meilleur succès commercial.

Rem. **1.** Ce procédé, qui n'est pas brevetable, peut être concédé à titre onéreux à d'autres entreprises. **2.** On employait autrefois les mots *know-how* « savoir comment » pour les désigner.
Angl. *know-how*

S.B.C.

☐ Abrév. de *Statutes of British Columbia.*

S.C.

☐ Abrév. de **1.** *Same Case* ; **2.** *Sessions Cases* ; **3.** Statuts du Canada ; **4.** *Statutes of Canada* ; **5.** *Superior Court* ; 6. *Supreme Court.*

S.C.A.D.

☐ Abrév. de *Supreme Court, Appellate Division* (provinces).

S.C.C.

☐ Abrév. de **1.** Société commerciale canadienne ; **2.** *Supreme Court of Canada.*

Sceau *n.m.*

☐ Cachet officiel gravé dont l'empreinte apposée sur un document a pour effet de l'authentifier ou de le fermer de façon inviolable. Ex. Le sceau du notaire.

Angl. *official seal, seal*

Scellés *n.m.pl.*

□ Sceau d'un officier public apposé sur chaque extrémité d'une bande d'étoffe ou de papier placée sur le trou d'une serrure, s'il y en a une, ou sur l'ouverture de la pièce ou du meuble où se trouvent des effets dont on veut interdire l'usage ou l'enlèvement, de manière qu'on ne puisse y pénétrer ou l'ouvrir sans briser ou enlever la bande ou le sceau.
Angl. *seals*

- **Scellés (apposition des) :** V. APPOSITION DES SCELLÉS.

- **Scellés (levée des) :** V. LEVÉE DES SCELLÉS.

Schéma d'aménagement

□ Document adopté par une municipalité régionale de comté dans lequel sont consignés les objectifs et les grandes orientations de sa politique concernant le développement de son territoire et l'utilisation de chacune des parties qui le composent.
Comp. urbanisme (plan d')
Angl. *development plan*

S.C. (H.L.)

□ Abrév. de *Sessions Cases (House of Lords).*

S.Chr.

□ Abrév. de Recueil Sirey chronologique.

Sciemment *adv.*

□ De façon délibérée, en toute connaissance de cause.
Angl. *knowingly, wilfully*

Sciences juridiques

□ Expression utilisée parfois pour désigner l'ensemble des différentes branches du Droit.
Syn. Droit
Angl. *Law, legal sciences*

S.C. (J.)

□ Abrév. de *Sessions Cases (Judiciary Reports).*

S.C.R.

□ Abrév. de **1.** *Canada Law Reports, Supreme Court of Canada* / Rapports judiciaires du Canada, Cour Suprême du Canada ; **2.** *Reports of the Supreme Court of Canada* ; **3.** *Supreme Court Reports.*

S.C.R.R.

□ Abrév. de *Securities and Corporate Regulation Review.*

S.C.T.D.

□ Abrév. de *Supreme Court Trial Division* (provinces).

Scrutateur, tatrice *n.*

□ Personne désignée pour veiller à l'aménagement d'un bureau de vote, d'assurer le bon déroulement du scrutin, de procéder au dépouillement des votes, de transmettre au directeur du scrutin les résultats du vote et de lui remettre l'urne.
Comp. scrutin, suffrage, vote
Angl. *deputy returning officer*

Scrutin *n.m.*

□ **1.** Opération électorale qui englobe le dépôt par les électeurs de leur bulletin de vote, le dépouillement et la proclamation des élus.
Syn. élection
Comp. vote
Angl. *election, poll*

- **Scrutin (bureau de) :** V. BUREAU DE SCRUTIN.

- **Scrutin majoritaire :** Scrutin dans lequel est déclaré élu le candidat qui recueille la majorité des voix.
Angl. *election by the majority*

- **Scrutin plurinominal :** Scrutin dans lequel l'électeur est appelé à voter pour plusieurs candidats à la fois, plusieurs sièges étant à pourvoir.
Contr. scrutin uninominal
Angl. *plurinominal system*

- **Scrutin public :** Scrutin où la volonté exprimée par la personne qui vote est connue des autres.

Contr. scrutin secret
Angl. *public ballot*

- **Scrutin secret :** Scrutin où la volonté exprimée par la personne qui vote demeure cachée et n'est pas connue des autres.

Contr. scrutin public
Angl. *secret ballot*

- **Scrutin uninominal :** Scrutin dans lequel l'électeur est appelé à voter pour un des candidats au seul siège à pourvoir.

Contr. scrutin plurinominal
Angl. *uninominal system*

□ **2.** Vote au moyen d'un bulletin que l'électeur dépose dans une urne.

Syn. vote
Angl. *vote*

S.Ct.

□ Abrév. de **1.** *Supreme Court* ; **2.** *Supreme Court Reporter.*

Séance *n.f.*

□ **1.** Réunion des membres d'un corps constitué, d'une assemblée en vue de réaliser certains travaux. Ex. Une séance de l'Assemblée nationale.

Comp. session
Angl. *sitting*

□ **2.** Fait pour un juge de siéger dans une salle d'audience.

Comp. session
Angl. *sitting*

Sécession *n.f.*

□ Action par laquelle une partie de la population d'un État se sépare de celui-ci, de façon pacifique ou violente, afin de former un nouvel État ou de se réunir à un autre.

Comp. autonomie, indépendance
Angl. *secession*

Secondaire *adj.*

□ **1.** Se dit d'une résidence qu'une personne n'habite pas de façon habituelle. Ex. Un chalet est généralement une résidence secondaire.

Contr. principale, résidence principale
Angl. *secondary*

□ **2.** Se dit des effets accessoires que la loi attache aux règles qu'elle prescrit. Ex. L'interruption de la prescription à l'égard de tous les débiteurs d'une obligation solidaire ou indivisible par suite du dépôt d'une demande en justice contre l'un d'eux.

Angl. *secondary*

Secours mutuel

□ V. SOCIÉTÉ DE SECOURS MUTUEL..

Secret, ète *adj.*

□ **1.** Qui ne doit pas être connu d'autrui, qui ne doit pas être divulgué.

Comp. contrat secret
Angl. *secret*

□ **2.** Dont l'identité de l'auteur ne doit pas être révélée.

Angl. *secret*

□ **3.** Qui est confidentiel. Ex. Une information secrète.

Comp. scrutin secret
Angl. *secret*

Secret *n.m.*

□ Information qui ne peut être révélée par la personne qui la détient, qui ne doit pas être connue d'autrui.

Angl. *secret*

- **Secret commercial :** Information concernant des procédés de fabrication ou d'exploitation d'un produit que son bénéficiaire cherche à tenir confidentielle afin qu'elle ne soit pas divulguée à ses concurrents.

Rem. Cette information est généralement protégée par un brevet délivré par le gouvernement.
Comp. brevet
Angl. *trade secret*

- **Secret des délibérations :** Discrétion absolue qui doit être respectée concernant la discussion et la réflexion qui précèdent la prise d'une décision. Ex. Le secret des délibérations du conseil des ministres.

  Comp. délibération

  Angl. *secrecy of deliberations*

- **Secret d'État :** Information qui doit être tenue confidentielle, sous peine de sanction, étant donné que sa divulgation risque de nuire aux intérêts de l'État.

  Angl. *state secret*

- **Secret professionnel :** Obligation imposée par la loi à certaines personnes de ne pas divulguer des faits qui leur ont été révélés confidentiellement ou dont elles ont pris connaissance dans l'exercice de leur profession. Ex. Le secret professionnel du médecin, de l'avocat, du notaire.

  Syn. confidentialité

  Comp. communication privilégiée

  Angl. *professional secrecy*

Secrétaire *n.*

□ **1.** Personne responsable de l'organisation et du fonctionnement d'une assemblée, d'une personne morale, d'un service, d'un organisme.

Rem. Le secrétaire est, en général, responsable de la convocation des assemblées et de la rédaction des procès-verbaux, tout en étant le gardien des livres.

Angl. *secretary*

□ **2.** Titre donné parfois à des ministres ou à des hauts fonctionnaires.

Rem. Ils peuvent également porter le titre de secrétaire général. Ex. Le Secrétaire général des Nations-Unies.

Angl. *secretary*

- **Secrétaire d'État :** Nom donné au ministre fédéral responsable du Secrétariat d'État dont les pouvoirs et fonctions s'étendent d'une façon générale à tous les domaines de compétence du Parlement qui n'ont pas été attribués de droit à d'autres ministères ou organismes fédéraux, dans certains secteurs d'activités (ex. développement social, élections).

  Angl. *Secretary of State*

- **Secrétaire d'État aux Affaires extérieures :** Titre donné au Canada au ministre responsable de la direction et de la gestion du ministère des Affaires extérieures.

  Rem. Depuis peu, il porte le titre de Ministre des Affaires étrangères.

  Angl. *Minister of Foreign Affairs, Secretary of State for External Affairs*

- **Secrétaire général du Conseil exécutif :** Titre donné, au Québec, au sous-ministre du premier ministre.

  Angl. *Secretary General of Conseil exécutif*

- **Secrétaire parlementaire :** Député nommé par le gouverneur en conseil pour aider un ministre dans l'exécution de ses fonctions et qui agit conformément aux instructions de ce dernier.

  Angl. *Parliamentary Secretary*

Séculier, ière *adj.*

□ V. CORPORATION SÉCULIÈRE.

Secundum legem

□ Locution latine signifiant « selon la loi » que l'on utilise généralement pour désigner une coutume ou un usage qui est conforme à la loi.

Contr. *contra legem, praeter legem*

Sécurité *n.f.*

□ Conditions matérielles, politiques ou sociales qui permettent à un individu d'être à l'abri de certains risques. Ex. La *Loi sur la santé et la sécurité du travail* (L.R.Q., c. S-2.1) a pour objet l'élimination à la source même des dangers pour la santé, la sécurité et l'intégrité physique des travailleurs (art. 2).

Angl. *security*

- **Sécurité de l'emploi :** V. SÉCURITÉ D'EMPLOI.

- **Sécurité d'emploi :** Assurance pour un employé de conserver son emploi lorsque certaines conditions sont réunies.

  Syn. sécurité de l'emploi

  Angl. *employment security, job security*

- **Sécurité du revenu :** Ensemble de programmes mis par l'État à la disposition des citoyens dans le but de les aider lorsqu'ils n'ont pas de ressources suffisantes pour subvenir à leurs besoins et à ceux de leur famille ou lorsqu'ils présentent des contraintes sévères à l'emploi qui les placent dans une situation différente de celle des personnes aptes au travail.

Angl. *income security*

- **Sécurité (obligation de) :** Obligation, généralement implicite dans certains types de contrats, en vertu de laquelle une partie s'engage à garantir l'intégrité corporelle de l'autre, dans l'exécution de sa prestation, ou à prendre les moyens nécessaires pour l'assurer. Ex. L'obligation de sécurité du transporteur de personnes à l'égard de ses passagers.

  Angl. *safety (obligation of)*

- **Sécurité publique :** Ensemble des mesures mises par l'État à la disposition des citoyens en vue d'assurer leur sécurité.

  Rem. Au Québec, le ministre de la Sécurité publique est notamment responsable de l'application des lois relatives à la police, de l'administration des établissements de détention, de la surveillance de la sécurité routière et du contrôle de la circulation et de la vente des boissons alcooliques.

  Angl. *public safety, public security*

- **Sécurité sociale :** Ensemble de mesures ayant pour objet d'assurer aux travailleurs et à leurs familles certaines protections contre les risques susceptibles de réduire leurs revenus ou de leur garantir des revenus supplémentaires dans des circonstances particulières. Ex. L'assurance-chômage constitue une mesure de sécurité sociale.

  Angl. *social security*

Séditieux, euse *adj.*

☐ **1.** Qui tend à la sédition. Ex. Des paroles séditieuses.

Comp. sédition
Angl. *seditious*

☐ **2.** Qui incite à la sédition, qui participe à une sédition. Ex. Un orateur séditieux.

Comp. sédition
Angl. *seditious*

Sédition *n.f.*

☐ Révolte concertée, soulèvement contre l'autorité publique.

Comp. intention séditieuse, séditieux
Angl. *sedition*

Séduction *n.f.*

☐ Fait d'amener une femme à consentir à des relations sexuelles hors mariage à l'aide de mensonges, de manoeuvres dolosives, d'artifices, de fausses promesses de mariage ou d'avantages procurés par une situation d'autorité.

Rem. Lorsque la séduction est abusive et déloyale, la victime peut obtenir réparation du préjudice qu'elle a subi. La séduction constituait autrefois un acte criminel.

Angl. *seduction*

Seig. Questions

☐ Abrév. de *Lower Canada Reports, Seignorial Questions* / Décisions des tribunaux du Bas-Canada, questions seigneuriales.

Seing *n.m.*

☐ Signature.

Angl. *signature*

- **Seing (blanc-) :** V. BLANC-SEING.

- **Seing privé (acte sous) :** V. ACTE SOUS SEING PRIVÉ.

Self serving evidence

☐ V. PREUVE PRÉCONSTITUÉE.

Semi-liberté *n.f.*

☐ Régime de libération conditionnelle dans lequel le détenu réintègre la prison à certains moments ou au terme d'une période déterminée.

Comp. libération conditionnelle, liberté surveillée
Angl. *day parole*

Sem. jur.

☐ Abrév. de Semaine juridique.

Sénat *n.m.*

☐ Chambre du Parlement canadien composée de personnes nommées par le gouverneur général sur recommandation du gouvernement.

Rem. Ayant pour mission de représenter les différentes régions du pays, il possède d'importants pouvoirs législatifs ; cependant, sa tâche consiste principalement, en pratique, à adopter des lois privées, à effectuer un contrôle des lois adoptées par la Chambre des communes et à agir comme organisme consultatif par le biais de comités.

Syn. Chambre haute

Comp. Chambre des communes, sénateur

Angl. *senate*

Sénateur, trice *n.*

☐ Membre du Sénat.

Angl. *senator*

Sentence *n.f.*

☐ **1.** Jugement imposant une peine à une personne déclarée coupable par un tribunal criminel.

Comp. jugement

Angl. *sentence*

☐ **2.** Nom donné à certaines espèces de décisions.

Comp. décision

Angl. *award*

• **Sentence arbitrale :** Décision rendue par un arbitre.

Comp. décision

Angl. *arbitration award*

Séparatif, ive *adj.*

☐ Qui établit une séparation. Ex. La ligne séparative de deux propriétés.

Comp. séparation

Angl. *dividing*

Séparation *n.f.*

☐ **1.** Interruption des relations entre deux époux, par l'effet de la loi ou par suite d'une décision commune ou individuelle ; par extension, état qui découle de cette interruption.

Comp. séparé

Angl. *separation*

• **Séparation amiable :** Situation de deux époux qui, par suite d'une entente, ont cessé toute vie commune.

Comp. séparation de fait

Angl. *amicable separation*

• **Séparation de corps :** Relâchement du lien conjugal résultant d'une décision judiciaire prononcée à la demande des époux ou de l'un d'eux, qui ne dissout pas leur mariage mais qui a pour principal effet de les dispenser de l'obligation de cohabiter.

Comp. divorce, séparation de biens

Angl. *separation from bed and board*

• **Séparation de fait :** Situation de deux époux qui ont cessé toute vie commune par suite d'une entente ou de l'abandon, par l'un d'eux, de la résidence familiale.

Rem. Cette situation ne modifie pas les droits des époux.

Comp. séparation amiable, séparation de biens, séparation de corps

Angl. *de facto separation*

• **Séparation judiciaire de biens :**
1. Séparation de biens prononcée par le tribunal, à la demande de l'un des époux, lorsque l'application des règles du régime matrimonial auquel ils sont soumis (société d'acquêts ou communauté de biens) se révèle contraire à ses intérêts ou à ceux de la famille.

Contr. séparation conventionnelle de biens

Comp. communauté de biens, régime conventionnel, régime légal, régime matrimonial, séparation de corps, société d'acquêts

Angl. *judicial separation as to property, judicial separation of property*

2. Régime matrimonial de la séparation de biens qui régit de plein droit les époux séparés de corps.

Rem. La séparation de corps emporte séparation de biens, s'il y a lieu.

Comp. séparation de corps, séparation de biens

Angl. *separation as to property, separation of property*

☐ **2.** Acte par lequel deux ou plusieurs personnes organisent leurs rapports de manière à en assurer l'indépendance.

Comp. séparé

Angl. *separation*

- **Séparation conventionnelle de biens :** Régime matrimonial que les époux établissent par simple déclaration faite dans leur contrat de mariage.
  Contr. séparation judiciaire de biens
  Comp. communauté de biens, société d'acquêts
  Angl. *conventional separation as to property, conventional separation of property*

- **Séparation de biens :** Régime matrimonial en vertu duquel chaque époux a l'administration, la jouissance et la libre disposition de tous ses biens.
  Contr. communauté de biens
  Comp. séparation conventionnelle de biens, séparation judiciaire de biens, séparation de corps
  Angl. *separation as to property, separation of property*

□ **3.** Division, désunion ; résultat de cette action.
  Comp. séparatif, séparé
  Angl. *separation*

- **Séparation des patrimoines :** Absence de confusion des patrimoines du défunt et de l'héritier tant que la succession n'a pas été liquidée.
  Rem. Selon le *Code civil du Québec*, cette séparation a effet à l'égard tant des créanciers de la succession que de ceux de l'héritier ou du légataire particulier qui peuvent alors, selon le cas, se faire payer de leurs créances en priorité, soit sur les biens de la succession soit sur ceux de l'héritier ou du légataire. Le *Code civil du Bas-Canada* n'accordait ce privilège qu'aux créanciers du défunt ou de la succession.
  Comp. patrimoine
  Angl. *separation of patrimonies*

- **Séparation des pouvoirs :** Principe de droit constitutionnel en vertu duquel les pouvoirs législatif, exécutif et judiciaire sont confiés à des organes distincts afin de garantir leur indépendance.
  Angl. *separation of powers*

Séparé, ée *adj.*

□ **1.** Se dit des époux qui ne vivent plus ensemble sans avoir divorcé. Ex. Des époux séparés de corps ou de fait.
  Comp. séparation amiable, séparation de corps, séparation de fait
  Angl. *separated*

□ **2.** Se dit des époux soumis au régime de la séparation de biens. Ex. Des époux séparés de biens.
  Comp. séparation de biens, séparation conventionnelle de biens, séparation judiciaire de biens
  Angl. *separate*

□ **3.** Qui est distinct. Ex. La constitution de lots séparés.
  Angl. *distinct, separate*

Séquestration *n.f.*

□ Acte criminel par lequel une personne prive illégalement une autre personne de sa liberté.
  Comp. enlèvement
  Angl. *forcible confinement*

Séquestre *n.m.*

□ **1.** Dépôt par lequel des personnes remettent un bien qu'elles se disputent entre les mains d'une autre personne de leur choix qui s'oblige à ne le restituer qu'à celle qui y aura droit, une fois la contestation terminée (*Code civil du Québec*, art. 2305).
  Rem. **1.** Ce terme désigne à la fois l'opération de remise du bien et la personne entre les mains de laquelle cette remise est faite. **2.** Dans le *Code civil du Bas-Canada*, il portait le nom de séquestre conventionnel.
  Syn. séquestre conventionnel
  Angl. *sequestration*

- **Séquestre conventionnel :** V. SÉQUESTRE.

- **Séquestre judiciaire :** Séquestre ordonné par le tribunal lorsque celui-ci estime que la conservation des droits des parties l'exige.
  Angl. *judicial sequestration*

□ **2.** Personne entre les mains de laquelle est remis un bien que deux ou plusieurs personnes se disputent, afin d'en assurer la conservation.
  Rem. Ce terme désigne à la fois l'opération de remise du bien et la personne entre les mains de laquelle cette remise a lieu.
  Angl. *sequestrator*

- **Séquestre conventionnel :** Personne entre les mains de laquelle deux ou plusieurs personnes remettent un bien qu'elles se disputent afin d'en assurer la conservation jusqu'à ce que leur conflit soit terminé.

Angl. *conventional sequestrator*

- **Séquestre judiciaire :** Personne entre les mains de laquelle le tribunal ordonne que soit remis un bien que deux ou plusieurs personnes se disputent, afin d'en assurer la conservation pendant le procès.

  Angl. *judicial sequestrator*

□ **3.** Personne désignée par la loi ou le tribunal pour exercer certaines fonctions en matière de faillite.

Angl. *receiver*

- **Séquestre intérimaire :** Personne désignée par le tribunal pour prendre, entre le dépôt de la requête de mise en faillite et le jugement qui en disposera, les mesures conservatoires nécessaires pour la protection, dans l'intérêt des créanciers, des actifs du débiteur insolvable.

  Angl. *interim receiver*

- **Séquestre officiel :** Personne qui, dans une division de faillite, exerce les fonctions et les responsabilités que prescrit la *Loi sur la faillite*.

  Comp. faillite, syndic
  Angl. *official receiver*

Séquestré, ée *adj.*

□ **1.** Se dit d'une personne qui est victime d'une séquestration.

Comp. séquestration
Angl. *confined*

□ **2.** Se dit d'un bien qui fait l'objet d'un séquestre.

Comp. séquestre
Angl. *sequestrated*

Sérieux, euse *adj.*

□ **1.** Qui est suffisamment important pour mériter d'être pris en considération. Ex. Une preuve sérieuse, un témoignage sérieux.

Angl. *serious*

□ **2.** Qui constitue un danger, qui met en péril. Ex. Une atteinte sérieuse aux droits d'un individu.

Comp. préjudice sérieux
Angl. *serious*

□ **3.** Qui n'agit pas à la légère, sans réfléchir. Ex. Un acheteur sérieux.

Angl. *serious*

Serment *n.m.*

□ **1.** Affirmation solennelle par une personne de la vérité d'un fait ou de son témoignage. (*Code de procédure civile,* art. 4*i*)).

Rem. La formule du serment consiste à faire l'affirmation solennelle de dire la vérité, toute la vérité et rien que la vérité. Depuis le 1er janvier 1994, seule l'affirmation solennelle est permise devant les tribunaux civils du Québec, les autres formes de prestation de serment (ex. celui prêté sur les Évangiles) n'étant plus reconnues. Lors des procès criminels, le témoin est appelé à prêter serment sur les Évangiles ; cependant, s'il s'y oppose, par scrupule de conscience, il peut remplacer le serment par une affirmation solennelle ou, s'il n'est pas de religion judéo-chrétienne, prêter serment selon ses convictions religieuses.

Comp. affidavit, affirmation solennelle, assermentation, cautionnement juratoire.
Angl. *oath, solemn affirmation*

□ **2.** Affirmation solennelle faite en prenant Dieu comme témoin ou en invoquant un objet sacré par laquelle une personne s'engage à dire la vérité, toute la vérité et rien que la vérité.

Rem. En matière civile, avant le 1er janvier 1994, toute personne appelée à rendre témoignage ou à attester de la vérité de faits consignés dans un document avait le choix entre le serment de nature religieuse et la simple affirmation solennelle dont toute référence religieuse était exclue. Depuis cette date, seule cette dernière est reconnue devant les tribunaux. En matière criminelle, une personne peut remplacer le serment par l'affirmation solennelle en cas de scrupule de conscience.

Comp. affidavit, assermentation, cautionnement juratoire
Angl. *oath*

- **Serment décisoire :** Serment déféré par une partie à son adversaire sur un fait qui est personnel à ce dernier ou dont elle a une connaissance personnelle afin d'en faire dépendre le sort du procès.

Rem. En exigeant ce serment de son adversaire, la partie le force à le prêter ou à perdre sa cause. Ce serment a été supprimé du *Code civil du Bas-Canada* lors de l'adoption du *Code de procédure civile* de 1897.

Comp. serment supplétoire

Angl. *decisive oath, decisory oath*

- **Serment déféré d'office :** Titre donné dans le *Code civil du Bas-Canada* à deux formes de serment que le tribunal pouvait autrefois déférer pour suppléer à l'absence de preuve : le serment supplétoire et le serment estimatoire.

  Rem. Ces serments ont été supprimés du *Code civil du Bas-Canada* lors de l'entrée en vigueur du *Code de procédure civile* de 1897 dans lequel les règles relatives au serment supplétoire ont été reprises.

  Angl. *oath put officially*

- **Serment estimatoire :** Serment du demandeur visant à établir la valeur du bien faisant l'objet de sa réclamation en justice lorsqu'il est impossible de la fixer par un autre moyen. Ex. Le serment estimatoire du voyageur dont les biens laissés en dépôt à son hôtel ont disparu.

  Syn. serment *in litem*

  Angl. *oath in litem*

- **Serment (faux) :** V. PARJURE.

- **Serment *in litem* :** V. SERMENT ESTIMATOIRE.

- **Serment probatoire :** Serment prêté par une personne en vue de faire la preuve d'un fait.

  Angl. *probative oath*

- **Serment supplétif :** V. SERMENT SUPPLÉTOIRE.

- **Serment supplétoire :** Serment d'une partie que le tribunal exige d'office en vue de compléter la preuve qui, à son avis, est nécessaire pour la décision de la cause ou pour la détermination du montant de la condamnation.

  Rem. Les dispositions du *Code civil du Bas-Canada* relatives à ce serment, (qui ne liait pas le tribunal), sont passées au *Code de procédure civile* lorsque celui-ci est entré en vigueur en 1897. Elles n'ont pas été reprises dans le *Code de procédure civile* actuel.

  Syn. serment supplétif

  Comp. serment décisoire

  Angl. *supplementory oath, suppletory oath*

□ **3.** Engagement solennel par lequel une personne promet de se comporter conformément à certaines règles que l'exercice de ses fonctions lui impose.

Angl. *oath, official oath*

- **Serment d'allégeance :** Serment par lequel une personne, avant d'occuper une fonction, s'engage à être loyale et fidèle à l'autorité constituée. Ex. Le serment d'allégeance du futur avocat.

  Syn. affirmation d'allégeance

  Comp. allégeance, serment d'office

  Angl. *oath of allegiance*

- **Serment d'office :** Serment par lequel une personne, avant d'occuper une fonction, s'engage à remplir avec honnêteté, fidélité et justice les devoirs de sa charge, à se conformer aux lois et aux règlements applicables à cette fonction et, le cas échéant, à respecter le secret professionnel. Ex. Le serment d'office du médecin.

  Syn. affirmation d'office

  Comp. serment d'allégeance

  Angl. *official oath*

Servant *adj.*

□ V. FONDS SERVANT.

Service *n.m.*

□ **1.** Prestation fournie par une personne en exécution d'un contrat de services.

Comp. contrat de services

Angl. *service*

- **Service après-vente :** Action pour le vendeur d'un appareil de fournir à l'acheteur certaines prestations, pendant une période déterminée, afin d'assurer le fonctionnement normal du bien vendu. Ex. Le service d'installation, d'entretien ou de réparation d'un appareil électrique.

  Angl. *after-sale service*

- **Service (contrat de) :** Contrat par lequel une personne s'engage, pour une durée déterminée et moyennant rémunération, à exécuter son activité professionnelle au profit d'une autre sans qu'existe entre les parties un lien de subordination. Ex. Le contrat d'entretien entre le vendeur et l'acheteur d'un appareil électrique.

Rem. Selon les art. 2098 et 2099 du *Code civil du Québec*, le contrat de service est celui par lequel une personne, le prestataire de services, s'engage envers une autre personne, le client, à fournir un service moyennant un prix que le client s'oblige à payer. Le prestataire de services a le libre choix des moyens d'exécution du contrat et il n'existe entre lui et le client aucun lien de subordination quant à son exécution.

Comp. entreprise (contrat d'), travail (contrat de)

Angl. *contract for services, contract of services*

- **Services (prestataire de) :** Dans un contrat de services, personne qui s'engage envers une autre à fournir un service moyennant un prix que celle-ci s'oblige à lui payer.

Comp. client, contrat de services

Angl. *provider of services*

□ **2.** Fait pour une personne de mettre temporairement son activité professionnelle à la disposition d'une autre en vertu d'un contrat de louage de services ; par extension, le résultat de cette action. Ex. Les services rendus par un employé.

Comp. louage de services, travail (contrat de)

Angl. *service*

- **Services (louage de) :** V. LOUAGE DE SERVICES.

□ **3.** Organe chargé d'exercer des activités ayant une fonction d'utilité sociale. Ex. Le service de pédiatrie d'un hôpital.

Angl. *service*

- **Service de médiation :** Service offert par l'État aux parties afin qu'elles puissent régler leur litige par la voie de la médiation. Ex. Le service de médiation en matière familiale.

Rem. En matière familiale, le tribunal peut, si les parties y consentent, les référer au Service de médiation lorsqu'il est d'avis que le litige peut faire l'objet d'un règlement.

Comp. médiation

Angl. *Mediation Service*

Service public

□ **1.** Au sens matériel, toute activité dont le but est de satisfaire un besoin essentiel de la collectivité et qui est assurée ou contrôlée par l'Administration publique. Ex. Les transports publics, les télécommunications sont des services publics.

Comp. Administration publique, intérêt public

Angl. *public service*

□ **2.** Organisme ou ensemble d'organismes ayant pour mission de satisfaire des besoins d'intérêt général.

Rem. Le service public peut être assuré par des organismes créés par l'État (ex. des régies ou commissions) ou par des entreprises privées à qui l'État a confié des responsabilités d'intérêt général par voie de concession ou autrement (ex. des compagnies de téléphone).

Comp. Administration publique, commission, régie

Angl. *public utilities*

Servitude *n.f.*

□ Charge imposée sur un immeuble, le fonds servant, en faveur d'un autre immeuble, le fonds dominant, et qui appartient à un propriétaire différent. Cette charge oblige le propriétaire du fonds servant à supporter, de la part du propriétaire du fonds dominant, certains actes d'usage ou à s'abstenir lui-même d'exercer certains droits inhérents à la propriété (*Code civil du Québec*, art. 1177).

Rem. Le *Code civil du Bas-Canada* distinguait trois catégories de servitudes : 1 celles qui dérivent de la situation des lieux (ou naturelles) ; 2 celles qui sont établies par la loi (ou légales) ; 3 celles qui sont établies par le fait de l'homme (ou dites conventionnelles). Dans le *Code civil du Québec*, les deux premières catégories sont devenues des « règles particulières à la propriété immobilière » (art. 976 ss.) alors que seule la dernière reçoit le nom de « servitude » (art. 1177 ss.).

Comp. servitude conventionnelle, servitude légale, servitude naturelle

Angl. *servitude*

- **Servitude active :** Servitude dont bénéficie le fonds dominant ; servitude considérée du point de vue du propriétaire qui en profite.

Contr. servitude passive

Angl. *active servitude*

- **Servitude affirmative :** V. SERVITUDE POSITIVE.

- **Servitude apparente :** Servitude qui se manifeste par un signe extérieur. Ex. Une servitude qui se révèle par la présence d'une porte dans une clôture afin d'assurer un droit de passage.

Contr. servitude non apparente
Angl. *apparent servitude*

- **Servitude continue :** Servitude dont l'exercice ne requiert pas le fait actuel de son titulaire. Ex. La servitude de vue.

Contr. servitude discontinue
Angl. *continuous servitude*

- **Servitude conventionnelle :** Servitude qui est établie par une convention et, par extension, par un acte juridique comme le testament.

Rem. **1.** Dans le *Code civil du Québec*, seule cette catégorie de servitude en porte le nom (art. 1177 ss.). Les servitudes légales et naturelles sont devenues des « règles particulières à la propriété immobilière » (art. 976 ss.). **2.** L'art. 1180 du Code prescrit que : « La servitude s'établit par contrat, par testament, par destination du propriétaire ou par l'effet de la loi. »
Comp. servitude légale, servitude naturelle
Angl. *conventional servitude*

- **Servitude de halage :** Servitude légale établie pour l'utilité publique et qui interdit des constructions ou plantations sur des propriétés situées le long des rivières navigables ou flottables, afin de permettre la traction de bateaux.

Rem. Cette servitude du *Code civil du Bas-Canada* n'a pas été reproduite dans le *Code civil du Québec* pour cause de désuétude.
Comp. servitude de marchepied
Angl. *servitude of tow-path*

- **Servitude de marchepied :** Servitude légale établie pour l'utilité publique et qui interdit des constructions ou des plantations sur des propriétés situées le long des rivières navigables ou flottables, afin que les marins puissent effectuer des manoeuvres sur la rive opposée au chemin de halage.

Rem. Cette servitude du *Code civil du Bas-Canada* n'a pas été reproduite dans le *Code civil du Québec* pour cause de désuétude.
Comp. servitude de halage
Angl. *servitude of foot-road*

- **Servitude de ne pas bâtir :** V. SERVITUDE DE NON-CONSTRUCTION.

- **Servitude de non-construction :** Servitude qui interdit au propriétaire du fonds servant d'y effectuer toute construction.

Syn. servitude de ne pas bâtir, servitude *non aedificandi*
Comp. servitude *non altius tollendi*
Angl. *servitude of no building*

- **Servitude de passage :** Servitude qui confère au propriétaire du fonds dominant un droit de passage sur le fonds servant.

Rem. Dans le *Code civil du Québec*, la servitude légale de passage devient un droit de passage.
Syn. droit de passage
Comp. servitude conventionnelle, servitude légale
Angl. *right of way, servitude of right of way*

- **Servitude de prospect :** Servitude visant à interdire au propriétaire d'un fonds de faire des constructions ou des plantations qui auraient pour effet d'empêcher le propriétaire voisin d'avoir une vue illimitée.

Comp. servitude de non-construction, servitude de vue, servitude *non altius tollendi*, vue
Angl. *servitude of prospect*

- **Servitude des égouts des toits :** Servitude légale en vertu de laquelle les toits doivent être établis de manière que les eaux, les neiges et les glaces tombent sur le fonds du propriétaire.

Rem. Contrairement au *Code civil du Bas-Canada*, le *Code civil du Québec* la considère comme une règle particulière à la propriété immobilière plutôt que comme une servitude proprement dite.
Comp. servitude légale
Angl. *servitude of the eaves of roofs*

- **Servitude de tour d'échelle :** Servitude légale qui confère au propriétaire d'un fonds un droit d'accès au fonds voisin lorsqu'il lui est nécessaire d'y pénétrer pour l'exécution de travaux de construction ou d'entretien d'un édifice ou d'une plantation.

Rem. **1.** Malgré l'absence de disposition précise dans le *Code civil du Bas-Canada*, la jurisprudence en a reconnu l'existence et celle-ci a été confirmée par l'art. 987 du *Code civil du Québec*. **2.** L'appellation « droit de tour d'échelle » serait maintenant plus appropriée puisque, selon le *Code civil du Québec*, il ne s'agit plus d'une servitude proprement dite.

Syn. droit de tour d'échelle
Angl. *right to access*

- **Servitude de vue :**
1. Servitude légale qui interdit au propriétaire d'un fonds d'avoir, sur le fonds voisin, des vues ou des jours qui ne respecteraient pas les prescriptions de la loi.
Rem. Dans le *Code civil du Québec*, elle constitue une règle particulière à la propriété immobilière plutôt qu'une servitude proprement dite.
Syn. droit de vue
Comp. jour, vue
Angl. *right of view, servitude of right of view*
2. Servitude conventionnelle qui autorise le propriétaire d'un fonds d'avoir, sur le fonds voisin, des vues ou des jours qui ne sont pas conformes aux prescriptions de la loi.
Comp. jour, servitude conventionnelle, servitude par destination du propriétaire, servitude de prospect, vue
Angl. *right of view, servitude of right of view*

- **Servitude discontinue :** Servitude dont l'exercice requiert le fait actuel de son titulaire. Ex. La servitude de passage à pied ou en voiture.
Contr. servitude continue
Angl. *discontinuous servitude*

- **Servitude du fait de l'homme :** Servitude qui résulte de la volonté expresse ou tacite d'une personne et qui est constituée par un contrat, un testament ou la destination du père de famille.
Rem. Cette expression du *Code civil du Bas-Canada* a été remplacée, dans le *Code civil du Québec* par le terme « servitude » et l'expression « destination du père de famille » par celle de « servitude par destination du propriétaire ».
Syn. servitude établie par le fait de l'homme
Comp. servitude par destination du propriétaire
Angl. *servitude established by the act of man*

- **Servitude établie par le fait de l'homme :** V. SERVITUDE DU FAIT DE L'HOMME.

- **Servitude légale :** Servitude qui est établie par la loi. Ex. La servitude de passage en cas d'enclave.
Rem. Les servitudes légales du *Code civil du Bas-Canada* ne sont plus considérées comme telles dans le *Code civil du Québec* et elles y apparaissent comme des « règles particulières à la propriété immobilière ».
Comp. servitude conventionnelle, servitude naturelle
Angl. *legal servitude*

- **Servitude naturelle :** Servitude qui, selon la loi, dérive de la situation des lieux. Ex. La servitude d'écoulement des eaux.
Rem. Les servitudes naturelles du *Code civil du Bas-Canada* ne sont plus considérées comme telles dans le *Code civil du Québec* et elles y apparaissent comme des « règles particulières à la propriété immobilière ».
Comp. servitude conventionnelle, servitude légale
Angl. *natural servitude*

- **Servitude négative :** Servitude qui oblige le propriétaire du fonds servant à s'abstenir d'exercer certains droits inhérents à la propriété. Ex. La servitude qui interdit la construction à plus d'une hauteur donnée.
Contr. servitude positive
Angl. *negative servitude*

- **Servitude *non aedificandi* :** V. SERVITUDE DE NON-CONSTRUCTION.

- **Servitude *non altius tollendi* :** Servitude qui interdit au propriétaire du fonds servant de construire au-delà d'une certaine hauteur.
Comp. servitude de non-construction
Angl. *non altius tollendi servitude*

- **Servitude non apparente :** Servitude dont l'existence n'est révélée par aucun signe extérieur. Ex. La servitude de non-construction.
Contr. servitude apparente
Angl. *unapparent servitude*

- **Servitude par destination du père de famille :** V. SERVITUDE PAR DESTINATION DU PROPRIÉTAIRE.
Angl. *servitude by destination of proprietor*

- **Servitude par destination du propriétaire :** Servitude constatée par un écrit du propriétaire d'un fonds qui, prévoyant en effectuer éventuellement le morcellement, établit immédiatement la nature, l'étendue et la situation de la servitude qu'il entend créer sur une partie du fonds en faveur d'une autre partie de ce fonds lorsque celui-ci cessera de lui appartenir.
Rem. Cette expression du *Code civil du Québec* remplace celle de « servitude par

destination du père de famille » qu'utilise le *Code civil du Bas-Canada.*

Syn. servitude par destination du père de famille

Comp. servitude du fait de l'homme

Angl. *servitude by destination of proprietor*

- **Servitude passive :** Servitude qui grève le fonds servant ; servitude considérée du point de vue du propriétaire du fonds servant.

Contr. servitude active

Angl. *passive servitude*

- **Servitude personnelle :** Expression que l'on utilise parfois pour désigner l'usufruit, l'usage et l'habitation.

Rem. La servitude personnelle existe au profit d'une personne déterminée, elle peut avoir pour objet un meuble ou un immeuble et est essentiellement temporaire.

Comp. servitude réelle

Angl. *personal servitude*

- **Servitude positive :** Servitude qui autorise le propriétaire du fonds dominant à poser certains actes d'usage sur le fonds servant. Ex. La servitude d'aqueduc.

Syn. servitude affirmative

Contr. servitude négative

Angl. *positive servitude*

- **Servitude prédiale :** V. SERVITUDE RÉELLE.

- **Servitude réelle :** Charge imposée sur un immeuble, le fonds servant, en faveur d'un autre immeuble, le fonds dominant, appartenant à un propriétaire différent.

Rem. Le *Code civil du Bas-Canada,* qui emploie cette expression, distingue trois catégories de servitudes réelles : celles qui dérivent de la situation naturelle des lieux ou de la loi ainsi que celles qui sont établies par le fait de l'homme. Dans le *Code civil du Québec,* les deux premières sont devenues des « règles particulières à la propriété immobilière » (art. 976 ss.) alors que seule la dernière reçoit le nom de « servitude » (art. 1177 ss.).

Syn. servitude prédiale

Comp. servitude conventionnelle, servitude légale, servitude personnelle

Angl. *praedial servitude, real servitude*

- **Servitude rurale :** Selon le *Code civil du Bas-Canada,* servitude qui est établie au bénéfice d'un fonds de terre.

Rem. Cette notion n'offrant aucun intérêt pratique, elle n'a pas été reprise dans le *Code civil du Québec.*

Comp. servitude urbaine

Angl. *rural servitude*

- **Servitude urbaine :** Selon le *Code civil du Bas-Canada,* servitude qui est établie pour l'usage d'un bâtiment.

Rem. Cette notion n'offrant aucun intérêt pratique, elle n'a pas été reprise dans le *Code civil du Québec.*

Comp. servitude rurale

Angl. *urban servitude*

Session *n.f.*

□ **1.** Période de l'année pendant laquelle une assemblée législative tient ses séances.

Comp. séance

Angl. *session*

□ **2.** Plus techniquement, période du travail parlementaire qui commence par le discours du Trône et se termine par la prorogation.

Comp. prorogation, séance

Angl. *session*

□ **3.** Période de l'année pendant laquelle un tribunal siège.

Comp. séance

Angl. *term*

Sévices *n.m.pl.*

□ Mauvais traitements physiques exercés sur une personne.

Comp. cruauté mentale, injure

Angl. *cruelty*

Shérif *n.m.*

□ Officier de justice qui, au Québec, est responsable de la saisie-exécution des immeubles et de la préparation de la liste des personnes susceptibles d'être appelées à constituer un jury lors d'un procès criminel.

Rem. En pratique, ce sont les huissiers qui, au nom du shérif, procèdent à la saisie et à la vente des immeubles en exécution des jugements.

Comp. huissier, jury, officier public, saisie-exécution immobilière, tableau des jurés

Angl. *sheriff*

Sic rebus stantibus

□ Locution latine signifiant « les choses se tenant ainsi », « les choses étant ce qu'elles sont ».

Siège *n.m.*

□ **1.** Domicile légal d'une personne morale, lieu où elle a son principal établissement.

Rem. Même si les autre lois emploient l'expression « siège social », le *Code civil du Québec* n'utilise que le mot « siège ».

Syn. siège social

Comp. domicile

Angl. *head office*

• **Siège social :** Lieu du domicile légal d'une personne morale.

Rem. Seul le *Code civil du Québec* utilise le terme « siège ».

Syn. siège

Angl. *head office*

□ **2.** Lieu où une autorité est établie légalement. Ex. Le siège du gouvernement fédéral est situé à Ottawa.

Comp. siéger

Angl. *center, headquarters, seat*

□ **3.** Lieu où une institution est réputée avoir son domicile. Ex. Selon l'art. 191 du *Code civil du Québec*, le siège de la tutelle est au domicile du mineur.

Comp. domicile

Angl. *base*

□ **4.** Place ou fonction occupée par une personne au sein d'une assemblée. Ex. Un siège de député.

Angl. *seat*

□ **5.** Lieu où un tribunal tient habituellement ses séances.

Comp. chef-lieu, séance, siéger

Angl. *seat*

□ **6.** V. ÉTAT DE SIÈGE.

Siéger *v.intr.*

□ **1.** Tenir séance, être en séance. Ex. L'Assemblée nationale siège présentement.

Comp. séance, session

Angl. *to sit*

□ **2.** Pour une juridiction, avoir son siège à un endroit. Ex. La Cour d'appel siège à Montréal et à Québec.

Angl. *to sit*

Signataire *n.*

□ **1.** Personne qui appose sa signature sur un document (lettre, contrat, traité, effet de commerce, etc.).

Comp. signature

Angl. *signer, subscriber*

□ **2.** Terme employé en diplomatie pour signifier qu'un État est partie à une convention internationale, à un traité. Ex. Le Canada est signataire de nombreux traités internationaux.

Angl. *signatory*

Signature *n.f.*

□ **1.** Apposition qu'une personne fait sur un acte de son nom ou d'une marque qui lui est personnelle et qu'elle utilise de façon courante, pour manifester son consentement (*Code civil du Québec*, art. 2827).

Comp. signataire

Angl. *signature*

• **Signature en blanc :** Fait d'apposer sa signature au bas d'un écrit dont le contenu n'a pas encore été déterminé.

Comp. blanc (en), blanc-seing

Angl. *blank signature, signature on a blank document*

□ **2.** Apposition par une autorité de son nom sur un document relevant de sa compétence afin de lui conférer une authenticité et, le cas échéant, de lui donner effet. Ex. La signature par l'accoucheur du contrat de naissance, la signature d'un jugement par celui qui l'a prononcé.

Comp. signataire

Angl. *signature*

Signification *n.f.*

□ **1.** Formalité par laquelle une partie à un procès civil porte à la connaissance d'une autre un acte de procédure ou un jugement.

Rem. La signification se fait généralement par huissier mais elle peut également s'effectuer par une personne majeure, par la poste ou par avis public dans les journaux.

Comp. avis public, notification, signifier
Angl. *service*

- **Signification à personne :** Signification qui est faite en mains propres au destinataire de l'acte, quel que soit l'endroit où il se trouve.

  Rem. Dans certains cas, elle est imposée par la loi, notamment lorsqu'une personne est incarcérée.
  Comp. signification au domicile ou à la résidence
  Angl. *personal service*

- **Signification au domicile ou à la résidence :** Signification qui est faite au domicile ou à la résidence ordinaire du destinataire de l'acte, l'officier instrumentant laissant copie de l'acte à une personne raisonnable qui y réside.

  Comp. signification à personne
  Angl. *domiciliary service*

☐ **2.** Formalité par laquelle une personne est informée que sa présence, lors d'un procès, est requise afin qu'elle rende témoignage. Ex. La signification d'un *subpoena* à un témoin.

Rem. En matière civile, la signification se fait généralement par huissier alors que, en matière criminelle, cette tâche est confiée à un agent de la paix.
Comp. signifier, *subpoena* (bref de)
Angl. *service*

Signifier *v.tr.*

☐ Porter à la connaissance d'un intéressé, par voie de signification, un acte judiciaire ou extrajudiciaire.

Comp. notifier, signification
Angl. *to serve*

Silence *n.m.*

☐ **1.** Absence de réponse à une offre que l'on peut interpréter, selon les circonstances, comme une acceptation ou un refus.

Comp. implicite, tacite
Angl. *silence*

☐ **2.** Fait, pour une personne, de se taire ou de ne pas révéler une information qu'elle détient. Ex. Le silence d'un accusé.

Angl. *silence*

☐ **3.** Absence de disposition spécifique dans la loi concernant une situation donnée.

Rem. Selon l'art. 11 du *Code civil du Bas-Canada*, le juge ne peut refuser de juger sous prétexte du silence, de l'obscurité ou de l'insuffisance de la loi.
Comp. coutume, *praeter legem*
Angl. *silence*

Simple *adj.*

☐ **1.** Qui n'a pas de caractères particuliers.

Angl. *simple*

- **Simple (dépôt) :** V. DÉPÔT SIMPLE.
- **Simple (majorité) :** V. MAJORITÉ RELATIVE.
- **Simple (vol) :** V. VOL SIMPLE.

☐ **2.** Dont la portée est réduite.

Angl. *simple*

- **Simple administration (acte de) :** V. ACTE DE SIMPLE ADMINISTRATION.
- **Simple (présomption) :** V. PRÉSOMPTION SIMPLE.

☐ **3.** Sans formalité, tacite.

Angl. *mere, simple*

- **Simple tolérance (acte de) :** V. ACTE DE SIMPLE TOLÉRANCE.

☐ **4.** Sans réserve, sans restriction.

Angl. *simple*

- **Simple administration :** V. ADMINISTRATION DU BIEN D'AUTRUI (SIMPLE).
- **Simple (aveu) :** V. AVEU SIMPLE.
- **Simple (obligation à modalité) :** V. OBLIGATION À MODALITÉ SIMPLE.
- **Simple (obligation pure et) :** V. OBLIGATION PURE ET SIMPLE.
- **5.** Qualification que donne le *Code civil du Québec* à une forme de prêt.

  Angl. *simple*

- **Simple prêt :** V. PRÊT (SIMPLE).

Simulation *n.f.*

☐ Opération par laquelle des cocontractants conviennent de passer un acte apparent ne représentant pas leur véritable intention, celle-ci se trouvant exprimée dans un acte destiné à demeurer secret.

Rem. **1.** La simulation peut avoir pour objet de cacher aux tiers l'identité réelle des parties à l'acte ou de l'une d'elles, de leur masquer la valeur ou le contenu véritable de l'entente ou de leur faire croire à une convention qui, en fait, n'existe pas. **2.** Selon l'art. 1451 du *Code civil du Québec*, il y a simulation lorsque les parties conviennent d'exprimer leur volonté réelle non point dans un contrat apparent, mais dans un contrat secret, aussi appelé contre-lettre.

Comp. acte apparent, acte déguisé, acte fictif, action en déclaration de simulation, contrat secret, contre-lettre, interposition de personne

Angl. *simulation*

Simulé, ée *adj.*

☐ V. ACTE APPARENT.

Sine die

☐ Locution latine signifiant « sans le jour » que l'on utilise lorsqu'une discussion ou une audition a été ajournée sans qu'une date précise ait été fixée pour sa reprise. Ex. Un ajournement *sine die*.

Sine qua non

☐ Locution latine signifiant « (condition) sans laquelle non » que l'on utilise lorsqu'une condition est indispensable ou obligatoire pour la validité d'un acte juridique. Ex. La signature du testateur est une condition *sine qua non* à la validité d'un testament.

Sinistre *n.m.*

☐ Réalisation de l'événement contre lequel une personne s'est prémunie en souscrivant à une police d'assurance, faisant ainsi naître l'obligation de l'assureur.

Comp. risque

Angl. *damage, loss*

S.L.R.

☐ Abrév. de *Statute Law Revision Act of England.*

S.M.

☐ Abrév. de *Statutes of Manitoba.*

Sm. & S.

☐ Abrév. de *Smith & Sager's Drainage Cases* (Ont.).

S.N.

☐ Abrév. de *Statutes of Newfoundland.*

S.N.B.

☐ Abrév. de *Statutes of New Brunswick.*

S. Nfld.

☐ Abrév. de *Statutes of Newfoundland.*

S.N.S.

☐ Abrév. de *Statutes of Nova Scotia.*

S.O.

☐ Abrév. de *Statutes of Ontario.*

Social, ale, aux *adj.*

☐ V. SÉCURITÉ SOCIALE.

Société *n.f.*

☐ **1.** Corps ou groupe organisé qui naît d'un contrat de société.

Comp. société (contrat de)

Angl. *society*

• **Société anonyme :** Société commerciale, sans nom ou raison sociale, dans laquelle les associés sont soumis, à l'égard des tiers, au même régime de responsabilité que celui de la société en nom collectif.

Rem. Ce concept est remplacé, dans le *Code civil du Québec*, par celui de société en participation qui s'y apparente à certains égards.

Comp. société en participation
Angl. *anonymous partnership*

• **Société civile :** Société ayant pour objet d'effectuer des opérations qui ne sont pas de nature commerciale. Ex. Une société formée par les propriétaires de plusieurs immeubles en vue d'opérer un aqueduc desservant uniquement leurs édifices.

Rem. Le *Code civil du Québec* ne retient pas la distinction entre les sociétés civiles et les sociétés commerciales.
Comp. entreprise, société commerciale
Angl. *civil partnership*

• **Société commerciale :** Société ayant pour objet d'effectuer des opérations de nature commerciale. Ex. Une société en commandite est une société commerciale.

Rem. Le *Code civil du Québec* ne retient pas la distinction entre les sociétés civiles et les sociétés commerciales.
Comp. entreprise, société civile
Angl. *commercial partnership*

• **Société (contrat de) :** Contrat par lequel les parties conviennent, dans un esprit de collaboration, d'exercer une activité, incluant celle d'exploiter une entreprise, d'y contribuer par la mise en commun de biens, de connaissances ou d'activités et de partager entre elles les bénéfices pécuniaires qui en résultent (*Code civil du Québec*, art. 2186).

Comp. acte de régularisation, association (contrat d'), déclaration de société, société
Angl. *contract of partnership*

• **Société de secours mutuel :** Société d'assurance ayant pour mission de couvrir certains risques en cas d'infortune, de maladie, d'accident ou de décès, et dans laquelle les sommes versées ou les avantages conférés aux membres ou aux personnes faisant partie de leurs familles proviennent des primes ou des cotisations de ces seuls membres.

Angl. *mutual benefit association*

• **Société en commandite :** Société formée par contrat, qui est composée de bailleurs de fonds, appelés commanditaires, et de personnes qui administrent les affaires de la société, appelées commandités ou gérants, et qui est tenue de se déclarer de la manière prescrite par les lois relatives à la publicité légale des sociétés.

Rem. **1.** Les commandités ont les pouvoirs, droits et obligations des associés de la société en nom collectif, mais ils sont tenus de rendre compte de leur administration aux commanditaires. **2.** En cas d'insuffisance des biens de la société, chaque commandité est tenu solidairement des dettes de la société envers les tiers ; le commanditaire n'y est alors tenu qu'à concurrence de l'apport convenu. **3.** Même si elle n'a pas la personnalité morale, elle peut ester en justice tant en demande qu'en défense. **4.**Voir la *Loi sur les déclarations des compagnies et sociétés* (L.R.Q., c. D-1).
Comp. associé, commanditaire, commandité, entreprise, société en nom collectif
Angl. *limited partnership, partnership en commandite*

• **Société en nom collectif :** Société qui est formée par contrat sous un nom commun aux associés et qui est tenue de se déclarer de la manière prescrite par les lois relatives à la publicité légale des sociétés.

Rem. **1.** Dans une société en nom collectif, chacun des associés est débiteur envers les autres associés de tout ce qu'il promet d'y apporter et il participe normalement aux pertes et aux bénéfices de la société. À l'égard des tiers, chacun est mandataire de la société qu'il lie pour tout acte conclu au nom de la société ou en son nom propre lorsque l'obligation s'inscrit dans le cours des activités de l'entreprise ; la responsabilité des associés est, en principe, conjointe mais elle est solidaire si les obligations ont été contractées pour le service ou l'exploitation d'une entreprise de la société. **2.** Même si elle n'a pas la personnalité morale, elle peut ester en justice tant en demande qu'en défense. **3.** Voir la *Loi sur les déclarations des compagnies et sociétés* (L.R.Q., c. D-1).
Comp. associé, entreprise
Angl. *general partnership*

• **Société en participation :** Société inorganisée, occulte ou dite de fait, dont la formation résulte le plus souvent d'ententes verbales ou de simples faits manifestes qui indiquent l'intention qu'ont deux ou plusieurs personnes de s'associer. Ex. La société entre deux concubins.

Rem. **1.** Contrairement aux sociétés en commandite ou en nom collectif, elle n'est assujettie à aucune forme de publicité et, à l'égard des tiers, chacun des associés demeure propriétaire des biens constituant son apport à la société et n'est présumé agir qu'en son nom personnel. **2.** Elle n'a pas la personnalité morale et, contrairement aux autres sociétés, elle ne peut ester en justice. **3.** Elle s'apparente à la société anonyme du *Code civil du Bas-Canada*.

Comp. associé, société en commandite, société en nom collectif

Angl. *undeclared partnership*

- **Société mutuelle :** Société dont les membres, moyennant le paiement d'une cotisation, s'assurent réciproquement contre certains risques (ex. maladie, blessures) ou se promettent certaines prestations (ex. frais funéraires, achats en commun).

Rem. Les adhérents y sont à la fois les assureurs et les assurés.

Angl. *mutual association*

- **Société nominale :** Expression utilisée pour désigner une société ayant pour seul objet le partage entre les associés des dépenses encourues pour des services communs. Ex. La société nominale créée par des professionnels dans le but de partager le coût de location d'un local ainsi que les frais afférents (ex. services téléphoniques, secrétariat).

Angl. *nominal society*

- **Société particulière :** Société formée pour un objet déterminé, une entreprise spécifique ou l'exercice d'un métier ou d'une profession.

Rem. Le *Code civil du Québec* ne retient pas la distinction entre les sociétés particulières et les sociétés universelles.

Comp. société universelle

Angl. *particular partnership*

- **Société universelle :** Société dans laquelle tous les biens ainsi que tous les gains présents et futurs des associés sont mis en commun.

Rem. Le *Code civil du Québec* ne retient pas la distinction entre les sociétés particulières et les sociétés universelles.

Comp. société particulière

Angl. *universal partnership*

- **Société universelle des gains :** Société dans laquelle les associés mettent en commun leurs meubles et la jouissance des immeubles qu'ils possèdent au moment de la conclusion du contrat ainsi que tous les gains qu'ils feront par la suite, notamment grâce au fruit de leur travail.

Rem. Ce concept n'a pas été repris par le *Code civil du Québec*.

Angl. *universal partnership of gains*

□ **2.** Terme utilisé dans certaines lois pour désigner une personne morale exerçant des activités économiques.

Angl. *corporation*

- **Société ayant fait appel au public :** Société par actions dont les valeurs mobilières émises et en circulation font ou ont fait partie d'une émission publique et sont détenues par plusieurs personnes (*Loi sur les sociétés par actions*, L.R.C. (1985), c. C-44, art. 126(1)).

Comp. société par actions

Angl. *distributing corporation*

- **Société commerciale :** Nom donné autrefois, dans les lois fédérales, aux sociétés par actions.

Syn. compagnie, société par actions

Angl. *business corporation*

- **Société contrôlée :** Société par actions dont la majorité des actions conférant un droit de vote est détenue par une personne ou par une autre société.

Comp. société par actions

Angl. *controlled company*

- **Société de fiducie :** Personne morale autorisée à administrer des biens pour le bénéfice d'autrui, notamment en qualité de tuteur ou curateur aux biens, syndic, liquidateur, séquestre ou fiduciaire. Elle peut aussi exercer des fonctions de mandataire, dépositaire, courtier en immeubles ou en valeurs ainsi que d'autres activités de nature financière.

Rem. Ces sociétés sont régies, au Québec, par la *Loi sur les sociétés de fiducie et les sociétés d'épargne*, L.R.Q., c. S.-29.01.

Comp. fiducie, *trust*

Angl. *corporate trustee, trust company*

- **Société d'État :** V. ENTREPRISE PUBLIQUE.

- **Société fermée :** Société par actions dont l'acte constitutif prévoit un droit de transfert restreint sur les actions, un nombre d'actionnaires plafonné à cinquante et l'interdiction de vendre des actions au public ou sur le marché de la Bourse.

Syn. compagnie privée
Comp. société par actions
Angl. *closed company*

- **Société non fermée :** V. COMPAGNIE PUBLIQUE.

- **Société par actions :** Personne morale dont le capital est formé d'actions et dans laquelle la responsabilité de chacun des actionnaires est limitée à l'intérêt qu'il y possède.

Rem. **1.** Contrairement aux autres sociétés reconnues par le *Code civil du Québec* (en nom collectif, en commandite ou en participation), la société par actions possède la personnalité morale. **2.** Les personnes morales à but lucratif portent généralement le nom de « compagnie » dans la législation québécoise et de « société par actions » dans la législation fédérale.
Syn. compagnie, compagnie à fonds social
Comp. action, actionnaire, capital-actions, corporation, entreprise, personne morale
Angl. *business corporation, joint-stock company*

□ **3.** Groupe organisé et permanent qui est institué pour des fins particulières.

Angl. *partnership, society*

- **Société d'acquêts :** Régime matrimonial légal au Québec, depuis 1970.

Rem. Selon ce régime, chaque époux conserve la propriété et le pouvoir d'administrer les biens qu'il possédait lors de son mariage (ses biens propres) et, sous réserve d'obtenir le consentement de son conjoint s'il veut en disposer à titre gratuit, les biens qu'il a acquis pendant le mariage (les acquêts). À la dissolution du régime, il y a partage égal des acquêts entre les époux, à moins que l'un d'eux y renonce ; chaque époux conserve alors ses biens propres.
Comp. acquêt(s), bien(s) propre(s)
Angl. *partnership of acquests*

- **Société religieuse :** Groupe organisé et permanent, qui est institué pour des fins religieuses et dont les membres sont soumis à des règles communes. Ex. Au sens du *Code civil*, l'Église catholique constitue une société religieuse.

Rem. Les ministres du culte sont compétents pour célébrer des mariages, au Québec, s'ils sont habilités à le faire par la société religieuse à laquelle ils appartiennent, s'ils résident au Québec et y exercent leur ministère, si l'existence, les rites et les cérémonies de leur confession a un caractère permanent et s'ils sont autorisés par le ministre de la Justice.
Syn. corporation ecclésiastique
Comp. mariage
Angl. *religious affiliation, religious society*

Sodomie *n.f.*

□ Relations sexuelles par voie anale entre personnes de même sexe ou de sexe opposé.

Rem. Selon l'art. 159 (1) du *Code criminel*, les personnes qui pratiquent des relations sexuelles anales peuvent être reconnues coupables d'un acte criminel ou d'une infraction punissable sur déclaration de culpabilité par procédure sommaire à moins que ces relations n'aient lieu, avec leur consentement respectif et dans l'intimité, par les époux ou par deux personnes âgées d'au moins dix-huit ans.
Comp. bestialité
Angl. *anal intercourse, sodomy*

Solatium doloris

□ Expression latine signifiant « le soulagement de la douleur ». Elle désigne le chagrin éprouvé par une personne à la suite du décès d'un être cher pour lequel elle demande une compensation sous forme de dommages-intérêts.

Comp. *pretium doloris*

Solde *n.m.*

□ **1.** Différence entre le total du débit et le total du crédit d'un compte, pour une période donnée ou lors de sa clôture.

Angl. *balance*

□ **2.** Vente de marchandises à rabais en vue d'en faciliter l'écoulement.

Comp. solder
Angl. *sale*

□ **3.** Rémunération versée aux militaires.

Comp. salaire, traitement
Angl. *pay*

□ **4.** Reliquat du prix de vente d'un bien que l'acheteur est appelé à verser à une date ultérieure généralement convenue entre les parties.

Comp. solder
Angl. *balance*

Solder *v.tr.*

☐ **1.** Vendre en solde.

Comp. solde
Angl. *to pay off*

☐ **2.** Verser le reliquat d'une dette.

Comp. solde
Angl. *to pay off the balance of, to settle*

Solennel, elle *adj.*

☐ Dont la validité est subordonnée à l'accomplissement de certaines formalités prescrites par la loi.

Comp. acte solennel, affirmation solennelle, contrat solennel
Angl. *solemn*

Solennité *n.f.*

☐ V. FORMALITÉ SUBSTANTIELLE.

Solidaire *adj.*

☐ **1.** Qui implique une solidarité active ou passive. Ex. Une obligation solidaire.

Rem. C'est à tort que le *Code civil du Bas-Canada* traduit ce terme par « *joint and several* ».
Comp. obligation solidaire, solidarité
Angl. *solidary*

☐ **2.** Qui est lié par une créance ou une dette solidaire. Ex. Un débiteur solidaire.

Rem. C'est à tort que le *Code civil du Bas-Canada* traduit ce terme par « *joint and several* ».
Comp. solidarité entre les créanciers, solidarité entre les débiteurs
Angl. *solidary*

Solidairement *adv.*

☐ De façon solidaire.

Rem. C'est à tort que le *Code civil du Bas-Canada* traduit ce terme par « *jointly and severally* ».
Comp. solidarité
Angl. *solidarily*

Solidarité *n.f.*

☐ **1.** Modalité conventionnelle ou légale d'une obligation en vertu de laquelle, lorsqu'il y a pluralité de créanciers, chacun peut exiger du débiteur qu'il l'exécute entièrement ou, lorsqu'il y a pluralité de débiteurs, chacun peut être contraint par le créancier de l'exécuter en entier.

Comp. obligation *in solidum*, obligation solidaire, solidaire, solidairement
Angl. *solidarity*

• **Solidarité active :** V. SOLIDARITÉ ENTRE LES CRÉANCIERS.

Angl. *active solidarity*

• **Solidarité conventionnelle :** Solidarité créée par une convention.

Rem. La solidarité créée par un testament est également dite conventionnelle.
Contr. solidarité légale
Angl. *conventional solidarity*

• **Solidarité entre les créanciers :** Solidarité qui donne à chaque créancier le droit d'exiger du débiteur qu'il exécute entièrement l'obligation, ainsi que le droit d'en donner quittance pour le tout.

Syn. solidarité active
Contr. solidarité entre les débiteurs
Angl. *solidarity between creditors*

• **Solidarité entre les débiteurs :** Solidarité qui permet au créancier d'exiger de chacun de ses débiteurs qu'il exécute seul la totalité de l'obligation, cette exécution libérant alors tous les autres débiteurs envers le créancier.

Syn. solidarité passive
Contr. solidarité entre les créanciers
Comp. obligation solidaire
Angl. *solidarity between debtors*

• **Solidarité imparfaite :** V. OBLIGATION *IN SOLIDUM.*

• **Solidarité légale :** Solidarité qui est prescrite par un texte de loi. Ex. La solidarité entre les coauteurs d'une obligation extracontractuelle.

Contr. solidarité conventionnelle
Angl. *legal solidarity*

• **Solidarité passive :** V. SOLIDARITÉ ENTRE LES DÉBITEURS.

Angl. *passive solidarity*

☐ **2.** Forme de relation entre les personnes d'une même équipe ou d'un même groupe qui leur impose de ne poser, du moins à l'égard des tiers, aucun acte qui risque de desservir les intérêts de l'équipe ou du groupe dont elles sont membres.

Angl. *solidarity*

- **Solidarité ministérielle :** Solidarité qui impose aux membres d'un même gouvernement l'obligation d'agir d'un commun accord et de défendre, du moins à l'égard des tiers, les politiques que celui-ci a adoptées.

Comp. gouvernement
Angl. *collective cabinet responsibility*

Solliciteur général

☐ **1.** Ministre du gouvernement fédéral dont les pouvoirs et fonctions s'étendent à tous les domaines de compétence du Parlement fédéral qui ne sont pas attribués de droit à d'autres ministères et qui sont liés aux maisons de correction, prisons et pénitenciers, aux libérations conditionnelles et remises de peine, à la Gendarmerie royale du Canada et au Service canadien du renseignement de sécurité.

Comp. procureur général
Angl. *Solicitor General, Solicitor-general*

☐ **2.** Avocat, membre du Conseil exécutif de la province, nommé autrefois par le lieutenant-gouverneur en conseil pour agir comme procureur et conseil du gouvernement dans les affaires et les instances dont la conduite relevait du procureur général. Ex. C'est le solliciteur général qui plaidait alors devant les tribunaux lors de procès impliquant le gouvernement du Québec.

Rem. Ses fonctions ont été transformées en 1986 ; de plus, en 1988, le ministère du Solliciteur général a pris le nom de ministère de la Sécurité publique.
Comp. procureur général, Sécurité publique
Angl. *Solicitor General*

Solo animo

☐ Locution latine signifiant « par l'intention seule » que l'on utilise notamment en matière de possession.

Comp. possession *solo animo*

Solo consensu

☐ Locution latine signifiant « par le seul consentement » que l'on utilise pour qualifier une entente intervenue par le seul accord des volontés, sans recours à l'emploi d'une formalité particulière.

Solvabilité *n.f.*

☐ État de la personne qui a les moyens de payer toutes ses dettes.

Contr. insolvabilité
Comp. solvable
Angl. *solvency*

Solvable *adj.*

☐ Qui a les moyens de payer toutes ses dettes.

Contr. insolvable
Comp. solvabilité
Angl. *solvent*

Solvens

☐ Terme latin signifiant « la personne payant » qui désigne parfois la personne qui effectue le paiement d'une obligation.

Contr. *accipiens*

Sommaire *adj.*

☐ V. COUR DES POURSUITES SOMMAIRES, DÉCLARATION DE CULPABILITÉ PAR PROCÉDURE SOMMAIRE, MATIÈRE SOMMAIRE, PROCÉDURE SOMMAIRE.

Angl. *summary*

Sommation *n.f.*

☐ Ordre de comparaître délivré par un juge de paix visant à contraindre une personne de se présenter devant le tribunal pour répondre de l'infraction dont elle est accusée.

Angl. *summons to appear*

Somptuaire *adj.*

☐ Relatif à des dépenses de luxe.

Angl. *sumptuary*

- **Somptuaires (impenses) :** V. IMPENSES VOLUPTUAIRES.

SOQUIJ

☐ Abrév. de Société québécoise d'information juridique.

S.O.R.

□ Abrév. de *Statutory Orders and Regulations.*

S.O.R., Cons. 1949

□ Abrév. de *Statutory Orders and Regulations, Consolidation 1949.*

S.O.R., Cons. 1955

□ Abrév. de *Statutory Orders and Regulations, Consolidation 1955.*

S.O.R., 1963 (N.B.)

□ Abrév. de *Statutory Orders and Regulations, 1963 (New Brunswick).*

Souche *n.f.*

□ Dans une succession, auteur commun dont descendent les successibles ; personne dont une famille est issue.

Rem. Chaque souche peut avoir plusieurs branches et chaque branche peut avoir plusieurs rameaux.
Comp. branche, rameau
Angl. *root*

• **Souche (partage par) :** Partage selon lequel les héritiers viennent à la succession, non pas de leur propre chef, mais plutôt par l'effet de la représentation. Ex. Lorsque la personne qui décède a eu trois enfants dont l'un, prédécédé, a laissé quatre enfants, ceux-ci vont concourir avec les deux enfants encore vivants, grâce à la représentation ; ils prennent alors la place que le représenté aurait occupée.

Contr. tête (partage par)
Comp. branche, chef, représentation
Angl. *partition by root, share by root*

Soulèvement *n.m.*

□ Mouvement de révolte par une collectivité.

Comp. sédition
Angl. *insurgence*

Soulever *v.tr.*

□ Introduire devant le tribunal un moyen nouveau, y faire valoir un argument particulier. Ex. Soulever la non-recevabilité d'une demande en justice.

Comp. soumettre
Angl. *to raise*

Soulte *n.f.*

□ Dans un partage ou un échange de biens de valeur inégale, somme d'argent qui doit être versée en compensation afin de rétablir l'équilibre des prestations ou des lots.

Angl. *balance, payment in money*

Soumettre *v.tr.*

□ **1.** Présenter un projet à une assemblée délibérante pour qu'elle en discute. Ex. Soumettre un projet de loi à l'Assemblée nationale.

Angl. *to present*

□ **2.** Présenter une demande à une autorité afin qu'elle se prononce sur son bien-fondé. Ex. Soumettre ses prétentions au tribunal, soumettre une demande de permis à un organisme gouvernemental.

Comp. soulever
Angl. *to refer, to submit*

□ **3.** Assujettir à une règle de droit, imposer une obligation. Ex. Soumettre des citoyens à un règlement municipal.

Angl. *to subject*

Soumission *n.f.*

□ **1.** Présentation d'un projet à une assemblée délibérante pour qu'elle en discute. Ex. Soumission d'un projet de loi à la Chambre des communes.

Angl. *presentation*

□ **2.** Présentation d'une demande à une autorité afin qu'elle se prononce sur son bien-fondé. Ex. La soumission d'une demande en justice.

Angl. *reference, submission*

□ **3.** Fait d'être assujetti à une règle de droit, d'être astreint à une obligation. Ex. La soumission à l'impôt du revenu d'une personne.

Angl. *submission*

□ **4.** Acte écrit par lequel une personne ou une entreprise, en réponse à un appel d'offres, propose ses services pour l'exécution de travaux et indique le prix pour lequel elle est prête à les faire.

Comp. appel d'offres, soumissionnaire, soumissionner
Angl. *bid, tender*

Soumissionnaire *n.*

☐ Personne qui présente une soumission.

Comp. soumission
Angl. *tenderer*

Soumissionner *v.tr.*

☐ Présenter une soumission, généralement à la suite d'un appel d'offres.

Comp. soumission
Angl. *to tender*

Source *n.f.*

☐ Fondement, base, origine.

Angl. *source*

- **Source d'une revendication :** Ce sur quoi une personne se fonde pour réclamer la reconnaissance d'une obligation.

Angl. *source of a claim*

- **Sources du droit :** Ensemble des règles juridiques applicables dans un État.

Rem. Dans les pays de droit écrit, la constitution, les traités, les textes législatifs et réglementaires, la coutume, la jurisprudence et la doctrine constituent essentiellement les sources du droit.
Angl. *sources of the law*

- **Sous-acquéreur, éresse** *n.*

☐ V. ACQUÉREUR SUBSÉQUENT.

Sous-acquisition *n.f.*

☐ Acquisition faite par une personne à qui l'acquéreur antérieur d'un bien a transmis ses droits.

Comp. acquéreur subséquent
Angl. *subsequent acquisition*

Sous-affrètement *n.m.*

☐ Opération par laquelle l'affréteur d'un navire, avec le consentement du fréteur, conclut un contrat d'affrètement avec un tiers.

Comp. affrètement, sous-affréteur, sous-fréter
Angl. *subletting*

Sous-affréteur *n.m.*

☐ Affréteur qui conclut avec un tiers un contrat de sous-affrètement.

Comp. affréteur, fréteur, sous-affrètement
Angl. *subcharterer*

Sous-amendement *n.m.*

☐ Amendement proposé ou apporté à un amendement.

Comp. amendement
Angl. *subamendment*

Sous-assurance *n.f.*

☐ État d'une assurance lorsque le bien n'a pas été assuré pour sa pleine valeur ou n'a été assuré qu'en partie.

Rem. Selon l'art. 2626 du *Code civil du Québec*, lorsque le bien est assuré pour une somme inférieure à sa valeur, que celle-ci soit agréée ou non, l'assuré assure lui-même une partie du risque.
Comp. assurance
Angl. *under-insurance*

Sous-commission *n.f.*

☐ Groupe formé d'un nombre restreint de membres d'une commission à qui la loi ou la commission elle-même confie l'examen de certaines questions.

Comp. commission
Angl. *subcommittee*

Sous-contractant, ante *n.*

☐ Personne qui est partie à un sous-contrat.

Comp. sous-contrat
Angl. *subcontracting party, subcontractor*

Sous-contrat *n.m.*

☐ Contrat conclu entre l'une des parties à un contrat initial et un tiers qui s'engage à exécuter en tout ou en partie le contrat initial. Ex. Un contrat de sous-entreprise, un contrat de sous-location.

Comp. avant-contrat, contrat, sous-contractant
Angl. *subcontract*

Souscripteur, trice *n.*

□ **1.** Personne qui appose sa signature au bas d'un document.

Comp. signature, souscription
Angl. *subscriber*

□ **2.** Personne qui offre d'acheter des valeurs mobilières.

Comp. action, droit de préférence, souscription, valeur mobilière
Angl. *subscriber*

□ **3.** Personne qui conclut avec l'assureur un contrat d'assurance.

Angl. *applicant*

□ **4.** Personne qui, en signant un billet, s'engage sans condition à payer, sur demande ou à une échéance déterminée ou susceptible de l'être, une somme d'argent précise à une personne désignée ou à son ordre, ou encore au porteur.

Angl. *maker*

Souscription *n.f.*

□ **1.** Apposition par une personne de sa signature au bas d'un document afin de témoigner de son engagement. Ex. La souscription de l'assureur au bas d'un contrat d'assurance.

Comp. signature, souscripteur, souscrire
Angl. *subscription*

□ **2.** Acte par lequel une personne offre d'acheter des valeurs mobilières.

Comp. action, droit de préférence, souscripteur, souscrire, valeur mobilière
Angl. *subscription*

• **Souscription (droit préférentiel de) :** V. DROIT DE PRÉFÉRENCE.

Souscrire *v.tr. et v.tr.ind.*

□ **1.** Apposer sa signature au bas d'un document afin de témoigner d'un engagement. Ex. Souscrire un billet, souscrire à un contrat d'assurance.

Comp. souscription
Angl. *to subscribe*

□ **2.** Verser une somme d'argent en exécution d'un engagement. Ex. Souscrire au capital-actions d'une compagnie.

Comp. capital souscrit, souscription
Angl. *to subscribe*

□ **3.** Donner son adhésion.

Rem. Il arrive parfois que les juges des cours d'appel préfèrent souscrire à l'opinion rédigée par un collègue plutôt que rédiger leur propre opinion.
Angl. *to concur*

Souscrit, ite *adj.*

□ V. CAPITAL SOUSCRIT.

Sous-entrepreneur, euse *n.*

□ Entrepreneur qui, en vertu d'un contrat conclu avec l'entrepreneur principal, s'engage à exécuter en tout ou en partie le contrat d'entreprise intervenu entre ce dernier et le client.

Syn. sous-traitant
Comp. entreprise, maître de l'ouvrage, maître d'oeuvre
Angl. *subcontractor*

Sous-entreprise (contrat de) *n.f.*

□ Contrat conclu par un entrepreneur avec un autre entrepreneur qui s'engage à exécuter en tout ou en partie le contrat d'entreprise que le premier a signé avec le client.

Syn. sous-traitance (contrat de), sous-traité
Comp. entreprise (contrat d'), sous-contrat, sous-entrepreneur
Angl. *subcontract*

Sous-fréter *v.tr.*

□ Pour l'affréteur d'un navire, conclure un contrat de sous-affrètement avec un tiers.

Comp. sous-affrètement
Angl. *to sublet*

Sous-locataire *n.*

□ Personne qui reçoit un bien en sous-location.

Comp. locataire principal, sous-location
Angl. *sublessee*

Sous-location *n.f.*

□ Contrat de location entre le locataire principal d'un bien, également appelé sous-locateur, et un tiers, appelé sous-locataire.

Rem. Selon le *Code civil du Québec*, le locataire ne peut sous-louer le bien sans le consentement du locateur mais celui-ci ne peut refuser la sous-location sans motif sérieux.

Comp. bail, cession de bail, sous-locataire, sous-louer

Angl. *sublease*

Sous-louer *v.tr.*

☐ **1.** Donner en sous-location.

Comp. sous-location

Angl. *to sublease, to sublet*

☐ **2.** Prendre en sous-location.

Comp. sous-location

Angl. *to sublease, to sublet*

Sous-mandant, ante *n.*

☐ Mandataire dans un contrat de mandat qui conclut un contrat de sous-mandat avec un tiers, appelé sous-mandataire.

Contr. sous-mandataire

Comp. sous-mandat

Angl. *sub-mandator*

Sous-mandat *n.m.*

☐ Contrat conclu entre le mandataire d'un contrat de mandat et un tiers par lequel ce dernier s'engage à exécuter en tout ou en partie le mandat initialement confié au mandataire.

Comp. mandat, sous-contrat, sous-mandat, sous-mandataire

Angl. *sub-mandate*

Sous-mandataire *n.*

☐ Personne à qui est confiée l'exécution d'un contrat de sous-mandat.

Contr. sous-mandant

Comp. sous-mandat

Angl. *sub-mandatary*

Sous-ordre *n.m.*

☐ Procédure par laquelle le créancier de la personne colloquée ou ayant droit de l'être, à la suite d'une vente en justice, prend la place de son débiteur et reçoit le montant de la collocation qui devrait revenir à ce dernier.

Rem. Ce recours, que l'on formait autrefois par voie d'opposition, n'a pas été retenu dans le *Code de procédure civile* actuel.

Comp. collocation (ordre de)

Angl. *sub-collocation*

Sous-procureur général, Sous-procureure générale *n.*

☐ Nom donné au sous-ministre du procureur général.

Comp. procureur général

Angl. *Deputy Attorney General*

Sous-secrétaire d'État *n.*

☐ Titre donné au Canada au sous-ministre du Secrétaire d'État aux Affaires extérieures.

Rem. Depuis peu, il porte le titre de sous-ministre puisque son supérieur se nomme ministre des Affaires étrangères.

Comp. Secrétaire d'État aux Affaires extérieures

Angl. *Deputy Secretary of State for External Affairs*

Sous-traitance *n.f.*

☐ Opération par laquelle un entrepreneur conclut avec un autre entrepreneur un contrat de sous-entreprise ou sous-traité.

Comp. sous-entreprise (contrat de)

Angl. *contracting act, subcontract*

- **Sous-traitance (contrat de) :** V. SOUS-ENTREPRISE (CONTRAT DE).

Sous-traitant, ante *n.*

☐ V. SOUS-ENTREPRENEUR.

Sous-traité *n.m.*

☐ V. SOUS-ENTREPRISE (CONTRAT DE).

Sous-traiter *v.tr.*

☐ Conclure un contrat de sous-entreprise.

Comp. sous-entreprise (contrat de)

Angl. *to subcontract*

Soutènement de compte

☐ V. COMPTE (SOUTÈNEMENT DE).

Soutien *n.m.*

☐ **1.** Appui apporté à une personne, à une cause. Ex. Apporter son soutien à un parti politique.

Angl. *support*

• **Soutien de famille :** Expression employée parfois pour désigner la personne dont l'activité économique est indispensable pour assurer la subsistance de sa famille. Ex. L'aîné des enfants qui doit travailler à l'extérieur après le décès de son père est un soutien de famille.

Angl. *family provider, support of family*

☐ **2.** Ce qui sert de fondement à une demande en justice. Ex. Les faits allégués et les pièces produites au soutien de la demande.

Angl. *support*

Souverain, aine *adj. et n.*

☐ **1.(adj.)** Indépendant, qui n'est subordonné à personne. Ex. Un État souverain.

Comp. souveraineté
Angl. *sovereign*

☐ **2.(n.)** Dans un système monarchique, nom donné au chef de l'État.

Angl. *Sovereign*

Souveraineté *n.f.*

☐ **1.** Caractère d'un État qui exerce un pouvoir suprême sur son territoire et ses habitants et qui n'est soumis à aucun contrôle de la part d'un autre État. Ex. Seuls les États souverains sont reconnus par l'ordre international.

Comp. autonomie, Dominion, indépendance, souverain
Angl. *sovereignty*

☐ **2.** Pouvoir d'un organe d'agir sans être tenu de rendre compte à qui que ce soit. Ex. La souveraineté de l'Assemblée nationale dans l'adoption des lois relevant de la compétence du Québec.

Comp. souverain
Angl. *sovereignty*

☐ **3.** Terme utilisé parfois pour qualifier un principe en vertu duquel le peuple, par lui-même ou par l'entremise des représentants qu'il a choisis, exerce le pouvoir politique de l'État. Ex. C'est par le suffrage universel que le peuple, c'est-à-dire l'ensemble des citoyens, exerce sa souveraineté.

Angl. *sovereignty*

• **Souveraineté parlementaire :** Principe de droit constitutionnel britannique reconnu au Canada en vertu duquel le Parlement exerce sa suprématie sur tous les autres organes étatiques, notamment en édictant toutes les règles de droit auxquelles les citoyens sont soumis, et ne peut être lié par les lois qu'il a antérieurement adoptées.

Comp. Parlement
Angl. *sovereignty of the Parliament*

S.P.

☐ Abrév. de Sessions de la paix / *Sessions of the Peace.*

Spécial, ale, aux *adj.*

☐ **1.** Qui est propre à certains types d'actes ou de faits. Ex. Les contrats spéciaux du *Code civil.*

Contr. général
Comp. *sui generis*
Angl. *special*

☐ **2.** Qui est limité, restreint. Ex. Un mandat spécial.

Contr. général
Angl. *special*

• **Spécial (mandat) :** V. MANDAT SPÉCIAL..

☐ **3.** Qui est exceptionnel. Ex. Une dépense spéciale.

Angl. *special*

• **Spéciale (loi) :** LOI SPÉCIALE.

• **Spéciales (procédures) :** V. PROCÉDURES SPÉCIALES.

Spécification *n.f.*

☐ Création d'un objet nouveau par une personne qui a travaillé ou transformé une matière qui ne lui appartenait pas. Ex. Le fait pour un sculpteur de créer une oeuvre avec un bois précieux appartenant à autrui.

Rem. Selon le *Code civil du Québec*, la spécification constitue une forme d'accession

mobilière.
Comp. adjonction
Angl. *specification*

Spécifique *adj.*

□ Propre à une espèce ou à une chose, caractéristique d'une espèce ou d'une chose.
Angl. *specific*

Spec. Lect. L.S.U.C.

□ Abrév. de *Special Lectures of the Law Society of Upper Canada.*

Spéculation *n.f.*

□ Opération financière ou commerciale faite en vue de réaliser un bénéfice du seul fait des fluctuations du marché.
Angl. *speculation*

- **Spéculation illicite :** V. AGIOTAGE.

S.P.E.I.

□ Abrév. de *Statutes of Prince Edward Island.*

S.Q.

□ Abrév. de **1.** *Statutes of Quebec* ; **2.** Statuts du Québec.

S.R.

□ Abrév. de *Saskatchewan Reports.*

S.R.C.

□ Abrév. de Statuts révisés du Canada.

S.R. & O.

□ Abrév. de *Statutory Rules and Orders in England.*

S.R.Q.

□ Abrév. de Statuts refondus du Québec.

Ss.

□ Abrév. de suivants ou suivantes.

S.S.

□ Abrév. de *Statutes of Saskatchewan.*

SSHRC

□ Abrév. de *Social Sciences and Humanities Research Council of Canada.*

Stage *n.m.*

□ **1.** Période pendant laquelle une personne exerce certaines fonctions dans une entreprise en vue de sa formation ou de son perfectionnement professionnels.
Comp. stagiaire
Angl. *training course, training period*

□ **2.** Période de formation axée sur la pratique que doivent accomplir les personnes désirant devenir membres de certaines corporations professionnelles. Ex. Le stage des futurs avocats.
Comp. stagiaire
Angl. *articles, period of probation, vocational course*

Stagiaire *n.*

□ Personne qui effectue un stage.
Comp. stage
Angl. *articled student, trainee*

Standing

□ V. *LOCUS STANDI.*

Stare decisis

□ Principe en vertu duquel les tribunaux rendent des décisions conformes à celles qu'ils ont déjà rendues ou à celles que les tribunaux supérieurs ont déjà prononcées.
Rem. Cette locution latine signifie « s'en tenir aux choses décidées ».
Comp. chose jugée, *obiter dictum*, précédent

Staries *n.f.pl.*

□ Temps compté en jours et en heures pendant lequel un navire doit, selon le contrat d'affrètement, rester dans le port pour le chargement ou le déchargement de sa cargaison.

Comp. affrètement, surestaries
Angl. *lay days*

Statuer *v.intr.*

□ Rendre une décision, prononcer sur une demande en justice. Ex. Statuer sur le fond, statuer en dernier ressort.
Angl. *to decide, to rule*

- **Statuer (omission de) :** Fait pour le juge de ne pas se prononcer, dans son jugement, sur un des chefs de la demande. Ex. L'omission de statuer donne ouverture à la rétractation de jugement.
Angl. *failure to decide, failure to rule*

- **Statuer (surseoir à) :** V. SURSEOIR À STATUER.

Statu quo *n.m.*

□ Expression dérivée du latin qui désigne le maintien de la situation existante.
Rem. Elle provient de l'expression latine *in statu quo ante* qui signifie « dans la situation antérieure (des choses) ».
Contr. *uti possidetis*

Statut *n.m.*

□ **1.** Ensemble des lois qui régissent la condition juridique d'une personne ou d'un bien.
Angl. *status*

- **Statut mixte :** Ensemble des lois qui régissent à la fois la condition juridique d'une personne et celle d'un bien.
Angl. *mixed statut*

- **Statut patrimonial de base :** V. RÉGIME PRIMAIRE.

- **Statut personnel :** Ensemble des lois qui régissent la condition juridique d'une personne.
Rem. Ce sont les lois qui concernent l'état et la capacité des personnes.
Angl. *personal statut*

- **Statut réel :** Ensemble des lois qui régissent la condition juridique d'un bien.
Rem. Ce sont les lois qui concernent la création, la conservation et l'extinction des droits réels.
Angl. *real statut*

□ **2.** Ensemble de règles qui déterminent la condition juridique d'un groupe ou d'une catégorie de personnes. Ex. Le statut des fonctionnaires, des professeurs d'université.
Angl. *status*

□ **3.** Terme utilisé au Canada pour désigner une loi.
Rem. Étant un calque de l'anglais, il est remplacé, depuis quelques années, par le terme « loi ».
Syn. loi
Angl. *act, statute*

- **Statut(s) fédéral(aux) :** « Lois passées par le Parlement du Canada ».
Rem. Il s'agit de la définition de la *Loi d'interprétation*, L.R.Q., c. I-16, art. 61(10).
Syn. acte(s) fédéral(aux)
Angl. *Federal Statute*

- **Statut réservé :** Nom donné à une loi qui n'a pas reçu la sanction royale dès son adoption par la Législature.
Angl. *reserved act*

- **Statut spécial :** Termes utilisés parfois pour désigner une loi spéciale.
Syn. loi spéciale
Angl. *special statute*

- **Statuts du Canada :** Nom donné, jusqu'en 1986, au recueil annuel des lois du Canada. Ex. Les Statuts du Canada de 1980.
Syn. Lois du Canada
Comp. Lois du Québec, Statuts du Québec
Angl. *Statutes of Canada*

- **Statuts du Québec :** Nom donné, jusqu'en 1969, au recueil annuel des lois du Québec. Ex. Les Statuts du Québec de 1965.
Syn. Lois du Québec
Contr. Lois du Canada, Statuts du Canada
Angl. *Statutes of Canada*

- **Statuts refondus du Québec :** Nom donné, jusqu'en 1977, aux Lois refondues du Québec. Ex. Les Statuts refondus du Québec de 1964.
Syn. lois refondues
Comp. lois révisées
Angl. *Revised Statutes of Quebec*

- **Statuts révisés du Canada :** Nom donné, jusqu'en 1985, aux Lois révisées du Canada. Ex. Les Statuts révisés du Canada de 1970.

Syn. lois révisées
Contr. lois refondues
Angl. *Revised Statutes of Canada*

□ **4.** Ensemble des dispositions qui déterminent les conditions d'existence et le mode de fonctionnement d'une personne morale ou d'un groupe organisé. Ex. Les statuts d'une association.
Comp. conseil d'administration
Angl. *articles, constitution*

• **Statuts de constitution :** Renseignements qu'une société par actions doit transmettre au gouvernement concernant son identité, ses pouvoirs et les noms des personnes qui la composent et l'administrent.
Comp. constitution
Angl. *articles of incorporation*

Statutaire *adj.*

□ V. DROIT STATUTAIRE.

STCC

□ Abrév. de *The Standard Transportation Commodity Code.*

S.T.C.U.M.

□ Abrév. de Société de transport de la Communauté urbaine de Montréal.

S.T.C.U.Q.

□ Abrév. de Société de transport de la Communauté urbaine de Québec.

Stephens' Dig.

□ Abrév. de *Stephens' Quebec Digest.*

Stevens' Dig.

□ Abrév. de *Stevens' New Brunswick Digest.*

Stewart

□ Abrév. de *Stewart's Vice-Admiralty Reports* (N.S.).

Stipulant, ante *n.*

□ **1.** Personne qui stipule en sa faveur ou au profit d'un tiers.
Angl. *stipulator*

□ **2.** Dans une stipulation pour autrui, personne qui obtient du promettant qu'il exécute une prestation au profit du tiers bénéficiaire.
Comp. promettant, stipulation pour autrui, tiers bénéficiaire
Angl. *stipulator*

Stipulation *n.*

□ Clause, expression de la volonté énoncée dans un contrat.
Comp. stipulant, stipuler
Angl. *clause, stipulation*

• **Stipulation pour autrui :** Contrat par lequel une personne, le stipulant, obtient d'une autre, le promettant, qu'elle exécute une prestation au profit d'une troisième, le tiers bénéficiaire.
Comp. promettant, stipulant, tiers bénéficiaire
Angl. *stipulation for another*

Stipuler *v.tr.*

□ Énoncer par une clause expresse une condition ou une exigence dans un contrat.
Comp. stipulation
Angl. *to make a stipulation, to stipulate*

Stockton

□ Abrév. de *Stockton's Vice-Admiralty Reports* (N.B.).

Strict, stricte *adj.*

□ V. DROIT STRICT (EN), INTERPRÉTATION STRICTE, RESPONSABILITÉ STRICTE.

Stricti juris

□ Locution latine signifiant « de droit strict », « selon le droit strict ».
Syn. *stricto jure*
Comp. *strictissimi juris*

Strictissimi juris

☐ Locution latine signifiant « de droit très strict ». Se dit notamment de lois qui doivent être interprétées très restrictivement et de procédures qui doivent être respectées très rigoureusement. Ex. La procédure relative à l'outrage au tribunal est *strictissimi juris.*

Comp. *stricti juris, stricto jure*

Stricto jure

☐ Locution latine signifiant « de droit strict ».

Syn. *stricti juris*
Comp. *strictissimi juris*

Stricto sensu

☐ Locution latine signifiant « au sens strict », « au sens étroit ».

Contr. *lato sensu*

Strictum jus

☐ Expression latine signifiant « le droit strict » que l'on utilise pour distinguer le droit de l'équité.

Comp. équité

Stuart

☐ Abrév. de *Stuart, Vice-Admiralty Reports* (Que.).

Stud. Canon.

☐ Abrév. de *Studia Canonica* (Revue canadienne de droit canonique / *Canadian Canon Law Review).*

Stu. K.B.

☐ Abrév. de *Stuart's Reports* (Que).

Stupéfiant *n.m.*

☐ Plante, substance ou préparation dont l'usage est interdit par la loi à cause de ses effets toxiques et, le plus souvent, à cause de l'effet de dépendance ou d'accoutumance qu'elle peut créer chez celui qui en fait la consommation. Ex. L'opium, la cocaïne et le cannabis sont des stupéfiants.

Rem. C'est la *Loi sur les stupéfiants,* (L.R.C. (1985), c. N-1) qui détermine la liste des produits considérés comme des stupéfiants et dont l'usage est interdit au Canada.
Syn. drogue illicite
Angl. *narcotic*

- **Stupéfiant (trafic de) :** Fait de fabriquer, vendre, donner, administrer, transporter, expédier, livrer ou distribuer un stupéfiant en dehors du cadre prévu par la *Loi sur les stupéfiants* et ses règlements.

  Rem. Quiconque fait le trafic de stupéfiant commet un acte criminel et encourt l'emprisonnement à perpétuité.
  Angl. *traffic of narcotic*

- **Stupéfiant (usage de) :** Fait de consommer un stupéfiant, seul ou avec d'autres personnes.

  Rem. Quiconque a eu en sa possession un stupéfiant, en dehors du cadre prévu par la loi, commet une infraction et encourt une peine allant de l'amende à un emprisonnement maximal de sept ans.
  Angl. *use of narcotic*

Subjectif, ive *adj.*

☐ Qui concerne un sujet de droit. Ex. Un droit subjectif.

Comp. sujet de droit
Angl. *subjective*

Sub judice

☐ Locution latine signifiant « devant le juge », « devant le tribunal ». Se dit d'une affaire dont un tribunal est saisi, qui est en cours de procès.

Rem. Selon la règle du *sub judice,* que l'on applique essentiellement en matière pénale, une personne peut être condamnée pour outrage au tribunal lorsqu'elle donne publiquement son opinion sur le fond d'un procès en cours ou sur la procédure qui y est suivie de façon à exercer une influence sur la décision du juge ou le verdict du jury. Ex. La déclaration faite à la télévision par un ministre concernant le déroulement d'un procès criminel impliquant un de ses fonctionnaires.
Comp. outrage au tribunal

Sub. nom.

☐ Abrév. de *sub nomine.*

Sub nomine

□ Locution latine signifiant « sous le nom de ».

Subpoena (bref de) *n.m.*

□ Terme d'origine latine signifiant « sous peine de » qui désigne un ordre du tribunal enjoignant à une personne de se présenter à une date, une heure et un lieu déterminés pour y rendre témoignage ou pour y produire un document.

Rem. Lorsqu'une personne fait défaut de comparaître après avoir été dûment convoquée, le tribunal peut décerner contre elle un mandat d'amener et ordonner qu'elle soit détenue sous garde jusqu'à ce qu'elle ait rendu témoignage ou qu'elle soit libérée en fournissant bonne et suffisante caution de rester à la disposition de la cour.

Syn. citation à comparaître

Comp. outrage au tribunal, témoignage

Angl. *subpoena (writ of)*

• ***Subpoena duces tecum*** **(bref de) :** Expression que l'on utilise pour désigner le bref de *subpoena* qui enjoint au témoin d'apporter avec lui un ou des documents ou objets qu'il a en sa possession et qu'on lui demandera de produire.

Rem. Les mots *duces tecum* signifient « apporte avec toi ».

Angl. *subpoena duces tecum (writ of)*

Subrogatif, ive *adj.*

□ Qui constitue une subrogation, qui emporte subrogation. Ex. Une convention subrogative.

Comp. subrogation, subrogatoire

Angl. *subrogatory*

Subrogation *n.f.*

□ Substitution d'une personne à une autre dans un rapport juridique. Ex. La subrogation de la personne qui paie le créancier à la place du débiteur.

Syn. paiement avec subrogation, subrogation personnelle

Comp. subrogatif, subrogatoire, subrogé, subrogeant, subroger

Angl. *subrogation*

• **Subrogation conventionnelle :** Subrogation qui résulte d'une convention entre le créancier et la personne qui paie la dette du débiteur ou entre le débiteur et la personne qui avance l'argent dont il a besoin pour payer le créancier. Ex. La subrogation de l'assureur qui a indemnisé son assuré pour des dommages dont des tiers sont responsables.

Contr. subrogation légale

Angl. *conventional subrogation*

• **Subrogation légale :** Subrogation qui s'opère par le seul effet de la loi. Ex. La subrogation du créancier qui paie un autre créancier qui lui est préférable en raison d'une créance prioritaire ou hypothécaire.

Contr. subrogation conventionnelle

Angl. *legal subrogation*

• **Subrogation personnelle :** V. SUBROGATION.

Subrogatoire *adj.*

□ Qui découle de la subrogation, qui est relatif à la subrogation.

Comp. action subrogatoire, subrogatif, subrogation

Angl. *subrogatory*

Subrogé, ée *adj. et n.*

□ **1.(adj.)** Qui remplace une autre personne par subrogation.

Contr. subrogeant

Comp. subrogation

Angl. *subrogate*

□ **2.(n.)** Personne qui en remplace une autre par subrogation.

Contr. subrogeant

Comp. subrogation

Angl. *subrogate, subrogated party*

Subrogeant, ante *adj. et n.*

□ **1.(adj.)** Qui consent à une subrogation.

Contr. subrogé

Comp. subrogation

Angl. *subrogating (creditor)*

□ **2.(n.)** Personne qui consent à une subrogation.

Contr. subrogé

Comp. subrogation
Angl. *subrogating creditor, subrogator*

Subroger *v.tr.*

☐ Substituer une personne à une autre par subrogation.
Comp. subrogation
Angl. *to subrogate*

Subrogé tuteur, subrogée tutrice *n.*

☐ Personne désignée par le conseil de famille pour surveiller l'administration du tuteur et défendre les intérêts du mineur chaque fois que ses intérêts sont en opposition avec ceux du tuteur.
Rem. **1.** On peut également joindre ces mots par un trait d'union. **2.** Le *Code civil du Québec* confie au conseil de tutelle la fonction que le *Code civil du Bas-Canada* confiait au subrogé tuteur.
Comp. tuteur
Angl. *subrogate-tutor*

Subsidiaire *adj.*

☐ **1.** Qui existe ou est proposé au cas où ce qui est le principal ferait défaut ou serait écarté. Ex. Une demande subsidiaire, une garantie subsidiaire.
Comp. supplétif
Angl. *subsidiary*

• **Subsidiaire (conclusion) :** V. CONCLUSION SUBSIDIAIRE.

☐ **2.** Plus généralement, qui est accessoire, qui s'ajoute au principal pour le renforcer.
Angl. *accessory, additional*

Subsidiairement *adv.*

☐ De façon subsidiaire, à titre subsidiaire.
Comp. subsidiaire
Angl. *subsidiarily*

Subsidiarité *n.f.*

☐ Caractère de ce qui est subsidiaire.
Comp. subsidiaire, subsidiairement
Angl. *subsidiarity*

Substance *n.f.*

☐ Matière dont un bien est formé. Ex. L'usufruitier a le droit de jouir du bien dont il a l'usufruit, à charge d'en conserver la substance.
Comp. substantiel, substantiellement
Angl. *substance*

• **Substance (erreur sur la) :** V. ERREUR SUR LA SUBSTANCE.

Substantiel, elle *adj.*

☐ **1.** Fondamental.
Comp. substance
Angl. *substantial*

• **Substantiel (droit) :** V. DROIT SUBSTANTIEL.

☐ **2.** Essentiel.
Angl. *substantial*

• **Substantielle (formalité) :** V. FORMALITÉ SUBSTANTIELLE.

☐ **3.** Important, considérable, sérieux. Ex. Des modifications substantielles à un bien, l'exécution d'une partie substantielle d'une obligation, une détérioration substantielle d'un immeuble.
Angl. *serious, substantial*

Substantiellement *adv.*

☐ En substance, de façon substantielle.
Comp. substance, substantiel
Angl. *substantially*

Substantif *adj.*

☐ V. DROIT SUBSTANTIEL.

Substituant, ante *n.*

☐ Personne qui crée une substitution.
Rem. Le *Code civil du Québec* emploie plutôt le terme « disposant ».
Syn. disposant
Comp. appelé, grevé, substitution
Angl. *grantor*

Substitué, ée *adj. et n.*

☐ V. APPELÉ.

Substitut du procureur général

☐ Avocat au service du gouvernement qui est chargé de représenter l'État dans les causes criminelles.

Syn. procureur de la Couronne
Angl. *Attorney-General's prosecutor, Attorney-General's substitute*

Substitution *n.f.*

☐ **1.** Mode de transfert du droit de propriété par lequel une personne, le grevé, reçoit des biens par libéralité d'une autre personne, le disposant, avec l'obligation de les rendre après un certain temps à un tiers, l'appelé. Elle s'établit par donation ou testament ; de plus, elle doit être constatée par écrit et publiée au bureau de la publicité des droits.

Rem. Cette définition correspond à celle de la substitution fidéicommissaire du *Code civil du Bas-Canada*. La notion de substitution vulgaire qui y apparaissait n'a pas été reproduite dans le *Code civil du Québec*.
Comp. appelé, disposant, grevé, substituant
Angl. *substitution*

• **Substitution *de residuo* :** Substitution qui ne porte que sur le résidu des biens donnés ou légués.

Rem. Il y a substitution *de residuo* lorsque l'acte constitutif de la substitution accorde au grevé le pouvoir de disposer gratuitement des biens substitués ou de ne pas faire remploi du prix de leur aliénation. De plus, la simple défense de tester que fait, sans autre indication, le disposant au donataire ou au légataire emporte une substitution *de residuo* en faveur de ses héritiers ou légataires *ab intestat* quant aux biens donnés ou légués qui restent à son décès.
Syn. fidéicommis *de residuo*
Angl. *substitution de residuo*

• **Substitution fidéicommissaire :** Disposition par laquelle une personne, le grevé, reçoit des biens par donation ou testament d'une autre personne, le disposant, à charge de les rendre à un tiers, l'appelé, à une date déterminée par le disposant ou à son décès.

Rem. Le *Code civil du Bas-Canada* reconnaissait l'existence de la substitution fidéicommissaire et de la substitution vulgaire. Le *Code civil du Québec* a écarté cette dernière notion.
Comp. substitution vulgaire
Angl. *fiduciary substitution*

• **Substitution (ouverture de la) :** V. OUVERTURE DE LA SUBSTITUTION.

• **Substitution vulgaire :** Disposition par laquelle un tiers est appelé à recueillir un don ou un legs au cas où le donataire ou le légataire désigné par le disposant ne le recueillerait pas.

Rem. Le *Code civil du Québec* n'a pas repris cette notion du *Code civil du Bas-Canada* puisqu'elle ne constitue pas une véritable substitution.
Comp. substitution fidéicommissaire
Angl. *vulgar substitution*

☐ **2.** Action de remplacer une personne ou une chose par une autre.

Angl. *substitution*

• **Substitution de peine :** Peine, sous forme d'amende, que le juge a le pouvoir de prononcer au lieu de celle d'emprisonnement lorsque l'infraction pour laquelle l'accusé a été déclaré coupable est punissable d'un emprisonnement de cinq ans ou d'une durée inférieure à cinq ans et qu'aucun temps minimum d'incarcération n'est prévu dans la loi.

Angl. *substitution of punishment*

S.U.C.

☐ Abrév. de *Statutes of Upper Canada*.

Succéder *v.tr.ind.*

☐ Recueillir la succession (de quelqu'un), hériter (de quelqu'un).

Angl. *to inherit*

Successeur, eure *n.*

☐ Personne qui est appelée à recueillir une succession.

Comp. successible
Angl. *successor*

• **Successeur irrégulier :** Personne à qui échoit une succession irrégulière.

Comp. succession irrégulière
Angl. *irregular successor*

Successible *adj. et n.*

☐ **1.(adj.)** Qui est susceptible de recueillir une succession.

Comp. succession
Angl. *entitled to inherit*

☐ **2.(n.)** Personne ayant vocation à recueillir une succession qui n'est pas encore ouverte.

Rem. Selon le *Code civil du Québec*, il y a lieu de distinguer le successible de l'héritier, ce dernier étant un successible qui a accepté la succession. Le *Code civil du Bas-Canada* employait uniquement le terme « héritier ».
Comp. héritier
Angl. *successor*

Successif, ive *adj.*

☐ Qui succède à d'autres.

Comp. contrat à exécution successive
Angl. *successive*

Succession *n.f.*

☐ **1.** Transmission des biens, droits et obligations transmissibles d'une personne décédée à une ou plusieurs personnes vivantes, selon les prescriptions de la loi ou la volonté du défunt.

Comp. auteur, ayant cause, bénéfice d'inventaire, donation, succéder, successeur, successible, successoral, testament
Angl. *succession*

☐ **2.** Le patrimoine transmis. Ex. La succession de ...

Angl. *succession*

• **Succession *ab intestat* :** Succession qui est dévolue suivant les prescriptions de la loi.

Rem. Les règles de la succession *ab intestat* s'appliquent à défaut de testament ou dans le cas où le défunt n'a pas disposé de tous ses biens par testament.
Syn. succession légale
Contr. ab intestat, succession testamentaire
Comp. testament
Angl. *abintestate succession*

• **Succession (acceptation de la) :** Acte juridique unilatéral par lequel une personne manifeste son intention de succéder au défunt, rendant ainsi définitive la transmission de la succession au jour où celui-ci est décédé.

Rem. Selon le *Code civil du Bas-Canada*, l'acceptation peut être pure et simple, sous bénéfice d'inventaire ou forcée. Le *Code civil du Québec* retient une seule forme d'acceptation et celle-ci n'entraîne pour le successible l'obligation de payer les dettes de la succession qu'à concurrence de la valeur des biens reçus.
Comp. acceptation forcée, acceptation pure et simple, bénéfice d'inventaire
Angl. *acceptance of succession*

• **Succession (acceptation forcée de la) :** V. ACCEPTATION FORCÉE.

• **Succession (acceptation pure et simple de la) :** V. ACCEPTATION PURE ET SIMPLE.

• **Succession (acceptation sous bénéfice d'inventaire de la) :** V. BÉNÉFICE D'INVENTAIRE.

• **Succession anomale :** Mode de succession en vertu duquel les ascendants, à l'exclusion de toutes autres personnes, héritent des biens qu'ils ont donnés à leurs enfants ou autres descendants décédés sans époux successible ni postérité, lorsque ces biens se trouvent en nature dans la succession au moment du décès.

Rem. Cette disposition du *Code civil du Bas-Canada* n'a pas été reproduite dans le *Code civil du Québec*.
Syn. droit de retour
Angl. *anomalous succession*

• **Succession irrégulière :** Succession qui échoit à l'État, à défaut de conjoint survivant et de parents du défunt.

Rem. Cette expression du *Code civil du Bas-Canada* n'est pas reproduite dans le *Code civil du Québec*, même si la règle demeure.
Contr. succession légitime
Comp. succession vacante
Angl. *irregular succession*

• **Succession légale :** V. SUCCESSION *AB INTESTAT.*

• **Succession légitime :** Succession *ab intestat* que la loi défère à l'époux survivant successible et aux parents du défunt.

Contr. succession irrégulière
Comp. succession testamentaire
Angl. *abintestate succession, legitimate succession*

- **Succession (ouverture d'une) :** V. OUVERTURE D'UNE SUCCESSION.

- **Succession testamentaire :** Succession qui est réglée par un testament dans lequel le défunt a exprimé sa volonté.
  Contr. succession *ab intestat*
  Comp. testament
  Angl. *testamentary succession*

- **Succession vacante :** Succession qui, après l'expiration des délais pour faire inventaire et délibérer, n'est réclamée par aucun héritier ou pour laquelle il n'existe aucun héritier connu.
  Rem. Elle échoit à l'État et la saisine de celui-ci est alors exercée par le curateur public.
  Comp. succession irrégulière
  Angl. *vacant succession*

Successoral, ale, aux *adj.*

- Qui est relatif aux successions, qui a rapport à une succession.
  Comp. vacation
  Angl. *of succession*

Suffisant, ante *adj.*

- V. INTÉRÊT.

Suffragant, ante *n.*

- Membre d'un jury de thèse autre que celui qui le préside.
  Comp. assesseur
  Angl. *member of the board of examiners*

Suffrage *n.m.*

- **1.** Vote par lequel une personne se prononce sur une proposition ou en faveur d'un candidat. Ex. Les suffrages exprimés lors d'une élection.
  Comp. scrutin, vote
  Angl. *suffrage*

- **2.** Système électoral, mode de votation.
  Comp. votation
  Angl. *suffrage*

- **Suffrage censitaire :** Suffrage réservé aux personnes ayant une certaine fortune.
  Comp. cens électoral, censitaire, suffrage restreint
  Angl. *suffrage on the basis of property qualification*

- **Suffrage direct :** Suffrage par lequel les citoyens choisissent leurs représentants, sans intermédiaires. Ex. L'élection des députés se fait par suffrage direct.
  Contr. suffrage indirect
  Angl. *direct suffrage*

- **Suffrage indirect :** Suffrage par lequel les citoyens choisissent les personnes qui auront pour fonction d'élire leurs représentants. Ex. L'élection des dirigeants d'une Communauté urbaine se fait par suffrage indirect.
  Contr. suffrage direct
  Angl. *indirect suffrage*

- **Suffrage restreint :** Suffrage qui est réservé aux seuls citoyens qui répondent à des critères précis (fortune, origine sociale, etc.). Ex. Il y a suffrage restreint lorsque celui-ci est réservé aux propriétaires, à l'exclusion des locataires.
  Contr. suffrage universel
  Comp. suffrage censitaire
  Angl. *limited suffrage, restricted suffrage*

- **Suffrage universel :** Suffrage qui est reconnu à tous les citoyens, sous réserve de certaines restrictions considérées par la société comme étant normales. Ex. Les personnes âgées de moins de dix-huit ans sont généralement exclues du suffrage universel.
  Contr. suffrage restreint
  Angl. *universal suffrage*

Suggestif, ive *adj.*

- V. QUESTION SUGGESTIVE.

Suggestion *n.f.*

- **1.** Fait d'influencer une personne dans le but de tirer profit de sa conduite.
  Comp. question suggestive
  Angl. *suggestion*

- **2.** Fait d'influencer indûment une personne dans le but de l'amener à consentir une libéralité.
  Comp. captation
  Angl. *suggestion*

Suicide *n.m.*

- ☐ Action de causer volontairement sa propre mort.

  Rem. Selon le *Code criminel*, le suicide ne constitue pas un acte criminel. Toutefois, commet un acte criminel celui qui conseille à une personne de se donner la mort, l'aide ou l'encourage à le faire, que le suicide s'ensuive ou non.

  Angl. *suicide*

Sui generis

- ☐ Locution latine signifiant « de son genre », « de son espèce » et qui qualifie une situation juridique particulière qu'il est impossible de faire entrer dans aucune catégorie reconnue.

  Contr. *ejusdem generis*

  Comp. contrat innommé, spécial

Sui juris

- ☐ Locution latine signifiant « de son (propre) droit » que l'on utilise pour qualifier la personne apte à exercer ses droits sans être sous la dépendance d'autrui. Ex. Une personne majeure qui n'a pas été déclarée inapte peut agir *sui juris*.

  Contr. *alieni juris*

Suite (droit de) *n.f.*

- ☐ V. DROIT DE SUITE.

Sujet, ette *adj.*

- ☐ Soumis à, susceptible de. Ex. Un jugement final est sujet à appel dans les conditions fixées par la loi.

  Angl. *liable to, subject to*

Sujet de droit

- ☐ Personne physique ou morale considérée comme titulaire d'un droit (sujet actif) ou débitrice d'une obligation (sujet passif).

  Comp. créancier, débiteur

  Angl. *person, subject of rights*

Summa divisio

- ☐ Expression latine signifiant « la division la plus élevée » que l'on utilise parfois pour qualifier une division fondamentale en droit. Ex. La classification des biens meubles et immeubles constitue une *summa divisio* car elle s'applique à tous les biens.

Sup. Ct.

- ☐ Abrév. de *Superior Court.*

Sup. Ct. L. Rev.

- ☐ Abrév. de *The Supreme Court Law Review.*

Superficiaire *adj. et n.*

- ☐ **1.(adj.)** Qui est propriétaire de constructions, ouvrages ou plantations situés sur un terrain dont le sol appartient à une autre personne.

  Comp. propriété superficiaire, tréfoncier

  Angl. *superficiary*

- ☐ **2.(n.)** Personne qui est propriétaire de constructions, ouvrages ou plantations situés sur un terrain dont le sol appartient à une autre personne.

  Comp. propriété superficiaire, tréfoncier

  Angl. *superficiary*

Superficie *n.f.*

- ☐ Étendue d'une surface.

  Comp. propriété superficiaire, superficiaire

  Angl. *surface*

- • **Superficie (droit de) :** V. PROPRIÉTÉ SUPERFICIAIRE.

Super non domino

- ☐ V. *SUPER NON DOMINO ET NON POSSIDENTE.*

Super non domino et non possidente

- ☐ Locution latine signifiant « sur (la tête du) non-propriétaire et du non-possédant » que l'on utilise pour qualifier un recours qui n'a pas été exercé contre celui qui est propriétaire et possesseur d'un bien. Ex. La vente en justice d'un immeuble faite *super non domino et non possidente* n'est pas opposable au véritable propriétaire.

  Rem. On emploie parfois la locution *super non*

domino seulement.
Syn. *super non domino*

Supplétif, ive *adj.*

☐ **1.** Qui complète, qui comble une lacune.
Comp. serment supplétoire
Angl. *additional*

☐ **2.** Qui remplace. Ex. La coutume est supplétive lorsque la loi est silencieuse.
Angl. *suppletive*

- **Supplétive (loi) :** V. DISPOSITIVE (LOI).

Supplétoire *adj.*

☐ V. SERMENT SUPPLÉTOIRE.
Angl. *suppletory*

Suppression de part

☐ Acte criminel par lequel une personne fait disparaître le cadavre d'un enfant dans l'intention de cacher le fait que sa mère lui a donné naissance, peu importe que l'enfant soit mort avant, pendant ou après la naissance.
Comp. infanticide
Angl. *concealing body of child*

Supra *adv.*

☐ Terme latin signifiant « ci-dessus », « précité » qui sert à renvoyer, dans un texte, à un passage antérieur.
Contr. *infra*

Supralégislatif, ive *adj.*

☐ Qui est au-dessus des lois, du pouvoir législatif. Ex. La *Loi constitutionnelle de 1982* a un caractère supralégislatif.
Angl. *supralegislative*

Supranational, ale, aux *adj.*

☐ Qui est au-dessus des institutions nationales. Ex. L'O.N.U. est un organisme supranational.
Angl. *supranational*

Suprématie de la règle de droit

☐ V. PRIMAUTÉ DU DROIT.

Suprême *adj.*

☐ V. COUR SUPRÊME DU CANADA.

Supreme Court L.R.

☐ Abrév. de *Supreme Court Law Review.*

Surestaries *n.f.pl.*

☐ **1.** Temps pendant lequel un navire reste dans le port, pour le chargement ou le déchargement de sa cargaison, au delà du délai de staries prévu au contrat d'affrètement.
Syn. contrestaries
Comp. affrètement, staries
Angl. *demurrage, extra lay days*

☐ **2.** Indemnité que l'affréteur doit payer au fréteur pour le dépassement des staries.
Syn. contrestaries
Comp. affrètement, staries
Angl. *demurrage, extra lay days*

Sûreté *n.f.*

☐ Garantie accordée au créancier pour assurer le recouvrement de sa créance.
Rem. Elle est dite conventionnelle lorsqu'elle est fournie par une personne et légale lorsqu'elle est établie par la loi.
Comp. antichrèse, constituant, gage, hypothèque, nantissement, priorité, privilège, recours hypothécaire
Angl. *security*

- **Sûreté avec dépossession :** Nom donné parfois au gage.
Syn. gage
Angl. *security with delivery*

- **Sûreté personnelle :** Sûreté consistant dans l'engagement personnel d'un tiers de répondre sur son patrimoine de l'exécution de l'obligation du débiteur. Ex. Le cautionnement est une sûreté personnelle.
Comp. cautionnement
Angl. *personal security*

- **Sûreté réelle :** Sûreté portant sur un ou plusieurs biens, meubles ou immeubles, appartenant au débiteur ou à un tiers.

Comp. antichrèse, constituant, gage, hypothèque, nantissement, priorité, privilège

Angl. *real security*

- **Sûreté sans dépossession :** Nom donné parfois à l'hypothèque mobilière autre que le gage.

  Comp. hypothèque

  Angl. *security without delivery*

Surnuméraire *adj.*

□ V. JUGE SURNUMÉRAIRE.

Surr. Ct.

□ Abrév. de *Surrogate Court.*

Surseoir *v.tr.*

□ Remettre à plus tard, différer.

Angl. *to restrain*

- **Surseoir à statuer :** Remettre à plus tard le moment où une décision de justice sera rendue.

  Comp. statuer

  Angl. *to delay a judgment, to put off a judgment, to stay a judgment, to withhold a decision*

Sursis *n.m.*

□ Ajournement, remise à une date ultérieure.

Comp. prorogation

Angl. *stay, suspension*

- **Sursis de sentence :** Mesure par laquelle le juge, au terme d'un procès criminel où un accusé a été déclaré coupable, ajourne la prononciation de la sentence et ordonne que celui-ci soit libéré s'il accepte de se conformer aux conditions prescrites dans une ordonnance de probation dont il détermine la durée.

  Comp. probation (ordonnance de), sentence

  Angl. *suspended sentence, suspension of sentence*

Surtaxe *n.f.*

□ **1.** Taxe qui s'ajoute à une autre.

Angl. *surcharge*

□ **2.** Impôt qui se superpose à un impôt de base.

Angl. *surcharge*

Surveillance *n.f.*

□ **1.** Mission confiée par la loi au titulaire de l'autorité parentale en vertu de laquelle celui-ci a le droit et le devoir d'exercer un contrôle suivi des actes posés par l'enfant mineur non émancipé dont il a la garde.

Rem. Selon le *Code civil du Québec*, les père et mère exercent ensemble l'autorité parentale ; cette mission peut toutefois, selon les circonstances, être confiée à l'un des deux ou, encore, à un tiers.

Comp. autorité parentale, garde

Angl. *supervision*

□ **2.** Action d'exercer un contrôle suivi sur une personne ou un bien ou de veiller au bon déroulement d'une opération.

Comp. garde

Angl. *supervision*

□ **3.** Terme utilisé parfois comme synonyme de garde. Ex. Un bien laissé sous la surveillance de quelqu'un.

Angl. *care*

□ **4.** Contrôle par les tribunaux de la légalité d'actes posés par une personne ou par l'Administration.

Angl. *superintendence*

- **Surveillance (pouvoir de) :** V. CONTRÔLE JUDICIAIRE.

Survie *n.f.*

□ État de la personne qui reste en vie après le décès d'une ou de plusieurs autres.

Comp. survivant

Angl. *survivorship*

- **Survie (gains de) :** V. GAINS DE SURVIE.

- **Survie (présomption de) :** Présomption légale qui déterminait autrefois, selon les circonstances ou, à leur défaut, d'après le sexe et l'âge, l'ordre de décès des comourants.

  Comp. comourants

  Angl. *presumption of survivorship*

Survivant, ante *adj. et n.*

□ **1.(adj.)** Se dit d'une personne qui reste en

vie après le décès d'une ou de plusieurs autres.
Comp. survie
Angl. *surviving*

- **Survivant (conjoint) :** V. CONJOINT SURVIVANT.

□ **2.(n.)** Personne qui reste en vie après le décès d'une ou de plusieurs autres.
Comp. survie
Angl. *survivor*

Susdit, dite *adj.*

□ Nommé ci-dessus, cité ci-dessus.
Comp. *supra*
Angl. *aforesaid*

Suspensif, ive *adj.*

□ **1.** Qui provoque ou entraîne la suspension.
Comp. interruptif, suspension
Angl. *suspensive*

□ **2.** Qui empêche l'exécution d'un jugement. Ex. L'effet suspensif de l'appel.
Comp. suspension
Angl. *suspensive*

□ **3.** Qui diffère la naissance ou l'exigibilité d'une obligation.
Comp. suspension
Angl. *suspensive*

- **Suspensif (terme) :** V. TERME SUSPENSIF.

- **Suspensive (condition) :** V. CONDITION SUSPENSIVE.

Suspension *n.f.*

□ **1.** Action d'interrompre momentanément, de remettre à plus tard ; résultat de cette action.
Comp. interruption
Angl. *suspension*

- **Suspension de la prescription :** Arrêt temporaire du cours de la prescription pour une cause déterminée par la loi, sans que ne soit anéanti le temps déjà écoulé. Ex. Il y a suspension de la prescription à l'égard d'une personne qui est dans l'impossibilité en fait d'agir par elle-même ou par représentation.
Rem. Elle est une mesure d'équité qui consiste à favoriser certaines personnes menacées par la prescription, lorsqu'elles se trouvent hors d'état de l'interrompre ; elle arrête provisoirement la marche du délai tant que subsiste l'obstacle qui les empêche d'agir.
Comp. interruption de la prescription
Angl. *suspension of prescription*

□ **2.** Dans le cas d'une instance, arrêt temporaire de son déroulement pour des causes déterminées par la loi (ex. décès, changement d'état ou de capacité d'une personne).
Rem. À ce sujet, le législateur parle de suspension plutôt que d'interruption.
Comp. reprise d'instance
Angl. *suspension*

- **Suspension d'audience :** Courte période de temps pendant laquelle l'instruction d'une cause est arrêtée, à la suite d'une décision du tribunal prise de sa propre initiative ou à la demande d'une partie.
Angl. *suspension of hearing*

□ **3.** Mesure disciplinaire qui prive un travailleur de son emploi et du salaire qui y est attaché pour une période de temps déterminée.
Comp. congédiement
Angl. *suspension*

- **Suspension administrative :** Mesure essentiellement provisoire prise par l'employeur à l'égard d'un employé faisant l'objet d'une enquête relativement à une faute disciplinaire qu'il aurait commise et qui vise à l'écarter des fonctions qu'il exerce.
Rem. Cette suspension, qui n'entraîne généralement pas de perte de salaire et d'avantages sociaux, se termine au moment où est prise la décision prononcée au terme de l'enquête.
Angl. *administrative suspension*

Synallagmatique *adj.*

□ Se dit d'un contrat qui engendre des obligations réciproques entre les parties.
Syn. bilatéral
Contr. unilatéral
Angl. *synallagmatic*

- **Synallagmatique (contrat) :** V. CONTRAT SYNALLAGMATIQUE.

- **Synallagmatique imparfait (contrat) :** V. CONTRAT SYNALLAGMATIQUE IMPARFAIT.

Syndic *n.m.*

☐ **1.** Auxiliaire de justice qui, à titre de représentant de la masse des créanciers, est chargé d'administrer les biens d'un débiteur en faillite et de procéder à leur liquidation.

Comp. faillite, séquestre
Angl. *trustee*

• **Syndic (libération du) :** V. LIBÉRATION DU SYNDIC.

☐ **2.** Membre d'une corporation professionnelle qui est responsable de la discipline.

Rem. Il a notamment pour fonction de faire respecter le code de déontologie de la corporation, d'enquêter sur la conduite de tout membre qui l'aurait enfreint, de tenter de résoudre, par la conciliation, tout différend dont il est saisi entre un membre et une autre personne et d'assurer, le cas échéant, l'inspection des comptes en fidéicommis, des livres et des registres que doivent tenir les membres.
Angl. *syndic*

Syndical, ale, aux *adj.*

☐ Relatif à un syndicat, au syndicalisme. Ex. Un délégué syndical, le mouvement syndical.

Comp. syndicat
Angl. *union*

Syndicat *n.m.*

☐ Groupement de personnes exerçant la même profession ou des professions similaires ou connexes et ayant pour objet la promotion et la défense de leurs droits et intérêts professionnels communs.

Comp. association, convention collective de travail, syndical, unité de négociation
Angl. *syndicate, union*

• **Syndicat de copropriété :** Personne morale constituée de la collectivité des copropriétaires et ayant pour objet la conservation de l'ensemble de l'immeuble, l'entretien et l'administration des parties communes, la sauvegarde des droits afférents à l'immeuble ou à la copropriété ainsi que toutes les opérations d'intérêt commun.

Rem. Le syndicat est constitué dès la publication de la déclaration de copropriété.
Comp. copropriété
Angl. *syndicate*

• **Syndicat de courtiers :** Groupe formé de courtiers en valeurs mobilières qui mettent en circulation une nouvelle émission de valeurs ou un bloc important de titres.

Angl. *syndicate*

• **Syndicat d'employeurs :** V. ASSOCIATION D'EMPLOYEURS.

• **Syndicat de salariés :** V. ASSOCIATION DE SALARIÉS.

• **Syndicat patronal :** V. ASSOCIATION D'EMPLOYEURS.

Système *n.m.*

☐ Ensemble cohérent de concepts ou de principes qui sont liés logiquement et sont considérés dans leurs relations.

Angl. *system*

• **Système de droit :** V. SYSTÈME JURIDIQUE.

• **Système juridique :** Ensemble des règles de droit et des institutions qui déterminent la conduite des individus dans une société donnée. Ex. Le système juridique canadien.

Syn. système de droit
Comp. famille
Angl. *juridical system, legal order*

T

T.A.

□ Abrév. de **1.** Décision du Tribunal d'arbitrage ; **2.** Tribunal d'arbitrage.

T.A.B.

□ Abrév. de *Tax Appeal Board.*

Tableau *n.m.*

□ Liste des personnes appartenant à un même corps, à une même profession. Ex. Le tableau de l'ordre des avocats.

Angl. *roll*

• **Tableau des jurés :** Liste préparée par le shérif des personnes aptes à la fonction de juré dans des procès criminels.

Comp. juré, jury, shérif, *venire facias*

Angl. *panel*

Tacite *adj.*

□ Qui n'est pas formellement exprimé, que l'on peut déduire de certains faits ou comportements.

Comp. acceptation tacite, aveu exprès, consentement tacite, mandat tacite

Angl. *tacit*

• **Tacite reconduction :** Prolongation d'un contrat à durée déterminée dont les parties, sans exprimer formellement leur intention, poursuivent l'exécution au-delà du terme convenu.

Rem. Selon le *Code civil du Québec*, il y a tacite reconduction d'un bail lorsque le locataire continue, sans opposition de la part du locateur, d'occuper les lieux plus de dix jours après l'expiration du bail. De plus, le contrat de travail est reconduit tacitement pour une durée indéterminée lorsque, après l'arrivée du terme, le salarié continue d'effectuer son travail, durant cinq jours, sans opposition de la part de l'employeur.

Comp. bail à durée fixe

Angl. *tacit renewal*

T.A.C.M.

□ Abrév. de **1.** Recueil des arrêts du Tribunal d'appel des cours martiales du Canada ; **2.** Tribunal d'appel des cours martiales.

Tapage *n.m.*

□ Infraction commise par une personne qui, n'étant pas dans une maison d'habitation, trouble la tranquillité publique, notamment en criant, en utilisant un langage obscène, en se battant ou en étant en état d'ébriété.

Rem. Cette infraction est punissable sur déclaration de culpabilité par procédure sommaire.

Angl. *disturbance*

Tardif, ive *adj.*

□ Se dit d'un acte accompli après l'expiration du délai prescrit. Ex. Un appel tardif.

Comp. tardiveté

Angl. *late*

Tardiveté *n.f.*

□ Caractère de ce qui est tardif.

Comp. tardif

Angl. *lateness*

Tarif *n.m.*

□ Disposition réglementaire qui fixe le prix de certaines marchandises ou les droits à acquitter pour certains services.

Comp. tarifaire, tarifé, tarification
Angl. *rate, tariff*

- **Tarif des avocats :** Règlement gouvernemental contenant la liste des montants que les avocats ont le droit de réclamer judiciairement pour les services qu'ils ont rendus à l'occasion d'un procès.
  Angl. *judicial fees of advocates*

Tarifaire *adj.*

☐ Relatif à un tarif.
Comp. tarif
Angl. *tariff*

Tarifé, ée *adj.*

☐ Déterminé par un tarif.
Comp. tarif
Angl. *fixed-price*

Tarification *n.f.*

☐ Fixation par une autorité du prix de certaines marchandises ou des droits à acquitter pour certains services.
Comp. tarif
Angl. *fixing of a price, rate-fixing*

Taux *n.m.*

☐ Pourcentage, rapport quantitatif, proportion.
Comp. usure
Angl. *rate*

- **Taux de crédit :** Pourcentage annuel des frais de crédit qu'un consommateur doit payer en vertu de son contrat.
  Angl. *credit rate*

- **Taux d'intérêt :** Pourcentage qui représente le montant de l'intérêt que produit une somme de cent dollars pour une période déterminée. Ex. Un taux d'intérêt de 5% l'an.
  Comp. intérêt
  Angl. *interest rate*

- **Taux d'intérêt conventionnel :** Taux d'intérêt établi par les parties au contrat.
  Angl. *conventional interest rate*

- **Taux d'intérêt criminel :** Tout taux à intérêt annuel effectif, applicable au capital prêté et calculé conformément aux règles et pratiques actuarielles généralement admises, qui dépasse soixante pour cent (*Code criminel*, art. 347(2)).
  Angl. *criminal rate*

- **Taux d'intérêt légal :** Taux d'intérêt déterminé par la loi.
  Angl. *legal interest rate*

- **Taux d'intérêt usuraire :** Taux d'intérêt abusif.
  Rem. Le tribunal peut prononcer la nullité d'un contrat ou réduire les obligations qui en découlent lorsque le coût d'un prêt est excessif ou lorsque, à son avis, il y a eu lésion à l'égard de l'une des parties.
  Comp. taux d'intérêt criminel, usure
  Angl. *usurious interest rate*

Tax A.B.C.

☐ Abrév. de *Tax Appeal Board Cases.*

Taxable *adj.*

☐ **1.** Qui peut être soumis à une taxe.
Comp. taxe
Angl. *taxable*

☐ **2.** Se dit des frais judiciaires dont une partie au procès peut se faire rembourser par celle qui a été condamnée aux dépens.
Comp. dépens, mémoire de frais, taxe
Angl. *taxable*

Taxe *n.f.*

☐ **1.** Part d'imposition que doit payer une personne sur les biens qu'elle acquiert ou possède. Ex. Les taxes municipales.
Comp. contribuable, impôt, taxable
Angl. *tax*

☐ **2.** Acte par lequel un officier de justice approuve, avec ou sans corrections, le mémoire de frais d'une partie à un litige.
Comp. dépens, mémoire de frais
Angl. *taxation*

☐ **3.** Acte par lequel un officier de justice fixe l'indemnité à laquelle un témoin a droit pour sa présence devant le tribunal.
Comp. témoin
Angl. *taxation*

Taylor

☐ Abrév. de **1.** *Taylor's King's Bench Reports* ; **2.** *Upper Canada King's Bench Reports, Taylor.*

T.B.

☐ Abrév. de *Tariff Board.*

T.Bd.

☐ Abrév. de *Transport Board.*

T.B.R.

☐ Abrév. de *Tariff Board Reports* / Rapports de la Commission du tarif.

T.C.

☐ Abrév. de *Tax Cases.*

T.C.C.

☐ Abrév. de *Tax Court of Canada.*

T.C.I.

☐ Abrév. de Tribunal canadien des importations.

T.D.

☐ Abrév. de *Supreme Court, Trial Division* (provinces).

T.E.

☐ Abrév. de **1.** Recueil de jurisprudence du Tribunal de l'expropriation ; **2.** Tribunal de l'expropriation.

Technicien, enne (juridique) *n.*

☐ Personne qui a acquis des notions juridiques fondamentales et qui, sans être autorisée à donner des avis juridiques ou à poser des actes réservés aux professions d'avocat ou de notaire, effectue principalement des recherches documentaires en droit.

Comp. avocat, notaire
Angl. *paralegal*

Télémandat *n.m.*

☐ Mandat de perquisition qu'un agent de la paix obtient d'un juge de paix par téléphone ou par un autre moyen de télécommunication.

Rem. Le télémandat s'obtient dans le cas où il est peu commode pour l'agent de la paix de se présenter en personne devant un juge de paix pour y demander un mandat de perquisition.
Comp. dénonciation, mandat d'arrestation, mandat de dépôt, mandat de perquisition
Angl. *telewarrant*

Tellière *n.m.*

☐ V. PAPIER TELLIÈRE.

Témoignage *n.m.*

☐ **1.** Déclaration par laquelle une personne relate les faits dont elle a eu personnellement connaissance ou par laquelle un expert donne son avis (*Code civil du Québec*, art. 2843).

Comp. preuve par affidavits détaillés, témoin, traduction des notes sténographiques
Angl. *testimony*

☐ **2.** Assertion de fait, opinion, croyance ou connaissance, qu'elle soit essentielle ou non et qu'elle soit admissible ou non (*Code criminel*, art. 118).

Comp. témoin
Angl. *evidence, statement*

• **Témoignage (faux) :** Déclaration mensongère faite consciemment par un témoin sous serment dans le but de tromper le tribunal et qui peut causer préjudice à quelqu'un.

Syn. parjure
Angl. *false evidence, perjury*

Témoin *n.*

☐ Personne qui, après avoir prêté serment est invitée à relater des faits dont elle a eu personnellement connaissance ou à donner son avis comme expert sur une affaire dont est saisi le tribunal.

Comp. taxe, témoignage
Angl. *witness*

- **Témoin à charge :** Dans un procès criminel, personne qui témoigne pour la poursuite.
  Contr. témoin à décharge
  Angl. *Crown witness, prosecution's witness, witness for the prosecution*

- **Témoin à décharge :** Dans un procès criminel, personne qui témoigne en faveur de l'accusé.
  Contr. témoin à charge
  Angl. *witness for the accused*

- **Témoin expert :** Personne qui, grâce à sa compétence scientifique ou technique dans un domaine donné, est invitée par une partie à donner son opinion sur un élément de la preuve, sans avoir nécessairement une connaissance personnelle des faits en litige.
  Comp. expert
  Angl. *expert witness*

Temporaire *adj.*

□ **1.** Qui ne dure qu'un temps limité. Ex. Une fonction temporaire.
Comp. viager
Angl. *temporary*

□ **2.** Qui exerce une activité pour un temps limité. Ex. Un travailleur temporaire.
Angl. *temporary*

Temps *n.m.*

□ Espace de temps mesuré qui est déterminé par la loi, le tribunal ou la convention des parties. Ex. Le temps légal de signification des actes de procédure.
Comp. immémorial
Angl. *time*

- **Temps immémorial :** V. IMMÉMORIAL.

Tenancier, ière *n.*

□ Propriétaire occupant ou administrateur d'un local considéré comme une maison de débauche, une maison de pari ou une maison de jeu.
Angl. *keeper*

Tenants *n.m.pl.*

□ Fonds de terre qui sont adjacents aux grands côtés d'une propriété.
Comp. aboutissants
Angl. *conterminous properties, metes and bounds* (tenants et aboutissants)

Tentative *n.f.*

□ Acte posé avec l'intention de commettre une infraction sans toutefois que le résultat recherché ne soit atteint et ce, pour des raisons indépendantes de la volonté de son auteur.
Angl. *attempt*

Tenure *n.f.*

□ Mode de concession d'une terre, mode suivant lequel on « tenait » autrefois une terre. Ex. La tenure seigneuriale.
Angl. *tenure*

Terme *n.m.*

□ **1.** Événement futur dont la réalisation est certaine et auquel est subordonnée l'exécution ou l'extinction d'un droit, d'une obligation.
Angl. *term*

- **Terme (à) :** Locution signifiant que l'exécution ou l'extinction de l'obligation est assujettie à l'échéance d'un terme.
  Contr. comptant (au)
  Comp. obligation à terme extinctif
  Angl. *with a term*

- **Terme (bénéfice du) :** V. BÉNÉFICE DU TERME.

- **Terme certain :** Terme dont la date de réalisation est connue dès la naissance de l'obligation. Ex. Le paiement à date fixe.
  Contr. terme incertain
  Comp. certain
  Angl. *certain term*

- **Terme (déchéance du) :** V. DÉCHÉANCE DU TERME.

- **Terme de grâce :** V. DÉLAI DE GRÂCE.

- **Terme extinctif :** Terme qui met fin à l'obligation, sans effet rétroactif.
  Comp. extinctif, obligation à terme extinctif
  Angl. *extinctive term*

- **Terme incertain :** Terme dont la date de réalisation n'est pas déterminée à la naissance de l'obligation. Ex. Le terme fixé au jour du décès d'une personne.
  Contr. terme certain
  Comp. incertain
  Angl. *uncertain term*

- **Terme (obligation à) :** V. OBLIGATION À TERME EXTINCTIF, OBLIGATION À TERME SUSPENSIF.

- **Terme (paiement à) :** V. PAIEMENT À TERME.

- **Terme suspensif :** Terme qui retarde le moment où le créancier peut exiger du débiteur l'exécution de son obligation.
  Comp. obligation à terme suspensif, suspensif
  Angl. *suspensive term*

□ **2.** Période au cours de laquelle un tribunal siège pour l'audition de procès dans un district déterminé. Ex. Le terme de septembre des Assises criminelles.
Angl. *term*

□ **3.** Mot, expression d'une idée. Ex. Les termes d'un contrat.
Angl. *term*

Terrain *n.m.*

□ Étendue de terre déterminée.
Angl. *ground, terrain*

Terr. Ct.

□ Abrév. de *Territorial Court.*

Territoire *n.m.*

□ **1.** Étendue de la surface terrestre sur laquelle un État exerce une juridiction.
Comp. territorialité
Angl. *territory*

□ **2.** Étendue de terre qui relève de l'autorité de l'État canadien mais qui n'est pas organisée en province. Ex. Les Territoires du Nord-Ouest.
Angl. *Territory*

Territorial, ale, aux *adj.*

□ V. COMPÉTENCE TERRITORIALE, INCOMPÉTENCE TERRITORIALE.

Territorialité *n.f.*

□ **1.** Principe selon lequel les lois d'un État ont vocation à s'appliquer uniformément dans les limites de son territoire.
Comp. extraterritorialité, territoire
Angl. *territoriality*

□ **2.** Principe selon lequel les conflits de lois relativement à un bien se règlent conformément à la loi du lieu où il est situé.
Comp. *lex loci rei sitae*
Angl. *territoriality*

Terr.L.R.

□ Abrév. de *Territories Law Reports.*

Testament *n.m.*

□ Acte juridique unilatéral, révocable, établi dans l'une des formes prévues par la loi, par lequel le testateur dispose, par libéralité, de tout ou partie de ses biens, pour n'avoir effet qu'à son décès (*Code civil du Québec*, art. 704).
Rem. Le *Code civil du Bas-Canada* reconnaît trois formes de testament : le testament notarié ou authentique, le testament olographe et le testament écrit et devant témoins, d'après le mode dérivé de la loi d'Angleterre. Le *Code civil du Québec* maintient globalement les trois formes de testament, en modifiant toutefois certaines des appellations. Il reconnait les testaments notariés, olographes et devant témoins.
Comp. donation, succession, testamentaire, testateur, tester
Angl. *will*

- **Testament authentique :** Testament qui est fait en minute et qui est reçu devant deux notaires ou devant un notaire et deux témoins. Ce testament doit être signé par le testateur ainsi que par les deux notaires ou le notaire et les deux témoins, tous signant les uns en présence des autres.
  Syn. testament notarié
  Angl. *authentic will*

- **Testament conjonctif :** Testament qui est fait dans un même acte par deux ou plusieurs personnes et dont les dispositions ne peuvent être dissociées.
  Rem. Cette forme de testament est prohibée

par le *Code civil.*
Angl. *conjunctive will, joint will*

• **Testament devant témoins :** Testament écrit par le testateur ou par un tiers, en présence de deux témoins majeurs. Il est signé par le testateur ou par le tiers pour lui, suivant ses instructions, ainsi que par les témoins, tous signant en présence les uns des autres.
Rem. Lorsque le testament est écrit par un tiers ou par un moyen technique, le testateur et les témoins doivent parapher ou signer chaque page de l'acte qui ne porte pas leur signature.
Syn. testament suivant la forme dérivée de la loi d'Angleterre
Angl. *will made in the presence of witnesses*

• **Testament notarié :**
1. Selon l'art. 176 du *Code civil du Québec,* testament qui est reçu en minute par un notaire, assisté d'un témoin ou, en certain cas, de deux témoins. Ce testament doit être signé par le testateur, le ou les témoins et le notaire, tous signant les uns en présence des autres.
Angl. *notarial will*
2. Selon les art. 843 et 844 du *Code civil du Bas-Canada,* testament qui est fait en minute et qui est reçu devant deux notaires ou devant un notaire et deux témoins. Ce testament doit être signé par le testateur ainsi que par les deux notaires ou le notaire et les deux témoins, tous signant les uns en présence des autres.
Syn. testament authentique
Angl. *notarial will*

• **Testament olographe :** Testament entièrement écrit par le testateur et signé par lui, autrement que par un moyen technique. Il n'est assujetti à aucune forme.
Comp. vérification de testament
Angl. *holograph will*

• **Testament suivant la forme dérivée de la loi d'Angleterre :** Testament écrit et signé par le testateur ou par un tiers, suivant ses instructions, en présence de deux témoins majeurs, tous signant les uns en présence des autres.
Syn. testament devant témoins
Angl. *will made in the form derived from the laws of England*

Testamentaire *adj.*

□ Qui se rapporte à un testament, qui se fait par testament.
Comp. *ab intestat,* testament
Angl. *testamentary*

• **Testamentaire (disposition) :**
1. Clause d'un testament.
Comp. disposition
Angl. *clause of a will*
2. Expression employée parfois pour désigner un legs.
Syn. legs
Comp. disposition
Angl. *legacy, testamentary disposition*

• **Testamentaire (exécuteur) :** Personne que le testateur désigne dans son testament pour veiller à l'exécution de ses dernières volontés.
Rem. Dans le *Code civil du Québec,* il porte le nom de liquidateur de la succession.
Syn. liquidateur de la succession
Comp. testament
Angl. *testamentary executor*

Testateur, trice *n.*

□ Personne qui fait un testament.
Comp. testament
Angl. *testator*

Tester *v.intr.*

□ Léguer ses biens par testament, faire un testament.
Comp. léguer, testament
Angl. *to bequeath*

Testimonial, ale, aux *adj.*

□ V. PREUVE TESTIMONIALE.

Tête *n.f.*

□ **1.** La personne elle-même, l'individu lui-même.
Comp. branche, souche
Angl. *head*

• **Tête (partage par) :** Partage selon lequel les héritiers viennent à la succession de leur propre chef, sans l'aide de la représentation. Ex. Si les descendants qui succèdent sont tous au même degré et appelés de leur chef, ils partagent par égales portions et par tête.
Contr. souche (partage par)

Comp. branche, chef
Angl. *partition by heads, share by heads*

☐ **2.** Terme employé pour désigner la vie d'une personne. Ex. Une assurance individuelle qui porte sur la tête d'un tiers.
Angl. *life*

☐ **3.** Source, origine. Ex. La tête d'un cours d'eau.
Angl. *head*

Texte (argument de) *n.m.*

☐ V. ARGUMENT DE TEXTE.

Th.

☐ Abrév. de Thémis (Revue juridique).

Thémis

☐ Abrév. de Thémis (Revue juridique).

Théorie *n.f.*

☐ V. EXPÉDITION (THÉORIE DE L'), RÉCEPTION (THÉORIE DE LA).

Tiers, tierce *n.*

☐ Personne qui est étrangère à un acte juridique ou qui n'est pas partie à un procès.
Angl. *third party*

• **Tiers-acquéreur, tierce-acquéresse :** En matière de prescription acquisitive, acquéreur de bonne foi considéré par rapport aux titulaires de droits antérieurs sur le bien.
Angl. *subsequent purchaser*

• **Tiers bénéficiaire, tierce bénéficiaire :** Dans une stipulation pour autrui, personne au profit de laquelle le promettant s'engage envers le stipulant.
Rem. Cette stipulation lui confère le droit d'exiger directement du promettant l'exécution de l'obligation promise.
Comp. stipulation pour autrui
Angl. *third person beneficiary*

• **Tiers-détenteur, tierce-détentrice :** Acquéreur d'un bien grevé d'un privilège (ou priorité) ou d'une hypothèque qui n'est pas tenu personnellement au paiement de la dette.
Rem. Le *Code civil du Québec* utilise plutôt le terme « possesseur » qui semble plus conforme aux règles qu'il contient.
Angl. *holder, person in possession*

• **Tiers-opposant, tierce-opposante :** Personne qui forme une tierce-opposition.
Comp. tierce opposition
Angl. *third party opponent*

• **Tiers-saisi, tierce-saisie :** En matière de saisie avant jugement ou de saisie-exécution des jugements, personne entre les mains de laquelle est saisi un bien appartenant au débiteur.
Comp. saisie-arrêt, saisie avant jugement, saisie-exécution
Angl. *garnishee*

Tierce opposition *n.f.*

☐ Voie de recours exercée par un tiers dont les intérêts ont été affectés par un jugement dans une instance où il n'a pas été appelé ni représenté.
Syn. rétractation de jugement à la demande d'un tiers
Comp. opposabilité, rétractation de jugement
Angl. *opposition by a third party*

Timbres judiciaires

☐ **1.** Taxe imposée par l'État sur certains documents à caractère juridique. Ex. Les timbres apposés sur les actes de procédure.
Angl. *judicial stamps, stamps upon judicial proceedings*

☐ **2.** Vignette attestant le paiement de la taxe imposée.
Angl. *stamp*

Tirage *n.m.*

☐ **1.** Action d'émettre une lettre de change ou un chèque.
Comp. lettre de change, tireur, tiré
Angl. *drawing*

☐ **2.** Désignation par le sort. Ex. Le tirage de lots lors d'un partage.
Angl. *draw, drawing*

Tiré, ée *n.*

☐ Personne désignée pour effectuer le paiement d'une lettre de change à l'échéance (généralement une institution bancaire).

Contr. tireur

Comp. acceptation, accepteur, bénéficiaire, lettre de change, porteur, preneur

Angl. *drawee*

Tireur, euse *n.*

☐ Personne qui émet une lettre de change.

Contr. tiré

Comp. acceptation, accepteur, bénéficiaire, lettre de change, porteur, preneur

Angl. *drawer*

Titre *n.m.*

☐ **1.** Écrit qui constate un acte juridique.

Angl. *title*

• **Titre de propriété :** Écrit qui constate un droit de propriété.

Syn. juste titre

Comp. propriété

Angl. *title of ownership*

• **Titre interverti :** V. INTERVERSION (DE TITRE).

• **Titre (juste) :** V. TITRE DE PROPRIÉTÉ.

• **Titre nouvel :** Titre ayant pour effet de reconnaître l'existence d'un droit établi par un titre antérieur et qui est destiné à interrompre une prescription.

Angl. *renewal deed, renewal title*

• **Titre précaire :** V. INTERVERSION (DE TITRE).

☐ **2.** Valeur négociable.

Angl. *instrument*

• **Titre au porteur :** Titre de créance qui n'a pas été émis au profit d'une personne déterminée et qui peut être cédé à un tiers par la simple tradition du titre qui la constate.

Angl. *bearer instrument*

• **Titre de créance :** Terme général employé pour désigner les bons, obligations, débentures ou toute preuve d'endettement ou de garantie d'une corporation, d'une compagnie ou d'une société par actions.

Angl. *debt obligation*

• **Titre négociable :** Titre qui peut être négocié à une bourse reconnue.

Angl. *negotiable instrument*

☐ **3. À titre :** Locution qui qualifie la manière d'aliéner ou d'acquérir un droit.

Angl. *by title*

• **Titre gratuit (à) :** Se dit d'un acte posé dans une intention libérale, sans contrepartie de la part d'autrui.

Contr. titre onéreux (à)

Comp. acte à titre gratuit

Angl. *by gratuitous title, gratuitous*

• **Titre onéreux (à) :** Se dit d'un acte par lequel chaque partie retire un avantage en contrepartie de celui qu'elle a fourni.

Contr. titre gratuit (à)

Comp. acte à titre onéreux

Angl. *by onerous title*

• **Titre particulier (à) :** V. AYANT CAUSE À TITRE PARTICULIER, LÉGATAIRE À TITRE PARTICULIER, LEGS À TITRE PARTICULIER, TRANSMISSION À TITRE PARTICULIER, USUFRUIT À TITRE PARTICULIER.

• **Titre universel (à) :** V. AYANT CAUSE À TITRE UNIVERSEL, LÉGATAIRE À TITRE UNIVERSEL, LEGS À TITRE UNIVERSEL, TRANSMISSION À TITRE UNIVERSEL, USUFRUIT À TITRE UNIVERSEL.

☐ **4. À titre :** Locution signifiant « de manière », « en qualité de », « en tant que ». Ex. À titre temporaire, à titre d'usufruitier.

Angl. *by way of, in the capacity of*

☐ **5.** Subdivision d'un volume à caractère juridique. Ex. Le *Code civil du Québec* se divise en livres, titres, chapitres, sections et sous-sections.

Angl. *title*

Titulaire *adj. et n.*

☐ **1.(adj. et n.)** Se dit d'une personne qui occupe une fonction garantie par un titre, pour laquelle elle a été personnellement nommée.

Angl. *incumbent*

☐ **2.(n.)** Personne qui détient un droit.

Comp. bénéficiaire

Angl. *entitled, holder*

- **Titulaire d'un brevet :** V. BREVETÉ.

- **Titulaire subrogé :** En matière d'assurance de personnes, personne désignée par le titulaire de la police pour le remplacer à son décès, lorsqu'une assurance individuelle porte sur la tête d'un tiers. Cette désignation peut se faire dans la police ou dans un autre écrit, notamment dans un testament.
  Angl. *subrogated policy holder*

T.J.

☐ Abrév. de **1.** Recueils de jurisprudence, Tribunal de la jeunesse ; **2.** Tribunal de la jeunesse.

T.L.R.

☐ Abrév. de *Times Law Reports.*

T.M.

☐ Abrév. de *Trade Marks.*

T.M.R.

☐ Abrév. de *Trade Marks Reporter.*

T.O.

☐ Abrév. de **1.** *Taxing Office* ; **2.** *Taxing Officer.*

Toge *n.f.*

☐ Vêtement long et ample que portent les juges et les avocats dans l'exercice de certaines de leurs fonctions ou les universitaires lors de cérémonies officielles.
Comp. rabat
Angl. *gown, robe*

Tolérance *n.f.*

☐ Attitude qui consiste à permettre ou à laisser se produire un acte qu'on aurait le droit ou le pouvoir de refuser ou d'interdire. Ex. Le bail d'un immeuble est présumé lorsqu'une personne occupe les lieux avec la tolérance du propriétaire.
Comp. acte de simple tolérance, jour de souffrance ou de tolérance
Angl. *sufferance, tolerance*

- **Tolérance temporaire :** Disposition d'une convention collective selon laquelle le syndicat renonce à la rémunération du temps supplémentaire à l'occasion de certaines périodes de pointe dans les activités de l'entreprise. Ex. La tolérance temporaire pendant la période des Fêtes.
  Angl. *seasonal tolerance*

Tour d'échelle

☐ V. SERVITUDE DE TOUR D'ÉCHELLE.

T.R.

☐ Abrév. de *Taxation Reports.*

Tractatus

☐ Terme latin signifiant « comportement ». Il constitue l'un des trois éléments de la possession d'état.
Comp. possession d'état

Tradition *n.f.*

☐ Remise matérielle d'un bien faisant l'objet d'une obligation de délivrance.
Comp. délivrance, remise
Angl. *delivery, tradition*

- **Tradition feinte :** Tradition fictive qui s'opère par le seul consentement des parties, sans que celui qui aliène le bien en soit effectivement dépossédé. Elle a lieu lorsque le destinataire est déjà en possession du bien et qu'il en devient détenteur à un autre titre.
  Syn. tradition fictive
  Contr. tradition réelle
  Comp. constitut possessoire, interversion de titre
  Angl. *feigned tradition, fictitious tradition*

- **Tradition fictive :** V. TRADITION FEINTE.

- **Tradition par interversion de titre :** V. INTERVERSION (DE TITRE).

- **Tradition réelle :** Tradition qui s'opère par la remise du bien.
  Contr. tradition feinte
  Comp. délivrance
  Angl. *real tradition*

Traduction (des notes sténographiques) *n.f.*

□ Action de transformer en écriture courante le contenu d'un témoignage enregistré par un procédé mécanique (ex. la sténographie ou la sténotypie).

Rem. Même si ce terme apparaît dans le *Code de procédure civile*, il serait plus judicieux d'utiliser le mot « retranscription ».
Syn. retranscription (des notes sténographiques)
Comp. témoignage
Angl. *transcription*

Trafic d'influence

□ V. CORRUPTION.

Trahison *n.f.*

□ Acte criminel, commis au Canada par tout individu ou à l'étranger par un citoyen canadien, ayant pour but de porter atteinte à la sécurité de l'État canadien. Commet une trahison quiconque recourt à la force ou à la violence en vue de renverser le gouvernement du Canada ou d'une province ou communique à un agent d'un État étranger, sans autorisation légitime, des renseignements militaires ou scientifiques dont cet État pourrait se servir à des fins préjudiciables pour le Canada.

Angl. *treason*

• **Trahison (haute) :** Acte criminel par lequel un individu tue ou tente de tuer le Souverain, le blesse ou le détient, fait la guerre contre le Canada ou aide un ennemi qui est en guerre contre le Canada.

Rem. La peine applicable à la haute trahison est l'emprisonnement à perpétuité.
Angl. *high treason*

Traite *n.f.*

□ V. LETTRE DE CHANGE.

• **Traite bancaire :** Ordre de payer signé par un officier autorisé d'une banque et adressé à sa propre banque ou à une autre institution bancaire.

Comp. lettre de change
Angl. *bank draft*

Traité *n.m.*

□ Accord écrit ou oral, régi par le droit international, qui intervient entre deux ou plusieurs États ou entre un organisme international et un ou plusieurs États. Ex. Le traité de libre-échange entre le Canada et les États-Unis.

Comp. accord, libre-échange, union douanière
Angl. *treaty*

Traitement *n.m.*

□ Rémunération versée à un employé en contrepartie de son travail et normalement établie sur une base annuelle ou mensuelle. Ex. Le traitement d'un professeur.

Comp. gages, salaire
Angl. *salary*

Transaction *n.f.*

□ Contrat par lequel les parties préviennent une contestation à naître, terminent un procès ou règlent les difficultés qui surviennent lors de l'exécution d'un jugement, au moyen de concessions ou de réserves réciproques (*Code civil du Québec*, art. 2631).

Rem. Contrairement au *Code civil du Bas-Canada* qui permettait que les concessions ou réserves soient unilatérales, le *Code civil du Québec* exige qu'elles soient réciproques.
Comp. transiger
Angl. *transaction*

Transbordement *n.m.*

□ Action de transférer les marchandises d'un navire à un autre.

Angl. *transhipping*

Transférable *adj.*

□ Qui peut faire l'objet d'un transfert.

Contr. intransférable
Comp. cessible
Angl. *transferable*

Transférer *v.tr.*

□ Opérer un transfert.

Comp. transfert
Angl. *to transfer*

Transfert *n.m.*

☐ **1.** Opération par laquelle une personne transmet à une autre un droit, une obligation, une charge ; le résultat de cette opération. Ex. Le transfert de la propriété d'un bien par la vente.

Syn. translation

Comp. aliénation, cession, transférable, transférer, transmission, transport

Angl. *transfer*

- **Transfert de convention collective :** Acte par lequel un employeur, lors de l'aliénation partielle ou totale de son entreprise, sous quelque forme que ce soit, transmet à un autre employeur tous les droits se rattachant à l'accréditation syndicale et à la convention collective, obligeant ainsi le nouvel employeur à s'y conformer jusqu'à l'expiration de la convention.

Comp. accréditation syndicale, convention collective (de travail)

Angl. *assignment of contract*

☐ **2.** En matière commerciale, mode de transmission des titres nominatifs.

Angl. *transfer*

Transiger *v.intr.*

☐ Effectuer une transaction.

Comp. transaction

Angl. *to transact*

Transitoire *adj.*

☐ V. DROIT TRANSITOIRE.

Translatif, ive *adj.*

☐ Qui a pour objet ou pour effet de transférer un droit, un bien.

Comp. acte translatif

Angl. *translatory*

Translation *n.f.*

☐ Opération par laquelle une personne transmet à une autre un droit, un bien. Ex. La translation du droit de propriété.

Syn. transfert

Comp. translatif, transmission

Angl. *transfer*

Transmettre *v.tr.*

☐ Opérer une transmission.

Comp. transmission

Angl. *to transmit*

Transmissibilité *n.f.*

☐ Caractère d'un bien ou d'une obligation qui peut faire l'objet d'une transmission.

Contr. intransmissibilité

Comp. aliénabilité, cessibilité, disponibilité, transmissible

Angl. *transmissibility*

Transmissible *adj.*

☐ Se dit d'un bien ou d'une obligation qui peut faire l'objet d'une transmission.

Contr. intransmissible

Comp. aliénable, cessible, disponible, transmissibilité

Angl. *transmissible*

Transmission *n.f.*

☐ Tout transfert de biens ou d'obligations d'un patrimoine à un autre.

Rem. La transmission peut être conventionnelle ou légale, entre vifs ou à cause de mort, à titre onéreux ou à titre gratuit.

Comp. aliénation, cession, dévolution, disposition, transfert, translation, transmettre

Angl. *transmission*

- **Transmission à titre particulier :** Transmission d'un bien déterminé ou déterminable.

Angl. *transmission by particular title*

- **Transmission à titre universel :** Transmission d'une quote-part ou d'une universalité de biens d'un patrimoine.

Angl. *transmission by general title*

- **Transmission universelle :** Transmission de la totalité d'un patrimoine.

Angl. *universal transmission*

Transport *n.m.*

☐ **1.** Action de déplacer une personne ou un bien d'un endroit à un autre.

Angl. *carriage*

- **Transport sur les lieux :** Fait pour le tribunal de se rendre à un endroit déterminé pour procéder à un examen ou à des constatations relativement à un élément de preuve que l'on ne peut normalement présenter dans une salle d'audience.

  Syn. descente sur les lieux, visite des lieux

  Angl. *going to the scene*

□ **2.** Contrat par lequel une personne, le transporteur, s'oblige principalement à effectuer le déplacement d'une personne ou d'un bien, moyennant un prix qu'une autre personne, le passager, l'expéditeur ou le destinataire du bien, s'engage à lui payer, au temps convenu (*Code civil du Québec*, art. 2030).

  Comp. transporteur

  Angl. *contract of carriage*

- **Transport combiné :** Transport effectué par plusieurs transporteurs qui se succèdent en utilisant des modes différents de transport (*Code civil du Québec*, art. 2031).

  Comp. transport successif

  Angl. *combined carriage*

- **Transport successif :** Transport effectué par plusieurs transporteurs qui se succèdent en utilisant le même mode de transport (*Code civil du Québec*, art. 2031).

  Comp. transport combiné

  Angl. *successive carriage*

□ **3.** Synonyme de cession.

  Angl. *assignment*

- **Transport de créance :** V. CESSION DE CRÉANCE.

- **Transport de dette :** V. CESSION DE DETTE.

Transporteur, eure *n.*

□ Personne qui, dans un contrat de transport, s'engage à déplacer des personnes ou des biens d'un endroit à un autre.

  Rem. Le *Code civil du Bas-Canada* emploie le terme « voiturier ».

  Syn. voiturier

  Comp. chargeur, connaissement, destinataire, expéditeur, transport

  Angl. *carrier*

Travail *n.m.*

□ Activité qu'une personne exerce en vue de produire un bien utile ou de procurer un service.

  Rem. Ce terme est généralement utilisé en droit pour désigner une activité salariée.

  Comp. ouvrage, travailleur

  Angl. *labour, work*

- **Travail au noir :** Travail pour autrui accompli dans des conditions illégales. Il s'agit généralement d'un travail clandestin que ni l'employeur ni le travailleur ont intérêt à déclarer aux autorités compétentes.

  Angl. *black market labour, black work, undeclared labour, unreported work*

- **Travail (contrat de) :** Contrat par lequel une personne s'engage, pour un certain temps et moyennant rémunération, à exercer son activité professionnelle au profit et sous la direction d'une autre personne.

  Rem. Selon l'art. 2085 du *Code civil du Québec*, « le contrat de travail est celui par lequel une personne, le salarié, s'oblige, pour un temps limité et moyennant rémunération, à effectuer un travail sous la direction ou le contrôle d'une autre personne, l'employeur ».

  Syn. contrat de louage de services

  Comp. entreprise (contrat d'), service (contrat de)

  Angl. *contract of employment, labour contract*

- **Travail (droit au) :** Droit fondamental pour tout citoyen de pouvoir exercer librement un emploi sans discrimination de la part d'autrui.

  Rem. La *Charte des droits et libertés de la personne* du Québec contient des dispositions concernant la non-discrimination dans l'embauche et l'égalité de traitement pour un travail équivalent ainsi que des règles interdisant la discrimination par des associations d'employeurs ou de salariés ou par des bureaux de placement.

  Angl. *right to work*

- **Travail (droit du) :** V. DROIT DU TRAVAIL.

- **Travail forcé :** Travail qu'une personne accomplit pour autrui sous l'effet de la contrainte, sans y avoir consenti librement.

  Syn. travail obligatoire

  Angl. *forced labour*

- **Travail obligatoire :** V. TRAVAIL FORCÉ.

Travailleur, euse *n.*

□ Personne qui accomplit un travail.

Syn. ouvrier
Comp. travail
Angl. *worker*

- **Travailleur indépendant :** Personne qui accomplit un travail pour autrui sans qu'existe entre eux un lien de subordination.

Comp. entreprise (contrat d')
Angl. *self-employed worker*

- **Travailleur qualifié :** V. OUVRIER QUALIFIÉ.

- **Travailleur spécialisé :** V. OUVRIER SPÉCIALISÉ.

T.R.B.

□ Abrév. de *Tax Review Board.*

Tréfoncier, ière *adj. et n.*

□ **1.(adj.)** Qui concerne un immeuble grevé d'un droit de superficie.

Comp. superficiaire, tréfonds
Angl. *subsoil*

□ **2.(n.)** Propriétaire d'un immeuble grevé d'un droit de superficie.

Comp. superficiaire, tréfonds
Angl. *subsoil owner*

Tréfonds *n.m.*

□ Portion du sol située sous le sol apparaissant en surface et qui peut faire l'objet d'un droit de propriété.

Comp. propriété superficiaire, superficie, tréfoncier
Angl. *subsoil*

Trentenaire *adj.*

□ **1.** Qui dure trente ans. Ex. La possession trentenaire.

Angl. *during thirty years*

□ **2.** Qui survient après trente ans. Ex. La prescription trentenaire.

Angl. *by thirty years*

Trésor *n.m.*

□ **1.** Toute chose cachée ou enfouie sur laquelle personne ne peut justifier sa propriété et qui est découverte par l'effet du hasard (*Code civil du Bas-Canada*, art. 586).

Rem. Le *Code civil du Québec* ne reprend pas cette définition puisqu'elle n'a pas un sens particulier en droit.
Angl. *treasure*

□ **2.** V. CONSEIL DU TRÉSOR.

Trêve *n.f.*

□ **1.** Cessation temporaire des hostilités entre des personnes ou des États qui sont en conflit.

Angl. *truce*

□ **2.** En droit du travail, arrêt provisoire de la lutte entre le syndicat et l'employeur ou entre deux syndicats.

Angl. *cooling-off period*

- **Trêve obligatoire :** En droit du travail, délai imposé par la loi avant que le droit de grève ou de lock-out ne soit acquis.

Comp. grève, lock-out
Angl. *compulsory cooling-off period*

Trib.

□ Abrév. de **1.** Tribunal ; **2.** *Tribunal.*

Trib. conc.

□ Abrév. de Tribunal de la concurrence.

Tribunal *n.m.*

□ **1.** Au sens large, toute autorité publique, y compris un tribunal judiciaire, qui prend des décisions touchant les droits des citoyens, peu importe que la nature de sa décision soit judiciaire ou administrative.

Comp. administratif
Angl. court, court of justice, tribunal

- **Tribunal collégial :** Tribunal composé de plusieurs membres qui, lorsqu'ils siègent, constituent un groupe et agissent collectivement. Ex. La Cour suprême du Canada est un tribunal collégial.

Comp. banc

Angl. *collegiate court*

- **Tribunal d'arbitrage :** V. CONSEIL D'ARBITRAGE.

- **Tribunal d'archives :** V. COUR D'ARCHIVES.

- **Tribunal de droit commun :** Tribunal compétent pour connaître de toute affaire qui n'a pas été expressément attribuée par la loi à un autre tribunal. Ex. La Cour supérieure est le tribunal de droit commun au Québec.
  Syn. Juridiction de droit commun
  Contr. Tribunal d'exception
  Angl. *court of original general jurisdiction*

- **Tribunal de la jeunesse :** Cour d'archives créée en 1978 et ayant compétence pour prononcer sur les poursuites fondées sur la *Loi sur les jeunes contrevenants*, les recours exercés en vertu de la *Loi sur la protection de la jeunesse*, les demandes d'adoption ainsi que sur les infractions aux lois québécoises commises par des personnes mineures.
  Rem. Elle avait remplacé la Cour de bien-être social et, lors de la création de la Cour du Québec, en 1988, elle est devenue la Chambre de la jeunesse de ce tribunal.
  Comp. Cour de bien-être social, Cour des jeunes délinquants, Cour du Québec (Chambre de la jeunesse).
  Angl. *Youth Court*

- **Tribunal de l'expropriation :** Tribunal créé en 1973 et qui avait essentiellement pour fonction de fixer le montant des indemnités qui découlent de l'imposition des réserves pour fins publiques et de l'expropriation d'immeubles ou de droits réels immobiliers.
  Rem. En 1988, il est devenu l'une des Chambres de la Cour du Québec sans que sa compétence ne soit modifiée.
  Comp. Cour du Québec
  Angl. *Expropriation Tribunal*

- **Tribunal des juges de paix :** Juridiction inférieure de compétence mixte, présidée par un juge de paix, qui tranchait autrefois les litiges dans les régions rurales. En matière civile, il était notamment compétent pour entendre les demandes en recouvrement de taxes scolaires et d'églises, pour dommages causés par des animaux ainsi que les différends entre employeurs et employés. On lui confiait, en matière pénale, les infractions mineures.
  Rem. Ce tribunal n'existe plus depuis 1993.
  Comp. Cour de circuit, juge de paix
  Angl. *Court of justices of the peace*

- **Tribunal d'exception :** Tribunal compétent pour connaître uniquement des affaires qui lui sont attribuées par un texte de loi précis. Ex. La Cour du Québec est un tribunal d'exception.
  Syn. juridiction d'exception
  Contr. tribunal de droit commun
  Angl. *court of limited jurisdiction*

- **Tribunal domestique :** Organe créé par une institution pour régler, à l'interne et selon un processus déterminé, certains litiges qui y surgissent. Ex. Le comité de discipline d'une université constitue un tribunal domestique.
  Angl. *domestic tribunal*

- **Tribunal judiciaire :** Tribunal ayant compétence en matières civiles et pénales.
  Rem. Selon la *Loi sur les tribunaux judiciaires* (L.R.Q., c. T-16), les tribunaux considérés comme judiciaires au Québec, sont : La Cour d'appel, la Cour supérieure, la Cour du Québec et les Cours municipales.
  Comp. tribunal administratif
  Angl. *court, court of justice*

☐ **2.** Juridiction constituée de personnes ayant le pouvoir d'entendre des litiges et de rendre des décisions fondées sur des règles de droit ou ayant pour mission d'appliquer des lois dans un secteur donné de l'activité économique ou sociale selon un processus analogue à celui auquel les tribunaux judiciaires sont assujettis.
  Rem. Parfois le législateur emploie le mot « tribunal » pour désigner une cour faisant partie de l'appareil judiciaire traditionnel. Ex. Le Tribunal de la jeunesse.
  Comp. cour, tribunal administratif, tribunal judiciaire
  Angl. *tribunal*

- **Tribunal administratif :**
  1. Organisme, en principe autonome et indépendant du gouvernement, à qui l'État a confié le pouvoir de trancher des différends entre lui-même et les citoyens. Ex. Le Tribunal des droits de la personne.
  Rem. Il ne constitue pas un tribunal judiciaire mais ses fonctions exclusivement judiciaires lui imposent l'obligation de rendre des décisions au terme d'un proces-

sus qui présente une analogie avec celui auquel les tribunaux judiciaires sont assujettis.

Contr. tribunal judiciaire

Comp. administratif, quasi judiciaire

Angl. *administrative tribunal*

2. Organisme situé en marge de la structure ministérielle et bénéficiant d'une autonomie juridique et fonctionnelle certaine, à qui l'État a confié la mission d'appliquer une ou plusieurs lois dans un secteur donné de l'activité économique ou sociale et dont les décisions sont susceptibles d'affecter les droits et les intérêts des citoyens. Ex. La Commission des relations de travail du Québec.

Rem. Il doit rendre ses décisions au terme d'un processus qui présente des analogies avec celui qui prévaut devant les tribunaux judiciaires.

Contr. tribunal judiciaire

Comp. administratif, quasi judiciaire

Angl. *administrative tribunal, regulatory agency*

□ **3.** Juge qui siège dans une salle d'audience, par opposition à celui qui siège en son cabinet.

Rem. Le *Code civil du Québec* utilise le terme « tribunal » pour désigner tant la juridiction ayant compétence en matière civile que le juge siégeant dans une salle d'audience ou exerçant en son bureau ou, encore, le greffier. C'est le *Code de procédure civile* qui est appelé à déterminer le sens précis à donner à ce terme dans chaque circonstance.

Contr. juge en chambre

Angl. *court*

□ **4.** L'endroit où le tribunal rend justice.

Angl. *court*

Triplique *n.f.*

□ Dans le déroulement de la procédure écrite, en matière civile, acte de procédure par lequel le défendeur expose ses moyens de fait et de droit à l'encontre de la duplique.

Comp. défense, duplique, réplique, réponse

Angl. *special reply*

Trisaïeul, eule, eux *n.*

□ Ascendant en ligne directe, maternelle ou paternelle, au quatrième degré de parenté (père ou mère de l'arrière-grand-père ou de l'arrière-grand-mère).

Comp. aïeul, ascendant, bisaïeul

Angl. *great-great-grandfather, great-great-grandmother, great-great-grandparent*

Trouble *n.m.*

□ Atteinte à l'exercice d'un droit. Ex. Un trouble de la possession.

Angl. *disturbance*

• **Trouble de droit :** Trouble causé par un tiers qui agit en vertu d'un droit dont il se prétend titulaire. Ex. La revendication par une personne d'une parcelle de terrain de son voisin dont elle se prétend propriétaire.

Angl. *legal disturbance*

• **Trouble de fait :** Trouble causé par une personne qui ne revendique aucun droit sur le bien qui en fait l'objet. Ex. Le dépôt par une personne de différents objets sur le terrain de son voisin.

Angl. *de facto disturbance*

• **Trouble de voisinage :** Trouble de fait causé par une personne à son voisin, qui dépasse les inconvénients normaux qui doivent être normalement tolérés compte tenu de la nature ou de la situation de leurs fonds ou, encore, des usages locaux.

Angl. *neighbourhood disturbance*

Tru.

□ Abrév. de *Trueman's Equity Cases.*

Trust *n.m.*

□ **1.** En *common law*, rapport juridique existant lorsqu'une personne, le *trustee*, détient un bien pour le bénéfice d'une autre personne, le *beneficiary* (ou *cestui que trust*) ou pour une fin reconnue par la loi.

Rem. En droit anglo-canadien, il existe cinq formes reconnues de trusts : 1) l'*express trust*, lorsqu'il y a une volonté expresse du constituant, le *settlor*, de confier un bien en toute confiance au *trustee* pour qu'il l'administre au bénéfice du *beneficiary* ; 2) l'*implied trust*, lorsque sa création peut s'inférer légalement des transactions des parties ; 3) le *resulting trust*, lorsque les tribunaux peuvent inférer des transactions des parties que celles-ci avaient l'intention de créer un *trust* ; 4) le *constructive trust* qui est créé quand les tribunaux imposent un *trust* lorsque, dans des circonstances particulières, ils veulent prévenir un enrichissement injuste ou remédier à un déséquilibre dans les relations entre les parties ; 5) le *statutory trust* dont le régime est imposé par la loi. N.B. Au Québec, seul l'*express trust* est reconnu par le *Code civil* qui en fait un patrimoine d'affectation.

Comp. fiducie, patrimoine d'affectation
Angl. *trust*

□ **2.** Terme désignant un groupe d'entreprise possédant une unité de direction et occupant une position dominante sur un marché donné.

Comp. cartel, monopole
Angl. *trust*

TSE.

□ Abrév. de *Toronto Stock Exchange*.

T.T.

□ Abrév. de **1.** Jurisprudence en droit du travail ; **2.** Tribunal du travail.

Tutélaire *adj.*

□ Qui concerne la tutelle. Ex. La charge tutélaire.

Angl. *tutelary*

Tutelle *n.f.*

□ **1.** Régime de protection d'un mineur non émancipé, d'un majeur inapte à prendre soin de lui-même ou à administrer ses biens, partiellement ou temporairement, d'un prodigue qui met en danger le bien-être de son conjoint ou de ses enfants mineurs ou, dans certains cas, d'un absent qui a des droits à exercer ou des biens à administrer.

Comp. conseil de famille, conseil de tutelle, conseiller, curatelle, tutélaire, tuteur
Angl. *tutorship*

• **Tutelle à l'absent :** Tutelle déférée par le tribunal sur avis du conseil de tutelle à un absent qui a des droits à exercer ou des biens à administrer lorsque celui-ci n'a pas désigné un administrateur de ses biens ou lorsque ce dernier ne veut ou ne peut agir.

Syn. curatelle à l'absent
Comp. absent
Angl. *tutorship to the absentee*

• **Tutelle à la personne :** Tutelle ayant pour objet la protection de la personne du mineur non émancipé, du majeur inapte, du prodigue ou de l'absent.

Comp. curatelle à la personne, tutelle aux biens
Angl. *tutorship to the person*

• **Tutelle au majeur :** Régime de protection auquel est soumise une personne majeure lorsqu'il est établi que son inaptitude à prendre soin d'elle-même ou à administrer ses biens est partielle ou temporaire et qu'elle a besoin d'être représentée dans l'exercice de ses droits civils.

Rem. Lorsque l'inaptitude est totale et permanente, on nomme alors un curateur.
Comp. conseiller au majeur, curatelle au majeur, interdiction, majeur protégé
Angl. *tutorship to a person of full age*

• **Tutelle au mineur :** Régime de protection auquel est soumis un mineur afin d'assurer la protection de sa personne, l'administration de son patrimoine et en général, l'exercice de ses droits civils.

Angl. *tutorship to a minor*

• **Tutelle au prodigue :** Régime de protection auquel est soumise une personne prodigue qui met en danger le bien-être de son conjoint ou de ses enfants mineurs.

Rem. Contrairement au conseiller qui assiste le prodigue, le tuteur a pour fonction de le représenter.
Comp. conseiller au prodigue, prodigue
Angl. *tutorship to a prodigal*

• **Tutelle aux biens :** Tutelle ayant pour objet l'administration des biens du mineur non émancipé, du majeur inapte, du prodigue ou de l'absent.

Comp. curatelle aux biens, tutelle à la personne
Angl. *tutorship to property*

• **Tutelle dative :**
1. Selon le *Code civil du Québec*, tutelle qui est déférée par les père et mère ou par le tribunal.

Angl. *dative tutorship*

2. Selon le *Code civil du Bas-Canada*, tutelle conférée par le juge ou le protonotaire, sur avis du conseil de famille.

Angl. *dative tutorship*

• **Tutelle légale :** Tutelle qui résulte de la loi. Ex. La tutelle du directeur de la protection de la jeunesse dans les cas de déchéance de l'autorité parentale, la tutelle des père et mère selon le *Code civil du Québec*.

Angl. *legal tutorship*

□ **2.** Contrôle exercé par l'État sur une institution décentralisée ou sur ses agents en vue de sauvegarder les intérêts de l'État et de ses administrés. Ex. La mise en tutelle d'une municipalité.

Rem. On emploie généralement l'expression « tutelle administrative ».

Angl. *tutorship*

Tuteur, trice *n.*

□ Personne qui a la charge d'une tutelle.

Comp. conseiller, curateur, tutelle

Angl. *tutor*

- **Tuteur *ad hoc* :** Tuteur désigné pour une fin particulière, notamment pour représenter le mineur lorsqu'il a des intérêts à discuter en justice avec son tuteur.

  Angl. *tutor ad hoc*

- **Tuteur à la personne :** Personne chargée de la protection de la personne du mineur non émancipé ou du majeur inapte.

  Comp. tuteur aux biens

  Angl. *tutor to the person*

- **Tuteur au mineur émancipé :** Personne chargée d'assister le mineur non marié qui a été émancipé judiciairement, lorsqu'il pose des actes excédant la simple administration.

  Rem. Dans le *Code civil du Bas-Canada*, cette personne porte le nom de curateur.

  Angl. *tutor to the emancipated minor*

- **Tuteur aux biens :** Tuteur chargé de l'administration des biens du mineur non émancipé, du majeur inapte, du prodigue ou de l'absent.

  Comp. tuteur à la personne

  Angl. *tutor to property*

- **Tuteur datif :**

  1. Selon le *Code civil du Québec*, tuteur désigné par les père et mère ou par le tribunal.

  Comp. tuteur légal

  Angl. *dative tutor*

  2. Selon le *Code civil du Bas-Canada*, tuteur désigné par le juge ou le protonotaire, sur avis du conseil de famille.

  Comp. tuteur légal

  Angl. *dative tutor*

- **Tuteur de fait :** Personne qui exerce la charge de tuteur sans en avoir légalement la qualité.

  Angl. *de facto tutor*

- **Tuteur légal :** Tuteur désigné par la loi.

  Comp. tuteur datif

  Angl. *legal tutor*

Twp.

□ Abrév. de *Township*.

U

U.B.C. Legal Notes

☐ Abrév. de *University of British Columbia Legal Notes.*

U.B.C.L. Rev.

☐ Abrév. de *University of British Columbia Law Review.*

Uberrima fides

☐ Locution latine signifiant « la plus grande bonne foi » que l'on utilise, notamment en matière d'assurance-vie, pour qualifier le degré d'honnêteté extrême que l'on exige de l'assuré lorsqu'il transmet des informations à son assureur.

Comp. bonne foi

U.C.Ch.

☐ Abrév. de *Upper Canada Chambers Reports.*

U.C. Chamb.

☐ Abrév. de **1.** *Upper Canada Chambers Reports* ; **2.** *Upper Canada Common Law Chambers Reports.*

U.C.C.P.

☐ Abrév. de *Upper Canada Common Pleas Reports.*

U.C.E. & A.

☐ Abrév. de *Upper Canada Error & Appeal Reports.*

U.C. Jur.

☐ Abrév. de *Upper Canada Jurist.*

U.C.K.B.

☐ Abrév. de *Upper Canada, King's Bench Reports (Old Series).*

U.C.L.J.

☐ Abrév. de *Upper Canada Law Journal (Old Series).*

U.C.O.S.

☐ Abrév. de **1.** *Upper Canada, Old Series* ; **2.** *Upper Canada King's Bench Reports (Old Series).*

U.C.Q.B.

☐ Abrév. de *Upper Canada, Queen's Bench Reports.*

Ultra petita

☐ Locution latine signifiant « au-delà de ce qui a été demandé », « au delà de la demande » et qualifiant la décision du juge qui accorde au demandeur plus que ce qu'il avait demandé dans ses conclusions ou qui prononce sur une question qui ne lui avait pas été soumise pour adjudication.

Contr. *infra petita*

Comp. conclusion

Ultra vires

☐ Locution latine signifiant « au-delà des pouvoirs ». Se dit de l'acte qu'une personne a posé ou d'une décision qu'elle a prise en dehors de sa compétence, sans droit.

Syn. excès de pouvoir
Contr. *intra vires*
Comp. inconstitutionnel

Unanimité *n.f.*

□ Opinion commune à tous les membres d'un groupe, lors d'un vote ou d'une délibération.

Comp. délibération, vote
Angl. *unanimity*

Una via electa non datur recursum ad alteram

□ V. *ELECTA UNA VIA NON DATUR RECURSUM AD ALTERAM.*

U.N.B.L.J.

□ Abrév. de *University of New Brunswick Law Journal.*

U.N.B.L. Rev.

□ Abrév. de *University of New Brunswick Law Review* / Revue de droit de l'Université du Nouveau-Brunswick.

Unilatéral, ale, aux *adj.*

□ **1.** Qui émane d'une seule personne, qui résulte d'une seule volonté.

Contr. bilatéral, multilatéral
Comp. acte unilatéral, conventionnel
Angl. *unilateral*

□ **2.** Qui n'engage qu'une seule partie.

Contr. synallagmatique
Comp. contrat unilatéral
Angl. *unilateral*

Unilinéaire *adj.*

□ Se dit d'une forme de filiation qui ne reconnaît qu'une seule ligne ascendante de parenté.

Comp. ligne, monoparental, parenté
Angl. *unilinear*

Union *n.f.*

□ **1.** Acte par lequel deux ou plusieurs personnes (physiques ou morales) conviennent de se lier en vue de protéger leurs intérêts communs.

Angl. *union*

- **Union douanière :** Entente entre deux ou plusieurs États en vue d'éliminer les barrières douanières qui existent entre eux et d'adopter à ce sujet des règles communes envers les autres États.

  Comp. libre-échange, traité
  Angl. *customs union*

□ **2.** État de deux ou plusieurs personnes qui sont liées par une convention ou par des intérêts communs.

Angl. *union*

- **Union de fait :** État d'un homme et d'une femme vivant ensemble sans être mariés.

  Comp. concubinage, mariage
  Angl. *de facto union*

- **Union libre :** V. CONCUBINAGE.

□ **3.** Structure institutionnelle ou organisme regroupant des personnes qui ont des intérêts communs. Ex. L'Union internationale des avocats.

Comp. association
Angl. *union*

Unique *adj.*

□ V. JUGE UNIQUE, PAIEMENT UNIQUE.

Unitaire *adj.*

□ Se dit d'un État dont la forme d'organisation politique implique une centralisation de la fonction législative auprès d'une seule autorité.

Comp. fédéralisme
Angl. *unitarian*

Unité de négociation

□ Groupe de travailleurs identifié dans le certificat d'accréditation pour lequel le syndicat accrédité, qui le représente, négocie et conclut une convention collective.

Syn. unité d'accréditation
Comp. accréditation, convention collective (de travail), syndicat
Angl. *bargaining unit*

- **Unité d'accréditation :** V. UNITÉ DE NÉGOCIATION.

Universalité *n.f.*

☐ Ensemble de biens, ou de biens et de dettes, considéré comme formant un tout.

Rem. Le *Code civil du Québec* emploie notamment les expressions « universalité d'actif et de passif », « universalité de biens meubles ou immeubles) », « universalité de créances ».

Angl. *universality*

Universel, elle *adj.*

☐ V. AYANT CAUSE UNIVERSEL, LÉGATAIRE UNIVERSEL, LEGS UNIVERSEL, USUFRUIT UNIVERSEL.

U. of T., Fac. of L.R.

☐ Abrév. de *University of Toronto, Faculty of Law Review.*

U. of T.L.J.

☐ Abrév. de *University of Toronto Law Journal.*

Upper Can. L.J.

☐ Abrév. de *Upper Canada Law Journal.*

Urbain, aine *adj.*

☐ Qui est de la ville, qui concerne une ville ou des villes en général.

Rem. Certains emploient l'expression « droit urbain » pour qualifier cette branche du droit qui régit les collectivités locales.

Contr. rural

Comp. droit municipal

Angl. *urban*

Urbanisme *n.m.*

☐ Ensemble des règles juridiques concernant l'aménagement du territoire d'une municipalité ainsi que les affectations du sol et les densités de son occupation.

Comp. schéma d'aménagement, zonage

Angl. *planning*

- **Urbanisme (plan d') :** Document adopté par une municipalité locale qui donne les objectifs et les grandes orientations de sa politique quant au développement de son territoire et à l'utilisation de chacune des parties qui le compose.

Rem. Le plan d'urbanisme doit comprendre les grandes orientations d'aménagement du territoire de la municipalité, les grandes affectations du sol et les densités d'occupation de ce dernier.

Comp. schéma d'aménagement

Angl. *planning program*

Urgence *n.f.*

☐ Nécessité d'agir sans délai.

Comp. injonction interlocutoire sans avis, loi martiale, urgent

Angl. *emergency, urgency*

Urgent, ente *adj.*

☐ Dont on doit s'occuper sans délai.

Comp. urgence

Angl. *urgent*

Usage *n.m.*

☐ **1.** Droit de se servir temporairement du bien d'autrui et d'en percevoir les fruits et revenus, jusqu'à concurrence des besoins de l'usager et des personnes qui habitent avec lui ou sont à sa charge (*Code civil du Québec*, art. 1172).

Syn. *usus*

Comp. habitation (droit d'), nue-propriété, propriété, usager, usufruit

Angl. *right of use*

☐ **2.** Pratique courante dans un milieu déterminé ou dans une profession à laquelle des personnes adhèrent sans que celle-ci ne repose sur des fondements juridiques. Ex. Les usages du Palais, les usages commerciaux.

Rem. Les usages peuvent parfois engendrer la coutume et, pour qu'ils aient une force contraignante, ils doivent être anciens, fréquents, généralisés, publics et uniformes. Certains usages, surtout en matière commerciale, sont contraires à la loi lorsque celle-ci n'est pas adaptée au contexte normal des affaires.

Comp. coutume

Angl. *usage*

Usager, ère *n.*

□ **1.** Personne qui est titulaire d'un droit d'usage.

Comp. usage, usufruitier
Angl. *user*

□ **2.** Personne qui utilise un service public. Ex. Les usagers du transport en commun.

Angl. *user*

Usucaper *v.tr.*

□ Acquérir par usucapion.

Comp. usucapion
Angl. *to usucapt*

Usucapion *n.f.*

□ Nom donné autrefois à la prescription acquisitive.

Syn. prescription acquisitive
Comp. usucaper
Angl. *acquisitive prescription, prescriptive easement, usucapio, usucapion*

Usufructuaire *adj.*

□ Qui est relatif ou propre à l'usufruit.

Syn. usufruitier
Comp. usufruit
Angl. *usufructuary*

Usufruit *n.m.*

□ Droit d'user et de jouir, pendant un certain temps, d'un bien dont un autre a la propriété, comme le propriétaire lui-même, mais à charge d'en conserver la substance (*Code civil du Québec*, art. 1120).

Comp. habitation, nue propriété, quasi-usufruit, usage, usufructuaire, usufruitier
Angl. *usufruct*

• **Usufruit à titre particulier :** Usufruit portant sur un ou plusieurs biens déterminés.

Contr. usufruit à titre universel, usufruit universel
Angl. *usufruct by particular title*

• **Usufruit à titre universel :** Usufruit portant sur une quote-part des biens du propriétaire (ex. la moitié de ses biens), une universalité de ses biens (ex. l'ensemble de ses immeubles) ou une quote-part d'une universalité de ses biens (ex. la moitié de ses immeubles).

Contr. usufruit à titre particulier, usufruit universel
Angl. *usufruct by general title*

• **Usufruit contractuel :** Usufruit établi par contrat.

Syn. usufruit conventionnel
Comp. usufruit légal, usufruit judiciaire, usufruit testamentaire
Angl. *contractual usufruct*

• **Usufruit conventionnel :** V. USUFRUIT CONTRACTUEL.

• **Usufruit judiciaire :** Usufruit établi par décision d'un tribunal.

Comp. usufruit contractuel, usufruit légal, usufruit testamentaire
Angl. *judicial usufruct*

• **Usufruit légal :** Usufruit établi par la loi. Ex. L'usufruit légal du conjoint survivant prévu aux art. 1426 et suivants du *Code civil du Bas-Canada*.

Comp. usufruit contractuel, usufruit judiciaire, usufruit testamentaire
Angl. *legal usufruct*

• **Usufruit testamentaire :** Usufruit établi par testament.

Comp. usufruit contractuel, usufruit judiciaire, usufruit légal
Angl. *testamentary usufruct*

• **Usufruit universel :** Usufruit portant sur l'universalité des biens du propriétaire.

Contr. usufruit à titre particulier, usufruit à titre universel
Angl. *universal usufruct*

• **Usufruit viager :** Usufruit qui prend fin au décès de l'usufruitier.

Angl. *life-usufruct*

Usufruitier, ière *adj. et n.*

□ **1.(adj.)** V. USUFRUCTUAIRE.

□ **2.(n.)** Personne qui a l'usufruit d'un bien.

Comp. nu-propriétaire, usager, usufruit
Angl. *usufructuary*

Usuraire *adj.*

□ Qui est entaché d'usure, dont le taux d'inté-

rêt est excessif.
Comp. prêt usuraire, usure
Angl. *usurious*

Usure *n.f.*

□ **1.** Intérêt d'un taux excessif.
Comp. intérêt, taux, taux d'intérêt usuraire, usuraire, usurier
Angl. *usury*

□ **2.** Fait d'exiger un intérêt d'un taux excessif.
Comp. prêt usuraire, taux d'intérêt usuraire, usuraire, usurier
Angl. *usury*

Usurier, ière *n.*

□ Personne qui, par habitude ou par profession, prête de l'argent à un taux d'intérêt excessif.
Angl. *usurer*

Usurpation *n.f.*

□ Action de s'approprier sans droit une fonction, un pouvoir.
Comp. usurpatoire
Angl. *encroachment, usurpation*

Usurpatoire *adj.*

□ Qui a un caractère d'usurpation, qui résulte d'une usurpation.
Comp. usurpation
Angl. *unauthorized, usurpatory*

Usus

□ Terme latin représentant l'un des trois attributs de la propriété (avec l'*abusus* et le *fructus*) et qui confère au propriétaire le pouvoir d'utiliser le bien.
Syn. usage

Utérin, ine *adj.*

□ Parent du côté maternel ; se dit notamment de frères et de soeurs qui ont la même mère mais n'ont pas le même père.
Rem. On emploie couramment les termes demi-frère ou demi-soeur.
Comp. consanguin, germain
Angl. *uterine*

U.T. Fac. L.R.

□ Abrév. de *University of Toronto, Faculty of Law Review.*

Utile *adj.*

□ V. IMPENSES UTILES, POSSESSION UTILE.

Utilité publique

□ **1.** Avantage qu'un bien peut procurer au public en général ou à un groupe important d'individus. Ex. Selon le *Code civil du Québec*, nul ne peut s'approprier les biens des personnes morales de droit public qui sont affectés à l'utilité publique.
Comp. entreprise publique, intérêt public
Angl. *public utility*

• **Utilité publique (entreprise d') :** V. ENTREPRISE D'UTILITÉ PUBLIQUE.

□ **2.** Critère que la loi applique généralement pour justifier l'expropriation d'un immeuble.
Comp. expropriation
Angl. *public utility*

Uti possidetis

□ **1.** Locution latine signifiant « selon ce que vous possédez » et désignant une entente qui consacre le droit de propriété du possesseur d'un bien, peu importe l'identité du véritable détenteur du titre.
Comp. possession

□ **2.** Expression utilisée en droit international, lors de la signature des traités de paix, pour indiquer l'intention des parties de conserver les territoires conquis, par opposition au retour à la situation qui prévalait avant la guerre.
Comp. *statu quo*

U.T.L.J.

□ Abrév. de *University of Toronto Law Journal.*

U. Toronto Faculty L. Rev.

□ Abrév. de *University of Toronto, Faculty of Law Review.*

U. Toronto L.J.

- Abrév. de *University of Toronto Law Journal.*

Ut singuli

- Locution latine signifiant « comme chacun individuellement » que l'on utilise lorsque l'on considère des personnes ou des biens dans leur individualité et non pas comme faisant partie d'un ensemble.

  Contr. *ut universi*

Ut universi

- Locution latine signifiant « comme tous ensemble » que l'on utilise lorsque l'on considère des personnes ou des biens, non pas dans leur individualité, mais par rapport à l'ensemble qu'ils composent.

  Contr. *ut singuli*

U.W.O.L. Rev.

- Abrév. de *University of Western Ontario Law Review.*

V

V.

☐ Abrév. de **1.** *Versus* ; **2.** Voir ; **3.** Victoria (Reine).

V.A.

☐ Abrév. de Voir aussi.

Vacance *n.f.*

☐ **1.** État d'une fonction, d'une charge qui est sans titulaire, qui n'est pas occupée.
Angl. *vacancy*

☐ **2.** Période d'interruption des séances des tribunaux.
Angl. *vacation*

• **Vacances judiciaires :** Période située entre le 30 juin et le 1er septembre et entre le 23 décembre et le 7 janvier au cours de laquelle les tribunaux de première instance ne sont pas tenus de siéger sauf pour connaître de certaines affaires déterminées par le législateur.
Angl. *judicial vacations*

Vacant, ante *adj.*

☐ **1.** Qui n'a pas de maître, de propriétaire.
Comp. bien vacant
Angl. *vacant*

☐ **2.** Qui est sans titulaire, qui n'est pas occupé. Ex. Un poste vacant.
Angl. *vacant*

☐ **3.** Qui n'est réclamé par personne.
Comp. succession vacante
Angl. *vacant*

Vacataire *adj. et n.*

☐ **1.(adj.)** Se dit d'une personne qui occupe une fonction précise pour un temps déterminé.
Comp. intérimaire
Angl. *temporary*

☐ **2.(n.)** Personne qui occupe une fonction précise pour un temps déterminé.
Angl. *employee on a temporary contract*

Vacation *n.f.*

☐ Temps consacré par une personne à l'examen d'une affaire ou à l'accomplissement d'une activité professionnelle ou d'une fonction.
Angl. *attendance, session*

Vagabondage *n.f.*

☐ **1.** Infraction consistant, pour une personne, à tirer sa subsistance, en totalité ou en partie, du jeu et du crime et de n'avoir aucune profession ou occupation légitime lui permettant de gagner sa vie.
Angl. *vagrancy*

☐ **2.** Infraction commise par une personne qui, après avoir été déclarée coupable d'infraction d'ordre sexuel, est trouvée flânant sur un terrain d'école ou de jeu, dans un parc public ou à proximité de ces lieux.
Angl. *vagrancy*

Valable *adj.*

☐ V. VALIDE.

Valeur *n.f.*

☐ **1.** Caractère mesurable en argent d'un bien susceptible d'être vendu ou échangé.

Angl. *value*

- **Valeur à neuf (clause de) :** En matière d'assurance-incendie, clause du contrat qui garantit à l'assuré une indemnisation fondée sur la valeur à l'état neuf d'un bien similaire, le jour du sinistre, sans aucune dépréciation due à l'usure ou à la vétusté.

  Syn. valeur de remplacement (clause de)

  Angl. *clause of replacement value*

- **Valeur au pair :** V. ACTION À VALEUR NOMINALE.

- **Valeur de rachat :** V. RACHAT (VALEUR DE).

- **Valeur de remplacement (clause de) :** V. VALEUR À NEUF (CLAUSE DE).

- **Valeur locative :** Valeur correspondant au loyer annuel brut le plus probable qui proviendrait de la location d'un bien selon les conditions du marché.

  Angl. *rental value*

- **Valeur marchande :** V. JUSTE VALEUR MARCHANDE, VALEUR RÉELLE.

- **Valeur nominale :** V. ACTION À VALEUR NOMINALE.

- **Valeur réelle :** Valeur d'échange d'un bien sur un marché libre et ouvert à la concurrence, soit le prix le plus probable qui peut être payé lors d'une vente de gré à gré.

  Rem. Elle repose sur le postulat que le vendeur et l'acheteur désirent respectivement vendre et acheter le bien, sans y être obligés, et que les deux contractants sont raisonnablement informés de l'état du bien, de l'utilisation la plus probable qui en sera faite et des conditions du marché.

  Syn. valeur marchande

  Angl. *actual value*

☐ **2.** Appréciation en argent d'un droit. Ex. La valeur de l'objet du litige en appel.

Angl. *value*

Valeur mobilière *n.f.*

☐ Titre négociable qui représente une participation au capital d'une compagnie ou d'une société par actions ou une souscription à un emprunt d'un organisme privé ou public.

Rem. Elle peut être ou non cotée en Bourse.

Comp. conseiller en valeurs, courtier en valeurs, titre

Angl. *security*

- **Valeur mobilière au porteur :** Valeur mobilière payable au porteur selon ses propres modalités et non en raison d'un endossement.

  Angl. *security in bearer form*

- **Valeur mobilière nominative :** Valeur mobilière qui désigne nommément son titulaire ou la personne dont elle atteste des droits et qui peut faire l'objet d'un transfert sur le registre des valeurs mobilières.

  Angl. *security in registered form*

Validation *n.f.*

☐ Action de valider

Contr. annulation

Comp. confirmation, ratification, valide, valider

Angl. *authentication, validation*

Valide *adj.*

☐ Qui réunit les conditions exigées par la loi pour produire son effet. Ex. Un contrat valide, un mariage valide.

Syn. valable

Comp. validation

Angl. *valid*

Valider *v.tr.*

☐ Rendre valide.

Comp. validation

Angl. *to authenticate, to validate*

Validité *n.f.*

☐ Qualité d'un acte qui réunit les conditions exigées par la loi pour produire son effet.

Contr. invalidité

Comp. légalité, légitimité, licéité

Angl. *validity*

Vendeur, eresse *n.*

☐ **1.** Dans une vente, personne qui vend.

Contr. acheteur
Comp. covendeur, vente
Angl. *seller, vendor*

☐ **2.** Personne qui fait profession de vendre.

Rem. Dans ce sens, le féminin devrait être « vendeuse ».
Comp. vente
Angl. *salesman, seller*

Venditioni exponas

☐ V. BREF DE *VENDITIONI EXPONAS.*

Venire facias

☐ Locution latine signifiant « que tu fasses venir » et désignant un bref qui ordonne au shérif d'assigner un certain nombre de personnes susceptibles d'être nommées membres d'un jury.

Comp. tableau des jurés

Vente *n.f.*

☐ Contrat par lequel une personne, le vendeur, transfère la propriété d'un bien à une autre personne, l'acheteur, moyennant un prix en argent que cette dernière s'oblige à payer (*Code civil du Québec*, art. 1708).

Rem. Le transfert peut aussi porter sur un démembrement du droit de propriété ou sur tout autre droit dont on est titulaire (*Code civil du Québec*, art. 1708).
Comp. démembrement
Angl. *sale*

• **Vente à crédit :** Vente où l'acheteur bénéficie d'un délai pour le paiement du prix.

Contr. vente au comptant
Comp. vente à tempérament
Angl. *sale on credit*

• **Vente à découvert :** Se dit d'une transaction relative à des valeurs mobilières où l'acheteur effectue la vente du titre sans avoir préalablement acquis la propriété par paiement.

Comp. découvert
Angl. *short sale, short selling*

• **Vente à la folle enchère :** Lors de la vente publique d'un immeuble, en exécution d'un jugement, revente du bien aux enchères à la suite du défaut par l'adjudicataire de payer le prix d'adjudication.

Rem. Le fol enchérisseur est alors tenu de payer la différence entre son prix d'adjudication et celui de la revente.
Comp. adjudication, folle enchère, vente aux enchères
Angl. *resale for false bidding*

• **Vente aléatoire :** V. CONTRAT ALÉATOIRE.

• **Vente à l'encan :** V. VENTE AUX ENCHÈRES.

• **Vente à l'enchère :** V. VENTE AUX ENCHÈRES.

• **Vente à l'essai :** Vente effectuée sous la condition suspensive que l'acheteur puisse faire l'essai du bien à vendre avant que la transaction ne soit conclue définitivement.

Comp. vente à terme, vente au comptant
Angl. *sale on trial, sale upon trial*

• **Vente à réméré :** Vente sous condition résolutoire par laquelle le vendeur transfère la propriété d'un bien à l'acheteur en se réservant le droit de le racheter (*Code civil du Québec*, art. 1750).

Rem. Selon le *Code civil du Québec*, la faculté de rachat ne peut être stipulée pour un terme excédant cinq ans.
Syn. vente avec faculté de rachat
Angl. *sale with a right of redemption*

• **Vente à tempérament :** Vente à terme par laquelle le vendeur se réserve la propriété du bien jusqu'au paiement total du prix de vente (*Code civil du Québec*, art. 1745).

Rem. Certains emploient parfois, à tort, l'expression « vente conditionnelle » pour désigner la vente à tempérament. Il s'agit alors d'une traduction littérale des mots *conditional sale.*
Comp. vente à crédit, vente au comptant
Angl. *conditional sale, instalment sale*

• **Vente à terme :** Vente dans laquelle un terme est stipulé, soit en faveur du créancier pour la délivrance du bien, soit en faveur du débiteur pour le paiement du prix.

Comp. vente à crédit, vente à l'essai, vente au comptant
Angl. *term sale*

- **Vente au comptant :** Vente où l'acheteur paie le prix au moment et au lieu de la délivrance.
  - Contr. vente à crédit, vente à l'essai, vente à terme
  - Angl. *cash sale*

- **Vente au poids, au compte ou à la mesure :** Vente portant sur des biens qui doivent être individualisés et qui est subordonnée à une opération de pesage, de comptage ou de mesurage.
  - Comp. vente en bloc
  - Angl. *sale by weight, number or measure*

- **Vente aux enchères :** Vente par laquelle un bien est offert en vente à plusieurs personnes par l'entremise d'un tiers, l'encanteur, et est déclaré adjugé au plus offrant et dernier enchérisseur (*Code civil du Québec*, art. 1757).
  - Rem. La vente aux enchères en exécution d'un jugement est effectuée par un shérif ou un huissier.
  - Syn. vente à l'encan, vente à l'enchère, vente par encan
  - Comp. enchère, vente à la folle enchère
  - Angl. *auction sale, sale by auction*

- **Vente avec faculté de rachat :** Vente sous condition résolutoire par laquelle le vendeur transfère la propriété d'un bien à l'acheteur en se réservant le droit de le racheter (*Code civil du Québec*, art. 1750).
  - Rem. Selon le *Code civil du Québec*, la faculté de rachat ne peut être stipulée pour un terme excédant cinq ans.
  - Syn. vente à réméré
  - Angl. *repurchase agreement, sale with a right of redemption*

- **Vente conditionnelle :** V. VENTE À TEMPÉRAMENT.

- **Vente de créance :** Contrat par lequel le créancier cédant transmet au cessionnaire, à titre onéreux, la créance qu'il détient contre le débiteur.
  - Comp. cession de créance
  - Angl. *sale of creance, sale of debt*

- **Vente de droits litigieux :** Contrat par lequel le créancier cédant transmet au cessionnaire une créance incertaine, disputée ou susceptible de dispute par le débiteur, qu'une action soit intentée ou qu'il y ait lieu de présumer qu'elle sera nécessaire.
  - Rem. Lorsqu'une vente de droits litigieux a lieu, le débiteur est entièrement déchargé s'il rembourse à l'acheteur le prix de cette vente ainsi que les frais et les intérêts sur le prix, à compter du jour où le paiement a été fait.
  - Syn. cession de droits litigieux
  - Comp. droit litigieux
  - Angl. *sale of litigious rights*

- **Vente de droits successoraux :** Contrat par lequel un héritier cède, à titre onéreux, ses droits dans une succession à un cohéritier ou à un tiers.
  - Comp. cession de droits successifs
  - Angl. *sale of rights of succession*

- **Vente de gré à gré :** V. CONTRAT DE GRÉ À GRÉ, GRÉ À GRÉ (DE).

- **Vente d'entreprise :** Vente qui porte sur l'ensemble ou sur une partie substantielle d'une entreprise et qui a lieu en dehors des activités du vendeur (*Code civil du Québec*, art. 1767).
  - Syn. vente en bloc
  - Comp. entreprise
  - Angl. *sale of an enterprise*

- **Vente en bloc :** Vente qui porte sur l'ensemble ou une partie substantielle d'une entreprise et qui a lieu en dehors des activités du vendeur.
  - Rem. L'art. 1569a du *Code civil du Bas-Canada* la définit comme suit : « Toute vente ou tout transport de fonds de commerce ou de marchandises, faits, directement ou indirectement, en dehors du cours ordinaire des opérations commerciales du vendeur, soit que la vente ou le transport englobe la totalité ou à peu près de ce fonds de commerce ou de ces marchandises, ou soit qu'il ne concerne qu'un intérêt dans les affaires ou le commerce du vendeur ».
  - Syn. vente d'entreprise
  - Angl. *bulk sale*

- **Vente en justice :** V. VENTE JUDICIAIRE.

- **Vente forcée :** Vente sur exécution forcée.
  - Contr. vente volontaire
  - Comp. exécution forcée
  - Angl. *forced sale*

- **Vente judiciaire :** Vente aux enchères des biens du débiteur en exécution d'un jugement obtenu contre lui par un créancier.

Syn. vente en justice
Comp. exécution forcée, saisie-exécution
Angl. *judicial sale, sale by order of the Court*

- **Vente par décret :** V. DÉCRET.

- **Vente par encan :** V. VENTE AUX ENCHÈRES.

- **Vente par le créancier d'un bien grevé d'une hypothèque :** Vente d'un immeuble effectuée par le créancier hypothécaire, après qu'il en ait obtenu le délaissement.

Rem. Cette vente peut se faire de gré à gré, par appel d'offres ou aux enchères.
Comp. délaissement, hypothèque
Angl. *sale by a creditor who holds a hypothec*

- **Vente sous contrôle de justice :** Vente d'un immeuble effectuée à la demande du créancier d'un droit hypothécaire par une personne que désigne le tribunal et selon les conditions que celui-ci détermine.

Comp. hypothèque
Angl. *sale by judicial authority*

- **Vente volontaire :**
1. Vente d'un bien effectuée librement par son propriétaire.

Contr. vente forcée
Angl. *voluntary sale*

2. Vente sans contrainte effectuée par une personne autorisée par le tribunal d'un bien faisant l'objet d'une substitution.

Contr. vente forcée
Comp. volontaire
Angl. *voluntary sale*

Ventilation *n.f.*

□ Opération par laquelle une personne, lorsque plusieurs biens ont été vendus pour un prix unique, détermine la partie du total qui correspond à la valeur de chacun d'eux.

Angl. *apportionment, breakdown, separate valuation of objects*

Véracité *n.f.*

□ **1.** Qualité de ce qui est rapporté ou présenté comme étant conforme à la vérité. Ex. La véracité d'une pièce produite en preuve.

Angl. *genuineness*

□ **2.** Qualité de ce qui est conforme à la vérité. Ex. La véracité d'un témoignage.

Comp. crédibilité
Angl. *truthfulness, veracity*

Verbal, ale, aux *adj.*

□ Exprimé de vive voix.

Syn. oral
Contr. écrit
Angl. *verbal*

Verbi gratia

□ Locution latine signifiant « par exemple ».

Rem. On utilise le plus souvent l'abréviation « v.g. »

Verdict *n.m.*

□ **1.** Décision rendue par un jury qui, à la lumière des directives du juge et après avoir entendu la preuve et les plaidoiries, se prononce sur la culpabilité d'un accusé.

Comp. jury
Angl. *verdict*

□ **2.** Exceptionnellement, décision rendue par un tribunal. Ex. Le verdict d'un tribunal militaire.

Angl. *finding*

- **Verdict alternatif :** Décision du jury qui déclare l'accusé non coupable de l'infraction alléguée mais coupable de l'infraction incluse.

Comp. infraction incluse
Angl. *alternate verdict, alternative verdict*

- **Verdict dirigé :** V. VERDICT IMPOSÉ.

- **Verdict général :** Décision du jury qui déclare l'accusé coupable ou non coupable.

Angl. *general verdict*

- **Verdict imposé :** Verdict d'acquittement que le juge, de sa propre initiative ou à la demande de l'accusé, ordonne au jury de prononcer, vu l'inexistence ou l'insuffisance en droit de la preuve de la poursuite relativement à un ou plusieurs des chefs d'accusation.

Syn. verdict dirigé
Comp. non-lieu (motion de)
Angl. *directed verdict, instructed verdict*

- **Verdict spécial :** Décision du jury qui constitue une réponse à une question spécifique qui lui a été soumise.

Rem. Au Canada, le verdict spécial n'est permis que dans les cas de libelle diffamatoire et de défense d'aliénation mentale.

Angl. *special verdict*

Vérificateur, trice *n.*

□ Professionnel chargé de contrôler l'exactitude ou la véracité des comptes ou des livres d'une entreprise.

Angl. *auditor*

• **Vérificateur général :** Fonctionnaire nommé par l'Assemblée nationale ou la Chambre des communes pour examiner les comptes publics.

Angl. *auditor general*

Vérification *n.f.*

□ Opération par laquelle une personne examine une chose en vue d'en contrôler l'exactitude ou la véracité.

Angl. *audit, inspection, verification*

• **Vérification d'écriture :** Examen fait en justice d'un acte sous seing privé afin d'établir s'il émane de la personne à qui on l'attribue. Ex. La vérification d'une signature.

Comp. dénégation d'écriture ou de signature

Angl. *verification of handwriting*

• **Vérification de testament :** Acte par lequel un juge, à la demande d'un intéressé, contrôle l'origine et la régularité d'un testament olographe ou devant témoins.

Rem. Il s'agit d'une procédure non contentieuse au cours de laquelle le juge est appelé à examiner l'original du testament et à recevoir les dépositions écrites et assermentées des témoins.

Comp. testament olographe, testament devant témoins

Angl. *probate of will*

Verre dormant *n.m.*

□ Plaque de verre que l'on fixe dans un châssis scellé et qui est destinée à laisser passer la lumière.

Comp. mur mitoyen, jour, vue

Angl. *fixed glass*

Versement *n.m.*

□ **1.** Action de remettre à quelqu'un une somme d'argent en paiement d'une dette ou à tout autre titre.

Angl. *periodic payment*

□ **2.** Montant de la somme versée.

Angl. *installment, periodic payment*

Versus

□ Terme latin signifiant « contre » que l'on utilise en tête des actes de procédure et des jugements pour désigner les parties qui s'affrontent lors d'un procès.

Rem. On utilise généralement ses abréviations v. ou vs., ou c. qui constitue l'abréviation du terme « contre ».

Vertu de (en)

□ En application de, sur la base de, dans l'exercice de.

Angl. *by virtue of*

Verus dominus

□ Locution latine signifiant le « vrai maître » et désignant le titulaire réel du droit de propriété par opposition à la personne qui ne l'est pas.

Veto *n.m.*

□ Refus par une personne en autorité de donner son consentement à une décision prise par une assemblée ou à une mesure adoptée par celle-ci, son geste ayant alors pour effet d'en paralyser l'exécution pour toujours ou pour un temps déterminé.

Rem. Le terme latin *veto* signifie « je m'oppose ».

Angl. *veto*

• **Veto (droit de) :**
1. Droit accordé à son détenteur de suspendre ou d'empêcher la réalisation d'une décision ou d'une mesure en s'y opposant.
Angl. *right of veto*
2. Pouvoir accordé, dans certains régimes, au chef de l'État de s'opposer aux lois votées par une assemblée législative.
Angl. *power of reservation, veto power*
3. Pouvoir accordé à chacun des membres

permanents du Conseil de sécurité des Nations Unies de faire obstacle, par un vote négatif, à une décision de cet organisme.
Angl. *right of veto*

Vétusté *n.f.*

□ État d'un bien qui n'est plus en bon état à cause de son âge ou de son usage prolongé.
Angl. *delapidation*

Veuf, veuve *n.*

□ Personne dont le conjoint est décédé.
Angl. *widow* (fem.), *widower* (masc.)

Vexatoire *adj.*

□ Se dit d'une action intentée par une personne dans le but de nuire à autrui, par abus de son droit d'action.
Syn. abusif
Comp. abus de droit, frivole
Angl. *vexatious*

V.g.

□ Abrév. de *verbi gratia*.

Viabilité *n.f.*

□ Qualité d'un enfant qui, au moment de sa naissance, est apte à vivre.
Comp. viable
Angl. *viability*

Viable *adj.*

□ Se dit de l'enfant qui est né vivant et qui est pourvu des organes indispensables à une certaine durée de vie.
Comp. viabilité, vivant
Angl. *capable of living, viable*

Viager, ère *adj.*

□ Qui est appelé à durer pendant toute la vie d'une personne déterminée, mais pas au-delà. Ex. Une rente viagère.
Comp. rente, temporaire
Angl. *life*

Vice *n.m.*

□ **1.** Imperfection grave qui affecte un bien.
Angl. *defect*

- **Vice apparent :** Défaut, imperfection qui est bien visible ou que l'on peut déceler par un simple examen ordinaire.
Contr. vice caché
Angl. *apparent defect*

- **Vice caché :** Défaut, imperfection qu'un simple examen ordinaire ne permet pas de déceler et qui rend le bien impropre à l'usage auquel il était destiné ou qui en diminue considérablement l'utilité.
Syn. vice rédhibitoire
Contr. vice apparent
Comp. garantie des vices cachés
Angl. *latent defect*

- **Vice de construction :** Défaut dans la construction d'un édifice qui résulte de l'inobservation des règles de l'art lors de sa conception ou lors de l'exécution des travaux.
Angl. *defect of construction*

- **Vice rédhibitoire :** V. VICE CACHÉ.

□ **2.** Défaut qui affecte un acte ou une situation juridique.
Angl. *defect*

- **Vice de fond :** Défaut d'un acte juridique en raison de l'inobservation d'une condition de fond exigée par la loi.
Contr. vice de forme
Angl. *substantive defect*

- **Vice de forme :** Irrégularité d'un acte juridique en raison de l'inobservation d'une formalité exigée par la loi.
Contr. vice de fond
Comp. exception à la forme
Angl. *defect of form, informality*

- **Vice de la possession :** V. POSSESSION (VICE DE LA).

- **Vice du consentement :** Faits ou manoeuvres qui ont pu altérer l'intégrité du consentement d'un contractant et qui constituent une cause d'annulation du contrat.
Rem. L'erreur, le dol, la violence ou la crainte et la lésion constituent des vices du consentement.
Angl. *defect of consent*

Vicié, ée *adj.*

□ V. CONSENTEMENT VICIÉ.

Vicieux, euse *adj.*

□ V. POSSESSION VICIÉE.

Victime *n.f.*

□ Personne qui subit un préjudice.
Comp. faute
Angl. *victim*

Vid.

□ Abrév. de *vide* ou de *videre*.

Vide

□ Terme latin signifiant « voyez ».

Videre

□ Terme latin signifiant « voir ».

Vidimé, ée *adj.*

□ Se dit de la copie d'un texte qu'une personne certifie conforme à l'original auquel elle l'a comparée ou du texte contenant une traduction qu'elle certifie conforme à un écrit rédigé dans une langue étrangère. Ex. La traduction vidimée d'un acte de l'état civil rédigé en langue allemande.
Comp. copie conforme, vidimus
Angl. *authenticated*

Vidimus *n.m.*

□ Attestation par laquelle une personne certifie que la copie d'un écrit est conforme à l'original auquel elle l'a comparée ou qu'un texte constitue une traduction conforme à un écrit rédigé dans une langue étrangère.
Rem. Ce terme signifie, en latin, « nous avons vu ».
Comp. attestation, copie conforme, vidimé
Angl. *vidimus*

Viduité *n.f.*

□ État de veuf, de veuve.
Angl. *viduity, widowerhood* (masc.), *widowhood* (fem.)

Vie privée (atteinte à la)

□ V. ATTEINTE À LA VIE PRIVÉE.

Vif *n.m.*

□ V. ENTRE VIFS.

Vigueur *n.f.*

□ Force obligatoire d'une loi, d'un règlement, d'un traité.
Comp. entrée en vigueur
Angl. *force*

- **Vigueur (en) :** Actuellement en force. Ex. La loi en vigueur.
Comp. abrogation, promulgation
Angl. *in force*

Viol *n.m.*

□ Rapports sexuels d'un homme avec une femme qui n'est pas son épouse, sans son consentement ou après avoir obtenu son consentement par la fraude ou la violence.
Rem. Le viol, qui était autrefois considéré comme une infraction d'ordre sexuel, constitue maintenant une forme d'agression sexuelle. Selon la jurisprudence actuelle, un mari peut être reconnu coupable d'agression sexuelle à l'égard de son épouse.
Comp. agression sexuelle
Angl. *rape*

Violation *n.f.*

□ Action de transgresser une règle fondamentale, de ne pas respecter une obligation.
Angl. *infringement, transgression, violation*

- **Violation de la loi :** Cas d'ouverture au contrôle judiciaire d'un tribunal soumis au pouvoir de surveillance et de réforme de la Cour supérieure lorsque celui-ci, tout en agissant à l'intérieur de sa compétence, a interprété la loi de façon illégale ou a fait preuve d'une méconnaissance de la loi.

Rem. Ce cas d'ouverture est d'application très rare.
Angl. *violation of the law*

- **Violation de la paix :** Expression utilisée en droit criminel pour qualifier les actes illégaux qui constituent une atteinte au droit qu'ont tous les citoyens de vivre en paix et en sécurité.
  Angl. *breach of the peace*

Violence *n.f.*

□ **1.** Contrainte physique ou morale qui est de nature à inspirer la crainte chez une personne et à extorquer son consentement lors de la conclusion d'un contrat.
Rem. Elle constitue un vice de consentement et peut être retenue comme cause de nullité relative d'un contrat.
Comp. contrainte, crainte, vice de consentement
Angl. *violence*

□ **2.** Acte d'agression portant atteinte à l'intégrité physique ou morale d'une personne. Ex. Un vol avec violence.
Angl. *violence*

Virement *n.m.*

□ Transport d'une somme d'argent d'un compte sur un autre par un simple jeu d'écriture.
Angl. *transfer*

Visa *n.m.*

□ **1.** Formule ou sceau accompagné d'une signature que l'autorité compétente appose sur un acte pour le valider ou lui donner certains effets. Ex. Le visa du greffier sur un acte de procédure.
Angl. *visa*

□ **2.** Cachet apposé sur un passeport qui autorise un étranger à séjourner temporairement dans un pays.
Angl. *visa*

Visite *n.f.*

□ V. DROIT DE VISITE.

- **Visite des lieux :** V. TRANSPORT SUR LES LIEUX.

Vivant, ante *adj.*

□ **1.** Qui est en vie.
Angl. *alive, living*

□ **2.** Se dit d'un enfant qui est sorti du sein de sa mère et qui respire seul, peu importe le temps de la gestation et la durée de sa vie.
Comp. viable
Angl. *alive, live*

Vocation *n.f.*

□ **1.** Terme employé en droit successoral pour qualifier le droit conféré par la loi à une personne d'être appelée à une succession. Ex. Le legs universel donne à une ou plusieurs personnes vocation à recueillir la totalité de la succession.
Comp. succession
Angl. *heirship*

□ **2.** Qualification pour l'exercice d'une activité. Ex. Lorsqu'une fiducie d'utilité sociale prend fin par suite de l'impossibilité de l'accomplir, ses biens peuvent être dévolus à une personne morale ayant une vocation se rapprochant le plus possible de celle de la fiducie.
Angl. *object*

Voies de fait

□ Utilisation intentionnelle de la force contre une autre personne, sans son consentement.
Syn. agression, attaque
Angl. *assault*

- **Voies de fait graves :** Voies de fait causant des blessures ou des lésions corporelles à une personne ou mettant sa vie en danger.
  Angl. *aggravated assault*

Voir-dire *n.m.*

□ Lors d'un procès criminel, examen par le juge, en l'absence du jury, d'un élément de preuve que l'on veut présenter afin d'en évaluer l'admissibilité.
Rem. Cette preuve n'est alors soumise au jury que si le juge en prononce l'admissibilité.
Angl. *voir-dire*

Voisinage *n.m.*

□ V. TROUBLE DE VOISINAGE.

Voiturier, ière *n.*

□ V. TRANSPORTEUR.

Voix *n.f.*

□ **1.** Droit de donner son opinion dans une assemblée, avec ou sans droit de vote.
Comp. vote
Angl. *vote*

- **Voix consultative :** V. CONSULTATIVE (VOIX).

- **Voix délibérative :** V. DÉLIBÉRATIVE (VOIX).

□ **2.** Droit de participer à un vote, avis exprimé dans un vote.
Comp. vote
Angl. *voice, vote*

- **Voix prépondérante :** V. VOTE PRÉPONDÉRANT.

Vol *n.m.*

□ Infraction par laquelle une personne, frauduleusement et sans apparence de droit, prend un bien qui appartient à autrui.
Syn. cambriolage
Comp. larcin
Angl. *theft*

- **Vol avec effraction :** V. EFFRACTION.

- **Vol qualifié :** Vol accompagné de violence ou de menaces de violence.
Comp. vol simple
Angl. *robbery*

- **Vol simple :** Se dit d'un vol commis sans violence ni menaces.
Comp. vol qualifié
Angl. *theft*

Volenti non fit injuria

□ Maxime latine signifiant « un dommage n'est pas fait à celui qui veut » selon laquelle une personne qui s'expose à un risque, en toute connaissance de cause, ne peut se plaindre du préjudice qu'elle subit.

Volontaire *adj. et n.*

□ **1.(adj.)** Qui résulte d'un acte de volonté.
Comp. volonté
Angl. *voluntary*

□ **2.(adj.)** Qui agit sans contrainte extérieure.
Comp. exécution volontaire, intervention volontaire, libre, vente volontaire, volonté
Angl. *voluntary*

□ **3. (n.)** Personne qui offre librement d'accomplir un acte pour lequel elle peut être ou ne pas être rémunérée.
Angl. *volunteer*

Volonté *n.f.*

□ **1.** Faculté de vouloir quelque chose, de se déterminer librement face à une décision à prendre. Ex. Il y a défaut de volonté chez une personne qui souffre d'aliénation mentale lorsqu'elle conclut un contrat.
Comp. volontaire
Angl. *will*

□ **2.** Fait de vouloir, expression par une personne de sa détermination à prendre une décision. Elle constitue un élément essentiel à la formation d'un contrat. Ex. L'accord des volontés dans un contrat.
Angl. *will*

□ **3.** Ce qui est voulu, expression par une personne de la décision qu'elle a prise. Ex. Les dernières volontés d'un testateur.
Angl. *will, wish*

- **Volonté déclarée :** Volonté exprimée par des manifestations extérieures (paroles, gestes, écrits, etc.) de l'auteur d'un acte.
Rem. Lorsqu'il y a conflit entre la volonté déclarée et la volonté interne, celle-ci doit normalement prévaloir.
Contr. volonté interne
Angl. *declared will*

- **Volonté interne :** Volonté qui correspond à l'intention réelle de l'auteur d'un acte.
Syn. volonté réelle
Contr. volonté déclarée
Angl. *internal will*

- **Volonté réelle :** V. VOLONTÉ INTERNE.

Voluptuaire *adj.*

☐ V. IMPENSES VOLUPTUAIRES.

Votation *n.f.*

☐ V. VOTE.

Vote *n.m.*

☐ **1.** Action par laquelle une personne exprime son opinion dans une assemblée délibérante ou lors d'une élection. Ex. Le vote d'un électeur.

Syn. votation
Comp. délibération, quorum, scrutin, unanimité, voix
Angl. *vote*

• **Vote (bureau de) :** V. BUREAU DE SCRUTIN.

• **Vote prépondérant :** Voix décisive accordée généralement au président d'une assemblée délibérante dans le cas d'égalité des voix, permettant ainsi à celui-ci de trancher le débat.

Syn. voix prépondérante
Comp. voix
Angl. *casting vote, deciding vote*

☐ **2.** Résultat de cette action. Ex. Le vote du conseil d'administration d'une entreprise.

Comp. scrutin
Angl. *vote*

• **Vote de non-confiance :** Dans un régime parlementaire, vote d'une assemblée élective (ex. l'Assemblée nationale ou la Chambre des communes) au cours duquel le gouvernement est défait, l'obligeant ainsi, lorsque la question à l'étude est suffisamment importante, à démissionner et à déclencher des élections.

Comp. censure (motion de), question de confiance
Angl. *vote of no confidence*

☐ **3.** Manière par laquelle les membres d'une assemblée expriment leur opinion. Ex. Le vote à scrutin secret, le vote à main levée.

Angl. *vote*

Voyage (contrat au) *n.m.*

☐ V. CONTRAT AU VOYAGE.

Voyageur, euse *n.*

☐ **1.** Personne qui est transportée en vertu d'un contrat de transport.

Syn. passager
Comp. transport
Angl. *passenger*

☐ **2.** Personne qui, lors d'un voyage, est partie à un contrat avec un hôtelier.

Comp. hôtellerie (contrat d')
Angl. *traveller*

Vraisemblable *adj.*

☐ Qui semble conforme à la vérité, qui est, à première vue, conforme à la vérité.

Comp. vraisemblance
Angl. *likely, probable*

Vraisemblance *n.f.*

☐ Caractère de ce qui est vraisemblable.

Comp. vraisemblable
Angl. *likelihood, probability*

Vs.

☐ Abrév. de v*ersus*.

Vu *prép. et n.m.*

☐ **1.(prép.)** En considérant, après examen.

Angl. *in view of*

☐ **2.(n.m.)** Examen (d'une pièce). Ex. Dans les causes par défaut, le greffier rend jugement sur le vu de l'affidavit et de la pièce sur laquelle l'action est fondée.

Angl. *inspection*

Vue *n.f.*

☐ Ouverture ordinaire, non fermée ou munie d'une fenêtre qui laisse passer non seulement la lumière, mais aussi l'air et les regards.

Comp. jour, servitude de vue
Angl. *view*

• **Vue droite :** Ouverture qui permet au regard de se poser sur le fonds voisin sans que l'on soit obligé de tourner la tête ni à gauche ni à droite.

Comp. servitude de vue, vue oblique
Angl. *direct view*

- **Vue oblique :** Ouverture qui permet au regard de se poser sur le fonds voisin à la condition de tourner la tête soit à gauche soit à droite.

  Rem. Contrairement au *Code civil du Bas-Canada*, le *Code civil du Québec* ne réglemente pas les vues obliques.

  Comp. servitude de vue, vue droite

  Angl. *oblique view*

- **Vue (servitude de) :** V. SERVITUDE DE VUE.

Warranto

☐ V. *Quo warranto*

W.C.A.T.R.

☐ Abrév. de Workers' *Compensation Appeals Tribunal Reporter.*

W.C.B.

☐ Abrév. de **1.** *Weekly Criminal Bulletin* ; **2.** *Workers' Compensation Board* ; **3.** *Workmen's Compensation Board.*

W.D.C.P.

☐ Abrév. de *Weekly Digest of Civil Procedure.*

W.D.F.L.

☐ Abrév. de *Weekly Digest of Family Law.*

Western L. R.

☐ Abrév. de *Western Law Review.*

Western L. Times

☐ Abrév. de *Western Law Times (and Reports).*

Western Ont. L. Rev.

☐ Abrév. de *Western Ontario Law Review.*

West. L. Rev.

☐ Abrév. de *Western Law Review.*

West. Ont. L. Rev.

☐ Abrév. de *Western Ontario Law Review.*

Windsor Y.B. Access Justice

☐ Abrév. de *The Windsor Yearbook of Access to Justice* / Recueil annuel de Windsor d'accès à la justice.

W.L.A.C.

☐ Abrév. de *Western Labour Arbitration Cases.*

W.L.R.

☐ Abrév. de **1.** *Weekly Law Reports* ; **2.** *Western Law Reporter, Canada*

W.L.T.

☐ Abrév. de *Western Law Times.*

W.W.D.

☐ Abrév. de *Western Weekly Digest.*

W.W.R.

☐ Abrév. de *Western Weekly Reports.*

W.W.R. (N.S.)

☐ Abrév. de *Western Weekly Reports (New Series).*

Y

Y.A.D.

☐ Abrév. de *Young's Admiralty Decisions.*

Yale L.J.

☐ Abrév. de *Yale Law Journal.*

Y.B.

☐ Abrév. de *Year Books.*

Young Adm.

☐ Abrév. de *Young Admiralty Decisions.*

Y.R.

☐ Abrév. de *Yukon Reports.*

Y.T.

☐ Abrév. de *Yukon Territory.*

Z

Zonage *n.m.*

□ Répartition d'un territoire en zones à l'intérieur desquelles s'appliquent des règles particulières concernant les modes d'occupation ou les conditions d'utilisation des sols.

Comp. urbanisme
Angl. *zoning*

• **Zonage (règlement de) :** Règlement qui détermine les modes d'occupation ou les conditions d'utilisation des sols dans une zone particulière d'un territoire. Ex. Le règlement de zonage concernant les activités commerciales dans une municipalité.

Comp. urbanisme
Angl. *zoning by-law*

LEXIQUE
anglais / français

LEXIQUE
anglais /français

A

A person cannot plead by proxy	Nul ne plaide par procureur
A person cannot use the name of another to plead	Nul ne peut plaider sous le nom d'autrui
Abandoned child	Enfant abandonné
Abandoned things	Bien abandonné
Abandonee	Abandonnataire
Abandoning child	Abandon
Abandonment	Abandon Délaissement
Abandonment of property	Cession judiciaire de biens
Abandonment of the family residence	Abandon de la résidence familiale
Abatement	Abattement
Abdication	Abdication
Abduction	Détournement Enlèvement
Ability	Aptitude Capacité
Abintestate	Intestat
Abintestate heir	Héritier ab intestat
Abintestate succession	Succession ab intestat Succession légitime
Able	Apte
Abolish (to)	Abolir
Abolition	Abolition
Abortion	Avortement
Abrogate (to)	Abroger
Abrogation	Abrogation
Absence	Absence Défaut
Absent	Absent
Absentee	Absent
Absolute	Absolu Irrévocable
Absolute discharge	Libération inconditionnelle
Absolute jurisdiction	Compétence d'attribution
Absolute liability offence	Infraction de responsabilité absolue
Absolute majority	Majorité absolue

Absolute monarchy	Monarchie absolue
Absolute nullity	Nullité absolue
Absolute presumption	Présomption absolue
Absolute right	Droit absolu
Absolution	Absolution
Absolve (to)	Absoudre
Abstention	Abstention
Abstract (to)	Distraire
Abstraction	Distraction
Abuse	Abus
Abuse of enjoyment	Abus de jouissance
Abuse of power	Excès de pouvoir Pouvoir (excès de)
Abuse of process	Abus de procédure
Abuse of right	Abus de droit
Abusive	Abusif
Abusive appeal	Appel abusif
Abusive clause	Clause abusive
Abusive exercise of a right	Abus de droit Exercice abusif d'un droit
Academic question	Question académique
Accept (to)	Accepter
Acceptance	Acceptation Réception
Acceptance of a bill of exchange	Acceptation
Acceptance of succession	Succession (acceptation de la)
Acceptance of the work	Réception de l'ouvrage
Acceptance under benefit of inventory	Acceptation sous bénéfice d'inventaire
Accepting heir	Héritier acceptant
Acceptor	Acceptant Accepteur
Access to the registers	Publicité des registres
Accession	Accession Adhésion
Accession by the act of man	Accession artificielle
Accessory	Accessoire Complice Subsidiaire
Accessory after the fact	Complice après le fait
Accessory before the fact	Complice avant le fait
Accessory conclusion	Conclusion accessoire Conclusion subsidiaire
Accessory expenses	Frais accessoires

English	Français
Accessory measures	Mesure accessoire
Accidental	Casuel
Accidental case	Cas fortuit
Accommodation	Complaisance
Accommodation bill	Lettre de complaisance
Accommodation paper	Effet de complaisance
Accommodation party	Partie de complaisance
Accomplice	Complice
Accomplished condition	Condition accomplie
Account	Compte
Account receivable	Créance
Accounting	Compte (reddition de)
Accounting party	Compte (rendant)
Accredit (to)	Accréditer
Accreditation	Accréditation
Accretion	Accroissement
Accretion in case of survival	Gagiste
Accumulate arrears (to)	Arrérager
Accumulation	Capitalisation
Accusation	Inculpation
Accusatory	Accusatoire
Accused	Accusé Inculpé Prévenu
Acknowledge receipt of (to)	Donner acte
Acknowledge (to)	Prendre acte
Acknowledged	Reconnu
Acknowledgement	Aveu Reconnaissance
Acknowledgement of debt	Reconnaissance de dette
Acknowledgement of maternity	Reconnaissance volontaire de maternité
Acknowledgement of paternity	Reconnaissance volontaire de paternité
Acquest	Acquêt(s)
Acquiesce (to)	Acquiescer
Acquiescence	Acquiescement
Acquiescence in a demand	Acquiescement à la demande
Acquired prescription	Prescription acquise
Acquired rights	Droit(s) acquis
Acquired right(s)	Droit(s) acquis
Acquirer	Acquéreur
Acquisition	Acquisition
Acquisition mode	Acquisition (mode d')
Acquisitive	Acquisitif

English	Français
Acquisitive prescription	Prescription acquisitive
	Usucapion
Acquit (to)	Acquitter
Acquittal	Acquittement
Acquittance	Quittance
Acquitted	Acquit
Act	Acte (ou acte juridique)
	Loi
	Statut
Act by gratuitous title	Acte à titre gratuit
Act by onerous title	Acte à titre onéreux
Act creating...	Acte constitutif
Act for consideration	Acte à titre onéreux
Act in contemplation of death	Acte à cause de mort
Act *inter vivos*	Acte entre vifs
Act of acceptance of the succession	Acte d'adition d'hérédité
Act of administration	Acte d'administration
Act of alienation	Acte d'aliénation
Act of birth	Naissance (acte de)
Act of burial	Acte de sépulture
Act of confirmation	Acte de confirmation
Act of conservation	Acte conservatoire
Act of disposition	Acte de disposition
Act of full administration	Acte de pleine administration
Act of God	Force majeure
Act of gross indecency	Acte de grossière indécence
Act of impoverishment	Acte d'appauvrissement
Act of inheritance	Acte d'héritier
Act of judicial administration	Acte d'administration judiciaire
Act of marriage	Mariage (acte de)
Act of mere sufferance	Acte de simple tolérance
Act of notoriety	Acte de notoriété
Act of simple administration	Acte de simple administration
Act of State	Fait du prince
Act of sufferance	Acte de simple tolérance
Act without consideration	Acte à titre gratuit
Action	Action (en justice)
	Poursuite
	Recours
Action de *in rem verso*	Action *de in rem verso*
Action for an account	Action en reddition de compte
Action for confirmation of title	Action en ratification de titre
Action for distribution	Action en partage

English	Français
Action for partition	Action en partage
Action for repossession	Action en réintégrande
Action for restitution	Action en répétition de l'indu
Action for the removal from a tutorship	Action en destitution de tutelle
Action in contestation of paternity	Action en contestation de paternité
Action in contestation of status	Action en contestation d'état
Action in declaration of paternity or maternity	Action en déclaration de paternité ou de maternité
Action in declaration of simulation	Action en déclaration de simulation
Action in denunciation of new works	Action en dénonciation de nouvel oeuvre
Action in disavowal	Action en désaveu de paternité
Action in disavowal of paternity	Action en désaveu de paternité
Action in execution of title	Action en passation de titre
Action in improbation	Action en faux Faux (action en)
Action in recovery of unjustified enrichment	Action *de in rem verso*
Action in relation to status	Action d'état
Action in resolution	Action résolutoire
Action in revendication	Revendication (action en)
Action in warranty	Action en garantie
Action on disturbance	Action en complainte
Action to account	Action en reddition de compte
Action to bring a petition of inheritance	Action en pétition d'hérédité
Action to claim status	Action en réclamation d'état
Action *ultra vires*	Excès de pouvoir
Active indivisibility	Indivisibilité active
Active servitude	Servitude active
Active solidarity	Solidarité active
Acts of birth	Naissance (actes de)
Act(s) of civil status	Acte(s) de l'état civil
Acts of death	Décès (actes de)
Acts of marriage	Mariage (actes de)
Actual	Effectif Né
Actual assets	Bien(s) présent(s)
Actual damages	Dommages-intérêts actuels
Actual possession	Possession actuelle
Actual value	Valeur réelle
Ad hoc decision	Décision d'espèce
Ad hoc judge	Juge *ad hoc*
Adage	Adage
Addenda	Addenda

Addition	Adjonction
	Annexe
Additional	Subsidiaire
	Supplétif
Additional clause	Avenant
Additional value	Plus-value
Address	Plaidoirie
	Plaidoyer
Addressee	Destinataire
Adherence	Adhésion
Adherent	Adhérent
Adhering party	Adhérent
Adhesion contract	Contrat d'adhésion
Adjective law	Droit judiciaire
Adjournment	Ajournement
Adjournment *sine die*	Ajournement *sine die*
Adjudge (to)	Adjuger
Adjudication	Adjudication
Adjudicator	Arbitre
Adjunction	Adjonction
Adjustment	Redressement
Administer (to)	Gérer
Administration	Administration
	Administration publique
Administration of oath	Assermentation
Administrative	Administratif
Administrative act	Acte administratif
Administrative centralization	Centralisation administrative
Administrative corruption	Corruption administrative
Administrative decentralization	Décentralisation administrative
Administrative decision	Acte administratif
Administrative jurisdiction	Juridiction administrative
Administrative justice	Justice administrative
Administrative law	Droit administratif
Administrative procedure	Procédure administrative
Administrative review	Révision administrative
Administrative suspension	Suspension administrative
Administrative tribunal	Tribunal
	Tribunal administratif
Administrator	Administrateur
	Gestionnaire
Administrator of the property of others	Administrateur du bien d'autrui
Admiralty Court	Cour d'amirauté

English	Français
Admissibility	Recevabilité
Admissibility of evidence	Preuve (admissibilité d'une)
Admissible	Recevable
Admissible evidence	Preuve admissible
Admission	Aveu
Admission and avoidance	Aveu complexe
Admit (to)	Homologuer
Admixture	Mélange
Adopt (to)	Adopter
Adopted	Adopté
Adopted child	Adopté
Adopted person	Adopté
Adopter	Adoptant
Adopting family	Famille adoptive
Adopting parent	Adoptant
Adoption	Adoption
Adoptive	Adoptif
Adoptive father	Père adoptif
Adoptive filiation	Filiation adoptive
Adoptive mother	Mère adoptive
Adoptive parent	Adoptant Parent adoptif
Adoptive relationship	Parenté adoptive
Adulteration	Falsification
Adulterine child	Enfant adultérin
Adulterous	Adultérin
Adulterous child	Enfant adultérin
Adultery	Adultère
Advance	Acompte Avance
Advance by overdraft	Avance à découvert
Advance layoff notice	Licenciement (préavis de)
Advance payment	Paiement par anticipation
Advancement	Avancement d'hoirie
Advantage	Avantage
Adversary system	Contradictoire Dispositif (principe)
Adverse party	Partie adverse
Advice	Avis
Advise (to)	Délibérer
Advisement	Délibéré
Adviser	Conseil Conseiller

(suite)	Conseiller en valeurs
Adviser (advisor) on securities	Conseiller en valeurs
Adviser (advisor) to a person of full age	Conseiller au majeur
Adviser (advisor) to a prodigal	Conseiller au prodigue
Advisor	Conseiller
	Conseiller en valeurs
Advisory	Consultatif
Advisory opinion	Renvoi
Aerial navigation	Navigation aérienne
Aeronautical law	Droit aéronautique
Affect (to)	Grever
Affiant	Affiant
Affidavit	Affidavit
Affinity	Alliance
	Parenté par alliance
Affirmative declaration	Déclaration affirmative
Affirmative statement	Déclaration affirmative
Affix the seals (to)	Apposer les scellés
Affixing of the seals	Apposition des scellés
Affreightment	Affrètement
Aforesaid	Susdit
After due reading	Lecture faite
After-sale service	Service après-vente
Age	Âge
	Âge légal
Age of reason	Raison (âge de)
Agency	Ministère
	Office
	Organisme
Agency of a foreign state	Organisme d'un État étranger
Agent	Agent
	Fondé de pouvoir
	Mandataire
	Préposé
Aggravated assault	Voies de fait graves
Aggravated sexual assault	Agression sexuelle grave
Aggravating circumstances	Circonstance(s) aggravante(s)
Aggression	Agression
Aggressor	Agresseur
Agiotage	Agiotage
Agnates	Agnats
Agnation	Agnation
Agree (to)	Conclure

Agreed . . . . Forfaitaire
Agreement . . . . Accord
Conclusion
Convention
Entente
Pacte
Agreement in principle . . . . Accord de principe
Aid . . . . Assistance
Aim . . . . Fins
Air cushion vehicle . . . . Aéroglisseur
Air law . . . . Droit aérien
Aircraft . . . . Aéronef
Aleatory contract . . . . Contrat aléatoire
Alibi . . . . Alibi
Alien . . . . Aubain
Alienability . . . . Aliénabilité
Alienable . . . . Aliénable
Alienation . . . . Aliénation
Réalisation
Alienation for rent . . . . Bail à rente
Alienator . . . . Aliénateur
Alienee . . . . Aliénataire
Alimentary . . . . Alimentaire
Alimony . . . . Aliments
Aliquot share . . . . Quote-part
Alive . . . . Vivant
Allegation . . . . Allégation
Prétention
Allege (to) . . . . Exciper
Allegiance . . . . Allégeance
Alliance . . . . Alliance
Allied . . . . Allié
Allocation . . . . Attribution
Allonge . . . . Allonge
Allottee . . . . Loti
Allow (to) . . . . Impartir
Allowance . . . . Indemnité
Prestation
Alluvial deposits . . . . Alluvion
Alluvion . . . . Alluvion
Almost . . . . Quasi
Alteration . . . . Altération
Modification

Alternate custody	Garde alternée Garde partagée
Alternate verdict	Verdict alternatif
Alternative conclusions	Conclusion(s) alternative(s)
Alternative condition	Condition alternative
Alternative obligation	Obligation alternative
Alternative verdict	Verdict alternatif
Amalgamation	Fusion
Amend (to)	Amender
Amendment	Amendement
Amenity	Agrément
Amicable partition	Partage amiable
Amicable separation	Séparation amiable
Amnesty	Amnistie
Amortization	Amortissement
Amount	Quotité
An accessory follows its principal	Accessoire suit le principal (l')
Anal intercourse	Sodomie
Anatocism	Anatocisme
Ancestor	Auteur
Ancillary costs	Frais accessoires
Annex	Annexe
Annexation	Annexion
Annual	Annal
Annual report	Rapport annuel
Annuity	Annuité Rente
Annul (to)	Annuler Rescinder
Annullability	Annulabilité
Annullable	Annulable Résoluble
Annulled	Nul
Annulment	Annulation Cassation Rescision
Annulment of marriage	Annulation de mariage
Anomalous succession	Succession anomale
Anonymous partnership	Société anonyme
Answer	Compte (soutènement de) Réponse
Answer for (to)	Répondre
Answer (to)	Répondre

English	Français
Answerable	Responsable
Ante	Adoptant
Antedate	Antidate
Antedated	Antidaté
Antedated cheque	Chèque antidaté
Antichresis	Antichrèse
Antitrust law	Loi antitrust DROIT DE LA CONCURRENCE
Apostil	Apostille
Apparent act	Acte apparent
Apparent contract	Contrat apparent
Apparent defect	Vice apparent
Apparent heir	Héritier apparent
Apparent servitude	Servitude apparente
Appeal	Appel Pourvoi
Appeal Court of Quebec	Cour d'appel
Appeal (to)	Appeler Interjeter appel Pourvoir (se)
Appear in judicial proceedings (to)	Ester (en justice)
Appear (to)	Comparaître
Appearance	Acte de comparution Comparution
Appearance notice	Citation à comparaître
Appearance of right	Apparence de droit
Appearer	Comparant
Appellant	Appelant
Appellate jurisdiction	Juridiction d'appel
Appendage	Annexe
Appendix	Appendice
Applicant	Requérant Souscripteur
Application	Proposition
Application for confirmation of title	Action en ratification de titre
Application for registration	Réquisition d'inscription
Appoint (to)	Commettre Constituer Instituer
Appointed	Commis
Appointee	Institué
Appointment	Constitution Institution Nomination

English	Français
Appointment of a new attorney	Constitution de nouveau procureur
Appointment of attorney	Constitution de procureur
Appointment of heir	Institution d'héritier
Appointor	Instituant
Apportionment	Répartition
	Ventilation
Apprehension	Arrestation
Apprenticeship	Apprentissage
Appropriated patrimony	Patrimoine d'affectation
Appropriation	Appropriation
Appropriation to a purpose	Affectation
Approval	Autorisation
	Homologation
	Levée
	Ratification
Approve (to)	Homologuer
	Ratifier
Approved instrument	Alcootest approuvé
	Ivressomètre
Arbitral	Arbitral
	Compromissoire
Arbitration	Arbitrage
Arbitration agreement	Convention d'arbitrage
Arbitration (award)	Arbitral
Arbitration award	Sentence arbitrale
Arbitration board	Conseil d'arbitrage
Arbitration clause	Clause compromissoire
Arbitration of grievances	Arbitrage de griefs
Arbitration (tribunal)	Arbitral
Arbitrator	Amiable compositeur
	Arbitre
Arbitrator of grievances	Arbitre de griefs
Archaeological property	Bien archéologique
Archives	Archives
Arde	Bâtard
Argument	Argument
Argument of law	Argument de droit
Arise (to)	Produire (se)
Armed forces	Force publique
	Force(s) armée(s)
Arraignment	Accusation (mise en)

English	Français
Arrears	Arrérages
Arrest	Arrestation
Arson	Incendie criminel
Articled student	Stagiaire
Articles	Stage
	Statut
Articles of incorporation	Statuts de constitution
Artificial	Moral
Artificial accession	Accession artificielle
As husband and wife	Maritalement
As of right	De plein droit
Ascendant	Ascendant
Ascendant represented	Représenté
Ascending	Ascendant
Assail (to)	Attaquer
Assault	Agression
	Attentat
	Voies de fait
Assembly	Assemblée
Assent	Acquiescement
	Sanction
Assent (to)	Acquiescer
Assessor	Assesseur
Asset	Bien
Assets	Actif
Assets of the succession	Actif successoral
Assign (to)	Assigner
	Céder
Assignability	Cessibilité
Assignable	Cessible
Assignation	Assignation
Assigned debtor	Cédé
Assignee	Ayant cause
	Cessionnaire
Assignee by general title	Ayant cause à titre universel
Assignee by particular title	Ayant cause à titre particulier
Assignment	Assignation
	Attribution
	Cession
	Transport
Assignment of a lease	Cession de bail
Assignment of claim	Cession de créance
Assignment of contract	Transfert de convention collective

English	Français
Assignment of counsel	D'office (commission)
Assignment of creance	Cession de créance
Assignment of debt	Cession de dette
Assignment of dowry	Dot (constitution de)
Assignment of inheritance	Cession de droits successifs
Assignment of litigious rights	Cession de droits litigieux
Assignment of preference	Cession de rang
Assignment of rights of succession	Cession de droits successifs
Assignor	Cédant
Assistance	Assistance
Assizes	Assises criminelles
Associate	Associé
Association	Association Ordre
Association constituted as legal person	Association constituée en personne morale
Association of employees	Association de salariés
Assumable	Appropriable
At any stage of the case	Cause (en tout état de)
At any time	Cause (en tout état de)
At fault	Fautif
At the discretion of...	Bon plaisir (durant)
At the expense of	Charge de (à la)
Attachable	Saisissable
Attachment	Contrainte par corps
Attachment by garnishment	Arrêt en main tierce
Attachment for rent	Saisie-gagerie
Attachment for rent in recaption	Saisie-gagerie par droit de suite
Attachment in revendication	Saisie-revendication
Attainder	Dégradation civique
Attempt	Tentative
Attendance	Vacation
Attendance allowance	Jeton de présence
Attendance fees	Jeton de présence
Attermining	Atermoiement
Attestation	Attestation Certification Constat
Attestation of birth	Naissance (constat de)
Attestation of death	Décès (constat de)
Attestor	Certificateur
Attorney	Avocat Plaideur

(suite)	Procureur
Attorney General	Procureur général
Attorney-General's prosecutor	Substitut du procureur général
Attorney-General's substitute	Substitut du procureur général
Attribute	Attribut
Attributing	Attributif
Attribution	Attribution
Attributive	Attributif
Au compte ou à la mesure	Vente au poids
Auction sale	Vente aux enchères
Audit	Vérification
Auditing	Apurement
Audition	Audition
Auditor	Vérificateur
Auditor general	Vérificateur général
Authentic	Authentique
Authentic act	Acte authentique
Authentic will	Testament authentique
Authenticate (to)	Authentifier Valider
Authenticated	Vidimé
Authentication	Authentification Validation
Authenticity	Authenticité
Author	Auteur
Authority	Autorité Puissance
Authority of a final judgment	Chose jugée (autorité de la)
Authority of *res judicata*	Chose jugée (autorité de la)
Authorization	Autorisation
Authorized capital	Capital autorisé
Automatically	De plein droit
Automatism	Automatisme
Autonomy	Autonomie
Autopsy	Autopsie
Average	Avarie
Average loss	Avarie
Avoidance	Désaveu
Avoidance of tax	Évitement fiscal
Avulsion	Avulsion
Award	Attribution Sentence

B

Bachelor's degree	Licence
Back to work agreement	Protocole de retour au travail
Backdated cheque	Chèque antidaté
Backer	Avalisé
Back-to-work agreement	Protocole de retour au travail
Bad faith	Mauvaise foi
Bad work	Malfaçon
Bail	Caution
Bailiff	Huissier
Bailiff's assistant	Recors
Bailiff's notice	Huissier (exploit d')
Balance	Reliquat Solde Soulte
Balance of convenience	Évaluation comparative des inconvénients
Balance of probabilities rule	Preuve (règle de la prépondérance de la)
Balancing	Apurement
Ban	Interdiction
Ban (to)	Interdire
Bands	Rabat
Banishment	Bannissement
Bank	Rive
Bank draft	Traite bancaire
Bank note	Billet de banque
Bank-paper	Effet bancaire
Bankrupt	Failli
Bankruptcy	Faillite
Bankruptcy district	Faillite (district de)
Bankruptcy division	Faillite (division de)
Banned	Interdit
Banning of	Interdiction
Bar	Barre Barreau
Bar '70	Barreau
Bar Association	Barreau
Bare owner	Nu-propriétaire
Bare ownership	Nue-propriété
Bareboat charter	Affrètement coque-nue

Bargaining	Négociation
Bargaining unit	Unité de négociation
Barratry	Baraterie
Barrister	Avocat
Base	Fondement
	Siège
Basis	Assiette
Bastard	Enfant incestueux
	Enfant naturel
Bd.	Prop. Comp.
Be binding (to)	Lier
Be in default (to)	Demeure (être en)
Be incumbent on (to)	Incomber
Be liable (to)	Répondre
Be proof of (to)	Foi (faire)
Be relieved (to)	Restituer
Bearer	Porteur
Bearer cheque	Chèque au porteur
Bearer instrument	Titre au porteur
Bearer order	Billet au porteur
Belong (to)	Compéter
Bench	Banc
Beneficiary	Bénéficiaire
	Gratifié
Beneficiary heir	Héritier bénéficiaire
Benefit	Avantage
	Bénéfice
	Émolument
	Prestation
Benefit derived from	Bénéfice d'émolument
Benefit of discussion	Bénéfice de discussion
Benefit of division	Bénéfice de division
Benefit of inventory	Bénéfice d'inventaire
Benefit of the doubt	Doute (bénéfice du)
Benefit of the term	Bénéfice du terme
Bequeath (to)	Léguer
	Tester
Bequest	Legs
Bequest by particular title	Legs à titre particulier
Bertillon Signaletic System	Bertillonnage
Best evidence rule	Preuve (règle de la meilleure)
Bestiality	Bestialité
Bet	Pari

Beyond any reasonable doubt . . . . . . Doute raisonnable (hors de tout)
Bicameral . . . . Bicaméral
Bicameral system . . . . Bicaméralisme
Bid . . . . Enchère
Soumission
Bid (to) . . . . Enchérir
Bidder . . . . Enchérisseur
Offrant
Bigamy . . . . Bigamie
Bilateral . . . . Bilatéral
Bilateral act . . . . Acte bilatéral
Bilateral contract . . . . Contrat synallagmatique
Bill . . . . Déclaration
Lettre
Mémoire
Projet de loi
Bill of costs . . . . Mémoire de frais
Bill of exchange . . . . Lettre de change
Bill of lading . . . . Connaissement
Bill presented by a member of Parliament . . . Projet de loi d'initiative parlementaire
Bind (to) . . . . Lier
Obliger
Binding . . . . Ferme
Binding force . . . . Force exécutoire
Force obligatoire (du contrat)
Biological family . . . . Famille biologique
Birth . . . . Naissance
Birth certificate . . . . Naissance (acte de)
Birth right . . . . Aînesse (droit d')
Black market labour . . . . Travail au noir
Black work . . . . Travail au noir
Blackmail . . . . Chantage
Blank . . . . Blanc (en)
Blank cheque . . . . Chèque en blanc
Blank endorsement . . . . Endossement en blanc
Blank signature . . . . Signature en blanc
Blanket mortgage . . . . Hypothèque enveloppe
Blasphemous libel . . . . Libelle blasphématoire
Blasphemy . . . . Blasphème
Blatant . . . . Flagrant
Blood related . . . . Consanguin
Blueprint act . . . . Loi-cadre
Board . . . . Bureau public

(suite)	Commission
	Conseil
	Office
	Régie
Board of directors	Conseil d'administration
Board of guardians	Conseil de famille
Boarding-house	Maison de pension
Boating	Navigation de plaisance
Bodily injury	Préjudice corporel
Bodily search	Fouille
Body	Corps
	Organisme
Body politic	Corps politique
Bond	Cautionnement
	Obligataire
	Obligation
Bond holder	Obligataire
Bonus	Gratification
	Prime
Book	Document
	Livre
Book of reference	Livre de renvois
Border	Frontière
Born	Né
Borrow (to)	Emprunter
Borrower	Emprunteur
Borrower (in a loan for use)	Commodataire
Bottomry	Prêt à la grosse
Bouncing cheque	Chèque sans provision
Boundary	Frontière
Boundary mark	Borne
Boundary marker	Borne
Box	Barre
Boycott	Boycottage
Branch	Branche
Branch (subdivision of a)	Rameau
Breach	Contravention
	Rupture
Breach of the peace	Violation de la paix
Breach of trust	Abus de confiance
Breach (to)	Déroger
Break	Effraction
Breakdown	Ventilation

Breaking and entering	Introduction par effraction
Breaking off	Rupture
Breathalyzer	Alcootest
	Ivressomètre
Bribery	Corruption
Bribery at elections	Corruption électorale
Bring an action (to)	Intenter
Bring an appeal (to)	Interjeter appel
British North America Act	Loi-cadre
British North America Act, 1867	*Loi constitutionnelle de 1867*
Broker	Courtier
	Courtier en valeurs
Brokerage	Courtage
Builder	Entrepreneur
Bulk sale	Vente en bloc
Burden of proof	Fardeau de la preuve
	Onus probandi
Burden of proof rests on the plaintiff (the)	*Onus probandi incumbit actori*
Burial	Inhumation
Burial certificate	Acte de sépulture
Business	Entreprise
	Fonds de commerce
Business corporation	Société commerciale
	Société par actions
Business day	Jour ouvrable
Business expenses	Frais professionnels
Business law	Droit des affaires
Business name	Dénomination sociale
	Nom commercial
Business partner	Associé
Buyer	Achat
	Preneur
Buying	Achat
By gratuitous title	Titre gratuit (à)
By mutual agreement	Gré à gré (de)
By mutual consent	Gré à gré (de)
By onerous title	Titre onéreux (à)
By operation of law	De plein droit
By thirty years	Trentenaire
By title	Titre
By virtue of	Vertu de (en)
By way of	Titre
By-law	Règlement

By-laws of an immovable . . . . Règlement de l'immeuble

C

Cabinet	Cabinet
	Cabinet des ministres
	Conseil des ministres
	Conseil exécutif
Cadastral plan	Plan cadastral
Cadastral survey	Cadastre
Cadastre	Cadastre
Calendar year	Année civile
Call	Appel de versements
Call for bids	Appel d'offres
Call for payment	Appel de versements
Call (to)	Appeler
Callable	Rachetable
Calling of a case	Appel d'une cause
Canada Labour Code	*Code canadien du travail*
Canadian Bill of Rights	Déclaration canadienne des droits
Canadian Charter of Rights and Freedoms . . .	*Charte canadienne des droits et libertés*
Canadian delinquent	Délinquant canadien
Canadian Human Rights Act	*Loi canadienne sur les droits de la personne*
Canadian waters	Eaux canadiennes
Cancel (to)	Annuler
	Radier
	Rescinder
	Résilier
Cancellable	Résiliable
	Résoluble
Cancellation	Annulation
	Radiation
	Résiliation
Cancellation as of right	Radiation d'office
Cancelling	Radiation
Canon	Canon
Canon law	Droit canonique
Canons of inheritance	Ordre de dévolution de la succession
Capable	Apte
	Capable
	Habile
Capable of living	Viable

English	Français
Capacitation	Habilitation
Capacity	Aptitude
	Capacité
	Qualité
Capacity to enjoy	Capacité de jouissance
Capacity to exercise	Capacité d'exercice
Capacity to institute legal proceedings	Capacité d'ester en justice
Capacity to practice	Capacité d'exercice
Capacity to sue	Capacité d'ester en justice
Capital	Capital
	Capital social
	Capital-actions
	Fonds
	Principal
Capital execution	Exécution capitale
Capital punishment	Peine de mort
Capital share	Part sociale
Capital stock	Capital social
	Capital-actions
Capital sum	Principal
Capitalization	Capitalisation
Captation	Captation
Captator	Captateur
Care	Diligence
	Garde
	Surveillance
Caretaking	Gardiennage
Cargo	Cargaison
Carriage	Transport
Carrier	Transporteur
Carrying on of an enterprise	Entreprise (exploitation d'une)
Carry-over	Report
Cartel	Cartel
Case	Cas
	Cause
	Litige
Case law	Jurisprudence
Case ready for judgment	Cause en état
Case under advisement	Cause en état
Cases where there is open way for an action	Ouverture d'un recours (cas d')
Cash	Comptant (au)
	Espèces
	Liquide

Cash payment	Paiement (au) comptant
Cash sale	Vente au comptant
Cassation	Cassation
Casting vote	Vote prépondérant
Casual condition	Condition casuelle
Casual employee	Occasionnel
Causal connection	Causalité (lien de)
Cause	Cause
Cause of action	Cause d'action
Cause of the obligation	Cause objective
Cede (to)	Céder
Cens	Cens
Censitaire	Censitaire
Censure motion	Censure (motion de)
Census	Recensement
Center	Siège
Centralization	Centralisation
Certain	Certain
Certain damage	Dommage certain Préjudice certain
Certain injury	Dommage certain Préjudice certain
Certain term	Terme certain
Certain thing	Corps certain
Certificate	Attestation Brevet Certificat Procès-verbal
Certificate of civil status	Certificat de l'état civil
Certificate of *nulla bona*	Carence (procès-verbal de)
Certificate of readiness	Certificat d'état de cause
Certificate of search	Certificat de recherche
Certificate of service	Procès-verbal de signification
Certificated	Breveté
Certification	Accréditation
Certification agent	Agent d'accréditation
Certified association	Association accréditée
Certified cheque	Chèque certifié
Certified copy	Copie conforme
Certified mail	Courrier certifié
Certify (to)	Accréditer Certifier
Cession	Cession

Cession of rank	Cession de rang
Chain	Chaîne
Chain of causation	Causalité (lien de)
Chain of title	Chaîne de titres
Challenge	Récusation
Chamber	Chambre
Chancellor	Chancelier
Change of attorney	Constitution de nouveau procureur
Change of venue	Renvoi d'une affaire
Chapelry	Desserte
Characterization	Qualification
Characterize (to)	Qualifier
Charge	Accusation
	Charge
	Chef
	Chef d'accusation
Charge on (being a)	Charge de (à la)
Charge (to)	Accuser
	Grever
	Inculper
Charge to jury	Exposé du juge au jury
Chargeable to	Charge de (à la)
Charged	Grevé
	Inculpé
Charges	Charge
Charter	Acte constitutif
	Affrètement
	Charte
Charter of a company	Charte d'une compagnie ou d'une société par actions
Charter of a corporation	Charte d'une compagnie ou d'une société par actions
Charter of Human Rights and Freedoms	*Charte des droits et libertés de la personne*
Charter of the French language	*Charte de la langue française*
Charter party	Charte-partie
Charterer	Affréteur
Chartering	Affrètement
Charter-party	Charte-partie
Cheque	Chèque
Cheque without (sufficient) funds	Chèque sans provision
Chief	Chef
Chief agent	Agent principal
Chief Justice	Juge en chef

Chief of Government . . . . Chef de gouvernement
Chief of State . . . . Chef de l'État
Child . . . . Enfant
Child to be born . . . . Enfant à naître
Children . . . . Enfant
Chirographic . . . . Chirographaire
Chirographic creance . . . . Créance ordinaire
Chirographic creditor . . . . Créancier ordinaire
Choice . . . . Élection
Choice of residence . . . . Élection de domicile
Circuit court . . . . Cour de circuit
Circumstances . . . . Circonstances
Circumstances of aggravation . . . . . . Circonstance(s) aggravante(s)
Circumstantial evidence . . . . Preuve circonstancielle
Cite (to) . . . . Assigner
Cities and Towns Act . . . . *Loi sur les cités et villes*
Lois révisées

Citizen body . . . . Corps public
Civic . . . . Civique
Civil Civil
Civil act . . . . Acte civil
Civil Code of Lower Canada . . . . . . *Code civil du bas Canada* (Québec)
Civil Code of Québec . . . . *Code civil* (Québec)
Civil contract . . . . Contrat civil
Civil corporation . . . . Corporation civile
Civil death . . . . Mort civile
Civil degradation . . . . Dégradation civique
Civil fault . . . . Faute civile
Civil fruits . . . . Fruits civils
Civil imprisonment . . . . Contrainte par corps
Civil interruption of prescription . . . . . Interruption civile de la prescription
Civil jurisdiction . . . . Juridiction civile
Civil justice . . . . Justice civile
Civil law . . . . Droit civil
Civil liability . . . . Responsabilité civile
Civil liberties . . . . Libertés fondamentales
Libertés publiques

Civil marriage . . . . Mariage civil
Civil obligation . . . . Obligation civile
Civil operation . . . . Acte civil
Civil partnership . . . . Société civile
Civil procedure . . . . Droit judiciaire
Procédure civile

English	Français
Civil relationship	Parenté civile
Civil rights	Droits civils Libertés civiles
Civil servant	Fonctionnaire
Civil status	État civil
Civil time	Heures légales
Civilian	Civiliste
Claim	Créance Prétention Réclamation
Claim adjuster	Expert en sinistre
Claim over	Action récursoire
Claim (to)	Réclamer Revendiquer
Claimant	Réclamant
Clandestine marriage	Mariage clandestin
Clandestine possession	Possession clandestine
Clandestinity	Clandestinité
Class action	Recours collectif
Clause	Clause Stipulation
Clause of a will	Testamentaire (disposition)
Clause of exclusive dealing	Exclusivité (clause d')
Clause of giving in payment	Clause de dation en paiement
Clause of mobilization	Clause d'ameublissement
Clause of realization	Réalisation (clause de)
Clause of replacement value	Valeur à neuf (clause de)
Clean hands theory	Mains propres (théorie des)
Clear	Quitte
Clear days	Délai franc
Clear majority	Majorité absolue
Clearance sale	Liquidation
Clerical	Matériel
Clerical error	Erreur matérielle
Clerk	Clerc Greffier
Clerk of the Court of Appeal	Greffier de la Cour d'appel
Clerk of the Court of Quebec	Greffier de la Cour du Québec
Clerk of the Crown	Greffier de la Couronne
Clerk of the peace	Greffier de la paix
Clerk of the Superior Court	Greffier de la Cour supérieure
Clerk's office	Greffe
Client	Client

(suite) Maître de l'ouvrage
Preneur

Close cure . . . . Curateur
Close interpretation . . . . Interprétation stricte
Close treatment . . . . Curateur
Closed company . . . . Société fermée
Closure . . . . Clôture
Clue . . . . Indice
Co-accusation . . . . Coaccusation
Co-accused . . . . Coaccusé
Co-administrator . . . . Coadministrateur
Coalition . . . . Coalition
Coastal navigation . . . . Navigation côtière
Coasting trade . . . . Cabotage
Co-author . . . . Coauteur
Co-contracting party . . . . Cocontractant
Co-creditor . . . . Cocréancier
Code . . . . Code
Code of Civil Procedure of Québec . . . . . . *Code de procédure civile*
Code of conduct . . . . Code de déontologie
Code of ethics . . . . Code de déontologie
Code of Penal Procedure of Québec . . . . . *Code de procédure pénale*
Co-debtor . . . . Codébiteur
Coobligé

Co-defendant . . . . Codéfendeur
Co-dependant . . . . Coaccusé
Codicil . . . . Codicille
Codicillary . . . . Codicillaire
Codification . . . . Codification
Codified law . . . . Droit codifié
Codifier . . . . Codificateur
Codify (to) . . . . Codifier
Co-emphyteusis . . . . Coemphytéose
Cogency of a final judgment . . . . . . Chose jugée (force de)
Cogency of *res judicata* . . . . Chose jugée (force de)
Cognates . . . . Cognats
Cognation . . . . Cognation
Cohabitant . . . . Concubin
Cohabitation . . . . Concubinage
Coheir . . . . Cohéritier
Co-heir . . . . Cohéritier
Co-holder . . . . Codétenteur
Co-institute . . . . Cogrevé

Co-insurance	Coassurance
Co-legatee	Colégataire
Co-lessee	Colocataire
Co-litigant	Litisconsorts
Collateral	Collatéral
Collateral line	Ligne collatérale
Collaterals	Collatéraux
Collect (to)	Recouvrer
Collection	Recouvrement
Collection agent	Agent de recouvrement
Collection roll	Rôle de perception
Collective agreement	Convention collective (de travail)
Collective agreement decree	Décret de convention collective
Collective bargaining	Négociation collective
Collective cabinet responsibility	Solidarité ministérielle
Collective contract	Contrat collectif
Collective dismissal	Licenciement collectif
Collective liability	Responsabilité collective
Collective negotiation	Négociation collective
Collective recovery	Recouvrement collectif
Collector of support	Pensions alimentaires (percepteur des)
Collegiate	Collégial
Collegiate court	Tribunal collégial
Collocate (to)	Colloquer (des créanciers)
Collocation	Collocation
Collocation order	Collocation (ordre de)
Collusion	Collusion
Collusive	Collusoire
Colonization	Colonisation
Co-management	Cogestion (d'une entreprise)
Combined carriage	Transport combiné
Come to a decision (to)	Prononcer
Come (to the succession) in one's own right (to)	Chef (être appelé de son)
Coming into force	Décret de vigueur Entrée en vigueur
Comity	Courtoisie
Comity between Courts	Courtoisie judiciaire
Commencement	Introduction
Commencement of proof in writing	Commencement de preuve (par écrit)
Commencement of proof (in writing)	Commencement de preuve (par écrit)
Commercial	Cambiaire
Commercial act	Acte de commerce
Commercial broker	Agent commercial

English	Français
Commercial contract	Contrat commercial
Commercial law	Droit commercial
Commercial paper	Effet de commerce
Commercial partnership	Société commerciale
Commercial pledge	Nantissement commercial
Commercial shipping	Navigation commerciale
Commerciality	Commercialité
Commercialization	Commercialisation
Commercialize (to)	Commercialiser
Commercially reasonable price	Prix commercialement raisonnable
Comminatory	Comminatoire
Commission	Commission Régie
Commission of inquiry	Commission d'enquête
Commissioner	Commissaire Régisseur
Commissioner of oaths	Commissaire pour la prestation du serment
Commissioners' Court	Cour des commissaires
Commit a subsequent offence (to)	Récidiver
Commit (to)	Commettre
Committee	Comité Conseil
Commodatum	Prêt à usage
Common	Commun Mitoyen
Common bawdy-house	Maison de débauche
Common betting house	Maison de pari
Common expenses	Charges de la copropriété
Common fault	Faute commune
Common gaming house	Maison de jeux
Common nuisance	Nuisance publique
Common ownership	Mitoyenneté
Common pledge	Gage commun
Common portions	Parties communes Parties mitoyennes
Common report	Commune renommée
Common residence	Résidence commune
Common rights	Droit(s) concurrent(s)
Common share	Action ordinaire Part sociale
Common wall	Mur mitoyen
Commorientes	Comourants

English	Français
Communication	Communication
Communication of document	Communication de pièces
Community	Communauté
Community matrimonial regime	Régime matrimonial communautaire
Community of moveables and acquests	Communauté de meubles et acquêts
Community regime	Régime communautaire
Commutation	Commutation
Commutative contract	Contrat commutatif
Commute (to)	Commuer
Company	Compagnie
Comparative law	Droit comparé
Compel (to)	Contraindre
Compellability	Contraignabilité
Compellable	Contraignable
Compensable	Compensable
Compensate (to)	Compenser Indemniser
Compensated	Indemnisé
Compensation	Compensation Indemnité Récompense Réparation par équivalent
Compensation by the sole operation of the law	Compensation légale
Compensatory	Compensatoire
Compensatory allowance	Prestation compensatoire
Compensatory damages	Dommages-intérêts compensatoires
Compensatory holiday	Congé compensatoire
Competence	Compétence Juridiction
Competency	Capacité
Competent	Capable Habile
Competition	Concours Concurrence
Complainant	Plaignant
Complaint	Plainte
Complex	Complexe
Complex contract	Contrat complexe
Complex modalities	Obligation à modalité complexe
Complex obligation	Obligation complexe
Complicity	Complicité
Comply with (to)	Satisfaire
Composition to creditors	Concordat

Compound interest	Intérêts composés
Compromissum	Compromis
Comptroller of finance	Contrôleur des finances
Compulsion	Contrainte
Compulsion by threats	Contrainte morale
Compulsory cooling-off period	Trêve obligatoire
Compulsory execution	Exécution forcée
Compulsory	Forcé
Compulsory inspection	Compulsoire
Computation	Computation
Conceal (to)	Receler
Concealed act	Acte déguisé
Concealing body of child	Suppression de part
Concealment	Recel Réticence
Conceiving	Conception
Concentration	Concentration
Conception	Conception
Concession	Concession
Conciliation	Conciliation
Conciliation officer	Conciliateur
Conciliator	Conciliateur
Conclude (to)	Conclure
Conclusion	Conclusion Décision Dispositif
Conclusive	Définitif Irréfragable
Concordance	Harmonisation
Concrete case	Cas d'espèce
Concubinage	Concubinage
Concubinary	Concubin
Concubine	Concubin Conjoint
Concur (to)	Souscrire
Concurrence of jurisdiction	Conflit de compétence
Concurrent jurisdiction	Compétence concurrente Juridiction concurrente
Concurrent owner	Copropriétaire
Concurrent ownership	Copropriété
Concurrent punishments	Peines concurrentes
Concurrent rights	Droit(s) concurrent(s)
Concurrent sentences	Peines concurrentes

Condemn (to)	Condamner
Condemnation	Condamnation
Condemnatory	Condamnatoire
Condition	Condition État
Condition as to form	Condition de forme
Condition of payment	Modalité de paiement
Condition of the premises	État des lieux
Conditional acceptance	Acceptation conditionnelle
Conditional endorsement	Endossement conditionnel
Conditional liberation	Libération conditionnelle
Conditional obligation	Obligation conditionnelle
Conditional sale	Vente à tempérament
Conditions for admissibility of an action	Ouverture d'un recours (conditions d')
Condominium declaration	Déclaration de copropriété
Confederation	Confédération
Confederation of syndicates	Confédération syndicale
Confer (to)	Conférer Déférer Délibérer
Conferred	Déféré
Confession	Confession
Confession of judgment	Confession de jugement
Confessional school board	Commission scolaire confessionnelle
Confessory action	Action confessoire
Confined	Séquestré
Confinement	Détention Internement
Confirm (to)	Entériner Ratifier
Confirmation	Confirmation
Confirmative	Confirmatif
Confirmatory	Confirmatif
Conflict	Conflit Contrariété
Conflict of characterization	Qualification (conflit de)
Conflict of judgments	Contrariété de jugements, d'arrêts
Conflict of jurisdictions	Conflit de juridictions
Conflict of laws	Conflit de lois
Conflict rule	Règle de conflit
Conflicting	Contradictoire
Confrontation	Confrontation
Confusion	Confusion

Conglomerate merger	Fusion ordinaire
Congregation	Congrégation
Conjunctive	Conjonctif
Conjunctive condition	Condition conjonctive
Conjunctive obligation	Obligation conjonctive
Conjunctive will	Testament conjonctif
Connected with	Connexe Relatif
Connecting factor	Rattachement (facteur de)
Connecting rule	Conflit de lois (règles de)
Connection	Rattachement
Connexity	Connexité
Consanguineous marriage	Mariage consanguin
Consanguinity	Parenté par le sang
Consensual	Consensuel
Consensual act	Acte consensuel
Consensual contract	Contrat consensuel
Consensualism	Consensualisme
Consent	Agrément Consentement
Consent freely given	Consentement libre
Consenting person	Acceptant
Consequence	Portée
Conservatory	Conservatoire
Conservatory act	Acte conservatoire
Conservatory attachment	Saisie conservatoire
Conservatory measure	Mesure conservatoire
Consideration	Considération
Considering	Considérant
Consign (to)	Consigner
Consignee	Consignataire Destinataire
Consignment	Consignation
Consolidation	Consolidation Fusion Refonte
Conspiracy	Complot
Conspirator	Conspirateur
Constable	Constable
Constating (document)	Constitutif
Constituent	Constituant Constitutif
Constitut	Constitut

Constitute (to) . . . . Constituer
Constituted rent . . . . Rente constituée
Constituting act of co-ownership . . . . . Acte constitutif de copropriété
Constitution . . . . Acte constitutif
Constitution
Constitution formelle
Statut
Constitution of rent . . . . Constitution de rente
Constitutional . . . . Constitutionnel
Constitutional Act of 1867 . . . . *Loi constitutionnelle de 1867*
Loi-cadre
Constitutional convention . . . . Convention constitutionnelle
Constitutional law . . . . Droit constitutionnel
Constitutional monarchy . . . . Monarchie constitutionnelle
Constitutionality . . . . Constitutionnalité
Constitutive . . . . Constitutif
Constitutive act . . . . Acte constitutif
Constitutive title . . . . Acte constitutif
Constrain (to) . . . . Contraindre
Construction . . . . Interprétation
Construction privilege . . . . Ouvrier (privilège)
Constructive murder . . . . Meurtre par imputation
Consultative . . . . Consultatif
Consultative capacity . . . . Consultative (voix)
Consulting barrister . . . . Avocat-conseil
Consumable property . . . . Bien consomptible
Consumer bill . . . . Lettre de consommation
Consumer contract . . . . Contrat de consommation
Consumer law . . . . Droit de la consommation
Consumer note . . . . Billet de consommation
Consumer protection . . . . Protection du consommateur
Consumer purchase . . . . Achat de consommation
Contempt ex *facie* . . . . Outrage ex *facie*
Contempt *in facie* . . . . Outrage *in facie*
Contempt of court . . . . Délit d'audience
Outrage au tribunal
Contentious . . . . Contentieux
Contentious jurisdiction . . . . Contentieuse (juridiction)
Conterminous lands . . . . Aboutissants
Conterminous properties . . . . Aboutissants
Tenants
Contest (to) . . . . Attaquer
Contestation . . . . Contestation

(suite)	Débats
Contestation of a semi-authentic act	Contestation d'un acte semi-authentique
Contestation of account	Compte (débats de)
Contingencies	Aléas
Contingencies of life	Aléas de la vie
Contingent	Casuel
Contingent fees agreement	Pacte *de quota litis*
Contingent right	Droit éventuel
Continuance of suit	Reprise d'instance
Continuing offence	Infraction continue
Continuous	Continu
Continuous damage	Préjudice continu
Continuous damages	Dommage continu
Continuous injury	Dommage continu Préjudice continu
Continuous possession	Possession continue
Continuous servitude	Servitude continue
Contract	Contrat Marché Pacte
Contract at a fixed price	Marché à forfait
Contract between absents	Contrat entre personnes non en présence
Contract by mutual agreement	Contrat de gré à gré
Contract by negotiation	Contrat de gré à gré
Contract by way of gaming or wagering	Contrat de jeu et de pari
Contract employee	Contractuel
Contract for publishing	Édition (contrat d')
Contract for services	Service (contrat de)
Contract for the constitution of an annuity	Rente (contrat constitutif de)
Contract inter absentes	Contrat entre personnes non en présence
Contract of additional warranty	Contrat de garantie supplémentaire
Contract of adhesion	Contrat d'adhésion
Contract of association	Association (contrat d')
Contract of carriage	Transport
Contract of employment	Louage de services Travail (contrat de)
Contract of enterprise	Entreprise (contrat d')
Contract of instantaneous execution	Contrat à exécution instantanée
Contract of instantaneous performance	Contrat à exécution instantanée
Contract of partnership	Société (contrat de)
Contract of prête-nom	Prête-nom

English	Français
Contract of services	Service (contrat de)
Contract of successive execution	Contrat à exécution successive
Contract of successive performance	Contrat à exécution successive
Contract (to)	Conclure Contracter
Contracting	Contractant
Contracting act	Sous-traitance
Contracting party	Contractant
Contractor	Adjudicataire Entrepreneur
Contractual	Contractuel
Contractual fault	Faute contractuelle
Contractual liability	Responsabilité contractuelle
Contractual obligation	Obligation contractuelle
Contractual usufruct	Usufruit contractuel
Contradictory	Contradictoire
Contravention	Contravention
Contrevenant	Contravention
Contribution	Apport Contribution Distribution par contribution
Contributory fault	Faute commune
Control	Main
Control (to)	Réglementer
Controlled company	Société contrôlée
Conventional	Conventionnel
Conventional appointment of heir	Institution contractuelle
Conventional community	Communauté conventionnelle
Conventional compensation	Compensation conventionnelle
Conventional dower	Douaire conventionnel
Conventional heir	Héritier institué
Conventional hypothec	Hypothèque conventionnelle
Conventional indivisibility	Indivisibilité conventionnelle
Conventional indivision	Indivision conventionnelle
Conventional interest rate	Taux d'intérêt conventionnel
Conventional international law	Droit international conventionnel
Conventional mandate	Mandat conventionnel
Conventional preciput	Préciput
Conventional regime	Régime conventionnel
Conventional separation as to property	Séparation conventionnelle de biens
Conventional separation of property	Séparation conventionnelle de biens
Conventional sequestrator	Séquestre conventionnel
Conventional servitude	Servitude conventionnelle

Conventional solidarity	Solidarité conventionnelle
Conventional subrogation	Subrogation conventionnelle
Conventional suretyship	Cautionnement conventionnel
Conventional warranty	Garantie conventionnelle
Conversely	Réciproquement
Conversion	Détournement
Conversion of shares	Conversion d'actions
Convertible share	Action convertible
Conveyance	Mutation
Conviction	Condamnation Conviction
Convincing	Probant
Co-obligation	Coobligation
Co-obligor	Coobligé
Co-occupant	Cooccupant
Cooling-off period	Trêve
Co-op share	Part sociale
Cooperative	Coopérative
Cooperative association	Association coopérative
Cooperative corporation	Coopérative
Cooperative undertaking	Coopérative
Co-owner	Copropriétaire Indivisaire
Co-ownership	Copropriété Indivision Propriété indivise
Co-ownership with indivision	Copropriété par indivision
Co-partition	Copartage
Co-partition (to)	Copartager
Co-partitioner	Copartageant
Co-partner	Coparticipant
Co-partnership	Coparticipation
Co-plaintiff	Codemandeur
Co-possession	Copossession
Co-possessor	Copossesseur
Coproprietor	Copropriétaire
Copy	Copie
Copy of an act of civil status	Copie d'un acte de l'état civil
Copyholder of land	Censitaire
Copyright	Auteur (droit d')
Copyrighting	Dépôt légal
Corollary relief proceeding	Action en mesures accessoires
Coroner	Coroner

English	French
Coroner's inquest	Enquête du coroner
Corporate name	Dénomination sociale Nom corporatif Nom d'une personne morale Raison sociale
Corporate stock	Action (de compagnie ou de société par actions)
Corporate trustee	Société de fiducie
Corporation	Corporation Société
Corporation aggregate	Corporation multiple
Corporation sole	Corporation simple
Corporeal	Corporel
Corporeal movable	Meuble corporel
Corporeal moveable	Meuble corporel
Corporeal property	Bien corporel
Corps	Corps
Corpus	*Corpus*
Correct (to)	Rectifier
Corrected	Rectificatif
Correction	Rectificatif Rectification Redressement
Correction of judgment	Rectification de jugement
Correctional	*Corpus delicti*
Correctional Service of Canada	Service correctionnel du Canada
Corrective partition	Partage rectificatif
Correlation	Corrélation
Correlative	Corrélatif
Correlative obligation	Obligation corrélative
Corroboration	Corroboration
Corruption	Corruption
Corruption of children	Corruption d'enfant
Corruption of juror	Corruption de juré
Corruption of witness	Corruption de témoin
Costs	Débours Déboursés Dépens
Costs consequent upon non fulfilment	Frais frustratoires
Costs of care	Frais de garde
Costs of co-ownership	Charges de la copropriété
Costs of preservation	Frais de garde
Costs of sale	Frais de vente

Co-substitute	Coappelé
Co-surety	Cofidéjusseur
Co-tenant	Colocataire
Council	Comité Conseil
Counsel	Conseil Défenseur
Counsellor	Conseiller
Count	Chef Chef d'accusation
Count of indictment	Chef d'accusation
Counter letter	Contre-lettre
Countersign (to)	Contresigner
Counterclaim	Action récursaire Demande reconventionnelle Reconvention
Counter-deed	Contre-lettre
Counterfeit money	Monnaie contrefaite
Counterfeiting	Contrefaçon
Counter-offer	Contre-proposition
Counter-signature	Contreseing
Country	État
County court	Cour de comté
County municipality	Municipalité de comté
County seat	Chef-lieu
Court	Cour For Président du tribunal Tribunal Tribunal judiciaire
Court clerk	Greffier Greffier-audiencier
Court costs	Frais judiciaires
Court House	Palais de justice
Court martial	Cour martiale
Court of Appeal	Cour d'appel
Court of Chancery	Cour de chancellerie
Court of criminal jurisdiction	Cour de juridiction criminelle
Court of Equity	Cour d'equity
Court of first instance	Juridiction de première instance
Court of justice	Tribunal judiciaire
Court of justices of the peace	Tribunal des juges de paix
Court of King's (Queen's) Bench	Cour du banc du roi (de la reine)

Court of limited jurisdiction	Tribunal d'exception
Court of Magistrate	Cour de magistrat
Court of original general jurisdiction	Tribunal de droit commun
Court of Quebec	Cour du Québec
Court of Record	Cour d'archives
Court of Review	Cour de révision
Court of the Sessions of the Peace	Cour des sessions de la paix
Court office	Greffe
Court order	Arrêt
Court room	Salle d'audience
Courtroom	Prétoire
Covenant	Clause
Covenant not to compete	Clause de non-concurrence
Cover	Couverture
Coverage	Garantie
Craft training	Apprentissage
Craftsman	Artisan
Creance	Créance Dette active
Creating	Constitutif
Credentials	Lettres de créance
Credibility	Crédibilité
Credible	Crédible
Credit rate	Taux de crédit
Creditor	Créancier
Creditor of support	Créancier alimentaire
Creditor of the rent	Crédirentier
Creditors' meeting	Assemblée des créanciers
Crime	Acte criminel Crime
Crime comic	Histoire illustrée du crime
Criminal	Criminel
Criminal assizes	Assises criminelles
Criminal Code	*Code criminel*
Criminal jurisdiction	Juridiction pénale
Criminal justice	Justice pénale
Criminal law	Droit criminel Droit pénal
Criminal motive	Mobile
Criminal negligence	Négligence criminelle
Criminal offence	Infraction criminelle
Criminal procedure	Procédure criminelle
Criminal rate	Taux d'intérêt criminel

Criminal record	Casier judiciaire
Criminalist	Criminaliste
Criminalization	Criminalisation
Criminalized	Criminalisé
Crop insurance	Assurance-récolte
Cross appeal	Contre-appel
Cross-demand	Demande reconventionnelle
Crossed cheque	Chèque barré
Crossed generally	Barrement général
Crossed specially	Barrement spécial
Cross-examination	Contre-interrogatoire
Cross-examine (to)	Contre-interroger
Crossing	Barrement
Crown	Couronne Ministère public
Crown corporation	Corporation de la Couronne
Crown domain	Domaine public
Crown witness	Témoin à charge
Cruelty	Sévices
Crystallization	Clôture
Culpability	Culpabilité
Culprit	Coupable Fautif
Cultural property	Bien culturel
Cumulated dividend	Dividende cumulatif
Cumulative punishments	Peines cumulatives
Cumulative sentences	Peines cumulatives
Curator	Curateur
Curator to a child conceived but not yet born	Curateur au ventre
Curator to a child unborn	Curateur au ventre
Curator to property	Curateur aux biens
Curator to the absentee	Curateur à l'absent
Curator to the emancipated minor	Curateur au mineur émancipé
Curator to the person	Curateur à la personne
Curatorship	Curatelle
Curatorship to a person of full age	Curatelle au majeur
Curatorship to property	Curatelle aux biens
Curatorship to the absentee	Curatelle à l'absent
Curatorship to the person	Curatelle à la personne
Curial deference	Retenue judiciaire
Custodian	Gardien
Custody	Garde
Custody of the activity	Garde du comportement

Custody of the structure	Garde de la structure
Custom	Coutume
Customary clause	Clause de style
Customary dower	Douaire coutumier
Customary law	Droit coutumier
Customs union	Union douanière

D

Damage	Dommage Lésion Préjudice Sinistre
Damage (to)	Léser
Damages	Dommage Dommages-intérêts
Dangerous offender	Délinquant dangereux
Dangerous operation	Conduite dangereuse
Dative	Datif
Dative tutor	Tuteur datif
Dative tutorship	Tutelle dative
Day	Jour
Day of grace	Jour de grâce
Day parole	Semi-liberté
Days of grace	Délai de grâce
De bene esse evidence	*De bene esse* (preuve)
De facto custody	Garde matérielle
De facto disturbance	Trouble de fait
De facto incapacity	Incapacité de fait
De facto separation	Séparation de fait
De facto tutor	Tuteur de fait
De facto union	Union de fait
Dead letter	Lettre morte
Deadline	Échéance
Dealer	Dépositaire
Dealer in securities	Courtier en valeurs
Death	Décès Mort
Death penalty	Peine de mort
Death sentence	Peine de mort
Debar (to)	Forclore

English	Français
Debarment	Forclusion
Debarred	Forclos
Debates	Débats
Debenture	Débenture
Debt	Charge
	Créance
	Dette
Debt obligation	Titre de créance
Debt secured by a mortgage	Créance hypothécaire
Debtor	Débiteur
	Débiteur saisi
	Saisi
Debtor of a rent	Débirentier
Debtor of an annuity	Débirentier
Debts	Passif
Debts incurred by	Chef de (dettes nées du)
Decide (to)	Statuer
Deciding vote	Vote prépondérant
Decision	Adjudication
	Décision
	Opinion
Decision on merits	Jugement au mérite
	Jugement sur le fond
Decision upon a question of law	Adjudication sur un point de droit
Decisive document	Pièce décisive
Decisive oath	Serment décisoire
Decisory	Décisoire
Decisory oath	Serment décisoire
Declarant	Déclarant
Declaration	Déclaration
Declaration of birth	Naissance (déclaration de)
Declaration of co-ownership	Déclaration de copropriété
Declaration of death	Décès (déclaration de)
Declaration of dividend	Déclaration de dividende
Declaration of eligibility for adoption	Adoptabilité (déclaration d')
	Adoption (déclaration d'admissibilité à l')
Declaration of family residence	Déclaration de résidence familiale
Declaration of marriage	Mariage (déclaration de)
Declaration of partnership	Déclaration de société
Declaratory	Déclaratif
	Déclaratoire
Declaratory act	Acte déclaratif
	Interprétative (loi)

English	Français
Declaratory action	Action déclaratoire
Declaratory effect of partition	Déclaratif du partage (effet)
Declaratory judgment	Jugement déclaratif
Declaratory judgment of death	Jugement déclaratif de décès
Declaratory judgment on motion	Jugement déclaratoire sur requête
Declaratory statute	Interprétative (loi)
Declared will	Volonté déclarée
Declassification	Déclassement
Declinatory	Déclinatoire
Declinatory exception	Exception déclinatoire
	Moyen déclinatoire
Decline (jurisdiction) (to)	Décliner
Decline (to)	Décliner
Deconcentration	Décentralisation
Decree	Arrêté en conseil
	Décret
Decree (to)	Édicter
Decriminalization	Décriminalisation
Deductible	Déductible
	Franchise
Deduction	Déduction
	Prélèvement
Deemed	Réputé
Defamation	Diffamation
Defamatory libel	Diffamation
	Libelle diffamatoire
Default	Congé-défaut
	Défaut
	Demeure
Default certificate	Certificat de défaut
Default to appear	Défaut de comparaître
Default to appear judgment	Jugement par défaut de comparaître
Default to plead	Défaut de plaider
Default to plead judgment	Jugement par défaut de plaider
Defaulting	Défaillant
Defect	Malfaçon
	Vice
Defect of consent	Vice du consentement
Defect of construction	Vice de construction
Defect of form	Vice de forme
Defect of possession	Possession (vice de la)
Defective possession	Possession viciée
Defence	Défense

(suite) . . . Moyens de défense
Plaidoyer

English	Français
(suite)	Moyens de défense Plaidoyer
Defence based on Good Samaritan doctrine	Défense du bon samaritain
Defence of automatism	Défense d'automatisme
Defence of compulsion	Défense de contrainte
Defence of consent of the victim	Défense de consentement de la victime
Defence of criminal incapacity (of a child)	Défense de minorité pénale
Defence of drunkenness	Défense d'ivresse
Defence of hoax	Défense de farce
Defence of honest belief	Défense d'erreur
Defence of insanity	Défense d'aliénation mentale
Defence of intoxication	Défense d'intoxication
Defence of mistake (of fact / of law)	Défense d'erreur
Defence of necessity	Défense de nécessité
Defence of practical joke	Défense de farce
Defence of sudden provocation	Défense de provocation
Defendant	Défendeur
Defer (to)	Déférer Réserver
Deferred	Déféré Différé
Deferring	Prorogatif
Deficiency	Défaut
Definite	Formel
Definitive	Définitif
Definitive partition	Partage définitif
Defraud (to)	Frauder
Degree	Degré
Degree of jurisdiction	Juridiction (degré de)
Degree of relationship	Parenté (degré de)
Delapidation	Vétusté
Delay	Délai
Delay a judgment (to)	Surseoir à statuer
Delay for making the inventory and deliberating	Délai pour faire inventaire et délibérer
Delegate	Délégué
Delegated legislation	Législation déléguée
Delegatee	Délégataire
Delegate-general	Délégué
Delegation	Délégation
Delegation of authority	Délégation de pouvoirs (ou de compétence)
Delegation of parental authority	Délégation de l'autorité parentale

English	Français
Delegation of powers	Délégation de pouvoirs (ou de compétence)
Delegator	Délégant
Deliberate fault	Faute intentionnelle
Deliberate (to)	Délibérer
Deliberation	Délibération
	Délibéré
Delict	Délit
Delictual	Délictuel
Delictual fault	Faute délictuelle
Delictual liability	Responsabilité délictuelle
Delictual obligation	Obligation délictuelle
Delimit (to)	Aborner
Delimitation	Abornement
Delinquent	Délinquant
Delivery	Délivrance
	Livraison
	Remise
	Tradition
Demand	Demande
	Réclamation
Demarcation	Bornage
Democratic rights	Droits politiques
Demurrage	Surestaries
Denial	Contestation
	Dénégation
Denial of a semi-authentic act	Contestation d'un acte semi-authentique
	Dénégation d'un acte semi-authentique
Denial of a writing or a signature	Dénégation d'écriture ou de signature
Denial of justice	Déni de justice
Denominational school board	Commission scolaire confessionnelle
Denounce (to)	Dénoncer
Denunciation	Dénonciation
Denying	Dénégatoire
Department	Ministère
Dependant child	Charge (enfant à)
Dependant person	Charge (personne à)
	Personne à charge
Dependant upon	Charge de (à la)
Deponent	Affiant
	Déposant
Deportation	Expulsion
Depose (to)	Déposer

Deposit	Acompte
	Arrhes
	Consignation
	Dépôt
Deposit in escrow	Entiercement
Deposit insurance	Assurance-dépôt
Deposit of earth	Atterrissement
Deposit of records	Dépôt d'un greffe
Deposit (to)	Consigner
	Déposer
Deposit with an innkeeper	Dépôt hôtelier
Depositary	Consignataire
	Dépositaire
Deposition	Déposition
Depositor	Déposant
Depreciation	Amortissement
	Moins-value
Deprivation	Dessaisissement
Deprivation of parental authority	Déchéance de l'autorité parentale
Deprive (to)	Dessaisir
Deputy Attorney General	Sous-procureur général
Deputy clerk	Greffier adjoint
Deputy prothonotary	Protonotaire adjoint
Deputy returning officer	Scrutateur
Deputy Secretary of State for External Affairs	Sous-secrétaire d'État
Deputy warden	Préfet suppléant
Derivative action	Action oblique
Derogate (to)	Déroger
Derogation	Dérogation
Derogatory	Dérogatoire
Descendant	Descendant
Descendants	Postérité
Description of the fractions	État descriptif des fractions
Deserted child	Enfant abandonné
Destination	Destination
Destruction of documents	Destruction de documents
Detain (to)	Posséder
Detained person	Détenu
Detention	Détention
	Possession actuelle
	Possession précaire
Detention pending trial	Détention préventive
Determination of boundaries	Bornage

Development plan	Schéma d'aménagement
Devest (to)	Dessaisir
Devesture	Dessaisissement
Deviate (to)	Déroger
Devolution	Dévolution
Devolutive	Dévolutif
Devolved	Dévolu
Digest	Recueil Recueil de jurisprudence
Dilatory	Dilatoire
Dilatory exception	Exception dilatoire Moyen dilatoire
Dilatory or abusive appeal	Appel dilatoire ou abusif
Dilatory or improper appeal	Appel dilatoire ou abusif
Diligence	Diligence
Diligent	Diligent
Diligent party (the most)	Diligente (partie la plus)
Diocese	Diocèse
Diploma	Brevet
Diplomatic immunity	Immunité diplomatique
Diplomatic relations	Relations diplomatiques
Direct action	Action directe
Direct action in nullity	Action directe en nullité
Direct ascending line	Ligne directe ascendante
Direct damage	Dommage direct Préjudice direct
Direct descending line	Ligne directe descendante
Direct injury	Dommage direct Préjudice direct
Direct line	Ligne directe
Direct suffrage	Suffrage direct
Direct tax	Impôt direct
Direct (to)	Prescrire
Direct view	Vue droite
Directed	Prescrit
Directed verdict	Verdict imposé
Directive	Directive(s) Instruction
Director	Administrateur
Disability	Incapacité Invalidité
Disability insurance	Assurance-invalidité
Disabled	Invalide

Disablement	Incapacité
Disappearance	Disparition
Disavowal	Désaveu
Disavowal of paternity	Désaveu de paternité
Disbarment (Barreau)	Radiation
Disbursements	Débours
	Déboursés
	Impenses
Disbursements for amenities	Impenses d'agrément
Discernment	Discernement
Discharge	Absolution
	Congédiement
	Décharge
	Destitution
	Libération
	Mainlevée
	Quittance
	Renvoi
Discharge of bankrupt	Libération du failli
Discharge of the bill of exchange	Libération de la lettre de change
Discharge of trustee	Libération du syndic
Discharge (to)	Absoudre
Discharged	Quitte
Disciplinary committee	Conseil de discipline
Disciplinary proceedings	Poursuite disciplinaire
Disclaim responsibility (to)	Décliner
Disconcentration	Déconcentration
Discontinuance	Désistement
Discontinuance of suit	Désistement d'instance
Discontinuous possession	Possession discontinue
Discontinuous servitude	Servitude discontinue
Discretionary	Discrétionnaire
Discretionary power	Pouvoir discrétionnaire
Discrimination	Discrimination
Discussions	Pourparlers
Disguised gift	Donation déguisée
Disinherit (to)	Exhéréder
Disinheritance	Exhérédation
Disinterment	Exhumation
Dismember (to)	Démembrer
Dismemberment	Démembrement
Dismiss (to)	Débouter
	Rejeter

Dismissal . . . . Congédiement
Débouté
Déboutement
Destitution
Irrecevabilité
Licenciement
Rejet
Renvoi
Disorderly house . . . . Maison de désordre
Dispensation . . . . Dispense
Disposability . . . . Disponibilité
Disposable . . . . Aliénable
Disponible
Disposal . . . . Aliénation
Disposition
Dispose of (to) . . . . Disposer
Disposition . . . . Disposition
Dispositive . . . . Dispositif
Dispossession . . . . Dépossession
Dispute . . . . Contestation
Différend
Litige
Disseise (to) . . . . Dessaisir
Disseisin . . . . Dessaisissement
Dissent . . . . Dissidence
Dissenter . . . . Dissident
Dissentient . . . . Dissident
Dissentient school board . . . . Commission scolaire dissidente
Dissentiente . . . . Dissident
Dissenting judge . . . . Juge dissident
Dissenting opinion . . . . Dissidence
Opinion dissidente
Dissident . . . . Dissident
Dissolution . . . . Dissolution
Rupture
Dissolve (to) . . . . Dissoudre
Distinct . . . . Séparé
Distraction of costs . . . . Distraction des dépens
Distrainable . . . . Saisissable
Distributing corporation . . . . Société ayant fait appel au public
Distribution . . . . Répartition
District . . . . Circonscription
District court . . . . Cour de district

English	Français
District judge	Juge de district
Disturbance	Tapage
	Trouble
Divest (to)	Dessaisir
Divesting	Dessaisissement
Divestiture	Dessaisissement
Divided	Divis
	Partagé
Divided co-ownership	Copropriété divise
Divided ownership	Propriété divise
Dividend	Dividende
Dividing	Séparatif
Divisibility	Divisibilité
Divisible	Divisible
	Partageable
Divisible admission	Aveu divisible
Divisible obligation	Obligation divisible
Division	Chambre
	Circonscription
	Division
Division by contribution	Répartition par contribution
Divorce	Divorce
Divorce proceeding	Action en divorce
Doctrine	Doctrine
Document	Document
	Écrit instrumentaire
	Pièce
Domain	Domaine
Domestic	Domestique
	Ménager
Domestic competence	Compétence interne
Domestic jurisdiction	Compétence interne
Domestic paper	Papiers domestiques
Domestic register	Registre domestique
Domestic tribunal	Tribunal domestique
Domicile	Domicile
	Domicile d'une personne morale
Domiciliary service	Signification au domicile ou à la résidence
Dominant land	Fonds dominant
Dominant tenement	Fonds dominant
Donate (to)	Gratifier
Donation	Don

	Donation
Donative intention	Intention libérale
Donee	Donataire
Donor	Donateur
Dotal	Dotal
Double mandate	Mandat (double)
Doubt	Doute
Doubtful	Incertain
Dower	Douaire
Down payment	Acompte
Downgrading	Déclassement
Dowry	Dot
Draft	Projet
Draft agreement	Projet d'accord
Draft bill	Projet de loi (avant-)
Draw	Tirage
Draw up (to)	Instrumenter
Drawee	Tiré
Drawer	Tireur
Drawing	Tirage
Driving	Conduite
Drop in value	Moins-value
Drunk driving	Conduite avec facultés affaiblies
Drunkard	Ivrogne d'habitude
Drunkenness	Ivresse
Dues	Redevance
Dumping	Dumping
Duplicate	Duplicata
	Exemplaire
Duress	Contrainte
During good behaviour	Bonne conduite (durant)
During good conduct	Bonne conduite (durant)
During thirty years	Trentenaire
Duty	Devoir
	Fonction
	Mission
Duty of advise	Conseil (devoir de)
Duty of education	Éducation (devoir d')
Duty to act fairly	Devoir d'équité procédurale
Duty to act judicially	Devoir d'agir judiciairement
Duty to advise	Devoir de conseil
Dwelling	Logement
Dwelling unfit for habitation	Logement impropre à l'habitation

E

Earnest	Arrhes
Earth road	Chemin de terre
Easing of restrictions	Libéralisation
Ecclesiastical corporation	Corporation ecclésiastique
Ecclesiastical law	Droit ecclésiastique
Economic and social rights	Droits économiques et sociaux
Economically underprivileged person	Personne économiquement défavorisée
Education	Éducation
Effect	Effet
Effective	Effectif
Effective possession	Possession utile
Effectiveness	Effectivité
Efficient	Effectif
Elected	Élu
Elected domicile	Domicile élu
Elected member	Élu
Elected representative	Élu
Election	Élection Électoral Scrutin
Election brief	Décret d'élection
Election by the majority	Scrutin majoritaire
Election of domicile	Élection de domicile
Elective	Électif
Elector	Électeur
Electoral	Électoral
Electoral district	Circonscription électorale
Element	Élément
Elements of proof	Moyens de preuve
Eligibility	Éligibilité
Eligibility for adoption	Adoptabilité Adoption (admissibilité à l')
Eligible	Éligible
Eligible for adoption	Adoptable Adoption (admissible à l')
Eligible voter	Censitaire
Emancipate (to)	Émanciper
Emancipated minor	Mineur émancipé
Emancipation	Émancipation

English	Français
Embargo	Embargo
Embezzlement	Détournement
Emergency	Urgence
Emigrant	Émigrant
Emigrated	Émigré
Emigrated person	Émigré
Emigration	Émigration
Emoluments	Casuel
Emphyteusis	Emphytéose
Emphyteuta	Emphytéote
Emphyteutic	Emphytéotique
Emphyteutic lease	Bail emphytéotique
Emphyteutic lessee	Emphytéote
Emphyteutic rent	Rente emphytéotique
Employee	Salarié
Employee on a temporary contract	Vacataire
Employer	Commettant Employeur
Employer's	Patronal
Employers'	Patronal
Employers' association	Association d'employeurs
Employers' certification	Accréditation patronale
Employment injury	Lésion professionnelle
Employment security	Sécurité d'emploi
Empower (to)	Habiliter
Enable (to)	Habiliter
Enabled	Habilité
Enabling	Habilitant Habilitation
Enabling (act)	Habilitation
Enabling (statute)	Habilitation
Enact (to)	Édicter
Enactment	Disposition
Enclave	Enclave
Enclosed land	Enclave
Encroachment	Empiétement Usurier
Encumbered estate	Fonds servant
End	Fin Fins
Endorse (to)	Endosser
Endorsee	Endossataire
Endorsement	Aval

(suite) . . . . Endossataire

Endorsement in blank . . . . Endossement en blanc

Endorser . . . . Bénéficiaire
Endosseur

Endowment . . . . Dotation

Enforceable . . . . Exécutoire

Engagement . . . . Fiançailles

Enjoy (to) . . . . Jouir

Enjoyment . . . . Jouissance

Enlightened consent . . . . Consentement éclairé

Entering . . . . Introduction

Entering on the roll . . . . Rôle (mise au)

Enterprise . . . . Entreprise

Enticement of child . . . . Corruption d'enfant

Enticing away . . . . Débauchage

Entitle (to) . . . . Habiliter

Entitled . . . . Habilité
Titulaire

Entitled to inherit . . . . Successible

Entrapment . . . . Provocation policière

Entrusted with . . . . Responsable

Entry . . . . Inscription

Enunciative . . . . Énonciatif

Equality right . . . . Droit à l'égalité

Equality of rank and rights . . . . Concours

Equitable . . . . Équitable

Equity . . . . Équité

Equivocal possession . . . . Possession équivoque

Errata . . . . Errata

Erratum . . . . Erratum

Error . . . . Erreur

Error apparent of record . . . . Erreur de droit à la lecture du dossier

Error as to a principal consideration . . . . . . Erreur sur la considération principale (du contrat)

Error as to the nature . . . . Erreur sur la nature (du contrat)

Error as to the substance . . . . Erreur sur la substance

Error in fact . . . . Erreur de fait

Error in law . . . . Erreur de droit

Error of law . . . . Erreur de droit

Error of law on the face of the record . . . . Erreur de droit à la lecture du dossier

Escalator clause . . . . Clause d'échelle mobile

Escape . . . . Évasion

Escheat . . . . Déshérence

English	Français
Escrow	Entiercement
Escrow (to)	Entiercer
Essential	Sacramentel
Essential formality	Formalité substantielle
Establish (to)	Instituer
Estate	Bien
Estimate	Devis
Estimatory action	Action estimatoire
	Action *quanti minoris*
Ethical practices Code	Code de déontologie
Eure	Avaliseur
European Economic Community	Communauté économique européenne
Euthanasia	Euthanasie
Evasion of the law	Fraude à la loi
Event	Cas
Evict (to)	Évincer
Evicted	Évincé
Eviction	Éviction
Evidence	Moyens de preuve
	Preuve
	Témoignage
Evidence by testimony	Preuve testimoniale
Evidence of character	Preuve de moralité
Evocable	Évitement fiscal
Evocation	Évocation
Evoke (to)	Évoquer
Ex officio	D'office
Ex officio measure	Mesure prise d'office
Ex officio removal	Démission d'office
Ex officio resignation	Démission d'office
Ex parte judgment	Jugement par défaut de plaider
Examination	Interrogatoire
Examination on discovery	Interrogatoire préalable
Examination out of court	Interrogatoire hors de cour
Examination upon articulated facts	Interrogatoire sur faits et articles
	Interrogatoire sur les faits se rapportant au litige
Exception	Exception
	Moyen
Exception of *lis pendens*	Exception de litispendance
Exception of nonperformance	Exception d'inexécution
Exception of warranty	Garantie (exception de)
Exception to dismiss action	Moyen de non-recevabilité

English	Français
Exception to the form	Exception à la forme
Exchange	Bourse
	Échange
Exchange of consents	Consentement (échange de)
Exchange (to)	Échanger
Exchange with compensation in cash	Echange avec soulte
Exchanger	Échangiste
Exchequer Court	Cour de l'Échiquier
Excise tax	Accise
Exclusion	Exclusion
Exclusion of public	Huis clos
Exclusive	Exclusif
	Privatif
Exclusive dealing	Exclusivité
Exclusive jurisdiction	Compétence exclusive
	Juridiction exclusive
Exclusive rights	Exclusivité
Excusable homicide	Excuse
Excuse	Excuse
Execute (to)	Exécuter
Execution	Exécution
Executive	Administratif
	Exécutif
Executive function	Fonction exécutive
Executive power	Pouvoir exécutif
Executive powers	Pouvoir exécutif
Executory	Exécutoire
Exemplary damages	Dommages-intérêts exemplaires
Exemplification	Exemplification
Exemplified copy	Expédition
Exempt from seizure	Insaisissable
Exempt (to)	Exonérer
Exemption	Dispense
	Exemption
	Exonération
Exemption clause	Clause de non-responsabilité
Exemption from seizure	Insaisissabilité
Exequatur	Exemplification
Exercise of an option	Levée d'option
Exercise of hypothecary rights	Recours hypothécaires
Exheredate (to)	Exhéréder
Exheredation	Exhérédation
Exhibit	Exhibit

(suite) . . . . Pièce
Pièce à conviction

Exhibit (to) . . . . Exhiber
Exhibition . . . . Exhibition d'objets
Exhumation . . . . Exhumation
Exigibility . . . . Exigibilité
Exigible . . . . Exigible
Exile . . . . Émigré
Exonerate (to) . . . . Exonérer
Exoneration . . . . Décharge
Exonération

Exonerative . . . . Exonératoire
Exorbitant . . . . Exorbitant
Expected . . . . Prévu
Expedition of acceptance . . . . . . Émission d'une acceptation
Expel (to) . . . . Expulser
Expenditures . . . . Impenses
Expenses . . . . Impenses
Expenses of marriage . . . . Charges du mariage
Expenses of the last illness . . . . . Frais de dernière maladie
Expenses of tilling and sowing . . . . . Frais de labours et de semences
Expert . . . . Expert
Expert witness . . . . Témoin expert
Expert's report . . . . Rapport d'expert
Expiration . . . . Échéance
Expire (to) . . . . Échoir
Expired . . . . Périmé
Expiry . . . . Échéance
Explicit . . . . Explicite
Express . . . . Exprès
Express acceptance . . . . Acceptation expresse
Express admission . . . . Aveu exprès
Express consent . . . . Consentement exprès
Express mandate . . . . Mandat exprès
Express (to) . . . . Formuler
Expropriate (to) . . . . Exproprier
Expropriated . . . . Exproprié
Expropriated party . . . . Exproprié
Expropriated person . . . . Exproprié
Expropriating . . . . Expropriant
Expropriating party . . . . Expropriant
Expropriation . . . . Expropriation
Expropriation Tribunal . . . . Tribunal de l'expropriation

Expropriator	Expropriant
Expulsion	Expulsion
Extend (to)	Prolonger Proroger
Extending	Prorogatif
Extension	Prolongation Prorogation
Extension of time	Délai de grâce
Extensive interpretation	Interprétation libérale
Extenuating circumstances	Circonstance(s) atténuante(s)
External cause	Cause étrangère
Exterritoriality	Exterritorialité
Extinction	Extinction
Extinctive	Extinctif
Extinctive prescription	Prescription extinctive
Extinctive term	Terme extinctif
Extinguishment	Extinction
Extortion	Extorsion
Extra lay days	Surestaries
Extra-contractual	Extracontractuel
Extracontractual	Légal
Extracontractual liability	Responsabilité extracontractuelle
Extracontractual obligation	Obligation extracontractuelle Obligation légale
Extract	Extrait
Extradition	Extradition
Extrajudicial	Extrajudiciaire
Extra-judicial admission	Aveu extrajudiciaire
Extrajudicial costs	Déboursés extrajudiciaires Frais extrajudiciaires
Extrajudicial disbursements	Déboursés extrajudiciaires
Extrajudicial fees	Honoraires extrajudiciaires
Extraneity	Extranéité
Extraordinary recourse	Recours extraordinaire
Extrapatrimonial	Extrapatrimonial Moral
Extrapatrimonial injury	Préjudice extrapatrimonial
Extraterritoriality	Exterritorialité Extraterritorialité
Extravagant interpretation	Dénaturation

F

Fabrique	Fabrique
Fact	Fait
Factor	Facteur
Factoring	Affacturage
Factum	Factum Mémoire
Facultative obligation	Obligation facultative
Failed condition	Condition défaillie
Failing	Défaut de (à)
Failure to decide	Statuer (omission de)
Failure to render assistance	Non-assistance
Failure to render help	Non-assistance
Failure to rule	Statuer (omission de)
Failure to stop at scene of accident	Délit de fuite
Fair	Équitable
Fair market value	Juste valeur marchande
Faithfulness	Loyauté
Fall due (to)	Échoir
False	Faux
False bidder	Enchérisseur (fol) Fol enchérisseur
False bidding	Folle enchère
False evidence	Faux témoignage Parjure Témoignage (faux)
False pretence	Faux semblant
False representation	Escroquerie
Falsification	Falsification
Family	Familiale Famille
Family council	Conseil de famille
Family expense mandate	Mandat domestique
Family name	Nom de famille Patronyme
Family papers	Papiers domestiques
Family patrimony	Patrimoine familial
Family provider	Soutien de famille
Family residence	Résidence familiale
Farmer	Colon

English	Français
Farmer on shares	Colon partiaire
Farming lease	Bail à ferme
Father	Père
Fault	Faute
Fault of commission	Faute par commission
Fault of omission	Faute par omission
Faulty	Fautif
Fear	Crainte
Federal	Fédéral
Federal act(s)	Acte(s) fédéral(aux)
Federal Court	Cour fédérale
Federal government	Fédéral
Federal penal laws	Droit pénal fédéral
Federal Statute	Statut(s) fédéral(aux)
Federalism	Fédéralisme
Federation	Fédération
Fee	Droit
	Honoraires
Fee of office	Honoraires d'office
Fees	Honoraires
Feigned tradition	Tradition feinte
Fiction	Fiction
Fictitious	Fictif
Fictitious act	Acte fictif
Fictitious tradition	Tradition feinte
Fideicommissary	Fidéicommissaire
Fide-jussor	Fidéjusseur
Fiduciary	Fiduciaire
Fiduciary duties	Fiduciaire
Fiduciary relationship	Fiduciaire
Fiduciary substitution	Substitution fidéicommissaire
File a complaint (to)	Déposer une plainte
Filiation	Filiation
Filiation by blood	Filiation naturelle
	Filiation par le sang
Filing	Présentation
	Rapport
Fin de non-recevoir	Fin de non-recevoir
Final	Définitif
	Final
Final judgment	Jugement *ex parte*
	Jugement final
Final partition	Partage définitif

Financial . . . . Pécuniaire
Find for (to) . . . . Adjuger
Finding . . . . Verdict
Fine . . . . Amende
Contravention
Firm . . . . Cabinet
Entreprise
Ferme
Firm name . . . . Raison sociale
First cousins . . . . Germains (cousins)
First degree murder . . . . Meurtre au premier degré
First offender . . . . Délinquant primaire
First refusal agreement . . . . Pacte de préférence
Fisc . . . . Fisc
Fiscal . . . . Fiscal
Fiscal law . . . . Droit fiscal
Fiscal system . . . . Fiscalité
Fit . . . . Habile
Fit for . . . . Apte
Fixed . . . . Forfaitaire
Fixed amount . . . . Forfait
Fixed glass . . . . Verre dormant
Fixed price . . . . Forfait
Fixed price contract . . . . Forfait
Fixed-price . . . . Tarifé
Fixed-rate dividend . . . . Dividende à taux fixe
Fixed-term annuity . . . . Rente à terme
Fixing of a price . . . . Tarification
Flagrant . . . . Flagrant
Floatability . . . . Flottabilité
Floatable . . . . Flottable
Floating charge . . . . Charge flottante
Floating contract . . . . Contrat flottant
Floating hypothec . . . . Hypothèque flottante
Hypothèque ouverte
Flying . . . . Navigation aérienne
Food . . . . Aliments
Foolscap paper . . . . Papier tellière
Foot-road . . . . Marchepied
For a permanency . . . . Perpétuelle demeure (à)
For lack of . . . . Défaut de (à)
Faute de
For want of . . . . Défaut de (à)

Forbid (to)	Interdire
Forbidden	Interdit
Force	Force Vigueur
Force and effect	Force exécutoire
Force of law	Force de loi
Forced	Forcé
Forced acceptance	Acceptation forcée
Forced co-ownership	Copropriété forcée
Forced intervention	Intervention forcée Mise en cause
Forced labour	Travail forcé
Forced representation	Représentation forcée
Forced sale	Vente forcée
Forcible confinement	Séquestration
Foreclose (to)	Forclore
Foreclosed	Forclos
Foreclosure	Forclusion
Foreign element	Extranéité
Foreign offender	Délinquant étranger
Forensic expert	Médecin légiste
Forensic medicine	Médecine légale
Forensic surgeon	Médecin légiste
Foreseeability	Prévisibilité
Foreseeable	Prévisible
Foreseen	Prévu
Foreshore	Lais (et relais) de la mer
Forfeiture	Déchéance
Forfeiture of (the) term	Déchéance du terme
Forgery	Contrefaçon Faux
Form	Forme Régime
Formal	Formel
Formal clause	Clause de style
Formal contract	Contrat solennel
Formal notice	Demeure (mise en)
Formalism	Formalisme
Formalistic	Formaliste
Formalistic contract	Contrat formaliste
Formality	Formalité
Formality as to publicity	Formalité de publicité
Formerly acquitted	Autrefois acquit

English	Français
Formerly convicted	Autrefois convict
Formula	Formule
Formulary	Formulaire
Formulate (to)	Formuler
Fortuitous	Casuel
	Fortuit
Fortuitous condition	Condition casuelle
Fortuitous event	Cas fortuit
Forum	Forum
Forum shopping	Forum *non conveniens*
	Forum rei
	Forum shopping
Foundation	Fondation
	Fondement
Founded	Fondé
Franchise	Franchise
Franchisee	Franchisé
Franchising	Franchise
Franchisor	Franchiseur
Fratricidal	Fratricide
Fratricide	Fratricide
Fraud	Dol
	Fraude
Fraudulent	Dolosif
	Frauduleux
Fraudulent artifices	Manoeuvres
Fraudulent competition	Concurrence illicite
Fraudulent concealment	Réticence dolosive
Free	Franc
	Libre
	Quitte
Free competition	Concurrence (libre)
Free (of cost) justice	Gratuité de la justice
Free (to)	Purger
Free trade	Libre-échange
Freedom	Liberté
Freedom of association	Liberté d'association
	Liberté syndicale
Freedom of conscience and religion	Liberté de conscience et de religion
Freedom of expression	Liberté d'expression
Freedom of peaceful assembly	Liberté de réunion pacifique
Freeing	Purge
Freight	Fret

Fret	Connaissement
Frivolous	Frivole
Frivolous defence	Défense frivole
Front road	Chemin de front
Frontier	Frontière
Fruits	Fruits
Fugitive	Fugitif
Fulfil one's obligations (to)	Satisfaire
Fulfil (to)	Exécuter
Fulfill (to)	Exécuter
Fulfilled condition	Condition accomplie
Fulfilment	Exécution
Fulfilment of the condition	Réalisation de la condition
Full	Plein
Full administration of the property of others	Administration du bien d'autrui (pleine)
Full bench	Banc complet
Full capacity	Pleine capacité
Full compensation	*Restitutio in integrum*
Full ownership	Pleine propriété
Full reparation	*Restitutio in integrum*
Fully able	Apte
Function	Fonction
Fund	Fonds
Fundamental decision	Arrêt de principe
Fundamental freedoms	Libertés fondamentales
	Libertés publiques
Fundamental rights	Droits de la personne
Funds	Fonds
Funeral expenses	Frais funéraires
Fungibility	Fongibilité
Fungible thing	Bien fongible
Furnished house	Maison meublée
Furniture	Meuble(s) meublant(s)
	Mobilier
Futile	Futile
Future damage	Dommage futur
	Préjudice futur
Future injury	Dommage futur
	Préjudice futur
Future property	Bien futur
	Bien(s) à venir
Future thing	Bien futur

G

Gambling debt	Dette de jeu
Game	Jeu
Gaming contract	Jeu
Gaming in merchandise	Agiotage
Gaming in stocks	Agiotage
Gaming or wagering contract	Contrat de jeu et de pari
Gaming-house	Maison de jeux
Garnishee	Tiers-saisi
Garnishee summons	Bref de saisie-arrêt
General	Général
General acceptance	Acceptation générale
General authorization	Procuration générale
General average act	Avarie commune (fait d')
General average loss	Avarie commune (perte par)
General body of creditors	Masse
General denial	Défense générale
General intent	Intention générale
General jurisdiction	Droit commun
General mandate	Mandat général
General mass	Masse
General meeting	Assemblée générale
General partner	Commandité Gérant
General partnership	Société en nom collectif
General power	Procuration générale
General power of attorney	Procuration générale
General procuration	Procuration générale
General roll	Rôle général
General verdict	Verdict général
Generally	Grosso modo
Generation	Génération
Genocide	Génocide
Gentlemen's agreement	Gentlemen's agreement
Genuine	Authentique
Genuineness	Véracité
German	Germain
Gift	Don Donation
Gift by contract of marriage	Donation par contrat de mariage

English	Français
Gift from hand to hand	Don manuel
Gift in contemplation of death	Donation à cause de mort
Gift *inter vivos*	Donation Donation entre vifs
Gift *mortis causa*	Donation à cause de mort
Gift of future property	Donation de biens à venir
Gift of present and future property	Donation de biens présents et à venir
Gift with a charge	Donation avec charge
Give an account (to)	Compte (rendre)
Give (royal) assent (to)	Sanctionner
Give (to)	Produire
Give up (to)	Dessaisir
Given name	Prénom
Given object	Dation
Given thing	Dation
Giving	Dation
Giving back	Remise
Giving in payment	Dation en paiement
Giving up	Dessaisissement
Going to the scene	Transport sur les lieux
Good character	Bonnes moeurs
Good faith	Bonne foi
Good morals	Bonnes moeurs
Goodwill	Achalandage
Govern (to)	Régir
Government	Gouvernement Gouvernemental
Governmental	Gouvernemental Ministériel
Governor-general	Gouverneur général
Governor-general in council	Gouverneur général en conseil
Gown	Toge
Grace period	Délai de grâce
Graduate	Licencié
Grandchildren	Petits-enfants
Grandparent	Aïeul
Grant	Concession
Grant (to)	Impartir
Grantee	Concessionnaire
Grantor	Concédant Constituant Disposant Substituant

Gratification	Gratification
Gratified	Gratifié
Gratify (to)	Gratifier
Gratuitous	Titre gratuit (à)
Gratuitous contract	Contrat à titre gratuit
Grave fault	Faute grave
Gravel road	Chemin gravelé
Great Charter	*Magna Charta*
Great-grandparent	Bisaïeul
Great-great-grandfather	Trisaïeul
Great-great-grandmother	Trisaïeul
Great-great-grandparent	Trisaïeul
Green paper	Livre vert
Grievance	Grief
Grievance arbitration	Arbitrage de griefs
Grievance arbitrator	Arbitre de griefs
Grievous injury	Injure
Grievous insult	Injure
Gross fault	Faute lourde
Gross misconduct	Faute grave
Gross negligence	Faute grave Faute lourde Négligence grossière
Ground	Grief Moyen Raison Terrain
Ground rent	Rente foncière
Grounds	Fondement
Grounds for revocation (of judgment)	Rescindant
Grounds in support of the defence	Rescisoire
Grounds in support of the revocation (of judgment)	Rescindant
Grounds of defence	Moyens de défense
Grounds of fact	Moyens de fait
Grounds of improbation	Moyens de faux
Grounds of law	Moyens de droit
Group	Groupe Groupement
Group insurance of persons	Assurance de personnes
Guarantee	Aval Garanti Garantie
Guarantee given by oath	Cautionnement juratoire

Guarantee (to)	Répondre
Guaranteed	Garanti
Guaranteed trust money	Fonds en fiducie garantie
Guarantor	Avaliseur Garant
Guardian	Curateur Gardien
Guardianship	Curatelle
Guarding	Gardiennage
Guest	Hôte
Guide-line	Directive(s)
Guilt	Culpabilité
Guilty	Coupable

H

Habeas corpus (writ of	*Habeas corpus* (bref d')
Habilitate (to)	Habiliter
Habitual drunkard	Ivrogne d'habitude
Hailing	Interpellation
Half related by blood	Consanguin
Half-brother	Consanguin
Half-sister	Consanguin
Hand	Main
Hand over (to)	Céder
Hand (to)	Déférer
Handed	Déféré
Handicap	Handicap
Handicapped person	Personne handicapée
Handing over	Remise
Hansard	Journal des débats
Harbour	Havre
Harbour (to)	Receler
Harbouring of a criminal	Recel
Harmonization	Harmonisation
Have jurisdiction (to)	Connaître
Have respect for (to)	Respecter
Have (to)	Produire
Hazards	Aléas
Head	Chef Tête
Head of State	Chef de l'État

Head of the family	Chef de famille
Head office	Siège
	Siège social
Headquarters	Siège
Health insurance	Assurance-maladie
Hear (a case) (to)	Instruire
Hearing	Audience
	Audition
	Débats
	Enquête
Hearsay	Ouï-dire
Hearsay rule	Ouï-dire (interdiction du)
Heart	Fond
Heir	Héritier
Heir pure and simple	Héritier pur et simple
Heirship	Vocation
Here and now	*Hic et nunc*
Here-and-now	*Hic et nunc*
Hereditaments	Héritage
Hereditary	Héréditaire
Hic et nunc	*Hic et nunc*
High treason	Trahison (haute)
Hijacking	Piraterie aérienne
Hire (to)	Louer
Hire-purchase	Location-vente
His (Her) Majesty	Sa majesté
Historic property	Bien historique
Hit and run	Délit de fuite
Hold (to)	Posséder
Holder	Détenteur
	Tiers-détenteur
	Titulaire
Holder for value	Détenteur à titre onéreux
Holder in due course	Détenteur régulier
Holding	Holding
Holding a majority (of shares)	Majoritaire
Hole	Ouverture
Holiday	Férié
	Jour férié
Holograph	Olographe
Holograph will	Testament olographe
Homicide	Homicide
Homologate (to)	Homologuer

Homologation . . . . Homologation
Honesty . . . . Honnêteté
Intégrité
Horizontal amalgamation . . . . Fusion horizontale
Horizontal consolidation . . . . Fusion horizontale
Horizontal merger . . . . Fusion horizontale
Hospital expense insurance . . . . . . Assurance-hospitalisation
Hospital insurance . . . . Assurance-hospitalisation
Hospitalization insurance . . . . Assurance-hospitalisation
Hostage taking . . . . Prise d'otage
Hostelry (contract of) . . . . Hôtellerie (contrat d')
Hotchpot . . . . Masse
Hotel-keeper . . . . Hôtelier
Hour . . . . Heure
House . . . . Maison
House of Commons . . . . Chambre des communes
Household . . . . Maison
Ménage
Ménager
Housing . . . . Logement
Hovercraft . . . . Aéroglisseur
Human rights . . . . Droits de la personne
Husband . . . . Époux
Mari
Husband's . . . . Marital
Husband's authority . . . . Autorité maritale
Husband's authorization . . . . Autorisation maritale
Hybrid offence . . . . Infraction mixte
Hypothec . . . . Hypothèque
Hypothec created by a will . . . . Hypothèque testamentaire
Hypothecarily . . . . Hypothécairement
Hypothecary . . . . Hypothécaire
Hypothecary action . . . . Action hypothécaire
Hypothecary creance . . . . Créance hypothécaire
Hypothecary creditor . . . . Créancier hypothécaire
Hypothecary loan . . . . Prêt hypothécaire
Hypothecate (to) . . . . Hypothéquer

I

Id est . . . . *Id est*
Ideal . . . . Moral

English	French
Identical	Identique
Identification	Identification
	Identification (parade d')
	Identification (preuve d')
Ignorance of the law	Ignorance de la loi
Ignorare of the law is no excuse	Nemo censetur ignorare legem
Illegal	Illégal
	Illicite
Illegal strike	Grève illégale
	Grève sauvage
Illegality	Illégalité
Illegally	Illégalement
Illegitimacy	Illégitimité
Illegitimate	Illégitime
Illegitimate child	Enfant illégitime
	Enfant incestueux
	Enfant naturel
Illegitimate filiation	Filiation naturelle
Illegitimate relationship	Parenté naturelle
Illegitimately	Illégitimement
Ill-founded (demand)	Mal-fondé
Illicit	Illicite
Illicit condition	Condition illicite
Illicit drug	Drogue illicite
Illicitly	Illicitement
Illicitness	Illicéité
Imbecility	Imbécillité
Immatriculation	Immatriculation
Immatriculation of immovables	Immatriculation des immeubles
Immemorial	Immémorial
Immemorial possession	Possession immémoriale
Immigrant	Immigrant
	Immigré
Immigration	Immigration
Immobilization	Immobilisation
Immobilize	Immobiliser
Immoral	Immoral
Immoral condition	Condition immorale
Immorality	Immoralité
Immovable	Immeuble
	Immobilier
Immovable hypothec	Hypothèque immobilière
Immovable priority	Priorité immobilière

Immoveable . . . . Héritage
Immeuble
Immobilier
Immoveable accession . . . . Accession immobilière
Immoveable by destination . . . . Immeuble par destination
Immoveable by determination of law . . . . Immeuble par détermination de la loi
Immoveable by nature . . . . Immeuble par nature
Immoveable by reason of the object to which it is attached Immeuble par l'objet auquel il s'attache
Immoveable privilege . . . . Privilège immobilier
Immunity . . . . Immunité
Immunity from execution . . . . Immunité d'exécution
Immunity from jurisdiction . . . . Immunité de juridiction
Immunity of jurisdiction . . . . Immunité de juridiction
Immutability . . . . Immunité
Immutability of the matrimonial regime . . . . Immutabilité des régimes matrimoniaux
Impaired driving . . . . Conduite avec facultés affaiblies
Impartiality . . . . Impartialité
Impeach (to) . . . . Attaquer
Reprocher
Impediment . . . . Empêchement
Impediment to marriage . . . . Empêchement au mariage
Imperative . . . . Impératif
Imperative law . . . . Impérative (loi)
Imperfect bilateral contract . . . . Contrat synallagmatique imparfait
Imperfect delegation . . . . Délégation imparfaite
Imperfect synallagmatic contract . . . . . Contrat synallagmatique imparfait
Imperium . . . . *Imperium*
Implead (to) . . . . Mettre en cause
Impleaded party . . . . Mis en cause
Impleading . . . . Garantie (appel en)
Mise en cause
Implicit . . . . Implicite
Implicit consent . . . . Consentement tacite
Implied . . . . Implicite
Implied admission . . . . Aveu implicite
Implied consent . . . . Consentement tacite
Implied notice . . . . Connaissance présumée
Impose (to) . . . . Condamner
Imposer
Impossibility . . . . Impossibilité
Impossible . . . . Impossible
Impossible condition . . . . Condition impossible
Impotency . . . . Impuissance

Imprescriptibility	Imprescriptibilité
Imprescriptible	Imprescriptible
Impression	Représentation
Imprisonment	Emprisonnement Incarcération
Imprisonment pending trial	Détention préventive
Improbate (to)	Faux (s'inscrire en)
Improbation	Faux incident (inscription de)
Improper	Abusif
Improper appeal	Appel abusif
Improvements	Améliorations
Imprudence	Imprudence
Impuberty	Impuberté
Impugn (to)	Attaquer
Imputability	Imputabilité
Imputable	Imputable
Imputation	Imputation Imputation (rapport par)
Imputation of payments	Imputation des paiements
Impute (to)	Imputer
Imputed knowledge	Connaissance présumée
In camera	Huis clos
In cash	Comptant (au)
In default of	Faute de
In due form	Forme (en bonne et due)
In force	Vigueur (en)
In full discharge from debt	Libératoire
In joint-tenancy	Indivis (par)
In perpetuity	Perpétuellement
In the capacity of	Titre
In this particular case	Espèce (en l')
In view of	Vu
Inability	Empêchement Inaptitude Inaptitude au travail
Inadmissibility	Irrecevabilité
Inadmissible	Irrecevable
Inalienability	Inaliénabilité Incommutabilité Indisponibilité
Inalienable	Inaliénable Incessible Incommutable

English	Français
(suite)	Indisponible
Inalienation	Inaliénation
Inappropriable	Inappropriable
Incapable	Inapte Incapable Inhabile
Incapacity	Inaptitude Incapacité Inhabilité
Incapacity to enjoy	Incapacité de jouissance
Incapacity to exercise	Incapacité d'exercice
Incest	Inceste
Incestuous	Incestueux
Incestuous child	Enfant incestueux
Incident	Incident
Incident proceedings	Incident
Incidental appeal	Appel incident
Incidental charges	Frais accessoires
Incidental demand	Demande incidente
Incidental fraud	Dol incident
Incidental improbation	Faux incident (inscription de)
Included offence	Infraction incluse
Inclusive	Forfaitaire
Income security	Sécurité du revenu
Income tax concession	Dégrèvement
Income tax declaration	Déclaration d'impôt
Income tax return	Déclaration d'impôt
Income tax shield	Dégrèvement
Incompatibility	Incompatibilité
Incompatible	Incompatible
Incompetence	Incompétence
Incompetence *ratione loci*	Incompétence territoriale
Incompetence *ratione materiale*	Incompétence d'attribution
Incompetent	Incompétent
Inconclusive	Réfragable
Incorporated	Incorporé
Incorporating (instrument)	Constitutif
Incorporation	Incorporation
Incorporeal	Incorporel
Incorporeal movable	Meuble incorporel
Incorporeal moveable	Meuble incorporel
Incorporeal property	Bien incorporel
Incorrect	Fautif

English	Français
Incriminate (to)	Incriminer
Incriminating questions	Déclaration incriminante
Incrimination	Incrimination
Inculpate (to)	Inculper
Inculpation	Inculpation
Incumbent	Titulaire
Indecent act	Acte indécent
Indecent assault	Attentat à la pudeur
Indefeasibility	Incommutabilité
Indefeasible	Incommutable
Indefinite suretyship	Cautionnement indéfini
Indemnification	Indemnisation
Indemnificatory	Indemnitaire
Indemnified	Indemnisé
Indemnify (to)	Indemniser Réparer
Indemnitee	Indemnitaire
Indemnity	Indemnité
Indemnity insurance	Assurance de dommages
Independence	Indépendance
Indeterminate	Indéterminé
Index	Répertoire
Index of immoveables	Index des immeubles
Index (to)	Indexer
Indexation	Indexation
Indexation clause	Clause d'échelle mobile
Indication of payment	Indication de paiement
Indictable offence	Acte criminel
Indictment	Accusation (mise en) Acte d'accusation
Indirect action	Action oblique Action subrogatoire
Indirect damage	Dommage indirect Préjudice indirect
Indirect gift	Donation indirecte
Indirect injury	Dommage indirect Préjudice indirect
Indirect suffrage	Suffrage indirect
Indirect tax	Impôt indirect
Indisposability	Indisponibilité
Indisposable	Indisponible
Indissolubility	Indissolubilité
Indissoluble	Indissoluble

English	Français
Individual	Individuel
Individual case	Cas d'espèce
Individual contract	Contrat individuel
Individual insurance	Assurance de personnes
Individual property	Bien(s) propre(s)
Individualization	Individualisation
Individualized thing	Corps certain
Indivisibility	Indivisibilité
Indivisible	Indivisible
Indivisible obligation	Obligation indivisible
Indivision	Indivision
Indivision by agreement	Indivision conventionnelle
Indivision by operation of the law	Indivision légale
Industrial accident	Accident du travail
Industrial fruits	Fruits industriels
Ineffective	Inopérant
Ineffectiveness	Ineffectivité Inefficacité
Inefficiency	Inefficacité
Ineligibility	Inéligibilité
Ineligible	Inéligible
Inexcusable	Inexcusable
Inexecution	Inexécution
Inexigible	Inexigible
Infancy	Minorité
Infant child	Enfant
Infanticide	Infanticide
Infer (to)	Arguer
Inferior court	Cour inférieure
Inform (to)	Dénoncer
Informality	Vice de forme
Information	Dénonciation Renseignement
Informed consent	Consentement éclairé
Infringement	Abus Violation
Infringing	Contrefaçon
Ingratitude	Ingratitude
Inherit (to)	Succéder
Inheritance	Hérédité Héritage Hoirie
Inhumation	Inhumation

Initial (to)	Parapher
Initials	Paraphe
Injunction	Injonction
Injure (to)	Léser
Injury	Dommage
	Injure
	Lésion
	Préjudice
Inland water transport	Navigation fluviale
Inland waters of Canada	Eaux internes du Canada
Inmate	Détenu
Innavigability	Innavigabilité
Innavigable	Innavigable
Inn-keeper	Hôtelier
Innocence	Innocence
Innominate contract	Contrat innommé
Inoperative	Inopérant
Inopposability	Inopposabilité
Inopposable	Inopposable
Inquiry	Enquête
Inquisitorial	Inquisitoire
Insalubrious	Insalubre
Insane person	Aliéné
Insanity	Aliénation mentale
	Démence
Inscription	Inscription
Inscription for proof and hearing	Inscription pour enquête et audition
Insider	Initié
Insidious	Captatoire
Insolvency	Carence
	Déconfiture
	Insolvabilité
Insolvent	Insolvable
Inspect (to)	Compulser
Inspection	Vérification
	Vu
Inspection of notarial documents	Compulsoire
Installment	Versement
Instalment	Acompte
	Acompte provisionnel
Instalment sale	Vente à tempérament
Instance	Instance

Institute	Grevé
Institute proceedings (to)	Intenter
Institute (to)	Former
	Instituer
Institutes	Institutes
Institution	Institution
	Introduction
Instruct (to)	Instruire
Instructed verdict	Verdict imposé
Instruction	Instruction
Instruction(s)	Directive(s)
Instructions to jury	Directives (du juge) au jury
Instrument	Acte en brevet
	Acte (ou acte juridique)
	Écrit instrumentaire
	Titre
Instrument of incorporation	Acte constitutif
Instrument (to)	Instrumenter
Instrumental	Instrumentaire
Instrumentary	Instrumentaire
Instrumenting	Instrumentant
Insult	Injure
Insurable interest	Intérêt d'assurance
Insurance	Assurance
Insurance agent	Agent en assurance
Insurance broker	Courtier en assurance
Insurance of persons	Assurance de personnes
Insurance policy	Police d'assurance
Insured	Assuré
Insured person	Assuré
Insurer	Assureur
Insurgence	Soulèvement
Intangible	Incorporel
Intangible property	Bien incorporel
Integration	Concentration
Integrity	Intégrité
Intellectual alteration	Faux intellectuel
Intellectual forgery	Faux intellectuel
Intellectual property	Propriété intellectuelle
Intellectual right of the author	Droit moral
Intent	Intention
Intention	Intention
Intentional fault	Faute intentionnelle

Interbreeding marriage	Mariage consanguin
Inter vivos	Entre vifs
Interdependence	Interdépendance
Interdict (to)	Interdire
Interdicted	Interdit
Interdicted person	Interdit
Interdiction	Interdiction
Interest	Intérêt
Interest at the legal rate	Intérêt (au taux) légal
Interest rate	Taux d'intérêt
Interference with the orderly administration of justice	Entrave à la justice
Intergovernmental agreement	Entente intergouvernementale
Interim	Intérim Intérimaire
Interim receiver	Séquestre intérimaire
Interim release	Libération provisoire Liberté provisoire
Interlineation	Interligne
Interlocutory	Interlocutoire
Interlocutory injunction	Injonction interlocutoire
Interlocutory judgment	Jugement interlocutoire
Intermediary	Intermédiaire Personne interposée
Internal autonomy	Autonomie interne
Internal law	Droit interne
Internal will	Volonté interne
International	International
International commercial law	Droit du commerce international
International jurisdiction	Compétence internationale
International law	Droit international
Internment	Internement
Interpellation	Interpellation
Interposed person	Personne interposée
Interposition of person	Interposition de personne
Interpretation	Interprétation
Interpretation bulletin	Bulletin d'interprétation
Interpretative	Interprétatif
Interpreter	Interprète
Interrogation	Interrogation
Interrogatory	Interrogatoire
Interrogatory upon articulated facts	Interrogatoire sur faits et articles
Interrogatory upon atriculated facts	Interrogatoire sur les faits se rapportant au litige

Interruption	Interruption
Interruption of prescription	Interruption de la prescription
Interruptive	Interruptif
Intervenant	Intervenant
Intervene (to)	Intervenir
Intervener	Intervenant
Intervention	Intervention
Interversion (of title)	Interversion (de titre)
Intervert (a title) (to)	Intervertir (un titre)
Intestate	Intestat
Intimidation	Intimidation
Intoxication	Ivresse
Intransferable	Intransférable
Intransmissibility	Intransmissibilité
Intransmissible	Intransmissible
Introduce (to)	Former
Introduction	Introduction
Invalid	Invalide
Invalidate (to)	Infirmer
	Invalider
Invalidating	Infirmatif
Invalidation	Infirmation
	Invalidation
Invalidity	Invalidité
Invasion of the privacy of a person	Atteinte à la vie privée
Inveigler	Captateur
Inveigling	Captation
	Captatoire
Inventory	Inventaire
Investigation	Enquête
Investment contract	Contrat d'investissement
Inviolability	Inviolabilité
Inviolability of the person	Inviolabilité de la personne
Inviolable	Inviolable
Invoke (to)	Invoquer
Irrecoverable	Irrécouvrable
Irrefutable	Irréfragable
Irregular	Irrégulier
Irregular succession	Succession irrégulière
Irregular successor	Successeur irrégulier
Irregularity	Irrégularité
Irremovability	Inamovibilité

English	Français
Irremovable	Inamovible
Irreparable injury	Préjudice irréparable
Irresistibility	Irrésistibilité
Irresistible	Irrésistible
Irresponsibility	Irresponsabilité
Irresponsible	Irresponsable
Irrevocability	Irrévocabilité
Irrevocable	Irrévocable
Issuance	Émission
Issue	Émission
Issue a writ (to)	Assigner
Issue joined	Contestation liée
Issue of a commercial paper	Émission d'un effet de commerce
Issue of a negotiable instrument	Émission d'un effet de commerce
Issue of fact	Question de fait
Issue of law	Question de droit
Issue of securities	Émission de titre
Issued capital	Capital-actions
Issuer	Émetteur

J

English	Français
Job security	Sécurité d'emploi
Joinder	Jonction Réunion
Joinder of actions	Réunion d'actions
Joinder of causes of action	Cumul des causes d'action Réunion de causes d'action
Joinder of issue	Contestation liée
Joinder of parties	Jonction de parties
Joining	Jonction
Joint	Commun Conjoint Paritaire
Joint acquirer	Coacquéreur
Joint application	Demande conjointe
Joint application on a draft agreement	Demande conjointe sur projet d'accord
Joint assets	Bien(s) commun(s)
Joint author	Coauteur
Joint committee	Comité paritaire
Joint creditor	Cocréancier
Joint custody	Garde conjointe

Joint debtor	Codébiteur
Joint declaration	Déclaration conjointe
Joint estate	Bien indivis
Joint factum	Mémoire conjoint
Joint heir	Cohéritier
Joint holder	Codétenteur
Joint insurance	Coassurance
Joint issue	Contestation liée
Joint legacy	Legs conjoint
Joint legatee	Colégataire
Joint liability	Responsabilité conjointe
Joint motion	Requête conjointe
Joint obligation	Obligation conjointe
Joint obligor	Coobligé
Joint possession	Copossession Indivision
Joint possessor	Copossesseur
Joint purchaser	Coacquéreur
Joint seller	Covendeur
Joint venture	Joint venture
Joint will	Testament conjonctif
Jointly	Conjointement Indivisément
Jointly-agreed statement	Constat amiable
Joint-stock company	Société par actions
Judge	Juge Juge en chambre Juge puîné
Judge *ad hoc*J	uge *ad hoc*
Judge in chambers	Juge en chambre
Judge sitting alone	Juge unique
Judge-advocate general	Juge-avocat général
Judgment	Arrêt Décision Jugement Minute Opinion
Judgment a *quo*	Jugement a *quo*
Judgment acknowledging receipt of	Jugement de donner acte
Judgment after trial	Jugement contradictoire
Judgment by default to appear	Jugement par défaut de comparaître
Judgment by default to plead	Jugement par défaut de plaider
Judgment creating rights	Jugement constitutif

Judgment debtor . . . . Débiteur saisi
Saisi

Judgment in appeal . . . . Jugement a *quo*
Jugement dont appel

Judgment in equity . . . . Jugement d'équité

Judgment of expediency . . . . Jugement d'expédient

Judgment on merits . . . . Jugement au mérite
Jugement sur le fond

Judicial . . . . Judiciaire

Judicial act . . . . Acte judiciaire

Judicial activism . . . . Activisme judiciaire

Judicial administration act . . . . . . Acte d'administration judiciaire

Judicial admission . . . . Aveu judiciaire

Judicial adviser . . . . Conseil judiciaire

Judicial agreement . . . . Contrat judiciaire

Judicial branch . . . . Pouvoir judiciaire

Judicial cancellation . . . . Radiation judiciaire

Judicial cancelling . . . . Radiation judiciaire

Judicial comity . . . . Courtoisie judiciaire

Judicial compensation . . . . Compensation judiciaire

Judicial competence . . . . Compétence juridictionnelle

Judicial contract . . . . Contrat judiciaire

Judicial costs . . . . Déboursés judiciaires
Frais judiciaires

Judicial Council . . . . Conseil de la magistrature

Judicial declaration . . . . Déclaration judiciaire

Judicial disbursements . . . . Déboursés judiciaires

Judicial district . . . . District judiciaire

Judicial fees . . . . Honoraires judiciaires

Judicial fees of advocates . . . . Tarif des avocats

Judicial hypothec . . . . Hypothèque judiciaire

Judicial law . . . . Droit judiciaire

Judicial licitation . . . . Licitation en justice

Judicial mandate . . . . Mandat judiciaire

Judicial notice . . . . Connaissance d'office

Judicial partition . . . . Partage en justice

Judicial power . . . . Pouvoir judiciaire

Judicial resolution . . . . Résolution judiciaire

Judicial review . . . . Révision judiciaire

Judicial rights . . . . Droits judiciaires

Judicial sale . . . . Vente judiciaire

Judicial self-restraint . . . . Réserve (obligation de)
Retenue judiciaire

English	Français
Judicial separation as to property	Séparation judiciaire de biens
Judicial separation of property	Séparation judiciaire de biens
Judicial sequestration	Séquestre judiciaire
Judicial sequestrator	Séquestre judiciaire
Judicial stamps	Timbres judiciaires
Judicial suretyship	Cautionnement judiciaire
Judicial usufruct	Usufruit judiciaire
Judicial vacations	Vacances judiciaires
Judiciary	Pouvoir judiciaire
Judiciary Committee of Privy Council	Conseil privé (comité judiciaire du)
Junction	Jonction
Jurat	Jurat
Juratory security	Cautionnement juratoire
Juridical	Juridique
Juridical act	Acte juridique
Juridical day	Jour juridique
	Jour ouvrable
Juridical fact	Fait juridique
Juridical personality	Personnalité
	Personnalité juridique
Juridical system	Système juridique
Jurisconsult	Jurisconsulte
Jurisdiction	Compétence
	Connaissance
	For
	Juridiction
	Ressort
Jurisdiction conflict	Conflit de juridictions
Jurisdiction *ratione loci*	Compétence *ratione loci*
Jurisdiction *ratione personae*	Compétence *ratione personae*
Jurisdictional	Juridictionnel
Jurisdictional act	Acte juridictionnel
Jurisdictional competence	Compétence juridictionnelle
Jurisdictional conflict	Conflit de juridictions
Jurisdictional error	Erreur juridictionnelle
Jurisprudence	Jurisprudence
Jurisprudential	Jurisprudentiel
Jurist	Juriste
	Légiste
Juristics	Légistique
Juror	Juré
Jury	Jury
Jury instructions	Directives (du juge) au jury

(suite) Exposé du juge au jury

Justice	Justice
Justice of the peace	Juge de paix
Justiciable	Justiciable
Justification	Fait(s) justificatif(s)
Justified	Fondé
Juvenile Court	Cour des jeunes délinquants

K

Keeper	Gardien
	Tenancier
Key strike	Grève bouchon
Kidnap (to)	Kidnapper
Kidnapper	Kidnappeur
Kidnapping	Enlèvement
	Kidnapping
King's Printer	Éditeur officiel
Kinship	Parenté
Know-how	Savoir-faire
Knowingly	Sciemment
Knowledge	Connaissance

L

Labour	Travail
Labour Commissioner	Commissaire du travail
Labour Commissioner-general	Commissaire général du travail
Labour contract	Travail (contrat de)
Labour council	Conseil syndical
Labour law	Droit du travail
	Droit ouvrier
Labour standards	Normes du travail
Labour union	Association de salariés
Laches (doctrine of)	Laches (théorie des)
Lack	Défaut
Lack of jurisdiction due to the place	Incompétence territoriale
Lack of jurisdiction due to the subject matter	Incompétence d'attribution
Laid off	Licencié
Lakeside resident	Riverain
Land	Bien-fonds
	Foncier

	Fonds
(suite)	Fonds
Land book	Livre foncier
Land file	Fiche immobilière
Land register	Registre foncier
Land tax	Impôt foncier
Landlord	Locateur
Landlord's fixture	Immeuble par destination
Lands reclaimed from the sea	Lais (et relais) de la mer
Lapse	Caducité
Lapsed	Caduc
Larceny	Larcin
Last bidder	Enchérisseur (dernier)
Late	Tardif
Lateness	Tardiveté
Latent defect	Vice caché
Law	Droit
	Législateur
	Loi
	Sciences juridiques
Law costs	Frais
Law of the forum	*Lex fori*
Law reports	Recueil de jurisprudence
Lawful	Légitime
Lawful detention	Détention légitime
Lawfully	Légalement
	Licitement
Lawsuit	Poursuite
Lawyer	Avocat
Lay corporation	Corporation séculière
Lay days	Staries
Lay down (to)	Formuler
Lay off	Mise en disponibilité
Layoff	Débauchage
Leading	Apériteur
Leading case	Arrêt de principe
Leading insurer	Apériteur
Leading question	Question suggestive
Leading underwriter	Apériteur
Lease	Amodiation
	Bail
	Location
	Louage
Lease and hire	Louage

(suite)	Louage de services
Lease and hire of work	Louage d'ouvrage
Lease by sufferance	Bail par tolérance
Lease of a farm	Bail à ferme
Lease of live stock	Bail à cheptel
Lease of things	Louage de biens
Lease (to)	Louer
Lease with a fixed term	Bail à durée fixe
Lease with an indeterminate term	Bail à durée indéterminée
Leasing	Amodiation
	Crédit-bail
Leave	Autorisation
Leave for child birth	Maternité (congé de)
Legacy	Legs
	Testamentaire (disposition)
Legacy by general title	Legs à titre universel
Legacy by particular title	Legs à titre particulier
Legacy *de residuo*	Legs *de residuo*
Legal	Juridique
	Légal
	Licite
	Moral
	Réglementaire
	Régulier
Legal adviser	Avocat-conseil
	Conseil
Legal age	Âge légal
Legal aid	Aide juridique
Legal cancellation	Radiation légale
Legal cancelling	Radiation légale
Legal cause of preference	Cause légitime de préférence
Legal causes of preference	Préférence (causes légitimes de)
Legal community	Communauté légale
Legal compensation	Compensation légale
Legal conception	Conception (période légale de la)
Legal consultant	Avocat-conseil
Legal costs	Frais
Legal custody	Garde juridique
	Garde physique
Legal death	Mort
Legal department	Contentieux
Legal deposit	Dépôt légal
Legal disturbance	Trouble de droit

Legal domicile	Domicile légal
Legal duty	Devoir juridique
Legal formalism	Juridisme
Legal holiday	Férié Fête légale Jour férié
Legal hypothec	Hypothèque légale
Legal indivision	Indivision légale
Legal infancy	Minorité pénale
Legal institution	Institution
Legal interest rate	Taux d'intérêt légal
Legal mandate	Mandat légal
Legal maxim	Brocard
Legal nature	Juridicité
Legal obligation	Obligation légale
Legal order	Système juridique
Legal person	Personne morale
Legal person established for a private interest	Personne morale de droit privé
Legal person established in the public interest	Personne morale de droit public
Legal personality	Personnalité morale
Legal presumption	Présomption légale
Legal proceedings	Instance
Legal regime	Régime légal
Legal representative	Représentant légal
Legal rights	Droits judiciaires
Legal sciences	Sciences juridiques
Legal servitude	Servitude légale
Legal solidarity	Solidarité légale
Legal strike	Grève légale
Legal subrogation	Subrogation légale
Legal suretyship	Cautionnement légal
Legal transaction	Acte juridique
Legal tutor	Tuteur légal
Legal tutorship	Tutelle légale
Legal usufruct	Usufruit légal
Legal warranty	Garantie formelle Garantie légale
Legality	Légalité
Legalization	Légalisation
Legally	Légalement
Legatee	Légataire
Legatee by general title	Légataire à titre universel
Legatee by particular title	Légataire à titre particulier

English	Français
Legislate (to)	Légiférer
Legislation	Législation
	Loi
Legislative	Législatif
Legislative act	Acte législatif
Legislative assembly	Assemblée législative
Legislative Council	Conseil législatif
Legislative immunity	Immunité parlementaire
Legislative jurisdiction	Compétence législative
Legislative power	Pouvoir législatif
Legislative provision	Disposition
Legislator	Législateur
Legislature	Assemblée législative
	Législature
Legist	Légiste
Legitimacy	Légitimité
Legitimate	Légitime
Legitimate child	Enfant légitime
Legitimate family	Famille légitime
Legitimate filiation	Filiation légitime
Legitimate relationship	Parenté légitime
Legitimate succession	Succession légitime
Legitimate (to)	Légitimer
Legitimately	Légitimement
	À bon droit
Legitimation	Légitimation
Lend (to)	Prêter
Lender	Prêteur
Lender (in a loan for use)	Commodant
Leonine	Léonin
Lesion	Lésion
Lesionary	Lésionnaire
Lessee	Crédit-preneur
	Locataire
	Preneur
Lessee's repairs	Locatives (réparations)
Lesser maintenance repairs	Réparations d'entretien (menues)
Lessor	Bailleur
	Crédit-bailleur
	Fréteur
	Locateur
Lessor of work	Locateur
Let (to)	Louer

Letter	Lettre
Letter of credit	Lettre de crédit
Letters patent	Lettres patentes
Liabilities	Passif
Liabilities of the succession	Charges de la succession
Liability	Charge
	Responsabilité
Liability for damage caused by animals	Responsabilité du fait des animaux
Liability for damage caused by another	Responsabilité du fait d'autrui
Liability for damage caused by buildings	Responsabilité du fait des bâtiments
Liability for damage caused by inanimate things	Responsabilité du fait des choses
Liability for injury caused by animals	Responsabilité du fait des animaux
Liability for injury caused by another	Responsabilité du fait d'autrui
Liability for injury caused by immovables	Responsabilité du fait des bâtiments
Liability for injury caused by inanimate things	Responsabilité du fait des choses
Liability insurance	Assurance de responsabilité
Liable	Passible
	Punissable
	Responsable
Liable to	Sujet
Libel	Diffamation
	Libelle
Libel	Libelle diffamatoire
Liberal	Libéral
Liberal intention	Intention libérale
Liberal interpretation	Interprétation libérale
Liberality	Libéralité
Liberalization	Libéralisation
Liberating	Libératoire
Liberty	Liberté
Liberty of contract	Liberté contractuelle
License	Brevet
	Concession
	Licence
	Permis
Licensee	Licencié
Licit	Licite
Licitation	Licitation
Licitly	Licitement
Licitness	Licéité
Lieutenant governor	Lieutenant-gouverneur
Lieutenant governor in council	Lieutenant-gouverneur en conseil
Life	Perpétuel

(suite)

	Tête
	Viager
Life annuity	Rente viagère
Life insurance	Assurance-vie
Life-rent	Rente viagère
Life-usufruct	Usufruit viager
Light	Jour
	Jour de souffrance (ou de tolérance)
Light existing by sufferance (or by tolerance)	Jour de souffrance (ou de tolérance)
Likelihood	Vraisemblance
Likely	Probable
	Vraisemblable
Limitation	Prescription
Limitation of liability clause	Clause limitative de responsabilité
Limitation period	Délai de prescription
Limited	Limité
Limited jurisdiction	Compétence liée
Limited liability clause	Clause limitative de responsabilité
Limited partner	Commanditaire
Limited partnership	Commandite
	Société en commandite
Limited suffrage	Suffrage restreint
Line	Ligne
Line of ascent	Ascendante (ligne)
Lineup	Identification (parade d')
Liquid	Liquide
Liquid assets	Liquidité
Liquidate (to)	Liquider
Liquidated damages	Dommages-intérêts conventionnels
	Dommages-intérêts liquidés
Liquidation	Liquidation
Liquidation of a succession	Liquidation d'une succession
Liquidator	Liquidateur
Liquidator of a succession	Liquidateur de la succession
Liquidity	Liquidité
Lis pendens	Litispendance
List	Liste
	Répertoire
Listed share	Action cotée en bourse
Literal construction	Interprétation littérale
Literal interpretation	Interprétation littérale
Litigant	Plaideur
Litigant party	Litigant

Litigation	Contentieux Litige
Litigation department	Contentieux
Litigious	Contentieux Litigieux
Litigious right	Droit litigieux
Live	Vivant
Living	Vivant
Loan	Emprunt Prêt
Loan for consumption	Prêt de consommation
Loan for use	Prêt à usage
Loan (to)	Prêter
Loan upon interests	Prêt à intérêts
Local municipality	Municipalité locale
Local school board	Commission scolaire locale
Localization	Localisation
Location	Localisation
Location certificate	Localisation (certificat de)
Lock-out	Lock-out
Lodge an appeal (to)	Interjeter appel
Lodging	Logement
Lodging of an appeal	Interjection d'appel
Long lease	Bail emphytéotique
Loss	Dommage Perte Préjudice Risque Sinistre
Loss in value	Moins-value
Lost	Adiré
Lost or forgotten movables	Bien perdu ou oublié
Lost or forgotten things	Bien perdu ou oublié
Lot	Lot
Lower chamber	Chambre basse
Lower house	Chambre basse
Loyalty	Allégeance Loyauté
Ltd.	Ltée
Lucid interval	Intervalle lucide
Lucrative	Lucratif
Lump sum payment	Paiement unique
Lunacy	Démence

Lying-in expenses . . . . Frais de gésine

M

Macadamized road . . . . Chemin macadamisé
Magistracy . . . . Magistrature
Magistrate . . . . Magistrat
Magistrature . . . . Magistrature
Magna Charta . . . . *Magna Charta*
Mail . . . . Courrier
Main residence . . . . Résidence principale
Maintenance . . . . Aliments
Entretien
Maintenance costs . . . . Entretien (dépenses d')
Maintenance expenses . . . . Entretien (dépenses d')
Maintenance in the premises . . . . . . Maintien dans les lieux
Maintenance obligation . . . . Obligation d'entretien
Maintenance repairs . . . . Réparations d'entretien
Major . . . . Majeur
Major repairs . . . . Réparations majeures
Majority . . . . Majoritaire
Majorité
Ministériel
Make a donation (to) . . . . Gratifier
Make a stipulation (to) . . . . Stipuler
Make (to) . . . . Commettre
Maker . . . . Auteur
Souscripteur
Malfeasance . . . . Malversation
Malice . . . . Malice
Manage (to) . . . . Gérer
Management . . . . Administration
Gérance
Gestion
Patronat
Management buy-out . . . . Rachat
Management of the affairs of another . . . . Gestion d'affaires
Manager . . . . Gérant
Mandamus . . . . *Mandamus*
Mandate . . . . Mandat
Mandate for the eventuality of the mandator's inability Mandat donné en prévision de l'inaptitude du mandant
Mandate given in anticipation of the mandator's incapacity Mandat donné en prévision de

	l'inaptitude du mandant
Mandate given in general terms	Mandat conçu en termes généraux
Mandate (to)	Mandater
Mandator	Mandant
Mandatory	Impératif
	Mandataire
	Mandatoire
Mandatory delay	Délai de rigueur
Mandatory injunction	Injonction mandatoire
Mandatory law	Impérative (loi)
Mandatory supervision	Liberté surveillée
Manifest	Manifeste
Manifest error	Erreur manifeste
Manifestly	Manifestement
Manslaughter	Homicide involontaire coupable
Manual gift	Don manuel
Manufacturer	Fabricant
Manuscript	Écrit
Margin	Couverture
Marine insurance	Assurance maritime
Marine operations	Navigation maritime
Marital	Marital
Maritally	Maritalement
Maritime insurance	Assurance maritime
Maritime law	Droit maritime
Mark out (to)	Aborner
Market (to)	Commercialiser
Marketing	Commercialisation
Marking out	Abornement
Mark-out (to)	Borner
Marriage	Mariage
	Noce(s)
Marriage certificate	Mariage (acte de)
Marriage contract	Mariage (contrat de)
Marriage settlement	Mariage (contrat de)
Martial law	État de siège
	Loi martiale
Mass	Masse
Mass layoff	Licenciement collectif
Mass of the community	Masse commune
Master	Maison
Master and servant relationship	Préposition (lien de)
Master of the rolls	Maître des rôles

Master of the work	Maître d'oeuvre
Material	Matériel
	Pécuniaire
Material alteration	Faux matériel
Material custody	Garde matérielle
	Garde physique
Material damage	Dommage matériel
	Préjudice matériel
Material fact	Fait matériel
Material forgery	Faux matériel
Material injury	Dommage matériel
	Préjudice matériel
Material thing	Élément matériel
Maternal	Maternel
Maternal line	Ligne maternelle
Maternity	Maternité
Maternity leave	Maternité (congé de)
Matricidal	Matricide
Matricide	Matricide
Matrimonial	Matrimonial
Matrimonial law	Droit matrimonial
Matrimonial regime	Régime matrimonial
Matter of fact	Question de fait
Mature (to)	Échoir
Maturity	Échéance
Maxim	Brocard
	Maxime
Means	Moyen
Means of proof	Moyens de preuve
Measure	Mesure
Mediation	Médiation
Mediation Service	Service de médiation
Mediator	Médiateur
Meeting	Assemblée
Member	Adhérent
	Membre
Member of National Assembly	Député
Member of Parliament	Député
	Parlementaire
Member of the board of examiners	Suffragant
Memorandum	Bordereau
	Mémoire
Memorial	Bordereau

(suite)	Extrait
Mental cruelty	Cruauté mentale
Mentioned	Dit
Mercantile agent	Agent commercial
Mercy killing	Euthanasie
Mere	Simple
Merely facultative act	Acte de pure faculté
Merger	Confusion
	Fusion
Merger in ownership	Consolidation
Merit	Fond
	Mérite
Merit(s)	Bien-fondé
Metes and bounds	Aboutissants
Metes and bounds (tenants et aboutissants)	Tenants
Minimum wage	Salaire minimum
Minister	Ministre
Minister for	Ministre délégué
Minister of Foreign Affairs	Secrétaire d'État aux Affaires extérieures
Minister of religion	Ministre
Minister without portfolio	Ministre sans portefeuille
Ministerial	Ministériel
Ministerial decree	Arrêté ministériel
Ministerial officer	Officier ministériel
Ministerial order	Arrêté ministériel
Ministering cleric	Desservant
Ministers	Ministère public
Minister's office	Cabinet ministériel
Ministry	Ministère
Minor	Mineur
Minor repairs	Locatives (réparations)
Minority	Minoritaire
	Minorité
Minute	Minute
	Procès-verbal
Minute of locked doors or object	Procès-verbal de porte close
Minute-book of the court clerk	Plumitif
Minutes	Procès-verbal
Minutes book	Registre des procès-verbaux et résolutions
Minutes of sale	Procès-verbal de vente
Minutes of seizure	Procès-verbal de saisie
Misapplication of power	Détournement de pouvoir

English	Français
Misappropriation	Détournement
	Divertissement
Miscarriage of justice	Déni de justice
	Erreur judiciaire
Mischief	Méfait
Misrepresentation	Fausse représentation
Missing person	Disparu
Mistake	Erreur
Mistake of fact	Erreur de fait
Mistrial	Mistrial
Misuse	Abus
Misuse of authority	Abus d'autorité
Misuse of power	Excès de pouvoir
Mitigation of punishment	Mitigation de peine
Mixed act	Acte mixte
Mixed action	Action mixte
Mixed condition	Condition mixte
Mixed contract	Contrat complexe
	Contrat mixte
Mixed law (system of)	Droit mixte
Mixed partition	Partage volontaire en justice
Mixed statut	Statut mixte
Mobile home	Maison mobile
Mobilization	Mobilisation
Mobilization by anticipation	Mobilisation par anticipation
Mobilization clause	Clause d'ameublissement
Mobilize (to)	Ameublir
	Mobiliser
Modal	Modal
Modality	Modalité
Mode	Régime
Modification	Modification
Modifying	Modificatif
Monarchy	Monarchie
Monetary	Monétaire
	Salarial
Monetary jurisdiction	Compétence d'attribution
Monetary obligation	Obligation pécuniaire
Money	Fonds
Moneys	Deniers
Monogamy	Monogamie
Monopoly	Monopole
Moral	Moral

English	Français
Moral duty	Devoir moral
Moral injury	Préjudice moral
Moral obligation	Obligation morale
Moral responsibility	Responsabilité morale
Moratorium	Moratoire
Moratory	Moratoire
Moratory damages	Dommages-intérêts moratoires
Mortgage	Hypothèque
Mortgage action	Action hypothécaire
Mortgage and hypothecation of vessels	Hypothèque maritime
Mortgage claim	Créance hypothécaire
Mortis causa	À cause de mort
Mortmain properties	Bien de mainmorte
Mother	Mère
Motion	Motion Requête
Motion for closure	Clôture (motion de)
Motion for nonsuit	Non-lieu (motion de)
Motion of censure	Censure (motion de)
Motion to invoke closure	Clôture (motion de)
Motor-car insurance	Assurance automobile
Movable	Meuble Mobilier
Movable by determination of law	Meuble par détermination de la loi
Movable by nature	Meuble par nature
Movable hypothec	Hypothèque mobilière
Movable hypothec with delivery	Hypothèque
Movable priority	Priorité mobilière
Movable property	Mobilier
Moveable	Meuble Mobilier
Moveable accession	Accession mobilière
Moveable by anticipation	Meuble par anticipation
Moveable by determination of law	Meuble par détermination de la loi
Moveable by nature	Meuble par nature
Moveable privilege	Privilège mobilier
Moveable property	Mobilier
Moveable thing	Effet mobilier
Multilateral	Plurilatéral
Multilateral act	Acte multilatéral
Multinational firm	Entreprise multinationale
Multipartite	Plurilatéral
Municipal Code	*Code municipal*

Municipal council	Conseil municipal
Municipal Court	Cour municipale
Municipal law	Droit municipal
Municipal office	Charge municipale
Municipality	Municipalité
Municipalization	Municipalisation
Murder	Meurtre
Mutability	Mutabilité
Mutual	Mutuel Réciproque
Mutual association	Société mutuelle
Mutual benefit association	Société de secours mutuel
Mutual consent	Consentement mutuel
Mutual donation	Donation mutuelle
Mutually	Réciproquement
M.N.A.	M.A.N.
M.P.	M.P.

N

Naked owner	Nu-propriétaire
Naked ownership	Nue-propriété
Name	Dénomination sociale Nom
Name of a legal person	Nom d'une personne morale
Narcotic	Stupéfiant
National Assembly	Assemblée nationale
National debt	Dette publique
National defence	Défense nationale
National Holiday	Fête nationale
Nationality	Nationalité
Natural accession	Accession naturelle
Natural family	Famille naturelle
Natural fruits	Fruits naturels
Natural indivisibility	Indivisibilité naturelle
Natural interruption of prescription	Interruption naturelle de la prescription
Natural justice	Justice naturelle
Natural law	Droit naturel
Natural mother	Mère naturelle
Natural obligation	Obligation naturelle
Natural person	Personne physique
Natural servitude	Servitude naturelle

Natural-born child	Enfant naturel
Naturalization	Naturalisation
Naturalized	Naturalisé
Navigability	Navigabilité
Navigable	Navigable
Navigation	Navigation
Nearly	Quasi
Necessary	Nécessaire
Necessary deposit	Dépôt nécessaire
Necessary disbursements	Impenses nécessaires
Necessary expenses	Impenses nécessaires
Necessity	État de nécessité
Necrophilism	Nécrophilie
Negative condition	Condition négative
Negative declaration	Déclaration négative
Negative servitude	Servitude négative
Negative statement	Déclaration négative
Negatory action	Action négatoire
Neglected child	Enfant abandonné
Negligence	Négligence
Negotiability	Négociabilité
Negotiable	Négociable
Negotiable instrument	Effet Effet de commerce Titre négociable
Negotiation	Négociation
Negotiations	Pourparlers
Negotiator	Négociateur
Negotiorum gestio	Gestion d'affaires
Negotiorum gestor	Gérant
Neighbourhood disturbance	Trouble de voisinage
Nephew	Neveu
Neutrality	Neutralité
New demand	Demande nouvelle
New trial	*De novo* (procès)
Newly-born child	Enfant nouveau-né
Niece	Nièce
No crime or penalty without law making it so	*Nullum crimen, nulla poena, sine lege*
Nobody	Nul
No-fault liability	Responsabilité sans faute
Nolle prosequi	*Nolle prosequi*
Nominal damages	Dommages-intérêts nominaux
Nominal partner	Associé nominal

Nominal society	Société nominale
Nominate contract	Contrat nommé
Nominate (to)	Commettre
Nominated	Commis
Nomination	Nomination
Non altius tollendi servitude	Servitude *non altius tollendi*
Non receivable	Irrecevable
Non responsible	Irresponsable
Non-assignability	Incessibilité
Non-assignable	Incessible
Non-clear days	Délai non franc
Non-competition clause	Clause de non-concurrence
Non-consumable property	Bien non consomptible
Non-contentious	Gracieux
Non-contentious decision	Gracieuse (décision)
Non-contentious judgment	Gracieuse (décision) Jugement gracieux
Non-contentious jurisdiction	Gracieuse (juridiction)
Non-contentious matter	Gracieuse (matière)
Non-contentious procedure	Gracieuse (procédure)
Non-deliberate fault	Faute non intentionnelle
Non-durable good	Bien fongible
Non-exigibility	Inexigibilité
Non-existence	Inexistence
Non-existent	Inexistant
Non-fulfilment	Inexécution
Non-fungible property	Bien non fongible
Non-instrumentary document	Écrit non instrumentaire
Non-intentional fault	Faute non intentionnelle
Nonjoinder of petitory and possessory actions	Non-cumul du pétitoire et du possessoire
Non-juridical day	Jour non juridique
Non-marine insurance	Assurance terrestre
Non-performance	Inexécution
Nonperformance	Inexécution
Non-profit corporation	Corporation sans but lucratif
Non-profit making corporation	Corporation sans but lucratif
Non-resident	Non-résident
Non-responsible	Irresponsable
Non-retroactivity	Non-rétroactivité
Non-returnable loan	Prêt à fonds perdu
Non-seizability	Insaisissabilité
Non-seizable	Insaisissable

Nonsuit	Débouté Extinction
Nonsuit (to)	Débouter
Nonsuiting	Déboutement
Non-support	Refus de pourvoir
Non-use	Non-usage
Non-viable	Non viable
Norm	Norme
Normative	Normatif
Not carried out	Inexécuté
Not literal	Libéral
Not receivable	Irrecevable
Notarial	Notarial Notarié
Notarial act	Acte notarié
Notarial act en minute	Acte en minute
Notarial will	Testament notarié
Notariate	Notariat
Notarization	Légalisation
Notary	Notaire
Notary public	Notaire public
Note	Lettre
Note payable on demand	Billet à demande
Note payable to bearer	Billet au porteur
Notice	Avis Citation Connaissance Notification Préavis
Notice in notarial form	Notification notariée
Notice of dismissal	Délai-congé
Notice of presentation	Avis de présentation
Notification	Notification
Notify (to)	Notifier
Notorious	Notoire
Notwithstanding	Nonobstant
Notwithstanding clause	Nonobstant (clause)
Novate (to)	Nover
Novation	Novation
Novatory	Novatoire
Nuclear family	Famille nucléaire
Nudity	Nudité
Null	Nul

Null and void	Caduc
Nullifying	Dirimant
Nullity	Nullité
Nuptial	Nuptial

O

Oath	Serment
Oath *in litem*	Serment estimatoire
Oath of allegiance	Serment d'allégeance
Oath put officially	Serment déféré d'office
Obey (to)	Respecter
Object	Chose Objet Vocation
Object not in commerce	Bien hors du commerce
Object of a contract	Objet du contrat
Object of an obligation	Objet de l'obligation
Object of the claim	Objet de la demande
Object of the demand	Objet de la demande
Object of the dispute	Objet du litige
Object of the dispute in appeal	Objet du litige en appel
Obligation	Obligation
Obligation for the debts	Obligation aux dettes
Obligation in kind	Obligation en nature
Obligation *in solidum*	Obligation *in solidum*
Obligation not to do	Obligation de ne pas faire
Obligation of means	Obligation de moyens
Obligation of result	Obligation de résultat
Obligation of support	Obligation alimentaire
Obligation to advise	Conseil (devoir de) Devoir de conseil
Obligation to counsel	Conseil (devoir de)
Obligation to do	Obligation de faire
Obligation to give	Obligation de donner
Obligation to inform	Renseignement (obligation de)
Obligation to reparation	Réparation (obligation de)
Obligation with a suspensive term	Obligation à terme suspensif
Obligation with an extinctive term	Obligation à terme extinctif
Oblige (to)	Obliger
Oblique view	Vue oblique
Obscene publication	Publication obscène

Obsolescence	Désuétude
Obstructing justice	Entrave à la justice
Obstructing minority	Minorité de blocage
Occupancy	Occupation
Occupant	Occupant
Occupation	Occupation Profession
Occupational disease	Maladie professionnelle
Occupational illness	Maladie professionnelle
Occupier	Occupant
Occurrence of the event	Réalisation du risque
Ocean bottom	Fond marin
Ocean floor	Fond marin
Ocean navigation	Navigation maritime
Ocean transport	Navigation maritime
Of its own motion	D'office
Of right	De plein droit
Of succession	Successoral
Offence	Délit Infraction
Offence of a regulatory nature	Infraction réglementaire
Offence of absolute liability	Infraction de responsabilité absolue
Offence of *mens rea*	Infraction de *mens rea*
Offence of strict liability	Infraction de responsabilité stricte
Offender	Contrevenant Délinquant
Offer	Offre Promesse
Offer of reward	Promesse de récompense
Offeree	Destinataire
Offeror	Offrant Pollicitant
Office	Bureau Cabinet Charge Greffe Office
Office consolidation	Codification administrative
Office of the court	Greffe
Officer	Agent Officier
Officer of civil status	Fonctionnaire de l'état civil
Officer of justice	Auxiliaire de la justice

English	Français
	Officier de justice
Officer of the law	Agent de la paix
Official agent	Agent officiel
Official deed	Acte authentique
Official Gazette	Gazette officielle
Official oath	Serment
	Serment d'office
Official receiver	Séquestre officiel
Official record	Compte rendu officiel des débats
Official seal	Sceau
Official statement of facts	Constat
Omission	Omission
Omnibus bill	Loi omnibus
Omnibus clause	Clause omnibus
On one another	Réciproquement
On (the) condition that	Charge de (à)
One-parent family	Famille monoparentale
Onerous contract	Contrat à titre onéreux
Onerous gift	Donation avec charge
One-sided	Léonin
Open custody	Garde en milieu ouvert
Open policy	Police à découvert
Opening	Ouverture
Opening bid	Mise à prix
Opening of a succession	Ouverture d'une succession
Opening of the case	Exposé de la cause
Opening of the substitution	Ouverture de la substitution
Operation against one's client	Contrepartie
Operation while impaired	Conduite avec facultés affaiblies
Opinion	Avis
	Opinion
Opponent	Opposant
Opposability	Opposabilité
Opposable	Opposable
Opposing	Opposant
Opposing party	Opposant
Opposition	Opposition
Opposition by a third party	Tierce opposition
Opposition for payment	Opposition à fin de conserver
Opposition to annul the seizure	Opposition à fin d'annuler
Opposition to charges	Opposition aux charges
Opposition to marriage	Opposition au mariage
Opposition to secure charges	Opposition à fin de charge

Opposition to withdraw from the seizure . . . Opposition à fin de distraire
Oppressive . . . . Abusif
Option . . . . Faculté
Option of withdrawal . . . . Dédit
Optional . . . . Facultatif
Oral question . . . . Question orale
Order . . . . Arrêté
Injonction
Ordonnance
Ordre
Order for inspection . . . . Compulsoire
Order in council . . . . Arrêté en conseil
Order of devolution of succession . . . . . Ordre de dévolution de la succession
Order of dismissal . . . . Ordonnance de non-lieu
Order of nonsuit . . . . Ordonnance de non-lieu
Order (to) . . . . Prescrire
Order to place in escrow . . . . Entiercement (ordonnance d')
Order to stand trial . . . . Renvoi à procès
Ordered . . . . Prescrit
Order-in-council . . . . Décret
Décret de vigueur
Ordinance . . . . Ordonnance
Ordinary collaterals . . . . Collatéraux ordinaires
Ordinary creance . . . . Créance ordinaire
Ordinary creditor . . . . Créancier ordinaire
Ordinary law . . . . Droit commun
Ordinary person (in the eyes of the law) . . . . Justiciable
Ordinary share . . . . Action ordinaire
Organism . . . . Organisme
Original . . . . Acte en minute
Exemplaire
Original
Original deed . . . . Acte en minute
Original process . . . . Demande introductive d'instance
Originating . . . . Introductif
Originating family . . . . Famille d'origine
Other proof . . . . Preuve contraire
Out-of-court settlement . . . . Règlement hors cour
Out-of-court statement . . . . Déclaration extrajudiciaire
Overall . . . . Grosso modo
Overdraft . . . . Découvert
Overdrawn account . . . . Compte à découvert
Overrule . . . . Jurisprudence (revirement de)

Overrule (to) . . . . Rejeter
Overtime . . . . Heures supplémentaires
Own jointly (to) . . . . Coposséder
Owner . . . . Maître
Propriétaire
Ownership . . . . Propriété

P

Paid . . . . Acquit (pour)
Salarié
Paid-up . . . . Libéré
Paid-up capital . . . . Capital versé
Panderer . . . . Entremetteur
Proxénète
Pandering . . . . Proxénétisme
Panel . . . . Comité
Tableau des jurés
Paper . . . . Livre
Parade . . . . Identification (parade d')
Paralegal . . . . Technicien (juridique)
Paraph . . . . Paraphe
Parcel . . . . Parcelle
Pardon . . . . Pardon
Parent . . . . Parent
Parent corporation . . . . Corporation-mère
Parental . . . . Parental
Parental authority . . . . Autorité parentale
Parental control . . . . Autorité parentale
Parish . . . . Paroisse
Parishioner . . . . Paroissien
Parity committee . . . . Comité paritaire
Parliament . . . . Parlement
Parliamentarism . . . . Parlementarisme
Parliamentary . . . . Parlementaire
Parliamentary commission . . . . . . Comité parlementaire
Parliamentary committee . . . . . . Comité parlementaire
Commission parlementaire
Parliamentary immunity . . . . . . Immunité parlementaire
Parliamentary language . . . . . . Parlementaire (langage)
Parliamentary majority . . . . Majorité
Parliamentary minority . . . . Minorité parlementaire

Parliamentary procedure	Procédure parlementaire
Parliamentary Secretary	Secrétaire parlementaire
Parole	Libération conditionnelle
	Liberté conditionnelle
Parole inmate	Libéré conditionnel
Parolee	Libéré conditionnel
Parricidal	Parricide
Parricide	Parricide
Part	Part
	Partie
Partial disability	Incapacité partielle
Partial endorsement	Endossement partiel
Partial loss	Perte partielle
Partial partition	Partage partiel
Partial suretyship	Cautionnement limité
Participant	Adhérent
Participation	Concours
	Participation
Particular average	Avarie particulière
Particular average loss	Avarie particulière
Particular charge	Avarie-frais
Particular partnership	Société particulière
Partition	Partage
Partition by heads	Tête (partage par)
Partition by root	Souche (partage par)
Partner	Associé
	Coauteur
Partnership	Participation
	Société
Partnership en commandite	Société en commandite
Partnership of acquests	Société d'acquêts
Party	Partie
	Plaideur
Party renouncing	Renonçant
Party to an exchange	Coéchangiste
Party to whom the account is rendered	Compte (oyant)
Party wall	Mur mitoyen
Passenger	Passager
	Voyageur
Passive indivisibility	Indivisibilité passive
Passive servitude	Servitude passive
Passive solidarity	Solidarité passive
Passport	Passeport

Past record . . . . Antécédents judiciaires
Pasture . . . . Pacage
Patent . . . . Brevet d'invention
Licence
Patent (to) . . . . Breveter
Patented . . . . Breveté
Patentee . . . . Breveté
Patent-right . . . . Propriété industrielle
Paternal . . . . Paternel
Paternal authority . . . . Autorité paternelle
Paternal line . . . . Ligne paternelle
Paternity . . . . Paternité
Patrimonial . . . . Patrimonial
Patrimonial damage . . . . Dommage matériel
Préjudice patrimonial
Patrimonial injury . . . . Dommage matériel
Préjudice patrimonial
Patrimony . . . . Patrimoine
Paulian action . . . . Action en inopposabilité
Action paulienne
Paulian fraud . . . . Fraude paulienne
Pawn . . . . Gage
Pawnee . . . . Créancier gagiste
Gagiste
Pawning . . . . Gage
Pay . . . . Rémunération
Solde
Pay off the balance of (to) . . . . Solder
Pay off (to) . . . . Solder
Pay (to) . . . . Acquitter
Payer
Payable . . . . Payable
Payable at the address of payee . . . . . . Portable
Payable at the payee's address . . . . . . Portable
Payee . . . . Preneur
Paying up of shares . . . . Libération des actions
Payment . . . . Acquittement
Paiement
Redevance
Règlement
Payment in due course . . . . Paiement régulier
Payment in kind . . . . Paiement en nature
Payment in money . . . . Soulte

Payment into court	Consignation
Payment of a thing not due	Indu (paiement de l')
Payment with a term	Paiement à terme
Peace officer	Agent de la paix
Peaceable possession	Possession paisible
Peacemaker	Médiateur
Peccadillo	Faute légère
Pecuniary	Pécuniaire
Pecuniary obligation	Obligation pécuniaire
Penal	Pénal
Penal clause	Clause pénale
Penal law	Droit pénal
Penal liability	Responsabilité pénale
Penal procedure	Procédure pénale
Penalty	Astreinte Pénalité Sanction
Penalty clause	Clause pénale
Penalty of withdrawal	Dédit
Pending	Pendant
Pending application	Demande pendante
Pending case	Cause pendante
Pending condition	Condition pendante
Pending demand	Demande pendante
Penitentiary	Pénitencier Pénitentiaire
Pension	Pension Rente
Perempted	Périmé
Peremption	Péremption
Peremption of suit	Péremption d'instance
Peremptory	Péremptoire
Peremptory delay	Délai de rigueur
Perfect delegation	Délégation parfaite
Perform (to)	Exécuter
Performance	Exécution
Performance by equivalence	Exécution par équivalent
Peril	Risque
Period	Délai
Period for the extinction of the right	Délai préfix
Period of prescription	Délai de prescription
Period of probation	Stage
Periodic payment	Versement

Perjury	Faux témoignage Parjure Témoignage (faux)
Permanent administrator	Administrateur permanent
Permanent disability	Incapacité permanente
Permanent injunction	Injonction permanente
Permission	Autorisation
Permissive	Facultatif
Permit	Licence Permis
Perpetrate (to)	Commettre Perpétrer
Perpetration	Commission Perpétration
Perpetual	Perpétuel
Perpetual annuity	Rente perpétuelle
Perpetual rent	Rente perpétuelle
Perpetually	Perpétuellement
Perpetuity	Perpétuité
Person	Personne Sujet de droit
Person enriched	Enrichi
Person forced to redemption	Retrayé
Person holding power of attorney	Fondé de pouvoir
Person impoverished	Appauvri
Person in possession	Tiers-détenteur
Person interested in	Chef
Person of full age	Majeur
Person of full age under protective supervision	Majeur protégé
Person of weak intellect	Faible d'esprit
Person represented	Représenté
Person responsible	Auteur
Person who represents	Représentant
Personal action	Action personnelle
Personal appearance	Comparution personnelle
Personal cause	Cause subjective
Personal injury	Préjudice corporel
Personal knowledge	Connaissance personnelle
Personal liability	Responsabilité du fait personnel
Personal right	Droit personnel
Personal security	Sûreté personnelle
Personal service	Signification à personne
Personal servitude	Servitude personnelle

Personal statut	Statut personnel
Personal surety	Caution personnelle
Personal trust	Fiducie personnelle
Personal warranty	Garantie simple
Personnel	Personnel
Pertaining to mortgage	Hypothécaire
Pertinency	Pertinence
Pertinent	Pertinent
Petition	Pétition
Petition of inheritance	Pétition d'hérédité
Petition of right	Pétition de droit
Petitioner	Requérant
Petitory action	Action pétitoire
Pettifogger	Procédurier
Pettifogging	Procédurier
Photographic film	Copie
Physical compulsion	Contrainte physique
Physical fact	Fait matériel
Physical person	Personne physique
Picket	Piqueteur
Picketer	Piqueteur
Picketing	Piquetage
Piece of evidence	Indice
Pignorative	Pignoratif
Pimp	Entremetteur Proxénète
Piracy	Piraterie
Place guards (to)	Garnison (mettre)
Place in the hands of guardians (to)	Entiercer
Plaintiff	Demandeur Plaignant
Plan	Plan Régime
Planned and deliberate murder	Meurtre au premier degré
Planning	Préméditation Urbanisme
Planning program	Urbanisme (plan d')
Plea	Plaidoyer
Plea bargaining	Plea bargaining
Plea of *lis pendens*	Exception de litispendance
Plead (to)	Exciper Invoquer
(suite)	Plaider

Pleading	Acte de procédure
	Plaidant
Pleasure cruising	Navigation de plaisance
Plebiscite	Plébiscite
Pledge	Nantissement
Pledge of agricultural and forest property	Nantissement agricole et forestier
Pledge (to)	Jurer
	Nantir
Pledged	Nanti
Pledgee	Créancier nanti
	Gagiste
Plenary commission	Commission plénière
Plenary committee	Comité plénier
Plenipotentiary	Plénipotentiaire
Plot	Complot
Plumitif	Plumitif
Plural obligation	Obligation plurale
Plurality	Majorité relative
Plurinominal system	Scrutin plurinominal
Poaching	Maraudage
	Maraudage (période de)
Point	Question
Point of connection	Rattachement (facteur de)
Point of law	Point
Point of privilege	Question de privilège
Police	Police
Police power	Force publique
Policy	Police
Policy of insurance	Police d'assurance
Policy of non-intervention	Retenue judiciaire
Policyholder	Preneur
Political centralization	Centralisation politique
Political corporation	Corporation politique
Political decentralization	Décentralisation politique
Political rights	Droits politiques
Poll	Scrutin
Poll tax	Cens d'éligibilité
	Cens électoral
Polling booth	Isoloir
Polling station	Bureau de scrutin
Polygamy	Polygamie
Port	Port
Porte-fort	Porte-fort

Portfolio	Portefeuille
Portion	Part
	Partie
Positive	Formel
Positive condition	Condition positive
Positive law	Droit positif
Positive servitude	Servitude positive
Possess (to)	Posséder
Possession	Port
	Possession
	Possession à titre de propriétaire
Possession *animo domini*	Possession *animo domini*
Possession *animo solo*	Possession *solo animo*
Possession as owner	Possession à titre de propriétaire
Possession by the Crown	Envoi en possession
Possession *corpore alieno*	Possession *corpore alieno*
Possession in bad faith	Possession de mauvaise foi
Possession in good faith	Possession de bonne foi
Possession lasting for one year	Possession annale
Possession of status	Possession d'état
Possession of status of a child	Possession d'état d'enfant
Possession of status of a spouse	Possession d'état d'époux
Possession of stolen goods	Recel
Possessor	Possesseur
Possessory	Possessoire
Possessory action	Action possessoire
	Possessoire
Possessory constitut	Constitut possessoire
Possible	Possible
Possible damage	Dommage éventuel
	Préjudice éventuel
Possible injury	Dommage éventuel
	Préjudice éventuel
Post	Fonction
Post-date	Postdate
Postdated	Postdaté
Postdated cheque	Chèque postdaté
Posterity	Postérité
Postponement	Remise
	Remise de cause
Potestative	Potestatif
Potestative condition	Condition potestative
Power	Pouvoir

English	Français
Power of attorney	Mandat conventionnel Procuration
Power of reservation	Veto (droit de)
Power to make regulations	Pouvoir réglementaire
Power used for an improper purpose	Détournement de pouvoir
Practice	Pratique
Practitioner	Praticien
Praedial servitude	Servitude réelle
Praetorian	Prétorien
Preamble	Préambule
Precarious	Précaire
Precarious detention	Détention précaire
Precarious holding	Précarité
Precarious possession	Possession précaire
Precariously	Précairement
Precariousness	Précarité
Precedent	Précédent Préjudiciel
Precedent obligation	Obligation préjudicielle
Precedents	Jurisprudence
Preciput	Préciput
Preconstituted proof	Preuve préconstituée
Pre-contract	Avant-contrat
Predeceased spouse	Conjoint prédécédé
Predecessor (in title)	Auteur
Predetermined time limit	Délai préfix
Predictability	Prévisibilité
Predictable	Prévisible
Pre-disposition report	Rapport prédécisionnel
Preempt (to)	Préempter
Pre-empt (to)	Préempter
Preemption	Préemption
Pre-emption	Préemption
Pre-emptive right	Droit de préemption Droit préférentiel de souscription
Preemptor	Préempteur
Pre-emptor	Préempteur
Preference	Préférence
Preference right	Droit de préférence
Preferential allocation	Attribution préférentielle
Preferential debt	Créance privilégiée
Preferred dividend	Dividende préférentiel
Preferred share	Action privilégiée

	Part privilégiée
Preferred stock	Action privilégiée
Pregnancy	Grossesse
Pre-hearing conference	Conférence préparatoire
Pre-incorporation trust	Fidéicommis pré-incorporatif
Prejudice	Préjudice
Prejudicial	Dommageable
	Préjudiciable
	Préjudiciel
Prejudicial obligation	Obligation préjudicielle
Preliminary	Préliminaire
Preliminary agreement	Accord de principe
Preliminary exceptions	Exceptions préliminaires
	Moyen(s) préliminaire(s)
Preliminary inquiry	Enquête préliminaire
Preliminary question	Question préjudicielle
Premeditation	Préméditation
Premium	Prime
Preponderance of evidence rule	Preuve (règle de la prépondérance de la)
Prerogative	Prérogative
Prerogative writ	Bref de prérogative
Prescribe (to)	Disposer
	Prescrire
Prescribed	Prescrit
Prescriptibility	Prescriptibilité
Prescriptible	Prescriptible
Prescription	Prescription
Prescription acquired	Prescription acquise
Prescription period	Délai de prescription
Prescriptive easement	Usucapion
Present and future property	Bien(s) présent(s) et à venir
Present damage	Dommage actuel
	Préjudice actuel
Present injury	Dommage actuel
	Préjudice actuel
Present property	Bien(s) présent(s)
Present (to)	Soumettre
Presentation	Présentation
	Soumission
Pre-sentence report	Rapport présententiel
Presentment	Présentation
Presentment for acceptance	Présentation à l'acceptation

English	Français
Presentment for payment	Présentation au paiement
President of the Bar Association	Bâtonnier
Presiding judge	Président du tribunal
Pressure group	Groupe de pression
Prestation	Prestation
Presumed	Présumé
Presumed father	Père présumé
Presumed lease	Bail par tolérance
Presumption	Présomption
Presumption of fact	Présomption de fait
Presumption of guilt	Présomption de culpabilité
Presumption of innocence	Présomption d'innocence
Presumption of law	Présomption légale
Presumption of survivorship	Survie (présomption de)
Presumptive heir	Héritier présomptif
Pre-taking	Prélèvement
Prête-nom	Prête-nom
Pre-trial conference	Conférence préparatoire
Prevarication	Atermoiement
Preventive	Préventif
Preventive detention	Détention préventive
Previous convictions	Antécédents judiciaires
Previous question	Question préalable
Price	Prix
Primary regime	Régime primaire
Prime minister	Chef de gouvernement Ministre (premier)
Primogeniture	Primogéniture
Principal	Commettant Géré Principal
Principal action	Demande principale
Principal amount	Capital
Principal appeal	Appel principal
Principal contractor	Maître d'oeuvre
Principal demand	Demande principale
Principal lessee	Locataire principal
Principal sum	Capital
Principle	Principe Règle
Principle of autonomy of the will	Autonomie de la volonté (principe de l')
Principle of legality	Légalité (principe de la)
Principle of self-determination of the will	Autonomie de la volonté (principe de l')

Principles of fundamental justice	Justice fondamentale (principes de)
Prior	Prioritaire
Prior claim	Créance prioritaire
Prior creditor	Créancier prioritaire
Prior infractions	Antécédents judiciaires
Prior layoff notice	Licenciement (préavis de)
Prior notice	Préavis
Priority	Collocation Priorité
Prison	Carcéral Prison
Prisoner	Détenu Prisonnier
Prisoner of war	Prisonnier de guerre
Private	Privatif Privé
Private agreement	Acte sous seing privé
Private bill	Projet de loi d'intérêt privé
Private communication	Communication privée
Private company	Compagnie privée
Private corporation	Corporation privée
Private deed	Acte sous seing privé
Private domain	Domaine privé
Private international law	Droit international privé
Private law	Droit privé
Private portions	Parties privatives
Private property	Bien(s) propre(s) Domaine privé
Private trust	Fiducie d'utilité privée
Privative	Exorbitant Privatif
Privative clause	Clause privative
Privilege	Privilège
Privileged	Privilégié
Privileged ascendant	Ascendant privilégié
Privileged claim	Créance privilégiée
Privileged collaterals	Collatéraux privilégiés
Privileged communication	Communication privilégiée
Privileged creditor	Créancier privilégié
Privity of contract	Relativité des conventions (principe de la)
Privy Council	Conseil privé
Pro rata	Prorata de (au)
Pro socio action	Action *pro socio*

Probability	Vraisemblance
Probable	Probable Vraisemblable
Probate	Homologation
Probate of will	Vérification de testament
Probate (to)	Homologuer
Probation	Probation (ordonnance de)
Probation officer	Agent de probation
Probative	Probante Probatoire
Probative force	Force probante
Probative formality	Formalité probatoire
Probative oath	Serment probatoire
Probative value	Force probante
Probatory	Probante
Probatory formality	Formalité probatoire
Procedural	Procédural
Procedural formality	Formalité de procédure
Procedure	Procédure
Proceedings	Acte de procédure Débats Délibération Errements
Process	Ordonnance
Proclamation	Proclamation
Procuration	Mandat conventionnel Procuration
Procurer	Entremetteur Proxénète
Procuring	Proxénétisme
Prodigal	Prodigue
Prodigality	Prodigalité
Produce (to)	Produire
Production	Administration Présentation Production
Professio juris	Autonomie (loi d')
Profession	Métier Profession
Professional	Libéral Professionnel
Professional Code	Code des professions
Professional corporation	Corporation professionnelle

Professional costs	Frais professionnels
Professional ethics	Déontologie
Professional expenses	Frais professionnels
Professional fault	Faute professionnelle
Professional secrecy	Secret professionnel
Profit sharing	Intéressement
Profitable	Lucratif
Profit-making corporation	Corporation privée
Progressive damage	Préjudice graduel
Progressive injury	Préjudice graduel
Prohibited	Interdit Prohibé
Prohibition	Interdiction Prohibition
Prohibition of hearsay	Ouï-dire (interdiction du)
Prohibitory injunction	Injonction prohibitive
Promise	Promesse
Promise for another	Porte-fort
Promise for another (to)	Porter fort (se)
Promise of reward	Promesse de récompense
Promisee	Bénéficiaire
Promisor	Promettant
Promissory note	Billet Billet à ordre
Promulgate (to)	Promulguer
Promulgation	Promulgation
Pronouncement	Prononcé Prononciation
Proof	Preuve
Proof and hearing	Enquête
Proof by a writing	Preuve littérale
Proof by detailed affidavits	Preuve par affidavits détaillés
Proof by expert	Expertise
Proof by testimony	Preuve testimoniale
Proof of identity	Identification (preuve d')
Proper cause	Cause juste et suffisante
Property	Bien Domaine
Property in stock	Bien en stock
Property insurance	Assurance de biens
Property tax	Impôt foncier
Proposal (suite)	Proposition Proposition concordataire

Propose (to)	Proposer
Proposed trade mark	Marque de commerce projetée
Proposed trade-mark	Marque de commerce projetée
Proposition	Proposition
Proprietor	Maître
	Nu-propriétaire
Prorata	Marc le dollar (au)
Pro-rata	Prorata de (au)
Prorogation	Prorogation
Prorogue (to)	Proroger
Prosecute (to)	Poursuivre
Prosecution	Poursuite
Prosecution's witness	Témoin à charge
Prosecutor	Poursuivant
Prospectus	Prospectus
Prostitution	Prostitution
Protection	Protection
	Sauvegarde
Protection of privacy	Protection de la vie privée
Protectionism	Protectionnisme
Protective	Conservatoire
Protective supervision of persons of full age	Régime de protection du majeur
Protest	Protêt
Protest (to)	Protester
Prothonotary	Protonotaire
Provide (to)	Disposer
Provider of services	Services (prestataire de)
Provincial court	Cour provinciale
Provincial penal laws	Droit pénal provincial
Provision	Disposition
	Provision
	Règle
Provision for costs	Provision pour frais
Provisional	Intérimaire
Provisional execution	Exécution provisoire
Provisional injunction	Injonction interlocutoire sans avis
Provisional measure	Mesure provisoire
Provisional partition	Partage provisionnel
Provisional remedy	Mesure provisionnelle
Provisional sum to cover the costs	Provision pour frais
Provisional support	Pension provisoire
Provocation	Provocation
Provocatory action	Action provocatoire

English	Français
Proxy	Fondé de pouvoir
Prudence	Prudence
Prudent administrator	Bon père de famille
Psychosocial evaluation	Expertise psycho-sociale
Public	Public
Public agency	Organisme public
Public Authority	Administration publique
Public ballot	Scrutin public
Public bill	Projet de loi public
Public company	Compagnie publique
Public contract	Marché public
Public corporation	Corporation publique
	Entreprise publique
Public curator	Curateur public
Public curatorship	Curatelle publique
Public debt	Dette publique
Public domain	Domaine public
Public highway	Chemin public
Public interest	Intérêt public
Public interest action	Action d'intérêt public
Public international law	Droit international public
Public law	Droit public
Public mischief	Méfait public
Public moneys	Deniers publics
Public morals	Bonnes moeurs
Public notice	Annonce
	Avis public
Public nuisance	Nuisance publique
Public Office	Bureau public
Public office	Charge publique
	Office
Public officer	Officier public
Public officers	Ministère public
Public order	Ordre public
Public place	Endroit public
Public possession	Possession publique
Public property	Domaine public
Public protector	Médiateur
	Protecteur du citoyen
Public safety	Sécurité publique
Public security	Sécurité publique
Public service	Fonction publique
	Service public

English	French
Public utilities	Service public
Public utilities enterprise	Entreprise d'utilité publique
Public utility	Utilité publique
Publication	Publication
Publication by registration in the land register	Publicité foncière
Publication of banns	Publication de mariage
Publication of marriage	Publication de mariage
Publication of rights	Publicité des droits
Publication of rights affecting immoveables	Publicité foncière
Publication of the registers	Publicité des registres
Publicity	Publicité
Publishing at the author's expense	Auteur (publication à compte d')
Puisne	Juge puîné Puîné
Punish (to)	Sanctionner
Punishable	Délictueux Punissable
Punishment	Peine Punition Sanction
Punitive	Punitif
Punitive damages	Dommages-intérêts punitifs
Punitive sanction	Sanction
Pupil	Pupille
Pupillary	Pupillaire
Purchase	Achat Acquisition
Purchaser	Acheteur Acquéreur Adjudicataire
Pure	Pur
Pure and simple	Pur et simple
Pure and simple acceptance	Acceptation pure et simple
Pure and simple acceptation	Acceptation pure et simple
Purely facultative condition	Condition purement facultative
Purely potestative condition	Condition purement potestative
Purpose	Fins
Purview	Dispositif
Put off a judgment (to)	Surseoir à statuer
Putative marriage	Mariage putatif
Putting	Mise
Putting in default	Demeure (mise en)
Putting in security	Réception de caution

Putting into possession	Envoi en possession

Q

Qualification	Qualité
Qualifications	Cens d'éligibilité Cens électoral
Qualified acceptance	Acceptation restreinte
Qualified admission	Aveu qualifié
Qualified elector	Électeur inscrit
Qualified endorsement	Endossement modifié
Qualified majority	Majorité qualifiée
Qualified voter	Censitaire Électeur inscrit
Qualifying delay	Délai de carence
Qualifying period	Délai de carence
Quality	Qualité
Quanti minoris action	Action *quanti minoris*
Quantity	Quotité
Quantum	*Quantum*
Quarantine	Quarantaine
Quash (to)	Casser Infirmer
Quashing	Infirmatif Infirmation
Quasi	Quasi
Quasi contract	Quasi-contrat
Quasi contractual	Quasi contractuel
Quasi delict	Quasi-délit
Quasi delictual	Quasi délictuel
Quasi judicial power	Pouvoir quasi judiciaire
Quasi-contract	Quasi-contrat
Quasi-contractual	Quasi contractuel
Quasi-contractual liability	Responsabilité quasi contractuelle
Quasi-contractual obligation	Obligation quasi contractuelle
Quasi-delict	Quasi-délit
Quasi-delictual	Quasi délictuel
Quasi-delictual fault	Faute quasi délictuelle
Quasi-delictual liability	Responsabilité quasi délictuelle
Quasi-delictual obligation	Obligation quasi délictuelle
Quasi-judicial act	Acte quasi judiciaire
Quasi-judicial decision	Acte quasi judiciaire

Quasi-offence	Quasi-délit
Quasi-usufruct	Quasi-usufruit
Québec Labour Code	*Code du travail du Québec*
Queen's Printer	Éditeur officiel
Question	Question
Question of confidence	Question de confiance
Question of fact	Question de fait
Question of law	Point Question de droit
Questioning	Interpellation Interrogation
Questionnaire	Formule
Qui tam action	Action *qui tam*
Quit	Quitte
Quorum	Quorum
Quota litis agreement	Pacte de *quota litis*

R

Radiate (to)	Radier
Radiation	Radiation
Raid	Maraudage (période de)
Raiding	Maraudage Maraudage (période de) Piraterie
Raise (to)	Soulever
Rank	Rang
Rank of the collocation	Collocation (ordre de)
Rank reversion	Déclassement
Ransom	Rançon
Rape	Viol
Rate	Tarif Taux
Rateable property	Bien imposable
Rateably	Par concurrence
Rate-fixing	Tarification
Ratepayer	Contribuable
Ratification	Ratification
Ratify (to)	Entériner Ratifier
Ratio	Ratio
Reading	Lecture

Real	Effectif Réel
Real action	Action réelle
Real contract	Contrat réel
Real date	Date certaine
Real estate agent	Agent d'immeuble
Real estate assessment roll	Rôle d'évaluation
Real estate broker	Courtier en immeubles
Real obligation	Obligation réelle
Real property tax	Impôt foncier
Real right	Droit réel
Real security	Sûreté réelle
Real servitude	Servitude réelle
Real statut	Statut réel
Real surety	Caution réelle
Real tradition	Tradition réelle
Real warranty	Garantie formelle
Realization	Réalisation
Realization of the condition	Réalisation de la condition
Reason	Motif Raison
Reasonable grounds	Motif
Reasonable person	Bon père de famille Personne raisonnable
Reasonable time	Délai raisonnable
Rebuttable presumption	Présomption simple
Receipt	Récépissé Réception Reçu
Receiver	Séquestre
Receiver general	Receveur général
Receiver of stolen goods	Receleur
Receiving of stolen goods	Recel
Reception	Réception
Reception of a thing not due	Réception de l'indu
Reception of the work	Réception de l'ouvrage
Recidivist	Récidiviste
Recipient	Bénéficiaire
Reciprocal	Réciproque
Reciprocally	Réciproquement
Reciprocity	Réciprocité
Recklessness	Insouciance
Reclassification	Reclassement

Recognition	Reconnaissance
Recognition of a foreign judgment	Reconnaissance d'un jugement étranger
Recognitory act	Acte recognitif (acte récognitif)
Reconciliation	Réconciliation
Reconveyance	Rétrocession
Record	Archives Compte rendu Document Registre
Record (to)	Consigner
Recorder	Recorder
Recorder's Court	Cour du recorder
Records of a land surveyor	Greffe (arpenteur-géomètre)
Records of a notary	Greffe (notaire)
Recourse	Recours
Recover (to)	Recouvrer Répéter
Recoverable	Recouvrable
Recovery	Recouvrement Répétition
Recovery of civil rights	Réhabilitation
Rectification	Rectificatif Rectification Redressement
Rectified	Rectificatif
Rectify (to)	Rectifier
Recursory action	Action récursaire
Recusation	Récusation
Redeemer	Retrayant
Redemption	Rachat Retrait
Redemption of annuity	Rente (rachat de)
Redemption of rent	Rente (rachat de)
Redhibition	Rédhibition
Redhibitory action	Action rédhibitoire
Redress	Réparation
Re-election	Réélection
Re-eligibility	Rééligibilité
Re-eligible	Rééligible
Refer (to)	Déférer Référer à (en) Référer à (se) Saisir

(suite)	Soumettre
Referee	Arbitre
Referee in case of need	Recommandataire
Reference	Référé
	Renvoi
	Soumission
Referendary	Référendaire
Referendum	Référendum
Referred	Déféré
Reformation	Réformation
Reforming power	Pouvoir de réforme
Refugee	Réfugié
Refundable	Remboursable
Refusal	Refus
Refuse (to)	Décliner
Refutable	Réfragable
Regd	Enr.
Regime	Régime
Regime of conventional separation as to property	Régime de séparation conventionnelle de biens
Regime of legal community	Régime légal de la communauté de biens
Regime of partnership of acquests	Régime de la société d'acquêts
Regime without community	Régime sans communauté
Regional county municipality	Municipalité régionale de comté
Regional school board	Commission scolaire régionale
Regional school commission	Commission scolaire régionale
Register	Registre
Register of civil status	Registre de l'état civil
Register of personal and movable real rights	Registre des droits personnels et réels mobiliers
Register (to)	Enregistrer
	Immatriculer
Registered	Enregistré
Registered mail	Courrier recommandé
Registered trade mark	Marque de commerce déposée
Registered trade-mark	Marque de commerce déposée
Registered voters	Liste électorale
Registers of civil status	Registre(s) de l'état civil
Registrar	Officier de la publicité des droits
	Registraire
	Régistrateur
Registrar general of Canada	Registraire général du Canada
Registrar of civil status	Directeur de l'état civil

Registration	Agrément
	Enregistrement
	Immatriculation
	Inscription
Registration by deposit	Enregistrement par dépôt
Registration by memorial	Enregistrement par bordereau
Registration division	Circonscription foncière
	Division d'enregistrement
Registration of copyright	Dépôt légal
Registration of real rights	Enregistrement de droits réels
Registry office	Bureau de la publicité des droits
	Bureau d'enregistrement
Regular	Forme (en bonne et due)
	Réglementaire
	Régulier
Regularity	Régularité
Regularizing document	Acte de régularisation
Regulate (to)	Réglementer
Regulating	Réglementation
Regulation	Règlement
	Réglementation
Regulations	Réglementation
Regulatory agency	Tribunal
Regulatory offence	Infraction réglementaire
Rehabilitation	Réhabilitation
Reign	Règne
Reimbursement	Remboursement
Reinstatement	Réinstallation
	Réintégration
Reinsurance	Réassurance
Reinvestment	Remploi
Reject (to)	Rejeter
Rejection	Rejet
Related companies	Compagnies connexes
Related to	Connexe
	Relatif
Related to imprisoned persons	Carcéral
Relating to a preciput	Préciputaire
Relating to regulations	Réglementaire
Relation	Rapport
	Relation(s)
Relation by marriage	Alliance
Relation of master and servant	Préposition (lien de)

English	Français
Relationship	Parenté Rapport Relation(s)
Relationship in the collateral line	Parenté collatérale
Relationship in the direct line	Parenté en ligne directe
Relative	Parent Relatif
Relative by affinity	Allié
Relative by marriage	Allié
Relative in the collateral line	Parent en ligne collatérale
Relative in the direct line	Parent en ligne directe
Relative in the first degree	Parent au premier degré
Relative nullity	Nullité relative
Relativity	Relativité
Relativity of contract (principle of the)	Relativité des conventions (principe de la)
Release	Abandon Décharge Dédouanement Libération Liberté Mainlevée Remise
Release of debt	Remise de dette
Release on bail	Libération provisoire Liberté provisoire
Released inmate	Détenu mis en liberté
Releasee	Abandonnataire Renonciataire
Releaser	Abandonnateur
Releasor	Abandonnateur
Relevancy	Pertinence
Relevant	Pertinent
Relevant paper	Pièce justificative
Relief	Exonération
Relief from the contestation	Mise hors de cause
Relievable	Restituable
Relieved from the contestation	Hors de cause
Religious affiliation	Société religieuse
Religious corporation	Corporation ecclésiastique
Religious marriage	Mariage religieux
Religious society	Société religieuse
Remedy	Recours

Remittance . . . . Remise
Removable . . . . Amovible
Removal . . . . Enlèvement
Mainlevée
Prélèvement
Removal of jurisdiction . . . . Dessaisissement
Remove jurisdiction (to) . . . . Dessaisir
Removing . . . . Levée
Removing seals . . . . Levée des scellés
Remuneration . . . . Rémunération
Remunerative gift . . . . Donation *propter nuptias*
Donation rémunératoire
Remuneratory gift . . . . Donation *propter nuptias*
Donation rémunératoire
Render account (to) . . . . Compte (rendre)
Render an account (to) . . . . Compte (rendre)
Render (to) . . . . Prononcer
Rendered . . . . Prononcé
Rendu
Rendering an account . . . . Compte (reddition de)
Rendering of account . . . . Compte (reddition de)
Rendition . . . . Prononcé
Prononciation
Rendition of account . . . . Compte (reddition de)
Renewal . . . . Reconduction
Renouvellement
Renewal deed . . . . Titre nouvel
Renewal title . . . . Titre nouvel
Renounce (to) . . . . Renoncer
Répudier
Renouncing heir . . . . Héritier renonçant
Rent . . . . Cens
Loyer
Rente
Rent for a term . . . . Rente à terme
Rent in perpetuity . . . . Rente perpétuelle
Rent (to) . . . . Louer
Rental . . . . Locatif
Rental real estate . . . . Locatif (immeuble)
Rental value . . . . Locative (valeur)
Valeur locative
Renting . . . . Locatif
Renunciation . . . . Abandon

	Renonciation
	Répudiation
Renunciation of prescription	Renonciation à la prescription
Renunciation to judgment	Désistement de jugement
Renunciation to (other spouse's) acquests	Renonciation aux acquêts
Reoffend (to)	Récidiver
Reopening of the hearing	Débats (réouverture des)
	Réouverture d'enquête
Repair	Réparation
Repair (to)	Indemniser
	Réparer
Repairable	Réparable
Reparation	Réparation
Reparation by equivalence	Réparation par équivalent
Reparation in kind	Réparation en nature
Repayable	Remboursable
Repayment	Remboursement
Repeal	Abrogation
Repeal (to)	Abroger
Repeatedly	Derechef
Reply	Réplique
Report	Compte rendu
	Constat
	Rapport
Report (to)	Rapporter
Reportable	Rapportable
Reporter	Arrêtiste
	Rapporteur
Reports	Recueil de jurisprudence
Repossession	Reprise
Repossession of a dwelling	Reprise de logement
Represent (to)	Représenter
Representation	Déclaration de risque
	Représentation
Representation by attorney	Représentation par procureur
Representation of heirs	Représentation
Representative	Représentant
	Représentatif
Representativeness	Représentativité
Reprimand	Réprimande
Repudiate (to)	Répudier
Repudiation	Désaveu
(suite)	Répudiation

Repurchase agreement	Vente avec faculté de rachat
Reputation	Réputation
Required	Nécessaire
	Requis
Requisition	Réquisition
Resale	Revente
Resale for false bidding	Vente à la folle enchère
Rescind (to)	Rescinder
Rescindable	Rescindable
Rescision	Restitution
Rescission	Rescision
Reservation	Réserve
Reserve	Provision
	Réserve
Reserve for public purposes	Réserve pour fins publiques
Reserve of three chains	Réserve des trois chaînes
Reserved act	Statut réservé
Residence	Résidence
Resident	Résident
Residue	Reliquat
Resignation	Démission
Resiliate (to)	Résilier
Resiliation	Résiliation
Resiliation by agreement	Résiliation amiable
Resolution	Résolution
Resolution as of right	Résolution de plein droit
Resolution of right	Résolution de plein droit
Resolutive clause	Clause résolutoire
Resolutive condition	Condition résolutoire
	Pacte commissoire
Resolutory clause of right	Pacte commissoire
Resolutory condition	Condition résolutoire
Resolve (to)	Résoudre
Respect	Respect
Respect of privacy	Respect de la vie privée
Respect (to)	Respecter
Respondent	Intimé
Respondentia	Prêt à la grosse
Responsibility	Responsabilité (clause limitative de)
Responsible	Responsable
Restitution	Rescision
	Restitutio in integrum
	Restitution

Restitution of prestations	Restitution des prestations
Restoration	Remise *Restitutio in integrum* Restitution
Restore (to)	Restituer
Restrain (to)	Surseoir
Restraint	Contrainte
Restricted suffrage	Suffrage restreint
Restrictive covenant	Clause de non-concurrence
Restrictive endorsement	Endossement restrictif
Resumption	Reprise
Retain (to)	Retenir
Retainer	Mandat de représentation en justice Rétenteur
Retainer agreement	Mandat de représentation en justice
Retention	Rétention
Retention of title clause	Clause de réserve de propriété
Retransfer	Rétrocession
Retraxit	Retraxit
Retroact (to)	Rétroagir
Retroactive	Rétroactif
Retroactive effect	Rétroactif (effet)
Retroactivity	Rétroactivité
Retrocession	Rétrocession
Return	Procès-verbal Rapport Remise Restitution
Return by taking less	Rapport en moins prenant
Return in kind	Rapport en nature
Return of debts	Rapport des dettes
Return of locked doors or object	Procès-verbal de porte close
Return of *nulla bona*	Carence (procès-verbal de)
Return (to)	Rapporter Restituer
Returnable	Rapportable Restituable
Revendicate (to)	Revendiquer
Revendication	Revendication
Revenue base	Assiette
Reverential fear	Crainte révérentielle
Reverse mortgage	Hypothèque inversée
Review	Révision

	Révision pour cause
Revise (to)	Réviser
Revised statutes	Lois refondues
	Lois révisées
Revised Statutes of Canada	Statuts révisés du Canada
Revised Statutes of Quebec	Statuts refondus du Québec
Revision	Révision
Revocability	Révocabilité
Revocable	Rétractable
	Révocable
Revocation	Rétractation
	Révocation
Revocation of judgment	Rétractation de jugement
Revocatory	Révocatoire
Revocatory action	Action paulienne
Revoke (to)	Rétracter
	Révoquer
Reward	Récompense
Rider	Avenant
Right	Droit
	Faculté
Right of access	Droit de visite
Right of accession	Droit d'accession
Right of association	Liberté syndicale
Right of discussion	Bénéfice de discussion
Right of first refusal	Droit de préférence
Right of habitation	Habitation (droit d')
Right of option	Droit d'option
Right of ownership	Pleine propriété
Right of pre-emption	Droit de préemption
Right of preference	Droit de préférence
Right of redemption	Droit de retrait
Right of repossession	Reprise (droit de)
Right of succession	Droit successif
Right of survivorship	Gagiste
Right of use	Usage
Right of veto	Veto (droit de)
Right of view	Servitude de vue
Right of way	Servitude de passage
Right to a full and complete defence	Droit à une défense pleine et entière
Right to access	Servitude de tour d'échelle
Right to be heard	Droit d'être entendu
Right to discovery of a document	Communication de dossier (droit à la)

Right to dissent	Dissidence (droit à la)
Right to follow	Droit de suite
Right to move	Liberté de circulation
Right to organize	Liberté syndicale
Right to retain	Droit de rétention
Right to speak	Droit de parole
Right to strike	Grève (droit de)
Right to take back	Retour (droit de)
Right to vote	Cens électoral
Right to work	Travail (droit au)
Rights to move and gain livelihood	Liberté d'établissement
Riot	Émeute
Risk	Risque
River navigation	Navigation fluviale
Riverside resident	Riverain
Road	Chemin
Robbery	Vol qualifié
Robe	Toge
Rogatory commission	Commission rogatoire
Role	Mission
Roll	Rôle Tableau
Roll for hearing	Rôle d'audience
Roll of rental values	Rôle de la valeur locative
Root	Souche
Rotating strike	Grève tournante
Royal assent	Sanction Sanction royale
Royal commission	Commission royale d'enquête
Royalties	Auteur (droits d') Redevance
Royalty	Redevance
Ruin	Ruine
Rule	Régime Règle
Rule of conflict	Règle de conflit
Rule of conflict of jurisdictions	Conflit de juridictions (règles de)
Rule of conflict of laws	Conflit de lois (règles de)
Rule of jurisdictional competence	Conflit de juridictions (règles de)
Rule of law	État de droit Légalité (principe de la) Primauté du droit
Rule (to)	Prononcer

	Statuer
Rules	Règle
Rules of practice	Règles de pratique
Rupture	Rupture
Rural	Rural
Rural municipality	Municipalité de campagne
Rural road	Chemin rural
Rural servitude	Servitude rurale

S

Safekeeping	Garde
Safety (obligation of)	Sécurité (obligation de)
Safety standards	Normes de sécurité
Said	Dit
Sailing	Navigation de plaisance
Salaried	Salarié
Salary	Salaire
	Traitement
Salary (from a)	Salarial
Sale	Solde
	Vente
Sale by a creditor who holds a hypothec	Vente par le créancier d'un bien grevé d'une hypothèque
Sale by auction	Adjudication
	Vente aux enchères
Sale by judicial authority	Vente sous contrôle de justice
Sale by order of the Court	Vente judiciaire
Sale by weight,number or measure	Vente au poids, au compte ou à la mesure
Sale of an enterprise	Vente d'entreprise
Sale of creance	Vente de créance
Sale of debt	Vente de créance
Sale of litigious rights	Vente de droits litigieux
Sale of rights of succession	Vente de droits successoraux
Sale on credit	Vente à crédit
Sale on trial	Vente à l'essai
Sale price	Prix de vente
Sale upon trial	Vente à l'essai
Sale with a right of redemption	Vente à réméré
	Vente avec faculté de rachat
Sales representative	Agent commercial
Salesman	Vendeur

Salvage charges	Frais de sauvetage
Sanction (to)	Sanctionner
Satisfaction	Satisfaction
Safeguard	Sauvegarde
Scab	Briseur de grève
Schedule	Annexe
Schedule of charge	Charges (cahier des)
Scheme of collocation	Collocation (état de)
School board	Commission scolaire
School corporation	Commission scolaire
School municipality	Municipalité scolaire
Sea bottom	Fond marin
Seabed	Fond marin
Sea-floor	Fond marin
Seal	Sceau
Seal (to)	Apposer les scellés
Seals	Scellés
Search	Perquisition
Search of titles certificate	Certificat de recherche
Search warrant	Mandat de perquisition
Seasonal tolerance	Tolérance temporaire
Seat	Siège
Seat of department	Ministère
Seat of ministry	Ministère
Secession	Sécession
Second degree murder	Meurtre au deuxième degré
Second residence	Résidence secondaire
Secondary	Secondaire
Secrecy of deliberations	Secret des délibérations
Secret	Secret
Secret ballot	Scrutin secret
Secret contract	Contrat secret
Secret mandate	Prête-nom
Secret possession	Possession clandestine
Secretary	Secrétaire
Secretary General of Conseil exécutif	Secrétaire général du Conseil exécutif
Secretary of State	Secrétaire d'État
Secretary of State for External Affairs	Secrétaire d'État aux Affaires extérieures
Secular corporation	Corporation séculière
Secure custody	Garde en milieu fermé
Secured creditor	Créancier garanti
Secured hypothec	Hypothèque à l'abri
Security	Caution

(suite)

(suite)	Cautionnement Garantie Sécurité Sûreté Valeur mobilière
Security for costs	Cautionnement *judicatum solvi*
Security in bearer form	Valeur mobilière au porteur
Security in registered form	Valeur mobilière nominative
Security of tenure	Inamovibilité
Security standards	Normes de sécurité
Security with delivery	Sûreté avec dépossession
Security without delivery	Sûreté sans dépossession
Sedition	Sédition
Seditious	Séditieux
Seditious conspiracy	Conspiration séditieuse
Seditious intention	Intention séditieuse
Seditious libel	Libelle séditieux
Seditious offence	Infraction séditieuse
Seditious words	Paroles séditieuses
Seduction	Séduction
Seekable	Quérable
Seigniorial dues	Droit(s) seigneurial(aux)
Seigniorial rights	Droit(s) seigneurial(aux)
Seisin	Saisine
Seisin which falls to the State	Saisine de l'État
Seizability	Saisissabilité
Seizable	Saisissable
Seize by garnishment (to)	Saisir-arrêter
Seize (to)	Saisir
Seized	Saisi
Seizing	Saisissant
Seizing creditor	Saisissant
Seizure	Arrêt Saisie
Seizure before judgement	Saisie avant jugement
Seizure by garnishment	Saisie-arrêt
Seizure in execution	Saisie-exécution
Seizure in revendication	Saisie-revendication
Seizure of growing crops	Saisie-brandon
Seizure of immoveables in execution	Saisie-exécution immobilière
Seizure of moveable property in execution	Saisie-exécution mobilière
Selective strike	Grève perlée
Self serving declaration	Preuve préconstituée

Self-defence	Défense (légitime)
Self-employed worker	Travailleur indépendant
Self-government	Autonomie
Self-incrimination	Auto-incrimination Déclaration incriminante
Sell by auction (to)	Liciter
Seller	Vendeur
Semi-authentic act	Acte semi-authentique
Semi-skilled worker	Ouvrier spécialisé
Senate	Sénat
Senator	Sénateur
Sender	Expéditeur
Senior officer	Dirigeant
Sentence	Condamnation Sentence
Sentence by contumacy	Contumace (condamnation par)
Sentence *in absentia*	Contumace (condamnation par)
Sentence (to)	Condamner
Separate	Séparé
Separate estate	Bien(s) propre(s)
Separate property	Bien(s) réservé(s)
Separate valuation of objects	Ventilation
Separated	Séparé
Separation	Séparation
Separation as to property	Séparation de biens Séparation judiciaire de biens
Separation from bed and board	Séparation de corps
Separation of patrimonies	Séparation des patrimoines
Separation of powers	Séparation des pouvoirs
Separation of property	Séparation de biens Séparation judiciaire de biens
Sequestrated	Séquestré
Sequestration	Séquestre
Sequestrator	Séquestre
Serious	Sérieux Substantiel
Serious and irreparable prejudice	Préjudice sérieux et irréparable
Serious harm	Préjudice sérieux
Serious injury	Préjudice grave Préjudice sérieux
Serious offence	Faute grave Faute lourde
Serious prejudice	Préjudice sérieux

Servant . . . . Préposé

Serve (a sentence) (to) . . . . Purger

Serve a writ (to) . . . . Assigner

Serve (to) . . . . Signifier

Service . . . . Service
Signification

Services . . . . Louage de services

Servient land . . . . Fonds servant

Servient tenement . . . . Fonds servant

Servitude . . . . Servitude

Servitude by destination of proprietor . . . . Servitude par destination du père de famille
Servitude par destination du propriétaire

Servitude established by the act of man . . . . Servitude du fait de l'homme

Servitude of foot-road . . . . Servitude de marchepied

Servitude of no building . . . . Servitude de non-construction

Servitude of prospect . . . . Servitude de prospect

Servitude of right of view . . . . Servitude de vue

Servitude of right of way . . . . Servitude de passage

Servitude of the eaves of roofs . . . . . . Servitude des égouts des toits

Servitude of tow-path . . . . Servitude de halage

Session . . . . Session
Vacation

Set clause . . . . Clause de style

Set-off . . . . Compensation
Compensation bancaire
Reconvention

Setting on the roll . . . . Rôle (mise au)

Settle (to) . . . . Solder

Settlement . . . . Liquidation
Règlement

Settler . . . . Colon

Settlor . . . . Constituant

Sever (to) . . . . Disjoindre

Severance . . . . Disjonction

Sexual assault . . . . Agression sexuelle

Shadow cabinet . . . . Cabinet fantôme

Share . . . . Action (de compagnie ou de société par actions)
Lot
Part
Part sociale
Quote-part

Share by heads . . . . Tête (partage par)
Share by root . . . . Souche (partage par)
Share capital . . . . Capital-actions
Share with par value . . . . Action à valeur nominale
Share without par value . . . . . . Action sans valeur nominale
Shared . . . . Partagé
Shareholder . . . . Actionnaire
Shareholder list . . . . Liste des actionnaires
Sharing out . . . . Lotissement
Sheriff . . . . Shérif
Sheriff's sale . . . . Décret
Ship . . . . Navire
Shipper . . . . Chargeur
Expéditeur

Shore . . . . Rive
Short buying . . . . Achat à découvert
Short sale . . . . Vente à découvert
Short selling . . . . Vente à découvert
Shrinkage . . . . Freinte
Sickness insurance . . . . Assurance-maladie
Sign . . . . Enseigne
Indice

Signatory . . . . Signataire
Signature . . . . Seing
Signature

Signature on a blank document . . . . . Signature en blanc
Signature to a blank document . . . . . Blanc-seing
Signer . . . . Signataire
Significance . . . . Portée
Silence . . . . Silence
Similar facts evidence . . . . Acte(s) similaire(s) (preuve d')
Simple . . . . Pur
Simple

Simple administration of the property of others . . Administration du bien d'autrui (simple)
Simple admission . . . . Aveu simple
Simple attachment . . . . Arrêt simple
Simple deposit . . . . Dépôt simple
Simple loan . . . . Prêt (simple)
Simple modalities . . . . Obligation à modalité simple
Simple obligation . . . . Obligation pure et simple
Simple presumption . . . . Présomption simple
Simple warranty . . . . Garantie simple
Simply facultative condition . . . . . . Condition simplement facultative

Simply potestative condition	Condition simplement potestative
Simulated marriage	Mariage simulé
Simulation	Simulation
Single-parent	Monoparental
Single-parent family	Famille monoparentale
Sit (to)	Siéger
Site	Assiette
Sitting	Audience
	Mise
	Séance
Situs	Assiette
Skilled tradesman	Artisan
Skilled worker	Ouvrier qualifié
Skyjacking	Piraterie aérienne
Slander	Diffamation
	Libelle diffamatoire
Sleeping partner	Commanditaire
Slight offence	Faute légère
Slowdown strike	Grève perlée
Small Claims Court	Cour des petites créances
Social condition	Condition sociale
Social security	Sécurité sociale
Social trust	Fiducie d'utilité sociale
Social Welfare Court	Cour de bien-être social
Society	Société
Sodomy	Sodomie
Solemn	Solennel
Solemn act	Acte solennel
Solemn affirmation	Affirmation solennelle
	Serment
Solicitation	Démarchage
Solicitor	Avocat
	Avoué
	Conseiller en loi
Solicitor General	Solliciteur général
Solicitor-general	Solliciteur général
Solidarily	Solidairement
Solidarity	Solidarité
Solidarity between creditors	Solidarité entre les créanciers
Solidarity between debtors	Solidarité entre les débiteurs
Solidary	Solidaire
Solidary obligation	Obligation solidaire
Solidary surety	Caution solidaire

Solvency . . . . Solvabilité
Solvent . . . . Solvable
Source . . . . Source
Source of a claim . . . . Source d'une revendication
Sources of the law . . . . Sources du droit
Sovereign . . . . Souverain
Sovereign immunity . . . . Immunité de l'État souverain
Sovereignty . . . . Souveraineté
Sovereignty of the Parliament . . . . . . Souveraineté parlementaire
Space between the lines . . . . Interligne
Special . . . . Spécial
Special answer . . . . Duplique
Special authorization . . . . Procuration spéciale
Special clerk . . . . Greffier spécial
Special endorsement . . . . Endossement nominatif
Endossement spécial

Special jurisdiction . . . . Compétence liée
Special law . . . . Droit d'exception
Special mandate . . . . Mandat spécial
Special meeting . . . . Assemblée spéciale
Special partner . . . . Commanditaire
Special power . . . . Procuration spéciale
Special power of attorney . . . . Procuration spéciale
Special proceedings . . . . Procédure(s) spéciale(s)
Special procuration . . . . Procuration spéciale
Special prothonotary . . . . Protonotaire spécial
Special reply . . . . Triplique
Special roll . . . . Rôle spécial
Special statute . . . . Loi spéciale
Statut spécial

Special verdict . . . . Verdict spécial
Specialist in administrative law . . . . . . Administrativiste
Specialist in business law . . . . Commercialiste
Specialist in commercial law . . . . Commercialiste
Specialist in criminal law . . . . Criminaliste
Specialist in fiscal law . . . . Fiscaliste
Specialist in penal law . . . . Pénaliste
Specialist in private law . . . . Privatiste
Specialist in procedure law . . . . Procédurier
Specialist in public law . . . . Publiciste
Specie . . . . Espèces
Specific . . . . Spécifique
Specific intent . . . . Intention spécifique

English	Français
Specific performance	Exécution en nature
Specification	Spécification
Specifications	Charges (cahier des)
Specimen taking	Prélèvement
Speculation	Agiotage
	Spéculation
Speculator	Agioteur
Split	Fente
Spouse	Conjoint
	Épouse
Squatter	Occupant
Squatting	Occupation
Staffing	Dotation
Stamp	Timbres judiciaires
Stamps upon judicial proceedings	Timbres judiciaires
Standard	Norme
Standard clause	Clause de style
Standard contract	Contrat type
Standard contract form	Contrat d'adhésion
Standard-form contract	Contrat type
Standing	*Locus standi*
State	État
	Ministère public
State secret	Secret d'État
Stated capital	Capital émis
Statement	Bordereau
	Déclaration
	État
	Témoignage
Statement of case	Mémoire
Statement of facts	Constat
Statement of insolvency	Carence (procès-verbal de)
Statement of risk	Déclaration de risque
Status	État
	Statut
Statute	Loi
	Statut
Statute book	Recueils de lois
Statute law	Droit écrit
Statutes of Canada	Lois du Canada
	Statuts du Canada
Statutes of Quebec	Lois du Québec
	Statuts du Québec

English	Français
Statutory	Écrit
	Réglementaire
Statutory law	Droit statutaire
Statutory provision	Disposition
Stay	Sursis
Stay a judgment (to)	Surseoir à statuer
Step-child	Enfant d'un premier lit
Stipulate (to)	Disposer
	Stipuler
Stipulation	Stipulation
Stipulation for another	Stipulation pour autrui
Stipulation of resolution upon non-performance	Pacte commissoire
Stipulator	Stipulant
Stock	Action (de compagnie ou de société par actions)
Stock broker	Agent de change
Stock certificate	Certificat d'actions
Stock exchange	Bourse
Stock market	Bourse
Stock-in-trade	Fonds de commerce
Stop payment	Opposition à un chèque
Strategic strike	Grève bouchon
Straw man	Prête-nom
Straw party	Prête-nom
Strict interpretation	Interprétation stricte
Strict liability	Responsabilité objective
	Responsabilité sans faute
	Responsabilité stricte
Strict liability offence	Infraction de responsabilité stricte
Strict time limit	Délai de rigueur
Strike	Débrayage
	Grève
Strike breaker	Briseur de grève
Strike prior notice	Grève (préavis de)
Strike (to)	Radier
Striking from the roll	Radiation du rôle
Striking off (the roll)	Radiation
Study	Cabinet
Subamendment	Sous-amendement
Subcharterer	Sous-affréteur
Sub-collocation	Sous-ordre
Subcommittee	Sous-commission
Subcontract	Sous-contrat

	Sous-entreprise (contrat de)
	Sous-traitance
Subcontract (to)	Sous-traiter
Subcontracting party	Sous-contractant
Subcontractor	Sous-contractant
	Sous-entrepreneur
Subdivide (to)	Lotir
Subdivided	Loti
Subdivider	Lotisseur
Subdivision	Lotissement
Subject of rights	Sujet de droit
Subject to	Soumettre
	Sujet
Subject to (the obligation of)	Charge de (à)
Subjective	Subjectif
Subjet to	Réserve de (sous)
Sublease	Sous-location
Sublease (to)	Sous-louer
Sublessee	Sous-locataire
Sublet (to)	Sous-fréter
	Sous-louer
Subletting	Sous-affrètement
Sub-mandatary	Sous-mandataire
Sub-mandate	Sous-mandat
Sub-mandator	Sous-mandant
Submission	Compromis
	Soumission
Submit (to)	Référer à (en)
	Saisir
	Soumettre
Submit to arbitration (to)	Compromettre
Submit to justice (to)	Justice (s'en rapporter à la)
	Rapporter à la justice (s'en)
Subordinate holding	Démembrement
Subpoena duces tecum (writ of)	Subpoena duces tecum (bref de)
Subpoena (writ of)	Citation à comparaître
	Subpoena (bref de)
Subrogate	Subrogé
Subrogate (to)	Subroger
Subrogated party	Subrogé
Subrogated policy holder	Titulaire subrogé
Subrogate-tutor	Subrogé tuteur
Subrogating creditor	Subrogeant

Subrogation	Subrogation
Subrogator	Subrogeant
Subrogatory	Subrogatif Subrogatoire
Subrogatory action	Action subrogatoire
Subscribe (to)	Souscrire
Subscribed capital	Capital souscrit
Subscriber	Signataire Souscripteur
Subscription	Souscription
Subsequent acquirer	Acquéreur subséquent
Subsequent acquisition	Sous-acquisition
Subsequent offence	Récidive
Subsequent purchaser	Acquéreur subséquent Tiers-acquéreur
Subsequent vendee	Acquéreur subséquent
Subsidiarily	Subsidiairement
Subsidiarity	Subsidiarité
Subsidiary	Subsidiaire
Subsidiary means	Moyen subsidiaire
Subsidy	Prime
Subsoil	Tréfoncier Tréfonds
Subsoil owner	Tréfoncier
Substance	Fond Substance
Substandard work	Malfaçon
Substantial	Substantiel
Substantially	Substantiellement
Substantive condition	Condition de fond
Substantive defect	Vice de fond
Substantive law	Droit positif Droit substantiel
Substitute	Appelé
Substitution	Substitution
Substitution *de residuo*	Substitution *de residuo*
Substitution of punishment	Substitution de peine
Successful bidder	Adjudicataire
Succession	Hoirie Succession
Successive	Successif
Successive carriage	Transport successif
Successor	Ayant cause

(suite)

	Successeur
	Successible
Successor by general title	Ayant cause à titre universel
Successor by particular title	Ayant cause à titre particulier
Successor by universal title	Ayant cause universel
Sue (to)	Actionner
	Attaquer
	Contraindre
	Ester (en justice)
	Intenter
	Poursuivre
Sufferance	Tolérance
Suffrage	Suffrage
Suffrage on the basis of property qualification	Suffrage censitaire
Suggestion	Suggestion
Suggestive interrogation	Question suggestive
Suicide	Suicide
Suit	Instance
Suitable	Apte
Summary	Sommaire
Summary conviction court	Cour des poursuites sommaires
Summary convictions	Déclaration de culpabilité par procédure sommaire
	Poursuites sommaires
Summary matter	Matière sommaire
Summary offence	Infraction sommaire
Summary proceeding	Procédure sommaire
Summon (to)	Assigner
Summoning	Assignation
Summons	Assignation
	Citation
Summons to appear	Sommation
Sumptuary	Somptuaire
Superficiary	Propriétaire superficiaire
	Superficiaire
Superficiary ownership	Propriété superficiaire
Superficies	Propriété superficiaire
Superintendence	Surveillance
Superintending and reforming power	Contrôle judiciaire
	Pouvoir de surveillance et de contrôle
Superior court	Cour supérieure
Superior court of criminal jurisdiction	Cour supérieure de juridiction criminelle
Superior force	Force majeure

Supernumerary judge	Juge surnuméraire
Supervision	Surveillance
Supplementary partition	Partage supplémentaire
Supplementory oath	Serment supplétoire
Suppletive	Supplétif
Suppletive law	Dispositive (loi)
Suppletory	Supplétoire
Suppletory oath	Serment supplétoire
Supplier	Fournisseur
Support	Aliments Créance alimentaire Pension alimentaire Soutien
Support of family	Soutien de famille
Supporting document	Pièce justificative
Supralegislative	Supralégislatif
Supranational	Supranational
Supreme Court of Canada	Cour suprême du Canada
Surcharge	Surtaxe
Sure	Certain
Surety	Caution
Surety warrantee	Fidéjusseur
Surety-bond	Cautionnement
Suretyship	Cautionnement Garantie
Suretyship for a part of the debt	Cautionnement limité
Surface	Superficie
Surname	Nom de famille
Surrender	Délaissement
Surrender value	Rachat (valeur de)
Surviving	Survivant
Surviving spouse	Conjoint survivant
Survivor	Survivant
Survivorship	Survie
Suspended sentence	Sursis de sentence
Suspension	Sursis Suspension
Suspension of hearing	Suspension d'audience
Suspension of payment	Paiement (cessation de)
Suspension of prescription	Suspension de la prescription
Suspension of sentence	Sursis de sentence
Suspensive	Suspensif
Suspensive condition	Condition suspensive

Suspensive term	Terme suspensif
Swear (to)	Jurer
Swearing in	Assermentation
Swindling	Escroquerie
Synallagmatic	Synallagmatique
Synallagmatic contract	Contrat synallagmatique
Syndic	Syndic
Syndicate	Syndicat
	Syndicat de copropriété
	Syndicat de courtiers
System	Système
System of rules governing land ownership	Régime foncier

T

Tacit	Tacite
Tacit acceptance	Acceptation tacite
Tacit consent	Consentement tacite
Tacit mandate	Mandat tacite
Tacit renewal	Tacite reconduction
Tackle	Agrès
Take exception (to)	Exciper
Take proceedings against (to)	Actionner
Take (to)	Produire
Take to court (to)	Ester (en justice)
Take up the defence (to)	Fait et cause (prendre)
Taking (an oath)	Prestation
Taking away	Enlèvement
Taking back	Reprise
	Retour
Taking in payment	Prise en paiement
Taking of (an oath)	Prestation
Taking possession (for purpose of administration)	Prise de possession
Talks	Pourparlers
Tangible property	Bien corporel
Tariff	Tarif
	Tarifaire
Tax	Droit
	Impôt
	Taxe
Tax avoidance	Évasion fiscale
	Évitement fiscal

Tax court of Canada	Cour canadienne de l'impôt
Tax credit	Crédit d'impôt
Tax declaration	Déclaration d'impôt
Tax department	Fisc
Tax dodging	Évitement fiscal
Tax evasion	Évasion fiscale
Tax relief	Dégrèvement
Tax return	Déclaration d'impôt
Tax system	Fiscalité
Tax (to)	Imposer
Taxable	Imposable Taxable
Taxation	Imposition Taxe
Technical argument	Argument de procédure
Telewarrant	Télémandat
Temporary	Intérimaire Temporaire Vacataire
Temporary administrator	Administrateur provisoire
Temporary disability	Incapacité temporaire
Temporary employee	Occasionnel
Temporary lay off	Mise à pied
Temporary release	Libération provisoire Liberté provisoire
Temporary worker	Occasionnel
Tenant	Locataire
Tenant in common	Indivisaire
Tender	Offre Offres réelles Soumission
Tender (to)	Soumissionner
Tenderer	Soumissionnaire
Tentative agreement	Accord de principe
Tentative offer	Pollicitation
Tenure	Tenure
Term	Délai Échéance Session Terme
Term of grace	Délai de grâce
Term sale	Vente à terme
Terrain	Terrain

Territorial division	Circonscription électorale
Territorial enclave	Enclave
Territorial jurisdiction	Compétence territoriale
Territorial waters	Eaux territoriales
Territoriality	Territorialité
Territory	Territoire
Testamentary	Testamentaire
Testamentary act	Acte testamentaire
Testamentary disposition	Testamentaire (disposition)
Testamentary executor	Testamentaire (exécuteur)
Testamentary heir	Héritier institué
Testamentary hypothec	Hypothèque testamentaire
Testamentary succession	Succession testamentaire
Testamentary usufruct	Usufruit testamentaire
Testator	Testateur
Testify (to)	Déposer
Testimony	Déposition Témoignage
Textual argument	Argument de texte
That can be compensated	Réparable
The burden of proof rests on the plaintiff	*Onus probandi*
The foregoing constitutes legal publication	Dont acte
The law officer	Officier en loi
Theft	Larcin Vol Vol simple
Theory of expedition	Expédition (théorie de l')
Theory of reception	Réception (théorie de la)
Theory of unforeseen events	Imprévisible
Thing	Chose Corps
Thing in common	Bien(s) commun(s)
Thing not due	Indu
Things without an owner	Bien(s) sans maître
Third party	Mis en cause Tiers
Third party called in warranty	Garantie (appelé en)
Third party opponent	Tiers-opposant
Third person beneficiary	Tiers bénéficiaire
This	Icelui
Ticket	Contravention
Time	Délai Temps

Time charter	Affrètement à temps
Time contract	Contrat de durée
Tithe	Dîme
Title	Titre
Title of ownership	Titre de propriété
Tolerance	Tolérance
Tortious	Délictueux
Total	Masse
Total disability	Incapacité totale
Total loss	Perte totale
Total payroll	Masse salariale
Town council	Conseil municipal
Trade	Métier
Trade mark	Marque de commerce
Trade-mark	Marque de commerce
Trade secret	Secret commercial
Trade-union	Association de salariés
Tradition	Tradition
Traffic of narcotic	Stupéfiant (trafic de)
Trainee	Stagiaire
Training course	Stage
Training period	Stage
Transact (to)	Transiger
Transaction	Règlement hors cour Transaction
Transcription	Traduction (des notes sténographiques)
Transfer	Cession Mutation Transfert Translation Virement
Transfer tax	Mutation (droits de)
Transfer (to)	Céder Déférer Transférer
Transferability	Cessibilité
Transferable	Cessible Transférable
Transferee	Cessionnaire
Transferor	Cédant
Transferred	Déféré
Transgression	Violation
Transhipping	Transbordement

Transitional law . . . . Droit transitoire
Translatory . . . . Translatif
Translatory act . . . . Acte translatif
Transmissibility . . . . Transmissibilité
Transmissible . . . . Transmissible
Transmission . . . . Transmission
Transmission by general title . . . . . . Transmission à titre universel
Transmission by particular title . . . . . . Transmission à titre particulier
Transmit (to) . . . . Transmettre
Traveller . . . . Voyageur
Traverse . . . . Dénégation
Treason . . . . Trahison
Treasure . . . . Trésor
Treasury Board . . . . Conseil du trésor
Treaty . . . . Traité
Trial . . . . Enquête
Instruction
Procès
Trial by jury . . . . Procès par jury
Tribunal . . . . For
Tribunal
Truce . . . . Trêve
True copy . . . . Copie conforme
Trust . . . . Acte de fiducie
Fidéicommis
Fiducie
Trust
Trust company . . . . Société de fiducie
Trust fund . . . . Compte en fidéicommis
Trust indenture . . . . Acte de fiducie
Trust patrimony . . . . Patrimoine fiduciaire
Trustee . . . . Fiduciaire
Syndic
Truthfulness . . . . Véracité
Try (to) . . . . Instruire
Turning over . . . . Remise
Tutelary . . . . Tutélaire
Tutor . . . . Tuteur
Tutor *ad hoc* . . . . Tuteur *ad hoc*
Tutor to property . . . . Tuteur aux biens
Tutor to the emancipated minor . . . . . . Tuteur au mineur émancipé
Tutor to the person . . . . Tuteur à la personne
Tutorship . . . . Tutelle

Tutorship council	Conseil de tutelle
Tutorship to a minor	Tutelle au mineur
Tutorship to a person of full age	Tutelle au majeur
Tutorship to a prodigal	Tutelle au prodigue
Tutorship to property	Tutelle aux biens
Tutorship to the absentee	Tutelle à l'absent
Tutorship to the person	Tutelle à la personne

U

Unacceptability	Irrecevabilité
Unalienable	Inaliénable
Unanimity	Unanimité
Unanimous shareholder agreement	Convention unanime des actionnaires
Unapparent servitude	Servitude non apparente
Unassignability	Incessibilité
Unassignable	Incessible
Unauthorized	Abusif Usurpatoire
Unavailability	Indisponibilité
Unavailable	Indisponible
Unavoidable necessity	État de nécessité
Unborn child	Enfant conçu
Uncertain	Incertain
Uncertain term	Terme incertain
Unconditional	Pur et simple
Unconstitutional	Inconstitutionnel
Unconstitutionality	Inconstitutionnalité
Undecided	Pendant
Undeclared labour	Travail au noir
Undeclared partnership	Société en participation
Under seizure	Saisi
Under the condition of	Charge de (à)
Under the obligation of	Charge de (à)
Under-insurance	Sous-assurance
Undertaking	Entreprise
Undisposability	Indisponibilité
Undisposable	Indisponible
Undisputable date	Date certaine
Undivided	Indivis
Undivided co-ownership	Copropriété par indivision
Undivided estate	Bien indivis

Undivided owner	Indivisaire
Undivided-co-owner	Indivisaire
Undue	Indu
Unemployability	Inaptitude au travail
Unemployment insurance	Assurance-chômage
Unenacted law	Droit non écrit
Unenforceable	Inexécutoire
Unequivocal possession	Possession non équivoque
Unescapable	Droit strict (en)
Unexecuted	Inexécuté
Unexpected	Imprévu
Unfair competition	Concurrence déloyale
Unforeseeability	Imprévisibilité
Unforeseeable	Imprévisible
Unforeseen	Imprévu
Unfulfilled	Inexécuté
Ungratefulness	Ingratitude
Unhealthy	Insalubre
Unilateral	Unilatéral
Unilateral act	Acte unilatéral
Unilateral contract	Contrat unilatéral
Unilinear	Unilinéaire
Uninominal system	Scrutin uninominal
Unintentional intoxication	Intoxication involontaire
Union	Association de salariés Syndical Syndicat Union
Union affiliation	Affiliation syndicale
Union association	Association syndicale
Union certification	Accréditation syndicale
Union representative	Représentant syndical
Unitarian	Unitaire
Universal legacy	Legs universel
Universal legatee	Légataire universel
Universal partnership	Société universelle
Universal partnership of gains	Société universelle des gains
Universal successor	Ayant cause universel
Universal suffrage	Suffrage universel
Universal transmission	Transmission universelle
Universal usufruct	Usufruit universel
Universality	Universalité
Unjust enrichment	Cause (enrichissement sans)

Enrichissement injustifié

Unlawfully . . . . Illégalement

Unmarried mother . . . . Mère célibataire

Unperformed . . . . Inexécuté

Unpredictability . . . . Imprévisibilité

Unpredictable . . . . Imprévisible

Unpublished . . . . Inédit

Unreported work . . . . Travail au noir

Unrestricted . . . . Libre

Unseaworthy . . . . Innavigable

Unsecured . . . . Chirographaire

Unseizability . . . . Insaisissabilité

Unseizable . . . . Insaisissable

Unseizable property . . . . Bien insaisissable

Unspecified . . . . Incertain
Indéterminé

Unsure . . . . Incertain

Untransferable . . . . Intransférable

Unvalued contract . . . . Contrat à découvert
Contrat à valeur indéterminée

Unvalued policy . . . . Contrat à découvert

Unworthiness of inheriting . . . . Indignité successorale

Unwritten law . . . . Droit non écrit

Updating report . . . . Rapport d'actualisation

Upper chamber . . . . Chambre haute

Upper house . . . . Chambre haute

Uprightness . . . . Intégrité

Urban . . . . Urbain

Urban community . . . . Communauté urbaine

Urban servitude . . . . Servitude urbaine

Urgency . . . . Urgence

Urgent . . . . Urgent

Usage . . . . Usage

Use of narcotic . . . . Stupéfiant (usage de)

Useful disbursements . . . . Impenses utiles

Useful expenses . . . . Impenses utiles

User . . . . Usager

Usher . . . . Huissier-audiencier

Usucapio . . . . Usucapion

Usucapion . . . . Usucapion

Usucapt (to) . . . . Usucaper

Usufruct . . . . Usufruit

Usufruct by general title . . . . Usufruit à titre universel

Usufruct by particular title	Usufruit à titre particulier
Usufructuary	Usufructuaire
	Usufruitier
Usurer	Usurier
Usurious	Usuraire
Usurious interest rate	Taux d'intérêt usuraire
Usurious loan	Prêt usuraire
Usurpation	Usurier
Usurpatory	Usurpatoire
Usury	Usure
Uterine	Utérin

V

Vacancy	Vacance
Vacant	Vacant
Vacant property	Bien vacant
Vacant succession	Succession vacante
Vacation	Vacance
Vagrancy	Vagabondage
Valid	Valide
Validate (to)	Valider
Validation	Validation
Validity	Validité
Value	Valeur
Valued contract	Contrat à valeur agréée
Valued policy	Police évaluée
Vendee	Achat
	Acquéreur
Vendor	Vendeur
Veracity	Véracité
Verbal	Verbal
Verdict	Verdict
Verification	Récolement
	Vérification
Verification of handwriting	Vérification d'écriture
Verify (to)	Récoler
Vertical amalgamation	Fusion verticale
Vertical consolidation	Fusion verticale
Vertical merger	Fusion verticale
Vessel	Navire
Vested	Dévolu

Vested rights	Droit(s) acquis
Vested right(s)	Droit(s) acquis
Vesting	Dévolution
Veto	Veto
Veto power	Veto (droit de)
Vexatious	Vexatoire
Viability	Viabilité
Viable	Viable
Vice versa	Réciproquement
Vice-admiralty Court	Cour de vice-amirauté
Victim	Victime
Vidimus	Vidimus
Viduity	Viduité
View	Vue
Vigilance	Diligence
Vigilant	Diligent
Village municipality	Municipalité de village
Violation	Abus Atteinte Violation
Violation of the law	Violation de la loi
Violence	Violence
Violent possession	Possession violente
Visa	Visa
Vitiate (to)	Entacher
Vitiated consent	Consentement vicié
Vocational course	Stage
Voice	Voix
Void (null and)	Non avenu
Voir-dire	Voir-dire
Voluntary	Consensuel Volontaire
Voluntary cancellation	Radiation volontaire
Voluntary cancelling	Radiation volontaire
Voluntary deposit	Dépôt volontaire
Voluntary deposit of wages	Dépôt volontaire (des traitements)
Voluntary discontinuance	Désistement d'action
Voluntary execution	Exécution volontaire
Voluntary intervention	Intervention volontaire
Voluntary licitation	Licitation volontaire
Voluntary partition under control of justice	Partage volontaire en justice
Voluntary representation	Représentation volontaire
Voluntary sale	Vente volontaire

Volunteer	Volontaire
Voluptuary disbursements	Impenses voluptuaires
Voluptuary expenses	Impenses voluptuaires
Vote	Scrutin Voix Vote
Vote of no confidence	Vote de non-confiance
Voter	Électeur
Voting booth	Isoloir
Voting compartment	Isoloir
Voting right	Délibérative (voix)
Voucher	Pièce Pièce justificative
Voyage charter	Affrètement au voyage
Voyage contract	Contrat au voyage
Vulgar substitution	Substitution vulgaire

Wage bill	Masse salariale
Wage parity	Parité salariale
Wages	Gages
Wages (from the)	Salarial
Waiting period	Délai de carence
Waiver	Renonciation
Waiving of age limit	Âge (dispense d')
Walk out	Débrayage
Warden	Préfet
Warrant	Mandat
Warrant for arrest	Mandat d'amener Mandat d'arrestation
Warrant for committal	Mandat de dépôt
Warrant in blank	Mandat en blanc
Warrantee	Garanti
Warrantor	Garant
Warranty	Garantie
Warranty against acts of third persons	Garantie du fait des tiers
Warranty against eviction	Garantie contre l'éviction
Warranty against latent defects	Garantie des vices cachés
Warranty against personal acts	Garantie du fait personnel
Warranty of copartitioners	Garantie du partage
Warranty of ownership	Garantie de droit de propriété

Warranty of partition	Garantie du partage
Warranty of payment	Garantie de fournir et faire valoir
Warranty of quality	Garantie de qualité
Wasting asset	Bien consomptible
Water	Eau
Waterways transport	Navigation fluviale
Wedding	Noce(s) Nuptial
Wedding bond	Alliance
Whereas	Attendu
Which deprives of	Privatif
White paper	Livre blanc
Widow	Conjoint survivant Veuve
Widowed mother	Mère veuve
Widower	Conjoint survivant Veuf
Widowerhood	Viduité
Widowhood	Viduité
Wife	Épouse
Wildcat strike	Grève sauvage
Wilful blindness	Aveuglement volontaire
Wilfully	Sciemment
Will	Testament Volonté
Will made in the form derived from the laws of England	Testament suivant la forme dérivée de la loi d'Angleterre
Will made in the presence of witnesses	Testament devant témoins
Winding up	Liquidation
Wish	Volonté
With a term	Terme (à)
With good reason	À bon droit
Withdraw (to)	Distraire
Withdrawal	Déport Distraction Retrait
Withdrawal option	Dédit
Withhold a decision (to)	Surseoir à statuer
Without affecting	Préjudice (sans)
Without distinction of	Acception de personne (sans)
Without partition	Indivis (par)
Without prejudice	Préjudice (sans)
Without the proper form	Forme (sans)

Witness	Témoin
Witness for the accused	Témoin à décharge
Witness for the prosecution	Témoin à charge
Witnessing	Certification
Wording	Libellé
Work	Ouvrage Travail
Work by estimate and contract	Ouvrage par devis et marché
Work relations	Relations de travail
Work relationship	Relations de travail
Work to rule	Grève du zèle
Worker	Ouvrier Salarié Travailleur
Working day	Jour ouvrable
Workman	Ouvrier
Workman privilege	Ouvrier (privilège)
Wrap-around	Hypothèque enveloppe
Wreck	Épave
Writ	Bref
Writ of attachment	Bref de saisie-arrêt
Writ of *certiorari*	*Certiorari* (bref de)
Writ of execution	Bref de saisie-exécution
Writ of expulsion	Expulsion (bref d')
Writ of *fieri facias*	*Fieri facias* (bref de)
Writ of possession	Bref de possession
Writ of prohibition	Prohibition (bref de)
Writ of seizure and sale	Bref de saisie-exécution
Writ of seizure before judgment	Bref de saisie avant jugement
Writ of seizure by garnishment	Bref de saisie-arrêt
Writ of seizure in execution	Bref de saisie-exécution
Writ of summons	Bref d'assignation
Writ of *venditioni exponas*	Bref de *venditioni exponas*
Write down (to)	Consigner
Writing	Pièce
Writing down	Consignation
Written	Écrit
Written appearance	Acte de comparution
Written instrument	Écrit instrumentaire
Written notice	Notification
Written pleadings	Plaidoirie écrite
Written proceedings	Procédure écrite
Written question	Question écrite

Written requisition . . . . Réquisition écrite
Written statute law . . . . Droit écrit

Y

Yearly . . . . Annal
Young offender . . . . Jeune contrevenant
Young person . . . . Adolescent
Younger . . . . Puîné
Youngest . . . . Puîné
Youth Court . . . . Tribunal de la jeunesse
Youth protection . . . . Protection de la jeunesse

Z

Zeal strike . . . . Grève du zèle
Zoning . . . . Zonage
Zoning by-law . . . . Zonage (règlement de)

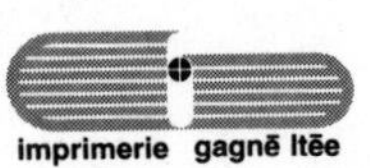

IMPRIMÉ AU CANADA